صفحات مطوية

من تاريخ ليبيا السياسي

صفحات مطوية

من تاريخ ليبيا السياسي

مذكرات رئيس وزراء ليبيا الأسبق

مصطفى أحمد بن حليم

منشورات الرمال

الطبعة الأولى
دار الهاني - لندن ١٩٩٢

الطبعة الثانية ٢٠١١
دار منشورات الرمال - نيقوسيا، قبرص
www.rimalbooks.com

ISBN 978-9963-610-76-1

طباعة: كاليغراف، بيروت - لبنان
www.calligraphpress.com

بسم الله الرحمن الرحيم

إهـداء

إلى الشعب الليبي الذي دفع ثمناً فادحاً وعانى مرارة الظلم والقهر، أهدي قطعة من تاريخ ليبيا الحقيقي غابت عنه طويلاً، علّها تكون البشرى بقرب زوال عهد القهر والضياع وانبلاج فجر الحرية.

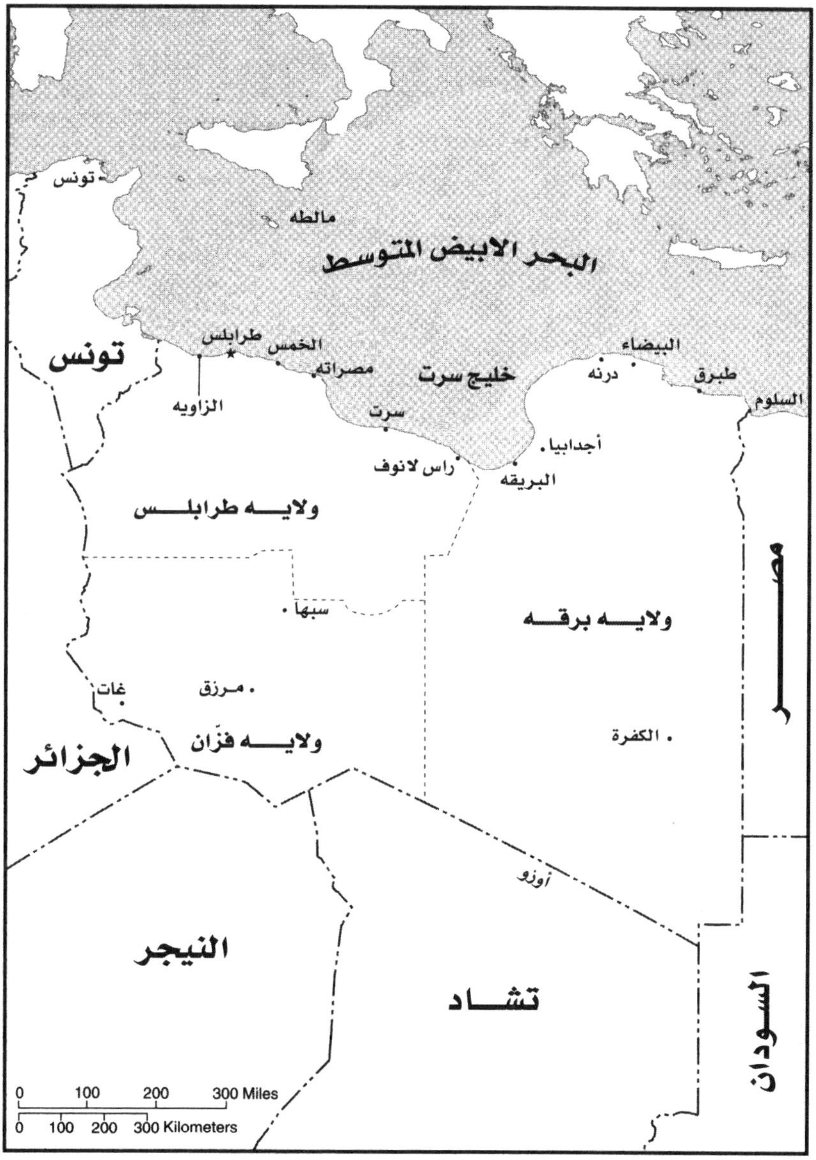

تونس
مالطه
البحر الابيض المتوسط
طرابلس
الخمس
مصراته
البيضاء
درنه
طبرق
السلوم
تونس
خليج سرت
الزاوية
سرت
أجدابيا
راس لانوف
البريقه
ولايه طرابلس
مصر
سبها
ولايه برقه
غات
مرزق
الكفرة
ولايه فزّان
الجزائر
أوزو
النيجر
تشاد
السودان
0 100 200 300 Miles
0 100 200 300 Kilometers

في هذا الكتاب

مقدمة

بسم الله الرحمن الرحيم

﴿ هَٰذَا بَيَانٌ لِّلنَّاسِ وَهُدًى وَمَوْعِظَةٌ لِّلْمُتَّقِينَ ﴿١٣٨﴾ وَلَا تَهِنُوا وَلَا تَحْزَنُوا وَأَنتُمُ الْأَعْلَوْنَ إِن كُنتُم مُّؤْمِنِينَ ﴿١٣٩﴾ إِن يَمْسَسْكُمْ قَرْحٌ فَقَدْ مَسَّ الْقَوْمَ قَرْحٌ مِّثْلُهُ ۚ وَتِلْكَ الْأَيَّامُ نُدَاوِلُهَا بَيْنَ النَّاسِ وَلِيَعْلَمَ اللَّهُ الَّذِينَ آمَنُوا وَيَتَّخِذَ مِنكُمْ شُهَدَاءَ ۗ وَاللَّهُ لَا يُحِبُّ الظَّالِمِينَ ﴿١٤٠﴾ وَلِيُمَحِّصَ اللَّهُ الَّذِينَ آمَنُوا وَيَمْحَقَ الْكَافِرِينَ ﴿١٤١﴾ ﴾ آل عمران. الآيات ١٣٨ ـ ١٤١.

كتبت هذه المقدمة المختصرة صباح يوم الاثنين ١٨ ربيع الأول ١٤٣٢ الموافق ٢١ فبراير ٢٠١١ وقد مرّت أيام على انطلاق ثورة ١٧ فبراير ٢٠١١، سيطر خلالها أحفاد عمر المختار على معظم أنحاء ليبيا، وبسطوا نفوذهم على معظم مفاصل القوة في ليبيا، ولم يتبقَ خارج السيطرة سوى بؤر صغيرة متناثرة، سوف ينتهي أمرها حينما يدكّ الشعب الليبي آخر معاقل الطغيان في معسكر باب العزيزية بمدينة طرابلس الحرة، وأنا كلّي يقين أن ذلك سيحدث بإذن الله قبل حتى أن تصل هذه الكلمات القليلة إليكم، وما ذلك على الله بعزيز.

الحمد لله ... الحمد لله ... الحمد لله الذي مدّ في عمري حتى أشهد هذا اليوم الذي طال إنتظاره وقد تحرّرت بلادي الغالية من الظلم والطغيان والجبروت والفساد الذي نخر بسوسه مفاصل المجتمع الليبي، وقد رفرف في سمائه عالياً خفاقاً علم الاستقلال الذي سقط في سبيله آلاف الشهداء.

لقد أهديت كتابي هذا عند صدوره سنة ١٩٩٢ الى الشعب الليبي وقلت «إهداء الى الشعب الليبي الذي دفع ثمناً فادحاً وعانى مرارة الظلم والقهر» وفي خاتمة الكتاب وجّهت نداء الى الشعب الليبي قلت فيه «ليسمح لي هذا الجيل الجديد الذي نرجو على يده كل الخير، أن أهمس في آذانهم بكل الودّ والحبّ أن الوطن وطنكم، والمستقبل أمامكم، وعليكم وحدكم يقع عبء إرجاع ليبيا كما كانت للخير والعدل والحرية، وعليكم وحدكم يقع واجب اعادة البسمة الى شفاه وقلوب شعبنا الطيب».

بالرغم من الجرائم والدماء والشهداء والجرحى والآلام، وبرغم المخاض العسير، إلا أنني أشاهد الفرحة في قلوب أبناء وبنات الشعب الليبي وأشاهد البسمة وهي تعلو شفاههم، وأكاد أشاهد عمر المختار ورفاقه الأبرار وقد ردّوا شباباً وهم يستقبلون ويحتضنون بفخر أحفادهم الشهداء الذين رفعوا الى العلا خلال ثورة ١٧ فبراير المجيدة، يقولون لهم أبشروا يا من حافظتم على الأمانة التي سلّمناها لكم، وأعدتم لليبيا وجهها الحضاري المشرق والمشرف، يقولون لهم يا خير خلف لصالح سلف، طبتم وطابت تضحياتكم وأبشروا برفقة النبيين والصالحين والشهداء، وحسن أولئك رفيقا، ذلك وعد من الله الذي لا يخلف وعده أبداً.

الحمد لله الذي أقرّ عيني برؤية هذا الشباب الجسور المنتفض لكرامته والمطالب بحقوقه وحريته وعزّته، وأهمس في أذانهم مرة اخرى بكل الاعتزاز والفخر والحب، حافظوا على وحدتكم وإتحادكم وكونوا يداً واحدة على كل من عاداكم، ولا تسمحوا لسارقي الثورات والطغاة والبغاة بأن يعودوا ليحكموكم ويسيطروا على مقاليد أموركم، إختاروا خياركم، والحذر كل الحذر من دعاة الفرقة والطائفية، وكونوا عباد الله إخواناً، صدق شيخ الشهداء حينما قال «نحن شعب لا نستسلم، ننتصر أو نموت».

عاشت ليبيا حرّة مستقلّة، رحم الله شهدائنا وشفى الله جرحانا وفكّ أسرانا وردّ غربتنا.

وآخر دعوانا أن الحمد لله ربّ العالمين.

دبي ٢٠١١

الباب الأول

الطريق إلى الوزارة

من الطفولة إلى الوزارة

لقد رأيت أنه ربما كان من المناسب أن أستهلّ هذا الفصل بإعطاء القارئ لمحة عن طفولتي وشبابي وأهم الأحداث التي أثرت في شخصيتي قبل دخولي في دوامة السياسة. أتحدث من خلاله عن المناخ السياسي في المنطقة، والحالة السياسية التي كانت سائدة في ليبيا خصوصاً في تلك الفترة الحاسمة من تاريخها في أواخر الأربعينات وأوائل الخمسينات، وليكون مدخلاً لشرح الأحداث التي عايشتها وشاركت في صنعها بعد وصولي إلى كرسي الوزارة ثم رئاسة الحكومة.

طفولتي وشبابي

والدي أحمد محمد بن حليم كان تاجراً من مدينة درنة، فقد امتهنت عائلتنا التجارة منذ قرون عديدة، وكانت تتلخص في تربية الأغنام في ربوع برقة وتصدير منتجاتها إلى مصر واليونان وتركيا، وإستيراد المواد الضرورية من تلك البلاد. وكانت المنطقة بين الجبل الأخضر والإسكندرية هي منطقة نشاط عائلتنا. وكان لنا منزل كبير في وسط مدينة درنة، عبارة عن حديقة (وسط حوش) مرصوفة بأحجار وادي درنة، تغطيها أشجار العنب وبها بئر عذب، وتتفتح تلك الحديقة على عدة أجنحة لكل فرع من إخوتي المتزوجين جناح. والبناء كان من الحجر والسقوف من خشب الشعراء، وكانت ساقية درنة تصل إلى حديقتنا مرة كل أسبوع وهو يوم الغسيل. وكان هناك مربط للخيل ومطبخ بالحطب وعدّة تنانير (جمع تنور)، وبجوار المربط مخازن للحبوب. وكانت هناك

عشرات الأزيار الضخمة مصفوفة في الحديقة بجوار الحوائط تستعمل لتخزين المواد الغذائية من سمن وقدّيد وأرز وقمح وغلّات أخرى.

كان والدي الإبن الوحيد لجدي وقد ورث عنه ثروة طائلة واستمرّ في مزاولة مهنة أجداده وقد اشتهر بسمعة طيبة وذكاء شديد.

في أكتوبر ١٩١١ بدأ الغزو الإيطالي لليبيا ونزلت القوات الإيطالية على الشواطئ وأقامت في المناطق التي احتلتها حكماً غاشماً أساسه المحاكم العسكرية القاسية الأحكام، سريعة التنفيذ. وحدث أن ألقت سلطات الاحتلال القبض على عدد من الملّاك من مدينة درنة بتهمة العثور على سلاح في أراضيهم، وكان والدي أحدهم.

تدخل قريبنا رئيس بلدية درنة، الحاج محمد صوّان، لدى السلطات العسكرية لصالح والدي وتمكّن من الإفراج عنه إفراجاً مؤقتاً إلى يوم المحاكمة، وهذا الإفراج المؤقت جعل اسم والدي في آخر قائمة المتهمين، وبذلك جاءت محاكمته في اليوم الثاني، إذ حوكم أغلب المتهمين في اليوم الأول وبعضهم حكم عليه بالإعدام.

ويقول والدي أنه لم ينم تلك الليلة حزناً على رفاقه في السجن وخوفاً من نفس المصير. إلاّ أنه تشجّع وألهمه الله الردود المقنعة عندما مثل أمام المحكمة العسكرية في اليوم التالي، إذ قال للكولونيل رئيس المحكمة العسكرية أن أرضه أرض زراعية غير مسوّرة ولا حارس لها، فكيف يكون مسؤولاً عما يلقيه الناس فيها، كما أكد للكولونيل أنه رجل أعمال ولا علاقة له بالمقاومة.

ويبدو أن رئيس المحكمة اقتنع بما سمع فأخلى سبيله. ويقول والدي: عندما رجعت إلى منزلنا في رفقة عشرات الأصدقاء والأقارب وجدت المنزل يضيق على سعته بالمهنئين، وأخذتني والدتي في حضنها وهي تبكي وتقول: إذهب يا ولدي لمصر وستجد فيها الأمان وفي ظهرك رجال ونساء كثيرون. تمكن والدي من الحصول على تصريح بالسفر إلى الإسكندرية للعلاج وغادر درنة ولم يعد إليها إلاّ عام ١٩٢١ بعد أن صدر عفو ملكي إيطالي عن تهمة أخرى حوكم والدي غيابياً بسببها بعد فراره إلى مصر ببضع سنين، وهي تهمة تمويل قافلة سلاح ومواد غذائية للمجاهدين.

عندما غادر والدي الوطن كان أخي الاكبر سليمان في الرابعة عشرة من عمره، فأوكل شؤون تجارته لخاله الحاج المبروك بن حليم، وأنشأ هو في الإسكندرية شركة تجارية نشاطها الرئيسي هو التجارة مع ليبيا. وفي الإسكندرية تعرف على الحاج محمد بن غلبون، وكان هو الآخر تاجر ثري في مدينة بنغازي نزح إلى الإسكندرية هرباً من ظلم الطليان. وتشارك والدي معه ثم تزوج ابنته (والدتي) وأنجب منها اربعة ذكور وثلاثة إناث. وكنت أنا الثاني في الترتيب إذ ولدت يوم ٢٩ يناير ١٩٢١ في الإسكندرية (وكان والدي يومئذ يقوم بأول زيارة له للوطن بعد هجرته)، وتربيت مع إخوتي في الإسكندرية في جوّ ليبي قُح. فكانت عاداتنا ولهجتنا وصداقاتنا كلها ليبية، إذ كانت الإسكندرية تعجّ بالمهاجرين الليبيين. وحرص والدي على تلقينا العلم الديني والمدني، فأرسلت أنا وأخي عبد المنعم في أول الأمر إلى مدرسة الشيخ محمد عمورة (وهو مهاجر ليبي) ثم التحقت بمدرسة سانت كاثرين الفرنسية، التي يديرها رهبان كاثوليك، ثم بكلية سان مارك الشهيرة. وكان والدي يتولى تحفيظنا القرآن الكريم في جلسات مسائية، ثم كان يدعو بعض طلبة الأزهر من الدراونة لتمضية إجازة شهر رمضان وجزءاً من الإجازة الصيفية في منزلنا حتى نتعلم منهم اللغة العربية وتعاليم الدين (وكان أشهرهم الشيخ عبد السلام بن عمران). وكان والدي يحرص على حضور الدروس الدينية التي يلقيها إمام المالكية بالإسكندرية الشيخ إبراهيم الغرباوي في مسجد سوق الخيط بعد صلاة العصر من شهر رمضان، وكان يصرّ علينا، أخي الأكبر وأنا، أن نحضر تلك الدروس.

أقام والدي سلسلة تجارية في صحراء مصر الغربية، فكان لنا محل تجاري في منطقة لنجيلة يشرف عليه عبد القادر عزّوز، وكانت لنا مشاركة مع ابن عمتي عبد الحميد الاطرش في سيدي برّاني، وكذلك مع الحاج عبد الكافي السمين في مرسى مطروح وأخرى مع مهاجرين آخرين، وكذلك في الضبعة والحمّام مريوط والسلّوم.

وفي أواخر فترات الجهاد عام ١٩٢٩ وجهت القنصلية الإيطالية (وكان لها حق سيادة قانونية على المواطنين الليبيين المقيمين في المملكة المصرية) تهمة لوالدي بأنه يستلم أموالاً من السيد أحمد الشريف المقيم في السعودية لدى الملك عبد العزيز

آل سعود، ويتولى إيصال تلك الأموال عن طريق شبكته التجارية المنتشرة في الصحراء الغربية المصرية إلى عمر المختار في الجبل الأخضر، ولكن الله أنجاه من عواقب تلك التهمة. (وكانت ملفقة في الواقع)

عندما بلغت الرابعة عشر من العمر كنت أُرسل مع أخي عبد المنعم في الإجازة الصيفية إلى محلاتنا التجارية للعمل فيها ولم يكن يُسمح لنا بالتنقل في سيارات والدنا بل كان علينا التنقل على ظهور الإبل، كما كنا نقوم بالأعمال اليدوية وأعمال التسويق، كما كنا نكلّف بحراسة المخازن وشون الشعير ونمضي الليل في الخيام مع العمّال الآخرين، وكان منهم كثير من المهاجرين الليبيين. وعلّمني الرماية بالبندقية السنوسي بو بريدان البرعصي، وهو من أشهر المجاهدين من الفرسان الذين عملوا مع عمر المختار، ثم لجأ إلى الصحراء بعد انتهاء المقاومة في الجبل الأخضر. وكنا، أخي وأنا، نمضي ساعات فراغنا مستمعين بانتباه وتشوّق عظيمين لقصص الجهاد الوطني وبطولات «المحافظية» أي المجاهدين، التي كان يرويها لنا سي السنوسي.وإن أنس لا أنسى درس الرماية الأول الذي علّمني إياه الشيخ السنوسي بو بريدان. فبعد أن علمني ملء البندقية والبارود والرش وشدّ البندقية إلى الكتف وتصويبها نحو الهدف، أخذ البندقية قائلاً سأريك الآن كيف تصطاد... وصوّب البندقية نحو هدهد كان قد مرّ في تلك اللحظة... ثم أطلق العيار فأخطأ الهدف وطار الهدهد هرباً... وإذ بذلك الشيخ الوقور ينهمر بالبكاء، واستغربت ذلك منه، بل استهجنته، وسألته ما الذي جعله يبكي هذا البكاء، فقال: يا بنيّ هذه هي المرة الأولى التي أخطئ فيها الهدف... لم ينجُ مني إيطالي أو صومالي... واليوم يفرّ مني عصفور... هدهد صغير.

وكثيراً ما تساءلنا، أخي وأنا، عن هدف والدنا في تلك المعاملة القاسية، ولكنني أدركته بعد ذلك بعشرات السنين، بعدما رجعت إلى الوطن وتوليت مناصب رفيعة وكان علي التعامل مع رجال القبائل مستعملاً لهجتهم وأمثالهم بل وأغانيهم.

وكان أبناء السيد أحمد الشريف يقيمون في صحراء مصر الغربية فتعرفت على أغلبهم خصوصاً أبو القاسم والعربي محي الدين، وكنت أزور الوطن مع بعض أفراد

العائلة أحياناً، فقد زرت درنة عدة مرات، ولكننا كنا نشعر بأننا مراقبين من المخابرات الإيطالية في تحرّكاتنا برغم الحفاوة التي كنا نلاقيها من أهلها وأقاربنا.

كانت إقامتنا في الإسكندرية في واحة ليبية وكان يقضي والدي أغلب وقته في التجارة والعبادة. أما السياسة فقد ابتعد عنها بعدما اكتوى بنارها. لكنه كان يميل نحو السيد أحمد الشريف ويرى فيه المجاهد المسلم الحق ذو المواقف الوطنية التي لا تشوبها الممارسات والأساليب السياسية.

وكانت جدتي (أم والدتي) تقيم معنا بعد طلاقها من جدّي وهي بنت عمه من الفرع المصراتي، وكانت شديدة الطيبة، ورعة، طاهرة، لم تكن تحلو السهرة لوالدي إلاّ إذا أحضرها وأجلسها عن يمينه، وكان يناديها «بالغلبونية». وكانت شديدة الصراحة لا تعرف تلوين الكلام والمداهنة واحتفظت بلهجتها المصراتية القُحّة وكانت تغذّي فينا الروح الوطنية وتقصّ علينا قصص الجهاد الليبي.

أما والدتي فكانت بالنسبة لي هي الصديق الحنون، وفيما كان والدي شديداً معنا دون عنف (لا أذكر أن والدي ضربني مرة واحدة) كانت والدتي هي مثال الحنان والرعاية والعطف، وكانت مثل والدتها شديدة الصراحة لا تحب النفاق أو الكلام المعسول، شديدة التقوى، حفظت عن أبيها القرآن وتعلّمت من إحدى زوجاته اللغة التركية وأجادتها. وكانت تحفظ الكثير من الشعر البدوي البرقاوي خصوصاً شعر الجهاد، وما أكثر ما حفظت منها من ذلك الشعر، وما زال عالقاً في ذهني جزء من قصيدة قالتها عند احتلال الطليان لبنغازي:

إسـم اللّه بـنـغـازي الـعـجـيـبـة   جـاهـا جـيـش ومـا تـدري بـه
خـلّـى ركّـابـيـن الـخـيـل   يـقـولـوا لـلـطـلـيـانـي طـيـبـه
وخـش الـقـصـر مـع الاصـبـاح   وطـوّح كـرسـي الـمـواديـر
وقـال حـلـفـنـا مـا نـرتـاح   وفـي بـنـغـازي طـيـر يـطـيـر

وكان ابن خال والدتي إبراهيم علي بن غلبون، أحد المجاهدين الذين أمضوا سنوات عديدة في الجهاد الوطني تحت إمرة القائد المجاهد رمضان السويحلي ثم إبراهيم وسعدون السويحلي، ولما تشتَّت المقاومة الوطنية في ولاية طرابلس الغرب، فرّ إلى مصر مع أحمد السويحلي. وكان الخال إبراهيم بن غلبون، كما كنا نسمّيه، هو الذي علّمنا تاريخ الجهاد في مصراته وبطولات المجاهد رمضان السويحلي، وكانت عينا الخال إبراهيم تدمعان بغزارة وتنتابه العبرات بعصبية ظاهرة عندما يصل في حديثه معنا إلى أواخر ايام الجهاد وتفكك المقاومة ثم توقفها. كل هذا كان يغذي فينا، إخوتي وأنا، الروح الوطنية وشعور الاعتزاز ببطولات مجاهدي الوطن.

في هذه البيئة الليبية المتديّنة المحافظة في البيت، الفرنسية المتحرّرة في المدرسة نشأت. وكانت الدراسة في كلية سان مارك أوسع مجالاً وأفقاً وأكثر جدية من الدراسة في المدارس الحكومية، فقد كنا ندرس المنهاج الحكومي لشهادة البكالوريا، وكانت جميع مواد الدراسة من رياضة وفيزياء وكيمياء وتاريخ وجغرافيا... تدرس بالفرنسية. وكانت هناك عناية فائقة وخاصة باللغة العربية، إذ استعملت الكلية مدرسين من خيرة خريجي دار العلوم وضاعفت من ساعات دراسة اللغة العربية، ربما درءاً لما قد يُظن من إهمالها اللغة العربية، وفضلاً عن ذلك فقد كنا ندرس علوماً إضافية أخرى مثل الموسيقى والخطابة وعلم «الإتيكيت»، كما كان هناك الكثير من الأنشطة والجمعيات الثقافية، مثل جمعية الثقافة العربية، وجمعية الثقافة الفرنسية، مما يثري ثقافة الطالب العامة ويوسع أفقه ومداركه. وأذكر هنا حدثاً ظريفاً... فقد عينت وزارة المعارف المصرية عام ١٩٣٨ الدكتور زكي مبارك، الأديب الشهير، مفتشاً عاماً للغة العربية في المدارسة الفرنسية، وأثناء زيارته الأولى لكلية سان مارك، زار صفنا وكنا ندرس أبياتاً لجميل بثينة ونناقشها مع أستاذنا، وكان رجلاً فاضلاً دمث الأخلاق. ووجّه الدكتور زكي مبارك عدة أسئلة أجاب الطلبة عليها، وأخيراً سأل ما هو اسم جميل بثينة الحقيقي؟ ولما عجزنا نحن الطلبة عن الردّ، وجّه سؤاله إلى أستاذنا، فتلعثم المسكين واحمرّ وجهه وشعر بإحراج شديد أمام تلاميذه. وهنا وجّه الدكتور مبارك إنتقاداً حاداً للأستاذ على مسمع منا

جميعاً: كيف تدرّس اللغة العربية لطلبة سان مارك وأنت لا تعرف الإسم الحقيقي لجميل بثينة؟

ولتعاطفنا مع أستاذنا فقد عمّ الغرفة وجوم واستياء واستمرّ الدرس، وإذ بأبيات للشاعر ديك الجنّ يتلوها أحد الزملاء، وهنا رفعت يدي مستأذناً الأديب الكبير وسألته عن الإسم الحقيقي لديك الجن. وفجأة احمرّ وجه الدكتور وتلعثم رغم سلاطة لسانه، وقال: أعجبني فيك دفاعك عن أستاذك. وضج الصف بالضحك.

وفي نفس العام الدراسية وفي درس الرياضيات، وكان أستاذنا راهباً من أصل إنجليزي، طيب القلب، بارعاً في علوم الرياضيات، ولما كنت من المتفوقين في الرياضيات فقد كانت لدي دالة على أستاذنا الذي كان يتقبّل مني أكثر مما يتقبل من زملائي المشاغبين الآخرين.

وفي أحد الأيام ويبدو أنني تعديت الحدود المعقولة في المشاغبة، انفجر موجهاً لي لوماً ووعيداً ما لم أتوقف عن المشاكسة، ولكنه، وهذا هو الغريب في الأمر، خاطبني قائلاً: إذا لم تنتهِ أنت يا رئيس الوزراء فإنني سأوقع عليك كذا وكذا من العقاب. ولم أدرِ يومئذ أن مخاطبته لي العفوية بلقب «رئيس الوزراء» كانت نبوءة تحققت بعد عشرين عاماً.

الحرب العالمية الثانية... نقطة تحوّل في حياتي

استمرت حياتنا في الإسكندرية رتيبة مُيسّرة إلى أن قامت الحرب العالمية الثانية في سبتمبر ١٩٣٩، ثم دخول إيطاليا الحرب في يونيو عام ١٩٤٠ فأصبحت الحرب على أبواب مصر الغربية، وأعلنت الحكومة المصرية حالة الأحكام العرفية. ثم حوّلت الصحراء الغربية إلى منطقة عسكرية (وهي منطقة نشاط عائلتنا التجاري)، وبذلك أصيبت تجارتنا بخسائر جسيمة وزاد من صعوباتنا انقطاع جميع الصلات بيننا وبين ليبيا واستحال علينا جلب أية أموال من ثروتنا هناك. وكانت الضربة الحاسمة هي اعتقال والدي مع كثير من أعضاء الجالية الليبية (بناءً على أوامر المخابرات المصرية) وبقي والدي في المعتقل السياسي أكثر من عام، ولم يفرج عنه إلاّ بعد مساع حثيثة من

الأمير إدريس السنوسي ومن آل الباسل. خلاصة القول حلّت بنا شدّة وأصبنا بضيق مالي مفاجئ لم نكن مستعدين له... ولما كانت كلية سان مارك من أغلى المعاهد وأكثرها تكاليفاً فقد عجزت العائلة عن مواجهة عبء العام الدراسي الأخير - فلم يكن أمامي إلاّ عام واحدة للحصول على شهادة التوجيهية ودخول الجامعة - ولكنني لم أيأس، فذهبت إلى عبد الستار بك الباسل وكان عضواً في مجلس الشيوخ وصديقاً لوالدي، وبفضل تدخّله لدى وزارة المعارف قُبلت في مدرسة الخديوي إسماعيل بالمجان لإكمال العام الأخير في قسم الرياضيات، وكانت من أحسن المدارس الحكومية في القاهرة. وانتقلت للإقامة في بيت الطلبة الليبيين بحي سوق السلاح بالقاهرة، واستضافني الأستاذ إبراهيم لطفي المهدوي. فاشتركت في غرفته وتعرفت على كثير من الطلبة الليبيين الذين كانوا يدرسون في الأزهر ودار العلوم مثل عبد الحميد بي درنة وسلطان حلمي الخطابي (الذي عينته مديراً لمكتبي عام ١٩٥٥) وبشير الطويبي (الذي أصبح نائباً في مجلس النواب عام ١٩٥٦) والطاهر البشتي وإبراهيم الرفاعي وآخرون كثيرون.

عائلة الباسل

عائلة الباسل من أهم وأنبل العائلات المصرية من أصل ليبي، فهم من قبيلة الرماح من برقة، هاجروا إلى مصر منذ أقل من قرن واستقروا في مديرية الفيوم وكانت لهم أملاك كثيرة وأراضٍ زراعية واسعة وثروة كبيرة. وامتاز آل الباسل جميعاً بالكرم والشهامة والنفوذ العظيم لدى الدوائر العليا في الحكومة المصرية. وكانت مواقفهم النبيلة مع المهاجرين الليبيين لا يحصيها عد، وقاموا بدور بالغ الأهمية كهمزة وصل بين الحكومة المصرية والحكومة البريطانية من جهة، والمجاهدين الليبيين من جهة أخرى، كما كان قصر الباسل في الفيوم هو كعبة الليبيين وملجأ الكثيرين منهم. وامتاز في آل الباسل الأخوان حمد باشا الباسل وعبد الستار بك الباسل وكانا على درجة عالية من الثقافة والاطّلاع، وعلى أخلاق عربية نبيلة وكرم حاتمي أصيل.

حمد باشا كان من أقطاب حزب الوفد ومن أهم مؤسسيه، أما عبد الستار بك فكان

عضواً في مجلس الشيوخ، ومن أهم أقطاب حزب الأحرار الدستوريين. وكنت تجد الأخوين في مقدمة كل عمل عربي جليل مساهمين بمالهم ونفوذهم وآرائهم.

وفي عام ١٩٤١ حصلت على شهادة البكالوريا قسم الرياضيات بدرجة جيد جداً وقدمت طلب التحاقي بكلية الهندسة الملكية. وكان القبول في تلك الكلية محدداً بمائتين وخمسين طالباً يُختارون من شعبة الرياضيات، وكنت مطمئناً لقبولي لأنني كنت ضمن المائة الأولى من الناجحين، ولذلك أصبت بصدمة شديدة عندما رُفض طلبي مؤشراً بالقلم الأحمر في خانة الجنسية. وضاقت الدنيا واسودّت في وجهي وكدت أفقد أملي من شدّة الصدمة إذ كيف أتوصّل إلى نقض قرار مسجل كلية الهندسة الرهيب.

استعرضت ما أمامي من سبل، وهداني الله إلى اللجوء مرة ثانية إلى عبد الستار بك الباسل. فذهبت إلى منزله على شاطئ النيل، ودخلت عليه فقابلني بحفاوة وعطف لن أنساه ما حييت، وعرضت عليه أوراقي ورفض الكلية طلبي بسبب جنسيتي الليبية. واستغرب واستهجن أن يُرفض طلبي لأنني ليبي، وطلب مني الحضور صباح الغد الباكر. وبالفعل ذهبت معه بسيارته إلى وزارة المعارف، وعندما دخل مكتب الوزير وسأل السكرتير بلهجة بدوية جافة: هيكل هنا؟ سقط قلبي إلى القاع وقلت في نفسي لقد قضى هذا البدوي على بقية آمالي. إلاّ أن السكرتير أسرع إلى مكتب الوزير ثم خرج منه يدعو عبد الستار بك للتفضّل بالدخول. عند تلك اللحظة عاودني الأمل وانتظرت دقائق كأنها شهور، ثم رنّ الجرس واستُدعيت إلى المثول بين يدي الدكتور محمد حسين هيكل باشا وزير المعارف، وكانت أول مرة في حياتي أقابل فيها وزيراً، ووجدت عبد الستار بك بقامته الطويلة وملابسه العربية الفضفاضة يرعد ويزبد مخاطباً الوزير: كيف يرفضون طلب التحاق لطالب ليبي بسبب جنسيته؟ لا زلتم فراعنة ولن تتعرّبوا إلا إذا فتحكم العرب مرة أخرى. وكلام شديد آخر. والوزير المسكين يهدّئ من ثورة الباسل ويحاول أن يفهم مني بعض التفاصيل... منظر لن أنساه ما حييت، وأخيراً هدأ عبد الستار بك، وهاتف مدير الجامعة (الجراح علي باشا إبراهيم) قائلاً له: يا علي باشا انقذني من غزو عبد الستار الباسل. وقصّ له قصتي وأخيراً طلب مني الوزير أن أذهب بأوراقي إلى

مسجل كلية الهندسة وسأجد عنده التعليمات. أوصلني عبد الستار بك إلى باب الجامعة ووجدت مسجل الكلية قد تحوّل بقدرة قادر من نمر شرس إلى حمل وديع.

وقُبلت في كلية الهندسة، وكانت الدراسة قد بدأت منذ شهرين. ويشاء الله أن تقرر كلية الهندسة إنشاء فرع لها في الإسكندرية فبادرت بالتحول له مما يسّر لي كثيراً من الصعوبات. وبعد خمس سنوات من أصعب مراحل الدراسة والتدريب تخرّجت في مايو ١٩٤٦ حاصلاً على بكالوريوس الهندسة بمرتبة الشرف. التحقت للعمل في شركة إيجيكو للإنشاءات، وكانت اكبر وأقوى شركات الهندسة بمصر، فقد كان مجلس إدارتها مكوناً من عدد من كبار باشاوات مصر يرأسهم حسين صبري باشا، خال الملك فاروق وكان يتولى إدارتها الهندسية مجموعة من المهندسين الإيطاليين والسويسريين والمصريين يرأسهم الدكتور المهندس ميزتانو، أحد نوابغ الإنشاء والهندسة. أمضيت في الشركة إلى أوائل ١٩٥٠، وقمت بتنفيذ العديد من المشروعات الكبرى كان آخرها مشروع أرصفة ومحطة الركاب بميناء الإسكندرية، وهو مشروع ضخم لإقامة أرصفة لترسو عليها عابرات المحيطات. كما كنت في الوقت ذاته أرأس المكتب الهندسي للأساسات.

الدعوة إلى تولي الوزارة

وفي هذا الجو من الرضا النفسي والمهني وصلتني رسالة من الأمير إدريس، أمير برقة، حملها إلي صديق والدي وصهرنا الحاج عبد الكافي السمين، يدعوني لمقابلته في بنغازي. وشدّد الحاج عبد الكافي على ضرورة الاستجابة لدعوة الأمير بأسرع ما يمكن، وحذّرني من مغبّة الرفض شارحاً أن الأمير لا يستطيع أن يعيد بناء برقة بدون معاونة المتعلمين من أبناء الوطن، مشيراً إلى أن منصب وزير الأشغال العامة والمواصلات شغر بتعيين علي أسعد الجربي مندوباً لبرقة في مجلس هيئة الأمم المشرف على تحضير إستقلال ليبيا، وأن الأمير يودّ أن أتولّى أنا مسؤولية إعادة بناء برقة... وبدأت تفكيراً عميقاً لقاء هذه الدعوة، وقد يستغرب القارئ تردّدي الشديد أمام دعوتي لتولّي منصب وزير الأشغال (ولم أكن قد بلغت الثلاثين)، ولكن هذا ما حدث لأسباب كثيرة منها:

أن معمعة السياسة الداخلية في برقة كانت على أشدّها وكان هناك تياران رئيسيان يستقطبان الفكر السياسي:

تيار وحدوي ينادي بإستقلال ليبيا بأجزائها الثلاثة، برقة وطرابلس وفزّان في دولة واحدة اندماجية، بنظام ملكي مرشحاً الأمير إدريس كأول ملك للبلاد تحت نظام دستوري يستند أيضاً على نظام ديمقراطي برلماني، ويروّج لهذا التيار الشباب المتعلم خصوصاً في المدن والقرى الرئيسية، وقلعة هذا التيار الخصبة هي جمعية عمر المختار بفرعيها في بنغازي ودرنة.

والتيار الثاني ولنسميه التيار البرقاوي ينادي بإمارة برقة تحت راية الأمير إدريس، ولا يمانع في وحدة تاريخية بين أجزاء ليبيا الثلاث بشرط أن يحتفظ كل جزء بصلاحيات واسعة وأن يلعب الإتحاد دور المنسق، فضلاً عن الشؤون الخارجية والدفاع، ويبايع الأمير إدريس ملكاً على الإتحاد، وكان الأمير إدريس والعائلة السنوسية وأغلب زعماء القبائل يساندون التيار ويروّجون له.

ولا أودّ أن أسترسل في شرح الأسباب التي أوجدت هذا الانقسام في الرأي وهذه المعمعة السياسية التي سادت في برقة في السنوات السابقة للإستقلال وسنواته الأولى، فليست هذه المذكرات مجالاً لهذا الموضوع.

مجمل القول أن الأمير إدريس كان كثير الحذر مما هو طرابلسي وكثير الارتياح لما هو برقاوي، فقد حدثت في سنوات الجهاد بعض الاخطاء أدت بالأمير إلى هذا الشعور، وكان أكثر هذه الاخطاء في نظره ما حدث عند تكوين الجيش السنوسي في أغسطس ١٩٤٠. فبينما تطوّع آلاف البرقاويين، فإن عدد المتطوعين من ولاية طرابلس لم يزد على الأربعين متطوعاً.

وإنصافاً للطرابلسيين فإن موضوع التطوع في الجيش السنوسي سبقه خلاف بين زعماء طرابلس (عون سوف، أحمد السويحلي، الطاهر المريّض) مع الأسف بتحريض من عبد الرحمن عزّام الذي كان وزيراً للشؤون الاجتماعية (عام ١٩٤٠) في وزارة علي ماهر باشا من ناحية، والأمير إدريس من ناحية أخرى، فقد أصرّ زعماء طرابلس على

الحصول من بريطانيا على وعد قاطع بإستقلال ليبيا قبل أن يضعوا يدهم في يدها، بينما اكتفى الأمير إدريس بوعود شفوية يغطيها ضباب كثير، ولقد سألت الملك إدريس عن ذلك فيما بعد، وكان ردّه: في تلك الظروف لم يكن لنا أي أمل غير انتصار الحلفاء، ولذلك لم يكن لنا أي خيار آخر، فكان علينا أن نشترك مع الإنجليز في قهر عدونا إيطاليا وطردها من الوطن. ثم كان حالنا حال الذي قال: وأنا الغريق فما خوفي من البلل. وبرغم وجاهة رأي زعماء طرابلس فإن ظروف ١٩٤٠ كانت تستدعي منهم مرونة أكثر لأن بريطانيا ما كانت لتعطي مثل ذلك الوعد القاطع، ومع الأسف وقعوا تحت تأثير عبد الرحمن عزّام باشا الذي كان يكنّ للأمير إدريس العداء الدفين.

ولقد كنت أميل ميلاً أكيداً نحو التيار الوحدوي، بل كنت على علاقة صداقة متينة مع مؤسس جمعية عمر المختار، مصطفى بن عامر والشاعر إبراهيم أسطى عمر، وكثير من أعضاء الجمعية من شباب درنة المثقف. ولذلك فقد كنت أتردد في قبول منصب رفيع في نظام يمثل التيار البرقاوي أقوى تمثيل خشية أن يفسر قبولي بتنكري لمبادئي السياسية وصداقاتي الوطنية.

سبب ثانٍ هو أنني كنت أشعر في حياتي، وعملي في الإسكندرية، برضى تام واطمئنان للمستقبل، كما شرحت سابقاً، وكنت أخشى أن أترك هذا الأمان إلى متاهات السياسة وتقلباتها.

واستشرت الكثير من أصدقائي وقد شجعني كثير منهم على القبول. وأخيراً عزمت على السفر إلى بنغازي ومقابلة الأمير وأرجأت قراري إلى ما بعد المقابلة. ولم يكن لدي جواز سفر واستخراجه كان يستدعي وقتاً طويلاً، ولكن الحاج عبد الكافي تغلّب على هذه العقبة بسهولة. فقد سافرت معه إلى مرسى مطروح ونزلت ضيفاً لديه، ثم ذهبنا لمقابلة الأميرالاي سيد فرج بك، محافظ الصحراء الغربية المصرية، وكان ضابطاً من أصل نوبي على صلة قديمة بالحركة السنوسية. وعرضت عليه مشكلتي ورغبتي في الحصول على تصريح لمغادرة القطر المصري والرجوع إليه بعد أيام. وبدون تردّد أخذ ورقة من مكتبه وكتب عليها: يُصرّح للمهندس فلان بمغادرة المملكة المصرية عن طريق نقطة

حدود السلوم والرجوع إلى المملكة عن طريق نفس النقطة في غضون شهر. إمضاء أميرالاي سيد فرج محافظ الصحراء الغربية. وختم الورقة بختم المحافظة، وتمنّى لي التوفيق. وعندما وصلت إلى نقطة السلوم حضر من طبرق لاستقبالي - حيث كان ينتظر قدومي - نائب متصرّف درنة أحمد المختار (ابن أخ الشهيد عمر المختار) ورافقني إلى درنة حيث أمضيت ليلتي في منزلنا واجتمعت مع إبراهيم أسطى عمر وبعض شباب جمعية عمر المختار، وأدهشني تشجيعهم لي بقبول الاشتراك في حكومة برقة أملاً أن أعمل على إصلاح الأمور من الداخل.

وفي بنغازي استقبلني وهبي البوري كبير تشريفات الأمير وأنزلني في فندق فيينّا، وكان عبارة عن مبنى نصفه متهدّم من آثار الحرب، والنصف الآخر تديره عجوز نمساوية، وبه عدد لا يزيد عن عشرة غرف وأثاث متقشف نظيف. بعد وصولي بيوم واحد قابلت الأمير إدريس في قصر الغدير خارج مدينة بنغازي. (كنت قابلت الأمير عدة مرّات في الإسكندرية وأنا صبي فقد كان على صداقة مع خالي الشيخ أحمد بن غلبون).

وكان الأمير كعادته لطيفاً مجاملاً متواضعاً لا تكاد تسمع صوته، ثم تطرق إلى جوهر الموضوع قائلاً: تذكر أنني لم أشجعك على التطوّع في الجيش السنوسي (بالفعل في يونيو ١٩٤١ قابلت إبراهيم الشلحي وعرضت عليه استعدادي للتطوع في الجيش وشاور الأمير إدريس الذي وجهه لنصحي بمواصلة دراستي الهندسية)، وطلبت منك مواصلة الدراسة وأنني سأحتاج اليك فيما بعد؟ لقد حان الوقت الآن، فأنا في سبيل إنشاء دولة ويلزمني رجال متعلمين من أبناء الوطن، ورغبت أن تتولّى وزارة الأشغال والمواصلات، فقد سمعت عن خبرتك ونجاحك في الإسكندرية من إبراهيم بك (يقصد إبراهيم الشلحي) ولذلك فإني آمل أن تقبل العودة إلى وطنك والعمل فيه مهما كلّفك هذا من تضحيات وآمل أن تستجيب لنداء وطنك وتساهم في بنائه، وأنا لا أستطيع أن أعمل دون رجال يعاونونني خصوصاً المتعلمين من الوطنيين. الإدارة يقوم بها الآن أجانب أغلبهم إنجليز، وأنا أودّ التخلّص منهم تدريجياً، ولكن يجب أن يحلّ محلّهم أكفّاء من الوطنيين.

قبول الوزارة

وكانت الطريقة التي استعملها الأمير في مخاطبتي من اللطف والتواضع مما أزال في نفسي كل مقاومة، فقلت إنني رهن إشارته ولا أطلب إلاّ شهراً واحداً لكي أصفّي أعمالي في الإسكندرية وأرجع إلى بنغازي، وأضع نفسي في خدمة الوطن وخدمته. ورجعت إلى بنغازي في يونيو ١٩٥٠، فصدرت إرادة أميرية بتعييني وزيراً للأشغال العامة والمواصلات في حكومة برقة، وأقسمت اليمين ثم زرت رئيس الوزراء محمد الساقزلي.

وكان الساقزلي يتولّى وزارة العدل، علاوة على رئاسة مجلس الوزراء. وكان مجلس الوزراء يتكوّن من سعد الله بن سعود (من الليبيين المهاجرين في تركيا حيث وصل هناك إلى منصب والي ولاية ديار بكير)، ومحمد بودجاجة وحسين مازق وعبد القادر العلام وأنا. ولا ادري لماذا، فإن نوعاً من الشك والريبة سيطر على علاقاتي برئيس الوزراء، ربما اندفاع الشباب المسيطر علي تعارض مع حذر شيخوخته، أو ربما لأنني فُرضت عليه فرضاً ولم يكن له أي دور في اختياري. وبالعكس فقد كان التفاهم بين كل من حسين مازق وعبد القادر العلام وبيني على أتمّه.

الحالة السياسية في برقة
في أواخر الأربعينات وأوائل الخمسينات

بدأت موجة التحرر العربي والرياح القومية العربية تهبّ على برقة بعد الحرب العالمية الثانية بعدما سقطت كل الحواجز بين مصر وبرقة وزاد التبادل الفكري وتوثقت الروابط الثقافية خصوصاً عن طريق الإذاعـة، والجرائد المصرية والمدرسين المصريين، واقترن هذا المدّ التحريري بضجر من الإدارة العسكرية البريطانية التي تحكم برقة. واشتدت مطالبة الاهالي بأن تسلم بريطانيا أمور برقة إلى الأمير إدريس وتدخل معه في حلف أو إتفاقية وصاية. وبالتدريج ونظراً لاختلاف المفاهيم والأذهان، فقد ظهر تياران رئيسيان يمثّلان الآمال القومية في البلاد:

أولاً: إتجاه الجبهة الوطنية التي تكونت بعد خطاب الأمير إدريس في ميدان بلدية بنغازي عام ١٩٤٦ وبإيعاز منه، والتي كانت تضم بعض أعضاء العائلة السنوسية وأغلب مشايخ القبائل وعدد من زعماء المدن التقليديين، خصوصاً عمر باشا منصور الكيخيا، الذي كان له نشاط كبير بعد عودته من المنفى في إيطاليا في أوائل ١٩٤٥. وتطوّرت الجبهة في أواخر ١٩٤٧، إلى المؤتمر الوطني عندما بدأت الإدارة العسكرية تسلّم بعض الصلاحيات للأمير إدريس الذي أمر بحل جميع التشكيلات الحزبية ودمجها في المؤتمر الوطني. وكانت الأهداف السياسية لهذا التيار كما نصّ عليها في الميثاق هي: إستقلال برقة التام والاعتراف بالأمير إدريس ملكاً عليها.

أما بالنسبة لعلاقات برقة مع طرابلس فتتلخص في: فيما بعد إذا رغب إخواننا

الطرابلسيون الانضواء تحت التاج السنوسي فإن هذا سيمكّن من توحيد البلاد الليبية وإلاّ فإن برقة ستحافظ على إستقلالها التام.

ثانياً: أما التيار الثاني ولنسميه تيار جمعية عمر المختار فقد كان معارضاً لتيار الجبهة الوطنية وخصوصاً على تركيز اهتمامها على برقة وشؤونها العشائرية مع إهمال أمل الأمة الليبية في إستقلال ليبيا، ووحدة أراضيها. وأغلب أعضاء الجمعية من الشباب المثقف الذي تلقى تعليمه في مصر وتأثر بآراء التحرّر العربي، كما شاهد تأسيس الجامعة العربية وتمنى أن يرى وطنه عضواً فيها، أو باختصار كان توجّه هذا التيار السياسي عربياً ليبياً قومياً، يرى في برقة جزءاً من مملكة دستورية يرأسها الملك إدريس ويحكمها حكماً دستورياً بحكومة ديمقراطية مسؤولة أمام برلمان منتخب. وكان للجمعية فرعان، فرع بنغازي ويرأسه مصطفى بن عامر، وفرع درنة ويرأسه إبراهيم أسطى عمر. ثم حدث نوع من الخلاف بين الفرعين، فبينما أظهر فرع بنغازي بعض المرونة وقبل أن تقوم في ليبيا دولة إتحادية وتكون برقة إحدى ولاياتها، تمسك فرع درنة بالوحدة الاندماجية الفورية للتراب الليبي.

وزاد الغليان السياسي لا سيما عندما برزت المطامع الإستعمارية لإيطاليا وفرنسا وتعثرت خطوات الأمم المتحدة لاتخاذ قرار بخصوص المستعمرات الإيطالية، وشعرت الإدارة العسكرية البريطانية بحرج أمام صيحات البرقاويين المنادين باستلام السلطة، فلجأ الإنجليز إلى حلّ يرضي مطامعهم بعيدة المدى، ويرضي البرقاويين، فاتفقوا مع الأمير إدريس على تسليمه السلطة الداخلية لبرقة بشروط معينة على أن تبقى أمور الدفاع والخارجية والأمن في الأزمات من صلاحيات بريطانيا. وبالفعل أعلن الأمير إدريس قيام إمارة برقة يوم ١ يونيو ١٩٤٩ في خطابه الذي ألقاه في اجتماع المؤتمر الوطني بقصر المنار ببنغازي. ولم يخلُ ذلك الاجتماع من أول احتكاك علني بين التيارين السياسيين، فعندما ذكر الأمير أنه يأمل أن يصل إخواننا الطرابلسيون لما وصلنا إليه ويمكنهم إذا رغبوا الانضمام إلى برقة تحت زعامة واحدة، هنا هتف أعضاء جمعية عمر المختار: لا إستقلال قبل الوحدة.

وغني عن البيان أن موافقة بريطانيا على قيام إمارة برقة كانت خطوة متمشية مع السياسة بعيدة المدى للمطامع البريطانية في ليبيا. فقد كانت بريطانيا على إتفاق مع إيطاليا منذ أوائل عام ١٩٤٩ على مشروع بيفن سفورزا (Bevin Sforza) الشهير الذي كان يقسم ليبيا إلى مناطق نفوذ. برقة لبريطانيا، طرابلس لإيطاليا وفزّان لفرنسا. وقُدّم مشروع بيفن سفورزا إلى الجمعية العمومية لهيئة الامم المتحدة في ٨ مايو ١٩٤٩ وهُزم يوم ١٧ مايو ١٩٤٩، أو بعبارة أخرى فإن قيام إمارة برقة يغطي نصيب بريطانيا في الحالتين نجح بيفن سفورزا أم فشل، بل حتى بعد قرار إستقلال ليبيا، وتنفيذاً لهذه السياسة البريطانية فإن لندن كانت دائماً تشجع وتنصح بجعل حكومة الإتحاد ذات صلاحيات محدودة مع ترك أكبر قدر من الصلاحيات للولايات الثلاث. وصادفت هذه السياسة قناعة لدى الأمير إدريس ولكن لأسباب أخرى لعل من بينها إلمامه بالظروف السياسية السائدة في المنطقة في ذلك الوقت وإدراكه بأنها لا تسمح لليبيا بأكثر من ذلك، ومن ثم فقد دأب على اتباع سياسة إنقاذ ما يمكن إنقاذه، أو خذ ثم طالب.

وفي إمارة برقة تكوّنت أول حكومة برئاسة الدكتور فتحي الكيخيا الذي استقال قبل أن يستلم عمله أو يقسم اليمين، فخلفه لعدة شهور أبوه عمر باشا وكان قوي الشخصية كثير النشاط جريئاً فيما يراه الحق، وسرعان ما اصطدم مع المؤتمر الوطني فطلب منه الأمير الإستقالة وخلفه محمد الساقزلي.

ومرة أخرى نعود لشخصية الساقزلي الذي سيرد ذكره في مواقع كثيرة أخرى، لا شك فإن الرجل كان على درجة عالية من الأمانة والنزاهة - يعمل دون كلل، وبجلد لا يقدر عليه شاب في العشرين بالرغم من أنه كان في العقد السادس من عمره - متوسط الثقافة، عمل في الإدارة الإيطالية كمترجم ثم بعد نزوح الطليان عمل محرراً للعقود، وبذلك كوّن بعض الخبرة القانونية، ولكنه مع الأسف كان صلباً لا مرونة عنده، عنيداً، كثير الشك، وهو برغم جلده على العمل إلاّ أن انتاجه العملي قليل وذلك لأنه لم يكن مرتب الافكار، كثيراً ما يهتم بالقشور تاركاً الجوهر، شديد التأثر بآراء المستشارين الإنجليز لا سيما المستشار القانوني هوبر الذي كان يسيطر على تفكيره سيطرة تكاد

تكون تامة. وكان كذلك من أشدّ أنصار تيار الجبهة الوطنية وشديد العداء لأفكار جمعية عمر المختار، وفيّ ومخلص لأمير البلاد.

حكومة إمارة برقة

أصدر حاكم برقة البريطاني إيريك دي كاندول (Eric de Candole) إعلاناً لنقل السلطات الداخلية للأمير، وأصبح الحاكم البريطاني دي كاندول يسمّى المعتمد البريطاني في برقة، واحتفظ بصلاحيات خاصة لم تنقل للأمير، بل بقي حق التشريع والتصرّف فيها للمعتمد البريطاني. أما الصلاحيات الخاصة فكانت الشؤون الخارجية والدفاع بما فيها الأمن العام في حالة وقوع إضطرابات لا تستطيع حكومة الإمارة معالجتها، وكذلك شؤون ممتلكات العدو الإيطالي. فضلاً عن ذلك فقد عُيّن لأهم الوزارات مستشارين إنجليز، فمثلاً كان هوبر الإنجليزي مستشاراً قانونياً وبيرون، ذو الخبرة الإستعمارية الطويلة في فلسطين، عُيّن كبير المستشارين ومستشاراً للداخلية، وكلارك الذي عمل متصرّفاً في السودان عُيّن مستشاراً مالياً، وكيرك باتريك عُيّن مستشاراً للمعارف، والبريجادير وود مديراً للأشغال العامة ومستشاراً لوزير الأشغال. وبعبارة موجزة فإن الصلاحيات الداخلية التي سُلّمت لحكومة الإمارة ووزاراتها كانت تحت رقابة المستشارين البريطانيين، وكان محمد الساقزلي يحتفظ بمنصب وزير العدل إضافة إلى رئاسة الوزارة. ويتولّى محمد أبو دجاجة وزارة المالية، وسعدالله بن سعود الصحة العامة، وحسين مازق الداخلية والمعارف، وعبد القادر العلام الزراعة والغابات، وأنا الأشغال العامة والمواصلات. أما محمد أبو دجاجة فقد كان على ثقافة لا بأس بها، عمل مع الإيطاليين كمحاسب واكتسب خبرة في الشؤون المالية والتجارية، وبالرغم من ميوله الوطنية التحررية إلاّ أنه كان يتفق مع الرئيس في أغلب الاحيان. وأما سعدالله بن سعود فكان من المهاجرين في تركيا وبلغ فيها منصب والي ولاية ديار بكير، وكان التعامل معه لا يخلو من الطرافة وكثيراً ما أحدثت آراؤه وتعليقاته جواً من المرح في اجتماعات مجلس الوزراء.

أما حسين مازق فقد كان كثير الإطّلاع، كثير التفكير، قليل الكلام، وكان أكثر تحرراً ومرونة في الشؤون الداخلية من الرئيس، وكثيراً ما خالف آراء الرئيس في الشؤون الداخلية. ميوله السياسية برقاوية قبائلية تماماً، ولكن بالاعتدال. وكذلك عبد القادر العلام، وقد كان الأخيران أكثر تعاطفاً معي ربما لأننا من جيل واحد، وقد لاحظت منذ البداية أن شعوراً من الحذر الخفيف ينتاب علاقاتي مع رئيس الوزارة.

في إحدى جلسات مجلس الوزراء المسائية - أظنها كانت الثانية أو الثالثة التي أحضرها - لاحظت أن المقعد الأول على يمين الرئيس ظل خالياً، وبعد بداية الجلسة بدقائق دخل شخص طويل القامة أحمر الوجه يرتدي بذلة بيضاء وعلى عينيه نظارة سوداء. دخل بغطرسة وجلس في المقعد اليمين، وقال: مساء الخير سعادتكُن... بلهجة سودانية، وهمست في أذن أبي دجاجة: لماذا استعمل الخواجة جمع المؤنث؟ ثم التفت (الخواجة) الذي اتّضح أن اسمه مستر كلارك في اتجاهي فوجد وجهاً جديداً، فنظر إلى الرئيس وقال له: محمد بك... مين هالزول؟ وأشار إلي. فتلعثم الرئيس المسكين وقال له: هذا... هذا السيد بن حليم... السيد مصطفى بن حليم، وزير الأشغال الجديد الذي عيّنه مولانا أخيراً وزيراً للأشغال. شعرت بامتعاض من غطرسة كلارك. فوجّهت سؤالي إلى الساقزلي وقلت: سيادة الرئيس، من الخواجة الجالس جوارك؟ فتلعثم المسكين مرة أخرى وقال: آسف... أقدّم لكم... هذا المستر كلارك المستشار المالي.

وكان هذا أول احتكاك مع كلارك، وكان الاحتكاك الآخر في الشهور التالية عندما كان مجلس الوزراء يبحث الميزانية العامة للإمارة وكنت قد أدخلت الكثير من المشروعات الجديدة في ميزانية وزارة الأشغال، ولما كانت بريطانيا تغطي العجز المالي فقد كان المستشار المالي يسعى بكل الطرق إلى ضغط المصروفات حتى يكون العجز المالي في الحدود المقبولة من لندن، ولذلك فقد اقترح بعد احتدام النقاش وبغطرسة ظاهرة أن يخفض جميع بنود الميزانية بنسبة ٢٥ بالمئة، وبديهي أن ضغط الميزانية لا يكون بتخفيض ربع البنود كما اقترح المستشار المالي لأن هناك بنوداً مثل مرتبات الموظفين لا يمكن تخفيضها، وعلى العكس هناك بنوداً مثل بنود المشروعات يمكن تخفيضها

أو إلغائها أو توزيعها على أكثر من عام أما «قص.. قص الربع...» كما قال المستشار حرفياً فكلام يدلّ على جهل قاتل بشؤون الميزانية. وهنا انتهزت فرصة سقطة المستشار وناقشت آرائه بكثير من التهكم، وانتهى الأمر بأن اقترح رئيس الحكومة تشكيل لجنة من وزير المالية ومني ومن كلارك لمناقشة مشروع الميزانية والتقدم للمجلس بالتوصيات، ومنذ ذلك اليوم سادت علاقاتي مع كلارك البعض من الاحترام.

ولنستمر في الحديث عن كلارك. عقدنا عدة اجتماعات أغلبها في مكتبي لأن أغلب المنقاشات كانت تتعلق بالمشروعات الضرورية التي كنت أودّ تنفيذها خصوصاً في مجال البنية الأساسية والمرافق العامة، فقد كانت برقة خربة خراباً يكاد يكون تاماً، وكنت ألحّ على إنشاء محطة للكهرباء قوية في بنغازي، وشبكة أنابيب لإيصال المياه من بنينة إلى بنغازي، ومحطة للتليفون الآلي، وإصلاحات كثيرة في الطرق، وإصلاحات كثيرة في المدن الأخرى. (وعلى مدى سنتين فقد تمكنت بتوفيق الله من تنفيذ جميع هذه المشروعات وكثير غيرها) وانتهى المطاف بأن العجز المالي زاد بحوالي مليون جنيه عمّا كانت لندن مستعدة لتغطيته. وفي مجلس الوزراء الذي عقد لمناقشة توصيات اللجنة تقرّر إرسال وفد إلى لندن للتفاهم مع القسم المشرف على شؤون المستعمرات الإيطالية بوزارة الخارجية البريطانية، وتقرّر أن يتكوّن الوفد من وزير المالية ومني يعاوننا محمد عبد الكافي السمين مساعد مدير الجمارك آنذاك، وطبعاً كلارك الرفيق الذي لا يفارقنا.

زيارتي الأولى إلى لندن

وصلنا إلى لندن في يناير ١٩٥١ في جو شديد البرودة، وقابلنا المسؤولين في المكتب المذكور وكان يرأسهم الجنرال لويس، ويعاونه سير آرثر دين الذي كان فيما قبل كبير مهندسي حكومة عموم الهند، وجون بايك الذي كان في السابق مستشاراً مالياً لحكومة المالايو وخبراء آخرون من رجال الخارجية البريطانية والمستعمرات، وكانت اجتماعات صعبة عنيفة ظهر فيها بو دجاجة على حقيقته الوطنية العنيدة، وساندته مساندة قوية،

ولم نتزحزح عن مطالبنا وكانت وجهة نظرنا تتلخص فيما يلي:

غرضنا الأساسي هو إعادة بناء بلدنا، وقد تعهدتم أنتم بتغطية العجز كما دخلنا معكم في شبه تحالف منذ ١٩٤٠ وحاربنا معكم، وتهدّمت بلادنا في ذلك السبيل، وحان الوقت أن تُظهروا سخاءكم وتساعدوننا في تمويل المشروعات الضرورية لإعادة الحياة لبرقة المهدّمة.

وبعد عدة أيام من النقاش الشديد أبدى سير آرثر دين رأياً لا يخلو من الوجاهة وهو أن نبحث إمكانية تنفيذ هذه المشروعات وتوزيعها توزيعاً عملياً زمنياً على أن يوافقوا هم على ما يمكن تنفيذه حسب إمكانيات برقة، وحسب الطرق المعمول بها في العالم، أي أن تموّل بريطانيا ما يمكن تنفيذه في برقة من مشروعات بطريقة عادية معقولة موزّعة على مدة زمنية معقولة. ووافقت على ذلك الاقتراح من حيث المبدأ، وفي تلك اللحظة تلقى رئيس الجانب البريطاني برقية من رئيس الوزراء البرقاوي الساقزلي موجّهة إلى أبي دجاجة ولي سلّمها لنا أمام الحاضرين. ولكن الرئيس الساقزلي - الذي يبدو أنه خشي أن تتوقف بريطانيا عن تقديم أي مساعدات إقتصادية إلى ليبيا نتيجة موقفنا المتشدد - أرسل البرقية المفتوحة عن طريق الخارجية البريطانية، وكان نصها يكاد يكون كما يلي:

> لقد أرسلكم مجلس الوزراء للتفاهم مع الحكومة البريطانية لا للتشاجر معها، ولذلك أبذلوا قصارى جهدكم ولكن إقبلوا ما يعرضوه عليكم في آخر الأمر شاكرين.

فإني أترك للقارئ تقدير مدى الوجوم والأسى والمرارة التي سيطرت علينا نحن الثلاثة.

ناظراً في الحكومة الإتحادية

عند إعلان إستقلال ليبيا في ٢٤ ديسمبر ١٩٥١ وقيام الدستور الليبي الجديد الذي تبنى النظام الإتحادي بين ولايات ليبيا الثلاث، أجريت التغييرات المناسبة المترتبة على ذلك الدستور، فأصبح رئيس وزراء برقة والياً عليها، وأصبحنا نحن وزراء حكومة برقة نظّاراً في الولاية، وبدأت مع الأسف فترة طويلة من الجدل حول صلاحيات حكومة الإتحاد وحكومات الولايات، وكان محمد الساقزلي تحت تأثير مستشاره القانوني هوبر يقف موقفاً شديد التطرف من حكومة الإتحاد بحيث لا يقبل بأن تكون لها إلا بعض الصلاحيات الرمزية بالإضافة إلى صلاحياتها في الخارجية والدفاع.

كان من ضمن تنظيمات حكومة برقة مجلس هام يسمى مجلس الخدمة المدنية، يشرف على شؤون الموظفين في تعيينهم ويخطط سياسة الخدمة المدنية وجداول مرتبات الموظفين وحقوقهم وأطرهم وواجباتهم. كما يتولى الإشراف على تعيين المستشارين الأجانب ويُبرم عقودهم، وكان يرأس هذا المجلس ناظر المالية بحكم منصبه، وكنت أتولّى أنا نيابة الرئاسة بحكم منصبي كناظر الأشغال العامة والمواصلات. وكان أعضاء المجلس من كبار موظفي الولاية ومنهم المستشار القانوني هوبر.

وكان رئيس مجلس الخدمة المدنية يوسف بن كاطو يشاركني كراهية هوبر والرغبة في التخلص منه وإنهاء سيطرته الفكرية على والي برقة محمد الساقزلي، وحدث أن كان المجلس يناقش موضوع تعيين بعض الخبراء الإنجليز الجدد فعارضت أنا ذلك التعيين واقترحت أن نبحث عن خبراء مثلهم من البلاد العربية، بحجّة ارتفاع تكاليف الخبراء الإنجليز وحاجة كل منهم إلى مترجم. وأيّدني الرئيس في موقفي ولكن المستشار هوبر أبدى رأياً غريباً وبطريقة فيها الكثير من الغباء والعجرفة، إذ قال: أن الخبراء الإنجليز يتقاضون مرتباتهم من مبالغ المنحة التي تقدمها بريطانيا إلى ليبيا... ولذلك فلا شأن لنا (نحن) في الاعتراض على تعيينهم. وتكهرب الجوّ وانتابت رئيس المجلس موجة من الحماس والعصبية فرفع الجلسة على الفور، وذهبنا، هو وأنا، في الحال إلى الوالي وعرضنا عليه ما حدث وطلبنا منه إما أن يعتذر هوبر اعتذاراً علنياً وإما أن تُنهى خدماته.

وارتبك الوالي واستدعى مستشاره الذي تمادى في عناده فرفض الإعتذار وتمسّك بكلامه وعرض تقديم استقالته، وهنا بادر بن كاطو بشجاعة وذكاء سريع بقبول استقالة هوبر. كل ذلك في لحظات. فوجد الوالي نفسه أمام أمر واقع يصعب عليه التراجع عنه، وبذلك تخلّصنا من هوبر واستشاراته وسيطرته على الوالي.

ويبدو أن الملك إدريس شعر بأن الوالي قد تجاوز حدود المعقول في آرائه الإقليمية، ورغب أن يوليه منصباً يوسّع أفقه ويثري خبرته الدستورية ويجعله يلمس أهمية صلاحيات الحكومة الإتحادية، فعيّنه وزيراً للمعارف في حكومة الإتحاد، وعيّن حسين مازق والياً على برقة (كان ذلك في ربيع ١٩٥٢).

تهمة باطلة

كانت علاقاتي مع الوالي الجديد حسين مازق جيدة يسودها احترام متبادل وتفاهم تام مما جعلني أضاعف نشاطي في تنفيذ المشاريع الحيوية في برقة، وحدث في أكتوبر ١٩٥٢، حادث هزّني هزّاً عنيفاً وكاد يفقدني ثقتي بالناس، بل كاد أن يقضي على مستقبلي السياسي. ففي صبيحة يوم من أيام ذلك الشهر استدعاني حسين مازق إلى مكتبه، فوجدته شديد الارتباك كثير التردّد يبدو عليه أنه مكره على إبلاغي خبراً سيئاً، فهوّنت عليه وقلت: لا تجاملني يا صديقي بل أسرع في إبلاغي ما عندك. قال: لقد طلب مني الملك إدريس أن أطلب استقالتك. قلت ببساطة: أرجو أن تعطيني ورقة، وكتبت رسالة استقالة بدون أسباب وسلّمتها إليه قائلاً: يهمّني كثيراً أن أفهم الأسباب الحقيقية التي دفعت الملك إدريس إلى اتخاذ هذا القرار، فإنني لا أعرف ذنباً ارتكبته. وأكد لي حسين مازق أن هذا شغله الشاغل، ووعدني وعداً قاطعاً أن يبذل قصارى جهده للوصول إلى الحقيقة. واستأذنت ورجعت إلى منزلي. وكان وقع النبأ على زوجتي شديداً، فقد كانت حاملاً بإبننا الأول عمرو وخشيت عليها من وقع الصدمة.

مضى علي أسبوعان لا أنساهما ما حييت، وليس أشدّ على الإنسان من أن يرى نفسه متهماً بتهمة لا يعرفها، ولا يدري لمن يشتكي، وظهرت لي في تلك الفترة شخصيات كثيرة

على حقيقتها، فمثلاً: قريب لي كان يتبوّأ منصباً كبيراً جداً في الديوان الملكي رغبت أن أزوره وأطلب مساعدته في معرفة أسباب إقالتي فاعتذر عن مقابلتي وأرسل لي من يقول أنه يرجو ألا أحاول الاتصال به مرة أخرى. وكثيرون آخرون ابتعدوا عني وتجاهلوني، وكذلك كثيرون آخرون لم يتستّروا في إظهار عطفهم علي ومساندتهم لي وكان أهمهم حسين مازق الذي كان يزورني مراراً وبدون أن يذكر لي أية تفاصيل أو يبوح لي بأيّ سر، وكان يردّد القول بأن الحق لا بدّ أن يظهر عن قريب. ولن أنسى موقف حسين مازق النبيل في ذلك الحين.

وفهمت فيما بعد بأن التهمة الموجّهة إلي هي أنني سرقت الأنابيب التي كان يعدّها الطليان لنقل مياه عين مارة وتوزيعها على القرى الإستعمارية في الجبل الأخضر، ونقلتها في سيارات شحن كبيرة إلى مصر حيث بعتها هناك. وكوّن الوالي بناء على أمر الملك لجنة برئاسة السيد ونيس القذافي للتحقيق في هذه التهمة العجيبة.

إتّضح للّجنة من أول وهلة أن أحد عشر كيلومتراً من تلك الانابيب تمّ نقلها فعلاً من منطقة الجبل الأخضر إلى منطقة درنة وذلك تنفيذاً لمشروع نقل مياه الخزان الجديد من منطقة المغار إلى مدينة درنة، وأن قرار استعمال تلك الانابيب قد اتخذ من إدارة الأشغال أربعة أشهر قبل تعييني في منصب وزير الأشغال. وان عطاء الأنابيب أعلن ونشر في الجرائد الرسمية وبُتّ فيه قبل تعييني وزيراً للأشغال بشهرين، أي في اوائل عام ١٩٥٠، بل واستجوبت لجنة التحقيق رجال الحدود في مساعد فأكدوا أنه لم تعبر الحدود سيارة واحدة تحمل أنابيب من أي نوع كان.

وبعد أسبوعين من التحقيق ظهر للّجنة وتبيّن لها أن التهمة الموجّهة لي لا أساس لها من الصحة بتاتاً. فرفعت تقريرها للملك بذلك. واتّضح لي فيما بعد أن الذي أبلغ الملك بتلك التهمة هو مع الأسف أحد أعضاء العائلة السنوسية انتقاماً مني لأنني رفضت طلبه في أن أرسي عطاء على مقاول يهمه أمره، أو هو شريك له، بدلاً من إرساءه على جهة أقل سعراً وأكثر كفاءة.

وزارني حسين مازق في منزلي وأبلغني نتيجة تحقيق اللجنة، وقال: لقد رغب مولانا

الملك أن تعود إلى منصبك في الحال، وأصدر مرسوماً بذلك معتبراً أن استقالتك كأنها لم تكن. ولا أبالغ إذا قلت أنني رفضت القبول. وبقي الوالي معي ساعة كاملة يقنعني ويضغط علي بكل الوسائل، وأذكر أنه قال في ختام كلامه: هل تريد أن يعتذر لك الملك إدريس؟ إن لغة المرسوم تكاد تكون لغة اعتذار. أما سبب تردّدي في الرجوع إلى منصبي فلأنني كنت أرى أنه لا يجوز للملك أن يقبل بأن يقيل أحد وزرائه لمجرّد إشاعة أو وشاية ولو أن ناقلها أحد أعضاء العائلة السنوسية، وأن يتمثل الآية الكريمة ﴿يا أيها الذين آمنوا إن جاءكم فاسق بنبأ فتبينوا أن تصيبوا قوماً بجهالة فتصبحوا على ما فعلتم نادمين﴾. على أي حال لم يكن في استطاعتي رفض رجاء صديق وفيّ وقف معي في محنتي، وقلت للوالي سأرجع مساء هذا اليوم.

أمل يتحقق

أذكر أنه في أوائل الأربعينات (أعتقد عام ١٩٤٢) وكنت لا زلت طالباً بكلية الهندسة ذهبت برفقة عبدالله بالعون، إلى موعد مع عضو مجلس الشيوخ عبد الستار بك الباسل في مجلس الشيوخ المصري، وجلسنا ننتظر في بهو ذلك المجلس الفخم تحت قبّة ذات نقوش بديعة. وبينما أنا أتأمل تلك الروائع الفنية لمع بخاطري سؤال وجهته إلى رفيقي الكبير، قلت: يا سيد عبدالله هل تتخيّل أن يكون لنا في الوطن برلمان ومجلس شيوخ كهذا؟ فتنهّد رفيقي وقال: يا بني كل شيء عند الله قريب. نسيت تلك القصة سنوات عديدة إلى أن ذكّرني بها عبدالله بالعون في مناسبة سعيدة حدثت بعد عشر سنوات. ذلك أنه في أوائل عام ١٩٥٢ وبعد إجراء الإنتخابات البرلمانية الأولى قرر الملك إدريس أن يكون افتتاح البرلمان الأول في مدينة بنغازي، ولم يكن في مدينة بنغازي - التي لم تكن قد ضمّدت جراح وخراب الحرب بعد - إلا مبنى وحيد يمكن أن يصلح مقراً لمجلس البرلمان بعد إصلاحات كثيرة طبعاً، هذا المبنى هو نادي الضباط الإنجليز. وكان موقعه مناسباً جداً إذ أنه يقع وسط المدينة ويفصله عن مبنى رئاسة الحكومة ميدان فسيح، ومنظر المبنى لائق وطرازه شرقي ذو قباب ملفتة للنظر. وعندما طلبت

الحكومة الليبية استرجاع هذا المبنى من القوات البريطانية قوبل طلبها برفض تام. إلاّ أن الملك إدريس أصرّ وتشدّد فماطلت السلطات البريطانية، وأخيراً وأمام إصرار الملك رضخت ولكنها تلكأت في التسليم. استدعاني الملك وطلب مني أن أعد مبنى النادي ليكون مبنى للبرلمان ويكون جاهزاً لافتتاح البرلمان بعد أسبوعين. وهو يعرف أن هذا الطلب شبه مستحيل ولكن علي أن أعمل المستحيل. وخرجت من عند الملك وأنا أشعر بشبه دوار، إذ كيف يمكن لي بإمكانيات محدودة تحويل نادي ضباط مكوّن من بارات وصالات لعب وصالات للتسلية واللهو إلى مبنى برلمان مكوّن من قاعات فسيحة ومقاعد للنواب والشيوخ ومنصّات للرئاسة ومكاتب وسكرتاريا.

قررت أن أتولى هذه المهمة المستحيلة بنفسي، فأوقفت جميع أعمال ورش نظارة الأشغال العامة وجندت المهندسين والعمال الفنيين في إدارة الأشغال بل ومن مقاولي إدارة الأشغال وواصلت العمل ليل نهار، فكوّنت مجموعات كل منها تعمل ثمانية ساعات على مدى أربعة وعشرين ساعة وانتهى العمل الساعة السادسة صباح يوم افتتاح البرلمان.

وفي تلك الفترة كان عبدالله بالعون مديراً عاماً لنظارة الداخلية ومسؤولاً طبعاً عن الأمن العام، وتصادف أنه كان يقوم بجولة تفتيشية على مبنى البرلمان الجديد ويرافقه كبار ضباط الشرطة وذلك للتأكد من سلامة الطريق الذي سيسلكه الملك بعد ساعات عند افتتاحه للبرلمان، ورآني من بعيد وأنا أشرف على اللمسات الأخيرة في قاعة الاجتماع الرئيسية، فأسرع نحوي وأشار إلى القبة في سقف القاعة وقال: لقد استجاب مالك الملك لآمالنا، وتكرّم علينا بإستقلال وبرلمان وقبة فوق البرلمان، ألا تذكر سؤالك ونحن ننتظر عبد الستار بك الباسل في مجلس الشيوخ المصري. قلت: بلى الحمد لله.

قصة أخرى ذات نتيجة سعيدة أذكرها أنه بعد إعلان الإستقلال بشهرين وانتهاء مهمة ممثل هيئة الامم المتحدة الذي أشرف على إستقلال ليبيا أدريان بلت، تقرر إجراء حفلات توديع له في طرابلس وبنغازي وسبها، ورغب محمد الساقزلي، والي برقة في ذلك الوقت، أن تتفوق هدية ولاية برقة على كل ما يقدم له من هدايا توديعية. واستدعاني إلى مكتبه صباح يوم وشرح لي أهمية أن تكون هدية برقة أحسن الهدايا التي تقدم لمستر

بلت تقديراً لما قام به من خدمات جليلة في سبيل حصول ليبيا على إستقلالها. وشعرت أنه يعطي أهمية أكثر من اللازم لموضوع الهدية. ويرغب أن تكون الهدية نسخة من الدستور الليبي موضوعة في صندوق من الذهب الخالص منقوش عليه إهداء جميل من شعب برقة إلى بلت. ومضى الساقزلي قائلاً: وحيث أن مثل هذه الهدية لا يمكن صنعها في بنغازي ومن غير المعقول أن نصنعها لدى منافسينا صنّاع مدينة طرابلس، فقد فكّرت بأن أكلفك بالسفر فوراً إلى القاهرة لصنع هديتنا هناك.

ولم تجد العراقيل التي أبديتها نفعاً، فمثلاً قلت لا يمكن تصدير الذهب من مصر إلا بإذن خاص من السلطات المصرية. فتعهد الوالي بأن يكلف السفارة المصرية في بنغازي بالحصول لنا على الإذن المذكور، قلت: جواز سفري سقطت مدته، فتعهد باستخراج جواز سفر جديد قبل الظهر. ورضخت أخيراً على مضض أمام إلحاحه وما كنت أدري أن إحدى نتائج هذه الرحلة ستكون من أسعد النتائج لي في حياتي المقبلة - وعسى أن تكرهوا شيئاً وهو خير لكم -. على أي حال سافرت بالسيارة عصر ذلك اليوم إلى الإسكندرية عن طريق درنة طبعاً، وتمكّنت من عمل صندوق من الفضة وجعلت الاهداء في النهاية على لوحة من الذهب الخالص ألصقت على الصندوق. وكانت في النهاية هدية ممتازة ولكن تكاليفها أقل كثيراً مما طُلب مني، ولاقت الهدية قبولاً طيباً من الساقزلي عندما عدت بها يوم ١٣ فبراير ١٩٥٢.

ولكن خلال زيارتي الإسكندرية قابلت الفتاة التي أصبحت زوجتي. فقد كان أمر خطوبة الآنسة يسرى راشد كنعان معدّاً سراً من والدتي وأخي محمود، وعند حضوري إلى الإسكندرية ألحّت رحمها الله أن أخطب هذه الفتاة التي رأت فيها الأصل الطيب والخلق الحميد والثقافة والعقل الراجح. وكالعادة تهرّبت مرجئاً الموضوع إلى عودتي من القاهرة. ولكن، في القاهرة، وبعد زيارتي لوكيل الخارجية المصرية وحصولي منه على التصريح المطلوب بتصدير الذهب مررت على الحاج عبد الحميد شومان مؤسس البنك العربي ورئيس مجلس إدارته، وألحّ الحاج عبد الحميد في دعوتي للغداء فقبلت شاكراً. ونحن نتناول القهوة سأل أخي محمود الحاج عبد الحميد عن راشد كنعان. فشكره وأثنى عليه

ثناءً كبيراً، ثم سأل: ولكن لماذا تسألني عن راشد كنعان؟ فردّ محمود: لأنني أحاول إقناع أخي مصطفى ليخطب ابنته يسرى وهو لا يزال متردّداً على عادته. فأمسك الحاج عبد الحميد بذراعي وقال: لن ترجع لبنغازي إلا بعد أن تخطب بنت راشد كنعان، وصدّقني إنها فرصتك الذهبية، وعلى أي حال سأتصل الآن براشد كنعان في الإسكندرية وسأطلب منه أن يدعونا جميعاً للعشاء في بيته غداً إن شاء الله.

وهكذا كان، تمّت خطوبتي يوم ١٢ فبراير ١٩٥٢، وغادرت الإسكندرية إلى بنغازي ومعي الحاج عبد الحميد شومان يوم ١٣ فبراير. ولقد حمدت الساقزلي أنه كان السبب لتلك الرحلة، التي وإن بدأتها على مضض، فإن إحدى نتائجها كانت ارتباطي مع زوجة صالحة تحمّلت معي مشاكل حياتي السياسية بصبر وحب وعون عظيم، بل ومشاركة في الرأي في كثير من الأزمات.

تزوجت في الإسكندرية في ٢٩ يونيو ١٩٥٢ في احتفال بسيط وعدت إلى بنغازي ومعي زوجتي في منتصف يوليو، ورزقت بأول أولادي عمرو يوم ٩ أبريل ١٩٥٣، وبابني الثاني هاني يوم ٢٦ مارس ١٩٥٤، وكنت أسكن مع زوجتي ووالدتي في شقة صغيرة مطلّة على البحر في حيّ جليانة، وبقيت في تلك الشقة حتى بعد أن تولّيت رئاسة الحكومة. وكانت الحياة في بنغازي سهلة ميسّرة، وأخلاق الناس ومعاملاتهم تقليدية محافظة، والعلاقات بينهم رتيبة ودودة، فلم يكن مرض جمع المال والتباهي به، ولا ظهور الثروة النفطية المفاجئ قد أصاب النفوس بأمراض الجشع والمادية.

زيارتي الثانية إلى بريطانيا

في شهر يونيو ١٩٥٣ استدعاني الملك إلى مقره في مدينة البيضاء بالجبل الأخضر وطلب مني السفر إلى لندن لمساعدة رئيس الوزراء محمود المنتصر الذي كان يفاوض الحكومة البريطانية على معاهدة الصداقة والتحالف. وشرح الملك أن المنتصر أبرق طالباً إيفاد مندوب مفوض عن ولاية برقة ليتفق مع وزارة الدفاع البريطانية على بيان الأراضي والمباني والتسهيلات التي ستوضع تحت تصرّف القوات البريطانية التي

ستعسكر في برقة لأنه يريد أن يتولى هذا الموضوع من يتشدد مع البريطانيين ولا يسمح لهم إلا بأقل ما يمكن من التسهيلات. ثم أشار الملك بنوع خاص إلى مستشفى بنغازي المركزي الذي كانت القوات البريطانية تحتل أهم أجنحته وأكثر تسهيلاته، وشدّد على ضرورة استرداد ذلك الجزء من المستشفى بأسرع ما يمكن... ثم أضاف أن المنتصر ليّن في تعامله مع الإنجليز ولا يستطيع - بمفرده - أن يضغط عليهم ويحتاج لمن يشدّ أزره ويشجعه على بعض الصلابة والتشدد... وهذه هي مهمتك. وسألت الملك: هل يرغب أن يكون شدّي لأزر رئيس الحكومة قاصراً على موضوع الممتلكات والتسهيلات في برقة. رد الملك: بل شد أزره فيما يشركك فيه من أمر ولا تتدخل فيما لا يشاورك فيه.

وفي لندن اجتمعت بالرئيس المنتصر في مقر إقامته في فندق كلاريدج ولما كنت على صداقة ومعرفة سابقة به فإن التفاهم معه كان سهلاً. وفهمت من أول اجتماع أنه يودّ أن أقصر جهدي وأركّزه على موضوع الأملاك والتسهيلات التي نضعها تحت تصرف القوات البريطانية في برقة. وتنفيذاً لمهمتي فقد عقدت أول اجتماع في وزارة الدفاع البريطانية، وكان يرافقني كل من سليمان الجربي وكيل الخارجية والدكتور عوني الدجاني المستشار القانوني، وكان الجانب البريطاني مكوناً من خبراء عسكريين ومدنيين من درجات عالية ويرأسهم وكيل وزارة الدفاع، جاردنر، وهو شخص متغطرس.

ولم يطل الاجتماع الأول إلاّ نصف ساعة، أنهيته غاضباً وانسحبت وتبعني زميلاي وهما في حيرة من أمرهما، ويبدو أنهما لم يتعوّدا على مثل ما حدث في ذلك الاجتماع الصاخب القصير. ذلك أن أول موضوع ناقشناه كان موعد استرداد الحكومة الليبية للأجزاء التي تستعملها القوات البريطانية في مستشفى بنغازي المركزي، فأبدى جاردنر رغبتهم الاحتفاظ بتلك الأجزاء لمدة المعاهدة (٢٠ عام) ورفضت، وقلت: لن نسمح لكم باستعمال مستشفى بنغازي لأكثر من عام واحدة كي تتمكنوا من تجهيز مستشفى بديل لاستعمالكم. وردّ جاردنر بغطرسة: إننا حتى لو وافقنا اليوم على إخلاء المستشفى فإننا سنحتاج لخمس سنوات حتى نبني مستشفى بديل، ثم نحن سندفع لكم إيجاراً لقواعدنا حسب المعاهدة فإذا كنتم تمتنعون عن السماح لنا باستعمال هذه التسهيلات الهامة فإن

موقفكم هذا سيجعلنا نخفّض من قيمة الإيجار. قلت: لست مستعداً للموافقة على أكثر من عام وهي مدة كافية تمكنكم من إقامة مستشفى عسكري خاص. رد جاردنر قائلاً: إنك تتحدث عن أمور لا تفهمها، ليس في إمكان القوات البريطانية تجهيز مستشفى بديل في أقل من خمس سنوات. هذا هو حدّنا الأدنى. وهنا انفجرت في وكيل وزارة الدفاع وقلت: بل أنت الذي تتحدث عن أمور لا تفهمها، إنني أفهم الهندسة والبناء فلديّ العلم والخبرة، وقد قمت ببناء ما هو أهم من مستشفى بنغازي المركزي في أقل من عام، ولا يمكنني بأي حال من الأحوال أن أسمح لكم باستعمال أهم أجزاء المستشفى المركزي في بنغازي في الوقت الذي يعاني فيه سكان المدينة من قلّة العناية الطبية وقلّة الأسرّة وغرف العمليات المتوفرة في المستشفى الذي تحتله قواتكم المسلّحة. وخرجت من الاجتماع وتوجهت على الفور إلى الفندق وقابلت رئيس الوزراء وشرحت له ما جرى في ذلك الاجتماع الصاخب. وأعترف أنني كنت في حالة غضب شديد، وقلت لرئيس الوزراء: إنني لن أتفاوض مع جاردنر بعد اليوم وانني لست مفوضاً بالسماح للقوات البريطانية باستعمال أجزاء مستشفى بنغازي لأكثر من عام. وأضفت: وربما كان وجودي في لندن سيسبب لكم وللمفاوضات بعض الصعوبات لذلك فإنني على استعداد للعودة إلى بنغازي ورفع الأمر إلى من أرسلني. انزعج رئيس الوزراء وهدّأ من انفعالي واتصل على الفور بالسير أليك كيركبرايد (Sir Alec Kirkbride) سفير بريطانيا في ليبيا وكان يرافق الرئيس المنتصر في المفاوضات، ولا أدري ما دار بعد ذلك إلاّ أنني دعيت صباح اليوم التالي إلى اجتماع ثانٍ في وزارة الدفاع لم يحضره جاردنر بل رأس الجانب البريطاني شخص آخر أكثر لباقة ومجاملة، وسرعان ما اتفقنا على أن تجلو القوات البريطانية عن جميع أجزاء مستشفى بنغازي في مدة أقصاها ١٨ شهراً. ثم بدأنا مناقشات طويلة للتسهيلات الأخرى، وتمّ التفاهم عليها في جوّ من التعاون والاحترام المتبادل، وطبعاً حاولت بكلّ الوسائل اختزال عدد ومقدار التسهيلات التي سمحنا للقوات البريطانية باستعمالها.

وكانت زيارتي إلى لندن واجتماعاتي العديدة بالرئيس المنتصر فرصة طيبة لتوطيد أواصر الصداقة معه عن كثب، وأعجبني فيه نزاهته وإخلاصه للوطن وللملك. ولكنني

كنت أجده كثير الثقة بالإنجليز ليّناً في التعامل معهم، وفي أحاديث كثيرة معه تبين لي أنه يراعي الصدق التام في علاقاته الدولية ويتبع أساليب أخلاقية عالية ويتوقع أن يعامله الغربيون (في هذه الحالة الإنجليز) بنفس أساليب الإخلاص والصدق، وكنت أقول له: أن السياسة الدولية تستدعي الكثير من المناورات والمكر والخداع. ولكن الرئيس المنتصر كان ينفر من هذه الآراء، وصارحني أنه حاول إشراكي في وزارته الأولى وزيراً للمالية أو المواصلات ولكن الملك رفض بحجّة أنه في حاجة ماسّة لخدماتي في إعادة بناء برقة.

وقبل مغادرتي لندن كتبت رسالة مطوّلة للملك شرحت فيها ما أنهيت، وأضفت أن الرئيس لم يستشرني في مواضيع المعاهدة الأخرى ولذلك فلا علم لي بما جرى بينه وبين البريطانيين، ولكنني أخشى أن معاييره الاخلاقية العالية وأساليبه المترفعة قد لا يوصلانه للحصول من بريطانيا على أحسن الشروط لصالح ليبيا.

ممثل ليبيا في المجلس الإقتصادي لهيئة الامم المتحدة

ومن لندن توجهت إلى جنيف لحضور اجتماعات المجلس الإقتصادي والاجتماع التابع لهيئة الامم المتحدة، فقد كان المجلس يبحث موضوع تقديم العون المالي والفني للدولة الليبية الناشئة وليدة قرارات الامم المتحدة.

وكان يرافقني في الوفد الليبي علي نور الدين العنيزي (وكان نائباً في البرلمان) ونجم الدين فرحات (وكان ناظراً للمالية في ولاية طرابلس).

وبذلنا على مدى شهراً كاملاً جهوداً مضنية، وقمنا باتصالات مكثّفة مع جميع أعضاء الوفود إلى أن أصدر المجلس توصية قوية إلى جميع الدول الأعضاء في هيئة الامم المتحدة يناشدها تقديم العون المالي والتقني لليبيا. ومع الأسف لم تقدم أية دولة من الدول فلساً واحداً لمساعدة ليبيا تنفيذاً لتلك التوصية.

الأزمات تعصف بالحكومة

سقوط حكومة المنتصر

عاد رئيس الوزراء إلى الوطن في أواخر يوليو ١٩٥٣ بعد أن أنهى المفاوضات مع بريطانيا (ولم يشاركه في المفاوضات إلا وكيل الخارجية سليمان الجربي). وكما توقعت فلم يحصل من بريطانيا على ما كان متوقعاً أن يحصل عليه من عون مالي يتناسب مع التسهيلات التي حصلت عليها بريطانيا. فبالإضافة إلى سياسة اللين التي اتبعها فإنه كان يفاوض من مركز ضعف، ولم يكن لديه نقاط ارتكاز تعينه وتقوّي موقفه، فالوضع الإقتصادي الداخلي كان في حالة انهيار تام وفي أمسّ الحاجة للمعونة التي تقدمها بريطانيا، والواقع العربي كان سيئاً، ولم يكن بإمكان أي دولة أن تمدّ يد العون إلى ليبيا.

وقامت حملة إعلامية شديدة من الصحافة والاذاعة العربية والمصرية ضد المعاهدة الليبية-البريطانية، وهوجم المنتصر هجوماً لا هوادة فيه، لا سيما من اذاعة صوت العرب التي كانت تبثّ من القاهرة ومن الصحافة العربية في لبنان وسوريا ومصر. وتجاوبت مع هذه الحملات عناصر ليبية معارضة في البرلمان الليبي وخارجه، وبذل محمود المنتصر جهوداً جبارة ومساعي حثيثة ومارس ضغوطاً شديدة إلى أن وافق البرلمان الليبي بمجلسيه وبأغلبية بسيطة على معاهدة الصداقة والتحالف مع بريطانيا.

وما أن هدأت زوبعة المعاهدة البريطانية حتى وجد محمود المنتصر نفسه يواجه سلسلة من الصعوبات الدستورية مع القصر الملكي ومع الولايات، خصوصاً ولاية برقة. أما بين رئيس الوزراء والقصر الملكي فقد كان الخلاف الدستوري يتعلق بنوع خاص

بصلاحية الملك في تعيين الولاة بأمر ملكي دون عرض من مجلس الـوزراء ولا توقيع من رئيس الوزارء. أما بالنسبة لخلاف رئيس الوزراء مع الولايات فقد كان يتعلق بتوزيع الصلاحيات بين الحكومة الإتحادية والولايات، وسلطة الحكومة الإتحادية المركزية في الإشراف على الولايات. وعندما زاد الجدل وتمادى الخلاف اضطر الرئيس المنتصر في آخر المطاف إلى تنفيذ ما كان يلوّح به منذ شهور عديدة، وذلك بأن وجّه رسالة إلى المحكمة العليا يستفتيها في تلك الخلافات الدستورية باعتبارها الجهة الوحيدة المخوّلة السلطة للبت في الخلافات الدستورية.

ثم حدث تطوّر آخر في المعمعة الدستورية التي أخذت أبعاداً جديدة عندما تدخلت خلافات العائلة السنوسية وألقت بظلّها الخطير.

ذلك أن ناظر الخاصة الملكية إبراهيم الشلحي، الرجل القوي والمستشار المقرّب من الملك، كان في البداية من مؤيدي المنتصر منذ أن تولى رئاسة الحكومة الليبية المؤقتة، واستمرّ تأييده لرئيس الحكومة إلى أوائل عام ١٩٥٣. إلاّ أن ذلك التأييد المفيد والضروري لرئيس الحكومة بدأ يتلاشى، ثم انقلب إلى عداء دفين مستتر تحت أقنعة من المجاملات الشكلية، فقد شعر أن رئيس الحكومة يميل ميلاً قوياً نحو فرع السيد أحمد الشريف السنوسي ويناصرهم في صراعهم مع عبدالله عابد السنوسي، ولما كان قد اتخذ من عبدالله عابد حليفاً في عدائه القديم مع فرع السيد أحمد الشريف، فقد رأى في الرئيس المنتصر حليفاً لأعدائه وعدوّاً لحليفه أو بعبارة بسيطة رأى في رئيس الوزراء عدوّاً له، ولذلك فقد نقل تأييده ووضعه في كفة الولايات لكي يحرج المنتصر ويرغمه على الاستقالة. كذلك شجّع الملك على إجراء تعديل جوهري في وزارة محمود المنتصر عندما كان الأخير في إجازة في الخارج فعين العنيزي وزيراً للمالية، وعيّن أبو نعامة وزيراً للمعارف ونقل الساقزلي من وزارة المعارف إلى رئاسة الديوان الملكي، وكان هذا بمثابة صفعة معنوية موجّهة علناً لرئيس الوزراء الذي ظهر وكأنه آخر من يعلم.

وبحكم علاقتي الوطيدة مع كل من الرئيس المنتصر وناظر الخاصة الملكية، فقد كنت على اطّلاع تام على ذلك الصراع الخفي الدفين، ورأيت في استمراره وتفاقمه

ضرراً بالغاً على الاستقرار في الوطن. وبالرغم من مأخذي على أساليب محمود المنتصر في التعامل مع البريطانيين، فإنني كنت معجباً بصفاته الحميدة الكثيرة الأخرى، وكنت أشعر بأن الواجب الوطني يفرض علي أن أساعده في إزالة العراقيل من طريقه حتى يتفرّغ لمسؤولياته الجسيمة لا سيما والبلاد في اوائل عهدها بالإستقلال. ومن ناحية أخرى كنت أعتقد أن ناظر الخاصة الملكية وهو الحريص على سمعة الملك واستقرار البلد سيرحّب بفرصة للمكاشفة والمصارحة مع رئيس الحكومة. فإذا تأكد من أن المنتصر لا يناصر أعداءه (أبناء السيد أحمد الشريف) ولا يعادي حليفه (عبدالله عابد) فإن سوء التفاهم سيزول على الفور وتعود المياه إلى مجاريها، ويبقى الخلاف الدستوري في نطاقه المعقول (أي بين حكومة الإتحاد والولايات) تنظر فيه المحكمة العليا صاحبة الاختصاص، ويتوقف خلط الخلافات الشخصية بالخلافات الدستورية، أو هكذا كان تصوّري ببساطة وحسن نية.

فقد شعرت بأن الواجب الوطني يدعوني لبذل مساع حميدة بين الرجلين لعلّي أعيد لعلاقاتهما ذلك التفاهم والتعاون لكي يتفرغ الجميع لمواجهة مشاكل الدولة الحديثة، وفاتحت ناظر الخاصة الملكية ووجدت عنده ترحيباً واستعداداً لمرافقتي في زيارة لرئيس الوزراء محمود المنتصر. وبالفعل رافقته في زيارة رتبتها مع رئيس الوزراء في منزله الرسمي في منطقة جليانة ودام اجتماعنا الثلاثي ما يقارب من ساعتين، كان المنتصر صريحاً لبقاً شرح الصعوبات والعقبات التي تقام في طريقه ونسب بعضها لناظر الخاصة الملكية، ثم نفى عن نفسه تهمة مناصرة فريق من العائلة السنوسية على فريق آخر، وأكد أنه إنما يسعى لخدمة وطنه وملكه في الحدود التي رسمها الدستور.

وكان ناظر الخاصة الملكية يستمع في أدب جمّ وتواضع ظاهر إلى أن انتهى محمود المنتصر من استعراضه الشامل لظنونه وصعوباته، ثم بدأ الشلحي في توجيه أسئلة محددة واتضح من المناقشة أن الرئيس المنتصر لم يتمكن من إثبات تهمة تدخّل واحدة قام بها ناظر الخاصة الملكية، بل عجز حتى عن تحديد قرينة واحدة عن عرقلة أو صعوبة قام بها ناظر الخاصة الملكية، ولكنه استمرّ بتكرار ظنونه وما نُقل له من أخبار وما بلغه

من إشاعات. وهكذا انتهى الاجتماع بمجاملات جوفاء لتغطية الشعور بفشل الاجتماع.

رافقت ناظر الخاصة الملكية في طريق العودة إلى منزله، فسألني: هل أرضتك ردودي؟ قلت: لقد أعجبني ذكاؤك ومهارتك في ردودك ولو أنني لم أقتنع بها. رد قائلاً: أن صديقك لن يطول جلوسه على كرسي الرئاسة، (أو شيء من هذا القبيل).

واجتمعت في اليوم التالي برئيس الوزراء فوجدت ظنونه قد أصبحت يقيناً من أن ناظر الخاصة الملكية يتزعم من وراء الستار حركة عرقلة أعمال وزارته ومحاولة انهاء ولايته، وأكد أنه قرّر مواجهة الملك فإن لم يحصل على تعاونه فإنه مستقيل لا محالة. وهذا ما حدث بعد أسابيع قليلة.

وأسفت كثيراً لفشل مساعيّ في إزالة تلك القائمة الطويلة من الخلافات والصعوبات التي اصطنعت اصطناعاً فأطاحت بأول رئيس للحكومة الليبية، وحرمت الوطن من خدمات ذلك الرجل النزيه.

حكومة الساقزلي

كلّف الملك رئيس ديوانه محمد الساقزلي بتشكيل الوزارة الليبية في أواخر فبراير ١٩٥٤، واستدعاني الرئيس المكلّف وعرض علي منصب وزير المواصلات في وزارته الجديدة، وكانت دعوته لي دعوة فاترة شعرت بأنه يقوم بها تلبية لأمر من الملك. ولذلك فقد استمهلته إلى الغد وذهبت إلى الديوان الملكي وطلبت مقابلة الملك في أمر مستعجل. وقابلت الملك وشرحت له دعوة رئيس الحكومة المعيّن لكي أشترك معه في وزارته الجديدة، وأضفت أن تجربتي السابقة مع الساقزلي وشعور الشك والحذر الذي خيّم دائماً على علاقاتي معه جعلني أتردّد في القبول. فالساقزلي برغم نزاهته وإخلاصه وتفانيه في العمل فهو عنيد، ضيّق الأفق، يهتم بالقشور، وينساق لنصائح البريطانيين، وهذه كلها صفات قد تسبب تضارباً بينه وبيني في الآراء، وتزايداً في النفور.

رد الملك بأنه هو الذي وجّه الساقزلي لإشراكي أنا وخليل القلال في الوزارة الجديدة، واستطرد قائلاً: أن الساقزلي قد توسع أفقه وزادت مداركه كثيراً بعد توليه

وزارة المعارف الإتحادية ثم منصب رئيس الديوان، وأصبح إدراكه الدستوري يقدّر أهمية الصلاحيات الإتحادية والولائية، ولقد فكرت في إسناد رئاسة الوزارة إليه في هذا الوقت بالذات لإننا نواجه فيه عدة مشاكل دستورية، آملاً بأن يتمكن بما اكتسب من خبرة في إيجاد الحلول المناسبة لتلك المشاكل. واختتم الملك كلامه: إن المناصب السياسية ليست وقفاً على أحد وآمل أن تشارك في وزارة الساقزلي وتشدّ من أزره. وخرجت من عند الملك وأخبرت الرئيس المعيّن بقبولي الإشتراك معه في الوزارة.

ولم تخلو المدة القصيرة التي عاشتها وزارة محمد الساقزلي (أقل من شهرين) من مشاكل وصعوبات كان أهمها:

- أنه كتب لرئيس المحكمة العليا طالباً منه غضّ النظر عن البتّ في المشاكل الدستورية وإرجاء إصدار الفتاوى التي طلبها سلفه محمود المنتصر، ولم يخبر أو يستشير مجلس الوزراء في هذه الخطوة الخطيرة. وعندما علمنا بذلك وواجهناه (القلهود والقلال والعنيزي وأنا) رد بأنه حاول أن يتجنّب المشاكل لكي يتفاهم مع من يهمهم الأمر بالحسنى وبدون اللجوء إلى المحكمة العليا.
- عندما بدأنا التفاوض مع الفرنسيين على قواعدهم في فزّان فاجأنا بقوله (للفرنسيين) أنه لا يمانع في عقد معاهدة مع فرنسا على غرار المعاهدة الليبية-البريطانية شريطة أن تستبدل ملابس القوات الفرنسية التي ستبقى في قواعد فزّان، ولا تكون ملابسهم مشابهة لملابس القوات الفرنسية الأخرى.

على أية حال لم تدم وزارة محمد الساقزلي كثيراً وكانت نهايتها نتيجة لأزمة دستورية حادة أخرى.

الباب الثاني

الأزمة الدستورية عام ١٩٥٤
وتكليفي بتشكيل الوزارة

الأزمة الدستورية الناتجة عن حل المجلس التشريعي الطرابلسي

هذه الأزمة كانت هي السبب الرئيسي في سقوط حكومة محمد الساقزلي وتكليفي برئاسة الوزارة. وقد واجهتني منذ اللحظة الأولى التي كلّفني فيها الملك، بل أنني لم أتمكن من تأليف وزارتي الأولى إلاّ بعد أن اتفقت مع رئيس المحكمة العليا على الخطوط الرئيسية لعدة حلول مشرّفة، وطمأنت زملائي الوزراء إلى ذلك كما سأشرح في الصفحات التالية. ومن العجيب أن تلك الأزمة الدستورية كان من اليسير إيجاد العديد من المخارج والحلول لها لو هدأت النفوس واطمأنت الخواطر، واتُّبع المنطق والإتزان، وانتفى التشنّج والتطرّف، والصيد في الماء العكر.

نصّ الدستور الليبي في المادة ٤٣ على إنشاء محكمة دستورية عليا تتكون من رئيس ومستشارين يعينهم الملك. ونص قانون المحكمة في المادة ١٤ بأن تختص المحكمة العليا دون غيرها بالفصل في المنازعات التي تنشأ بين الحكومة الإتحادية وولاية أو أكثر، إذ تضمنت الخصومة مسألة تتعلق بالحقوق الدستورية. كذلك نص القانون في المادة ١٦ على أنه يجوز لكل ذي مصلحة شخصية مباشرة الطعن أمام المحكمة العليا في أي تشريع أو إجراء أو عمل يكون مخالفاً للدستور. اشتدّ النزاع بين الحكومة الإتحادية وحكومات الولايات، بل وبين الديوان الملكي والحكومة الإتحادية على الإختصاصات، ومع الأسف فإن بعض مواد الدستور كان ينقصها الوضوح. وكانت السلطة الوحيدة المخوّلة بتفسير وإيضاح مواد الدستور هي المحكمة الإتحادية العليا. وعيّن الملك رئيس وأعضاء

المحكمة العليا بمراسيم ملكية، ولكن منصب النائب العام الإتحادي كان لا يزال شاغراً عند قيام العاصفة موضوع هذا البحث، وكان رئيس المحكمة وثلاثة من مستشاريها من القضاة المصريين، كما كان هناك مستشاران ليبيان ومستشار بريطاني واحد، والغريب في اختيار المستشارين أن أغلبهم لم تكن لديه أية خبرة سابقة في الأنظمة الإتحادية، بل أن المستشار الإتحادي الوحيد الذي كانت لديه بعض الخبرة في الأنظمة الإتحادية هو المستشار البريطاني القاضي جيمس آلان بيل.

وكانت المشكلة الدستورية الأولى التي رفعت إلى المحكمة العليا هي تلك المتعلقة بتعيين الولاة، إذ طلب رئيس أول حكومة محمود المنتصر من المحكمة العليا أن تبدي رأيها في الوضع الدستوري للولاة بالنسبة للحكومة الإتحادية، وبالتحديد ما إذا كان تعيين الولاة يجب أن يتم بمراسيم ملكية موقع عليها من رئيس الوزراء (بعد توقيع الملك طبعاً). كما طلب منها إبداء الرأي في دستورية إسناد الملك بعض الصلاحيات للولاة وحق الحكومة الإتحادية بالرقابة على تلك الصلاحيات، ولقد كانت خطوة شجاعة وحكيمة من محمود المنتصر، ولكن المحكمة لم تتخذ موقفاً من تلك الرسالة إلى أن تولى محمد الساقزلي رئاسة الوزارة، فبادر وطلب من المحكمة العليا إرجاء النظر في رسالة سلفه (ربما لتجنيب المحكمة الإحراج).

وكانت القضية الثانية التي ترفع إلى المحكمة الإتحادية هي قضية حل المجلس التشريعي الطرابلسي التي رفعها علي الديب رئيس المجلس التشريعي المنحل طاعناً في دستورية الأمر الملكي الذي حلّ المجلس التشريعي بمقتضاه. ويجدر بي أن أرجع بالقارئ إلى جذور تلك المشكلة المشهورة والتي انفجرت مع بداية الإستقلال.

في يوم إعلان الإستقلال عيّن فاضل بن زكري والياً على طرابلس بمرسوم ملكي موقع عليه من رئيس الوزراء، وقد امتاز فاضل بن زكري بنزاهة وصرامة وحنكة إدارية. وعندما أجريت الانتخابات التشريعية في ولاية طرابلس الغرب وكُوّن المجلس التشريعي أنتخب علي الديب رئيساً له بأغلبية كبيرة، وعرف علي الديب بخبرة قانونية لا بأس بها وطموح كبير، واستمرّ العمل بين حكومة الولاية والمجلس التشريعي في تعاون تام إلى

أن أُقيل فاضل بن زكري من منصبه وعين الصديق المنتصر والياً على طرابلس. ومع الأسف فقد كانت إقالة فاضل بن زكري لأسباب تافهة ولكنها مشرّفة له، فقد اعتذر عن وضع سيارة حكومية تحت تصرّف عبدالله عابد السنوسي لأن وسائل النقل الحكومية لا تستعمل إلاّ في الأغراض الرسمية، ولم يكن بين فاضل بن زكري وعبدالله عابد من ود أو مجاملة، فعمل عبدالله عابد بالتعاون مع الطيب الأشهب وبقية رجال الحاشية الملكية على تصوير فاضل بن زكري للملك على أنه طاغية ميوله إيطالية قد يستقل بولاية طرابلس إذا لم يعالج أمره في الحال. ثم أقنعوا الملك بأن الشخص الطرابلسي الوحيد الذي يمكن له حكم ولاية طرابلس الغرب وضمانها داخل المملكة الليبية هو الصديق المنتصر، وكان الصديق المنتصر على علاقة وطيدة مع عبدالله عابد ورجال الحاشية الملكية فجاء تعيينه ليقوّي ما بينهم من صداقة وجعله يحمل شعوراً طيباً نحوهم، حرصاً على رد الجميل.

إنه من الإنصاف القول بأن للصديق المنتصر بعض المميزات، فقد كانت له خبرة إدارية طويلة، وكان نزيهاً حازماً في إدارته، إلاّ أنه مع الأسف كان مصاباً بداء العظمة. وعرف عنه التطرف وحب الإنتقام وكان لا يخلو من جموح وطفرات عنيفة، ومن ناحية أخرى كان عبدالله عابد على علاقة سيئة مع رئيس الوزراء محمود المنتصر كما كان رجال الحاشية يشاركون عبدلله عابد هذا الشعور، ولذلك فإن الصديق المنتصر، تقرّباً من عبدالله عابد ومجاملة له ولرجال الحاشية، انقلب على ابن عمه رئيس الوزراء وأظهر له أشدّ العداء وحارب أصدقائه، وظنّ أن علي الديب من أنصار محمود المنتصر فبدأت الشكوك تنتابه نحوه، وزاد من أسباب التوتر بين الصديق وعلي الديب اختلاف الأمزجة بينهما، إذ كان الوالي عنيفاً في ردود فعله، بينما كان رئيس المجلس التشريعي علي الديب ذكياً طموحاً لاذع اللسان. وسرعان ما حدث التصادم بينهما، فطلب الوالي من الملك حل المجلس التشريعي، وأيّده في ذلك بعض رجال الحاشية الذين صوّروا للملك أن علي الديب رجل له طموحات خطيرة ويجب التخلص منه قبل فوات الأوان وقبل تفاقم الأمور. فأمر الملك بإعداد مرسوم ملكي بحل المجلس التشريعي، إلاّ أن المستشار

القانوني للديوان الملكي عوني الدجاني أبدى اعتراضه، فقد رأى أن الأسباب التي ذكرها الوالي لا تكفي ولا تبرر حلّ المجلس التشريعي، كما أيد رئيس الديوان الملكي محمد الساقزلي رأي المستشار القانوني، فما كان من رجال الحاشية (أظن إبراهيم الشلحي) إلاّ أن طلبوا من سكرتير الملك أبو القاسم الغماري صياغة مرسوم ملكي وطبعه على الآلة الكاتبة، ولما لم يكن للغماري أية دراية قانونية فقد نقل نص أمر ملكي سابق وجعله مرسوماً بحلّ المجلس التشريعي، وقدّم النص للملك فوقع عليه اعتقاداً منه أنه أعدّ بمعرفة المستشار القانوني للديوان.

وصدر المرسوم الملكي بتاريخ ١٩ يناير ١٩٥٤ بحل المجلس التشريعي الطرابلسي بناءً على توصية المجلس التنفيذي الطرابلسي ومسبباً بعدم تعاون المجلس التشريعي مع المجلس التنفيذي. وكما قدّمت فقد كان المرسوم موقعاً من الملك دون توقيع أي مسؤول في المجلس التنفيذي، ونص المرسوم إجراء انتخابات تشريعية بولاية طرابلس في مدة أقصاها تسعون يوماً. وكلّف والي طرابلس بتنفيذ المرسوم كما أبلغ المرسوم المذكور إلى علي الديب رئيس المجلس التشريعي.

وبتاريخ ٣١ يناير ١٩٥٤ رفع علي الديب بصفته رئيساً للمجلس التشريعي المنحلّ مذكرة قانونية بارعة إلى المحكمة العليا الإتحادية معدداً نواقص ومثالب مرسوم الحل وتعارضه في الشكل، على الاقل، مع نصوص الدستور. وتقدم المجلس التنفيذي إلى المحكمة العليا بمذكرة مضادة وضعها المستشار القانوني عبد الحليم عوض محاولاً تفنيد حجج علي الديب، إلاّ أن الفارق كان عظيماً بين المذكرتين، كما كان الحق في جانب علي الديب (قيل أن وزارة العدل في الحكومة الإتحادية كانت تتعاطف مع علي الديب، بل قيل أن إدارة القضايا بوزارة العدل بالحكومة الإتحادية ساعدت علي الديب في صياغة مذكراته).

كانت المحكمة العليا مقسّمة إلى دوائر فعُرضت قضية حل المجلس التشريعي على دائرة القضاء الإداري والدستوري بالمحكمة العليا برئاسة المستشار علي منصور وعضوية المستشار حسن أبو علم والمستشار الشيخ عبد الحميد عطية الديباني، ولما لم يكن هناك - عند نظر القضية - نائب عام إتحادي معيّن بمرسوم ملكي كما ينص

قانون المحكمة، فقد انتدب المستشار علي منصور المستشار محمود المسلاّتي ليقوم بعمل النائب العام الإتحادي، وبعد مداولة طويلة في ثلاثة جلسات أصدرت دائرة القضاء الإداري بالمحكمة يوم ٥ أبريل ١٩٥٤ حكمها في قضية الطعن رقم (١ سنه ١ ق) بأن حل المجلس التشريعي بأمر ملكي هو عمل غير دستوري، على أساس أن الملك غير مسؤول وأن الشخص الوحيد المسؤول في مثل هذا الموضوع هو رئيس الوزارة وأن الأداة السليمة لحل المجلس التشريعي هي صدور مرسوم ملكي يوقعه رئيس الوزراء إلى جوار توقيع الملك بعد استشارة المجلس التنفيذي للولاية ويحتوي على أسباب الحل.

وقامت عاصفة سياسية هوجاء تنافس فيها السياسيون في إلقاء الزيت على النار. وغابت الحكمة والتروي وسيطرت الأعمال الغوغائية على الساحة السياسية الليبية، فقد نظم والي طرابلس الصديق المنتظر مظاهرات من الرعاع تهتف في شوارع طرابلس بسقوط المحكمة العليا والعدالة، وهاجمت تلك المظاهرات المأجورة مبنى المحكمة العليا وتبارى أصحاب المآرب، خصوصاً رجال الحاشية الملكية، في تصوير حكم المحكمة العليا على أنه اعتداء على سلطة الملك، وتدخّل تآمري من المستشارين المصريين في شؤون ليبيا الدستورية بغية زلزلة النظام الملكي وتقويضه. ونُظمت حملة صحافية رخيصة في الجرائد الحكومية ضد المحكمة العليا ومستشاريها بإيعاز من والي طرابلس وبعض رجال الحاشية الملكية. بل أكثر من ذلك فإن عبدالله عابد السنوسي سارع لنجدة صديقه الحميم والي طرابلس، فنظم مظاهرة قوامها عمال شركته ساسكو لتسير في شوارع بنغازي هاتفة بسقوط حكم المحكمة، مظهرةً الولاء للملك كأنما كانت المحكمة العليا تحاول المساس بذلك الولاء.

ولا شكّ بأن الملك فوجئ بحكم المحكمة وشعر بإحراج شديد فقد ورّطه شخص ما للتوقيع على مرسوم خاطئ، وبدلاً من أن يوجه غضبه ضد الذين نصحوه بالتوقيع على الأمر الملكي المشؤوم، تمكّن الصديق المنتصر مع أعوانه من أفراد الحاشية الملكية من توجيه غضب الملك ضد الحكومة الإتحادية والمحكمة الإتحادية العليا التي تجرأت وعارضت أمراً ملكياً، وتجاهل الصديق المنتصر حكم المحكمة العليا ومضى في إجراء

انتخابات المجلس التشريعي الجديد.

وفي هذه الاثناء كانت حكومة محمود المنتصر قد استقالت، وكلّف الملك رئيس ديوانه محمد الساقزلي بتشكيل الحكومة الليبية الثانية والتي كنت أنا عضواً فيها.

سقوط حكومة الساقزلي

وكان مجلس النواب مجتمعاً في بنغازي في ١٠ أبريل ١٩٥٤، وأغلب الوزراء يحضرون الجلسة عندما وصلت برقية مستعجلة من مدير الشرطة الإتحادية فايز الإدريسي يبلغ رئيس الوزراء بأن والي طرابلس مستمر في إجراء الانتخابات وأن المظاهرات المأجورة لا زالت تجوب شوارع طرابلس وتهتف بسقوط المحكمة، وانتهز رئيس الوزراء الساقزلي فرصة رفع جلسة مجلس النواب للاستراحة فعقد جلسة مستعجلة لمجلس الوزراء في غرفة رئيس مجلس النواب، وظهر في الاجتماع اتجاهان. اتجاه اقترحه الوزير خليل القلال بأن الموضوع من الخطورة بحيث يتطلب الاتصال الفوري بالملك ومطالبته بإصدار أمر إلى والي طرابلس بوقف انتخابات المجلس التشريعي إلى أن تبتّ الوزارة في المشكلة الدستورية، والاتجاه الآخر اقترحته أنا وهو أن نطلب عقد اجتماع في صباح الغد لمجلس الوزراء برئاسة الملك، ونواجهه بالمشلكة الدستورية ونتحاور معه في حلّها على أساس أن المحكمة العليا يحميها الملك والدستور، وأنه سبق له أن أقسم اليمين على احترام الدستور. وقلت إنني على ثقة أننا إذا أشركنا الملك معنا في معالجة هذه المشكلة الدستورية وحلّها بالتعاون والتفاهم فإن الحكمة والتروي والشعور بالمسؤولية التاريخية سيسهل اتخاذ الحلّ الدستوري المناسب.

مال الرئيس الساقزلي إلى رأيي، ولما لم يكن لدي في جدول أعمال مجلس النواب أي أعمال أخرى فقد عدت لمنزلي آملاً أن نواجه الأزمة الدستورية في الغد بالطريقة الهادئة التي اقترحتها. وعلمت فيما بعد أن خليل القلال أعاد الكرّة وألحّ على رئيس الوزراء في ضرورة اتخاذ موقف حازم على الفور، وشجعه وحثّه على الإتصال الهاتفي بالملك. وعندما اتصل الساقزلي بقصر الغدير قال له التشريفاتي أحمد محي الدين

بأن مولانا الملك يؤدي صلاة المغرب، فردّ الساقزلي بأنه سينتظر على الهاتف على أن يردّ عليه الملك. وبعد انتظار دام حوالي ربع ساعة جاء الملك إلى الهاتف، فشرح له الرئيس آخر اخبار طرابلس وطلب منه بإلحاح أن يصدر أمره الفوري إلى والي طرابلس بإيقاف الإنتخابات في الحال، وكرّر الطلب.ويبدو أن الملك شعر بالحرج ولم يرتح لأسلوب الرئيس فأشار عليه بالتريث، وأن مثل هذا الموضوع لا يبحث على الهاتف، ولكن رئيس الوزراء استمرّ في إلحاحه فقطع الملك المكالمة.

هذا التطور شرحه لنا رئيس الوزراء عندما عقدنا جلسة مستعجلة صباح ١١ ابريل ١٩٥٤، وقبل أن يبدأ الحوار رأيت أن أبدي رأيي على الفور فقلت للرئيس: يا دولة الرئيس بعد أن قطع الملك المحادثة التليفونية، فهذا في رأيي يعني أنه قُضي الأمر ووجبت علينا الإستقالة. واقترحت أن نبدأ الصياغة، وهنا قال الرئيس في عصبية ظاهرة وهو يحرك يداه بسرعة بين الطاولة ورأسه: يا سي مصطفى إنت دائماً متسرع... يا... يا... وفي هذه الاثناء جاء أحمد بن سعود سكرتير الرئيس وهمس في أذنه أن وكيل الديوان الملكي فتحي العابدية في غرفة الانتظار. خرج ثم عاد بعد دقائق ممتقع الوجه أحمره، وقال في عصبية ظاهرة: إن مولانا الملك أرسل طالباً استقالة الوزارة. فقلت موجهاً كلامي للرئيس: لو قبلتم كلامي منذ دقائق لدخلنا التاريخ على الأقل أمام أنفسنا كمستقيلين لا مُقالين. وكتبنا الاستقالة بنفس القلم الذي كنت بدأت أكتب به مشروع الاستقالة. وهكذا انتهت الرحلة السياسية لرجل امتاز بالنزاهة والعمل الدؤوب والحزم، ولكن عناده وضيق أفقه السياسي وقلّة مرونته وعصبيته أهدرت تلك المزايا.

تكليفي بتشكيل الوزارة

ولم يخطر ببالي أنني سأكلف بتشكيل الحكومة الجديدة إلاّ بعد أن اتصل بي التشريفاتي أحمد محي الدين ناقلاً دعوة من الملك لتناول الشاي معه عند الساعة الخامسة من بعد ظهر ذلك اليوم. بل حتى بعد تلك المكالمة كانت تراودني ظنون كثيرة بأن الأمر قد لا يتعدى استشارة حول الأوضاع الراهنة أو شيء من هذا القبيل.

وكان الملك مجاملاً كثيراً إلى أن جاء ذكر الأزمة الدستورية فوجدته حازماً في انتقاده لتسرّع محمد الساقزلي، ولم يجد ما قلته بأن للساقزلي كثير من الصفات الطيبة. فقد كانت ردود الملك توحي بأنه أُقنع بأن الساقزلي هو المسؤول الأول عن تلك المشكلة. ثم وجّه الملك كلامه إلي قائلاً أنه يودّ أن يكلفني بمهمة تشكيل الوزارة الجديدة. وقلت للملك إنني ما كدت أبلغ الثالثة والثلاثين، قال: أعرف ذلك جيداً. وقلت: إن خبرتي السياسية قليلة. قال: سأساعدك عندما تحتاج إلى الخبرة. فقلت: ربما يحتاج الموقف الراهن إلى من هو أكثر مني خبرة. فردّ الملك: إنني أرغب أن أكلفك أنت. وأثنى ثناءاً كبيراً مؤكداً بأنه سيعاونني بقدر الإمكان.

فقبلت شاكراً، إلاّ أنني أثرت مع الملك موضوعين رئيسيين:

الأول: شرحت وجهة نظري في حكم المحكمة العليا وتتلخص في أنه قد يكون لدي بعض التحفظات على ذلك الحكم خاصة أنه أقحم رئيس الوزراء في النزاع واشترط توقيعه على المرسوم الملكي في أمر يخص الولاية ولا يدخل في نطاق اختصاص الحكومة الإتحادية. ولكنني مع ذلك أعتقد أن الحكم صحيح في مجمله حينما قضى بأن توقيع الملك بمفرده على مرسوم ملكي دون أن يوقع معه مسؤول تنفيذي يتحمل مسؤولية نتائج ذلك المرسوم هو أمر باطل ومخالف للدستور. ومهما يكن من أمر فإن حكم المحكمة العليا - برغم تحفظي عليه - لا بد من احترامه وتنفيذه حرصاً على سمعة البلد واحتراماً لأعلى سلطة قضائية فيه.

وقال الملك أنه يوافقني على ضرورة احترام حكم المحكمة ولكنه لا يقبل بأي حال من الأحوال عودة المجلس التشريعي السابق، فإذا وجدت حلاً في هذا النطاق فإنه سيوافق عليه دون تردد. وشعرت بأن الخطوط الرئيسية في حل الأزمة قد تحددت أمامي وسيسهل علي إيجاد عدد من المخارج داخل الحدود التي حددها الملك.

الثاني: قلت للملك أنني أود أن أشرك معي في الوزارة الجديدة بعض النواب المعارضين ممن لهم سمعة طيبة وكفاءة مشهودة، فردّ بأن هذا من مسؤولياتي ولا اعتراض له على ذلك.

وهنا طلبت من الملك أن يمهلني بعض الوقت للقيام بالخطوات الآتية:

- الإتصال برئيس المحكمة العليا في طرابلس على الفور ومحاولة الإتفاق معه على مخرج من أزمة المحكمة حسبما شرحت فيما سبق.
- الإتصال بالاشخاص الذين أود أن يشتركوا معي في تأليف الحكومة وتوزيع المناصب عليهم.
- وضع خطة وزارية شاملة وعرضها عليه مع أسماء الوزراء.

وغادرت قصر الغدير إلى وزارة المواصلات، واتصلت من هناك برئيس المحكمة العليا في طرابلس المستشار محمد صبري العقاري، وشرحت له أنني كُلفت بتشكيل الوزارة الجديدة ويهمني أن أجتمع به بأسرع ما يمكن لأناقش معه الحلول المعقولة لتنفيذ حكم المحكمة بطريقة ترضي الجميع. وتجاوب معي وقال أنه سيغادر طرابلس بالسيارة بمجرّد تجهيزها، وسيقابلني في منزلي ببنغازي فجر الغد. وهذا ما فعله إذ اجتمعت معه فجر ١٢ أبريل ١٩٥٤ وبحثنا الأزمة الناجمة عن حكم المحكمة العليا في قضية حل المجلس التشريعي الطرابلسي، وتبين لي أن رئيس المحكمة يميل إلى التعاون في إيجاد مخرج دستوري يحافظ على وقار المحكمة العليا وسمعتها، وفي نفس الوقت يجنّب البلد أزمة دستورية لا يُقبل له بها في أوائل عهده الإستقلالي. بل عرض علي العديد من الاقتراحات كان أحدها أن نستصدر مرسوماً ملكياً جديداً يوقع عليه رئيس الوزراء يصحح بأثر رجعي فعالية المرسوم الملكي المطعون في دستوريته، وسررت كثيراً لشعوري بأن رئيس المحكمة يتفهم الإشكال الدستوري الحاد الذي سببته ضجة الحكم، ويُخلص في السعي لإيجاد حلّ يهدّئ النفوس ويرضي المحكمة ويحترم الدستور. ولكنني لاحظت أنه يعطي أهمية أكثر مما توقعت للمستشار علي منصور رئيس دائرة القضاء الإداري والدستوري التي أصدرت الحكم المذكور، بل أنني شعرت كما لو أنه يخشى إغضاب ذلك المستشار، إذ كرّر لي عدة مرات أن اقتراحاته شخصية ولا بدّ من استشارة علي منصور والحصول على موافقته.

واليوم وبعد أكثر من خمسين عاماً من انتهاء تلك الأزمة أشعر بأنني ارتكبت خطأً كبيراً إذ كان يجب علي – دون أي إبطاء – إتّباع نصيحة رئيس المحكمة العليا حينما أشار إلي أن أحد الحلول الممكنة لتلك الأزمة أن أستصدر مرسوماً ملكياً بحل المجلس التشريعي الطرابلسي موقعاً عليه من الملك ومني تمشياً مع حكم المحكمة، وأضع الجميع أمام الأمر الواقع. وليكن ذلك أول مرسوم تصدره الوزارة الجديدة، ولكنني مع الأسف، بقبولي إعطاء رئيس المحكمة مهلة تشاور مع علي منصور كنت قد وافقت على إعطاء أهمية كبيرة للأخير الذي كان يتباهى في مجالسه الخاصة بوقوفه في جانب الشعب متحدياً سلطة الملك. فزاده غروره عناداً وتمسكاً بالحكم الذي أصدره، وبذلك مدّدت الأزمة وأعطت للكثير من لاعبي السياسة فرصاً جديدة للصيد في الماء العكر.

أزمة دستورية جديدة

والأزمة لم تزل تتفاعل، ولم تنته فصولها بعد، فقد صدر في ٥ مايو ١٩٥٤ حكم آخر من دائرة القضاء المدني بالمحكمة العليا برئاسة المستشار حسن أبو علم (وعضوية الدكتور عثمان رمزي والدكتور عوني الدجاني) الذي بعد أن افتتح الجلسة، لم يجد نائباً عاماً معيناً بمرسوم ملكي (كما يقتضي قانون المحكمة)، فقرر تأجيل القضية التي كان ينتظرها إلى أجل غير مسمى إلى أن يتم تمثيل النيابة العامة لدى المحكمة تمثيلاً قانونياً صحيحاً. وأشار في حيثيات الحكم إلى أن قرار رئيس المحكمة بندب أحد مستشاريها لتمثيل النيابة بها هو إجراء باطل لمخالفته الدستور.

وهكذا فإن حكم دائرة القضاء المدني قد تضارب تضارباً صارخاً مع حكم دائرة القضاء الإداري والدستوري الذي قضى ببطلان المرسوم الملكي السابق الإشارة اليه. بل أن حكم الدائرة المدنية يشير بمنتهى الوضوح والصراحة إلى بطلان حكم دائرة القضاء الإداري والدستوري لأن النيابة لم تكن ممثلة تمثيلاً قانونياً صحيحاً في ذلك الحكم حيث أنه - كما سبق أن ذكرنا - إنتدب المستشار علي منصور أحد مستشاري المحكمة لتمثيل النيابة العامة لدى المحكمة وهو الأمر الذي رفضته الدائرة المدنية

وقضت بعدم دستوريته. وبذلك فقد أضيفت أزمة دستورية جديدة إلى الأزمة الأولى التي كنا لا نزال نحاول معالجتها.

وكان رد فعل الملك ورجال القصر سريعاً وجهوراً، إذ استدعاني الملك وأفهمني أنه في حلّ من أي وعد سابق، إذ أن المحكمة العليا قد تناقضت في أحكامها، وأثبت الحكم الأخير الصادر عنها (حكم دائرة القضاء المدني) بطلان الحكم القاضي بعدم دستورية الأمر الملكي، ولذلك فإن الواجب الآن تجاهل ذلك الحكم بعد أن ثبت خطأه وبطلانه، واعتبار المجلس التشريعي منحلاً قانونياً.

وكان موقفي أنه برغم تسليمي بتضارب أحكام المحكمة العليا، وتخطئة أحدها للآخر، إلاّ انه يجب علينا إحترام أحكامها مهما كان التناقض بينها صارخاً. ثم بعد ذلك يمكننا إصلاح بنية المحكمة بحيث نجنّبها الوقوع في مثل تلك الاخطاء. واستمر الحال على أخذ وردّ بصبر وتأنّي إلى أن تمكّنت في نوفمبر ١٩٥٤ من إصدار مرسوم ملكي جديد موقع عليه من الملك ومنّي باعتباري رئيساً للوزراء مصححاً المرسوم الملكي المطعون في دستوريته.

إلاّ أن هذه الأزمة الدستورية الحادة وما تخلّل حلّها من بحث وتدقيق ومراجعة قد لفتت نظر الوزارة الجديدة لعدة مثالب خطيرة في بنية المحكمة العليا والطريقة التي شكلت بها، فبادرنا بإصلاحها في قانون جديد للمحكمة العليا أصدرناه يوم ٣ نوفمبر ١٩٥٤ ومن أهم تلك الأصلاحات:

- جعل رئاسة المحكمة العليا محصورة في المستشارين الليبيين دون غيرهم بحيث يعيّن أحدهم لمدة عام قابلة للتجديد. فقد اتضح لنا أثناء الأزمة أن السفارة المصرية في بنغازي كانت تتدخل سراً لدى مستشاري المحكمة المصريين حاثّةً إياهم على «الوقوف في جانب الشعب لا في جانب الملك» كأنما كان هناك نزاع بين الشعب والملك. (وقد كان أحد الذين حملوا رسالات التوصية من السفارة المصرية إلى رئيس المحكمة وإلى علي منصور كذلك هو

مدير بنك مصر في بنغازي أحمد فتح الله كما أسرّ لي هو بذلك فيما بعد).

- حاولت تعيين الدكتور فتحي الكيخيا كأول رئيس ليبي للمحكمة العليا ولكنه اعتذر، وفكرت في الدكتور محي الدين فكيني ولكن حال دون ذلك صغر سنه (لم يكن قد بلغ الثلاثين وقانون المحكمة كان يحدد ٣٥ عام كحدّ أدنى لعمر المستشار)، وأخيراً اقترح وزير العدل اسم المستشار محمد خليل القماطي رئيس محكمة استئناف طرابلس وقد كان الاختيار في غاية التوفيق والحمد لله.
- زاد التعديل من فرص تعيين مستشارين ليبيين خصوصاً الحاصلين على شهادات عالية في الشريعة الإسلامية.

وفضلاً عن الإصلاحات التي أدخلها تعديل قانون المحكمة المذكور، فإن الوزارة الجديدة اتجهت إلى تعيين مستشارين لهم خبرة واسعة في الأنظمة الإتحادية، وذلك تجنيباً من أن يكون هناك في المحكمة أكثر من مستشارين اثنين من جنسية اجنبية واحدة.

هذه هي القصة الحقيقية لأزمة المحكمة العليا الشهيرة رويتها بأمانة وصدق بقدر ما أسعفتني ذاكرتي والوثائق القليلة التي تمكنت من الحصول عليها، ومنها يتضح أن الملك إدريس اقتنع في آخر المطاف، فتراجع في تواضع، وصحّح مرسومه الملكي المطعون فيه وبذلك أعطى مثالاً عالياً في احترامه وخضوعه لأحكام القضاء.

تأليف وزارتي الأولى

نعود إلى يوم الثاني عشر من أبريل ١٩٥٤، فبعد أن اتفقت مع رئيس المحكمة العليا على الإطار العام الذي يمكن في نطاقه حلّ الأزمة الدستورية، واجتمعت مع الشخصيات التي رشحتها للاشتراك معي وكانوا من الوزراء السابقين ومن أقطاب المعارضة البرلمانية، وعرضت عليهم الإطار العام لإتفاقي مع رئيس المحكمة العليا وقلت أن اختيار الحل الدستوري لأزمة المحكمة العليا أصبح الآن سهلاً ميسّراً وعلى مجلس الوزراء، بعد

تكوينه، أن يختار أحد الحلول المناسبة للأزمة الدستورية طالما كان ذلك الحلّ في نطاق الإطار العام المتفق عليه مع رئيس المحكمة.

ودارت مناقشة طويلة حول هذا الموضوع الذي رأى فيه بعض الزملاء أهمية كبيرة بل شرطاً أساسياً لقبولهم الاشتراك في الوزارة. وبعد أن اقتنع جميعهم بإمكانية ايجاد الحل المناسب المتمشي مع الدستور والمحافظ على كرامة المحكمة العليا، عرضت عليهم التشكيل الوزاري محدداً لكل مرشح الوزارة التي أرشحه لها، وقد استحدثت وزارة جديدة هي وزارة الإقتصاد الوطني وفصلتها عن وزارة المالية وذلك استعداداً لتطبيق السياسة المقبلة، وتمّ الإتفاق على التشكيلة الآتية للوزارة، الدكتور العنيزي احتفظ بوزارة المالية، إبراهيم بن شعبان تولى وزارة المعارف، خليل القلال وزارة الدفاع، عبد الرحمن القلهود وزارة العدل، محمد بن عثمان وزارة الصحة، مصطفى السرّاج وزارة الإقتصاد، الدكتور عبد السلام البوصيري وزارة الخارجية، واحتفظت أنا بوزارة المواصلات بصفة مؤقتة.

ثم أدّت الوزارة الجديدة اليمين الدستورية بين يدي الملك ولم يبدِ الملك أي اعتراض على وجود اثنين من أقطاب المعارضة هما عبد الرحمن القلهود ومصطفى السرّاج ضمن التشكيلة الوزارية.

وعلى الفور بدأنا سلسلة من الاجتماعات الطويلة لرسم سياسة الوزارة الجديدة وتحديد معالم الطريق الذي ستسلكه. فقمنا بإعداد البيان الوزاري الذي ستتقدم به الوزارة الجديدة إلى مجلس النواب للحصول على ثقته. وكان العامل الرئيسي المسيطر على تفكيرنا وبالتالي الهدف الذي حاولنا الوصول إليه بقوة وبسرعة هو «كيف نصل بالوطن إلى وضع يمكننا من الاستغناء عن العون الاجنبي»، ولقد وردت إشارة صريحة في البيان الوزاريٍ إلى الأهمية القصوى التي توليها الوزارة للوضع الإقتصادي في البلاد وتعهدها بجعل إصلاحه في أوليات اهتماماتها.

وبعد مناقشة طويلة وصريحة في مجلس النواب فازت الوزارة بالثقة البرلمانية بأغلبية كبيرة. ثم بدأت عملها الشاق الطويل، وكان جو المناقشات في مجلس الوزراء

صريحاً للغاية، بل أنني تعمّدتُ تشجيع الحوار فكانت القرارات لا تُتخذ إلاّ بعد بحث دقيق وحوار شامل وفحص عميق، وكنا نواجه مناقشات مجلس النواب كفريق متجانس ومترابط. فقد كنا نناقش جدول أعمال مجلس النواب ونستعدّ للرد والمناقشة ونتفق في جلسات مجلس الوزراء على المواقف التي سنتخذها في مناقشات مجلس النواب. فلم تكن مهمتنا في مواجهة النواب بالسهلة الميسرة بل كانت تنتابها أوقات حرجة صعبة. فقد كان في النواب بعض المعارضين الأشداء أمثال عبد العزيز الزقلعي ومحمد الزقعار وصالح بويصير وعبد السلام بسيكري ومصطفى ميزران ورمضان الكيخيا ومفتاح عريقيب وكثيرون غيرهم.

واستحدثت سياسة جديدة مع مجلس النواب وهي المصارحة بقدر الإمكان وإشراك المجلس مع الوزارة في اتخاذ بعض القرارات الهامة. ولقد حرصت على توطيد الصداقة الشخصية مع أغلب المعارضين، بل لقد لجأت في بعض الأحيان للإستعانة بالمعارضة سراً في رفض كثير من طلبات القصر ومعارضة كثير من ضغوط الدول الغربية.

وعلى العموم فقد كانت الحياة النيابية وطنية نشطة في جوّ من الحرية التامة، وبالرغم من غياب المؤسسات الحزبية الضرورية في الأنظمة الديمقراطية فإن الحياة النيابية وجوّ الحرية في سنوات الإستقلال الأولى كان يمكن أن يكون نواة لحياة نيابية ونظام ديمقراطي معقول.

الآن وقد توليت رئاسة الوزارة وجابهت الأزمة الدستورية، وشرعت الوزارة الجديدة في مباشرة مهامها، فإن أسباب التداخل في العمل بين الملك، باعتباره الرئيس الأعلى للدولة وبيني، باعتباري رئيساً للحكومة، كثيرة ومتشابكة ولذلك فإنني أرى أنه ربما يكون من الأولى والأفضل التحدث عن بعض مفاتيح شخصية الملك التي ربما تفسر بعض التناقض في الممارسات، وبعض الاختلافات في الاجتهادات السياسية بينه وبيني، ثم بعد ذلك نعود إلى سياق الحديث، ونتابع سرد الأحداث الجسام التي عاصرتها وشاركت في صنعها أثناء تولي مهمة رئاسة الوزارة.

الباب الثالث

أضواء على بعض اتجاهات الملك إدريس السياسية

مقدمة

لقد ارتبطت أحداث التاريخ الليبي المعاصر لمدة تزيد على نصف قرن بإسم الملك إدريس، فقد كان له الدور المميز في مسيرة تلك الحقبة من الزمن، ولو أن تاريخ حياة الملك إدريس ليس من اختصاص هذه المذكرات إلاّ أنه من الضروري والمفيد استكمالاً للبحث أن ألقي الضوء على كثير من الخلفيات الشخصية التي أثّرت في نهجه السياسي وجعلته يتخذ لنفسه مواقف سياسية ربما تحتاج لبعض من الشرح والتفسير، لا سيما ارتباطها بأحداث تاريخية ومفاهيم ومقاييس ظلّت في ذهن الملك إدريس ثابتة لا تتغير رغم ديناميكية التاريخ وتغيراته.

وأبادر بالقول بأنه يجب علينا أن نفرّق بين السيرة الشخصية للملك إدريس وسيرته السياسية. فبينما سيرته الشخصية وما عرف عنه من تقوى وورع وعفة وزهد وأخلاق نبيلة وقيم إسلامية رفيعة، كل هذا حقيقة لا ينكرها إلا مكابر أو موتور، فإن سيرته وأعماله السياسية واتجاهاته ومواقفه كرجل دولة لها وعليها. نجح أحياناً وفشل أحياناً أخرى، فيها جوانب برّاقة وأخرى قاتمة.

وفي المدة الطويلة التي عرفته فيها وعملت معه خلالها، فإنني أشهد أنه لم يقم بأي عمل سياسي - مهما كان اختلافي معه - عن سوء نية، أو طمع، فلم يقم من الأعمال إلاّ بما كان يعتقد أنه الأفضل لصالح البلاد. لقد كان رائده دائماً خدمة شعبه والسهر على أموره، وكل من يعمل لا بد أن يخطئ ويصيب، فتلك طبيعة البشر. إنني أنزّهه عن تعمد التقصير ولكنني لا أنفي عنه بعض القصور، كما أنني أنزّهه عن سوء النية وسوء

القصد، ولكنني لا أنفي عنه سوء التقدير أحياناً لا سيما في اختيار بطانته.

لذلك فإنني أحاول أن أشرح وأفسر تلك النواحي من سيرة الملك إدريس السياسية لأزيل عنها ما قد يكون علق بها ظلماً من افتراءات وأنصف الرجل في نطاق الأمانة التاريخية البعيدة عن المحاباة والتجني بالرغم من علاقتي الوطيدة معه وإجلالي لسيرته الشخصية، وإيماني بأنه من أولئك الصالحين المؤمنين الذين خشوا الله في السر والعلانية.

لقد عرفت الملك إدريس عن كثب منذ صباي عندما كنا في مصر، ثم عملت معه كوزير للأشغال عندما كان ملكاً، واستمرت علاقتي به بعد أن استقلت من مناصب الدولة واعتزلت السياسة. فقد كنت دائم الصلة به، وكان يستشيرني في كثير من الأمور الهامة، بل وكلفني بمهمة دستورية خطيرة في أواسط الستينات عندما كنت بعيداً عن أي منصب حكومي.

وبعد انقلاب سبتمبر ١٩٦٩ ولجوئه إلى مصر أكثرت من زياراتي له لأنها اتخذت طابع المواساة والتعاطف والمساندة. فقد كان رحمه الله في حالة مادية ومعنوية سيئة، ولكن زهده، وتقشفه، وكبرياؤه في تواضع، وإيمانه العميق، ورضاه بمشيئة الله جعلته يتحمل ظلم مواطنيه برحابة صدر وصبر جميل. لم يشفع له مع رجال الإنقلاب أنه هو أب الإستقلال وأنه أفنى جلّ عمره في نضال مرير مع الإستعمار، ثم بنى نهضة الوطن وفجّر ثرواته، وانتهى به المطاف لاجئاً شبه معدم في القاهرة لأن عفّته حالت دون أن يكتنز لنفسه مالاً ينفق منه في شيخوخته ومنفاه، إلى أن انتقل إلى جوار ربه بتاريخ ٢٥ مايو ١٩٨٣ ودفن في البقيع في المدينة المنورة بجوار صحابة رسول الله (صلى الله عليه وسلم). وتزامن تاريخ وفاة الملك إدريس مع ازدياد نشاط اللجان الثورية الهدام، من قتل واغتيال في شوارع لندن ومدن أوروبا، وبالرغم من ذلك فقد رثيت المرحوم رثاءاً مؤثراً نشر في جريدة الشرق الأوسط الصادرة في لندن بتاريخ ١٩٨٣/٦/٢٣.

ومن خلال معرفتي الحميمة بالملك إدريس، ومن خلال أحاديث طويلة أجريتها معه خصوصاً في منفاه، ومن خلال مناقشات ومداولات كثيرة قمت بها معه عندما كنت

أتولّى رئاسة الوزارة وأعالج معه الازمات السياسية الداخلية والدولية، وأتبادل معه الرأي وأخالفه، أحياناً قليلة في الجوهر وأحياناً كثيرة في سبل العلاج. فإني توصلت إلى معرفة عميقة بآرائه ومناهجه وكثير من المؤثرات التاريخية التي كوّنت وبلورت الكثير من مواقفه واتجاهاته.

ولعلّ أهم نقاط يحسن أن نحصر فيها بحثنا هذا هي:

أولاً: الحقيقة الغائبة في علاقة الملك إدريس ببريطانيا، ومدى تأثره بنفوذها وحقيقة تعاونه معها وأسباب ذلك التعاون.

ثانياً: مدى تأثر الملك إدريس بنفوذ حاشيته عموماً وبنفوذ ناظر الخاصة الملكية إبراهيم الشلحي (وأولاده من بعد اغتياله) بنوع خاص وأثر ذلك على قراراته السياسية.

ثالثاً: نظرة الملك إدريس إلى النظام الديمقراطي، وهل كان حقاً يميل إلى الانفراد بالسلطة؟ وهل كان حقاً يكره نظام الأحزاب؟

إن كثيراً من الغموض السياسي الذي أحاط ببعض مواقف الملك إدريس السياسية قد يزول أو تخف كثافته إذا بحثنا هذه النقاط الثلاث بحثاً عميقاً منصفاً وراجعنا الظروف الخاصة التي نشأ فيها الملك إدريس والمؤثرات الهامة التي صادفته، والعقبات الكبرى التي صدمته في أوائل عهده السياسي، والتي بقي أثرها مسيطراً على تفكيره وتطلعاته مثيراً لكثير من الحذر حتى بعد أن تبدّلت تلك المؤثرات وزالت تلك العقبات.

الملك إدريس وبريطانيا

إعجاب ببريطانيا

بدأت العلاقة بين الحركة السنوسية وبريطانيا حوالي عام ١٩٠٩، وتفصيل ذلك أن المد التبشيري الإستعماري الفرنسي في أقاليم تشاد، وواداي، وقورو تصادم مع الحركة السنوسية التي كانت تنشر تعاليم الدين الإسلامي في تلك البقاع النائية وتقيم الزوايا السنوسية، التي كانت في الواقع مراكز دينية استراتيجية لنشر الدعوة الإسلامية، وتعليم السكان وربطهم بإخوانهم في الشمال وتسهيل التجارة وحماية القوافل.

وحدث تصادم كبير بين الطوابير الفرنسية القادمة غازية من جنوب الجزائر ومن إقليم النيجر وبين الحركة السنوسية. وسقطت زاوية بير العلالي السنوسية الكائنة في أراضي تشاد في يد الفرنسيين عام ١٩٠٢ وأصيب المد السنوسي في تلك المناطق بنكسة كبيرة.

وفي تلك الفترة بالذات توفي قائد الحركة السنوسية السيد المهدي (والد الملك إدريس) وهو يحارب الغزو الفرنسي في السودان وتولى رئاسة الحركة السيد أحمد الشريف السنوسي نيابة عن ابن عمه إدريس المهدي السنوسي الذي كان في الثانية عشر من عمره.

وكان السيد أحمد عالماً دينياً، تقياً، ورعاً، ويتفانى في خدمة الدين، ولكنه لم يكن يجيد السياسة، ولا يدرك مناوراتها ومكائدها.

واستنجد بالخلافة الإسلامية في الآستانة طالباً منها تدخلاً على مستوى دولي

لإيقاف الغزو الفرنسي. إلاّ أن الحكومة التركية لم تحرك ساكناً (ربما لأنها كانت مشغولة بعلاج مشاكل ممتلكاتها في البلقان). وعندما توغلت قوات الغزو الفرنسي شرقاً إلى جنوب واحة الكفرة عام ١٩٠٨ (وكانت الكفرة المركز الرئيسي للحركة السنوسية في ذلك الوقت) اضطر السيد أحمد الشريف أن يستنجد باللورد كتشينر (Kitchener) المندوب السامي البريطاني في مصر الذي كان الحاكم الفعلي لوادي النيل في تلك الأيام. وسرعان ما تدخلت بريطانيا وحملت فرنسا على سحب طوابيرها بعيداً إلى جنوب واحة الكفرة، وإلى منطقة تكرو بالذات التي أصبحت فيما بعد حدّاً فاصلاً بين السنوسيين والفرنسيين منذ ١٩٠٩.

ومن السهل علينا أن نتصور شعور الاعجاب والتقدير لبريطانيا الذي انتاب زعماء الحركة السنوسية في ذلك الوقت نظراً لتدخلها الناجح والسريع لحماية حركتهم من الغزو الفرنسي.

ولا شك أن الشاب إدريس السنوسي قد تأثر هو الآخر بذلك الموقف الذي وقفته بريطانيا. وتجدر الإشارة إلى حقيقة تاريخية هامة كانت سائدة أوائل القرن وهي أن بريطانيا كانت بالفعل القوة الحقيقية الوحيدة المسيطرة على زمام الأمور في العالم العربي بل في العالم الإسلامي. فقد كانت الخلافة العثمانية في دور احتضار تعاني من تضافر جهود الدول المسيحية على تقطيع أوصالها واقتسام ممتلكاتها بحجة نشر العدالة والحرية ومحاربة القمع والديكتاتورية. وكان نفوذ الدول الاوروبية الأخرى في الشرق العربي نفوذاً ثانوياً بالنسبة لنفوذ بريطانيا. وكانت السياسة البريطانية تعمل بذكاء لجعل نفوذ جميع تلك الدول نفوذاً متضارباً حصيلته النهائية قليلة لا تأثير لها.

عندما غزت إيطاليا شواطئ ليبيا في ٣٠ سبتمبر١٩١١ أبلى الليبيون بلاءً حسناً في مقاومة الغزو الإيطالي، وكانت مقاومة وطنية باسلة إشترك فيها الأتراك مع السنوسيين في برقة، إلى أن عقد الباب العالي صلحاً مع إيطاليا، فتخلّى الأتراك عن المجاهدين الليبيين وتركوهم يدافعون عن وطنهم بما توفر لهم من عتاد قليل.

وفي برقة استبسل الليبيون تحت قيادة السيد أحمد الشريف في مقاومة الطليان

(وكذلك في طرابلس تحت قيادات وطنية متعددة أهمها قيادة المجاهد الكبير رمضان السويحلي). وبقي الليبيون بمفردهم في برقة وطرابلس على مقاومة الطليان، إلى أن دخلت تركيا الحرب العالمية الأولى عام ١٩١٤ في صف ألمانيا ضد بريطانيا وإيطاليا، هناك عاد الأتراك إلى المجاهدين الليبيين المنسيين وحاولوا استقطابهم وأرسلوا إلى السيد أحمد الشريف بعض العتاد وبعض كبار الضباط (منهم نوري بك شقيق وزير الحربية، وجعفر بك العسكري الذي تولى رئاسة الوزارة العراقية فيما بعد)، ثم عيّن الباب العالي السيد أحمد الشريف - بفرمان سلطاني - نائباً للسلطان في شمال أفريقيا، فأعطاه هذا التعيين تأييداً عظيماً في أرجاء العالم الإسلامي. ولكن سرعان ما ظهرت نوايا الباب العالي الحقيقية، فقد بدأ الضباط الأتراك بالضغط عليه ودفعه لمهاجمة القوات البريطانية في مصر، وكان يكره المغامرة بقواته، لا سيما أن واجبه الأول كان مجابهة الغزو الإيطالي وتحرير الوطن منه.

أول اتصال بين السيد إدريس والبريطانيين

في تلك الأثناء جرى أول اتصال مباشر بين الشاب إدريس السنوسي والسلطات البريطانية عام ١٩١٥ في طريق عودته من الأراضي المقدسة. فاتصل بالجنرال هنري ماكمهون (Henry McMahon) المندوب السامي البريطاني في مصر، واجتمع بالجنرال جون ماكسويل (John Maxwell) قائد القوات البريطانية في الشرق الأوسط، والكولونيل جلبرت كلايتون (Gilbert Clayton) مندوب حكومة السودان في القاهرة. وقد أعرب البريطانيون عن رغبتهم الأكيدة في استمرار العلاقات الطيبة مع الحركة السنوسية، وشددوا على السيد إدريس رغبتهم في أن تلتزم الحركة السنوسية الحياد التام في النزاع التركي-البريطاني. ولما كانت قيادة الحركة في يد السيد أحمد الشريف السنوسي في ذلك الوقت فإن السيد إدريس لم يزد على وعد البريطانيين بأنه سينقل نصائحهم وتمنياتهم إلى ابن عمه عند رجوعه إلى ليبيا، ولو أنه كان يرغب لو استطاع أن يؤكد لهم أن الحركة السنوسية ستقف من الآن فصاعداً موقف حياد تام في النزاع

التركي–البريطاني (هذا ما أكده لي شخصياً).

وجرت اتصالات أخرى مكثفة بين السلطات البريطانية العليا في الشرق الأوسط والحركة السنوسية. وفي دائرة الوثائق االسرية للحكومة البريطانية عن عامي ١٩١٤ و١٩١٥ عدد لا يحصى من صور الرسائل التي أرسلها المندوب السامي البريطاني في مصر إلى السيد أحمد الشريف السنوسي مخاطباً إياه بالحسيب النسيب والاستاذ النبيل الجليل إلى آخر ألقاب التبجيل والتودّد، وكان المندوب السامي البريطاني يرجو ويلحّ بل ويلتمس من السيد أحمد الشريف أن تلتزم الحركة السنوسية الحياد في النزاع التركي–البريطاني، وألا تزجّ بنفسها في معارك لا ناقة لها فيها ولا جمل.

القوات السنوسية تغزو الأراضي المصرية

بالرغم من المساعي البريطانية الحثيثة لدى السيد أحمد الشريف وتحذيره من مغبّة الدخول في صدام مع القوات البريطانية بدون سبب، فإن ضغط الباب العالي ورسائله المتعددة واستنجاده به جعله تحت شعور إسلامي قوي ورغبة في نصرة خليفة المسلمين في حربه ضد أعداء الدين. وتغلب شعوره الديني هذا على حكمته وحجبه عن رؤية المخاطر الواضحة فوقع مع الأسف في الخطأ السياسي الرهيب وهاجم الجيش البريطاني في مصر على جبهتين:

الجبهة الشمالية بجيش من المجاهدين البرقاويين وبعض الضباط الأتراك تحت قيادة جعفر العسكري، واحتلّ السلوم وسيدي براني ووصل إلى أبواب مرسى مطروح، ثم اصطدم بجيش بريطاني قوي يفوق الجيش السنوسي عدداً وعدّة وتدريباً فكان صداماً عنيفاً أوقع بالليبيين هزيمة نكراء برغم بسالة المجاهدين.

أما الجبهة الجنوبية فكانت بجيش من المجاهدين البرقاويين مع عدد من مجاهدي قبيلة أولاد علي (وهي قبيلة من أصل ليبي تعيش في الصحراء الغربية المصرية) بقيادة السيد أحمد الشريف نفسه، فاحتلّ واحة سيوة ثم اتجه إلى واحات الداخلة والخارجة والفرافرة، وهدّد وادي النيل.

إلاّ أن هزيمة الجبهة الشمالية جعلت السيد أحمد يتراجع بسرعة نحو الحدود الليبية واحة سيوة. وبالرغم من أنها كانت حرب بين قوتين غير متوازنتين على أي وجه من الوجوه إلاّ أن القيادة البريطانية في الشرق الأوسط قد اضطرت إلى جمع جيش قوامه ثلاثين ألف مقاتل للدفاع عن وادي النيل في وجه ذلك الغزو السنوسي الذي بالغت الأخبار في حجمه وآثاره إلى درجة جعلت القيادة البريطانية تخشى من أن تقوم ثورة إسلامية في وادي النيل تأييداً لجيوش السلطان المهاجمة من الغرب (السنوسيون) ومن الشرق (الجيش العثماني من فلسطين وسوريا).

أصيب السيد أحمد الشريف بنكسة نفسية شديدة إذ شعر بمدى الضرر البالغ الذي أصاب المجاهدين بعد تلك الحرب الفاشلة التي لم يكن لها مبرر، وزيادة في الصعوبات فقد أقفلت السلطات البريطانية - بعد انتصارها على السنوسيين - الحدود المصرية في وجه مد السلاح والتموين، وكانت برقة تعاني من أسوأ مجاعة في تاريخها عامي ١٩١٥ و١٩١٦. ومما زاد الوضع صعوبة سيطرة القوات الإيطالية على موانئ البحر المتوسط وإحكامها الحصار على المجاهدين الليبيين الذين قاربت معنوياتهم من الانهيار التام. فأصبح المجاهدون والشعب في حالة من اليأس لا توصف، يأس الهزيمة وكارثة المجاعة.

وشعر السيد أحمد الشريف بالخطأ الجسيم الذي ارتكبه، ورأى أن واجبه الديني والوطني يدعوه لتسليم القيادة إلى وريثها الأصلي السيد إدريس ليحاول إنقاذ ما يمكن إنقاذه ويتولى المفاوضات مع الحكومة البريطانية آملاً في إعادة السلم وفتح الحدود المصرية، خاصة أن السيد إدريس كان قد بلغ ٢٦ عاماً وكان تسليم القيادة إليه واجباً منذ سنوات. وبقي السيد أحمد في الدواخل إلى أغسطس ١٩١٨ فنقلته غواصة ألمانية إلى أوروبا ومنها إلى اسطنبول، وعندما سلّم القيادة لابن عمه السيد إدريس عام ١٩١٦ نصحه بأن يفاوض البريطانيين، ويسعى إلى عقد صلح معهم لعلهم يرفعون حصارهم المحكم على إمدادات المؤن القادمة من مصر.

وكما قدمت فإن السيد إدريس لم يكن راضياً إطلاقاً على السير في ركاب الأتراك، ولكنه لم يتخذ أي موقف علني في معارضة الحملة السنوسية على مصر بالرغم من أن

كثيراً من الإخوان السنوسيين طلبوا منه أن يتسلّم القيادة منذ ١٩١٥، ويبعد الأتراك عن الزج بالسنوسيين في النزاع الدولي. ولكن السيد إدريس رفض ذلك وترك القيادة في يد ابن عمه الأكبر السيد أحمد الشريف (وهذا ما قاله الملك إدريس لي شخصياً، وعندما قلت له أنني أخشى أنه ارتكب بذلك الموقف خطأً سياسياً باهظ الثمن كان ردّه أنه لم يكن يرغب أن يقسم الحركة السنوسية إلى شطرين ويقضي على المقاومة الوطنية ضد الغزو الإيطالي).

الملك إدريس يستلم قيادة الحركة السنوسية

وبمجرد إستلام السيد إدريس لسلطاته كقائد للحركة السنوسية، فاتح السلطات البريطانية في مصر بشأن إيقاف الحرب (واستعمل في اتصاله بعضاً من الأدارسة المقيمين في مصر ذوي النفوذ الكبير لدى السلطات البريطانية). ووافق الجنرال سير هنري ماكمهون (Sir Henry McMahon) على التفاوض من حيث المبدأ، ولكن مشترطاً اشتراك الحكومة الإيطالية في تلك المفاوضات (حيث كانت بريطانيا حليفة لإيطاليا).

لم يكن أمام السيد إدريس مفر من قبول ذلك الشرط البريطاني المرير، فقد كانت حالة البلاد في غاية السوء، وكادت حركة المقاومة الوطنية أن تنهار، وسيطرت المجاعة الطاحنة على البلاد، وخيّم على نفوس المواطنين شعور قوي بالإحباط. فكان عليه أن يتخذ القرار الصعب ويواجه الأزمة الخطيرة بشجاعة وثبات. فقبل كارهاً أن تشترك الحكومة الإيطالية في مفاوضات الصلح. بدأت تلك المفاوضات، طويلة مضنية في الزويتينة[١] ثم في عكرمة[٢] مع بريطانيا وإيطاليا، وكان يمثل بريطانيا الكولونيل تالبوت ويمثل إيطاليا السفير بريجاتاني. وليست هذه المذكرات مكان تأريخ تلك المفاوضات ولكن يكفي أن نذكر أن بريطانيا فرضت شروطاً قاسية هي:

---

(١) قرية ساحلية بجوار مدينة اجدابيا.

(٢) واحة جنوب مدينة طبرق.

أ - تسليم كافة الأسرى من جنود الحلفاء والجنود المصريين المعتقلين لدى القوات السنوسية.

ب - سحب بقية القوات السنوسية من الأراضي المصرية.

ج - مصادرة جميع الزوايا السنوسية في الأراضي المصرية وإيقاف نشاط الحركة السنوسية في نشر دعوتها الدينية الإسلامية في مصر والامتناع عن أي نشاط أو عمل سياسي آخر في الأراضي المصرية.

د - تعهد السنوسيين بألا تعسكر قواتهم على مقربة من الحدود المصرية.

هـ - طرد جميع الضباط الأتـراك العاملين مع القـوات السنوسية (وكـان طلب البريطانيين الأول هو تسليم هؤلاء الضباط الأتراك إلى السلطات البريطانية ولكن السيد إدريس رفض تسليمهم وقبل فقط إرجاعهم إلى بلادهم).

مقابل هذه الشروط القاسية قبلت بريطانيا عقد صلح مع القيادة السنوسية، وتشجيع إيطاليا هي الأخرى بعقد صلح معها. وقبلت كذلك بفتح الحدود المصرية- الليبية والسماح بمرور البضائع والمؤن من مصر إلى برقة شريطة ألا يقع شيء منها في أيدي الأتراك وحلفائهم.

أما مفاوضات الصلح مع إيطاليا فقد استمرت لفترة أطول وأدت إلى صلح عكرمة ثم إلى معاهدة الرجمة وكانت شروطها معقولة ومتوازنة وأدت إلى إقامة الإمارة السنوسية في أجدابيا والمناداة بالسيد إدريس أميراً على دواخل برقة.

المهم أن نذكر هنا أن السيد إدريس كان في موقف حرج ضعيف أمام المفاوضين البريطانيين والإيطاليين، ولما لم يكن لديه أية نقاط ارتكاز أو نقاط قوة يستند عليها في مواجهة ضغط المفاوضين، لذلك فقد لجأ إلى سياسة المماطلة والمراوغة والتظاهر بأن رؤساء القبائل البرقاوية لن يقبلوا أي شروط مجحفة وأنهم لن ينصاعوا لزعامته إذا ما قبل هو الشروط الصعبة. وهذا الموقف من السيد إدريس حمل الإيطاليين على بعض التساهل، وتمكن أن يحصل على شروط معقولة من الإيطاليين. وعلى أية حال

فقد لمس البريطانيون والإيطاليون مهارة السيد إدريس في التفاوض معهم وأخذوا عنه فكرة أنه محاور مراوغ لا يسهل خداعه، وبقيت سمعة المراوغة هذه عالقة في أذهان البريطانيين لأجيال عدة.

هجرة الأمير إدريس إلى مصر واستئناف العمل الوطني

بعد استيلاء موسوليني على مقاليد الحكم في إيطاليا شعر الأمير إدريس بتآمر الإيطاليين وسوء نواياهم وبأنهم يتدارسون إتجاهاً للقبض عليه ومحاكمته باعتباره متمرداً على سلطتهم. ورأى أن القبض عليه سوف يضعف من معنويات الشعب الليبي وقد يؤدي إلى القضاء على حركة المقاومة، لذلك قرر الرحيل إلى مصر بحجة العلاج والإستشفاء. فأوكل رئاسة الحركة السنوسية إلى أخيه السيد الرضا كما أوكل رئاسة الأعمال العسكرية إلى المجاهد عمر المختار، حيث عيّنه قائداً ومشرفاً على الأدوار[٣] (هذا يعني بالتعبير الحديث قائداً عاماً لفرق المجاهدين). وكان عمر المختار شيخاً لزاوية القصور[٤] السنوسية، وقد أبلى بلاءاً حسناً في الجهاد ضد الغزو الفرنسي في الجنوب والغزو الإيطالي في الشمال. ولا شكّ أن ما اشتهر به عمر المختار من تقوى وصلابة وصبر وحنكة كان من الأسباب التي جعلت الأمير إدريس يختاره دون سواه قائداً عاماً للجهاد الوطني بالرغم من إنتمائه لقبيلة صغيرة هي قبيلة المنفة[٥]. وبالرغم من أن كبار المجاهدين الذين نُصِّب عليهم كانوا ينتمون إلى قبائل ذات نفوذ كبير، غير أنهم قبلوا قيادته وأطاعوا أوامره دون تردد كما لو أنها كانت صادرة من الأمير إدريس نفسه.

ويجب ألا يغيب عن الأذهان أن مصر في العشرينات كانت ترزح تحت نفوذ بريطاني شديد يكاد يكون حكماً بريطانياً مباشراً لولا أنه تستّر وراء وزارات مصرية ضعيفة وعرش مصري أجلسوا عليه أحمد فؤاد سلطاناً ثم ملكاً على مصر، وكان أحمد فؤاد قد

(٣) الادوار، كان لكل قبيلة «دور» من المجاهدين، يتطوع عدد من أفراد القبيلة في الجهاد لفترة محددة ثم يعودوا إلى الحياة العادية ويحلّ محلهم عدد مماثل من افراد القبيلة.

(٤) زاوية القصور: زاوية سنوسية جنوب مدينة المرج.

(٥) قبيلة من المرابطين مقرّها شرقي برقة.

أمضى فترة شبابه وتدريبه في البيت الملكي الإيطالي وبقي على ودّ أكيد نحو إيطاليا. ومع ذلك فقد جاملت الحكومة المصرية الأمير إدريس ورحبت به لأن جماهير الشعب المصري كانت تتعاطف مع المجاهدين الليبيين في جهادهم ضد الغزو الإيطالي، ولكن المسؤولين المصريين اشترطوا على الأمير إدريس أن يتجنب القيام بأي عمل عدائي ضد إيطاليا، بل أن الملك فؤاد استقبل الأمير إدريس وأكرم وفادته وفي نفس الوقت تمنى عليه ألا يقوم بما يعكر صفو العلاقات المصرية–الإيطالية، وأبدى استعداده بالتوسط لدى المراجع العليا الإيطالية ساعياً وراء الوصول إلى حلول سلمية (وهذا ما سمعته من الملك إدريس نفسه).

ومن الإنصاف أن أذكر المساعي والمساعدات القيّمة التي قدمها عدد لا يحصى من كبار الوطنيين المصريين أمثال الأمير عمر طوسون وعلوية باشا وحمد باشا الباسل وصالح حرب باشا وغيرهم، ولقد كان لهذه المساعدات القيمة أثرها العظيم في إذكاء نار الجهاد الوطني في برقة تحت قيادة عمر المختار.

بعد رحيل الأمير إدريس من أجدابيا قبضت السلطات الإيطالية على السيد محمد الرضا (وكيل الأمير) ونفته إلى وستيكا في إيطاليا وألغت البرلمان البرقاوي ونسفت جميع الإجراءات التي قامت بموجبها حكومة إمارة أجدابيا، ولكن إيطاليا لم تتمكن من النيل من نشاط الجهاد العسكري، بل بالعكس فإن المجاهدين تحت قيادة عمر المختار زاد نشاطهم وكثرت ضرباتهم واشتدّت هجماتهم على القوات الإيطالية مما اضطر الحكومة الإيطالية إلى اللجوء لمحاولات عديدة للتفاوض مع عمر المختار على أمل دق أسفين بينه وبين الأمير إدريس.

ولقد وجدت في كتاب المارشال رودولفو غرازياني Cirenaica Pacificata (صفحة ٤٤-٤٦) وفي الكتاب الوثائقي Gli Italiani in Libia لمؤلفه دل بوكا في الجزء الثاني (صفحة ١٤٨-١٦٢) وصفاً دقيقاً لتلك المحاولات ألخصه فيما يلي:

- عدة اتصالات قام بها بعض الليبيين بأمر الحكومة الإيطالية نيابةً عنها بعمر

المختار في أواخر عام ١٩٢٨، بهدف إقناعه بالتسليم ووقف المقاومة المسلحة.

- على أثر هذه الاتصالات قام بعض كبار الضباط الإيطاليين بمقابلة عمر المختار في يناير ١٩٢٩. ولكنه أحالهم على الأمير إدريس صاحب الأمر والنهي.
- اجتماع بين الأمير إدريس ووزير إيطاليا المفوض في مصر واسمه جايتانو باترنو وعقد الاجتماع في الإسكندرية يوم ٢٣ مارس ١٩٢٩. ويبدو أن الاجتماع لم يسفر عن أي تقريب لوجهات النظر.
- اجتماع بين عمر المختار والجنرال سيشلياني نائب الحاكم العسكري العام في ليبيا. وتمّ الاجتماع في الجبل الأخضر يوم ١٣ يونيو ١٩٢٩.
- اجتماع هام بين عمر المختار والمارشال بادوليو[٦] في منطقة سيدي رحومة جنوب بنغازي ولكن لم يسفر الاجتماع إلاّ عن هدنة لمدة شهرين فقط. ولقد أحال عمر المختار المارشال بادوليو على الأمير إدريس الذي هو القائد الأعلى وأنه يتلقى أوامره من الأمير إدريس.
- رسالة خطية من عمر المختار إلى المارشال بادوليو ينذره فيها بانتهاء الهدنة واستئناف الأعمال العسكرية، ويوجه المارشال إلى التفاوض مع الأمير إدريس في القاهرة إذا رغب في ذلك.
- أشارت هذه الوثائق الإيطالية نقلاً عن جرائد مصرية (المقطم، العلم، الجمعة) إلى شروط المجاهدين على إيطاليا، أهمها إقامة حكومة مستقلة على دواخل برقة واحتفاظ المجاهدين بسلاحهم. هذا ولما لم تؤدّ هذه الاتصالات إلى أية نتيجة تُذكر نظراً لتشدد إيطاليا بعد أن استقر الأمر لموسوليني وحزبه الفاشستي، فقد أمر بإيقاف جميع أنواع الاتصال مع السنوسيين وأرسل إلى برقة الجنرال (فيما بعد المارشال) غراتزياني، جزار برقة، وأمره بألا يترك وسيلة من وسائل القمع والبطش إلاّ ويستعملها بدون رحمة.

---

(٦) اكبر شخصية عسكرية ايطالية، تولى قيادة الجيش الايطالي وانقلب على موسوليني عام ١٩٤٤، وعقد صلحاً منفرداً مع الحلفاء.

قمع حركة الجهاد في ليبيا

لقد تفوق غراتزياني في جرائمه على كل من سبقوه، فبدأ بإقامة سد منيع من الأسلاك الشائكة المكهربة بطول ٢٥٠ كيلومتراً من البحر المتوسط إلى واحة الجغبوب[٧]، وبذلك منع تسرب المؤن والسلاح من مصر للمجاهدين. ثم أحاط المدن البرقاوية بأسوار ومنع الخروج منها، ورحّل بادية برقة إلى البريقة والعقيلة وسيدي أحمد المقرون وحصرهم في معسكرات جماعية مع ماشيتهم، ولم تكن في تلك المعسكرات أية وسائل صحية فتفشت الأمراض بينهم وقضى أكثر من نصف المرحّلين نحبهم. وبعد أن أخلى الجبل الأخضر من سكانه (فقد انقطع الغذاء والمدد الذي كان يتلقاه المجاهدون من مواطنيهم) أمر غراتزياني جنوده بإطلاق النار على أي شيء يتحرك. كما أمر باعتقال أعيان مدينتي بنغازي ودرنة ووضعهم في معسكر بنينة الشهير حيث بقوا مدة تزيد على العامين دون محاكمة وفي ظروف غاية في السوء والإحتقار (كان من نصيب عائلتنا إعتقال إخوتي سليمان والأمين لأكثر من عامين في معتقل بنينة).

بعد هذه التحضيرات استقدم غراتزياني أشدّ فرق الجيش الإيطالي بأساً وقسوة وأغلبهم من جنود الصومال وأريتريا، وشدّد الحصار على الثوار في الجبل الأخضر، واستعمل كل ما توفر له من وسائل القمع والدمار من مدرعات وطائرات. وبالرغم من استبسال المجاهدين وهم في الرمق الأخير، فقد تمكن جنوده من إصابة البطل عمر المختار واعتقاله ثم حاكموه محاكمة صورية وشنقوه في مدينة سلوق يوم ١٥ سبتمبر ١٩٣١ أمام أعيان برقة الذين نُقلوا عنوة من معتقل بنينة ليشاهدوا إعدام بطل الجهاد الوطني.

وباستشهاد عمر المختار أصيبت حركة الجهاد الليبية بضربة قاتلة، فبدأت مرحلة من أسوأ مراحل العمل الوطني وأشدها على نفوس الليبيين الأحرار، وكاد اليأس أن يتسرب اليهم في تلك الحقبة الأليمة من تاريخ العمل الوطني إلاّ أن المهاجرين الليبيين في مصر وسوريا وتونس واصلوا جهادهم السياسي والإعلامي مهاجمين الاحتلال الإيطالي لوطنهم في جرائد القاهرة ودمشق وتونس.

---

(٧) على الحدود الليبية المصرية.

تشكيل الجيش السنوسي

وفي تلك الأيام الصعبة، مادياً ومعنوياً، إنتقل الأمير إدريس إلى ضاحية فكتوريا شرق الإسكندرية وسكن في منزل متواضع ألحق به مضيفة صغيرة كان يستقبل فيها زواره من المهاجرين الليبيين وبعض المهتمين بالقضايا العربية من كرام المصريين. وفي هذه الظروف وفي تلك الأيام كنت وأنا شاب أزور الأمير إدريس وأستمع إلى آماله في العودة إلى الوطن المستقل. وما هي إلاّ سنوات قليلة حتى بدأت في أواخر الثلاثينات الغيوم السياسية تتكاثف وبدأ شبح الحرب العالمية يطل على مخططي السياسة البريطانية وبدى لهم أن التصادم بين إيطاليا الفاشستية وبريطانيا أمر لا مفر من حدوثه في المستقبل القريب. وفي استعداداتهم وتخطيطاتهم لذلك الاحتمال القوي قرروا أن يتصلوا سراً بالزعماء الليبيين المنتشرين في البلاد العربية وخصوصاً مصر، بغية مساعدتهم لتشكيل تنظيم ليبي في المهجر يضمّ أكبر عدد ويكوّنوا منهم جيشاً يتعاون مع قواتهم البريطانية في حربهم المتوقعة مع إيطاليا في شمال أفريقيا. وكان من البديهي أن يتصل مخططوا السياسة البريطانية بالأمير إدريس ليشكل ويرأس ذلك التنظيم، فهو الشخصية الليبية البارزة المميزة بين المهاجرين الليبيين. فقد قبل الإيطاليون إمارته على دواخل برقة (معاهدة الرجمة عام ١٩٢٠) وبويع من قبل شعب ولاية طرابلس الغرب أميراً على طرابلس (مؤتمر غريان عام ١٩٢١). ولكن مخططو السياسة البريطانية حاولوا تجنّب الأمير إدريس وحاولوا وضعه على الرف، كما يقولون، وأجروا اتصالاتهم بالسيد صفي الدين السنوسي[٨] ظناً منهم أنه أكثر تساهلاً وألين عوداً من ابن عمه. ولكن زعماء المهاجرين الليبيين رفضوا جميعاً التعاون تحت لواء جديد وأصرّوا بأن الزعامة الليبية معقود لواؤها للامير إدريس مما اضطر السلطات البريطانية إلى التراجع والتفاوض معه.

وهكذا التقت مصالح بريطانيا مع طلعات الأمير إدريس الوطنية وتمّ الاتصال بين

---

(٨) السيد صفي الدين السنوسي هو شقيق السيد أحمد الشريف، وكان له دور ممتاز في عمليات الجهاد ضد الايطاليين في ولاية طرابلس الغرب، وحقق الكثير من الانتصارات العسكرية الباهرة في مراحل الجهاد الأولى.

الطرفين من أجل تأسيس قوة مقاتلة ليبية، وأبرم الأمير إدريس مع الجنرال ميتلاند ويلسون (Maitland Wilson) القائد العام للقوات البريطانية في مصر إتفاقية ٩ اغسطس ١٩٤٠ الشهيرة، التي تكوّن بمقتضاها جيش من الليبيين المهاجرين في مصر وسوريا سمي بالجيش السنوسي الذي أبلت ألويته بلاءً حسناً في محاربة الإيطاليين. ولكن الأمير إدريس لم يحصل من بريطانيا مقابل تعاونه الهام وتكوين الجيش السنوسي للمشاركة في قتال الإيطاليين، إلاّ على وعود مطاطة يغطيها ضباب كثيف بأن السنوسيين في برقة لن يخضعوا للحكم الإيطالي فيما بعد. (تصريح وزير الخارجية البريطانية أنتوني إيدن (Anthony Eden) في مجلس العموم في ١٨ يناير ١٩٤٢)

سياسة الملك إدريس تجاه بريطانيا

واستمرت العلاقة بين السيد إدريس والسلطات البريطانية علاقة مدّ وجزر، تحت ستار من التودد والمجاملات. إلاّ أنه كان قد كوّن فكرة محددة عن بريطانيا. فكرة نقشت في ذهنه نقشاً ولازمته إلى أيامه الأخيرة:

- لقد اعتقد الملك أن بريطانيا هي القوة العظمى المسيطرة على زمام الأمر في العالم العربي. وبقيت مظاهر قوتها (عام ١٩٠٩) عندما تدخلت وأمرت فرنسا بإيقاف زحفها على الزوايا السنوسية، تلك البادرة منقوشة في ذاكرته.
- كذلك اعتقد أن لبريطانيا من الدهاء والمقدرة بحيث يمكنها أن تدبّر أية مؤامرة للإحاطة بمن يناوئ مصالحها، وأن لمخابراتها وتنظيماتها االسرية مقدرة أسطورية في معالجة أصعب المشاكل والتخلّص من أقوى الاعداء. وكان لقصة تنكر بريطانيا للشريف حسين بعد تعاونه معها في محاربة الأتراك، أثر عميق في نفس الملك إدريس (لا سيما أنه كان على علاقة وطيدة مع الشريف حسين وأمضى في ضيافته شهوراً كثيرة عام ١٩١٤ عندما أدى فريضة الحج). إن تنكّر بريطانيا للشريف حسين نقش في ذهن الملك هاجساً لازمه طوال

حياته، فكان ينظر لبريطانيا دائماً نظرة عمقها الحذر والتحسب، وظاهرها الصداقة والمجاملة

- اتبع مع بريطانيا سياسة اللين والمسايرة وتجنب دائماً الصدام المباشر معها خشية على مصالح البلاد وإستقلالها من مؤامرات وكيد الإنجليز، وعندما كنت أنصحه باتباع سياسة أكثر صلابة مع بريطانيا كان يحذّرني من الدهاء البريطاني ويقول إن الله جلّت قدرته قال لسيدنا موسى وأخيه هارون عليهما السلام عندما أرسلهما إلى فرعون «وقولا له قولاً ليناً لعلّه يتذكّر أو يخشى». فإذا كان الله جلّت قدرته أمر رسوليه باتباع اللين مع فرعون فلماذا لا نجرّب نحن اللين مع فراعنة السياسة الدولية.
- ثم أن أخلاق الملك إدريس الكريمة وتربيته الإسلامية النقية جعلته يشعر ببعض الوفاء والدّين المعنوي نحو بريطانيا. أليست بريطانيا هي القوى الكبرى التي قبلت التعاون معه وهو في المنفى وقدمت التسهيلات لإقامة وتمويل جيش وكيان له (١٩٤٠) ثم اعترفت به أميراً على برقة (١٩٤٩)، ثم ساعدت بلاده على التحرّر من الإستعمار الإيطالي الفاشي وإقامة دولة ليبيا المستقلة.

بعد هذا العرض الطويل لمراحل العلاقة بين الملك إدريس وبريطانيا أحاول أن أستخلص الانطباعات التي لازمت نظرة الملك إدريس نحو بريطانيا فألخّصها في النقاط الهامة الآتية:

- نظر الملك إدريس لقوة بريطانيا نظرة إعجاب وتقدير. بدأت نظرة الإعجاب هذه منذ ١٩٠٩، وازدادت على مرّ السنين خصوصاً بعد انتصارها على دول المحور عام ١٩٤٥، ولكنه، مع الأسف، لم يأخذ في الاعتبار ديناميكية التاريخ السياسي وأن بريطانيا انتهت بعد الحرب العالمية الثانية، ونزلت من مصاف الدول العظمى المسيطرة على مصائر العالم.

إن التباين بين نظرة الملك إدريس إلى العلاقات السياسية مع بريطانيا ونظرتي أنا إليها، خصوصاً في أواخر ١٩٥٥ - ١٩٥٦ كان أحد الأسباب الرئيسية التي عجّلت باستقالتي من رئاسة الحكومة في مايو ١٩٥٧.

- واستطراداً لما ورد آنفاً ونظراً لما رآه ولمسه الملك إدريس من أعمال بريطانيا ودهائها فإنه اعتقد أن قدرتها على المؤامرات والعبث بمصائر الشعوب والتخلّص ممن يعارض سياستها تكاد تكون أسطورية. لذلك فإنه حاول أن يتجنب التصادم مع رجالها، بل إنه عاملهم دائماً بلطف وكياسة، وصبر صبراً طويلاً على مماطلاتهم وتجاوز عن سيئاتهم لعلّه يتجنب شرّ مؤامراتهم ويقي البلاد من بأسهم. وهنا يظهر تباين آخر فبرغم تسليمي بأن سياسة بريطانيا في الشرق العربي كانت تعتمد على الدهاء والتآمر والخداع، إلاّ أنني لم أرَ داعياً للتعامل معها باللين والمسايرة بل كنت أرى أن الطريق الأصوب للحصول على أحسن تعاون مع الدول الغربية عموماً، وبريطانيا وأمريكا بنوع خاص، إنما يمرّ بدروب كثيرة من المكر والمراوغة، وشيء من الإبتزاز والمزايدة وتهديد مبطن لمصالحهم ومغازلة منافسيهم في المعسكر الشرقي.

وأعترف بأن الملك إدريس بالرغم من أنه لم يكن يستحسن هذه الطرق التي تتعارض مع الأخلاق الإسلامية (في نظره) إلاّ أنه قبل وجهة نظري، على مضض، في أول الأمر ولكنه سرعان ما بدأ يخشى عواقبها، برغم نجاحها، وأخيراً أبدى معارضته الصريحة لطريقة تعاملي مع الغرب.

وإنصافاً للحقيقة فإنني أقول أن نظرة الليبيين نحو بريطانيا في أواسط هذا القرن كانت نظرة إعجاب وتقدير لحليف قويّ ساعدهم في قهر عدوهم وفي تحرير بلادهم من الإستعمار الإيطالي.

ولا أودّ هنا أن ألتمس للملك عذراً في أسلوب سياسته تجاه بريطانيا، ولكن الإنصاف

والأمانة التاريخية تقتضيني بأن أعترف اليوم، وبعد أن اطلعت على الوثائق االسرية للحكومة البريطانية، أن خشية الملك من مؤامرات بريطانيا لم تكن نتيجة ضعف أو مستمدّة من فراغ، ولكنها كانت خشية مبرّرة، تدل على حكمة الملك وبُعد نظره وعلى أنه خبرهم وأدرك كيدهم أكثر من خبرتي وإدراكي لذلك، فلقد كشفت تلك الوثائق أن بريطانيا كانت في خريف ١٩٥٦ على أهبة الإستعداد لاستعمال القوة المسلحة لاحتلال ليبيا مجدداً وفرض سيطرتها على البلاد والإطاحة بإستقلالها الوطني.

رحم الله الملك إدريس. فلقد كان إستقلال الوطن أعزّ عليه من أن يغامر به لأي سبب كان وتحت أي ظرف من الظروف.

الملك إدريس والحاشية

مدى تأثّر الملك إدريس بنفوذ آل الشلحي

كما قدمت، لقد عرفت الملك إدريس معرفة حميمة، كما أنني عرفت إبراهيم الشلحي معرفة دقيقة على مدى أكثر من عشر سنوات تقريباً. وأبادر بالقول أن علاقة الملك إدريس بناظر خاصته كانت، لا شك، علاقة وطيدة، جذورها تمتد إلى أربعين عام من الخدمة المخلصة الأمينة ترعرعت خلال اختبارات صعبة في ظروف الهجرة القاسية، وارتوت بوفاء فطري صادق، فحفظ لأمين سرّه وناظر خاصته جميل إخلاصه له في أيام الشدّة والضيق.

من ناحية أخرى فقد امتازت شخصية إبراهيم الشلحي بميزات كثيرة أكملت شخصية الملك إدريس أو قُل غطّت بعض نقاط الضعف في شخصية الملك. فقد كان الملك إدريس خجولاً يتجنّب الإحراج ويكره إغضاب الناس، وكان الشلحي يقوم بدور السد المنيع حول الملك، يرفع عنه الحرج والإحراج ويتحمّل عنه اللوم ويصرف عنه من لا يودّ أن يواجهه.

كان الملك إدريس قليل الحيلة يكره التفاصيل والترتيبات المعقدة، وكان إبراهيم الشلحي واسع الحيلة على قدر كبير من الذكاء والدهاء، فكان يتولّى عن سيده التفاصيل والترتيبات المعقدة والتحايل عليها.

كما كان الملك إدريس لا يحسن الأمور المادية الحسابية وكان إبراهيم يتولّى عنه في أمانة جميع أموره المادية وحساباته الخاصة. إذ كان الملك كريماً سخياً معطاءً، لا

يعرف التوفير والاكتناز، ولا يعطي للمال أية أهمية. وكان إبراهيم صمام الأمان يشرف على مصروفات الملك ويوفر له طلباته ومستلزماته ويلفت نظره أحياناً إلى قرب نضوب الرصيد.

وكان يكره الاجتماعات الموسعة والمناقشات الحامية والجدل الذي قد يحتاج لردود فورية، لذلك فقد كان إبراهيم الشلحي ينوب عنه ويستمع لتلك المناقشات ثم يرجع اليها برأي الملك المتخذ بعد تروٍّ وتفكير.

ثم تطورت واتسعت تلك العلاقة بين الملك والشلحي بعد رجوعهما إلى الوطن وأصبح الملك يستشيره في كثير من الأمور السياسية ويعتمد عليه في تلقي ونقل الرسائل الشفوية والإيعاز بتوجيهاته إلى المسؤولين.

وفيما عدا مجال واحد، سأتحدث عنه بتفصيل فيما بعد، فإن إبراهيم الشلحي قدّم للملك نصائح رصينة ووطنية في الغالب مراعية لمصلحة الملك والوطن، وكان نفوذه عند الملك يوظف في إتباع سياسة رزينة حكيمة بعيدة النظر والمدى. وكثيراً ما حاول تقريب وجهات النظر بين الملك وكثير من العناصر الوطنية المعارضة.

ملخص القول، كان إبراهيم الشلحي على مدى أكثر من أربعين عام هو الذي يشرف على شؤون الملك الحياتية من طعام ولباس ومسكن وهو الذي يتولى الإشراف على ماله، وهو أول من يراه صباحاً وآخر من يمسّيه مساءً. فتعوَّد الملك الإعتماد إعتماداً كلياً على ناظر خاصته حتى أصبح وجود إبراهيم الشلحي إحدى مستلزمات الحياة بالنسبة للملك إدريس، وأصبح يعامله معاملة الإبن البار والصديق الأمين الحميم.

أما ذلك المجال الوحيد الذي استثنيته مما تقدم فهو مجال إستغلال إبراهيم الشلحي لعلاقته الحميمة مع الملك إدريس في حماية نفسه وعائلته ممن ظنّ أنهم أعداءه اللدودين، أعني بهم فرع السيد أحمد الشريف من العائلة السنوسية. لقد شرحت في الباب الرابع جذور العداء الدفين بين فرع السيد أحمد الشريف السنوسي وإبراهيم الشلحي. لقد كان إبراهيم يعيش متأثراً بهاجس قوي من أن أبناء السيد أحمد الشريف يعملون بكل الحيل للإيقاع به والتخلص منه (لقد صدق هاجسه هذا يوم ٥ اكتوبر ١٩٥٤

عندما اغتيل على يد أحد أحفاد السيد أحمد الشريف السنوسي). لذلك فإنه عمل بدهاء على إقامة تحالفات مع من ظنّ أنهم سيساعدونه ويحمونه من أعدائه، كما عمل بنفس الدهاء، ولكن من وراء الستار، على إبعاد أعدائه عن الملك وبذلك ظنّ أنه أضعف نفوذهم وقلّل من خطرهم عليه.

ولذلك قام الشلحي بالخطوات الآتية، ولكن على مدى سنين طويلة عديدة:

- قرّب فرع محمد عابد السنوسي[٩] وأغدق عليهم، وخصوصاً عبدالله عابد، الأعمال والنفوذ المالي والمعنوي وتحالف معهم، واستعملهم كسند ضد نفوذ فرع السيد أحمد الشريف السنوسي.
- قرّب كثيراً من أفراد قبيلة البراعصة ذات النفوذ الكبير وأغدق عليهم الرتب والمناصب وصاهر بعضهم، وعموماً اتخذهم سنداً قوياً ضد أعدائه.
- أبعد بعض أفراد من قبائل أخرى خصوصاً قبيلة العبيدات لظنه أنهم يميلون لفرع السيد أحمد الشريف.
- قام بإذكاء شعور الشك وعدم الثقة بين الملك إدريس وأعضاء فرع السيد أحمد الشريف، وتمكن من إبعادهم عن المراكز الحساسة في إمارة ولاية برقة (عندما كان الملك إدريس أميراً على برقة من ١٩٤٩ إلى ١٩٥١)، ولو أنه قوّى تلك الشكوك بذكاء وحيطة ومن وراء الستار.
- ثم تطور استغلال النفوذ هذا فلمس الأمور السياسية العليا للوطن وذلك بعد إعلان الإستقلال الليبي. فمثلاً كان الشلحي وراء المنغّصات والمآزق والعقبات التي وُضعت أمام أول رئيس للوزراء محمود المنتصر وعجلت بخروجه من الحكم. وما ذلك إلاّ لأن إبراهيم الشلحي ظنّ أن محمود المنتصر يعادي أصدقاءه (فرع محمد عابد) ويحالف أعداءه (أبناء السيد أحمد الشريف)، بل

---

(٩) السيد محمد عابد السنوسي هو أحد إخوة السيد أحمد الشريف السنوسي وكان يتولى قيادة فرع الحركة السنوسية في فزّان ثم هاجر إلى تشاد وأنجب هناك عدة أبناء أشهرهم وأنشطهم عبدالله عابد.

وكان وراء تعيين الصديق المنتصر والياً على طرابلس بالرغم من عدم جدارته وما ذلك إلا لأن الصديق المنتصر كان صديقاً حميماً لعبدالله عابد حليفه، بل أكثر من ذلك، كان الشلحي وراء تأييد الديوان الملكي للصديق المنتصر في نزاعه الدستوري مع المحكمة العليا، ذلك النزاع الذي أثار أزمة دستورية حادة (أنظر الباب الثاني عن الأزمة الدستورية).

ملخّص القول أن استعمال الشلحي لنفوذه عند الملك في دعم حلفائه وأصدقائه وإبعاد من ظَنّ أنهم أعداؤه عن الساحة السياسية هو في نظري الإستغلال الوحيد الذي ينسب بدون شك له. ولكنه إستغلال سيء للنفوذ الملكي لا سيما أن آثاره الضارة تطوّرت وتمادت إلى إلحاق الضرر بالمواقف السياسية للملك على المستوى الوطني، وخلق سابقة خطيرة لتدخل ناظر الخاصة الملكية في الشؤون السياسية للدولة، وجلب له كثيراً من العداء وأودى بحياته في آخر المطاف.

اللقاء الأخير مع إبراهيم الشلحي

لا أود أن أختتم تحليلي لعلاقة الملك إدريس بناظر خاصته إبراهيم الشلحي بدون ذكر ما دار بيني وبينه في آخر لقاء لنا، ذلك اللقاء الذي اغتيل بعده بدقائق.

كنت، كرئيس وزراء، قد طلبت موعداً مستعجلاً مع الملك بعد أن أصدر أمره بإيقاف والي برقة حسين مازق عن العمل لمدة شهر نتيجة لحادثة مارزوتّي (أنظر الباب الرابع). وربما شعر الملك بأنني أريد مقابلته لاعتراضي على ذلك الأمر الملكي المخالف للقانون والمسبب للكثير من البلبلة والشائعات. فتباطأ في الردّ على طلبي. ولما كان الموضوع من الأهمية والحساسية بحيث أن معالجته بسرعة أصبحت في نظري ضرورة ملحّة لذلك فقد اتصلت هاتفياً بناظر الخاصة الملكية إبراهيم الشلحي وأبديت له رغبتي الاجتماع به آملاً في مساعدتي لتحديد موعد سريع مع الملك. وردّ بأنه سيتوقف عندي وهو في طريقه إلى قصر الغدير (حيث يسكن الملك). وفي اجتماعنا ذلك شرحت له

الخطأ الكبير الذي وقع فيه الملك، وأن مسؤولاً كبيراً كوالي برقة لا يجب أن يعاقب قبل محاكمته أو على الاقل التأكد مما نسب إليه من اتهامات، وشرحت لناظر الخاصة مدى الأثر السيء الذي تركه هذا الأمر وما يترتب عليه من شعور بعدم الإستقرار وزعزعة الثقة في مركز الحكومة.

وكان رد الشلحي أنه فوجئ هو كذلك بذلك الأمر الملكي وأن الملك لم يستشره، بل لم يفاتحه في الموضوع إطلاقاً، ثم أردف، أن الملك لم يعد يركن لنصحه، وكثيراً ما اتخذ من المواقف ما هو متعارض مع نصائحه وكانت تظهر على وجهه مشاعر الأسف والمرارة لهذا الوضع، ثم استطرد معبراً عن خوفه من عواقب التسرّع والتخبّط دون تمحيص وتروٍّ.

وأخيراً نصحني بألا أحرج الملك بتكرار طلب مقابلته، بل أترك له بعض الوقت لتهدأ نفسه، وتستقر مشاعره مؤكداً أن الملك سيدرك قريباً مدى الخطأ في تلك الإجراءات المتسرّعة.

لا شك أن الشلحي كان له نفوذ كبير لدى الملك إدريس وأن العلاقة بينهما كانت علاقة جذرية، ولكن القول بأن الملك إدريس كان آلة في يد الشلحي أو أنه لم يكن يتخذ قراراً إلاّ بعد استشارته قول يجافي الوقائع التي لمستها بيدي وشاهدتها بعيني. كما أنه لا شكّ في أن اغتيال الشلحي خلق فراغاً رهيباً حول الملك وأفقده عنصر اتزان واستقرار مهم، فبدأت تظهر بعد وفاة إبراهيم الشلحي كثير من الثغرات.

البوصيري ناظراً للخاصة الملكية

بعد اغتيال الشلحي يوم ٥ اكتوبر، عيّن الملك البوصيري الشلحي ناظراً للخاصة الملكية (خلفاً لوالده) وكان في الثالثة والعشرين من عمره ولم يكن قد أكمل دراسته الجامعية.

صحيح أن البوصيري كان على درجة عالية من الوطنية، ولكن لم تكن له خبرة والده ولا حكمته، ولم يكن له نفوذ والده عند الملك، إلاّ أن عوامل جديدة دخلت في المعادلة وألقت بظلّها على علاقة الملك بآل الشلحي.

لقد شعر الملك بنوع من المسؤولية الأدبية نحو أبناء ناظر خاصته الذي اغتيل وهو في خدمته، فاشتد حنوّه عليهم جميعاً، ولعب وفاؤه المشهور نحو أبناء من أخلص في خدمته لعبته الفعّالة في نفسه، وأصبح لا يرى أي خطأ أو إثم أو حماقة يرتكبها أي من أبناء ناظر خاصته القتيل. وأصبح لا يرفض لأي منهم طلباً ولا يقبل في أي منهم طعناً أو نقداً ويشعر بأنه ملتزم التزاماً أدبياً بتلبية جميع رغباتهم والسكوت عن تدخلاتهم حتى في شؤون الدولة.

زادت نقمة الملك على فرع السيد أحمد الشريف وتأججت نار الشك والظنون التي كانت تراوده نحو ذلك الفرع من العائلة السنوسية، وأكد له اغتيال ناظر خاصته بيد حفيد من أحفاد السيد أحمد الشريف خطورة ذلك الفرع وخشى من عواقب خطرهم على الاستقرار في البلاد (أو كذلك قال لي). وحاول اتخاذ إجراءات صارمة في حقهم أوقفتُ كثيراً منها ولم أتمكن من إيقافها كلها. وقد كنت أهدئ من ظنون الملك وشكوكه بقولي إنه من غير المعقول أن يزجّ عقلاء آل أحمد الشريف بأحد أبنائهم لارتكاب جريمة شنعاء عقوبتها الإعدام. لا شك عندي أنهم فوجئوا بجريمة إبنهم كما فوجئ بقية الناس... ولكن أصحاب المصالح الشخصية (من أمثال الطيب الأشهب ومحمد عبد السلام الغماري وعبدالله عابد وآخرين) كانوا يوغرون صدر ناظر الخاصة الملكية الشاب اليافع ويدفعونه دفعاً للأخذ بثأر أبيه وبمطالبة الملك باتخاذ أشدّ الإجراءات ضد من أسموهم قتلة والده.

كما قدمت فإن ناظر الخاصة الجديد لم تكن لديه أية خبرة أو دراية بأمور البلاد، وأصبح الملك في أول الأمر لا ينتظر من ناظر خاصته الشاب تلك النصائح الحكيمة والآراء السديدة التي كان يتلقاها من والده، ولكن الملك في نفس الوقت كان لا يترك فرصة ولا تفوته مناسبة إلاّ وأظهر عطفه ورعايته للبوصيري وإخوته، ومع الأسف فإن البوصيري، تحت إغراء المنافقين الذين أحاطوا به بدأ يتدخل في الشؤون السياسية للدولة، وكان تدخله في أول الأمر محدوداً ولا يخلو من فائدة، فبالرغم من قلّة خبرته وجهله بأمور البلاد إلاّ أن وطنيته وتوجهاته العربية القومية كانت تعوض عن تلك النواقص.

إلاّ أن البطانة الفاسدة التي أحاطت به سرعان ما زجّت به في مآزق كثيرة وأوقعته في مثالب خطيرة كان لها أثر سياسي غير حميد. وكثيراً ما لمت نفسي لأنني لم أوقف تدخل ناظر الخاصة الجديد في شؤون الدولة منذ البداية، بل وكثيراً ما لمت نفسي لأنني لم أنصح الملك بالعدول عن تعيين البوصيري في منصب ناظر الخاصة الملكية، وهو لا يزال شاباً أخضر العود قليل العلم والتجربة.

ثم أن الفراغ الكبير الذي نتج عن اغتيال إبراهيم الشلحي، وعدم ملء ذلك الفراغ من قبل ابنه وخليفته في المنصب، تسارع لملئه كثير من المنافقين الذين قاموا بأسوأ الادوار في إفساد الحكم وتوريط الملك في كثير من الأمور التي ما كان ليوافق عليها لولا تزيينهم لها وإلباسهم الباطل لباس الحق.

وأخيراً فإن غياب إبراهيم الشلحي من حول الملك قد فتح الباب على مصراعيه أمام الكثير من رجال الحاشية فأساؤوا للملك بنصائحهم المغرضة واستغلوا وجودهم حوله أسوأ استغلال، وقديماً قالت العرب: من فسدت بطانته كالغاص بالماء.

الملك إدريس والديمقراطية

إن هذا البحث يحاول الردّ على السؤال التالي: هل كان نظام الحكم الملكي الليبي نظاماً ديمقراطياً صحيحاً، أم كان نظاماً جائراً وعهداً لحكم التسلط؟

إن جدية البحث وموضوعيته تستدعي أن نحلّل المؤثرات التي كان لها نصيب كبير في تكوين الفكر السياسي للملك إدريس ومن عاونه من السياسيين عندما تولوا الحكم، ونحاول أن نستقرئ موقف الملك وتفسيراته لما ورد في القرآن الكريم من آيات عن الحكم الشوري... وأن نستعرض بإيجاز شديد تطور نظام الحكم الإسلامي، وأن نلقي نظرة، ولو سريعة، على أنظمة الحكم التي كانت قائمة في الوطن العربي عند قيام الإستقلال الليبي في سنواته الأولى، وبعد هذا يمكننا أن نفهم موقف الملك من حكم الشورى. وبعد ذلك يمكن للمؤرخ المنصف أن يصدر حكماً عادلاً على نظام الحكم الملكي الليبي. بل يستطيع، إذا رغب، أن يقارن بينه وبين ما جاء بعده من أنظمة الحكم ليتبين له هل تطور نظام الحكم الليبي تطوراً سريعاً نحو آفاق التحرر والديمقراطية؟ أم أن نظام الحكم الليبي بعد حركة أول سبتمبر ١٩٦٩ قد طوى السنين القهقرى حتى أتى فرعون بين طعامه وشرابه.

لمحة حول تطور نظام الحكم الإسلامي على مدى القرون الاربعة عشر

في العهد الإسلامي الأول وبعد وفاة الرسول صلى الله عليه وسلم، كان الخلفاء يختارون من قبل أهل الحلّ والعقد بالشورى بينهم، كما كان الخلفاء، رضي الله عنهم، يستشيرون

الصحابة فيما يعرض لهم من أمور دينهم ودنياهم. كان بابهم مفتوحاً أمام الشاكي والناصح، وكتب السيرة تروي الكثير من مواقف الخلفاء المشرفة، لا سيّما في خضوعهم، دون غضاضة، لآراء ناصحيهم وتراجعهم عن مواقفهم عندما يتبين لهم صواب رأي الناصح، ولم يحاولوا الانفراد بالرأي أو السيطرة على مقاليد الحكم بالقمع والقوة. ألم يقل الخليفة أبو بكر الصديق، رضي الله عنه، يوم وُلّي الخلافة: أطيعوني ما أطعت الله فيكم، فإن عصيته فلا طاعة لي عليكم؟

هذا العهد الشوري كان يدعمه وازع ديني قوي هذّب نفوس الناس وطهّر قلوبهم وسوّاها وعدّلها، وشحذ هممهم وأثرى فكرهم وقوّى تعاضدهم وصقل تماسكهم في تنفيذ شريعة الإسلام عدلاً وشورى وسماحة. فكان العهد الذهبي للحكم الإسلامي الديمقراطي الصحيح. ولكن هذه الإنتفاضة الإصلاحية العظيمة سرعان ما تسربت اليها المطامع والمؤامرات والاغتيالات والخلافات الدامية، فحدثت المحنة الكبرى أو الفتنة العظمى التي تمخضت عن قيام الدولة الأموية في دمشق وانفراد معاوية بن أبي سفيان بالحكم والسلطة، فساس أمور الدولة بدهاء وذكاء فريد ولين وشدة وترغيب وترهيب، فاستقر له الأمر. ثم انتزع البيعة، لابنه يزيد، من كبار الصحابة بدهائه وسلطانه. ورضخ كبار الصحابة للأمر الواقع، فقد كانوا يحرصون حرصاً شديداً على وحدة كلمة المسلمين وتماسُك صفوفهم، لا سيّما والدولة الإسلامية في أوج صراعها مع دول الكفار من الفرس والروم، فقبلوا (أي الصحابة) بأهون الشرّين وأسلموا أمرهم لمالك الملك أملاً أن يدرك جلّ جلاله أمة الإسلام وخلفاءها بهدايته ونصره.

ولعلّ فيما روي عن الصحابي الجليل عبدالله بن عمر، رضي الله عنه، ما يلخص فكر كبار الصحابة في تلك الفترة الحرجة من تاريخ المسلمين إذ يقول: إذا كان الإمام عادلاً فله الأجر وعليك الشكر. وإذا كان الإمام جائراً فله الوزر وعليك الصبر.

وبانتقال الحكم إلى معاوية ثم إلى يزيد انتقل نظام الحكم الإسلامي من نظام الشورى الإسلامي إلى نظام مُلك عَضوض شمولي وأصبح الولاة يحكمون بفضل مالهم من قوة وعصبية، وأقيمت الحواجز والفواصل بين الحاكم والمحكوم، وأصبح الحاجب

يقف أمام باب الحاكم يتحكم فيمن يدخل عليه، وانشغل الولاة بأغراضهم الدنيوية عن أمور الرعية، وفيما عدا وميضٌ ضعيف لم يعمر طويلاً، هو عهد الخليفة عمر بن عبد العزيز، رضي الله عنه، فقد ابتعد خلفاء بني أمية أكثر فأكثر عن نظام حكم الشورى.

ولم يكن نظام الحكم الإسلامي في العهد العباسي بأحسن حظاً فيما يتعلق بنظام حكم الشورى، اللهم إلاّ أنهم استبدلوا، تدريجياً، بالعصبية العربية عصبية شعوبية فارسية، واقتبسوا الكثير من أنظمة الحكم الفارسي، وانتشر البذخ والإسراف في مسلك الحكام وساسوا أمور الرعيّة بالشدّة والقمع فانتشر الظلم والاستبداد، ثم بدأ الوهن يدبّ في جسم الدولة العباسية عندما عهدوا إلى المرتزقة حماية ملكهم فتداعى وحلّت محلّه ممالك وإمارات ثم زالت الممالك والإمارات وحلّ محلها غيرها من المرتزقة.

وقال الأديب العباسي ابن المقفع (وهو فارسي الأصل) للمتعاملين مع الخلفاء والسلاطين: ينبغي لمن خدم السلطان ألا يغتر به إذا رضي ولا يتغير له إذا سخط ولا يستثقل ما حمله ولا يلحّ في مسألته. وقال أيضاً: لا تكن صحبتك للسلطان إلاّ بعد رياضة منك لنفسك على طاعتهم، فإن كنت حافظاً إذا ولوك، حذراً إذا قربوك، أميناً إذا ائتمنوك، ذليلاً إذا حرموك، راضياً إذا سخطوك. تعلّمهم وكأنك تتعلم منهم، وتؤدبهم وكأنك تتأدب منهم، وتشكرهم ولا تكلفهم الشكر، وإلاّ فالبعد عنهم كل البعد والحذر منهم كل الحذر.

أما حال الحكم العربي في الأندلس فلم يكن أكثر حظاً من حكم العباسيين في ديمقراطيته، وها هو العلاّمة عبد الرحمن ابن خلدون، مبتكر علم الاجتماع وصاحب الأبحاث القيمة الكثيرة في علم السياسة والحكم، والذي عاصر أواخر الحكم العربي في الأندلس، يقول في مقدمته، وبالتحديد في الفصل الذي يدور حول الدول العامة والملك والخلافة والمراتب السلطانية وما يعرض في ذلك كله من الأحوال: إن الملك غاية طبيعية للعصبية، وليس وقوعه عنها باختيار، إنما هو بضرورة الوجود وترتيبه، كما قلنا من قبل، وأن الشرائع والديانات وكل أمر يحمل عليه الجمهور فلا بد فيه من العصبية، فالعصبية ضرورية للملّة وبوجودها يتمّ أمر الله فيها.

وتدور آراء العلامة ابن خلدون حول نظرية: إن الأهم عند الشارع هو إتفاق كلمة المسلمين ولو جاء هذا الإتفاق عن طريق العصبية والغلبة فهو أولى من التفرق الذي تأتي به الشورى. فهل تختلف هذه النظرية عمّا ردده بعض الحكام العرب المعاصرين بضرورة توحيد كلمة الأمة مهما كانت الوسيلة، حتى ولو كان عمادها القهر والغلبة؟

ثم يصف ابن خلدون أمور الحكم العربي في الزمان الذي عاش هو فيه فيقول: ... ثم ذهبت معاني الخلافة ولم يبقَ إلاّ اسمها، وجاء الملك وجرت طبيعة التغلب إلى غايتها واستعملت في أغراضها من القهر والتغلب في الشهوات والملاذ.

وإنصافاً لتاريخ الحكم العربي فإني أبادر إلى القول أنه لا حاجة بنا لأن نستغرب أن الديمقراطية لم تكن ماثلة مثولاً بارزاً في تاريخنا الماضي، فقد كان هذا هو شأن جميع شعوب العالم - إذا استثنينا فترات وجيزة زهى فيها النظام الديمقراطي في أثينا وبعض مدن الاغريق، وفي روما إبان عهدها الجمهوري.

بل من الإنصاف القول أن بعض العهود العربية الأولى التي غابت فيها الديمقراطية وأفل فيها نجم الحكم الشوري، أن تلك العهود لم تخلُ من خلفاء وسلاطين تميزوا بالتقوى، والعلم والأدب، وكانت عهود حكمهم أقرب إلى حكم الفرد القوي العادل، ازدهرت فيها العلوم والفنون والآداب، وانتشرت الحضارة ونشطت الصناعة وارتفع مستوى المعيشة وصلح أمر الناس عامة.

كذلك فمن الإنصاف أن نذكر أن الديمقراطية الغربية التي نحاول أن نحاكيها في عالمنا العربي هي حديثة العهد، حصلت عليها الشعوب الغربية بعد انتفاضات سياسية دامية وحروب طاحنة وثورات عنيفة عارمة على مدى العديد من القرون، وأن الأنظمة الديمقراطية الغربية المعاصرة لم يكتمل نموها وشمولها إلا في أوائل القرن العشرين وبعد خمسة قرون من الصراع المرير بين جمود الكنيسة الكاثوليكية وتيارات الأفكار التحررية التي تسربت إلى أوروبا بعد ترجمة مؤلفات فلاسفة العرب الاندلسيين إلى اللاتينية، وانتشارها في مراكز الفكر الأوروبي وبنوع خاص مؤلفات أبي الوليد إبن رشد (١١٢٦-١١٩٨).

فمن الثابت أن أفكار إبن رشد الداعية إلى إستعمال العقل والمنطق ونبذ الخرافات أثرت تأثيراً عميقاً على مفكري القرنين الرابع والخامس عشر في أوروبا، بل من الثابت أن المصلح الديني الشهير مارتن لوثر قد تأثر بآراء إبن رشد واستند عليها في صراعه الطويل المرير مع كنيسة روما وممثليها في أوروبا. وانتهى صراع مارتن لوثر بثورته على الباب وتأسيس المذهب البروتستانتي الذي تميز بنبذ نفوذ كنيسة روما وجمودها، والذي دعى وسعى لإطلاق العنان لحرية الفكر ففتح أمام أتباع المذهب البروتستانتي الجديد آفاقاً رحبة فسيحة حرة من جميع القيود سرعان ما نمت وتطورت وتفاعلت مع آراء الفلاسفة اليونان (التي ترجمت من العربية إلى اللاتينية) وتمخضت عن ظهور طبقة الفلاسفة الاوروبيين المتحررين أمثال جان جاك روسو وفولتير وآخرين.

ولقد أيقظت الآراء المتحررة هذه شعوب أوروبا من سُباتها العميق فبدأت سلسلة طويلة من الأنتفاضات والثورات وتوجتها الثورة الصناعية الكبرى، وآثارها العميقة الاجتماعية والإقتصادية، مما جعل حكام أوروبا يرضخون أو يتجاوبون مع زعماء الإصلاح السياسي في إقامة الأنظمة الديمقراطية الغربية وتطويرها على مدى أجيال كثيرة إلى أن بلغت ما نعرفه عنها في زمننا المعاصر.

وإذا انتقلنا إلى القرن العشرين فإن التخلف الذاتي والتبعية للغير والانهزام في الميادين الحربية والضعف الإقتصادي الذي سيطر على الأمة العربية، كل هذه السلبيات أثارت في قلوب الجماهير العربية نقمة على الأوضاع القائمة ونزوعاً لتسريع خطى التحرر والتقدم، ودفع ذلك الجماهير العربية إلى الاستسلام لأي زعيم يعدها بذلك التسريع في إدراك الحرية والتقدم، ولو كان هذا الاستسلام على حساب حريتها وعلى أنقاض النظام الديمقراطي الذي كان قد بدأ يحبو وينمو في بعض البلدان العربية.

وقد أشاع أعداء الديمقراطية من زعماء العرب - تبريراً لاستيلائهم على السلطة وإقامة أنظمتهم القمعية - بأن قالوا: أن الديمقراطية بطيئة في بلوغ التحرر من التبعية ولا تفيد في سباق اللحاق بالركب الحضاري، كما أنها معرضة للفساد والإفساد واستئثار النافذين فيها بالمال والنفوذ.

هذه الحجج الأخيرة هي القاسم المشترك الذي ورد في كل بيان رقم واحد أصدره أصحاب الإنقلابات في العالم العربي منذ الأربعينات، بل كان البيان رقم واحد هذا، شهادة وفاة الأنظمة شبه الديمقراطية التي كانت قد بدأت حياتها في مصر وسوريا وليبيا والسودان والعراق.

ومع الأسف أثبتت التجرية المرّة أن الأنظمة القمعية هذه التي وأدت الديمقراطية تحت شعار رصّ الصفوف وحشد الجهود في سبيل تسريع التحرر وإدراك ركب التقدم الحضاري، فشلها في بلوغ هذه الغايات بل زادت مشاكل الشعوب العربية تعقيداً وفقرها فقراً وتعاستها تعاسة.

وعندما بدأ عهد الإستقلال في ليبيا لم يكن بين أنظمة الدول العربية المستقلة نظام يمكن تسميته بالنظام الديمقراطي الصحيح، بل أن الأنظمة شبه الديمقراطية في مصر وسوريا ولبنان والعراق كان فيها التصارع الحزبي والتناحر بين السياسيين على أشده، مما أضعف تطور تلك الأنظمة شبه الديمقراطية. وسرعان ما وقعت فيها الإنقلابات العسكرية التي أصابت تجربة تلك الدول بضربات مميتة.

إن ما أهدف إليه من هذا العرض لتطور نظام الحكم في التاريخ العربي، هو أن أنقل الصورة الفكرية التي كانت تسيطر على ذهن الملك إدريس ورجال الحكم الملكي الليبي، عندما بدأوا في بناء هياكل نظام الحكم في دولتهم الوليدة في ديسمبر ١٩٥١.

موقف الملك من نظام الحكم الديمقراطي وفهمه لمبدأ الشورى الإسلامي

التربية الدينية للملك إدريس ونشأته في وسط دعوة إسلامية وإقامة حكم إسلامي جعلته يقدم ما يعتقده حكماً للشريعة على أي حكم ورد في الدستور الذي أقرته هيئة الامم المتحدة عند إقرارها إستقلال البلاد.

فلقد اعتقد أنه مسؤول، بناءً على بيعة الأمة الليبية، عن شؤون الرعية. لقد بايعته الأمة الليبية أميراً ثم ملكاً. حدث هذا في برقة أيام إمارة أجدابيا عام ١٩١٦، بل واعترفت به الحكومة الإيطالية أميراً على دواخل برقة، ثم بايعته ولاية طرابلس الغرب في المؤتمر

الطرابلسي بغريان عام ١٩٢١.

ثم حدثت بيعات كثيرة أخرى في الإسكندرية وبرقة، وكانت آخر تلك البيعات بيعة الجمعية التأسيسية عام ١٩٥٠ التي ورد فيها أنها بيعة شرعية لتأكيد وتجديد البيعات السابقة.

ومعنى المبايعة الشرعية في نظر الملك إدريس أنها عقد بين الأمة الليبية وبينه على أن يرعى مصالح الأمة ويشرف على أمنها ورخائها واستقرارها، ويسعى لتقدمها وازدهارها وينشر العدل في أرجائها. كان معنى البيعة في نظره أنه أصبح راعياً على مصالح الأمة، وكل راع مسؤول عن رعيته لذلك فهو مسؤول يزاول مسؤوليته أمام الله حتى ولو اختلف فهمه هذا مع نص الدستور الذي يقول: الملك مصون وغير مسؤول (المادة ٥٩ من الدستور الليبي).

فضلاً عن ذلك فإن الدستور الليبي قد ساهم بغموضه في حدوث الكثير من التضارب في التفسيرات، فقد ورد في المادة رقم (٤٠) أن: السيادة لله وهي بإرادته تعالى وديعة للأمة مصدر السلطات. ثم جاءت المادة (٤٤) من الدستور الليبي تقول: مع مراعاة ما جاء في المادة (٤٠) فإن السيادة أمانة الأمة للملك محمد إدريس السنوسي... وأغلب ظني أن الملك إدريس اعتقد أن الدستور الليبي الذي وضع سيادة الأمة أمانة لديه لا شك حمّله مسؤولية صيانة تلك الأمانة ورعايتها، فكيف يقال له أنه غير مسؤول؟

إن هذا التباين بين نظرة الملك لما اعتقد أنه واجبه الديني النابع من قبوله بيعة الأمة الليبية وبين ما نص عليه الدستور لم يكن ليزعج الملك أو يجعله يتردد في تقديم ما اعتقد أنه واجبه الديني على ما نص عليه الدستور الوضعي. وإن فهم القارئ لهذا التباين يفسر له الكثير من المواقف الدستورية التي اتخذها الملك إدريس ومزولته للسلطة الفعلية منذ اليوم الأول من الإستقلال بالرغم من المعارضة التي لقيها من بعض رؤساء الوزارات خصوصاً في أوائل عهد الإستقلال.

ولقد تزايدت مزاولة الملك إدريس للسلطة الفعلية على مدى السنين إلى أن أصبحت مقاليد الحكم كلها في يده في أواسط الستينات. وأقول بكل صراحة أن الوزارات الأربع

الوحيدة التي قاومت اشتراك الملك في السلطة هي وزارة محمود المنتصر الأولى، ثم وزارة محي الدين فكيني وأخيراً وزارة حسين مازق.

لقد كان التعارض بين نص الدستور وما ظن الملك أنه حقه الشرعي في مزاولة السلطة، هو الصخرة الصلبة التي تحطمت عليها أقوى وزارات العهد الملكي، وأذكر عندما استدعاني الملك عام ١٩٦٤ لإجراء إصلاحات دستورية أنني انتهزت تلك الفرصة الذهبية وصارحته أن أساس أي إصلاح جاد يجب أن يبدأ من إعادة الصلاحيات الدستورية لأصحابها، أي إلى مجلس الوزراء ومجلس الأمة تدريجياً، ويترك الملك للسلطة التنفيذية العمل تحت رقابة السلطة التشريعية ويقوم هو بالرقابة والإشراف فقط. وأشهد أنه وافقني على ذلك دون أي تردد، بل أن مشروع الإصلاحات الدستورية ذلك اشتمل على بنود كثيرة لإعادة توزيع السلطة الدستورية وإرجاعها إلى أصحابها الحقيقيين، ومع الأسف أغتيل ذلك الإصلاح قبل أن يرى النور. (انظر باب الأصلاحات الدستورية).

كذلك هناك مجال آخر سبّب بعض التباين والغموض، ذلك أنه بناء على الدستور فإن للملك دوراً هاماً في ممارسة السلطة يتمثل في اختيار الوزراء والإشراف عليهم وتوجيههم (دون الاشتراك في مسؤوليتهم). كما كان له، بحكم الوضع الإتحادي، دور الحكم بين حكومة الإتحاد والولايات ولقد زاول الملك هذا الدور بمهارة مما زاد من نفوذه، وبالتالي من سلطته الفعلية على حكومات الإتحاد والولايات.

وبالرغم من كل ما تقدم، فإنني لا أعتقد أن الملك إدريس كان يعارض تطبيق مبدأ الحكم الديمقراطي حسب فهمه هو لمبادئ هذا النظام.

ذلك أنه بطبيعته الوادعة وطريقته المتأنية كان يميل إلى أن يكون التشاور في جوّ هادئ وبأسلوب لين لطيف مهذب، ومن قبل رجال اتصفوا بالعلم والخبرة والوطنية.

ولا يجب أن يغرب على البال أن الملك إدريس لم يكن سليل بيت عريق في الملك، متمرّس في مزاولة الحكم ومعالجة السياسة. كذلك لم يسعده الحظ بتلقي التدريب والإعداد الذي توفره البيوت الملكية العريقة لأبنائها الذين سيتولّون العرش فيما بعد. لذلك فإن الفكر السياسي للملك إدريس قد تركز أثره فيما تعلمه ولمسه في نشأته الأولى

في العائلة السنوسية الصوفية.

ولم تكن، لا العائلة السنوسية ولا الطريقة السنوسية، منذ نشأتها ذات مآرب وأهداف سياسية، بل كانت حركة دينية أصولية انحصرت أهم أهدافها في: إعادة الشعب الليبي إلى تعاليم الشريعة السمحة وتصحيح ما كان قد وقع من انحراف في الفهم الشعبي لتعاليم الدين ونشر الدين الإسلامي في مجاهل أفريقيا.

وكان أن اصطدمت الدعوة السنوسية (وهي تحت قيادة السيد المهدي السنوسي) اصطداماً دموياً أوائل هذا القرن بالمد الفرنسي الإستعماري لأواسط أفريقيا. وعندما جاء الغزو الإيطالي إلى الشواطئ الليبية عام ١٩١١ قامت الدعوة السنوسية (تحت إمرة السيد أحمد الشريف السنوسي) بقيادة الجهاد الوطني في برقة ضد ذلك الغزو. وهذا ما جعل الليبيين (في برقة أولاً ثم في طرابلس فيما بعد) يختارون ويبايعون رئيس الطريقة السنوسية (السيد محمد إدريس السنوسي في ذلك الوقت) أميراً عليهم ليتابع الجهاد ويواصل مقاومة الغزو الإيطالي ثم ليتولى شؤون الوطن السياسية فيما بعد.

وأغلب الظن أن ما شجّع الليبيين على هذا الاختيار عوامل كثيرة اهمها:

- انتماء العائلة السنوسية للدوحة النبوية الشريفة.
- ما عرف عن كبار العائلة السنوسية من ورع وتقوى وتمسك قوي بأهداب الشريعة الإسلامية (السيد محمد بن علي السنوسي، السيد المهدي السنوسي، السيد أحمد الشريف السنوسي، والسيد محمد إدريس السنوسي).
- قيادتهم للجهاد وبلاؤهم في منازلة المد الفرنسي والغزو الإيطالي.

وقد يقول قائل إن اختيار زعيم الحركة السنوسية أميراً إنما هو تطبيق لنظرية ابن خلدون: أن العرب لا يحصل لهم المُلك إلا بصيغة دينية من نبوة أو ولاية أو أثر عظيم.

قلت إن الفكر السياسي للملك إدريس قد تركز في تأثره فيما رآه ولمسه في جو الطريق السنوسية كما بينت بعاليه، والطريقة السنوسية كانت تتكون من شيخ الطريقة والإخوان،

وهم مجموعة من رفاق مؤسس الحركة السنوسية سيدي محمد بن علي السنوسي، قدموا معه من الجزائر ومن المغرب في منتصف القرن التاسع عشر الميلادي وأغلبهم من العلماء الأجلاء. وقد انضم إلى صفوف الإخوان الكثير من علماء الدين الليبيين. ثم تأتي طبقة المريدين والأساتذة والطلبة في معهد الجغبوب، فضلاً عن عدد كبير جداً من أتباع الطريقة من أفراد الشعب الذين تكوّن منهم جيش الجهاد ضد المد الفرنسي ثم ضد الغزو الإيطالي.

وطبيعي أن قيادة الطريقة ورسم سياستها كانت مركّزة في يد شيخ الطريقة يعاونه كبار الاخوان من العلماء والمريدين. وكان النظام السائد في تلك الطبقة القيادية هو اتباع توجيهات شيخ الطريقة وتنفيذ أوامره دون جدال أو نقاش، وإن كان هناك قدر يسير من التشاور فقد تركز بين شيخ الطريقة وكبار أتباعه من الاخوان في جوّ هادئ هامس وبأسلوب ليّن مهذب محاط بالإجلال والإحترام، بل كثيراً ما طغى إجلال كبار الإخوان لرئيسهم على رغبتهم لمصارحته ببعض الحقائق ونصحه ببعض الآراء.

ولا شك عندي أن هذه الطريقة في التشاور قد فضلها الملك إدريس على أية طريقة أخرى في تعاملاته مع مؤسسات الوطن الدستورية.

وأغلب ظني أن تفسير الملك للآية الكريمة ﴿فاعف عنهم واستغفر لهم وشاورهم في الأمر فإذا عزمت فتوكل على الله إن الله يحب المتوكّلين﴾ (الآية ١٥٩ من سورة آل عمران)، أنه كان يرى أن يتشاور في نطاق النظام الشوري مع ممثلي الأمة ويستمع لآرائهم ومشورتهم في جو هادئ، ثم عليه هو أن يحزم الأمر باتخاذ ما يرى من قرار في صالح الأمة ثم ينفذ ذلك القرار بما أوتى من عزم وحكمة، أو بعبارة أخرى كان يريد أن يستمع لرأي أهل الحل والعقد، ولكنه ينفرد بعد ذلك في اتخاذ القرار الذي يعتقد أنه الصواب.

ماهية الديمقراطية في نظام الحكم الملكي الليبي

وبالرغم مما تقدم، فقد قامت أثناء الحكم الملكي الليبي نواة طيبة للحكم الديمقراطي وقام كثير من نواب الشعب بواجبهم الوطني في توجيه الحكومة ومحاسبتها حساباً

عسيراً. وإن أي منصف يطّلع على مضابط جلسات مجلس النواب الليبي سيجد فيها الكثير من المناقشات الحامية والحوار الوطني الصريح، والجدال العنيف أحياناً كثيرة، والكرّ والفرّ بين المعارضة البرلمانية والحكومة، سيلمس بيده كيف كانت الوزارات تناقش وتدافع عن سياستها وتخضع أحياناً لآراء المعارضة، بل أن الملك إدريس وقف في صف مجلس النواب ورفض طلب رئيس الوزراء عبد المجيد كعبار، بحل المجلس، الذي كان على وشك نزع الثقة من حكومة كعبار في تلك الأزمة، رأى الملك أن مجلس الأمة على حق وأن حكومته فقدت ثقة ممثلي الشعب فأوعز لرئيسها بالاستقالة. (أزمة طريق فزّان ١٩٦١ - راجع مضابط مجلس النواب الليبي ١٩٦١).

إن من يطّلع على تلك المضابط البرلمانية ويتمعنها بإنصاف سينتابه، لا شك، شعور قوي بالحسرة والندم على تلك التجربة الديمقراطية الناشئة التي خُنقت قبل أن تترعرع واغتيلت وهي ما زالت تحبو. وسيترحم على تلك الحرية التي أهدرت على أيدي نظام ديكتاتوري شمولي قام على أسس من القمع والاستبداد والظلم.

خلاصة القول أن الملك إدريس، ولا شك، قد تجاهل بعضاً من الأحكام الليبرالية في الدستور الليبي في سبيل إقامة نظام حكم الفرد العادل الصالح. ولكنه مع الأسف لم ينجح كثيراً في محاولاته هذه، بالرغم من مؤهلاته من صلاح وتقوى ووطنية صادقة. وما هذا إلا لأن حكم الفرد العادل الصالح، إن كان هناك شيء يسمى كذلك يتطلب، كأي إصلاح سياسي أو اجتماعي، من الحاكم العادل عزيمة قوية ومثابرة وصلابة. وهذه الميزات لم تتوفر لدى الملك إدريس بالقدر الكافي، بل إن ما توفر منها لديه أفسدته رغبته في إرضاء الجميع من سائل وشاكي، وتأثره بنصائح بعض حاشيته، التي لم تكن لوجه الوطن. كل هذا أضعف عزيمته وزاد تردده. ثم أدركته الشيخوخة وما يتبعها من ضعف ووهن وميل إلى السكينة والهدوء والراحة وتجنّب المقارعة والإصرار فكان آخر عهده الملكي عهد تخبط وتردّد وضعف. فانتشر الفساد بين بعض من وثق فيهم وائتمنهم على شؤون الحكم والرعية.

نظرة الملك إدريس لنظام تعدد الأحزاب

ومن جهة أخرى فإن نفور الملك إدريس من الأحزاب السياسية ومعارضته لقيامها قد حرم البلاد من عنصر هام من المؤسسات البرلمانية. ويبدو لي أن إقامة الملك إدريس الطويلة في مصر وتتبعه للنشاط الحزبي فيها وما كان يقع بين تلك الأحزاب من تناحر وتطاحن ولو على حساب المصلحة الوطنية وما رافق ذلك من اعتماد بعض الأحزاب على السفارات الاجنبية، قد زاد من كراهيته لكل ما هو حزبي ودفعه لتجنّب قيام الأحزاب في ليبيا. وقبل الإستقلال، في فترة حكومة ولاية برقة، سعى الأمير إدريس إلى توحيد الأحزاب البرقاوية في تنظيم موحّد سمي الجبهة الوطنية. أما بعد الإستقلال عندما وقعت بعض القلاقل وسقط بعض الضحايا أثناء الانتخابات الأولى فإن رئيس الوزراء، المنتصر اتخذ إجراءات شديدة بحجة المحافظة على الأمن والاستقرار أمام أحزاب اتّهمت بتلقي العون والتمويل من الخارج. فأصدرت حكومة المنتصر قراراً إدارياً شديداً ألغى الأحزاب وحرم قيامها.

صحيح أن الملك كانت تنتابه ريبة قوية وعدم اطمئنان لدوافع تلك الأحزاب. وكان يظن أنها تتلقى التوجيه والتمويل من خارج الحدود. وفيما أعلم فإن الحزبين الوحيدين اللذين ثبتت تهمتهما بتلقي التمويل الأجنبي هما حزب الإستقلال الطرابلسي وكان يرأسه سالم المنتصر، وحزب آخر صغير تزعمه علي بن رجب وكان ينادي بالوحدة الإندماجية مع المملكة المصرية. كانت إيطاليا تموّل الأول وتولّت مصر تمويل الثاني. وللإنصاف فإنه لم يثبت أن حزب المؤتمر الطرابلسي (وكان أكبر الأحزاب عدداً وأكثرها شعبية) تلقّى أي تمويل من الخارج.

هذا هو موقف الملك من الأحزاب. ويجب ألا يغيب عن الذهن أن الحركات الإنقلابية في الوطن العربي التي حلّت الأحزاب السياسية قد بدأت بانقلاب حسني الزعيم في سوريا عام ١٩٤٩، ثم في مصر عام ١٩٥٢. أي أشهراً بعد إستقلال ليبيا، ولم يكن التيار في الوطن العربي نحو تعدّد الأحزاب، بل نحو تحقيق الأهداف القومية والعدالة الاجتماعية بتبني الفكر الاشتراكي اليساري الذي كان يقاوم إطلاق الحريات الحزبية.

الحريات العامة أثناء الحكم الملكي

وعلى أي حال، وأياً كانت التوجهات السياسية للملك، وأياً كانت نظرته إلى النظام الديمقراطي، فإنه قد امتاز بحرصه على إقامة العدل في ليبيا، فلا محاكم استثنائية ولا محاكم أمن دولة ولا محاكم ثورية مشكّلة من الرعاع والسوقة، لقد كانت سيادة القانون هي السائدة، وكان الدستور هو الحَكَم بين السلطات، وما ظلمت الدولة أحداً إلاّ اقتص له القضاء منها وانتزع له حقه كاملاً غير منقوص. واذا كانت قد حدثت في عهده بعض التجاوزات، فإنها حالات فردية شاذة لا تعتبر سمة للنظام، ولا تمثل توجهاته السياسية. ولم يُعرف فيه الاعتقال السياسي إلاّ في نطاق ضيق جداً في أشهر الإستقلال الأولى.

وبالرغم من المثال التي ذكرتها آنفاً فإن نظام الحكم الديمقراطي في العهد الملكي كان قد بدأ يحبو وينمو ويتطور، وكانت الصحافة الوطنية قد خطّت خطوات طيبة في الاتجاه الصحيح، وبدأ ساعدها يشتد وأقلامها تشحذ وتنتقد وتوجه. ولكن هذا كله لا يعفي رجال النظام في الحكم الملكي من كثير من اللوم.

لقد أخطأنا جميعاً ابتداءً من الملك إدريس إلى آخر عضو في آخر وزارة ملكية. أخطأنا حينما أهملنا تقوية المؤسسات الدستورية المتعددة، وتنمية المنظمات الجماهيرية كالأحزاب والنقابات المستقلة، وكذلك أخطأنا لأننا لم نعمل بعزم قوي على نشر الوعي القومي العام بين طبقات الشعب ولم نجذبها ونشجعها على التعاون والتجاوب مع المؤسسات الدستورية. لو قمنا بذلك لما وجد الإنقلابيون مبرراً لانقلابهم ولما تجاوبت بعض طبقات الشعب مع حركة الإنقلابيين.

وقد يقول قائل إن المؤسسات الدستورية والتنظيمات الجماهيرية في ذلك الوقت لم تكن لتتمكن من الوقوف أمام دروع الإنقلابيين مهما كانت قوة تلك المؤسسات والتنظيمات. يضاف إلى ذلك وبمنطق التاريخ أنه لم يكن لليبيا، وهي أحدث الدول العربية إستقلالاً في ذلك الوقت، وأفقرها وأقلها خبرة في الحكم أن تختزل التاريخ فتحقق تطوراً كبيراً وتنمية قوية في تلك المؤسسات الدستورية والمنظمات الجماهيرية بدرجة تجعلها تقاوم الحركات الإنقلابية العسكرية.

ومهما يكن من أمر فإننا، في النظام الملكي، اكتفينا بنظام برلماني بطيء التقدم قليل التطور لم يكن قد بلغ سن الرشد بعد ثماني عشرة عام من الإستقلال، ولا أبرئ نفسي من نصيبي في ذلك التقصير.

وظهرت الفاجعة الناجمة عن هذا التقصير عندما وقع انقلاب أول سبتمبر ١٩٦٩. فما أن دفع ذلك الإنقلاب النظام الملكي دفعاً بسيطاً حتى انهار تماماً وانقشع وراء الستار فراغ سياسي رهيب. فاستولى رجال الإنقلاب على مفاتيح الحكم بسهولة ويسر، وقتلوا التجربة الديمقراطية التي بدأت تتحسس طريقها بحذر في ليبيا، وأخذت تنمو وتترعرع، ولو أنها أمهلت حتى اشتد عودها لطهّرت الحكم الملكي من الشوائب والنقائص التي علقت به، ولما أمكن لتلك الحفنة من الإنقلابيين أن تغدر بالجميع وتسلب مقاليد الحكم وتفرض نفسها على الشعب، وتقضي بجرّة قلم على الديمقراطية والحياة النيابية في البلاد، وتلغي الشرعية الدستورية وتستمد مشروعيتها من فوهات بنادقها، وتقيم في نظاماً عماده الظلم، والقهر، والإرهاب، والفوضى السياسية.

الباب الرابع

إغتيال ناظر الخاصة الملكية

الصراع بين أسرة
السيد أحمد الشريف وعائلة الشلحي

يوم ٥ أكتوبر ١٩٥٤ وأمام مكتب رئيس الوزراء اغتال الشريف محيي الدين السنوسي (حفيد السيد أحمد الشريف) إبراهيم الشلحي ناظر الخاصة الملكية وفجّر هذا الاغتيال أزمة خطيرة حادّة في العلاقات المتوترة بين عائلة السيد أحمد الشريف السنوسي من جهة والملك إدريس من جهة أخرى.

ولا بد من شرح تاريخي لعلاقة أبناء السيد الشريف السنوسي بالملك إدريس وبناظر خاصته إبراهيم الشلحي لكي يقدّر القارىء خطورة هذه الأزمة السياسية الحادّة وعمق الشرخ الذي سببّه هذا الاغتيال في علاقات العائلة السنوسية.

ينحدر إبراهيم الشلحي من قبيلة الشلوح الجزائرية وهاجر جده إلى ليبيا مثل الكثيرين من المغاربة والجزائريين الذين التحقوا بالحركة السنوسية كإخوان سنوسيين أو أتباع وأعوان.

ولد الشلحي عام ١٨٩٩ في برقة وتعلم في المدارس القرآنية وحفظ القرآن، ثم التحق بخدمة السيد أحمد الشريف كخادم خاص. (كان العمل كخادم خاص للسيد السنوسي يعتبر عملاً مشرفاً لمن يقوم به.) وكان لا يزال صبياً.

ولاحظ السيد أحمد في الصبي ذكاء وفطنة ونشاطاً نادرين، فرشحه للخدمة لدى السيد إدريس في عام ١٩١٣. وبدأ الشلحي عمله مع السيد إدريس بإخلاص وأمانة وتفانٍ منقطع النظير، وسرعان ما قرّبه السيد إدريس واعتمد عليه وبعد سنوات قليلة وصل

الشلحي إلى منزلة المستشار والصديق والخادم الأمين والإبن البار كلهّا مجتمعة في شخص واحد، ولازم السيد إدريس في هجرته إلى مصر وشاركه سنوات إقامته في الحّمام مريوط وفي أبى روّاش من ضواحي الجيزة وفي فكتوريا من ضواحي الإسكندرية.

وأدى ترقي الشلحي إلى منزلة الرجل الثاني بعد السيد إدريس إلى إبعاد الكثيرين من الإخوان السنوسيين.

وتعرفت أنا عليه عام ١٩٣٨ عندما كنت أزور السيد إدريس حيث كان يقيم بمنطقة فكتوريا، ولاحظت فيه الأدب الجمّ والتواضع الشديد وكان صوته لا يرتفع عن الهمس في حضرة السيد، ولكن هذا المظهر المتواضع كان يخفي ذكاءً شديداً ودهاءاً نادراً.

وكان السيد إدريس يعامله كإبنه، وأولاده كأحفاده، وأثناء إقامة السيد إدريس في منطقة أبي روّاش كان أولاد السيد أحمد الشريف يقيمون في نفس العزبة. وكان أبناؤه ومنهم الشريف محيي الدين يشاهدون مدى العناية التي يلقاها أبناء إبراهيم الشلحي من السيد إدريس، في حين أنهم وهم أولاد المجاهد الكبير السيد أحمد الشريف لم يكن يتوفر لهم من وسائل الحياة إلاّ النزر القليل، فمثلاً كان الشريف محيي الدين يشاهد أبناء الشلحي يذهبون إلى المدرسة في سيارة السيد إدريس بينما هو يمشي المسافات الطويلة على رجليه، وخصوصاً في تلك الفترة من الهجرة - أي في أبي روّاش - فقد كانت أسباب الاحتكاك كثيرة بين المجموعتين، ولم يخفف منها أن زوجة السيد إدريس كانت بنت السيد أحمد الشريف فقد كانت علاقة السيد إدريس بإبراهيم الشلحي أقوى من أن تؤثر عليها زوجة (خصوصاً في مجتمعنا الليبي)، بل أن كثيراً من الناس كانوا يظنون أن إبراهيم الشلحي لديه نوع من السحر شديد التأثير جعله يسيطر على أفكار السيد إدريس سيطرة تامة. وحدث أن توفي أحد الإخوان السنوسيين ممن ينتمون إلى قبيلة البراعصة ويدعى (التواتي بوسريويل) في المستشفى، وكانت الوفاة بعد دخوله المستشفى بوقت قصير في ظروف غامضة، وانتهز بعض الخبثاء الفرصة وبث إشاعة بأن التواتي إنما مات من أثر السم الذي دسّه له الشلحي للتخلص من منافسته على الحظوة لدى السيد إدريس. ويبدو أن مصدر تلك الإشاعة الخبيثة التي كانت تهدف

للإيقاع بالشلحي في نزاع مع قبيلة البراعصة القوية، كان من أوساط السيد الصدّيق (ابن أخ السيد إدريس)، ومنافس الشلحي على الحظوة لدى عمه السيد إدريس، ولما كان الصدّيق الرضا هو حليف آل السيد أحمد الشريف فقد كان لتلك الإشاعة الخبيثة أثرها السيء في تأجيج نار خلاف الطرفين المتنافسين.

ولا شك أن حظوة الشلحي وعائلته لدى السيد إدريس قد جلبت له الكثير من الحسد والعداء، ولا شك أنه بذكائه قد احتاط لذلك العداء، خصوصاً عداء عائلة السيد أحمد الشريف بما لها من سمعة ونفوذ عظيمين في برقة، فأحاط نفسه بصداقات بل وتحالفات. فصاهر مثلا قبيلة البراعصة القوية إذ زوّج إحدى بناته لمحمود بو قويطين الذي أصبح فيما بعد قائد عام قوة دفاع برقة، وهي القوة الرئيسية التي يعّول عليها لحفظ الأمن في ولاية برقة، ورُقي بعد ذلك إلى رتبة الفريق وكان أحد مراكز القوة البارزة في النظام الملكي، وقرّب رجال القبيلة من السيد إدريس. هذا وبعد عودة السيد إدريس إلى برقة والمناداة به أميراً عليها فإن الشلحي أضاف لحلفائه حلفاء جدد في شخص عبد الله عابد السنوسي وإخوته فقربهم من الأمير وأيدّهم في مجالات كثيرة. وبذلك أصبح جزء من العائلة السنوسية متحالف مع الشلحي ضد أبناء السيد أحمد الشريف السنوسي ولكن العداء بين الأطراف المذكورة والتحالفات بينهم كانت تقوم تحت ستار كثيف من المجاملات الظاهرية والتقاليد السنوسية التي لم تكن تستحسن إظهار العداء بطريقة صريحة.

خلافات على وراثة العرش

أما سوء التفاهم بين السيد إدريس وأبناء السيد أحمد الشريف الذي أقحم فيه إبراهيم الشلحي فهذه قصة أخرى لها أبعادها السياسية. فعلى إثر الهزيمة العسكرية التي نزلت بالقوات السنوسية في ١٩١٦ على يد القوات البريطانية-الاسترالية المدرعة بجوار مرسى مطروح قام السيد أحمد الشريف بتسليم قيادة الحركة للسيد إدريس بعد قراره مغادرة البلاد إلى اسطنبول. ولكنه قبل أن يغادر ليبيا أرسل إلى السيد إدريس الضابط

المصري صالح حرب (فيما بعد صالح باشا حرب) ليؤكد للسيد إدريس أنه سلّمه القيادة وأنه يطلب منه أن يوافق على أن يتولى قيادة الحركة السنوسية بعد وفاته السيد العربي ابن السيد أحمد الشريف. ووافق السيد إدريس على ذلك وكتب على صفحة من صفحات مصحف نص الإتفاق على ذلك (كتب الإتفاق على ورق من أوراق المصحف حتى لا يقع في أيدي الحلفاء لو قبضوا على السيد أحمد وهو في طريقه إلى اسطنبول، إذ ليس من العادة أن تفتش المصاحف). ومن المهم أن نلاحظ هنا أن السيد أحمد اختار لخلافة السيد إدريس إبنه العربي ولم يختر ابنه الأكبر إبراهيم.

وبعد إعلان إستقلال ليبيا، فإنه طبقاً للمادة ٤٥ من الدستور، والأمر الملكي الصادر تنفيذاً للدستور بتحديد وراثة العرش، فقد حُصر عرش ليبيا في فرع السيد المهدي السنوسي، واستبعد فرع السيد أحمد الشريف عن وراثة العرش استبعاداً تاماً، وكان وراء ذلك فهم الملك إدريس ان إتفاقه مع ابن عمّه السيد أحمد الشريف كان ينحصر في من يخلفه في رئاسة الطريقة السنوسية، أما الإمارة وبالتالي المملكة فلم تكن موجودة أثناء تفاهمهما بل نتجت بناء على أوضاع وظروف سياسية لاحقة، ولا شك عندي في أن الملك إدريس كان يفرق بين الطريقة السنوسية والمملكة. فقد كان يكرر هذا في الكثير من أحاديثه معي، وكذلك لأنه قبل وفاته بشهور معدودة اختار محيي الدين السنوسي أكبر أنجال السيد أحمد الشريف السنوسي الأحياء ليخلفه في رئاسة الطريقة السنوسية.

أما أبناء السيد أحمد الشريف فقد كان فهمهم للإتفاق يلّخص في أن والدهم هو أول من تولّى قيادة الجهاد ضد إيطاليا، وأبلى بلاء حسنا مشهوداً له به من الجميع، وخلع عليه خليفة المسلمين رتبة نائب الخليفة في طرابلس وبرقة بل وفي شمال أفريقيا كلها، وأنه في عهد والدهم تأسست الحكومة السنوسية وبذلك فإن رئاسة الطريقة تتبعها - بلا شك في نظرهم - الزعامة السياسية على أية هيئة كانت إمارة أو مملكة، يضاف إلى ذلك أن والدهم كانت له شعبية كبيرة تستند على أنه الزعيم المسلم المجاهد، وهو بذلك خير من كان يجب أن يتوّلى رئاسة البلاد لولا المناورات المعادية للإسلام من بريطانيا وإيطاليا.

وبما أن إبراهيم الشلحي كان الرجل المؤثر على الملك إدريس فإن اتهامه بأنه وراء مؤامرة حرمان أبناء السيد أحمد الشريف من وراثة العرش الليبي تهمة تبدو وكأن لها ما يبرّرها، وبما أن غضب أبناء السيد أحمد لم يكونوا ليظهروه تجاه كبير العائلة الملك إدريس فقد أظهروا غضبهم ضد مدّبر المؤامرة – في نظرهم - أعني إبراهيم الشلحي.

هكذا كان الوضع بين عائلة السيد أحمد الشريف وناظر الخاصة الملكية في خريف ١٩٥٤ إلى أن وقعت واقعة مارزوتّي.

زيارة مارزوتّي تطيح بوالي برقة

كونت مارزوتّي كان أحد كبار الأثرياء الإيطاليين وكان أثناء الحكم الفاشستي قد اشترى أراض زراعية شاسعة في منطقة المرج، وبعد الإستقلال وضعت الحكومة الليبية يدها على جميع الأراضي المملوكة للدولة الإيطالية والأفراد الإيطاليين في برقة تمهيداً لمطالبة إيطاليا في المفاوضات المقبلة بالموافقة على رد جميع الأراضي الإيطالية في برقة إلى ليبيا. ويبدو أنه أجرى اتصالات مع عبد الله عابد السنوسي بغرض إقامة نوع من التعاون بينهما لاستغلال أراضي مارزوتّي في الجبل الأخضر وتطويرها وتنميتها وجعلها نموذجاً للزراعة في برقة، وما سيتبع ذلك من تعاون إقتصادي وسياسي بينه وعبد الله عابد. ويبدو أن عبدالله عابد قد أحاط صديقه الشلحي علماً بتطورات تلك العلاقة. وعندما لمس منه أنه لا يمانع ببحث الموضوع أسرع إلى الوالي حسين مازق وأوحى إليه أن القصر الملكي يرحب بزيارة مارزوتّي لبرقة.

وقدم مارزوتّي على يخته الفخم إلى بنغازي وأقام احتفالاً كبيراً على ظهر يخته دعا إليه عبدالله عابد وكبار رجال الدولة، ثم قام بزيارة مزارع الجبل الأخضر ترافقه حراسة من شرطة قوة دفاع برقة.

ووجد أبو القاسم ابن أحمد الشريف السنوسي - العدو اللّدود لعبد الله عابد - فرصته الذهبية فقام بإثارة قبائل الجبل الأخضر وشجّعهم على رفع شكوى مستعجلة إلى الملك استنكاراً لعودة الإيطاليين المستعمرين تحت جبّة عبدالله عابد السنوسي.

ثم ذهب إلى الملك وأسر إليه أن عبدالله عابد السنوسي يصرّح علناً بأن القصر الملكي يوافق على عودة مارزوتّي لأراضيه بالجبل الأخضر، وأن القصر الملكي أوعز إلى والي برقة بهذا المعنى. ومما أعطى هذا الإدعاء نوعاً من المصداقية، أن والي برقة حضر جميع مآدب تكريم مارزوتّي. استشاط الملك غضباً فأصدر أمراً ملكياً بإيقاف والي برقة حسين مازق عن العمل، كما جرّد عبدالله عابد من لقبه ووضعه تحت الإقامة الجبرية، وأصدر الديوان الملكي بياناً ينفي أن يكون للملك أي علم أو علاقة بموضوع مارزوتّي.

وقد شكّلت كل هذه الإجراءات نكسة كبرى لعبدالله عابد وأصدقائه ومنهم إبراهيم الشلحي، ونصراً كبيراً لأبي القاسم وإخوته.

وطبعاً لم يستشر الملك أحداً فيما أصدر من أوامر ملكية، ووجدت أنني فوجئت بهذه العاصفة التي ذهب ضحيتها والي برقة (لأنه صدّق رواية عبدالله عابد)، واستغربت الطريقة التي عومل بها دون النظر إلى المسؤوليات الإدارية والسياسية التي تترتب على إيقاف والي عن العمل دون محاكمة ودون إسناد صلاحيّاته لمن ينوب عنه.

ولا شكّ أن الشريف محي الدين قد زاد حماسه عندما شعر بأن الموازين بدأت تميل نحو فرع عائلته فقرر دون استشارة أحد التخلص من الشخص الذي كان في رأيه هو العقبة الكبرى بين تفاهم الملك مع فرع عائلته.

اغتيال إبراهيم الشلحي

وفي ٥ اكتوبر ١٩٥٤ كان ناظر الخاصة الملكية في زيارة عمل لي في مكتبي وحينما خرج من المبنى حاول الشريف محيي الدين الاقتراب منه فمنعه رجال الحرس، فقال لهم بأن لديه رسالة يريد تسليمها إلى الشلحي، وسمعه هذا فأمرهم بأن يتركوه، وحينما اقترب منه أخرج مسدسه وأطلق عليه الرصاص فأراده قتيلاً في الحال.

سمعت هرجاً ومرجاً عالياً فخرجت من مكتبي وتبعني المقدم عبد السلام الكتّاف، وكان القاتل يدفع رجال الشرطة عنه ويحاول الهرب لولا أن المقدم الكتّاف أمسك به وسلّمه للشرطة البرقاوية.

في هذه اللحظة حضر الفريق محمود بو قويطين مدير عام قوة دفاع برقة، وأشهر مسدّسه محاولاً قتل الشريف محي الدين. وهنا صرخت فيه ودفعته إلى سيارتي وأمرت السائق بالاتجاه فوراً نحو قصر الغدير ببنغازي، ودخلت على الملك دون استئذان ووجدته جالساً مع إبن شقيقه الصدّيق الرضا السنوسي وابنه يستعدون للغداء، وانفردت بالملك ومعي بوقويطين وأخبرته بالحادث فتقبل النبأ بهدوء ووقار.

طلبت من الملك أن يلغى الأمر الملكي بإيقاف الوالي (حسين مازق) إذ أنني في أمسّ الحاجة إليه في الظروف الراهنة، كذلك أبلغته بأنني سأعلن حالة الطوارئ واستدعي أقرب كتيبة من الجيش الليبي للمحافظة على الأمن في جهة الفويهات حيث يسكن أغلب أفراد العائلة السنوسية، وذلك لحمايتهم من أية عملية إنتقام. وطلب مني الملك أن أتصل بالبوصيري الشلحي (ابن إبراهيم الشلحي) في لندن لأطلب منه الحضور فوراً إلى بنغازي. وبعد أن نفذت الإجراءات الأمنية، وأعلن مجلس الوزراء حالة الطوارئ، رجعت إلى الملك فوجدته منهاراً تماماً وقد جفّت عيناه من البكاء واحمرّتا وبدى عليه حزن عميق وسيطر عليه يأس غريب، فلقد كانت المأساة ذات طبيعة مزدوجة: فاجعة فقدان من كان في مقام ابنه الوحيد. وأن القاتل لم يكن مواطناً عادياً، وإنما كان أحد أفراد الأسرة السنوسية، وبالتحديد من فرع السيد أحمد الشريف، وما سيحدثه ذلك من شرخ هائل في جدار الأسرة السنوسية لا يمكن تجاوز آثاره مستقبلاً.

قرر الملك الإقامة في طبرق خلوداً للسكينة وبعداً عن المكان الذي قتل فيه ناظر خاصته، ولما لم يكن في طبرق مبنى لائق، فقد أعددنا له شقة متواضعة في الطابق العلوي من مبنى المتصرفية. وبعد يومين استدعاني وطلب مني أن أحضر له جواز سفر له ولعائلته. فسألته لماذا تريد جوازات سفر؟ فردّ ببساطة: لأنني أريد أن أجاور في الحجاز وقررت الاستقالة ومغادرة ليبيا الأسبوع القادم.

هرعت إلى باب الغرفة وأغلقته من الداخل وجعلت المفتاح في جيبي، ودار بين الملك وبيني حديثاً عاصفاً أحياناً وعاطفي أحياناً أخرى، فقلت: أنت لست موظفاً لكي تستقيل، لقد بويعت ملكاً على ليبيا ولا يجوز لك أن تتحلّل من البيعة بهذه البساطة ثم تترك وطنك

وتهاجر، لماذا؟ ألأن ناظر خاصتك أغتيل؟ مع تسليمي بفظاعة الحادث وأثره العاطفي عليك، إلاّ أن هذا لا يبرّر لك أن تهرب من البلد وتعرضه لفوضى لا يعلم عاقبتها إلا الله. وردّ الملك أنه: لا يهرب من الوطن ويتركه في فوضى لأن ولي العهد الأمير الرضا سيتولى بعد أن يستقيل هو. قلت: يا مولاي أنت تعرف جيداً أن الأمير الرضا رجل طيب ولكن ليس له المقدرة السياسية، ولا الذكاء ولا الخبرة ليكون ملكاً على ليبيا خصوصاً في ظروفنا الراهنة. قال أنه: شعر بإهانة كبيرة عندما اعتدي على أخلص رجاله وأقربهم إلى قلبه، وأنه يودّ أن يضع حداً للنزاع مع عائلة السيد أحمد الشريف ويترك لهم الميدان، لأنه لا يستسيغ أن يعيش في بلد أعتُدي عليه فيه هذا الاعتداء الدنيء.

قلت: إنني أكاد أجزم بأن عائلة السيد أحمد قد فوجئوا كما فوجئ الناس جميعاً بجناية ابنهم الشريف محي الدين، فلو كان عندهم أي علم بنوايا ابنهم لما تركوه يرتكب جريمته النكراء ويقدم رقبته لحبل المشنقة ويجرّ على عائلته النكسة والعار.

ومرّت فترات عاطفية كان الملك ينهار فيها بكاءً، وعندما قلت له: إننا هنا إدريس السنوسي ومصطفى بن حليم، لا ملك ولا رئيس وزراء، وبهذه الصفة فإنني لن أسمح لك بمغادرة وطنك ولو استعملت العنف معك... كيف يجوز لك أن تقاطع وطنك الذي بذلت في سبيل إستقلاله جهاد أكثر من أربعين عام.

تمالك الملك نفسه تدريجياً ووصلنا إلى تفاهم يُلخّص فيما يلي:

نترك العدالة تأخذ مجراها الطبيعي في جريمة الشريف محي الدين ويقدم للقضاء العادي كأي مجرم دون النظر لأي اعتبار خاص. وأقنعت الملك أنه لا داعي على الإطلاق إلى تشكيل محكمة عسكرية، كما طلب. ثم أقنعته أن لا دخل لعائلة السيد أحمد الشريف في الجريمة، وكررت له عدة مرات قول الله سبحانه ﴿ولا تزر وازرة وزر أخرى﴾ ﴿وأن ليس للإنسان إلاّ ما سعى﴾.

وأما طلب الملك من عائلة السيد أحمد الشريف أن يتخلّو عن ابنهم ولا يساعدوه حتى بمحام إذا كانوا حقيقة لا يقرّون فعلته، فإنني استهجنت الفكرة واستبعدتها لأن من حق المتهم أن توفر له سبل الدفاع، وإن لم يكن لديه الإمكانية فعلى المحكمة أن توفر له

المحامي. كذلك طلب الملك أن أقيل إبراهيم أحمد الشريف سفير ليبيا في مصر لأنه حاول تزوير شهادة ميلاد لتثبت أن الشريف محي الدين كان قاصراً يوم ارتكب الجريمة وبذلك يفلت من العقاب الشديد، وكرر الملك أنه يعرف بالضبط تاريخ ميلاد الشريف محي الدين وهو بالغ بالتأكيد، فطلبت من الملك أن يترك لي موضوع إبراهيم أحمد الشريف وأنا سأنقله من القاهرة أو أتفاهم معه على التنحّي المؤقت أو الاستقالة.

استفحال الخلاف بين فرعي العائلة السنوسية

وبعد أيام قليلة - في الغالب أول نوفمبر ١٩٥٤- كنت في القاهرة في اجتماع هام مع الرئيس عبد الناصر فانتهزت الفرصة واجتمعت عدة مرات بالسيد إبراهيم الشريف سفيرنا في القاهرة وعرضت عليه أن يأخذ إجازة طويلة ويترك السفارة إلى أن تنتهي محاكمة الشريف محي الدين وتهدأ النفوس، فرفض رفضاً قاطعاً، واندفع في هذيان غريب، وردّد اتهامات رخيصة ضد الملك. ولمّا لم تنفع محاولاتي الكثيرة في إرجاعه إلى صوابه أبلغت وزارة الخارجية المصرية بانتهاء مهمة السفير إبراهيم أحمد الشريف وتعيين مستشار السفارة وهبي البوري قائماً بالأعمال. وعدت إلى طبرق وأخبرت الملك بأنني سوّيت موضوع السفير فلم تعد له علاقة بالسفارة وعيّنت البوري قائماً بالأعمال، وتحاشيت أن أذكر شيئاً للملك عن هذيان إبراهيم أحمد الشريف وشتائمه.

وبعد أيام قليلة استدعاني الملك إلى طبرق، وبعد الفراغ من عرض ومناقشة أمور الدولة، أعطاني مظروفاً به رسالة وطلب مني أن أقرأها، وإذ بها رسالة من إبراهيم أحمد الشريف موجّهة إلى الملك كلها تهم وشتائم بأسلوب ركيك، أهمها أنه اتهم فيها الملك بأنه سلب منه وراثة العرش، كما لم أنجو أنا من شتائمه واتهاماته.

طويت الرسالة وقلت للملك إن إبراهيم في حالة غضب وشعور بإحباط وهو عصبي المزاج عادة، كل هذا دفعه إلى حماقاته هذه ورجوت الملك أن يتغاضى عن رسالته، فلا بدّ أن تهدأ النفوس وتعود المياه إلى مجاريها، ويدرك إبراهيم أحمد الشريف حماقته ويعود إلى صوابه. رد الملك بأن عاتبني لأنني لم أنقل له كلام إبراهيم وسبابه في القاهرة،

فقلت له أنني لا أرضى لنفسي بأن أكون ناقل سوء بين أعضاء العائلة السنوسية، وأنني تعمّدت السكوت عمّا قاله إبراهيم في القاهرة آملاً أن يعود إلى صوابه. قال الملك: إنك لا تعرف إبراهيم، إنه أحمق وخطير. ثم دفع إلي صورة من رده عليه (أي رد الملك على إبراهيم أحمد الشريف) وإذ بها رسالة كلها سبّ وازدراء وتكذيب للتهم الموجهة للملك بأنه سلب من عائلته زعامة ليبيا وأنه حرمهم من حقهم المشروع في وراثة العرش، ولكن بعبارات عنيفة وبأسلوب لا يتناسب مع مكانة كاتبه (لا شك عندي أن الطيب الأشهب هو الذي كتب رسالة الملك).

حينها شعرت بأن جهودي في إبعاد عائلة السيد أحمد الشريف عن تهمة الاشتراك أو المساندة مع ابنهم الشريف محي الدين في جنايته، قد ارتطمت بحماقة إبراهيم أحمد الشريف وتسرّع الملك، ولكنني لم أيأس ومضيت في تلطيف الجو والتماس الأعذار والتلويح بالأخطار المحدقة إذا انفجر الخلاف بين الملك وعائلته بطريقة علنية، وألهمني الله أن أقترح على الملك محاولة أخيرة، قلت: أنت يا مولاي تعرف والكل يعرف العقد النفسية التي تسيطر دائماً على إبراهيم وتجعله كثير الشك قليل الثقة، وهو عصبي المزاج إلى درجة الحماقة، وقد عرف والده رحمه الله طباعه هذه فلم يرشحه هو لخلافة مولاي في زعامة الحركة السنوسية بل رشح ابنه العربي، وهذا أكبر دليل على انعدام ثقة السيد أحمد في ابنه البكر. لذلك فإنني أقترح بأن نرسل إليه كلاً من السيد العربي والسيد ابو القاسم وهما في نظري أكثر ابناء السيد أحمد حكمة ورزانة وبُعد نظر، بعد أن أشرح لهما أعماله وأقواله والعواقب الخطيرة التي قد تنجم عنها فلعلّه «يتذكّر أو يخشى» ولعلهما يردّاه عن غيّه ويرجعاه إلى الطريق السليم، فإن أقنعاه ورجع إلى صوابه فعفى الله عما سلف، وإن طغى وبغى نبذوه وعذروك ونصروك. ووافقني الملك بعد إلحاح كثير مني.

وفي بنغازي شرحت للعربي وأبي القاسم الموقف بحذافيره كما شرحت لهما مهمتهما الدقيقة وأننا الآن في مفترق الطرق، إمّا أن ننجح في حصر الجرم في الشريف محي الدين مع تبرئة عائلة السيد أحمد الشريف من كل ظنّ أو اتهام بالاشتراك في

عملية اغتيال إبراهيم الشلحي، وإلاّ إذا واصل أخوهم إبراهيم حماقته فإنني سأعجز عن تبرئتهم أمام الملك ولن أستطيع حمايتهم من العواقب. وشكراني مؤكّدين تقديرهما لدقة مركزي ووعدا ببذل أقصى الجهود لإعادة أخيهما إلى صوابه، ولكن مع الأسف لم يتمكنا من إقناعه بل فوجئا به يلجأ إلى الحكومة المصرية طالباً منحه حق اللجوء السياسي وهما لا يزالان في ضيافته في القاهرة.

وبعد هذا الفشل الأخير لم يبقَ في جعبتي سهم آخر، وزاد من دقة موقفي أن ناظر الخاصة الملكية الجديد البوصيري الشلحي قد خلف والده في منصبه وهو في الرابعة والعشرين من عمره، ولم يكتسب خبرة ولا علماً يؤهلانه لذلك، مما زاد من غروره ونزعاته الطائشة. وانتهز بعض المتملّقين أمثال عبدالله عابد والطيب الأشهب وأخيه عمر ومحمد عبد السلام الغماري وغيرهم الفرصة وبدأوا يوغرون صدر البوصيري الشلحي ويملؤونه حقداً، وصوّروا له أن جميع أفراد عائلة السيد أحمد الشريف ضالعين في التآمر على قتل أبيه وأثاروا فيه شهوة الإنتقام وأخذ الثأر منهم جميعاً واستغلال حالة الملك في تلك الأيام حيث كان يسيطر على نفسيته نوع من الأسى والإحباط ورغبة ملحّة في إرضاء أبناء صديقه.

وكانت فترة من أسوأ فترات المد والجزر بين الملك وبيني، فقد عاد يطالب بتشكيل مجلس عسكري لمحاكمة القاتل، وأقنعته بصعوبة شديدة بالعدول عن هذا الإجراء الاستثنائي الذي لم يكن له أي مبرّر، ثم عاد وأصدر أمراً ملكياً بصفته رئيس العائلة بتجريد جميع أعضاء العائلة من الألقاب، ثم أصرّ على فصل أفراد العائلة من وظائفهم الحكومية، وقاومت تلك الإجراءات والمحاولات بقدر المستطاع ولكنني لم أتمكن من السيطرة عليها تماماً.

إعدام الشريف محي الدين

حوكم الشريف محي الدين أمام محكمة جنايات بنغازي بالإعدام واستأنف الحكم أمام المحكمة العليا الإتحادية فأيدت حكم محكمة الجنايات، واقترب يوم تنفيذ الحكم وإذ

بزوبعة أخرى تهبّ علي من حيث لا أدري، فقد أصدر الملك أمره إلى قائد قوة دفاع برقة محمود بو قويطين بأن ينفذ حكم الإعدام في نفس المكان الذي نفذ فيه الشريف محي الدين جنايته، أي في وسط أهم ميدان في بنغازي وأمام مبنى رئاسة مجلس الوزراء.

وجاءني المدعي العام الإتحادي المستشار محمود القاضي، وكان رجلاً فاضلاً وطوداً قانونياً متزناً، وأبلغني بصراحة تامة أنه لن يوافق على تنفيذ أمر الملك حتى لو استدعى الحال أن يقدم استقالته. فلا يمكن له أن يوافق على خرق القانون لارضاء شهوة التشفّي لدى أبناء إبراهيم الشلحي حتى ولو كان الأمر صادراً من الملك إدريس. وطمأنت النائب العام قائلاً: إذا لم أقنع الملك باحترام القانون فلن تكون أنت المستقيل الوحيد. وطرت إلى طبرق وقضيت ساعة من أحرج الساعات مع الملك، وشرحت له حرمة القانون وأن تنفيذ حكم الإعدام لا بدّ أن يكون في السجن المركزي، كما شرحت له ما يترتب على خرق القانون لأسباب شخصية والسمعة الدعائية السيئة عندما يرى العالم كله مشنقة تنصبّ وسط العاصمة للتشفّي من قاتل ناظر الخاصة الملكية.

ولم تُجد كل الحجج شيئاً ولمّحت أن النائب العام هدّد بالاستقالة وبأن الوزارة كلها ستجد نفسها في موقف حرج، ثم قلت للملك بهدوء ورجاء: يا مولاي أنا مستشارك الأول وقد وعدتني عند تشكيل الوزارة بأن تساعدني في تخطّي العقبات وهذه عقبة عظمى لا مبرّر لها، فهلاّ قلت لي لماذا تتمسّك بأن يكون شنق قاتل إبراهيم في وسط العاصمة وأمام أنظار العالم؟ فردّ الملك بأنه يودّ أن يحضر أبناء الفقيد عملية الشنق ويشاهدوا بأعينهم بأن الحدّ قد أقيم على قاتل أبيهم. فقلت على الفور: هذا من أبسط الأمور ولا مانع في القانون من أن يحضروا إلى السجن المركزي ويشاهدوا عملية الشنق إذا كان هذا ما يشتهون. وهذا ما حدث. إلا أن الفريق محمود بو قويطين قائد قوة دفاع برقة وصهر آل الشلحي أمر – زيادة في التشفي – بإلقاء الجثة أمام مبنى رئاسة مجلس الوزراء ليتسلّمها أهله هناك.

الباب الخامس

الإصلاحات الدستورية

المحاولة الأولى لتطبيق النظام الجمهوري

لا أبالغ عندما أذكر أن أهم إصلاح وطني حاولت إجراءه، وبذلت جهداً عظيماً لبلوغه وأسفت أشد الأسف لفشلي في تحقيقه هو الإصلاح الدستوري المزدوج. أعني به إقامة الوحدة الوطنية بدلاً من النظام الإتحادي المعقد، وإبدال النظام الملكي بنظام جمهوري رئاسي.

ومن بين المحاولات الكثيرة فإنني في محاولتي عامي ١٩٥٥ و ١٩٦٤ كنت قاب قوسين من بلوغ الهدف، لولا أن نسفت المصالح الشخصية طريق الإصلاح أمامي، ووُئدت تلك الأفكار الرائدة في رمال القبلية الضيقة الأفق قليلة الإيثار.

لقد شرحت في أماكن عديدة من هذه المذكرات مساوىء النظام الإتحادي والأسباب التي دعت إلى الأخذ به رغم الخلافات الدستورية الحادة التي أثارها عند التطبيق بين الحكومة الإتحادية وحكومات الولايات، والتي أدّت في أحيان كثيرة إلى أزمات سياسية، بالإضافة إلى التكاليف الباهظة التي كان يتطلبها نظام أقام أربعة حكومات: وزارة وأجهزة إتحادية مع برلمان من مجلسين، وثلاثة مجالس تنفيذية للولايات وثلاثة مجالس تشريعية، وولاة ثلاث، وأجهزة إدارية للولايات مع كل ما يتطلبه ذلك النظام من موارد بشرية ومالية.

نظام عجيب، لا شك عندي أن الذين نصحوا الليبيين باتباعه إنما أرادوا أن يكرّسوا به العجز المالي في ميزانية الدولة الليبية حتى تضطر دائما إلى الاستجداء وترضخ لطلباتهم، وكذلك تثبيت دعائم النزاعات الإقليمية وتغذيتها وتفتيت وحدة الشعب الليبي

وإلهائه بقضايا الخلافات الدستورية بين حكوماته المتعددة عن التطلع إلى قضاياه الوطنية والعربية والتفرغ للتعامل معها.

ومن جهة أخرى فإن الخلاف الحاد الذي بدأ يظهر بوضوح بين أفراد العائلة السنوسية وتردّي علاقات الملك مع بقية أفراد عائلته أفقد العائلة المالكة (وليس الملك) الكثير من مصداقيتها وألحق بسمعتها الكثير من الضرر. وأعترف أنني لم أكن أرى في العائلة السنوسية على العموم عائلة مالكة، فقد كانت الحركة السنوسية في نظري حركة دينية بحتة، وإذا كان الملك إدريس قد تمتع بأخلاق ممتازة وورع وتقشف وزهد وكسب خبرته الطويلة في ممارسة السياسة على مدى أربعين عام، كما اكتسب سمعة طيبة جعلته مقبولاً من الأغلبية، فإنني لم أكن أرى في بقية العائلة السنوسية من له مؤهلات تقارب مؤهلات الملك إدريس ولو من بعيد. وبذلك كنت أخشى كثيراً من أزمة الوراثة، فلقد كنت أراهم وقد فتح كل منهم دكاناً يبيع نفوذ العائلة لمن يدفع الثمن، ولقد كان هذا رأيي في العائلة السنوسية منذ الخمسينات، وليس رأيا أقول به الان بعد أن انتهي نفوذها وسلطانها. ففي الرسالة الموجهة من السفير البريطاني في ليبيا إلى وزارة الخارجية في لندن عن حديث أجراه معي عام ١٩٥٤ يتعلق بالعائلة السنوسية، يقول:

> لقد تحدث بن حليم بصراحة مذهله وقال لي إنه باستشناء الملك إدريس وأخيه الأمير الرضا فإن أعضاء العائلة السنوسية ليس لديهم إلاّ القليل من الفضائل التي تؤهلهم... [١٠]

وللأمانة التاريخية فقد كان في العائلة السنوسية بعض الأفاضل ذوي الماضي الطيب والوطنية والعفة أمثال السيد محمد صفي الدين والسيد العربي أحمد الشريف. بيد أن الملك لم يكن ليطمئن لأحد منهم، بل والأهم من ذلك أن جميعهم من فرع السيد الشريف وليس من فرع السيد المهدي، حيث حدد الدستور الليبي وراثة العرش في فرع المهدي.

---

(١٠) راجع الملحق رقم ١

وكنت أميل إلى مواجهة المشاكل الوطنية الهامة قبل أن تتفاقم ويصعب علاجها، وكانت أمامي فرصة ذهبية في أحداث خريف عام ١٩٥٤، ففاتحت الملك في ديسمبر ١٩٥٤ بالمشكلتين الدستوريتين وشرحت له بإسهاب ما سبق وأن لخصته آنفاً وقلت له ربما آن الأوان لتطبيق النظام الجمهوري في ليبيا. وذكّرت الملك بأن النظام الملكي الوراثي دخيل على الإسلام وقد اقتبسه الأمويون من أنظمة غير إسلامية وأن أحد الحلول لاختيار رئاسة الدولة في الإسلام كان ذلك الذي أخذ به سيدنا عمر بن الخطاب، وذلك يتم بأن يقوم النخبة من أهل الحل والعقد باختيار خليفة ثم تكون البيعة من الخاصة والعامة، وفي عصرنا الحديث أترجم هذا - كما قلت للملك - بأن يقوم عدد محدود ممّن تتوافر فيهم السمعة الطيبة والوطنية والعلم والخبرة، أي «أهل الحل والعقد» في الرأي المعاصر بترشيح عدد لا يزيد عن ثلاثة أو أربعة ثم يختار مجلس الأمة باعتباره ممثل الشعب، من المرشحين واحداً يتولي الرئاسة على أن تكون هناك ضمانات كثيرة لكي لا ينقلب الرئيس إلى ملك جديد أو ديكتاتور، وأهم هذه الضمانات: تحديد عدد معين من السنوات للرئيس يتم بعدها اختيار غيره من قبل مجلس الأمة في مزاولة السلطة. واتخاذ الضمانات اللازمة لكي يكون انتقال السلطة إلى رئيس جديد تتوفر فيه نفس المؤهلات، وألا يكون يمّت بصلة القربى إلى الرئيس السابق إلى آخر الضمانات الدستورية المعروفه.

وقلت أن تبديل النظام الملكي إلى نظام جمهوري يتطلب أن يكون هو (أي الملك إدريس) أول رئيس لمدى الحياة لكي نضمن الانتقال الرتيب من نظام إلى نظام، ولكي يتيح للنظام الجمهوري حالة من الإستقرار لتنمو جذوره وتترعرع فروعه، وكذلك ربما كان من واجبات الرئيس الأول اختيار مجموعة «أهل الحل والعقد» الأولى الذين سيرشحون لمجلس الأمة أسماء ينتخبون منها الرئيس الثاني للجمهورية، كما اقترحت أن يختار رئيس الجمهورية الأول نائباً للرئيس يتولى الرئاسة بصفة مؤقتة إلى أن يتم انتخاب الرئيس الجديد، كما اقترحت أن يشترط ألا يقل عمر رئيس الجمهورية ونائبه عن خمسين عام وأن يكونا من أبوين ليبيين ومولودين في ليبيا. وعندما استغرب الملك

لهذين الشرطين قلت: لقد جعلتهما خصيّصاً لأبعد عن نفسي الاتهام بالسعي للفوز بأحد المنصبين (إذ كان عمري آنذاك ٣٢ عام وولدت في مصر). واستمع الملك باهتمام شديد وقال لي أنه متفق مع ما عرضت عليه جملة وتفصيلاً، ولذلك فإنه يطلب مني أن أعد مذكرة أضمّنها ما شرحت لتكون أساساً لحوار يود أن نجريه (الملك وأنا) مع أدريان بيلت مندوب الأمم المتحدة السابق في ليبيا كي نستأنس برأيه.

وحضر بيلت في الأسبوع الأول من يناير ١٩٥٥، وعقدنا عدة اجتماعات مع الملك حضر بعضها ناظر الخاصة الملكية البوصيري الشلحي، وقد استغربت موقف بيلت إذ أخذ في معارضة النظام الجمهوري بشدة، واقترح على الملك أن يتبنى ابناً له ويقوم بتربيته وتعليمه ليخلفه في وراثة العرش، وطبعاً رفض الملك ذلك الاقتراح، لأن نظام التبنّي بمفهومه الغربي غير مقبول في الإسلام. ثم نصحنا بيلت بالتروي وحذّر من عواقب السرعة ملوّحاً بما قد يحدث من معارضة لأي تغيير سريع في نظام الحكم حيث أن إلغاء النظام الإتحادي المعقد وإبداله بنظام وحدوى بسيط قد يصادف معارضة خصوصاً في برقة. ولقد أثار موقف بيلت في نفسي إنطباعاً بأنه يستميت في الدفاع عن نظام ساهم في إقامته وهو فخور به ولا يود أن يرى استبداله بعد سنتين فقط من تطبيقه برغم ثبوت فشله وبهاظة تكاليفه. لذلك فإن الملك شعر بأن إسهام بيلت في التعديلات الدستورية قليل الفائدة وأنهى اجتماعنا به.

واستمرت اجتماعاتي مع الملك الذي قرر أن يقوم بأول خطوة في تقريب النظام الإتحادي من النظام الموّحد وذلك بإصدار مرسوم ملكي يجعل الولاة الثلاثة مسؤولين أمام رئيس الوزراء الإتحادي وأن يكون تعيينهم بناء على اقتراح منه، وهذه خطوة عملية وتشريعية هامة في ربط أجزاء النظام الإتحادي برباط أقوى، وتكون في الوقت ذاته تمهيداً عاماً في اتجاه توحيد البلاد. واقترحت على الملك في ذلك اللقاء أن يدعو حسين مازق للمشاركة في الحوار الدستوري، وقال الملك أن لا ضرورة لذلك بحيث إذا وصلنا إلى قناعة ورأي في تغيير الدستور فهذا من اختصاص الملك ورئيس الوزراء وعلى الجميع بمن فيهم الولاة تنفيذ ما يؤمرون قانوناً بتنفيذه.

وأعترف اليوم بأنني ارتكبت خطأً كبيراً في التقدير وحسن الظن عندما ألححت على الملك أن يُدعى حسين مازق إلى الحوار، وكنت قد بررّت رأيي بأن حسين مازق شخصية لها أهميتها خصوصاً فيما يتعلق بولاية برقة، وأنه خير لنا أن نعطيه فرصة الإدلاء برأيه ثم إقناعه بالتعاون معنا بدلاً من أن نتركه دون اسشاره فيعمل ضد الإصلاحات عندما تُبلّغ له ويُطلب منه تنفيذها.

وبسبب إلحاحي وافق الملك على إشراك مازق في المشاورات ودارت مناقشات طويلة في جلسات عديدة بين الملك ومازق وبيني. وأعترف أن مازق شرح معارضته للتغيير الدستوري المُقترح ببراعة وكياسة، وتوليت الرد عليه نقطة نقطة إلى أن قال أنه اقتنع تماماً ووجه كلامه للملك قائلا: لقد فنّد الأخ مصطفى جميع حججي واقتنعت بسلامة وصلابة مشروعه للإصلاح الدستوري، ولم يبق لدي من شيء أقوله إلا أن ألفت نظر مولاي أن هذه الإصلاحات التي أقترحها رئيس الوزراء ما هي إلاّ نفس الآراء التي كان ينادي بها بشير السعداوي وحزب المؤتمر الطرابلسي، والتي اختلفنا معه من أجلها، فإن كان مولاي مدركاً لهذه الحقيقة ومستعداً لتحمّل نتائجها السياسية، فاللّهم بارك وإلاّ فإنني أحذر مولاي من أن ننزلق إلى هذه الهوّة السياسية. ورد الملك في اتّزان ووقار قائلاً: يا حسين لنكون موضوعيين في الإصلاحات الدستورية، المهم هو الجوهر لا الأشخاص، إذا كان ما يقترحه بن حليم من إصلاح فيه فائدة للوطن واستقراره فلنسر فيه على بركة اللّه، دون النظر إلى أن هذه الآراء هي آراؤه أو آراء بشير السعداوي، لا يجب أن نُقلّد ما كان يفعله المصريون في العشرينات عندما كانت هتافاتهم: الإستعمار على يد سعد خير من الإستقلال على يد ثروت.

لقد كان حسين مازق بارعاً في معارضته لمشروع الإصلاحات الدستورية، وكان جداله معي على مستوى عالٍ من الذكاء، لقد كان صراعاً فكرياً بين والٍ إقليمي التفكير والميول، يهمّه كثيراً الحفاظ على مكاسب إقليمية من النظام الملكي الإتحادي، غير مقتنع بصلاحية النظام الجمهوري للتطبيق في ليبيا نظراً لتركيبة سكانها القبلية، وبين رئيس للوزراء يرى في الأفق القريب المخاطر البعيدة الأثر لنظام سيىء هشّ، ويحاول

أن يعالج ذلك النظام قبل أن يتفاقم خطره ويصعب إصلاحه.

وانتهى الجدال بعد أن قال الملك كلمته الحكيمة، وأن الملك يضع ثقله كله في كفة الإصلاح، ووالي برقة - من كنت أظنه أكبر معارضي الإصلاح - يعترف بفائدة الإصلاحات الدستورية، ويعترف أنه لم يبق له من حجة ضدّها.

رجعت إلى طرابلس وبدأت بحماس عظيم في تحضير جهاز خاص ليعمل معي في صياغة التعديلات الدستورية، وكنت قد استقدمت من سويسرا، بناء على ترشيح سابق من هيئة الأمم المتحدة، الأستاذ الدكتور إدوارد زيلفيجر أستاذ القانون الدستوري في جامعة زيورخ وبدأت اتصالات تمهيدية بالمحكمة العليا لضمان تعاونها في مراجعة التعديلات قبل عرضها على البرلمان (حتى لا يطعن في دستوريتها، وبموجب قانون المحكمة العليا كان من بين اختصاصاتها مراجعة وإعداد مشروعات القوانين قبل إصدارها على مجلس الأمة وذلك للتأكد من دستورية تلك القوانين منذ البداية). ونقلت المستشار الدكتور أنيس القاسم من الإدارة القانونية لوزارة العدل ليعمل معي مباشرة في هذا الموضوع.

ولكن لم تمضي إلاّ أيام قليلة وإذا بالملك يرسل إلي ببرقية شفرية مستعجلة يطلب مني أن أعيد له على وجه السرعة المرسوم الملكي الذي وقّع عليه مؤخراً والذي جعل الولاة الثلاثة مسؤولين أمام الحكومة الإتحادية، ولم يكن المرسوم قد نشر في الجريدة الرسميه بعد، ويطلب مني أن أحضر إلى طبرق على الفور. وشعرت كأن صفعة قوية قد لطمت وجهي، وطغى علي شعور بالإحباط، إذ كيف أفسّر انقلاب موقف الملك من التأييد التام إلى إلغاء الخطوة الأولى اليتيمة التي وافق عليها في اتجاه توحيد البلاد.

وعند وصولي إلى طبرق علمت أن وفوداً عديدة أغلبها من قبائل برقة قد تقاطرت على القصر الملكي وقابلت الملك وحذّرته من أي تعديل في الدستور خصوصاً إلغاء النظام الملكي. ومع الأسف فإن بعضاً من شخصيات برقة اللامعة تجاوبت مع توجيه الوالي حسين مازق وشاركت في إقناع الملك بالعدول عن الإصلاحات الدستورية، كان من أهم تلك الشخصيات محمد الساقزلي ويوسف لنقي ومحمود بوهدمة وأحمد عقيلة

الكزة ومحمد السيفاط وعبد الحميد العبار وكثيرون آخرون، بل أن يوسف لنقي عميد بلدية بنغازي نشر مقالاً طويلاً في جريدة الزمان هاجم فيه الإصلاحات الدستورية، كما حذّر بعضهم الملك من السير وراء بن حليم.

وشعر الملك بدقة الموقف وخطورة مقاومة هذه المعارضة «العفوية» من زعماء برقة، ولذلك أوقف القطار وما كاد يسير. ولكن هل كان رد فعل تلك الوفود البرقاوية عملاً «عفوياً» لوجه الله والوطن؟ أم أن تلك الوفود أرسلت لكي ترهب الملك وتوقف الإصلاح؟

قال لي حسين مازق أنها كانت وفوداً عفوية سمعت بإشاعات تنازل الملك، وإنشاء جمهورية وإلغاء النظام الإتحادي فهرولت إلى الملك تحذره من مغبّة ذلك العمل.

ولكن كيف علمت تلك الوفود بما كان يدور بين عدد محدود جداً من كبار المسؤولين داخل جدران القصر الملكي؟ من الذي سرّب الأسرار؟ ثم لماذا وضعت حكومة ولاية برقة سياراتها تحت تصرف تلك الوفود بنقلها إلى طبرق والعودة بها؟ ثم لماذا سخت حكومة ولاية برقة واستضافت تلك الوفود في فنادق طبرق على نفقة الولاية؟ ثم لماذا حجبت الولاية أخبار تلك التحركات عن رئيس الحكومة الإتحادية فلم يعلم بها إلاّ عندما استدعاه الملك إلى طبرق، ألست هذه قرائن قوية تشير بأصابعها نحو مازق؟

إنني أكاد أجزم أن حسين مازق بعد أن فشل في إقناع الملك بالحجة والبرهان لجأ إلى هذا الأسلوب للضغط على الملك وإجباره على العدول عن كل ما يمس النظام الملكي القائم. من الواضح أنه كان يرى أن إنقاذ ولاية برقة من الذوبان في وحدة ليبية يبرر له إتباع أية وسيلة تُبقي برقة شبه مستقلة مع ما يترتب على ذلك من دوام ما لقبيلته من نفوذ وحظوة ومنافع مادية عديدة أخرى، وربما لاعتقاده أن مثل تلك الإصلاحات هي ضد مصلحة الشعب الليبي.

وقبل أن أرجع إلى طبرق وأعيد للملك ذلك المرسوم، فإن بعض معاوني أشاروا علي أن أنشر المرسوم في الجريدة الرسميه وأضع الملك أمام الأمر الواقع ولكنني رأيت أن إصلاحاً دستورياً جذرياً كالذي أهدف إليه لن ينجح الاّ إذا إقتنع به الملك

إقتناعاً تاماً، وكان على أتم الإستعداد لمواجهة أية معارضة لتلك الإصلاحات. وربما يكون من المناسب هنا أن استشهد بما أثبته الدكتور مجيد خدوري في كتابه «دولة ليبيا الحديثة»(١١) الذي أصدره عام ١٩٦٣ عن محاولة تطبيق النظام الجمهوري نقلاً كما قال عن مقابلات أجراها مع الملك إدريس وحسين مازق والبوصيري الشلحي وإدريان بيلت وكاتب هذه المذكرات.

يقول دكتور خدوري:

وقد استاء الملك، بعد اغتيال الشلحي، من تصرف رجال البيت السنوسي البارزين، ففكر جدياً في قضية وراثة العرش، ولم يكن باستطاعة بن حليم أن يختار فرصة أكثر ملاءمة من هذه ليقترح على الملك أن يحل النظام الإتحادي ويستبدل بالملكية جمهورية. واقترح أن يصبح الملك إدريس رئيساً للجمهورية مدى الحياة على أن تكون مدة الرئاسة بعد ذلك عشر سنوات فقط، ويكون رئيس الجمهورية بوصفه رئيساً للدولة مسؤولاً مباشرة عن الإدارة في الولايات، دون الحاجة إلى وجود حكومات ولايات منفصلة، ويلي الرئيس نائب للرئيس يخلفه مؤقتاً في حالة وفاة الرئيس إلى أن ينتخب خلف له. وينتخب الرئيس ونائبه برلمان منتخب يمثل الأمة وذلك باجتماع اعضائه في مؤتمر وطني. ومعنى هذا أن الشكل الجديد للحكومة هو حكومة رئاسية لا برلمانية.

ولما كان الملك راغباً في وضع حد لهذه المشكلة، فقد طلب من بن حليم أن يضع مذكرة عن شكل الحكومة المقترح، وكان بن حليم راغباً في انهاء النزاع بين السلطة الإتحادية وحكومة الولايات، فحفزه ذلك على أن يقدم إلى الملك (في ديسمبر ١٩٥٤) مذكرة وافية اقترح فيها حل النظام الإتحادي والاستعاضة عنه بنظام وحدة لا مركزية. وارتأى أن يكون شكل الحكومة رئاسياً على غرار النظام الأمريكي بدل أن يكون برلمانياً. وقد لاحظ منتقدو بن حليم أنه كان قد

---

(١١) *Modern Libya: A study in Political Development*, by Majid Khadduri, Baltimore Press, US, 1963

وجه همّه إلى منصب نائب الرئيس وأنه، بعد وفاة الملك، كان يأمل أن يتولى رئاسة الجمهورية. وبغض النظر عن غاية بن حليم، فإن المذكرة كانت لا شك عمل رجل نظر إلى الحكم بعين مدرّبة واهتمام دقيق. ومن الصعب القول أن الملك قد فكر جدياً في إلغاء النظام الملكي، إلا أنه أبدى إعجابه بالخطة المحكمة التي أعدها رئيس وزارته.

وقد وضعت مذكرة بن حليم على بساط البحث في اجتماعات عقدت في طبرق (١١-١٥ يناير ١٩٥٥) برئاسة الملك وكان من بين الذين دعوا إلى الحضور إدريان بيلت الذي كان مندوب الامم المتحدة في ليبيا، وحسين مازق والي برقة، وعبد السلام البوصيري رئيس الديوان الملكي، والشلحي الأصغر ناظر الخاصة الملكية وقد افتتح الملك البحث بالتساؤل: هل حان الوقت لتحويل النظام الإتحادي إلى وحدة واعترض أيضاً على شكل الحكومة الرئاسي الذي يجعل الرئيس، بوصفه رئيساً للدولة، مسؤولاً بالمقارنة مع النظام البرلماني الذي يجعل رئيس الوزارة مسؤولاً، مع أن الملك كان مؤيداً لمبدأ الجمهورية. وقد اقترح الشلحي الأصغر، الذي كان يناصر الجمهورية أيضاً، تعيين عدد من نواب الرئيس، كل واحد يمثل واحدة من الولايات. وعندما يموت الرئيس ينتخب الثلاثة من بينهم واحداً لتولي الرئاسة.

وكان بيلت ينصح بالتروي، وقد لفت النظر أن مثل هذا التغيير في شكل الحكومة يقتضي تغييراً في الدستور، وقد يلقي هذا التغيير معارضة، وقد ذكر الملك أن رغبته في تغيير الملكية إلى جمهورية قد تتيح للبرلمان الفرصة لتعديل الدستور وتحويل النظام الإتحادي إلى نظام وحدوي. وكان تعليق بيلت، وهو حريص على أن تظل ليبيا ملكية، هو أن خصوم النظام الإتحادي سيكتشفون يقيناً سر تغيير الدستور، وقد يكون رد الفعل عندهم مقاومة الحكم الجمهوري المقترح. أما فيما يتعلق بقضية وراثة العرش فقال أن الملك قد يتبنى واحداً من الناس ويعينه ولياً لعهده، وعلى كل فإن الملك لم يكن ميالاً إلى هذا الأمر،

وأفاض بن حليم في ذكر مآثر الوحدة وأشار إلى أن النظام الإتحادي باهظ النفقات في بلاد مواردها ضئيلة، وواضح أن الشكل الوحدوى للحكومة يوفر على الخزينة ٧٥٠،٠٠٠ جنيه سنوياً (على أساس موزانة ١٩٥٥) يمكن استعمالها في سبيل التنمية الإقتصادية. وأعرب والي برقة حسين مازق عن شكه في حكمة إلغاء النظام الإتحادي ولم يصل المجتمعون إلى قرار، ولكن الملك قلب الرأي في مقترحات بن حليم.

ولم تكد أخبار اجتماع طبرق تتسرب حتى توافد زعماء القبائل البرقاوية إلى الديوان الملكي للإحتجاج على الخطة الرامية إلى استبدال الملكية بالجمهورية وتغيير النظام الإتحادي إلى وحدة. وقد اتضح من احتجاج القبائل ان الوقت لم يحن بعد لتحويل النظام الإتحادي إلى وحدة، كما انه أيد وجهة نظر الملك في أن خير ضمان للوحدة الليبية هو النظام الإتحادي، بالرغم من التذمر الذي يثار حوله، وترتب على ذلك أن الملك انصرف إلى التفكير جديا في قضية وراثة العرش ووضع حد نهائي للخصومات السنوسية حولها.

وبالرغم من أن الدكتور خدوري يقول في الكتاب أن منتقدو بن حليم لاحظوا أنه وجّه همّه إلى منصب نائب الرئيس على أمل أن يتولى رئاسة الجمهورية بعد وفاة الملك، إلا أنه يبادر في هامش ذات الصفحة (٢٩٨) إلى إثبات ما يلي:

ذكر بن حليم التعليقات التالية:

اقترحت على الملك بأني سأستقيل إذا ما قبلت توصياتي، كما اقترحت أيضاً ألا ينقص عمر الرئيس ونائب الرئيس عن ٥٠ عام، كيما أبعد نفسي عن أن أكون مرشحاً لأحد هذين المنصبين.

وحاول الملك أن يخفف وقع الصدمة علي فشرح مدى المعارضة القوية التي لمسها من الوفود التي زارته وقال أنه مصمّم على إجراء تلك الإصلاحات،

ولكن بحكمة وترّو، وربما على مراحل وفي الوقت المناسب. وهذا ما حدث عام ١٩٦٢ عندما أمر الملك رئيس الحكومة محمد بن عثمان الصيد بإجراء التغيير الدستوري وإعلان وحدة البلاد.

وقد فكرت كثيراً في استقالة مسبّبة ولكن بعض زملائي وخاصة الدكتور العنيزي وعبد الرحمن القلهود ومصطفى السّراج أقنعوني بالعدول عنها.

مشكلة وراثة العرش وزواج الملك

وبعد شهور قليلة عاد الملك إلى الحديث عن وراثة العرش، فقلت له وقد أقفل باب الجمهورية، فليس أمامكم إلاّ واحد من حلين: إما أن تتزوج زوجة ثانية لعلك تنجب منها وليّاً للعهد، وإما أن تختار أحسن أفراد عائلتك وتعينه ولياً للعهد، (وكان الأمير الرضا ولي العهد لا يزال حيّا وكان الملك قد وافقني أنه ليس مؤهلاً لتولي قيادة البلاد). ومال الملك إلى الحل الأول وتزوج الآنسة عليّة لملوم في القاهرة يوم ٣٠ يونيو ١٩٥٥ وحضر عقد القران الرئيس جمال عبد الناصر.

وهنا يجب أن ألقي بعض الضوء على جذور هذا الزواج، لقد نصحت الملك بأن يحاول إنجاب وليّ للعهد من زواج ثان (لأن زوجته كانت عاجزة عن الإنجاب) ولم أقترح عليه زوجة بالذات، بل لم أتدخّل من قريب أو بعيد في اختيار السيدة عليّة لملوم، إلاّ أنني علمت فيما بعد أن فكرة الزواج منها كانت فكرة اقترحها إبراهيم الشلحي في الأربعينات عندما كان الملك في المهجر، وعندما اقترحت أنا على الملك أن يتزوّج زوجة ثانية فإنه عاد، بناء على توصية محمد عبد السلام الغماري، إلى اقتراح إبراهيم الشلحي السابق. إلاّ أنها كانت قد تجاوزت الأربعين بعدة سنوات عندما تزوجها الملك، وبذلك فإن فرص الإنجاب كانت ضئيلة. وعلى أي حال لم يدم الزواج إلاّ بضعة أشهر هجرها الملك بعدها ثم طلقها عام ١٩٥٧.

وعاد الملك مرة أخرى لمشكلة الوراثة فشاورني في أن يعيّن السيد أحمد بن إدريس

إبن محمد عابد السنوسي وليّاً للعهد، وقلت: إن أحمد بن إدريس رجل تقي، طيب القلب، حسن النوايا، ولكنه غير مؤهل لتولّي الملك فلا علم له ولا خبرة سياسية إطلاقاً، وأهم من هذا كله فإنه لطيبته وحسن نواياه واقع تحت تأثير أخيه عبد الله عابد، وباختصار إذا عيّنته، يا مولاي، فإنك تكون قد أسلمت أمور البلاد لعبد الله عابد، وأضفت أنني لا أعرف شيئاً أوسع من طمع الأخير إلاّ رحمة الله سبحانه وتعالى. وضحك الملك وشكرني أن لفتّ نظره إلى تلك المخاطر وعدل عن ترشيح أحمد بن إدريس.

وفي صيف ١٩٥٦ استشارني الملك في تعيين الحسن الرضا وليّاً للعهد، فقلت للملك إنني لا أعرفه معرفة عميقة ولو أنني أقدر فيه أنه لم يطلب مني إلى اليوم طلباً مادياً واحداً أو تدخّل لدّي لترجيح عطاء أو صفقة مالية أو عمل فيه محسوبية بعكس أغلبية أقاربه، ونظراً لأنه لا يزال شاباً فيمكنكم تعليمه وتدريبه تحت إشرافكم. واقترحت على الملك إذا عيّن الحسن الرضا أن يحضر له مدرسين متخصصين من دول محايدة وأن يقرر له برنامج تعليم وتدريب خاص، مثلما هو متّبع في النظم الملكية العريقة، ثم بعد فترة ينيبه الملك في مهمّات تتزايد أهميتها مع الوقت، حتى يتدرّب تدريجياً ويستعد لتولي مهامه الصعبة.

وافقني الملك وقرر تعيين ابن أخيه الحسن الرضا وليّاً للعهد وأُعلن عن تعيينه في خطاب العرش الذي ألقيته في قاعة البرلمان يوم ٢٦ نوفمبر ١٩٥٦.

ولكن مع الأسف الشديد فقد أهمل الجميع تعليم وليّ العهد وتدريبه، بل بدأ بعض المنافقين يمجدّون حكمته وذكاءه الشديد واطّلاعه الواسع. ثم أحاط الأمير نفسه بمجموعة من السياسيين الفاشلين وأصبح ينتقد أعمال عمّه في مجالسه الخاصّة، وطبعاً كانت الأخبار تُنقل بسرعة إلى مسامع الملك بفضل مجموعة خبيرة من الوشاة. وبدأ الملك يهمل ولي عهده ولا يهتم بتوجيهه أو تدريبه بل إذا اضطر الملك إلى إنابته فإن الإنابة كانت بشروط تشل من حريته وتقيد تصرفاته. ثم بدأ الملك يشعر بأنه أساء الإختيار في تعيينه وليّاً للعهد، وهذا ما صرّح به في مقابلات كثيرة معي.

خطوات على طريق الإصلاح الدستوري

وفي فبراير عام ١٩٥٧ بذلت محاولة أخيرة في اتجاه تقليص سلطات الولايات وربطها برباط قوي بالحكومة الإتحادية دون اللجوء إلى تعديل الدستور كما كانت محاولاتي الأولى. أي أنني سعيت لإيجاد تفسيرات دستورية للبنود الغامضة في الدستور تقوّي من سلطة الحكومة الإتحادية وتقلّص من صلاحيات الولايات دون المساس بنصوص الدستور. وكانت المحاولة تتلخص في استشارة المحكمة العليا فيما إذا كان من حق الحكومة الإتحادية ممارسة الرقابة المالية على أوجه صرف الأموال التي تدفعها للولايات كمنح سنوية، وأرفقت بتلك الاسشارة مشروعاً بقانون يحدد وينظم الإشراف المالي والإداري لحكومة الإتحاد على تصرف الولايات في تلك المنح، وذلك لإقراره من قبل المحكمة العليا إذا كان ردّها على الاستشارة بالإيجاب.

وكانت المحاولة تبدو بسيطة في مظهرها ولكنها خطيرة في آثارها إذ أنها تجعل أكثر من نصف نفقات الولايات تحت الرقابة المباشرة المالية والإدارية لحكومة الإتحاد. وكانت فكرة هذه المحاولة نتيجة لحوار بين وزير العدل فكيني وبين الدكتور زيلفيجر القانوني السويسري وبيني. وعندما تبلورت الفكرة طلبت من الدكتور محي الدين فكيني والدكتور زيلفيجر صياغتها، وأذكر أن زيلفيجر قال لي عندما قدّم لي نص الاستشارة القانونية أنه يضع سمعته القانونية على هذا المشروع ويتحدّى أي خبير في القوانين الإتحادية أن يعارضه. وأرسلت الاستشارة على مشروع القانون إلى المحكمة العليا، فلحقها الهلع والرعب ولم تستطع أن تتخذ موقفاً لأن الموقف القانوني الوحيد الذي كان لا مفر لها من اتخاذه يجر عليها صعاباً لا سابقة لها بها.

واستقلت من الوزارة في أواخر مايو ١٩٥٧ دون أن أتلقى ردّاً من المحكمة الإتحادية العليا رغم استفساراتي العديدة. وجاءت بعدي وزارتا عبد المجيد كعبار ومحمد بن عثمان الصيد ولم يكن لهما أي اهتمام أو فهم أو تطلّع للإصلاحات الدستورية. بل على العكس كانت جهود الوزارتين تهدف إلى إرضاء ذوي النفوذ وإلى التعاون التام مع حكومات الولايات.

في أواخر ١٩٦٢ شعر الملك بأن الوقت قد حان لتنفيذ ما كان وعدني بتنفيذه (هذا ما قاله فيما بعد) أي إلغاء النظام الإتحادي المعقّد والمسبب لنزيف في الموارد المالية والبشرية وإبداله بنظام وحدوى بسيط. وبالفعل بدأت وزارة محمد بن عثمان الصيد تنفيذ الرغبة الملكية إلاّ أنها استقالت وما كادت تخطو الخطى الأولى في ذلك الإصلاح.

(فهمت من الملك عام ١٩٦٤ بأنه شعر بأن محمد بن عثمان الصيد لم تكن له المقدرة والدراية الدستورية كما لم يكن له الحماس اللازم لتنفيذ تلك الإصلاحات الدستورية لذلك فقد أوعز إليه الملك بالإستقالة وعيّن الدكتور محي الدين فكيني رئيساً للوزارة التي تولت تنفيذ التغيير الدستوري.)

ثم جاءت وزارة محي الدين فكيني في أوائل ١٩٦٣ لتجدد آمال دعاة الإصلاحات الدستورية، وتبشّر بأن فجراً جديداً قد لاح في الأفق، وبدأ الإصلاح أولاً بإخضاع الولايات للحكومة المركزية، ثم عُدّل الدستور وألغي النظام الإتحادي بحكوماته الأربعة، وأنشىء نظام وحدوي لا مركزي وقُسمت البلاد إلى عشرة محافظات لها صلاحيات محدودة وتحت الإشراف التام للحكومة المركزية، وغُيّر اسم الدولة إلى المملكة الليبية. مع الأسف أشاع المغرضون أن تلك الإصلاحات تمت تحت ضغط من شركات النفط ودولها الغربية. ولا يخالجني أدنى شك في أن الفضل الأكبر في تلك الإصلاحات إنما يعود إلى الملك إدريس نفسه فكما ذكرت في مواقع أخرى من هذه المذكرات فإنه كان قد اقتنع منذ محاولة الإصلاح الأولى في أوائل ١٩٥٥ بضرورة إلغاء النظام الإتحادي الذي أرهق خزينة الدولة بتكاليفه الباهظة، فضلاً عن الخلافات الدستورية المتكررة بين الحكومات الأربعة، وما نتج عنها من أزمات سياسية لم ينج الملك نفسه من آثارها.

ولكن الأحداث العربية سرعان ما سببّت أزمة داخلية حادة عصفت بوزارة فكيني.

سقوط وزارة فكيني وتشكيل حكومة المنتصر الثانية

دعا الرئيس جمال عبد الناصر الملوك والرؤساء العرب إلى قمة عربية تعقد في القاهرة في يناير ١٩٦٤ لمعالجة الأزمة الخطيرة الناتجة عن تهديد إسرائيل بتحويل مياه نهر

الأردن. ولما كان الملك إدريس موجوداً في طرابلس في ذلك الوقت، وكان بطبيعته يكره الأسفار الطويلة والاجتماعات السياسية الكبيرة، فقد أناب عنه كلاً من وليّ العهد ورئيس الوزراء لتمثيله.

وزاد الإعلام المصري وخصوصاً صوت العرب من شحناته لتعبئة الجماهير العربية لتُظهر تأييدها لمؤتمر القمة وقراراته. فقامت مظاهرات طلابية كبيرة في بنغازي تجاوباً مع صوت العرب واشتملت هتافات المظاهرات على بعض الشتائم للملك أساءت تفسير غيابه عن المؤتمر، وأسرعت قوات الأمن لتفريق المظاهرات، واستعملت الكثير من العنف دون مبرر نتج عنه مصرع ثلاثة من الطلبة وجرح عدد كبير منهم. وانتشر خبر مظاهرات بنغازي انتشار النار في الهشيم، فقامت مظاهرة صاخبة في طرابلس احتجاجاً على العنف الذي استعمل في معالجة مظاهرة بنغازي مطالبة بمعاقبة رجال الشرطة المسؤولين عن استعمال القوة ضد المتظاهرين.

واستمرت المظاهرات لعدة ايام حتى رجع رئيس الوزراء من قمة القاهرة، فسافرت المظاهرات إلى مبنى رئاسة الوزراء، وخرج فكيني وخطب في المتظاهرين ثم أسرع إلى الملك وطلب منه إقالة الفريق محمود بوقويطين (قائد قوات الشرطة) باعتباره المسؤول الأول عن حوادث بنغازي الدامية. وقال الملك أن بوقويطين لم يكن في بنغازي يوم حدوث المظاهرات ولا يمكنه إقالة من يحمل أكبر رتبة عسكرية في البلاد دون تحقيق، ولكن فكيني ألحّ في طلبه فما كان من الملك إلاّ أن طلب منه هو أن يقدم استقالته على الفور. وكلّف محمود المنتصر بتشكيل وزارة جديدة، وتحالفت ظروف كثيرة جعلت وزارة المنتصر تُقابل بفتور شديد أهمها أن الرئيس الشاب المستقيل كان قد اكتسب شعبية، وخلفه كهل مخضرم صوّرته إذاعة صوت العرب ظلماً على أنه عميل لبريطانيا جيء به لتجديد الإتفاقيات العسكرية ولإخراج ليبيا من جامعة الدول العربية، مع أن ليبيا دخلت جامعة الدول العربية في عهد وزارة المنتصر الأولى عام ١٩٥٣. قامت في طرابلس مظاهرات ضد الوزارة الجديدة لم تهدأ إلاّ بعد أن وجّه الرئيس المنتصر خطاباً للشعب عن طريق الاذاعة المرئية نفى فيه أن وزارته قد جاءت خصيصاً لقمع

المواطنين أو منعهم من نصرة قضايا أمتهم العربية.

ولم تهدأ دعايات القاهرة إثارة الشك والقلق في ليبيا بعد وصول المنتصر إلى رئاسة الوزارة مما جعله في موقف صعب، وبلغ الأمر ذروته بعد خطاب عبد الناصر في بداية ١٩٦٤ الذي طالب فيه بضمانات ملموسة بأن القواعد الغربية في ليبيا لن تستخدم لطعن مصر من الخلف إذا ما اضطرت مصر لمهاجمة إسرائيل عسكرياً لمنعها من تحويل مياه نهر الأردن. وكانت مناورة ماكرة من عبد الناصر جعلته في موقف المستعد للهجوم على إسرائيل إذا ما ضمن ظهره من اعتداء يقع من القواعد الغربية في ليبيا مع أنه لم يكن كذلك. ومع الأسف صدّقته الجماهير العربية وصفقت له، وتناست أنه كان قد شكر الملك إدريس في خطاب علني ألقاه في بورسعيد عام ١٩٥٧ قال فيه أن الحكومة الليبية جمدّت القواعد البريطانية ولم تسمح لها بالتحرك ضد مصر أثناء الهجوم الثلاثي الغاشم عليها.

ولم تُعالج الأمور في ليبيا بحكمة وسياسة رصينة، بل تنافست المؤسسات السياسية الليبية في مجاراة الدعاية المصرية ومزايداتها ضد إتفاقات ليبيا مع الغرب فهاجمت الصحافة الليبية تلك الإتفاقات وطالبت بإلغائها وإجلاء القوات الأجنبية عن التراب فوراً. واتخذ البرلمان الليبي قرارات تطالب الحكومة بإلغاء إتفاقياتها مع بريطانيا وأمريكا وإجلاء القواعد الأجنبية.

وأمام تلك الضغوط الشعبية المتزايدة وتحت تأثير دعايات صوت العرب أصبح الرئيس المنتصر في موقف حسّاس، واضطر للرضوخ لتلك الضغوط، فأبلغ أمريكا وبريطانيا برغبة حكومته في إنهاء الإتفاقيات الليبية الأمريكية البريطانية، وأدلى بتصريح سياسي بهذا المعنى في مجلس الأمة الليبي.

استقالة الملك

ويبدو أن الملك شعر بالامتعاض والأسف، إذ رأى أن حكومته ترضخ بسرعة لمطالب وابتزاز الدعاية المصرية دون التشاور معه في موضوع يعتبره الحجر الأساسي في

سياسته الخارجية. وفي ٢٤ مارس ١٩٦٤ - وكان الملك في مدينة البيضاء - استدعى رئيس الوزراء ورئيسي مجلس الشيوخ والنواب وسلّمهم خطاب تنازله عن العرش بحجّة أنه طعن في السن وشعر بأنه في واد وأن حكومته في واد آخر، وأراد أن يفسح المجال أمام أي تغيير يريده الشعب، ثم غادر مدينة البيضاء إلى مسكنه الخاص بطبرق منسحباً من المسرح السياسي.

(هذا ما قاله لي الملك إدريس عندما قابلته في طبرق بعد هذه الأحداث بعدة أيام.)، وأؤكد هنا أن الملك كان صادقاً في تنازله، شاعراً بخيبة أمل عميقة.

وكنت قد لمست في الملك زهداً غريباً، وعزوفاً عميقاً عن مظاهر السلطة وبريق العرش، ورغبة صادقة في التخلص من خطايا الحكم وأوزاره والعودة إلى هدوء النفس وراحة الضمير. غير أن رد الفعل الشعبي لتنازل الملك وخصوصاً في برقة فاق كل المعايير والتوقعات. فلقد ذهب عشرات الألوف من المواطنين وزحفوا على مسكن الملك في طبرق، وأحاطوا به معبرين عن تمسكهم به رافضين تنازله بل ومهددين الوزارة التي ظنوا أن أعمالها أغضبت الملك وجعلته يرغب في الإنسحاب، كما انهالت برقيات التأييد لبقاء الملك من جميع أرجاء البلاد، وأمام مشاعر الثقة والتأييد العارمة، وخشية من فوضى تعم البلاد، سارع الملك ورجع عن تنازله وأعلن قرار عودته ببيان للشعب.

المحاولة الثانية لتطبيق النظام الجمهوري

كنت بين الكثيرين الذين ذهبوا إلى طبرق للسلام على الملك وتهنئته بالعدول عن تنازله عن العرش، ووقفت في أحد طوابير المواطنين الطويلة وعندما جاء دوري أمام الملك سلّم عليّ بحرارة واستبقاني بجواره إلى أن فرغ من السلام على جموع المواطنين، ثم اصطحبني معه إلى جناحه الخاص حيث تناولنا طعام الغذاء بمفردنا، ثم جلست معه جلسة مغلقة استغرقت ساعات.

شرح لي الملك الظروف الحقيقية التي جعلته يحاول الإنسحاب من المسرح السياسي بصفة نهائية ثم عودته عن قراره تحت ضغط الشعور الشعبي العارم. وأكد لي

أنه كان على وشك مغادرة البلاد والذهاب إلى الحمام مريوط (بجوار الإسكندرية) هو وزوجته ثم مواصلة الرحلة إلى الحجاز، وسألته: هل عملت ترتيباً مالياً للصرف منه أنت والملكة؟ فقال: لا لم أفكر في هذا إطلاقاً. قلت: وكيف تتصور أن تعيش أنت والملكة في المهجر بدون مال؟ ومن الذي سينفق عليكما؟ يا مولاي، يجب أن تنزع من رأسك فكرة التنازل وترك البلاد بدون دفّة ولا ربّان، وتعرضها لفوضى لا يعلم إلاّ الله مداها ونتائجها، وفي هذا إثم عظيم. وهنا قال الملك: لهذا السبب رغبت في الإجتماع بك، إنني أخشى كثيرا من أنني أصبحت أحمل عبئاً عظيماً من المسؤوليات وأصبحت أخشى من أن يكون انتقال هذا العبء إلى غيري مصحوباً بالفوضى وعدم الإستقرار، ثم أنني أشعر بأني ظلمت نفسي أمام الله والوطن عندما اخترت الحسن الرضا ليتولّي المُلك بعدي، ولا أود أن يلحقني إثم من جرّاء ما قد يحدث على يديه من فساد أو استغلال، ولذلك، وبعد أن فكرت لياٍل طويلة رجح عندي أن العلاج الوحيد لمشكلة رئاسة الدولة هو الحل الذي اقترحته أنت لتغيير النظام الملكي إلى نظام جمهوري بالطريقة التي اقترحتها وعرقلها مازق عام ١٩٥٥.

وأعترف بأنني فوجئت بما سمعت، وكان رد فعلي الأول هو محاولة تبصير الملك بالمشاكل والصعوبات التي تعترض إعلان الجمهورية في ليبيا، لأن النظام الجمهوري - كما شرحت - يحتاج إلى مجهود كبير سواء من الناحية القانونية أو من ناحية إقناع المعارضين، ثم أن الجمهورية تحتاج إلى سنوات لتنمو جذورها وتترعرع فروعها ويفهمها الشعب ويتقبلها الجميع، وأنهيت حديثي بقولي، أن ما كتب عام ١٩٥٤ لا يمكّن تطبيقه عام ١٩٦٤ دون إعادة النظر في تصميم الهيكل وقوة الأساس.

وتساءل الملك لماذا كان أمر الجمهورية في نظري سهلاً عندما اقترحته عام ١٩٥٤ ولكنه صعب اليوم؟ قلت: لو نفذنا التغيير عام ١٩٥٤ لنمت الجمهورية وترعرعت خلال تلك السنوات العشر، وبصراحة فإن النظام الجمهوري الذي اقترحته يحتاج لكي يكسب مصداقية وقبولاً عاماً إلى سنوات كثيرة من التطبيق تحت رعايتكم وما لكم من خبرة طويلة ونفوذ عظيم، أما الآن فإنّي أخشى أن الوقت أصبح متأخراً. وعندما سأل الملك

لماذا هو متأخر الآن. فقلت بأن سنوات عشرة من عمركم المديد لم تستعمل في تثبيت ذلك النظام والأعمار بيد الله سبحانه وتعالى، ولكني أخشى بأن يحدث لكم مكروه والنظام الجديد في منتصف الطريق لم تثبت أركانه بعد، وتحدث الفوضى والإنهيار السياسي.

ولكن الملك أصر على أن أبدأ في التفكير والإعداد، ولكي لا تتسرب أخبار ما اتفقنا عليه، فإنه سوف يؤجل أي خطوة في إنشاء النظام الجمهوري إلى حين وصوله إلى طرابلس بعد عدة أشهر لتكون اجتماعاته معي في سواني بن يادم (مسكن الملك الخاص) في طرابلس وبذلك نضمن االسرية التامة.

وشعرت بأن الملك مخلص في رغبته جاد في عزمه فوافقته على دراسة الموضوع من جديد وشرحت له أنني لست رجل قانون ولذلك لابد من توفر خبرة قانونية عالية تكون تحت تصرفنا وحذّرته أن الموضوع ليس بالسهولة والبساطة التي قد نتصورها بل أنه يحتاج إلى دراسات عميقة.

وفي طريق العودة من طبرق ولمدة أيام عديدة كنت في حيرة من أمري... كيف أساعد الملك على إجراء تعديل جوهري في نظام الحكم وأنا لا خبرة قانونية لدي، وليس لدي دائرة قانونية تساعدني وتمدّني بالآراء والفتاوى الدستورية، ثم هل يعالج تغيير نظام ملكي إلى جمهوري مشاكل الحكم في الوطن فعلاً؟

وكان أغلب ظني أن المشكلتين الأساسيّتين الملحّتين للعلاج تتمثلان في انتشار الفساد والرشوة في أجهزة الحكم، وتركيز سلطات واسعة في يد الملك خلافاً لنص وروح الدستور مما جعل الحاشية الفاسدة تستغل طيبة الملك وتستعمل سلطاته الواسعة لأغراضها الخاصة. وخشيت أن يقول الناس أن إقامة نظام جمهوري إنما أريد به ذرّ الرماد في العيون. كما خشيت ألا يكون الملك مستعداً لمعالجتها علاجاً جذرياً، ولذلك وأنا أعترف هنا أنني قررت في نفسي أن ألجأ إلى التسويف والتأجيل، إلى أن يتأكد لي أن الملك لديه من قوة الإرادة والعزيمة ما يمكنه فعلاً من القضاء على الفساد والرشوة، وفرض الإصلاحات الدستورية المرتجاة.

ومرّت شهور طويلة دون أن يحضر الملك إلى طرابلس فظننت أنه نسي مشروع

الجمهورية أو عدل عنه. وبعد عام تقريباً وصل الملك إلى طرابلس وجاءني محمود المنتصر وكان قد استقال من رئاسة الوزراء وتولى منصب رئيس الديوان، وأبلغني أن الملك جاد في مشروع الجمهورية، وهو عاتب علي لترددي وتهرّبي، وأضاف محمود بأن الواجب الوطني يدعوني أن أقف بجوار الملك في إصلاحاته الدستورية لأنه جاد ومُصرّ على إجرائها.

شرحت لمحمود المنتصر مخاوفي التي سبق وأن ذكرتها آنفاً، وقلت أن تبديل النظام الملكي إلى جمهوري لن يُقابل من الشعب إلاّ بالفتور ما لم يكن مقروناً بإصلاحات جذرية تستأصل الفساد في الحكم وتُرجع كثيراً من السلطات إلى مجلس الشعب ومجلس الوزراء، وتقيم الرقابة الضرورية من السلطة التشريعية على السلطة التنفيذية، وبعبارة مختصرة تُحجّم من صلاحيات الملك وتوقف تدخل الحاشية في شؤون الحكم.

اتفق معي محمود المنتصر على كل ما ذكرت. وما هي إلاّ أيام نظّم الملك بعدها عدة جلسات كنا نعقدها بمسكنه الخاص بسواني بن يادم، ويحضرها المنتصر وأنا، وكنا نجلس في غرفة مغلقة لا يدخل علينا فيها إلاّ خادم الملك الخاص.

وأشهد أن الملك بدا لي صادق الرغبة في الإصلاح فقد تقبّل كل ما قلته له حتى ما كان صريحاً جارحاً بصدر رحب، ذكّرته ببيانه الذي أرسله علناً لكبار رجال الدولة في يوليو ١٩٦٠ والذي انتقد فيه علناً انتشار الرشوة والفساد والمحسوبية، وذكر فيه قولته المعروفة «لقد بلغ السيل الزُبى» وأضفت أن أحداً لم يكترث بذلك البيان الخطير، بل زاد الفساد مقدراً وانتشاراً، وقلت: أن الناس أصبحوا يقولون في مجالسهم أنه لا بد أن الملك يعلم بانتشار الفساد وهو لا يحّرك ساكناً. فسألني: هل يقولون أنني موافق على الفساد؟ قلت: مع الأسف يا مولاي أن بعض الناس يظنون هذا، لقد قلت لك يا مولاي منذ سنوات عديدة إنني لا أخشى عليك من حكم الله، ولكنني أخشى عليك من حكم التاريخ.

وشعرت بأن الملك تألم من كلامي، لكنه تقبله بروح طيبة، على أنه نقد من شخص مخلص وفيّ له، وقلت لابد من أن يواكب إقامة النظام الجمهوري إصدار عدد من القوانين الصارمة التي تجتثّ الفساد من جذوره. ثم انتقلنا إلى ظاهرة انتقال الصلاحيات من

أيدي الوزارة المسؤولة إلى أيدي الملك غير المسؤول والمتمتّع بالحصانة، وانتقدت هذا الإنحراف الذي ركز سلطات كبيرة في يد الملك، وشدّدت على ضرورة إعادة الصلاحيات إلى الجهات المسؤولة حسب الدستور. وذكرت للملك أنه كلّما قلّت صلاحيات رئيس الدولة سهل انتقال الرئاسة من شخص إلى آخر، وكلما زادت الصلاحيات فإن انتقال الرئاسة يكون محفوفاً بالمخاطر والصعوبات، واستمرت المناقشات بين ثلاثتنا لمدة شهر ونصف، كنا نعقد كل أسبوع جلسة تستمر إلى أكثر من ساعتين. وأشهد لله أن الملك أظهر سعة صدر وصبر، وشارك مشاركة جدية في النقاش، وتوصلنا أخيراً إلى إطار عام للإصلاحات وتعديل نظام الحكم إلى نظام جمهوري مع ما يتبع هذا من تعديلات في القوانين الحالية، وإصدار قوانين جديدة للتنظيم الجديد لضمان متانته وديمومته من التلاعب والتدخل الأجنبي، بالإضافة إلى سلسلة طويلة من القوانين تُحكم الرقابة على أجهزة الحكومة المختلفة، وتوقف الفساد المستشرى في البلاد. وأخيراً اتفقنا على أن يكون التخطيط للمرحلة الأولى من تلك الإصلاحات وهو المتعلق بالنظام الجمهوري في جنيف، ومن لجنة مكونة من أدريان بيلت والدكتور إدوارد زيلفيجر أستاذ القانون بجامعة زيورخ وأستاذ آخر للقانون الدستوري بجامعة استكهولم والدكتور أنيس مصطفى القاسم المحامي الليبي الفلسطيني الأصل (والذي ساعدني في المرحلة الأولى من التخطيط للجمهورية عام ١٩٥٤ عندما كان لا يزال يعمل في الحكومة رئيساً للجنة البترول) وأنا.

وقال الملك: بيلت حضّر مشروعاً من عنده ولم يعجبني وأنا أميل كثيراً إلى ما اتفقنا عليه نحن الثلاثة، وعليك أن تذهب إلى جنيف وتصيغ مع الخبراء ما اتفقنا عليه ولا مانع أن تأخذ من مشروع بيلت ما تراه مناسباً ولا يتعارض مع تقاليد البلاد.

وفي نهاية الجلسة الأخيرة استبقاني الملك وانفرد بي وصارحني بأنه يود أن أتولّى أنا تنفيذ تلك الإصلاحات بعد أن ننتهي من صياغتها، فقلت: دعنا يا مولاي ننتهي من الصياغة أولاً ثم بعد ذلك لكل حادث حديث. ولم تكن تلك المرة الأولى التي يطلب مني فيها الملك العودة إلى رئاسة الوزارة، وكنت دائماً ألتمس الأعذار وأتهرب بلطف،

فقد كنت حريصاً على رضاه وأتجنب دائما ما يغضبه، ولكنني لم تكن لدي أية رغبة في العودة إلى الحكم، وقد يستغرب القارىء كلامي هذا بل وربّما لا يصدقه ولكنه هو الحقيقة بعينها. كنت أكره العودة إلى الحكم لأسباب عديدة أذكرها بصراحة:

أولاً: أنني لم أحترف السياسة، فمهنتي التي تدربت عليها هي مهنة مهندس مع ما يتبع هذا من واقعية، ولكنني أقحمت في السياسة إقحاماً فزاولتها مزاولة الهاوي، وكان أغلب اللاعبين الاخرين على الساحة الليبية من المحترفين وبعضهم لم يكن من أحسن الأنواع. ولذلك وقعت مني أخطاء كان أغلبها لأنني توقعت من اللاعبين الآخرين قدراً معقولا من الإخلاص والأخلاق، ومع الأسف أخطأت التقدير في العديد من الأحيان.

ثانياً: هوجمت وأنا في الحكم ثم بعد أن خرجت منه، واضطررت إلى مقاضاة صحيفة الأهرام المصرية حتى كذّبت ما نشرته عني، وسيجد القارىء تفاصيل هذه الواقعة في الباب العاشر من هذا الكتاب، وتكبدت في ذلك جهداً عظيماً وعبئاً معنوياً كبيراً، وكنت أقول لماذا أخاطر مرة أخرى وأجعل سمعتي عرضة للهجوم والتجريح؟

ثالثاً: بعد استقالتي من الحكومة انصرفت إلى مزاولة مهنتي في الأعمال الحرة ونجحت نجاحاً كبيراً في مجال الهندسة والأعمال الإقتصادية وتفرغت لذلك النشاط وأصبح من العسير أن أترك أعمالي أو أصفيها وأعود إلى السياسة من جديد.

رابعاً: ومن أهم الأسباب هي أنني كنت أهدف إلى إصلاح نظام الحكم وإلى تحريره وتطويره إلى نظام ديمقراطي حديث، وكنت على يقين من أن الملك يرغب في إجراء أغلب تلك الإصلاحات ولكنني كنت أشك في الثبات والجلد والقوة المعنوية اللازمة للوقوف وراء الإصلاحات ومجابهة معارضيها، وقد صُدمت العديد من المرات بتراجع الملك في أمور كثيرة تحت ضغط الحاشية بعد أن نكون قد قطعنا شوطاً في معالجة تلك الأمور. وكنت أجد نفسي دائماً حائراً بين ولائي للملك وحرصي على تجنب إغضابه من ناحية، ورغبتي الملحّة في إجراء الإصلاحات ولو بدون رضاه.

خامساً: وعدت أسرتي وأقربائي وأخلص أصدقائي بعد استقالتي من رئاسة الحكومة ألا أرجع إلى تلك الرئاسة ما حييت فقد عانيت وعانت أسرتي معي الأمرّين، وحرمنا

زوجتي وأنا من الإشراف على تربية أولادنا ومن الحياة العائلية الهادئة.

وقبل أن أسافر إلى جنيف أخبرت زوجتي بشعوري أن الملك مُصرّ هذه المرة على رجوعي لرئاسة الحكومة، وليس في استطاعتي إقناعه بالعدول عن ذلك دون أن أغضبه، ولذلك فإنني اقترحت عليها أن تستعمل صداقتها مع الملكة فاطمة وترجوها إقناع الملك ألا يحرجني مع استعدادي التام لأي عمل آخر يكلفني به. ونظراً لعلاقة الصداقة الحميمة بين الملكة وزوجتي، فإنني ظننت أن هذا هو ألطف الوسائل لتجنيبي الإحراج، ولم أدري أنني ارتكبت خطأً كبيراً بعملي هذا كما سأشرح فيما بعد.

وعلى أية حال وصلت جنيف ومعي الدكتور أنيس القاسم، وعلى مدى عشرة أيام عقدنا العديد من الجلسات في منزل أدريان بيلت المطل على بحيرة ليمان، وحضّرنا نصوص الدستور الجمهوري الجديد بالإنجليزية وقام الدكتور أنيس بصياغته باللغة العربية، كما حضّرنا العديد من الوثائق والتعديلات للتشريعات السارية التي يفرضها علينا النظام الجمهوري. وعدت إلى طرابلس وكلّي حماس وتطلع إلى أن أقدمها للملك. ولكن هالني بعد وصولي إلى طرابلس وبدايةً من المطار أن وجدت الناس يتحدثون علانية عن محاولات يقوم بها محمود المنتصر ومصطفى بن حليم لإعلان الجمهورية. بل سألني كثير من الأصدقاء عن صحة تلك الإشاعات، كما علمت أن مظاهرات قامت في مدينة البيضاء تهتف بسقوط المنتصر وبن حليم وكانت البلاد تعج بإشاعات وأخبار، وفي حالة غليان لا يعرف أحد مصدرها.

لزمت بيتي في طرابلس لعدة أيام ولم يتصل بي لا الملك ولا رئيس الديوان محمود المنتصر، وكنت أعتذر عن مقابلة الأصدقاء لأنني كنت في حيرة من أمري لا أعرف ما حدث أثناء غيابي. إلى أن أتصل بي الملك مساء ذات يوم وطلب مني أن أحضر بعد العشاء في سيارتي الخاصة وأن أقودها بنفسي. وذهبت مصطحباً زوجتي إلى سواني بن يادم، ووجدت مزرعة الملك محاطة بعدد كبير من الحرس الخاص (جنود من قبائل التبو) يحملون الرشاشات، وأوقفت عدة مرات إلى أن وصلت مسكن الملك، ودخلت عليه (كما دخلت زوجتي على الملكة فاطمة). وجدت الملك في حالة سيئة من

الخوف والتحسّب وبادرني بالقول: عملها مازق مرة ثانية. ولم أعلّق ولكنني أخذت في تهدئته مردداً أن السواد الأعظم من الشعب يُجلّه ويحترمه ولا ينسى خدماته وجهاده، وأن لكل أزمة انفراجاً، ثم بعد أن شعرت بالهدوء يعود إلى نفسه رجوته بأن يخبرني بما حدث لعلّني أجد له مخرجاً. قال الملك: بعد أن عرفت من الملكة أنك لا ترغب أن تقوم بتنفيذ الإصلاحات الدستورية بنفسك لأنك لا تريد العودة إلى الوزارة استدعيت رئيس الوزراء مازق وأخبرته بما أنوي من تغيير في رئاسة الدولة، فبادرني بأنه يفضّل الاستقالة على أن يقترن إسمه بإلغاء الملكية في البلاد، واقترح أن أكلف بن حليم فهو أقدر منه على هذه الأمور ويحلم بهذه التعديلات الجذرية منذ سنين. وعندئذ طلبت من مازق أن يعتبر ما سمع منّي سرّاً لا يذاع، فوعدني بذلك وفكّرت ان أترك الأمر إلى عودتك. استدعيت سفيريّ بريطانيا وأمريكا على انفراد ووضعتهما في الصورة وطلبت منهما إبلاغ حكومتيهما برغبتي في معرفة رأيهما، وجاءني الردّان في اليوم التالي. أما الإنجليز فقد نصحوا بالعدول بشدة عن أي تعديل في النظام الملكي، وحذروني من قلاقل وعواقب سيئة قد تنتج عن إلغاء الملكية. أما الأمريكان فقد كان ردّهم أكثر مرونة إذ نصحوا بالتريث وتعميق الدراسة وتحضير الشعب بالتدريج، ويبدو أن مازق قد أشعل النار في الهشيم فأذاع السر في البيضاء وقامت مظاهرات وقلاقل كما حاولت وفود عديدة أن تقابلني فرفضت، وبعبارة وجيزة كرّر مازق ملعوبه القديم.

واستطرد الملك قائلاً أنه يخشى من إشعال فتنة خطيرة في برقة، وبرقة تهمّه بنوع خاص لأن قبائلها إذا ما حُرّكت وأثيرت تكون كالجمل الهائج يصعب السيطرة عليه وتهدئته. وأعترف بأنني كنت أستمع لحديث الملك باستغراب وأتساءل في نفسي: كيف انقلبت الموازين وأصبح الملك إدريس يخشى مكر مازق؟

فجمعت شجاعتي وقلت للملك: يا مولاي إن شعب ليبيا بايعكم أنتم ملكاً على ليبيا ولم يبايع حسين يوسف مازق، وقد أقلت أغلب رؤساء الوزارات فيما سبق، ومازق ليس بأكبر من سابقيه، ثم أود أن أسأل مولاي سؤالاً يترتب على الإجابة عليه موقف مهم منّي، وهو هل ما حاولنا القيام به هو إصلاح ضروري لاستقرار الوطن وازدهاره؟ قال الملك: بلى

بالتأكيد. قلت: دعني أقول لك إذا انني لم أقرأ فيما قرأت من كتب التاريخ أن إصلاحاً واحداً تم بسهولة ويسر، بل أن إجراء أي إصلاح يسبب الكثير من المشقة والعناء للمصلح بل ويعرضه للخطر والعذاب والموت أحياناً، وليكن لنا مثال وأسوة في الرسول الكريم صلى الله عليه وسلّم الذي تحمّل الإهانة والتعذيب وخاطر بحياته واضطر إلى الهجرة ثم إلى القتال حتى نشر الدين الإسلامي وأصلح حال العرب وكان أهم إصلاح في تاريخ البشرية. إن الإصلاح يا مولاي يستوجب التضحية والتحّمل والصبر من المصلحين، فإذا كنت أنت مستعداً للوقوف وراء هذه الإصلاحات بعزيمة وإصرار ودون تراجع أو تردد، فإنني على استعداد أن أنفذ تلك الإصلاحات بقوة وعزم مهما كلفني من تضحية أو تعرض لمخاطر (وكانت تلك المرة الوحيدة التي عبّرت فيها للملك عن قبولي دخول المعممة وتولي رئاسة الحكومة).

وأطرق الملك ملياً وكنت أرى جسمه النحيف تنتابه رعشة خفيفة ثم قال: لا أظن أنه من الحكمة أن نواجه التيار المعارض بعناد وإصرار الآن، لنترك الأمور إلى أن تهدأ الخواطر وتسكن النفوس ثم نسرّح مازق في مدينة درنة ونبدأ تنفيذ الإصلاح من هناك. فقلت كلمة كأنها تنبّوء بما سيقع ولا أدري كيف صدرت مني، قلت: يا مولاي قبل أن أودّعك دعني أقول إنني أضرع إلى الله أن يتم الإصلاح في عهدك وبرضاك ورعايتك، وألا يتم بعدك أو بالرغم منك. وخرجت من عند الملك وقد آليت على نفسي ألا أتناول معه بعد ذلك اليوم أي حديث سياسي، وهذا ما فعلت.

ثم وقع انقلاب سبتمبر وتفرقت بنا السبل، واستقر الملك في مصر، وبالرغم من أنني كنت على اتصال مستمر به منذ الأيام الأولى للانقلاب، إلاّ أن الظروف السياسية حالت بيني وبين لقائه حتى ١٩٧٥، حيث أمكن لي زيارة القاهرة، وتوجهت من المطار رأساً إلى بيت الملك ليكون هو أول من ألتقي في مصر، وكان لقاءً عاطفياً هزّ مشاعري. فقد عانقني بحرارة وبكى بغزارة، فشاركته البكاء، وعندما هدأت نفسه قال بصوت خافت: إنك يا مصطفى كنت أقرب من أوليتهم الوزارة إلى نفسي، كنت قريباً مني فهماً وتقديراً، ولقد كنت أعتبرك كإبن لي، هداك الله لو أمهلتني وكنت أكثر صبراً لما حدث

ما حدث. قلت: هذا أمر الله ولا رادّ لأمره.

الآن وبعد سنوات من هذه الأحداث وبالتأمل الهادئ المنصف فإنني كثيراً ما أتساءل في نفسي، ترى هل كانت الأمور تتغير لو أنني لم أتهرّب من رئاسة الحكومة وقبلت أن أتولى مهمة تنفيذ الإصلاحات الدستورية؟ وكيف لم يخطر ببالي أن حسين مازق الرافض لأي تغيير أو مساس بالنظام الملكي سيكون قادراً على تعطيل الإصلاحات بل وإجهاضها كما فعل من قبل؟ ثم هل كان الملك سيتراجع، حتى لو قبلت، إذا ظهرت معارضة في برقة لتطبيق النظام الجمهوري؟

ربما كان يجب عليّ أن أتجاهل الأسباب التي كانت تجعلني أحجم عن تولّي رئاسة الوزارة وأقبل عرض الملك. صحيح أنني أعتقد بأن الملك أخطأ باستشارة السفارتين البريطانية والأمريكية، وأكن له عذره فقد أراد أن يأمن شرهما ويحول دون وقوفهما ضد الإصلاحات أو التآمر لنسفها، وكذلك أخطأ إذ فاتح مازق واستشاره في الموضوع، ولكن لو قبلت أنا على الفور تكليف الملك فلربّما استطعت أن أحول دون هذه الإستشارات. هذه أسئلة لا يمكن الجزم في الرد عليها، ولكنها لا تنفك تراودني.

عبد الناصر ينصح بعدم إنهاء الإتفاقية الأمريكية

وإكمالاً للحديث عن استقالة الملك عام ١٩٦٤ وما أعلنه رئيس الوزراء المنتصر من مطالبة بريطانيا والولايات المتحدة إنهاء إتفاقياتهما العسكرية مع ليبيا وسرعة إجلاء قواتهما عن التراب الليبي فقد رحبت الحكومة البريطانية بطلب المنتصر ووافقت على إجلاء قواتها عن طرابلس قبل ٣١ مارس ١٩٦٦ وعن منطقة بنغازي قبل ٣١ مارس ١٩٦٧، أما الحامية البريطانية الصغيرة في منطقة طبرق (مطار العضم) فقد اتفقت الحكومتان على السكوت عنها مؤقتاً. ولكن لماذا رحبت بريطانيا وقبلت إجلاء معظم قواتها عن ليبيا بسرعة؟ ذلك لأنها تأكدت من عدم جدوى الإحتفاظ بقوات كبيرة في ليبيا بعدما وقفت الحكومة الليبية في وجه بريطانيا خريف ١٩٥٦ ومنعت استعمال تلك القوات في الحملة البريطانية على مصر. وكذلك لأن الإقتصاد البريطاني بدأ ينكمش

وسارت الخزانة البريطانية على سياسة تقشف شديدة وتقليص نفقات الدفاع، فتلقّفت الحكومة البريطانية الطلب الليبي كفرصة ذهبية لسحب قواتها وتقليص مصروفاتها.

أما الولايات المتحدة الأمريكية فإنها رفضت طلب الحكومة الليبية بحجّة أن مدة الإتفاقية تنتهي بعد ست سنوات في ٣١ ديسمبر ١٩٧١ (لأن إتفاقية القاعدة الأمريكية كانت لمدة ١٧ عام) ولم ترى سبباً وجيهاً يجعلها تنهي الإتفاقية قبل مدتها القانونية. وفي نفس الوقت أرسل الرئيس جونسون رسالة مستعجلة إلى الرئيس عبد الناصر يحذره فيها أنه سيضطر لإيقاف إمداد مصر بالقمح والمواد الغذائية الأخرى التي كانت مصر تحصل عليها داخل برنامج العون الأمريكي، ما لم يوقف عبد الناصر تدخله ضد المصالح الأمريكية في ليبيا. وتصادف وجود وزير الخارجية حسين مازق في القاهرة لحضور أحد اجتماعات الجامعة العربية، فاستدعاه الرئيس عبد الناصر وحمّله رسالة تحية أخوية لأخيه الملك إدريس مع رجائه ألا يستعجل في إخراج القوات الأمريكية من ليبيا، كما نصحه بالتّروي واستعمال اللّين والحكمة مع الأمريكان، واتباع سياسة الـ(خطوة خطوة). وعندما نقل مازق رسالة عبد الناصر إلى الملك إدريس استجاب الملك لنصح عبد الناصر وأشار على رئيس الوزراء (المنتصر) بترك الأمريكيين وشأنهم (هذا ما صرّح به مازق بشجاعة أمام محكمة الشعب لدى محاكمته عام ١٩٧٠ مما اضطر رئيس المحكمة إلى إسكاته) ولم يكذّب أحد هذه الرواية على الإطلاق مما يقطع بصحتها. وكما ذكرت فقد كانت تلك مناورة من عبد الناصر ومزايدة ظهر فيها أمام الجماهير العربية بمظهر المنادي بإنهاء الوجود العسكري البريطاني والأمريكي في ليبيا، محملاً ذلك الوجود العسكري مسؤولية إحجام مصر عن الهجوم على إسرائيل، وهو في نفس الوقت ينصح الملك سرّاً بترك القاعد الأمريكية وشأنها في ليبيا لأنه يخشى أن ينقطع عن مصر سيل الإمدادات والغذاء. ومع الأسف شرب الليبيون المقلب الناصري وظهروا أمام العالم بمظهر المتمسكين بالبقاء الأمريكي في ليبيا، بينما الأمر لم يكن كذلك.

قصة في هذا الموضوع كنت طرفاً فيها، ذلك أن السفير الأمريكي في ليبيا لايتنر وكان رجلاً دمث الأخلاق ومتحرر المبادىء من ضمن مجموعة الرئيس كنيدي –

واستمر في أداء مهامه في عهد إدارة الرئيس جونسون - تربطني به علاقة طيبة، قد طلب الإجتماع بي أثناء فترة الغليان بعد مطالبة الحكومة الليبية بجلاء القوات الأجنبية وسألني عن رأيي فيما يجب أن يكون رد حكومته. قلت: في رأيي أن قاعدة الملاّحة استنفذت أغراضها وفقدت مبرر وجودها، واستعملت اللفظ الفرنسي raison d'être، من ناحيتكم ومن ناحيتنا. أما من ناحيتكم فقد تطوّرت الطائرات الحربية الحديثة وأصبح بإمكانها أن تسافر مسافات أطول دون التزود بالوقود، ولذلك فإن حاجتها إلى عدد كبير من القواعد قد قلّت كثيراً، وكذلك فإن الحرب الباردة بينكم وبين الروس قد تقلّصت وقلّت برودتها، أما من جهتنا فإننا عقدنا إتفاقية القاعدة معكم لحاجتنا الشديدة للعون الإقتصادي، وقد أصبحنا الآن، ولله الحمد، في غنى عنه، ولذلك فإنني أنصح بقبول طلب الجلاء الفوري، أو على الأقل تحويل القاعدة إلى قاعدة ليبية-أمريكية يتدرب فيها الطيارون الليبيون والأمريكيون لمدة سنتين أو ثلاثة ثم تُصفّى القاعدة وتنقل إلى السيادة الليبية. وبدا لي أن السفير مال إلى رأيي فأبرق به إلى وزارة الخارجية الأمريكية. فأرسل الرئيس جونسون أحد كبار قادة الطيران برتبة جنرال ليقابل الملك ورئيس الحكومة ليجسّ نبضهما ويستشف منهما ما هي أقصى مدة يمكن لهما السماح فيها ببقاء القاعدة، أو بعبارة أخرى أقصى تاريخ للجلاء. وعندما قابل الجنرال الأمريكي الملك بحضور السفير لايتنر وأستفسر من الملك - الذي كانت رسالة عبد الناصر قد وصلته ورحّب بها - رد الملك بأن: لا جلاء الان. فخرج الجنرال من لدى الملك وأبرق للرئيس جونسون بقول الملك، وكانت هي نهاية المستقبل السياسي للسفير المسكين الذي نُقل على الفور إلى وظيفة جانبية للتدريس في كلية عسكرية، هذا ما قاله لي السفير نفسه عندما التقيت به بعد هذا التاريخ بسنوات.

الباب السادس

التحرّك نحو تعزيز الإستقلال الوطني

الحالة السياسية العربية والعالمية في أوائل الخمسينات

قبل أن أدخل في شرح الحالة العامةا أثناء سنوات الإستقلال الأولى، فإنه يجدر بي أن أعطي القارئ - وعلى الخصوص الجيل الصاعد منه - لمحة سريعة عن الأوضاع السياسية، العربية والدولية، التي كانت سائدة في الخمسينات. فلا شك أن وضع ليبيا السياسي يتأثر تأثراً مباشراً بالأوضاع المحيطة به.

كان الإتحاد السوفيتي في أوائل الخمسينات يواجه إصلاح أضرار أكبر حرب عالمية عرفها العالم، وكانت قوته النووية لاتزال تحبو، ونظراً لانشغاله في مشاكله الداخلية فلم تكن له سياسة عربية رائدة. ولذلك فإن نفوذه لم يكن قوياً في العالم عموما وفي العالم العربي بنوع خاص.

أما أوروبا فقد كانت مقسمة إلى معسكرين: شرقي يرزخ تحت احتلال روسي، ويواجه صعوبات هائلة في إعادة بناء كيانه المدمر من الحرب، وغربي لا يقل دماراً عن أخيه الشرقي ولكنه يتلقى عوناً أمريكيا سخياً لإعادة بناء لبنته الأساسية ومصانعه، وتضميد جراحه على شكل مشروع مارشل الذي يرجع سخاؤه إلى رغبة أمريكا في إنشاء سلسلة قوية من الدول الغربية لمواجهة الخطر الشيوعي.

أما أمريكا فقد خرجت من الحرب منتصرة دون أن يُمسّ إقتصادها بسوء، وكان نفوذها السياسي في أوجه، فلم يكن لأية دولة أن ترفض لها طلباً، باستثناء الإتحاد السوفييتي الذي - برغم حربه البادرة معها - كان منشغلاً داخلياً بمشاكل متعددة.

أما العالم الثالث فقد كان لا يزال يحبو، إذ لم يبلغ عمر إستقلال الهند والباكستان خمس سنوات، بل أن الأغلبية العظمى من دول ما يسمى اليوم بالعالم الثالث كانت لا تزال تخضع لأنواع شتّى من الاستعمار المباشر، وكانت واشنطن تلعب دور الوسيط بين دول العالم الثالث والدول الاستعمارية، وقد زاد نفوذها كثيراً عندما تولّى الجنرال أيزنهاور رئاسة الجمهورية واعداً بإنهاء الحرب الكورية ومنادياً بكثير من مبادىء العدالة والتحرر عام ١٩٥٢.

وكانت هيئة الأمم المتحدة آنذاك تضم خمسين عضواً ولم يكن بينهم من دول العالم الثالث إلاّ قلة ضعيفة الأثر في توجيه المنظمة الدولية. كما كان لأمريكا نصيب الأسد من النفوذ في المنظمة الدولية، إذ كانت – هي وحلفاؤها الغربيون - تغطّي أغلب تكاليف الهيئة الدولية وتسيطر على أغلب منظماتها.

أما عالمنا العربي فقد كانت أغلب دوله لا تزال تحت أنواع شتّى من الاستعمار المباشر أو غير المباشر، وكان يعاني مرارة هزيمة نكراء على يد إسرائيل ومن أيّدها من الدول الكبرى - غربية كانت أم شرقية - كما يعاني من ظروف إقتصادية مترديّة، ولم يكن البترول قد برز بعد كقوة إقتصادية. ولم يكن في إمكان أي دولة عربية أن تمد العون إلى أي دولة عربية أخرى تحتاجها.

وقامت الثورة المصرية في النصف الثاني من ١٩٥٢ لتواجه مشاكل داخلية وخارجية هائلة، أما بقية الدول العربية المستقلة فقد كانت مرتبطة بنوع أو بآخر من النفوذ الغربي.

ولمّا لم تكن لروسيا سياسة عربية رائدة فإن آمال المتحررين في العالم العربي كانت تتجه إلى أمريكا أملاً في أن تساعدها في التخلص من الاستعمار البريطاني والفرنسي. وبالرغم من نكسة النفوذ الأمريكي في العالم العربي أثناء رئاسة ترومان – التي اشتهرت بتأييدها المطلق لإسرائيل – إلاّ أن فوز أيزنهاور ومناداته بكثير من مبادىء العدالة والتحرر جدد آمال الساسة العرب، مما زاد من نفوذها في العالم العربي. وكان الرئيس جمال عبد الناصر في طليعة هؤلاء الزعماء العرب، الذين بنوا في تلك الأيام الكثير من الآمال على مساعدات أمريكا المادية والمعنوية. بل أن الوثائق

السرية للحكومة الأمريكية قد أظهرت بوضوح أنها لعبت دوراً مهماً في إسقاط الملك فاروق في مصر، ومهّدت الطريق للإنقلاب العسكري الذي قاده الرئيس جمال عبد الناصر، ثم ساعدت نظام الضباط الأحرار بمساعدات فعّالة، خصوصاً في مفاوضات إتفاقية الجلاء البريطاني عن مصر. بل أن الوثائق المذكورة تبين بجلاء أن الرئيس عبد الناصر وزملائه الضباط كانوا ينظرون إلى أمريكا على أنها الدولة الليبرالية المتحررة، وبنوا على علاقاتهم بها الكثير من الآمال في الحرية ومحاربة الاستعمار القديم، والنهوض بالعالم الثالث - معنوياً وإقتصادياً.

وبالرغم من رياح التحرر التي هبّت على العالم العربي في أوئل الخمسينات، فإن ضعفه وتفككه وقوة النفوذ الغربي وتسلّطه لم تجعل الساسة العرب - حتى المتحررين منهم - ينظرون إلى توقيع إتفاقيات عسكرية مع بعض الدول الغربية بالبشاعة التي يُنظر اليها اليوم. ولعل في إتفاقية الجلاء الموقّعة بين مصر وبريطانيا عام ١٩٥٥ أكبر دليل على ما أقول. ألم تسمح تلك الإتفاقية بعودة القوات البريطانية إلى منطقة قناة السويس في حالة وقوع تهديد عسكري على تركيا؟ ألم تنص تلك الاتفاقية على بقاء التسهيلات العسكرية مصونة وجاهزة لمثل تلك العودة؟ أيضا، ألم تجدد المملكة العربية السعودية إتفاقيتها العسكرية مع أمريكا عام ١٩٥٦؟

لقد كان أغلب العالم ينظر إلى أمريكا - صواباً أو خطأً - كزعيمة للعالم الحر، ولا يرى حرجاً في الارتباط معها. وفي السياسة لاشيء يدوم، بل كل شيء يتغير، وموازين القوى فيها دائمة التطور. ألم تكن فرنسا أكبر عدو للعرب في الخمسينات؟ أين ذلك من الصداقة القوية المتينة بينها وبين العرب اليوم؟

الحالة العامة في ليبيا أثناء سنوات الإستقلال الأولى

لن يختلف منصفان على أن إستقلال ليبيا في سنواته الأولى لم يكن إستقلالاً كاملاً لأنه كان محمّلاً بالكثير من الأعباء التي فرضها واقع ليبيا، وملابسات عديدة أحاطت بتلك الحقبة في أوئل الخمسينات، ولقد سبق وشرحت أن دول الغرب، وخصوصاً بريطانيا،

بعد أن فشل مشروعها (بيفن سفورزا) في تقسيم التراب الليبي إلى مناطق نفوذ تتقاسمها، حاولت - ونجحت هذه المرة - في الوصول إلى غاياتها عن طريق المناداة بإستقلال ليبيا وإقامة نظام فيدرالي فضفاض، باهظ التكاليف، معقد التنفيذ، مثير للمشاكل القانونية بين أجزائه المتعدّدة. وحرصت على جعل أغلب الصلاحيات في أيدي حكام الأقاليم الليبية، وجعل السلطة المركزية صورية ضعيفة. ثم - زيادة في الإطمئنان على مصالحها - فقد عملت بدهاء على أن يتسلم السلطة في ذلك النظام الفضفاض سياسيون يميلون بطبيعتهم للتعاون مع الغرب.

في عام ١٩٥٠ عندما استجوب النواب الفرنسيون وزير خارجيتهم عن إستقلال ليبيا، رد قائلاً: إن فرنسا وافقت على إستقلال ليبيا شريطة أن يكون دستورها إتحادياً فتتمكّن فرنسا من الإبقاء على نفوذها في فزّان. وغني عن القول أنه لم يكن أمام الشعب الليبي من خيار سوى القبول بذلك الوضع على أمل في مستقبل أفضل.

وعشية الإستقلال تمكنت الحكومات الغربية الثلاث من جعل الحكومة الليبية المؤقتة توقع على ثلاثة إتفاقيات عسكرية تسمح للقوات البريطانية في ولايتي برقة وطرابلس، والقوات الفرنسية في ولاية فزّان بالاستمرار في البقاء على التراب الليبي داخل قواعد عديدة. كما تسمح للقوات الأمريكية بالبقاء في قاعدة الملاّحة الجوية ويلس. وكانت هذه الإتفاقيات تُجدد سنوياً إلى أن يحل محلها إتفاقيات يوافق عليها البرلمان الليبي بعد انتخابه.

وفي مقابل هذه الإتفاقيات العسكرية تعهّدت بريطانيا بتسديد عجز الميزانية الليبية، كما تعهدت فرنسا بتسديد عجز ميزانية فزّان. وعرضت أمريكا مليون دولار سنويا كإيجار لقاعدة الملاحة.

وأمام حالة الإقتصاد الليبي الصعبة، ومعاناته من دمار الحروب وسنين الجفاف، وأمام حاجة الدولة الناشئة لإيرادات تغطي تكاليف أجهزتها المتعددة اضطرت الوزارة الليبية الأولى برئاسة محمود المنتصر، لعقد معاهدة صداقة وتحالف مع بريطانيا لتحصل منها على مساعدة مالية تسد بها عجز الميزانية مقابل السماح للقوات

البريطانية باستعمال قواعد عسكرية في ولايتي طرابلس وبرقة. وكانت المساعدات البريطانية حسب تلك المعاهدة ٢,٧٥ مليون جنيه استرليني سنوياً لتغطية عجز الميزانية، ومليون جنيه سنوياً لأغراض التنمية.

ولما كانت هذه المبالغ لا تكاد تكفي الحاجات الضرورية للدولة، فقد تمكن البريطانيون بعملهم هذا من تكريس العجز في الميزانية الليبية وضمان ديمومته وبقاء الدولة الحديثة في حاجة شبه دائمة للعون البريطاني.

وإنصافاً للوزارة الأولى، فإن الظروف الدولية السائدة في ذلك الوقت لم تسمح لليبيا بخيارات أخرى. فقد حاولت الحكومة الحصول على المساعدة المالية الضرورية لتغطية عجز ميزانيتها من الشقيقة مصر (وهي الدولة العربية الوحيدة التي كان في إمكانها، وقتئذ، تقديم تلك المساعدة)، ولكن الحكومة المصرية، لاسيما في عهد الملك فاروق، لم تكن جادّة في مساعدة ليبيا. فقد اشترطت مقابل مساعدة سنوية مقدارها مليون جنيه تعديل الحدود الشرقية لصالح مصر، والتنازل عن واحة الجغبوب، وتعيين مستشارين مصريين للإشراف على إنفاق المساعدة المصرية. بل الأدهى والأمر فإن سفير مصر في بنغازي يحيى حقي قال لوفد من جمعية عمر المختار، برئاسة الشيخ مصطفي عبدالله بن عامر وكان يرافقه ابن عميّ عبد الحميد المبروك بن حليم، حين جاء يستنجده لكي تسرع مصر في تقديم المساعدة حتى تتفادى الحكومة الليبية الإرتباط بمعاهدة مع بريطانيا: لقد تحمّلت مصر ثمانين عام من الاستعمار الإنجليزي، لن يضرّكم أن تتحملّوا عشرون عاماً من نفس الاستعمار.

ولم يكن أمام الحكومة من مجال للتردد في المفاضلة بين العرضين:

فالعرض المصري كانت قيمته مليون جنيه مصري فقط بينما العرض البريطاني يبلغ ٣،٧٥ مليون جنيه استرليني.

والعرض المصري يؤدي في حالة قبوله إلى انتقاص سيادة ليبيا وضياع أجزاء من أراضيها وضمّها إلى الأراضي المصرية، بينما العرض البريطاني مقابل قواعد عسكرية لمدة محددة ينتهي بعدها التواجد الأجنبي وتعود سيادة ليبيا كاملة على جميع أراضيها.

وهكذا كان قبول حكومة المنتصر بالمساعدة البريطانية بشروطها أهون من القبول بالشروط المصرية.

أما فيما يخص الإتفاقيتين العسكرتيين مع كل من فرنسا وأمريكا، فقد باشرت الوزارتان الأولى والثانية مفاوضات مع الدولتين، وانتهت ولاية الوزارة الثانية التي ترأسها محمد الساقزلي دون الوصول إلى إتفاق مع أي من الدولتين.

وقد قامت لجان كثيرة من خبراء الأمم المتحدة بدراسات متعددة عن حالة الإقتصاد الليبي وهي جميعها - دون استثناء - ترسم صورة قاتمة لإقتصاد يكاد ينهار، بل ان بعض التقارير كانت تصف إقتصاد ليبيا بأنه ميؤوس العلاج. وأهم تلك التقارير وأكثرها اعتدالاً تقرير ١ يوليو ١٩٥٢، وهو لا يخلو من حقائق وإحصائيات تبعث في النفس الكثير من القلق.

أما العملات والنقود المتداولة في ليبيا قبل الإستقلال، ولفترة قصيرة بعده، فكانت في ولاية طرابلس الغرب الـ «مال»، وهو عملة أصدرتها الإدارة العسكرية في طرابلس الغرب، بينما كان الجنيه المصري هو العملة المتداولة في برقة. أما فزّان فكان الفرنك الفرنسي هو العملة المتداولة فيه.

وقبيل الإستقلال وافقت الحكومة الليبية المؤقتة - بناء على اقتراح لندن - على إنشاء ما يسمّى لجنة العملة الليبية. (لقد كانت بريطانيا تتّبع مع مستعمراتها السابقة والدول المستقلة حديثاً التي تدور في فلكها طريقة لجان العملة بدلاً من السماح لها بإنشاء بنوك مركزية، وبذلك تضمن بريطانيا استمرار إشرافها التام على احتياطي تلك العملات وعلى السياسة النقدية لتلك الدول.)

ولم تكن لجنة العملة الليبية، ليبية إلاّ إسماً فقط، فقد كان مقرها لندن ورئيسها بريطاني وجميع موظفيها من الإنجليز. وكانت للجنة العملة الليبية صلاحيات واسعة في إصدار النقد الليبي وإدارة احتياطي العملة الليبية دون أية رقابة من الحكومة الليبية.

ولم يكن للحكومة الليبية مصرفاً تحفظ فيه أموالها، فاستمرت بالعمل على طريقة الإدارة العسكرية البريطانية في استعمال فروع بنك باركليز (Barclays) البريطاني

لاستلام إيرادات الدولة وصرف مرتبات موظفيها والتزاماتها الأخرى.

أما في شؤون الإدارة العامة فقد تحول جميع موظفي الإدارات العسكرية البريطانية والفرنسية إلى موظفين ومستشارين في الحكومة الإتحادية وحكومات الولايات، ومع تغيير طفيف في الألقاب، فأصبح مدير أية إدارة مستشاراً لها، مع تعيين موظف ليبي لتقدم له الاستشارات. ولذلك فقد كان عدد الإنجليز والفرنسيين في الادارات المالية والشرطة عدداً ملفتاً للنظر لكثرته.

أما في الأوضاع الاجتماعية فقد كانت الصورة تبدو قاتمة، ويكفي أن أذكر أن عدد الخريجين الليبيين يوم إعلان الإستقلال في ديسمبر ١٩٥١ لم يتعد العشرة، ولم يكن بينهم طبيباً واحداً، وأن التعليم الفني كان قاصراً على مدرسة الفنون والصنائع التي أنشأها الأتراك في طرابلس الغرب في القرن التاسع عشر. وكان مجموع التلاميذ في جميع أرجاء الوطن لا يتعدى ٢٥ ألف تلميذاً أي ٢٪ من عدد السكان، ونسبة الأمية ٩٠٪.

ولم تكن الحالة الصحية بأحسن من غيرها، فتقارير الأمم المتحدة عن الحالة الصحية تتحدث عن تفشّي أمراض التراكوما والملاريا، وعدد من الحميات وأمراض سوء التغذية. وبلغت نسبة المواطنين الذين فقدوا بصرهم - كلياً أو جزئياً - ١٠٪ من مجموع السكان.

أما الموصلات التي تربط أجزاء الوطن فقد اقتصرت على الطريق الساحلي بين طرابلس وبرقة. وتعمّدت الإدارات العسكرية إهمال جزء الطريق الساحلي بين سرت وأجدابيا فيما يبدو، محاولة لتعميق الانفصال بين ولايتي برقة وطرابلس. وقد عثرت عندما كنت وزيراً للأشغال والمواصلات في برقة عام ١٩٥٠ على تعليمات صادرة من لندن إلى المدير البريطاني لإدارة الطرق في وزارة الأشغال في بنغازي تأمر بعدم صرف أية مبالغ على صيانة الطريق الساحلي غربي أجدابيا.

ومن المضحك المبكي أن الاتصالات البرقية بين الحكومة الليبية الإتحادية وولاية فزّان كانت تتم بتفضّل من السفارة الفرنسية في طرابلس، التي كانت تتولى إرسال البرقيات الحكومية الليبية إلى فزّان عن طريق لاسلكي من باريس. أما المواصلات

البرقية بين ولايتي طرابلس وبرقة فكانت تتم بالحروف اللاتينية بواسطة شركة كايبل آند وايرليس البريطانية.

الحركة السياسية الوطنية

أما الحركة السياسة الداخلية فقد كانت عظيمة النشاط في فترة التحضير للإستقلال في الشهور الأولى منه. أما في طرابلس فتمثّل الصراع السياسي في اتجاهين رئيسين:

الاتجاه الوحدوي الذي يرى قيام دولة وحدوية بزعامة السيد إدريس السنوسي، وكان حزب المؤتمر الطرابلسي برئاسة بشير السعداوي هو الرافد الرئيسي لهذا الاتجاه الذي كان يتمتع بشعبية عظيمة، خصوصاً في أوساط النخبة المتعلمة وفي المدن والتجمعات السكانية الكبيرة وفي الدواخل.

أما الاتجاه الآخر فهو الاتجاه الإتحادي الذي ينادي بإقامة نظام ملكي بزعامة الملك إدريس وإقامة دستور إتحادي فضفاض ليتخطّى صعوبات الاندماج السائدة في ذلك الوقت. وكانت الهيئة الدستورية (أو هيئة الستين) تتزعم هذا الاتجاه، وكان من روافده المهمة حزب الإستقلال الذي كان يترأسه سالم المنتصر الذي ثبت أن السفارة الإيطالية كانت تتولى تمويله (اطّلعت عام ١٩٥٥ على وثائق إيطالية وقعت في يد إدارة الأمن الليبية تبين تفاصيل ذلك التمويل).

وأدى الجدل الساخن بين أنصار هذه الأحزاب والاتجاهات المختلفة إلى صدامات دموية وقع ضحيتها بعض القتلى والجرحى في ضواحي مدينة طرابلس في الأيام الأخيرة من الحملة الانتخابية للبرلمان الليبي الأول عام ١٩٥٢. وانتهز المستشارون الإنجليز هذه الفرصة وصوّروا الأمر للحكومة الليبية على أنه عصيان مدني خطير، ومؤامرة لزعزعة الأمن والاستقرار في الدولة الحديثة. وأشاعوا أن حزب المؤتمر يتلقى عوناً مادياً ومعنوياً وتوجيهاً سياسياً من دولة عربية ما (يقصدون مصر)، ومن الأمين العام لجامعة الدول العربية آنذاك عبد الرحمن عزّام، مما جعل الوزارة الليبية تتخذ إجراءات صارمة ضد تلك الأحزاب، فحلّتها جميعاً، ورحّلت رئيس حزب المؤتمر الطرابلسي إلى

خارج البلاد وفرضت رقابة على الصحف.

ولقد اعتبر كثير من المراقبين السياسيين أن هذه الإجراءات الصارمة لم يكن لها مبرّر، بل واعتبروها خطأً سياسياً خطيراً حرم البلاد من المعارضة الوطنية، وفقدت الحكومة الليبية بذلك نقطة ارتكاز هامة - أعني بها قوى المعارضة - كان يمكنها الاستناد عليها في مواجهة الضغوط الأجنبية. ولو أن تهمة تلقي حزب المؤتمر العون والتوجيه من خارج الوطن يصعب إثباتها، إلاّ أن تدخلات الأمين العام لجامعة الدول العربية في الشؤون الليبية عامة، ومحاولاته تأليب الزعماء الطرابلسيين على الملك إدريس حقيقة يعرفها الخاص والعام. ومن المؤسف أن نشاط الأمين العام لجامعة الدول العربية كان لأسباب شخصية بحتة.

ومن ناحية أخرى فإن تطبيق الدستور الإتحادي الجديد (الذي بدأ يوم إعلان الإستقلال في ٢٤ ديسمبر ١٩٥١) أقام إلى جانب الحكومة الإتحادية ثلاثة حكومات ولائية، وخمس مجالس نيابية (مجلس نواب ومجلس شيوخ وثلاث مجالس تشريعية). وسرعان ما بدأ الخلاف بين الحكومات الأربعة على الصلاحيات الدستورية، وتطور ذلك الخلاف في أغلب الأحيان إلى نزاع دستوري رُفع إلى المحكمة العليا للبتّ فيه. كما تبين أن النظام الإتحادي باهظ التكاليف ومعقد التنفيذ، ويحتاج إلى عدد كبير جداً من الموظفين والخبراء القانونيين.

وقد أقام ذلك النظام مناصب كثيرة مكررة في وقت قلّت فيه الكفاءات الليبية وندرت فيه الخبرات القانونية. وبعبارة بسيطة، فإن تطبيق النظام الإتحادي قد زاد في صعوبات المسؤولين وكاد ان يصيب الدولة الحديثة بنوع من الشلل المالي والإداري.

إن ما تقدم هو صورة موجزة أمينة للحالة السياسية التي كانت سائدة في ليبيا وحولها عندما ولّيت الوزارة في ابريل ١٩٥٤، ذكرتها لأحدد نقطة بداية الدرب الطويل الذي ستسير عليه الوزارة الجديدة للوصول إلى ذلك الأمل المنشود، ألا وهو الإستقلال الكامل للوطن العزيز.

تحديد أهداف الوزارة الجديدة

ذكرت في الباب الثاني أن وزارتي الأولى في أبريل ١٩٥٤ جاءت على أثر عاصفة دستورية عنيفة، بعد حكم المحكمة الإتحادية العليا بعدم دستورية المرسوم الملكي الذي حل المجلس التشريعي الطرابلسي. وقد أفردت لهذه الأزمة باباً خاصاً في هذا الكتاب.

وما كدنا نحتوي تلك الأزمة الحادّة ونتفق على الخطوط الرئيسية لمعالجتها حتى ظهرت أمامنا الصورة الحقيقية القاتمة للأوضاع السياسية والإقتصادية المتردّية.

وعقدت مع عدد من الزملاء من بينهم الدكتور علي العنيزي، والشيخ عبد الرحمن القلهود، وخليل القلاّل، والدكتور عبد السلام البوصيري، ومصطفي السرّاج عدة اجتماعات خاصة تداولنا فيها الآراء في جلسات عديدة، وتبادلنا وجهات النظر، وناقشنا الخيارات، وبدى لنا بجلاء أن تحقيق الإستقلال السياسي الحقيقي طريق يمر وجوباً بتحقيق الإستقلال الإقتصادي. فليس من المعقول أن تمد دولة يدها إلى غيرها للحصول على عون مالي لتسديد إلتزاماتها الضروية دون أن تنتقص من إستقلالها مهما احتاطت لذلك، وكان أن حددنا أهدافنا المرحلية كما يلي:

أ - التخلص من العجز في الميزانية الليبية باتباع سياسات تقشفية متعددة متناسقة، وبدى لنا أن بلوغ هذا الهدف قد يتطلب سنوات عديدة من العمل الجاد والجهد المضني لضغط مصروفات الدولة وحصرها في الضروريات. كما يتطلب زيادة الدخل سواء بتنشيط الإقتصاد الوطني أو بزيادة ما تحصل عليه ليبيا من الدول الغربية من إيجار للقواعد، وكذلك فتح مجال التنقيب والاستثمار للثروات المعدنية والنفطية.

ب - التخلص من النظام الإتحادي باهظ التكاليف وإحلال نظام وحدوي بسيط محله يناسب ظروف الوطن ويوفر عليه ملايين الجنيهات.

ج - بقاء مقر الحكومة المركزية في إحدى العاصمتين بصفة دائمة وتوفير المبالغ الكبيرة التي كانت تُصرف مرتين كل عام في انتقال الحكومة بين طرابلس وبنغازي فضلاً عن الصعوبات والفوضى والارتباك الذي كان يسببه ذلك الانتقال.

د - إعادة النظر في معاهدة الصداقة والتحالف مع بريطانيا في أول فرصة مواتية

بغرض زيادة المبالغ التي تدفعها بريطانيا لليبيا، وتقليص الوجود العسكري البريطاني بعيداً عن المدن وفي أماكن محدّدة.

هـ - التفاوض مع أمريكا بغية الحصول منها على أكبر قدر من العون الإقتصادي، وتركيز ذلك العون وتوجيهه للتنمية الإقتصادية فقط، علماً بأن هذا يستدعي أن نؤجر قاعدة الملاّحة لأمريكا لمدة قد تصل إلى أكثر من عشر سنوات.

و - أما بخصوص القوات العسكرية الفرنسية في فزّان فقد قررنا بصفة سرية تامة أن نطلب من فرنسا إجلائها عن التراب الليبي، وأن نعلن قرارنا هذا أمام العالم بحيث تواجه فرنسا قراراً ليبياً نهائياً كأمر واقع لا رجوع فيه. على أننا قررنا أن نؤجل إعلان القرار إلى ما بعد الإتفاق مع أمريكا أملاً في أن نحصل من واشنطن على وعد بتأييد مطلب جلاء القوات الفرنسية عن التراب الليبي والوقوف معنا عندما تتأزم الأمور مع فرنسا.

ز - نفض الغبار الذي لحق بسمعة ليبيا في البلاد العربية الشقيقة، حيث أن الأمين العام لجامعة الدول العربية عبد الرحمن عزّام قد قام - مع الأسف - بنشاط كبير لتشويه سمعة ليبيا نكاية في الملك إدريس، لأن قيام الدولة الليبية الجديدة قضى على آمال كثيرة له حيث كان يسعى لأن تُضم ليبيا إلى مصر، على أمل أن يعيّن هو حاكماً عاماً على ليبيا. وكذلك فأن توقيع معاهدة التحالف مع بريطانيا أسيىء فهمه خصوصاً في مصر. فقررنا أن نقوم بشرح حقيقة السياسة الليبية والصعوبات التي تواجهها، أي قررنا العمل بكل نشاط على السير في سياسة عربية قومية وعلاقات تعاون وتفاهم مع الدول العربية - وخصوصاً مصر - وكنا نرى أن وزن ليبيا السياسي يزداد كثيراً كلما اندفعت في سياسة عربية قومية.

ح - كذلك كان من أهدافنا الهامة العناية الكبيرة بالتعليم العام في ليبيا وخصوصاً التعليم الجامعي لمواجهة النقص الهائل في الكفاءات الليبية اللازمة لقيام الدولة الحديثة.

السعي للتخلّص من العجز المالي في ميزانية الدولة الليبية

لقد كنا نواجه حلقة جهنمية متمثلة في عجز مالي نتيجة لضعف الإقتصاد الليبي وقلة الموارد الوطنية من جهة، ولأسباب أخرى مصطنعة افتعلها الغرب لتكريس العجز المالي من جهة أخرى.

وبدا جليّاً أن طريق الإستقلال الكامل يبدأ أساساً من إنهاء العجز المالي عن طريق إنماء إقتصاد الوطن في جميع المجالات، وبالتالي يتمكن الحكم الوطني من استرداد سيادته الكاملة ثم النهوض بالوطن إلى آفاق واسعة في مجالات التعليم، والصحة، والزراعة، والتنقيب عن ثروات الوطن النفطية والمعدنية، ونفض غبار قرون عديدة من التخلف والجهل والفقر والمرض، وبذلك تتحقق مستلزمات نظام ديمرقراطي حقيقي وندرك الركب الحضاري للدول المتقدمة.

ولكن ما هو الدرب الأكيد الذي يوصلنا إلى تحقيق هذا الحلم الوطني الجميل؟ إذا سلّمنا بأن السبب الرئيسي في لجوء الحكومة الليبية إلى استجداء المعونات الغربية من موقع ضعف، ورضوخها بالتالي لتنازلات قد تمس السيادة الوطنية، هو ضعف الإقتصاد الليبي، فإنه من البديهي أن أي خطوة في اتجاه الإستقلال السياسي الكامل إنما تبدأ بادىء ذي بدء من تقوية الإقتصاد الليبي وإنمائه والتخلص من العجز في ميزانية الدولة.

ومن البديهي أن معالجة أي عجز في أية ميزانية مهما كانت يستلزم ما يلي:

- إنقاص المصروفات وضغطها إلى أقل مستوى ممكن.
- تنمية الايـرادات ورفعها إلى أعلى مستوى ممكن إلى أن يتحقق التوازن بين الدخل والإنفاق.

أما في مجال إنقاص المصروفات العامة، فقد كان أمامنا عنصران يسبّبان الجزء الأكبر من التبذير والإسراف في مصروفات الدولة:

العنصر الأول: هو النظام الإتحادي الباهظ التكاليف والتعقيدات القانونية بين

سلطاته المتضاربة. ورأيت أن استبدال ذلك النظام المعقد بنظام وحدوي بسيط يوفر على الخزانة العامة ملايين الجنيهات، ويزيل عن كاهل المسؤولين عبء علاج الكثير من المشاكل القانونية التي لا معنى لها.

العنصر الثاني: فقد كان يكمن فيما جرت عليه العادة - التي كادت تصبح تقليداً دستورياً - في انتقال الحكومة الإتحادية مرة كل ستة أشهر بين العاصمتين طرابلس وبنغازي - ونجحت في نقل الحكومة الإتحادية إلى طرابلس وأبقيتها هناك مدة ثلاث سنوات.

أما في مجال تنمية إيرادات الدولة ورفعها إلى أعلى مستوى، فقد كان أمامنا خطتان متكاملتان:

١- خطة طويلة المدى.

٢- خطة قصيرة المدى.

الخطة الأولى تقوم على تنمية الإقتصاد الليبي في جميع موارده من زراعة وصناعة خفيفة والبحث والتنقيب عن المواد المعدنية - خصوصاً البترولية منها - واستغلال ما يعثر عليه بكفاءة وسرعة، والاعتماد على هذه الموارد الوطنية في تمويل المشروعات العمرانية الهامة والضرورية لرفع مستوى الوطن في مجالات الصحة والتعليم والاسكان والعمران... الخ ولكن هذه الخطة تحتاج إلى أموال كثيرة لتمويل جزء كبير منها في مراحلها الأولى إلى أن تؤتى ثمارها بعد العديد من السنوات، ولم يكن في الإمكان التمويل بالقروض لأن الثروات الوطنية - خصوصاً البترولية والمعدنية - كان وجودها مجهولاً تماماً في ذلك الوقت (فلم يوفق الإيطاليون إبان استعمارهم ليبيا في العثور على أي من تلك الثروات). كما أن القروض لا تعطى إلاّ بضمانات كثيرة أهمها ضمان الانتاج من المشروع المموّل بحيث تضمن المؤسسة القارضة استعادة القرض وفوائده. إذن لابد من إيجاد مصدر آخر لتمويل التنمية للثروات الوطنية في السنوات الأولى على الأقل.

أما بالنسبة للبحث والتنقيب عن المعادن والنفط فقد اتبعنا سياسة جريئة أثمرت ثمارها بسرعة لم تحدث في أي جزء من أجزاء العالم. ولقد شرحت هذا بإسهاب في

الباب الثامن. أما بالنسبة لتنمية الموارد الوطنية الأخرى فقد كان لا مفر أمامنا من إيجاد مصدر جديد لتمويل تلك المشروعات البالغة الأهمية، والتي كنا نأمل أن تكون - بعد تحقيقها - الركيزة الثانية للإقتصاد الليبي. أما هذا المصدر الجديد فهو ما قررنا ان نحاول الحصول عليه كعون إقتصادي من الولايات المتحدة نظير الموافقة على استمرار استعمالها لقاعدة الملاّحة، وهذا بالإضافة إلى ما كنا نحصل عليه من إيجار القواعد العسكرية إلى بريطانيا، يشكل جوهر الخطه قصيرة المدى، أو الخطة العاجلة.

وقد يتساءل القارىء عن الفرق بين هذا وما فعله سابقونا عندما أجرّوا قواعد عسكرية لبريطانيا مقابل عون مالي يسد عجز الميزانية. والسؤال يبدو وجيهاً لأول وهلة من خلال نظرة سطحية، ولكن إذا أمعنا النظر وتعمقنا في البحث لعلمنا أن الإتفاق مع الولايات المتحدة على العون المالي قد حُدّد، بناء على طلبنا بتخصيص كل المساعدات الأمريكية للصرف على التنمية الإقتصادية في ليبيا، ولإعادة بناء المرافق العامة الضرورية، مع التأكيد على ألا يخصص أي جزء من العون الأمريكي لتغطية عجز الميزانية الليبية. وهكذا يتبين الفرق الكبير بين الطريقتين. كذلك فإن مقدار العون الأمريكي بلغ مائة وسبعين مليون دولار في السنوات العشر الأولى من تقديمه أي بمعدل ١٧ مليون دولار للعام الواحدة، وهو أضعاف العون المالي البريطاني حسب معاهدة الصداقة والتحالف. ولكي نضمن بطريقة أكيدة ألا نضطر إلى استخدام أي جزء من العون الأمريكي لتغطية عجز الميزانية فقد ضغطنا بكافة الوسائل (كما سأبيّن فيما بعد) على الحكومة البريطانية لتوافق على إعادة المفاوضات في معاهدة الصداقة والتحالف. وتمكّنا من الحصول على زيادة العون المالي للميزانية وعلى وعد رسمي بتجهيز وتسليح قواتنا المسلّحة على نفقة الحكومة البريطانية.

العلاقات مع الدول العربية وخاصة مصر

في أوائل عام ١٩٥٤ كانت هناك شوائب كثيرة لا تزال عالقة بسمعة ليبيا العربية في أذهان بعض الزعماء العرب، وكان الضباب الكثيف يغلّف اتجاهات السياسة الليبية في

نظر الدول العربية المتحررة - خصوصاً مصر الثورة - مما جعل تلك الدول العربية يسيطر على رؤيتها الليبية الكثير من الشك والتساؤل. ويرجع - في نظري - الجزء الأكبر من ذلك الشعور بالشك والريبة نحو اتجاهات ليبيا للعناصر الآتية:

- كان العداء الدفين بين الملك إدريس والأمين العام لجامعة الدول العربية عبد الرحمن عزّام (الذي ظل أميناً للجامعة منذ إنشائها إلى عام ١٩٥٣) عداءً قديماً يرجع إلى العشرينات من هذا القرن. وبرغم مواقف عبد الرحمن عزام الوطنية الكثيرة، ومساهماته في أعمال عربية مجيدة، إلاّ أن مواقفه من التطورات السياسية في ليبيا لم تكن لوجه الله أو العروبة، بل كانت تسيطر عليها آمال شخصية له في أن يكون له دور رئيسي في قيادة ليبيا ورأى في قيام الزعامة السنوسية قضاء على آماله تلك.

ويقول الدكتور مجيد خضوري عن عبد الرحمن عزّام:

> ويبدو أنه كان يطمح في أن يكون له نفوذ شخصي في تلك البلاد عن طريق حماية الجامعة لها... كانت آراء عزّام الشخصية حول القضيه الليبية قد أصبحت معروفة في المحافل العربية، وقد أثارت جهوده في المجالس الدولية لتأييد مطلب مصر في الوصاية على ليبيا، انتقاد الكثير من الوطنيين في ليبيا.
>
> وأصر عزّام على أن أفضل الحلول هو أن توضع ليبيا تحت وصاية جامعة الدول العربية على ان تتحمل مصر العبء الأكبر بسبب قربها الجغرافي من ليبيا، ولأن مصر تعرف مشكلات تلك البلاد، وقد عبّر عزّام أيضا عن موافقته على توحيد برقة ومنطقة طرابلس، ولكنه قال أنه إذا استحالت وحدة

المنطقتين واستقلالهما، فإنه من المناسب ضم برقة إلى مصر[١٢].

ويكفي القول أن مواقف عزّام وتدخلاته المتواصلة في الشؤون الداخلية الليبية كانت السبب الرئيسي في حدوث الشرخ الكبير بين الزعامات الطرابلسية والبرقاوية عند تكوين الجيش السنوسي في أغسطس ١٩٤٠ حيث لم ينضم إلى ذلك الجيش إلاّ عدد قليل جداً من الطرابلسيين لم يتجاوز الأربعين متطوعاً.

واستمرت تدخلات عزّام في السياسة الليبية في السنوات السابقة لإعلان الإستقلال، وكذلك في فترة تحضير دستور الدولة الجديدة. ولقد تسبب كل هذا في إشاعة الكثير من الشك والحذر في نظرة الدول العربية نحو الدولة الليبية الحديثة. صحيح أن عزّام بذل جهداً كبيراً في محاربة مشروع بيفن سفورزا وهو عمل عربي جليل يسجّل له، إلاّ أنه أفسد هذا العمل بأن قرنه بتأليب الزعامات الطرابلسية على الملك إدريس، وشجّعها على إقامة زعامة منافسة للزعامة السنوسية.

ومن المفارقات العجيبة أن الأمير إدريس عندما توجّه إلى مصر في يناير ١٩٢٣، ودخلها عن طريق واحة سيوه كان عبد الرحمن عزّام بين رفاقه وفي معيّته، فرفضت السلطات المصرية السماح لعزّام بالرجوع إلى مصرلأن إسمه كان مدرجاً في القائمة السوداء باعتباره مصرياً حارب مع الأتراك أثناء الحرب العالمية الأولى، فرفض الأمير إدريس دخول مصر ما لم يكن عزّام برفقته مما جعل السلطات المصرية تتراجع وتسمح له بالعودة إلى وطنه. أما كيف تطورت العلاقة بين الرجلين من صداقة متينة إلى عداء شديد فهذا سرّ لم أتوصل لمعرفة أسبابه.

من ناحية أخرى كان توقيع ليبيا على معاهدة الصداقة والتحالف مع بريطانيا له وقع سيء في كثير من الدول العربية والإسلامية.

وقامت وسائل الإعلام في دول عربية كثيرة بمهاجمة ليبيا ومعاهدتها، وكانت الصحافة

---

(١٢) خدوري، صفحة ١٤١ وما بعدها

والاذاعة المصرية أشدّها عنفاً. ووجّهت إذاعة صوت العرب حملة شعواء مركّزة على الحكومة الليبية، بل دعت الجماهير الليبية للثورة على حكومتها ونقض تلك المعاهدة.

ولكن مع الأسف فإن الحكومة الليبية لم تعالج الأزمة في العلاقات الليبية-العربية بحكمة وموضوعية، كأن تقوم بشرح الظروف الإقتصادية الصعبة التي أرغمتها على قبول المعاهدة البريطانية، وتحاول بوسائل الشرح والإقناع احتواء الأزمة والوصول إلى تفهّم وتفاهم مع الدول العربية، بل – مع الأسف – حاولت أن تعالج الداء بالداء فلجأت إلى تمويل حملة صحفية مأجورة في الصحف البيروتية كلها تهجّم على مصر وصوت العرب ومعارضي معاهدة التحالف البريطانية، واستعانت في عملها هذا بيونس بحري المرتزق الإعلامي العراقي الشهير. ولم يكن للمفوضيه الليبية في القاهرة الاستعداد والكفاءة والخبرة للقيام باتصالات ناجحة شرحاً لوجهة نظر الدولة الليبية وتبديد الشكوك والريبة.

اما المفوضيه المصرية في بنغازي فلم توجّه نشاطها لتفهم الظروف الليبية الحرجة وشرحها للقاهرة، بل على العكس - ركّزت نشاطها لبث الدعايات المناوئة للحكومة الليبية ونقلت للقاهرة صورة مشوهة مبالغة عن الأوضاع في ليبيا، بل قامت بأعمال تعد تدخلاً سافراً في الشؤون الليبية الداخلية.

وكانت مصر عام ١٩٥٤ هي قلب العروبة النابض ولسانها المعبّر عن آمال العرب وتطلّعاتهم البعيدة، وكان التفاهم مع مصر هو حجر الزاوية والمدخل الرئيسي للتفاهم مع أغلب الدول العربية، ولذلك قررت أن أزور الأسد في عرينه وأن أدخل الحصن من بابه الرئيسي فأبرقت إلى الرئيس جمال عبد الناصر عن طريق سفارتنا بالقاهرة معبّراً عن رغبتي الاجتماع به.

اجتماعات عديدة وتنسيق مع الرئيس جمال عبد الناصر

ما كاد سفيرنا في القاهرة إبراهيم أحمد الشريف ينقل إلى الرئيس جمال عبد الناصر رغبتي في زيارته حتى أسرع ووجّه لي دعوة حارّة. وتلقيت دعوته أثناء زيارتي للعاصمة

التركية أنقره في يونيو ١٩٥٤، فتوجّهت منها إلى القاهرة، وعقدت معه اجتماعاً طويلاً شاملاً أرسينا فيه قواعد صداقة حميمة وتفاهم صادق بيننا، وتعاون وثيق بين مصر وليبيا دام لسنوات عديدة. ولما لهذا الاجتماع من أهمية تاريخية فإني أورد هنا ما أتذكره عنه تفصيلاً:

قلت للرئيس جمال عبد الناصر: إنك يا أخ جمال جديد في السياسة وقد لا تحسن مناوراتها... وبدت على وجهه دهشة سرعان ما حلّ محلّها انفراج وابتسام عندما مضيت في حديثي قائلاً: بل أنني أقل منك خبرة وأحدث منك عهداً في السياسة ولا خبرة لي بمناوراتها ومسالكها، ولذلك فإنني أقترح أن ننتهج طريق الصراحة التامة، ونفرغ ما في قلوبنا بكل صدق وإخلاص، ويتفهم كل منّا مشاعر ومشاكل الآخر حتى نرسي قاعدة صلبة نبني عليها تعاوناً مثمراً لبلدينا.

ووافق الرئيس عبد الناصر بترحيبٍ على هذا المنطلق، ثم استمريت في حديثي قائلاً: لست أنا الليبي الوحيد الذي يعتبر مصر وطنه الثاني. إن عدد المصريين الذين ينحدرون من آباء وأجداد ليبيين هاجروا لمصر في القرن الماضي فقط يزيد على ثلاثة ملايين مواطن وأواصر النسب والقرابة والدين واللغة والجيرة لا تحتاج لأي شرح. إننا يا أخ جمال شعب واحد يعيش في قطرين متجاورين، لذلك فإنني أشعر أن الواجب القومي يحتّم عليك وعليّ أن نقيم علاقات بلدينا على أفضل أسس من الصراحة التامة والأخوّة العربية الإسلامية، ونبني صرح تلك العلاقات بالتعاون المثمر والتفاهم الصادق والتنسيق التام لنواجه الأحداث المحيطة بمنطقتنا ونحقق لشعبينا الأمن والاستقرار والتقدم.

وكان الرئيس جمال ينصت باهتمام وعلّق على كلامي قائلاً أنه يوافقني تماماً على كل ما ذكرت مع تحفظ واحد هو مسألة الثلاثة ملايين مصري من أصل ليبي. وقال ضاحكاً: آمل ألا تطالبني بإعادتهم إلى ليبيا. ثم استمرّ الرئيس عبد الناصر مؤكداً رغبته الصادقة في إقامة أوثق علاقات الصداقة مع ليبيا ومع الملك إدريس الذي يكنّ له كل احترام ومودّة، ومعي شخصياً لما سمعه عني. واستمر قائلاً: أودّ أولاً أن أزيل أي سوء تفاهم في العلاقات بين بلدينا ولذلك فإنني أرجوك يا أخ مصطفى أن تصارحني إذا

كان لديك ما يدعو للشكوى أو لمجرد جلب الانتباه. قلت: أما وقد شجعتني فإن لدي سؤال وهو أنني برغم اطمئناني لصدق رغبتكم في إقامة تفاهم تام وصداقة متينة بين بلدينا فإنني لا أفهم الهدف من أعمال كثيرة تقوم بها سفارتكم في بنغازي. مثلاً، محاولة توجيه قضاة المحكمة العليا المصريين والإيحاء لهم باتخاذ مواقف خاصة ضارة بالاستقرار في ليبيا، إن لدينا الدليل على هذا. فقاطعني الرئيس عبد الناصر قائلاً: سمعت بما ذكرت وعلى أية حال لقد قررت إبدال السفير المصري. فقلت: المهم هو من سيخلفه، وهل سيسير حسب توجيهاتكم، وفي نطاق التفاهم الذي نتحدث الآن عنه؟ فأطرق ملياً ثم قال: سأرشح لكم شخصاً أثق به كثيراً وأعتز بصداقته، كان أستاذي في كلية أركان الحرب وكان قائداً للمدفعية في حرب فلسطين، وهو رجل مستقيم وعلى قدر عالٍ من الأخلاق الكريمة وهو اللواء أحمد حسن الفقي. قلت على الفور: وحيث أنه موضع ثقتكم، فإنني أقبله على الفور، طبعاً بعد الموافقة الشكلية من الملك. (وبالفعل أثبتت الأيام أن اللواء – فيما بعد الفريق – أحمد حسن الفقي كان خير من مثّل مصر في ليبيا خصوصاً أيام الاعتداء الثلاثي على مصر وما تبعه من أزمات سياسية حادّة بين مصر وليبيا كان سببها طيش وحماقة الملحق العسكري المصري)، ثم أردف قائلاً: لست أنت وحدك الذي يعاني من القضاة، أنا كذلك أعاني منهم الأمرين ولو تركت لهم الحبل على الغارب لأقاموا الفوضى في البلاد. وتعمّدت تجنّب سؤاله ولكنني شعرت بأنه يعني الدكتور عبد الرزاق السنهوري.

ثم انتقلت إلى الموضوع الرئيسي واستعرضت بإيجاز الظروف الإقتصادية الصعبة التي نواجهها في ليبيا واضطرار حكومة المنتصر عقد معاهدة صداقة وتحالف مع بريطانيا لنحصل منها على ما يسد عجز الميزانية الليبية، وقلت: برغم إنني من دعاة التعاون الوثيق مع دول الغرب لغرض تطوير إقتصادنا ودفعه إلى التوازن واللحاق بموكب التقدم، إلاّ أنني أرى أن الاعتماد على دولة أجنبية لتسديد عجز ميزانيتنا عمل قصير النظر خطير العواقب لأنه يؤدي بالتأكيد إلى تبعية تكاد تكون دائمة، ولقد رأينا – زملائي وأنا – ان نتّبع سياسة تهدف إلى تنمية مواردنا الوطنية وتطويرها بحيث يقف إقتصادنا

الوطني على رجليه في مستقبل قريب، عند ذلك نراجع ارتباطاتنا الدولية ونتخلص من كل التنازلات التي اضطرتنا ظروفنا الإقتصادية السيئة إلى قبولها. ولكن لكي نصل إلى هذا الهدف، لا بدّ لنا من عدة سنوات من العمل الجاد الصبور وقبول بعض الدواء المر... لذلك فقد قررنا البدء في مفاوضات مع الولايات المتحدة الأمريكية بغية الإتفاق معها على تأجير قاعدة الملاّحة لمدة عشر سنوات أو خمس عشرة عام والحصول منها على أكبر قدر من المساعدات الإقتصادية. وشرحت أن قاعدة الملاّحة تستعمل من قبل سلاح الطيران الأمريكي منذ ما يقارب العشر سنوات، وليست لدينا لا القوة العسكرية ولا السياسية لإخراجهم، إذن فلنستغل فرصة بقائهم فيها ونأخذ منهم أعلى مقدار من الإيجار والمساعدات الاضافية، ونوظّفها في تنمية إقتصاد وطننا وتطوير مواردنا.

وكان الرئيس جمال ينصت باهتمام لكلامي ثم قال: إنني أفهم ظروفكم الصعبة تمام الفهم وأوافقكم على ما شرحتم من سياسة، بل إني أشجّعكم على ربط صداقة قوية مع الولايات المتحدة فهي دولة غنية يمكنها أن تساعدكم، وليست لها سياسة استعمارية مثل انجلترا وفرنسا، بل أكثر من ذلك فإنني أشجّعك على ذلك فقد تساعدوننا بصداقتكم معها على الضغط على بريطانيا للإتفاق معنا على إجلاء قواتها عن مصر. وعندما ابتسمت مظهراً دهشتي، قال: إنني أعني ما قلت. فأجبت: أي، قد يوجد في النهر ما لا يوجد في البحر.

ثم استمر الرئيس جمال في شرح مشاكله مع بريطانيا وتعنّتها وتمسّكها بمواقفها الإستعمارية القديمة ذاكراً أن أمريكا تتفهم موقف مصر وتعطف عليها وتحاول الضغط الودّي على بريطانيا لإجلاء قواتها مقابل إيجاد نوع من التنظيم الدفاعي عن الشرق الأوسط، ولكنها تُصرّ على تنظيم الدفاع عن الشرق الأوسط ضد الشيوعية كبديل لبقاء القوات البريطانية في مصر، وهي كذلك تراعي مصالحها الكثيرة مع بريطانيا ولا ترغب تأييد مصر إلى درجة إغضاب حليفتها. ثم قال: إنني أعني ما أقول عندما أؤكد أن صداقة قوية بين أمريكا وليبيا ستساعدنا على تشجيع أمريكا في ضغطها على بريطانيا، مثلما شجعت العلاقات القوية بين المملكة السعودية وأمريكا على جعل السعوديين

ينجحون في حث أمريكا في اتجاه تأييد مصر.

ثم انتقل الكلام إلى الشمال الإفريقي وعلاقتنا مع فرنسا، فأكدت للرئيس عبد الناصر أننا لن نوقّع مع فرنسا أي إتفاق إلا إتفاق إجلاء قواتها عن فزّان، ولكنني رجوته أن يحتفظ بهذا السر لعدة أشهر إلى أن نجد الظروف المناسبة لإعلانه. وذكرت له أنني سأحتاج حتماً إلى عونه عندما تتأزم الأمور مع فرنسا. فأكد لي أنه سيضع كل إمكانياته تحت تصرفنا.

وذكرت للرئيس ملخصاً لما دار بين القيادة التركية وبيني، في زيارتي الأخيرة لأنقرة، وأظهرت له تقديري العظيم لما لقيته من الزعماء الأتراك من مساعدة ورعاية وتفهم، وشرحت له بأنهم وعدوا ببذل قصارى جهودهم لدى الرئيس أيزنهاور لكي يتبنّى مساعدة ليبيا إقتصادياً وسياسياً. ثم قلت: أنني عرّجت في حديثي مع الزعماء الأتراك إلى مشكلة الشرق الأوسط، وأنني نظراً للعلاقات الودية القديمة بين تركيا وليبيا (علاقات بدأت بين الخلافة في اسطنبول والسيد أحمد الشريف السنوسي منذ ١٩١٥) فقد سمحت لنفسي بأن أكون صريحاً معهم، وعاتبتهم على كونهم الدولة الإسلامية الوحيدة التي تعترف بإسرائيل وتتعاون معها، وكان في ردّهم نوع من الندم وبعض العتاب من أن دولاً عربية كثيرة تتعاون مع أعداء تركيا. وقد دعوت رئيس الوزراء التركي عدنان مندريس لزيارة ليبيا ليجتمع بكم، إذا وافقتم أنتم على ذلك، واذا وافقتم على قبول وساطة من أختكم الصغيرة ليبيا، فتجتمع يا أخ جمال مع رئيس وزراء تركيا في ليبيا وتكون فرصة للمصارحة والمكاشفة مع الأتراك بنفس الطريقة التي اتبعناها اليوم.

وذكرت له أن مندريس رجل دولة ممتاز، وعلى درجة عالية من الذكاء والخبرة، وشعرت بأن له رغبة أكيدة في تحسين علاقاته مع الدول العربية عموماً ومع مصر بنوع خاص، وأضفت أنه يمكن بسهولة التأثير على عاطفته الإسلامية وتحويل نشاطه للتعاون معنا. وتردّد الرئيس عبد الناصر قليلاً، ويبدو أنه فوجئ باقتراحي، ولكنه – وبعد صمت قليل – أبدى موافقته المبدئية طالباً أن نبحث الموضوع بتعمق أكثر في مقابلتنا المقبلة.

وغادرت القاهرة إلى ليبيا يسيطر علي شعور أكيد بالنجاح في إرساء قواعد تفاهم

عميق مع الرئيس جمال عبد الناصر. وفتح صفحة جديدة في علاقات أخوية بين ليبيا ومصر بالإضافة إلى صداقة شخصية بينه وبيني.

وفي أواخر أغسطس ١٩٥٤ زارني عضو مجلس قيادة الثورة المصري قائد الجناح حسن إبراهيم واستضفته لعدة أيام بمسكني في الجبل الأخضر، وانتهزت الفرصة وأطلعته بصفة سرية على صورة لمشروع اتفاقية تأجير قاعدة الملاّحة للحكومة الأمريكية، وكنا قد فرغنا من الإتفاق عليها مع الأمريكان في تلك الأيام ونستعد لتقديمها لمجلس الأمة لمناقشتها وإقرارها. وتركت حسن إبراهيم يدرس مشروع الإتفاقية بإمعان ثم سألته هل يرى فيها ما يمسّ مصالح مصر أو ما يهدد أمنها. ولما أجاب بالنفي رجوته إعلام الرئيس عبد الناصر بمحتويات الإتفاقية وأضفت أنني أتمنى أن تمسك أجهزة الإعلام المصرية عن مهاجمة تلك الإتفاقية عند نشرها. وهذا ما حدث فعلاً، فقد التزمت أجهزة الإعلام المصرية بموقف محايد معتدل، ولم تُهاجم الإتفاقية الليبية–الأمريكية لا في الصحافة ولا في صوت العرب كما حدث لمعاهدة التحالف مع بريطانيا عام ١٩٥٣.

وفي أواخر شهر اكتوبر قمت بزيارة ثانية للرئيس عبد الناصر – بناءً على دعوة منه – وكان الموضوع الرئيسي هو الإتفاق على عمل عربي سرّي، ألا وهو إيصال الأسلحة والعتاد الحربي لثوار الجزائر، وكما قال لي يومئذٍ فإنه كان قد اتفق مع الملك سعود والأمير فيصل على أن يموّلا صفقات السلاح والعتاد الحربي للثورة الجزائرية، ويقوم العسكريون المصريون بشراءه ويوصلونه إلى الحدود الليبية، وتقوم الحكومة الليبية بنقله إلى الحدود الليبية الغربية وتسليمه للثوار الجزائريين. وعرّفني على الاخ أحمد بن بيلاّ الذي كان يمثل الثوّار خارج الجزائر. وبرغم المخاطر العظيمة التي كانت تحيط بذلك العمل الوطني فقد قمنا بواجبنا خير قيام.

وما كدت أرجع إلى ليبيا حتى انفرجت أزمة حادة بيننا وبين فرنسا عندما طالبناها بإخلاء قواتها عن فزّان واتصلت بعبد الناصر للتنسيق معه لدعم جهودنا ضد الضغوط الفرنسية (وسيأتي تفصيل ذلك في الباب السابع).

وفي أوائل عام ١٩٥٥ انفرجت أزمة حلف بغداد بين القاهرة وبغداد، وعقد مجلس

الجامعة العربية العديد من الإجتماعات لبحث تلك الأزمة الحادة التي هزّت الجامعة العربية وكادت تصيبها بالشلل. وكانت الوفود العربية ممثلة برؤساء وزارات الدول العربية، وقامت ليبيا بدور متواضع في تهدئة الخواطر واحتواء الأزمة، وبرغم العلاقة الممتازة القديمة بين الملك إدريس وحكام العراق فإن الموقف الليبي كان أقرب كثيراً لوجهة النظر المصرية.

وفي هذه الاجتماعات المهمة تهيّأت لي فرصة ذهبية تعرفت فيها على كثير من الزعماء العرب، وانتهزت المناسبة وربطت علاقات ودية وتفاهم مع أغلب الرؤساء وكنت أشعر بأن الرئيس عبد الناصر – الذي كان يشارك في أعمال مجلس الجامعة العربية باعتباره رئيساً لوزراء مصر في ذلك الوقت - يشجع الدول العربية على التفاهم معنا. ومن أهم الشخصيات العربية التي حظيت بالتعرف عليها وإقامة تفاهم وتعاون معها الأمير فيصل بن عبد العزيز ولى عهد المملكة العربية السعودية، وقد أعجبت كثيراً بوقاره وحكمته ونبل مواقفه، وبرغم علاقته المتينة بعبد الرحمن عزّام وبشير السعداوي (وكان الأخير قد أخرج من ليبيا منذ عام ١٩٥٢) فإن الأمير فيصل تخطّى الماضي وفتح عقله وقلبه واستمع لشرحي لظروف ليبيا، وتفهّم موقفنا وبدأ بين المملكة السعودية وليبيا عهد تفاهم متين.

كذلك التقيت بفارس الخوري رئيس وزراء سوريا وأعجبت بغزارة عمله القانوني وبُعد نظره وعروبته الصادقة، وأذكر أنه جمعتني وقفة معه ومع الرئيس عبد الناصر الذي كان ينحني بقامته الفارعة لينصت لآراء ونصائح فارس الخوري (قصير القامة) في احترام عظيم، وكان فارس يخاطب الرئيس عبد الناصر (يا إبني يا جمال... كذا... كذا...)، وكان الرئيس عبد الناصر يعامله بوقار واحترام شديدين.

وطبعاً فإن جلسات قليلة مع فارس الخوري ووزير خارجيته بدّدت الغيوم والشكوك التي كانت جاثمة على العلاقات الليبية-السورية. أما علاقات ليبيا مع العراق فقد كانت تجتاز مرحلة دقيقة لا تخلو من بعض الغرابة، فبينما كانت علاقة رجال الحكم في العراق (الملك فيصل الثاني والوصي على العرش ونوري السعيد) علاقة ودية ممتازة مع الملك

إدريس إلى درجة أن السفارات العراقية كانت تمثل ليبيا في دول كثيرة، وأن قائد الجيش الليبي كان ضابطاً عراقياً كبيراً، فإن العلاقة بين حكام العراق والحكومة الليبية، ومعي بصفة شخصية كانت علاقة فاترة يسودها الشك والحذر. وما ذلك إلاّ لأن نوري السعيد كان يعتقد أنني مُوالٍ للرئيس جمال عبد الناصر أو على الأقل أسير في فلك حكومة الثورة المصرية وأتعاون معها ضد العراق.

وفي أواخر عام ١٩٥٥ عقدنا، الرئيس جمال عبد الناصر وأنا، العديد من الاجتماعات في القاهرة والإسكندرية ونسّقنا في تلك الاجتماعات سياساتنا تجاه الدول الغربية، وقمت ببعض المساعي لتقريب وجهات النظر بينه وبين الحكومة البريطانية (استجابة لرجاء من سلوين لويد (Selwyn Lloyd) وزير خارجية بريطانيا. واتفقنا كذلك على كثير من المناورات أهمها قصة مناورة السلاح المصري للجيش الليبي. كما نسّقت معه خطة سرية لتبادل التمثيل الدبلوماسي مع الإتحاد السوفييتي (حيث جرت المفاوضات السرية مع السفارة الروسية بالقاهرة). وبعبارة موجزة فقد أقمنا تنسيقاً تاماً لسياسات مصر وليبيا، وتفاهماً وتعاوناً تامّاً بينهما، وكان لهذا العمل الوطني آثاره الواضحة، فكلما زاد التقارب بين مصر وليبيا، كلما زادت بريطانيا من أعمالها السرية ضدّي شخصياً، ولكن في نفس الوقت فإن وزن ليبيا وأهميتها في نظر الدول الغربية ازداد كثيراً وجعلها تعمل بكل نشاط واهتمام لكي لا تفقد مركزها الإستراتيجي في ليبيا.

واذكر للرئيس جمال مأثرة طيّبة، فقد جئته اوائل عام ١٩٥٥ وكنت أحاول تأسيس أول جامعة ليبية، وقدمت له كشفاً يحتوي على أسماء ستة من خيرة أساتذة كلية الآداب في جامعة القاهرة (وكان مستشاري للشؤون التعليمية فريد ابو حديد هو الذي اختار الأسماء). وقلت للرئيس أود أن يُنتدب هؤلاء الاساتذة الستة للعمل في أول كلية آداب وتربية في ليبيا، فوعد أن يتحدث مع رئيس الجامعة المصرية ويبلغني في الغد، وعندما قابلته في الغد، قال لي ضاحكاً: هل تريد انهيار الجامعة المصرية؟ إن هؤلاء الاساتذة الستة هم الأعمدة الرئيسية التي تقوم عليها كلية الآداب المصرية. أستطيع أن أعطيك واحداً أو اثنين منهم ولكن... فقاطعته قائلاً: إنني لا أريد انهيار الجامعة المصرية التي

تخرجت منها منذ عشر سنوات، ولكن أريد أن أبني الجامعة الليبية ولديك في مصر عدد كبير ممن يحلّ محل هؤلاء الستة، وليس لدي أحد يقوم بعملهم. فأطرق مليّاً وقال: وليكن ما يكون سأنتدبهم للعمل لمدة سنتين في الجامعة الليبية.

وكان أولئك الستة خير أساتذة أسسوا كلية الآداب الليبية، وكانت مرتباتهم على نفقة الحكومة المصرية.

وبعبارة موجزة فإن سياسة الوزارة الجديدة ونهجها العربي الوطني المتمثل في نفض الجمود الذي كان مسيطراً على علاقات ليبيا مع الدول العربية وإبداله بسياسة انفتاح وتعاون وتفاهم مع جميع العرب وخصوصاً مصر، واتخاذ الوزارة الجديدة لمواقف وطنية عربية مستقلة عن النفوذ الغربي (بل وفي بعض الاحيان مناوئة له)، كان له رد فعل سلبي لدى الطبقة الإستعمارية المخضرمة التي كانت تعشعش في وزارة الخارجية بلندن، وفي السفارة البريطانية في طرابلس، فصوّروا السياسة الليبية الجديدة على أنها خضوعاً تاماً لنفوذ عبد الناصر، ودوراناً في الفلك المصري، وقبولاً بانتشار النفوذ المصري المعادي لبريطانيا في أرجاء ليبيا. وقاموا بنشر هذه الصورة الملفقة مقرونة بدعاية خبيثة في الدوائر الحساسة في الديوان الملكي والولايات، وبين السياسيين الليبيين المتعاونين معهم، وفي كثير من اتصالاتهم بالملك إدريس. ففي رسالة بعث بها سير أليك كيركبرايد بالسفارة البريطانية في ليبيا إلى وزارة خارجيته يقول:

> أما بالنسبة لتقييمي الشخصي فإن مصطفى بن حليم قد يحمل فعلاً ميولاً عاطفية تجاه مصر بحكم خلفيته وطفولته، وإضافة إلى ذلك فقد أشيع أنه يقوم بتكديس كمية من الأموال في مصر حصل عليها في برقة بوسائل غير معروفة، كما اطّلعت على تقارير تفيد ان المصريين أودعوا أموالاً لحسابه في أحد البنوك المصرية... ان تصرفاته تنمّ عن حرص للتوفيق بين ميوله نحو مصر وسياسة الملك إدريس الذي لا يمكن اعتباره موالياً لمصر، مع تفادي الإساءة إلى تلك الدولة. لا أعتقد أن بن حليم يحمل أي عاطفة خاصة تجاهنا أو تجاه أي

قوة غربية أخرى، ولكنه، لا يرغب إلاّ أن يكون في الجانب المنتصر.(١٣)

وحاول الإنجليز بحذر وذكاء بث الشك في ولاء الحكومة، وولائي الشخصي نحو ليبيا ونحو الملك. ولو أنني كنت أحظى بقدر كبير من ثقة الملك وتقديره إلاّ أن تكرار الدس بدأ يسبب لي نوعاً من الصعوبات والحساسية في علاقاتي به، وتكرّرت توجيهاته لي باتباع سياسة تراعي مصالح ليبيا الحقيقية وتحذيراته من انتشار النفوذ المصري.

وفي ربيع ١٩٥٦ وقعت حادثة دبلوماسية تمّ احتواؤها بسرعة. فقد طلب السفير المصري مقابلة الملك لإبلاغه رسالة شخصية من الرئيس عبد الناصر وكانت تتلخص في سؤال محدد: ما هو موقف ليبيا إذا ما تأزّمت علاقات مصر مع بريطانيا وحاولت الأخيرة الهجوم على مصر مستعملة قواتها وقواعدها في ليبيا؟ وفوجئ الملك بدقة السؤال وحساسيته، لما قد يحمله من معنى الإتهام أو الشك في سياسة الملك ووطنيته، واستاء كثيراً من صيغة السؤال والكيفية التي طُرح بها، وخانته لباقته المعتادة وكان ردّه حاداً جافاً اذ قال للسفير: ليست لدينا أية قوة يمكنها إيقاف بريطانيا ومنعها من القيام بأي عمل مسلّح. وتكهرب الجو فتدخّلت بسرعة وقلت للسفير: إنك لم توضح سؤالك، فقد فهم مولانا الملك أنك تسأل عن القوة التي ستستعملها ليبيا في ردع بريطانيا إذا ما حاولت الإعتداء على مصر، فلذلك كان رد مولانا الملك بأن ليس لدى ليبيا قوة تمكنها بأن تقف أمام بريطانيا. غير أنه مما لا شك فيه أن ليبيا لن تسمح لبريطانيا باستعمال قواعدها في ليبيا ضد مصر لأن معاهدة التحالف لا تسمح لها بذلك. ولدى ليبيا الوسائل الكثيرة الكفيلة بمنع بريطانيا من استعمال قواتها ضد مصر. وعلى أية حال فإن مجال دراسة هذه المواضيع والاحتمالات هو وزارة الخارجية الليبية، وانتهى الاجتماع بسلام.

وعندما انفردت بالسفير عاتبته على مواجهة الملك بذلك الموضوع الحسّاس قبل أن يبحثه معي، بل أنه تعمّد كتمانه عني. فرد السفير بأنها تعليمات الرئيس عبد الناصر نفّذها حرفياً.

---

(١٣) راجع الملحق رقم ٢

وفي أول مقابلة مع الرئيس عبد الناصر بعد هذا الحادث الدبلوماسي أثرت الموضوع وعاتبته، فانفجر ضاحكاً وقال: لقد كنت على شك أن الملك يوافق على سياستك العربية ويبارك التقارب مع مصر ولما بدأت الأمور تتأزم مع بريطانيا رغبت أن أقطع الشك باليقين وأعرف وجهة نظر الملك شخصياً وموقفه في حالة اعتداء بريطانيا على مصر.

وذكرت للرئيس عبد الناصر أن الملك إدريس لا يقبل إطلاقاً أن يلحق بمصر أي أذى وبنوع خاص أن يقع عليها الأذى من قواعد أجنبية قائمة على التراب الليبي، وفي نفس الوقت فهو شديد الحرص على إستقلال ليبيا، ويشعر شعوراً قوياً بأنه مسؤول عن المحافظة على ذلك الإستقلال الذي دفع الشعب الليبي ثمناً فادحاً له، ولذلك فهو لا يرغب أن يغامر بذلك الإستقلال ويعرضه لمواجهة عسكرية مع بريطانيا. وأضفت أن الملك إدريس يعتقد اعتقاداً جازماً أن بريطانيا وراء أغلب المؤامرات السياسية التي تقع في عالمنا العربي وهي لا تتورّع عن الغدر ونقض العهود كما فعلت مع شريف مكة، لذلك فإن الملك إدريس يحاول دائماً أن يتجنب المواجهة معها. ومهما يكن من أمر فإن الحكومة الليبية هي التي تحدّد سياسة الدولة وتنفذها، طبعاً بموافقة الملك، وتأكد يا أخ جمال أن الحكومة الليبية التي أرأسها لن تقبل بأي حال، ولأي أسباب، السماح لأي قوة بالهجوم على مصر من قواعد لها في ليبيا.

واستمرت علاقاتنا العربية تزداد قوة وتنسيقاً سواء مع الدول العربية خلال اجتماعاتنا مع رؤساء الحكومات في مجالس الجامعة العربية أو مع الحكومة المصرية وبصفة خاصة من خلال اتصالاتي المباشرة مع الرئيس جمال شخصياً.

وفي يونيو ١٩٥٦ وأثناء زيارتي الرسمية للندن واجتماعاتي الكثيرة مع رئيس الوزراء أنتوني إيدن ووزير الخارجية «سلوين لويد جرت مناقشات هامة بخصوص مصر والرئيس عبد الناصر قمت فيها بشرح وجهة نظر الرئيس ونفيت عنه الكثير من الشائعات، وحاولت التلطيف من التوتر الذي كان يسود العلاقات المصرية البريطانية، وأرسلت ملخّصاً لتلك الاجتماعات إلى الرئيس عبد الناصر. وقد شرحت ما دار في هذه الاجتماعات بإسهاب في الجزء الخاص بعلاقات ليبيا مع بريطانيا.

ثم بدأت الغيوم تتراكم في جوّ الشرق الأوسط السياسي بعدما تراجعت أمريكا وبريطانيا وسحبتا عرضهما بتمويل مشروع السد العالي الشهير، وليس هنا مجال الحديث عن خلفيات تلك الأزمة الشهيرة التي دفعت الرئيس عبد الناصر إلى اتخاذ خطوته الجريئة بتأميم قناة السويس.

تأميم قناة السويس وأزمة على الأبواب

كنت أستمع لخطاب الرئيس عبد الناصر من جهاز راديو صغير في حديقة منزلي بطرابلس، وعندما وصل في خطابه إلى ذكر قراره بتأميم القناة، وانتابني شعور غريب هو مزيج من الخوف والإشفاق على مصر واعتزاز وإعجاب بجرأة القرار. واستدعيت وكيل وزارة الخارجية على الفور وأمليته برقية موجهة إلى الرئيس عبد الناصر تعبّر عن تأييد ليبيا التام وتهنئته على خطوته الشجاعة. كما احتوت برقيتي تعريضاً صريحاً بالدول الغربية التي تحاول فرض سياستها على الشعوب المحتاجة لمساعدتها وقروضها، وتعاقبها بحبس تلك المعونة والقروض إن أظهرت إستقلالاً في مواقفها. وأمرت وكيل الخارجية بنشر برقيتي وإذاعتها وتوزيعها على جميع وكالات الأنباء. وأعترف أنني لم أستشر أحداً من زملائي في هذا الأمر وأن برقيتي كانت عنيفة وتحتوي على تحدّ صريح للدول الغربية.

ولم يمضِ إلاّ يوم واحد وإذ بالملك إدريس يرسل لي برقية شفرية كلها لوم شديد على تسرّعي في تأييد تأميم القناة، وتجاهلي بحث هذا الموضوع الخطير معه وتحذيري من العواقب الوخيمة التي يجرّها عملي هذا على مصالح ليبيا، وأمراً قاطعاً لي بالامتناع عن الإدلاء بأي تصريح أو تعليق حول هذا الموضوع. وكانت البرقية تحتوي على ألفاظ لم أتعوّدها من الملك، ولهجة شديدة شعرت أنها تمسّ كرامتي وتعبّر عن عدم الثقة في شخصي. فكتبت استقالتي وطرت إلى طبرق واجتمعت بالملك وذكرت له بعبارات صريحة أنني لا أقبل هذه المعاملة وأشعر بأن ثقته فيّ قد تلاشت، ولذلك فإنني أقدم استقالتي. واستغرب الملك من موقفي وسأل أليس من حقه أن يصحّح مسار وزارته إن رآها تحيد عن

طريق الصواب؟ ولفت نظري لما يسبّبه تأييدي العلني لمصر من أثر ضار على علاقاتنا بدول الغرب خصوصاً أن تأميم القناة سيشعل أزمة دولية عالمية لا ناقة لنا فيها ولا جمل، وأنه يودّ أن أستمر في منصبي بشرط ألا أتخذ أية خطوة هامة إلاّ بعد التشاور معه.

وخرجت من اجتماعي مع الملك دون أي إتفاق، فلا أنا قبلت أن تقيّد يداي في رسم سياسة الحكومة، ولا هو قبل أن تسير حكومته في سياسة يخشى من مخاطرها على إستقلال البلاد دون الرجوع إليه جملةً وتفصيلاً.

ولدى خروجي من مكتب الملك كان ناظر الخاصّة الملكية البوصيري الشلحي ينتظرني فانفجرت فيه وصببت جام غضبي عليه وقلت كلاماً كثيراً أسفت فيما بعد على صدوره مني، وحاول أن يثنيني عن استقالتي، فقلت له: لم أعد أرغب أن أبقى رئيساً لوزارة لا تملك أن تمارس صلاحياتها التي خوّلها لها الدستور. فتحمّلني بحلم لم يكن معروفاً عنه ودخل إلى مكتب الملك وبقى لديه فترة قصيرة، ثم جاءني وأرجعني إلى غرفة الملك. ولا أدري أي سحر استعمله البوصيري، فقد وجدت الملك في غاية المجاملة، وطيّب خاطري وأكّد ثقته فيّ وحاول رفع معنوياتي، وشرح أنه لا يودّ أن يعرّض إستقلال الوطن للمؤامرات الغربية، وأنه يخشى مؤامرات بريطانيا، وأنه حريص على سلامة مصر حرصه على سلامة ليبيا، ولكنه يخشى من المغامرات الدولية... الخ. على أي حال، استرجعت استقالتي وأكدت للملك أن حرصي على استقلال الوطن واستقراره لا حدود له، وأكدت له أن تأييدنا لمصر يزيد مركزنا الدولي قوة ويظهرنا أمام شعبنا بمظهر الحكومة الوطنية المتجاوبة مع رغبات الجماهير العربية... وقلت له: أرجو يا مولاي ألا تستمع لدسّ الإنجليز وأؤكد لك أننا لن نتعرّض لأذاهم طالما وقفنا صفاً واحداً.

وخرجت من لدى الملك يخالجني شعور بأن التفاهم معه لم يكن بالعمق والشمول الذي تتطلبه معالجة الأزمة الدولية التي أصبحت على الأبواب.

إتفاقية تأجير قاعدة الملاّحة للولايات المتحدة الأمريكية

منذ عهد الوزارة الليبية الأولى بدأت المفاوضات بين ليبيا وأمريكا واستمرت في عهد

وزارة الساقزلي حيث كنت عضواً في الوفد المفاوض. وتعثرت المفاوضات أمام عقبتين اثنتين:

- مدى خضوع أفراد القوات الأمريكية للقوانين الليبية.
- قيمة إيجار القاعدة.

فقد كانت الولايات المتحدة تصرّ على ألا يخضع أفراد قواتها لأي قانون ليبي (إسوة بوضعهم في القواعد الأمريكية في دول أخرى مثل اسبانيا والفيلبين وألمانيا الغربية). أما قيمة الإيجار فقد أصرّت الولايات المتحدة على دفع إيجار اسمي مقداره مليون دولار فقط في العام.

وأمام رفض المفاوض الليبي لهذا الإيجار التافه كان الأمريكيون ينصحون بالاعتماد على حسن نوايا الكونجرس الذي يرفض دفع إيجار لقواعد أمريكية تدافع بها أمريكا عن العالم الحر. ولكن الكونجرس، كما كانوا يؤكدون، مستعد لتقديم العون المادي للدول الصديقة النامية بسخاء لتطوير إقتصادها ورفع مستوى شعوبها.

وكما ذكرت سابقاً فإن الولايات المتحدة كانت تستعمل قاعدة الملاّحة منذ عام ١٩٤٤ بناءً على إتفاق مع بريطانيا التي كانت تحتل ليبيا وتحكمها بإدارة عسكرية. وعشية إعلان الإستقلال وقّعت الحكومة الليبية الأولى إتفاقية تجدد سنوياً مع الولايات المتحدة تسمح للأخيرة باستعمال قاعدة الملاّحة إلى أن تحلّ محل الإتفاقية المؤقتة هذه معاهدة يوافق عليها البرلمان الليبي وتنظم استعمال القوات الأمريكية للقاعدة.

وفي مايو ١٩٥٤ بدأت المفاوضات مع الحكومة الأمريكية يعاونني عبد السلام البوصيري وزير الخارجية، وعلي العنيزي وزير المالية، وسليمان الجربي وكيل وزارة الخارجية، واقترحنا بالنسبة لسريان القوانين الليبية على أفراد القوات الأمريكية أن نطبق نفس النصوص المطبقة في معاهدة الصداقة والتحالف بين ليبيا وبريطانيا. أما بالنسبة لمقدار الإيجار فقد طلبنا إيجاراً سنوياً مقداره خمسة عشر مليون دولار.

ورفض الأمريكيون الاقتراحين بشدة خصوصاً مقدار الإيجار وسرعان ما توقفت جهودنا في طريق مسدود. وكنا نواجه وضعاً غريباً: فمن ناحية نظرية، كنا أصحاب الحق، ولا يمكن أن يستمر استعمال القوات الأمريكية لقاعدة الملاّحة إلاّ بمعاهدة تنظّم ذلك الاستعمال بموافقتنا ورضانا، ولكن من الناحية العملية لم يكن لدينا لا القوة السياسية ولا العسكرية لإرغام أمريكا على قبول طلباتنا. كما أننا كنا في أشدّ الحاجة إلى العون المالي الكبير الذي ننتظره من أمريكا لتوظيفه في تطوير وتنمية إقتصادنا، كما أن الوقت لم يكن لصالحنا على الإطلاق. وكنت أكره ان أتفاوض من موقف ضعف ودون أن تكون لي نقاط ارتكاز أستند عليها في الضغط على الجانب الآخر، وزيادة في ضعف موقفنا فإن الأمريكيين كانوا على علم تام بشدة حاجتنا لعونهم الإقتصادي.

وعرضت الموقف على الملك وشرحت له بإسهاب أنني لا أستطيع أن أوافق على تأجير قاعدة الملاّحة بإيجار تافه (مليون دولار سنوياً) وأعتمد على حسن نوايا الكونجرس الأمريكي، وأنه أفضل لنا أن نعلن للعالم أن أمريكا تحتل قاعدة الملاّحة بالرغم منا، وأنها تحاول أن تملي علينا شروطاً لو قبلناها لكنا محل سخرية. وقلت إن مثل هذا الموقف سيرغم الولايات المتحدة في آخر المطاف إلى قبول طلباتنا.

ولكن الملك إدريس كان يكره مواقف المجابهة الشديدة ويميل بطبيعته إلى التريّث والصبر والعمل الحثيث للوصول إلى تفاهم بالطرق السلمية، واقترح علي اقتراحاً حكيماً كان له الفضل في تذليل المصاعب مع الأمريكيين.

قال الملك إن علاقات تركيا قوية وودية مع الولايات المتحدة، وتركيا عضو بارز في الحلف الأطلسي تعتمد الولايات المتحدة عليها اعتماداً كبيراً، ثم أن للأتراك خبرة طويلة في التعامل مع أمريكا التي لها قواعد عديدة على التراب التركي، وكذلك فإن نفوذها كبير في واشنطن. هذا من جهة، ومن جهة أخرى فإن علاقات تركيا مع ليبيا علاقات تاريخية وطيدة والأتراك يعطفون كثيراً على ليبيا ويعتبرونها الدولة العربية الوحيدة التي وقفت معهم موقفاً مشرفاً إلى آخر لحظة، بل وقد عرّض قادة الجهاد الليبي مصالح بلادهم لمخاطر في سبيل الوقوف بجانب الأتراك في محنتهم. ولذلك

فإني على يقين من أن قادة تركيا سيقفون معنا – إذا طلبنا منهم ذلك – ويبذلون كل الجهود الممكنة لجعل الولايات المتحدة تتجاوب مع طلباتنا، ولذلك فإني أنصحك أن تتصل بالحكومة التركية لهذا الهدف وسترى بنفسك مدى المساعدة التي سيقدمونها لنا في سبيل إنجاح تفاوضنا مع واشنطن، ثم أضاف: أما إذا فشلنا بعد هذا الجهد فلكل حادث حديث.

دعم تركي بدون حدود

وبمجرد أن أشعرت رئيس الوزراء التركي عدنان مندريس برغبتي بزيارته بادر بتوجيه دعوة ودية حارّة لزيارة أنقرة، ولبيت الدعوة ومعي وفد كبير مكوّن من الوزراء العنيزي والبوصيري والجربي وعدد من المختصين.

وكان ترحيب الأتراك بنا ترحيباً صادقاً، وكلما حاولنا شكرهم قاطعونا بأنهم إنما يردّون لنا بعض الجميل، فهم لا ينسون أبداً موقف السيد أحمد الشريف من تركيا ومخاطرته بثمار الجهاد في وطنه نصرة للأتراك. بل إن جريدة الوطن التركية كانت صريحة إلى الغاية اذ وصفت ليبيا بأنها الدولة الوحيدة التي لم تطعن تركيا من الخلف.

وعقدنا عدة اجتماعات مع الرئيس جلال بايار ورئيس الوزراء مندريس والوزراء الأتراك، وعرضنا عليهم الموقف الحرج الذي نجد أنفسنا فيه مقابل الولايات المتحدة، التي تستعمل قاعدة الملاحة وترغب دفع إيجار إسمي مقداره مليون دولار في العام. وشرحت أن أجدى طريقة للدفاع عن العالم الحرّ ضد التغلغل الشيوعي إنما تكمن في القضاء على الفقر والجهل والمرض في دول العالم الحر خصوصاً تلك الدول التي توفر للولايات المتحدة القواعد العسكرية لذلك الدفاع.

وأبدى الأتراك تفهماً كبيراً لموقفنا، وشرحوا أن الكونجرس الأمريكي لا يميل بطبيعته إلى الموافقة على دفع إيجار عن استعمال أمريكا قواعد في بلاد هي جزء من العالم الحر، لأنه يرى أن فكرة الإيجار تتعارض مع الاغراض النبيلة التي تدفعهم للدفاع عن العالم الحر. ولكنه (والكلام لمندريس) على ثقة شبه أكيدة أن هذا الاشكال يمكن

حلّه إذا أقنعنا الكونجرس أن كل ما ستدفعه أمريكا من إيجار للقاعدة يستعمل للنهوض بمستوى الطبقات الفقيرة وتنمية الإقتصاد الليبي ونشر التعليم والعناية الصحية والإجتماعية، وأن هدف الحكومة الليبية هو الوصول في زمن معقول إلى توازن إقتصادي اجتماعي جيد يجعل ليبيا في مأمن من خطر التغلغل الشيوعي، كما يجعلها في غير حاجة شديدة للمساعدات الخارجية.

وردّاً على مندريس أذكر أنني اقترحت أننا على استعداد لوضع كل ما نحصل عليه من إيجار أو مساعدة أمريكية تحت تصرّف مجلس ليبي-أمريكي مشترك يشرف على صرف تلك الأموال في أغراض التنمية الإقتصادية. وأكدت أنني أتعهد بألا يدخل شيء من الإيجار أو المساعدة الأمريكية إلى الميزانية الليبية. وأضفت: وتيسيراً للأمور الليبية لا يهمني أن يسمى ما نستلمه من الولايات المتحدة إيجاراً أو مساعدة إضافية أو مساعدة أساسية إذا كان هذا يرضي حساسيات الكونجرس الأمريكي.

أما بالنسبة لخضوع أفراد القوات الأمريكية للقوانين الليبية فإنني لا أستطيع أن أعرض على أمريكا أكثر مما ورد في معاهدة الصداقة والتحالف مع بريطانيا.

وكان مندريس - وهو رجل دولة من الطراز الأول - يبدي تفاؤله ويشرح أن واشنطن تفتقر إلى خبرة لندن وباريس في التعامل الدولي، ومن المهم بالنسبة لها أن نراعي المبادئ التي يقررها الكونجرس ونجد الوسائل لمسايرة هذه المبادئ أو الالتفاف حولها - إذا لزم الأمر - وأكد أنه إذا تمكّنا من عرض وجهة النظر الليبية بطريقة لبقة ذكية فإنه على يقين أننا سنجد أن المساعدات الأمريكية سخية ومجردة من الشروط ولا أهداف استعمارية وراءها، ولكن يجب أن يشعر الكونجرس أن من يتلقى عونهم يقف في خندق الدول الحرة التي تحارب التغلغل الشيوعي. وكرر مندريس هذه الفكرة الأخيرة العديد من المرات. وفي الختام، أكد لنا أنه سيرسل عدة رسائل إلى الرئيس أيزنهاور وإلى وزير الخارجية دالاس وإلى بعض الأعضاء البارزين في الكونجرس، وأنه على يقين من أننا سنلمس تغيراً واضحاً في الاسابيع القليلة القادمة.

وفي جلسة أخرى مع مندريس اقتصرت عليه وعليّ دون زملاء أو مترجمين (فقد

كان مندريس يجيد الفرنسية ولكنه لا يستعملها في الأحاديث الرسمية) جرى استطلاع للظروف السائدة في الشرق الأوسط، ومخاوفه من تغلغل النفوذ الشيوعي في الدول العربية وتفكك تلك الدول وظهور الخلافات بينها، بينما إسرائيل تزداد قوة وحيوية. وانتهزت تلك الفرصة وقلت له: (ولا زلت أذكر كلماتي تلك وكأنها نقشت في ذاكرتي نقشاً) عدنان بك، لقد أشعرتني بمعاملتك الممتازة لي كأنني أخ أصغر لك ولقد تأثرت كثيراً عندما ذكّرتني بأن السيد أحمد الشريف خاطر بإستقلال وطنه نصرة لخليفة المسلمين، وأعجبت بك لأنك لا تزال تحمل لذلك المجاهد الليبي العظيم شعور التقدير والمحبة. فهل تسمح لي كأخ مسلم لك أن أسألك... فقاطعني قائلاً: اسأل ما تشاء ولا تضع في يدك قفازاً (تعبير فرنسي يعني لا تخجل). قلت: هل لك أن تفسر لي كيف أن تركيا البلد المسلم وموطن الخلافة الإسلامية للعديد من القرون تعترف بإسرائيل عدو الإسلام اللدود والشوكة المسمومة في قلب العالم العربي؟ وبكل هدوء قال مندريس: سؤالك هذا لا يدهشني إطلاقاً بل كنت أستغرب لو لم اسمعه منك، يا أخي إسرائيل أنشأتها هيئة الامم المتحدة، وتركيا عضو مؤسس لهيئة الامم المتحدة، ثم أن تركيا عضو بارز في الحلف الأطلسي ومن أسس هذا الحلف اتباع سياسة ودية نحو إسرائيل، ولا تنس أن أمريكا هي العنصر الفعّال الأساسي في الحلف الاطلسي وهي صديقة إسرائيل الحميمة، وعلاقاتنا حميمة مع أمريكا، ولهذه الأسباب الجيوبوليتيكية كان لا بد لنا من الإعتراف بإسرائيل. ولكن ماذا يعني الإعتراف؟ إن سفارتنا في تل أبيب يقيم عليها قائم بالأعمال، وتجارتنا مع إسرائيل أقل من نصف تجارة إسرائيل مع اليونان الذي يتنطع بمجاملته للعرب لأنه لم يعترف بإسرائيل. قلت: كم كنت أتمنى يا عدنان بك أن جاملت تركيا، الدولة المسلمة، شقيقاتها الدول العربية كما جاملتهم اليونان. وشعرت هنا أن عدنان مندريس شعر بحرج ولكن سرعان ما رجعت الابتسامة إلى وجهه، وقال: أولاً أتمنى كذلك لو جاملت شقيقاتنا الدول العربية أختهم تركيا فوقفوا معها موقفاً طيباً في موضوع قبرص مثلاً؟ أما موضوع مغازلة روسيا من قبل الدول العربية، روسيا التي تشكل الخطر رقم واحد على سلامة تركيا... فماذا نقول فيه؟ يا أخي مصطفى إذا كنت

تودّ أن تبحث المواضيع السياسية للشرق الأوسط في جو إسلامي فأنا على استعداد تام، لا تجاملوا أعداءنا ولا نجامل أعداءكم، راعوا شعورنا فنراعي شعوركم ثم نتعاون تعاوناً إسلامياً لصالح شعوبنا ونصرة ديننا. هناك مشاكل كبرى في غاية الأهمية تخصّ العالم الإسلامي: خطر التغلغل الشيوعي الملحد، خطر بقاء إسرائيل... مشكلة قبرص، مشكلة كشمير وكثير من المشاكل الأخرى.

وتشعب الحديث ولكنني وجدت مندريس في وضع عاطفي إسلامي فانتهزت الفرصة، وقلت: أنني بعد زيارتي هذه لأنقرة سأتوجه إلى القاهرة لمقابلة الرئيس جمال عبد الناصر، فهل تسمح لي إذا وجدت جواً مناسباً أن أنقل له ما دار بيننا في هذه الجلسة؟ قال: بل أشجعك على ذلك. قلت: فإذا وجدت منه أذناً صاغية فإنني أود أن أدعوكما لزيارة ليبيا سواء هذا الصيف في الجبل الأخضر أو الشتاء المقبل في مدينة طرابلس، ويكون اجتماعكما للتعارف ولاستعراض مشاكل الشرق الأوسط في جو إسلامي ودّي، فإذا وجدتما أرضية مقبولة للتفاهم قررتما عند ذلك ما تتخذانه من خطوات، وسيكون دورنا في ليبيا دور المضيف لأخوين عزيزين هما قطبان رئيسيان من أقطاب العالم الإسلامي. رد مندريس: وهو كذلك، ولكنني أحذرك من أن الرئيس عبد الناصر لن يقبل هذه الفكرة. قلت: دعني أجرّب.

وجاء يوم مغادرتنا، وبعد مراسم التوديع الرسمي واستعراض طابور الشرف... رافقني الرئيس مندريس إلى سلم الطائرة، وقبل وصولنا إلى الطائرة بحوالي خمسة أمتار انحنى نحوي وأسرّ في أذني أنه أمر أمس بشحن شعيراً وقمحاً إلى ليبيا هدية من الشعب التركي، لأنه سمع بأننا نعاني من عام جفاف شديد. ولما حاولت شكره قال لقد تعمّدت أن أذكر لك هذا الخبر في آخر لحظة قبل مغادرتك حتى لا تتمكن من الشكر لأنه ليس بيننا شكر، والآن أستودعك الله ومع السلامة.

لقد تأثرت كثيراً من الطريقة اللبقة اللطيفة التي قدم بها هدية قيمة في تلك الظروف الصعبة ولكنه قدمها بتواضع كأنه هو الذي يجب عليه أن يشكرني.

عودة إلى المفاوضات الليبية الأمريكية

وعدت إلى بنغازي بعد قضاء يوم في اجتماع طويل مع الرئيس عبد الناصر وكان لاجتماعاتي العديدة، في أنقرة واجتماعي المطول في القاهرة أثر مشجع للمضي قُدُماً في تفاوض جدّي مع الحكومة الأمريكية. وعقد الوفدان الليبي والأمريكي عدة اجتماعات طويلة مضنية ولكنها مع الأسف كانت تدور في حلقة مفرغة، وتبين لي أن الوفد الأمريكي ليس لديه لا الصلاحية ولا سعة الأفق اللازمة للخروج بالمفاوضات من دائرتها المفرغة إلى أفق أوسع، وأن أعضاء الوفد الأمريكي يراجعون واشنطن في كل كبيرة وصغيرة. وبدى لي جليّاً أن مرجعهم في واشنطن يتصرف وكأنه يقول لهم: قولوا لليبيين لا بدّ أن يوافقوا على ما نقدم لهم. ولذلك استدعيت رئيس الوفد الأمريكي وقلت له أنني أرى أن استمرارنا في المفاوضات فيه مضيعة للوقت، واثارة لشعور سيء في النفوس، وأنني أقترح أن توقف المفاوضات فوراً، وأن نستأنفها مع الرئيس أيزنهاور والوزير دالاس في واشنطن، خصوصاً ذلك الجزء من المفاوضات الذي يتناول الجوانب المالية. وبرّرت قراري هذا بشعوري أننا بلغنا مفترق هام للطرق يجب أن يتولى الأمر فيه من له سلطة القرار الأخير. وتقبّل أعضاء الوفد الأمريكي كلامي بدهشة وطلبوا مهلة لرفع الأمر إلى سلطاتهم العليا في واشنطن. ويبدو أن الضغط والنصح التركي كان قد بلغ مداه ووصل إلى شخص الرئيس أيزنهاور ووزير الخارجية دالاس، لأنه لم يمضِ أسبوع إلاّ وتلقّيت دعوة من الرئيس لزيارته والإقامة في ضيافة البيت الأبيض في واشنطن.

سافرت إلى أمريكا يرافقني وزير المالية الدكتور علي العنيزي، ورئيس المجلس التنفيذي الطرابلسي الدكتور محي الدين فكيني، ووكيل الخارجية سليمان الجربي، والخبير المالي بيت هاردايكر وانضم الينا في واشنطن سفيرنا الدكتور فتحي الكيخيا.

وعقدنا اجتماعات كثيرة سواء في بليرهاوس – قصر الضيافة الملحق بالبيت الابيض – أو في وزارة الخارجية مع الوزير دالاس، ووكيل الخارجية هنري بايرود، ووزير الدفاع ووكلائه. على أن أهم الاجتماعات هو ذلك الذي عقدته مع أيزنهاور في مكتبه بالبيت الابيض وكان ذلك الاجتماع في نظري هو حجر الزاوية في بناء التفاهم الليبي-

الأمريكي، وكان يصحبني الدكتور علي العنيزي. بدأت الحديث شاكراً الرئيس على دعوته وكرم ضيافته، ثم دخلت في صلب الموضوع مباشرة فقلت: لقد شعرت من اللحظة الأولى من اطلاعي على ملفات العلاقات الليبية-الأمريكية أننا على تفاهم تام كامل في الأهداف يكاد يصل إلى التطابق، ولا خلاف بيننا إلاّ في الوسائل. ولما كانت الأهداف التي نسعى اليها، نحن وأنتم، على درجة عالية من النبل وبعد النظر فقد شعرت بأنه لا بد لنا، من تعديل نظرتنا للوسائل لكي لا تفوتنا فرصة بلوغ الغايات النبيلة لأهدافنا المشتركة... (وكان الرئيس إلى هنا يستمع دون أن يظهر عليه أنه فهم ما أعني).

واستطردت قائلاً: ولكي أفسر الطلاسم في حديثي فإنني أقول أنكم تقومون بواجب نبيل هو الدفاع عن العالم الحر ضد تغلغل النفوذ الشيوعي الملحد، وبذلك تدفعون الأذى عن حرية الشعوب وتقيمون حاجزاً منيعاً ضد المد الديكتاتوري، فتترعرع حرية الشعوب وديمقراطيتها وتقف على أرجلها سريعاً فتشترك معكم في نشر مبادئ الحرية والعدالة والمساواة في العالم. دعني أقول لك يا سيدي الرئيس أننا في ليبيا نتفق معكم تمام الإتفاق، بل ونشعر بأننا نقف معكم في نفس الخندق – خندق الدفاع عن الحرية والديمقراطية – وأن تاريخ بلادي فيه الأدلة القاطعة على ما أقول. غير أنه يتحتم علينا في ليبيا قبل أن نشارككم جهودكم النبيلة هذه أن نحرر وطننا من التخلف والمرض والفقر والجهل حتى يكون لمساهمتنا في الدفاع عن العالم الحر طعم وهدف وقبول شعبي... إنني – سيدي الرئيس – لم آتِ إلى هنا لأساومكم على إيجار قاعدة الملاّحة بل لطلب مساعدتكم في إعادة الحياة لإقتصاد ليبيا ونفض غبار التخلف ومحاربة الجهل والفقر والمرض وذلك عن طريق هيئة ليبية-أمريكية مشتركة ولنسميها المجلس الليبي-الأمريكي لإعادة الإعمار، يوضع تحت تصرفه كل الأموال التي نحصل عليها منكم (سواء كانت إيجار أو مساعدة إقتصادية) بحيث لا يصرف منه دولار واحد إلاّ لأغراض التنمية الإقتصادية. وعلى أي حال سأقدم لوزارة الخارجية مشروعاً مفصّلاً بحيث تلمسون فيه رغبتنا الصادقة في استعمال مساعدتكم لإعادة بناء بلادنا حتى نصل في سنين قليلة إلى توازن إقتصادي بين مواردنا ومصروفاتنا الوطنية فنستغني عن أي

عون خارجي. نحن لا نشترط عليكم رقماً محدداً، كل ما نودّ أن تؤكدوا لنا أن مشروعات التنمية الإقتصادية التي تعرض على المجلس الليبي-الأمريكي ويُوافق عليها ستموّل بمساعدات أمريكية تُخصّص لذلك، وأن تكون العبرة أو الحدّ الأعلى لتلك المساعدات هو ما يمكن لمشروعات التنمية الليبية استيعابه.

وأضفت أنني أنوي أن أجعل رئاسة هذا المجلس الهام لوزير المالية الليبي أو وكيلها وأن أعيّن أعضاء من خيرة الليبيين المتخصصين في الشؤون الإقتصادية وأنني آمل أن ينضم إلى المجلس عدد معقول من الخبراء الأمريكيين.

قال الرئيس أيزنهاور أنه يشعر بعطف خاص نحو مشكلة التنمية الإقتصادية في ليبيا وأنه يميل كثيراً إلى الطريقة التي اقترحها لاستعمال المساعدات الأمريكية في إعادة الإعمار، بل إن مثل هذه الطريقة يسهل على الكونجرس قبولها والتعاطف معها. غير أنه حذّر من أن الكونجرس لا يميل إلى الارتباط بخطط طويلة الأمد إذ أنه يرغب أن تكون له حرية التقرير في الاعتمادات المالية عام بعام، ولكنه برغم هذا فإنه سيحاول إقناع الكونجرس باعطاء موافقة مبدئية على مجموعة المشروعات لفترة خمس سنوات، ويعاد النظر سنوياً لتخصيص ما يلزم من مساعدة في كل عام على حدة. ثم انتقل الرئيس إلى حديث طويل عن أهداف السياسة الأمريكية نحو الشعوب النامية، ورغبة أمريكا في مساعدة تلك الشعوب. ثم تحدث عن إعجابه بالأتراك ووفائهم ووقوفهم مع أمريكا في حرب كوريا وإرسال جنودهم للدفاع عن حرية الشعوب. ثم أضاف: ولقد اتصل بي الزعماء الأتراك موصين بكم مشددين علينا أن نعاملكم معاملة خاصة لأنكم – كما قالوا – كنتم الشعب العربي الوحيد الذي وقف معهم إلى آخر لحظة، وأنا أعجب بالوفاء والشرف في المعاملات برغم مناورات السياسة وثناياها، ولذلك فإنني أودّ أن أؤكد لك أنني سأتبنى رعاية الإقتصاد الليبي ومساعدته كما تبنت أمريكا إقتصاد الفيلبين.

شكرت الرئيس وقلت له: سأتذكر دائماً وعدك رعاية إقتصاد ليبيا كما تبنت أمريكا إقتصاد الفيلبين. وعلى أية حال سنواصل بحث هذا الموضوع مع رجالكم في الخارجية، ولكني أودّ أن أحصل على مشورتك ومؤازرتك في موضوع هام آخر وهو علاقاتنا مع

الجمهورية الفرنسية. فبينما عقدت ليبيا معاهدة صداقة وتحالف مع بريطانيا، ونحن الآن بسبيل عقد إتفاقية إيجار مطار ويلس للولايات المتحدة الأمريكية، فإن فرنسا تطالبنا بعقد معاهدة معها على غرار معاهدتنا مع بريطانيا، لأن لفرنسا قوات في ولاية فزّان وهي تدّعي أنها تقوم بجزء من خطة الدفاع عن العالم الحر. وأنها لذلك في حاجة لقواعد عسكرية لابقاء قواتها المكوّنة من أربعمائة جندي. ونحن في ليبيا نرى أن قول فرنسا أنها تدافع عن العالم الحر ادّعاء جريء على الحقيقة وإهانة صريحة لذكائنا، لا سيما أن مواقف فرنسا القمعية في الشمال الإفريقي تؤهلها لموقف المعتدي على الحريات وليس المدافع عنها. إنني بصراحة أؤكد لك يا سيادة الرئيس أنه ليس في استطاعة أية حكومة ليبية أن توقع مع فرنسا أية وثيقة إلا وثيقة إجلاء قواتها عن فزّان. ومن ناحية أخرى فإني لا أودّ أن أثير نزاعاً دولياً قد يصل إلى مجلس الأمن وقد يحرجكم ويحرج حلفاءنا البريطانيين لأننا سنطالب مجلس الأمن بإجلاء القوات الفرنسية إذا لم نتمكن من إقناع فرنسا بسحبها بالوسائل الودية. وسؤالي هو: هل أستطيع أن أعتمد على مساندتكم لنا في مطلبنا العادل هذا؟ فإذا رفضت واضطررنا إلى اللجوء إلى المحافل الدولية، هل لنا أن نأمل ان تردعوا فرنسا عن موقفها العنيد؟

قال الرئيس: إن دور فرنسا في الدفاع عن العالم الحر دور ضئيل وهو بلا شك لا يشمل ليبيا فلديكم معاهدة تحالف مع بريطانيا، ولكن الفرنسيين شديدو الحساسية، ولقد عانيت أنا شخصياً الأمرين من كبريائهم وحساسيتهم. فهم لا يزالون يطمعون أن يظلوا دولة عظمى. وفي الظروف العادية فإن سحب أربعمائة مقاتل من مراكز صحراوية لا يشكل أي خلل دفاعي. على أي حال أنصحك أن تعاملهم بلطف وصبر وحكمة، وأنا أعدك بأننا سنبذل قصارى جهودنا لإقناعهم بالنظر إلى مشكلة جلائهم عن فزّان بنظرة واقعية. ثم انتقلنا إلى غرفة الطعام وانضم الينا أعضاء الوفد الليبي.

وفي اليوم التالي استأنفنا الاجتماعات في وزارة الخارجية الأمريكية واتفقنا فيما بيننا (أعضاء الوفد الليبي) على أن نتخذ المواقف الآتية:

بالنسبة لخضوع أفراد القوات الأمريكية للقانون الليبي فإن أقصى ما نعرض هو

تطبيق النصوص الواردة في معاهدة الصداقة والتحالف مع بريطانيا. بالنسبة لإيجار القاعدة والمساعدات الإقتصادية بنوع عام يجب علينا:

- أن تقنع أمريكا بصدق عزمنا على تنمية إقتصاد الوطن، وبذلك نستغني عن المساعدات الإقتصادية. وسيصادف هذا الاتجاه ترحيباً في واشنطن، ولكي نزيد من اطمئنان الأمريكيين لصدق نوايانا يجب أن نؤكد لهم أن إيجار قاعدة الملاّحة سيوضع ضمن الأموال التي ستخصص للتنمية الإقتصادية.
- أن نقيم مجلساً للتنمية نسميه المجلس الليبي-الأمريكي لإعادة الإعمار (Libyan-American Reconstruction Commission)، يرأسه مسؤول ليبي كبير وأعضاؤه ليبيون وأمريكيون، ويقوم ذلك المجلس بالإشراف على إنفاق أموال العون الأمريكي (مضافاً اليها أموال إيجار قاعدة الملاّحة) على خطة التنمية الإقتصادية.
- على أننا رأينا أن نشترط أن تخصص واشنطن كل ما يلزم من عون إقتصادي اضافي للخطة التي يضعها المجلس المذكور، وأن تكون العبرة أو الحدّ الأعلى للعون هو ما يمكن للتنمية الإقتصادية الليبية من استيعابه.

وبعد جلسات مضنية قَبِل الأمريكيون وجهة نظرنا بالنسبة لموضوع الصلاحيات القانونية، أما بالنسبة للمساعدات الإقتصادية فقد رحبوا بفكرة إنشاء المجلس الليبي-الأمريكي لإعادة الإعمار، واتفقنا على تخصيص سبعة ملايين دولار للعام الأول (١٩٥٤) توضع تحت تصرف ذلك المجلس، ووقعت الإتفاقية في بنغازي يوم ٩ سبتمبر ١٩٥٤، وقدّمت إلى البرلمان الليبي في اكتوبر ١٩٥٤، وبعد مناقشات وبحث وتمحيص وافق عليها البرلمان يوم ٣٠ اكتوبر ١٩٥٤.

وباشر المجلس الليبي-الأمريكي أعماله بجدّ ونشاط في رسم خطوط مشاريع التنمية الإقتصادية وتنفيذها. وبدأ العون يصل بطريقة معقولة رتيبة خلال عام ١٩٥٤/١٩٥٥.

الضغط من أجل مزيد من العون الإقتصادي

إلا أن آمالنا في الزيادة بالسرعة التي وعدنا بها الرئيس أيزنهاور بدأت تتقلص وانتاب حماس واشنطن في العناية بطلباتنا نوع من التثاقل والتسويف مما دفعنا إلى اتباع طرق ضغط لا تخلو من المزايدة والتهديد المبطن.

ذلك أنه في أوائل ١٩٥٥ لاحظنا أن الحماس الأمريكي في التمويل كان دون وعود الرئيس أيزنهاور، وفي نفس الوقت بدا في الأفق نجاح سياسة الرئيس عبد الناصر في إقامة نوع من المنافسة بين الشرق والغرب، فازداد اهتمام الدول الغربية بمصر وتمثّل في وعود سخية لتمويل مشروع السدّ العالي، في نفس الشهر الذي اعتذرت فيه الولايات المتحدة وبريطانيا عن تقديم قرض ميسر الشروط لتمويل محطة كهرباء كبرى في ولاية طرابلس الغرب لتوزيع الكهرباء لأغراض الريّ في الشريط الساحلي الطرابلسي. ذلك المشروع الزراعي الحيوي الذي كنا نعتبره سدنا العالي. لذلك بدت لنا – زملائي وأنا – ضرورة إعادة النظر في طريقة تعاملنا مع الدول الغربية والولايات المتحدة بنوع خاص.

كنا في أوائل ١٩٥٥ قد بدأنا اتصالات سرية بالإتحاد السوفييتي بغية إقامة علاقات دبلوماسية معه، وأجريت المحادثات في القاهرة، وقام بها من الجانب الليبي سفيرنا هناك خليل القلال. وعندما أذعنا خبر إنشاء علاقات دبلوماسية مع الإتحاد السوفييتي كانت المفاجأة في واشنطن ولندن مفاجأة تامة وكان رد فعل العاصمتين أقرب إلى الغضب والإستنكار منه إلى الدبلوماسية الهادئة.

جاءني السفير الأمريكي بتعليمات من واشنطن يعبّر فيها، عن الأسف الشديد لاتخاذ هذه الخطوة التي ستعرّض أمن ليبيا واستقرارها إلى الخطر، واستغراب أن تتم خطوة خطيرة كهذه دون التشاور مع واشنطن. ولم يختلف جوهر حديث السفير البريطاني – الذي جاءني في اليوم التالي – عن حديث زميله الأمريكي إلا أنه لمّح إلى معاهدة الصداقة والتحالف وبنود التشاور المدرجة فيها. وكان ردّي حازماً وموجزاً، ملخصه أن تبادل التمثيل الدبلوماسي مع أية دولة بما في ذلك الإتحاد السوفييتي هو عمل من أعمال السيادة الليبية، لا نشاور فيه أية حكومة أجنبية مهما كانت صداقتنا معها، ونحن أدرى

بشؤون الأمن والاستقرار في وطننا، وأضفت أنني أعتبر التمادي في بحث هذا الموضوع مساساً بكرامتنا.

وبدأنا بطرق سرية في تسريب إشاعات كثيرة عن مساعدات من الروس يحاولون تقديمها لنا... إشاعة عن عرض سخي من القمح للتوزيع على الفقراء والمتضرّرين من الجفاف، وإشاعة أخرى عن مساعدات كبيرة في مجال الصحة، وإشاعة ثالثة عن قروض ومنح كبيرة. وكنا نتهرب من الردّ عندما يسألنا الغربيون، مما كان يزيد قلقهم ويضاعف فضولهم. وبدأت أزمة في علاقاتنا مع كل من بريطانيا وأمريكا، وظهر نوع من الجفاء والشك يسيطر عليهما وشعرنا بحملة مضادة من السفارتين البريطانية والأمريكية ظاهرها نصح الليبيين بأن مساعدات الروس فخ خطير يؤدي إلى تغلغل الشيوعية الدولية وسقوط ليبيا فريسة في مخالب الدب الروسي البغيض. ولم تخلُ حملة السفارتين من الطعن الدفين في سياسة الحكومة الليبية والتشكيك في إخلاصها وحرصها على سلامة البلاد.

أزمة عاصفة مع الدول الغربية

ولم أدرِ أن القلق والانزعاج الذي أصاب الدول الغربية قد بلغ درجة الهستيريا بل ودفعهم على التآمر علي ومحاولة التخلّص مني بشتى الطرق، ولم أدرِ ذلك إلاّ بعد أن اطّلعت على الوثائق االسرية للحكومة البريطانية والحكومة الأمريكية، وهي الوثائق التي يفرج عنها بعد ثلاثين عام من حدوث وقائعها.

قرأت في تلك الوثائق سلسلة من المؤامرات طوال عام ١٩٥٥ للتخلص مني شخصياً لأنني كنت في نظرهم المسؤول الأول عن انتشار النفوذ المصري في ليبيا، بل أن بعض مؤامراتهم كانت من الخطورة بدرجة جعلت الحكومة البريطانية تبقي وثائق تلك المؤامرات طيّ الكتمان التام لمدة خمسين عاماً بدلاً من الثلاثين عام.

وقد قامت جريدة الشرق الأوسط التي تصدر في لندن بتلخيص وترجمة بعض تلك الوثائق، ونشرتها في عددها الصادر ٢٨ فبراير ١٩٨٦ تحت عنوان «بريطانيا كانت تسعى

لتعزيز مصالحها في ليبيا وترى في استمرار مصطفى بن حليم تهديداً مباشراً لها»:[١٤]

فكّر المسؤولون البريطانيون – وقد أزعجهم انتشار النفوذ المصري في ليبيا، وهو نفوذ هدد المصالح البريطانية في المنطقة – في تنظيم انقلاب ضد مصطفى بن حليم رئيس الوزراء الليبي الموالي لمصر. وقد كشفت الوثائق الحكومية البريطانية االسرية التي أزيح عنها النقاب عن هذه الحقيقة، وإن كانت المراسلات التي تناولت هذه الفكرة قد أبقيت طيّ الكتمان لمدة ٢٠ عاماً أخرى من الآن. ومع ذلك نجد أن هناك عدة اشارات توحي بأن هذه الاحتمالات بحثت في مقر السفارة البريطانية في طرابلس، وفي مقر وزارة الخارجية البريطانية. كذلك عرض بديل آخر ينطوي على تدبير إلحاق الهزيمة بمصطفى بن حليم في الإنتخابات التالية، وإن كان هذا البديل قد رفض باعتباره صعب التنفيذ...

وكان انزعاج بريطانيا من النفوذ المصري في ليبيا واضحاً شأنه في ذلك شأن غيرها من البلدان، وكانت بريطانيا تعتقد أن العميل الرئيسي للمصريين في ليبيا كان هو رئيس الوزراء مصطفى بن حليم، الذي كان يعرف عنه ميله لمصر، واستطاعته التأثير على مجريات الأمور، وهو الأهم، ومع ذلك كان موقف بريطانيا غامضاً، ففي حين كانت بريطانيا تعتبره مصدر خطر، إلاّ انها كانت تقر بأن ليبيا مصيرها إلى الضعف الشديد دون وجوده المحسوس.

وفي أول يناير كتبت (هايمان) في مذكرة لوزارة الخارجية بعد التشاور مع السفير البريطاني السابق سير أليك كيركبرايد: أن أهم نتيجة استخلصتها مما قاله لي سير أليك كيركبرايد هي أن ليبيا قد تمضي في طريقها الحالي المفعم بالقلق والاضطراب دون أي خطر بتفككها. إلاّ إذا توفي الملك إدريس أو حل محل مصطفى بن حليم رئيس وزراء آخر يفتقر إلى ما كان لسلفه من شخصية قوية.

---

(١٤) راجع الملحق رقم ٣

وبعد أن لخصت الصحيفة الوثائق التي تحدد السياسة التي تنوي بريطانيا اتباعها في ليبيا، أشارت إلى محاولة تدبير انقلاب فقالت:

ومن الإمكانيات الأخرى البعيدة الأثر التي راودت خاطر البريطانيين احتمال تدبير انقلاب. ففي ١٢ اغسطس كتب السفير البريطاني إلي بروملي في وزارة الخارجية البريطانية خطاباً يحمل تصنيف (سري للغاية) يشرح فيه هذا الاحتمال، ولكن هذا الخطاب لن يكشف عنه النقاب إلاّ بعد انقضاء ٢٠ عاماً أخرى، ومع هذا يشير السفير إلى خطابه المذكور هذا ضمن خطاب آخر لاحق بتاريخ ٢٤ سبتمبر قائلاً: إذا بقي مصطفى بن حليم في الحكم لفترة اطول فقد تتعمّق جذوره لدرجة يستحيل معها زحزحته، وسيكون في وضع لا يتحدّى فيه سلطته أحد، وفي مثل هذه الحالة قد يصبح تدبير انقلاب أمراً مرغوباً فيه وليس مستحيلاً، وقد بحثت هذا الاحتمال في خطاب سري للغاية بعثت به إلى بروملي في ١٢ أغسطس على أن السفير يقترح في الرسالة نفسها مساراً آخر بديلاً يقول فيه أن على بريطانيا أن تسعى لابعاد مصطفى بن حليم أثناء الانتخابات التي تقرر أن تجرى في العام نفسه، ولكنه يعترف بأن هذا أمر صعب...

رسالة سرية من السفير البريطاني في ليبيا إلى وزارة الخارجية البريطانية بتاريخ ١٧ يناير ١٩٥٦، يتحدث فيها عن مشاورات أجراها مع زميله السفير الأمريكي في طرابلس تابن وقادة القوات البريطانية والأمريكية، وإتفاقهم على القيام بتقديم احتجاج قوي لرئيس الوزراء بن حليم وتحذيره من قبول أي مساعدات من روسيا أو منحها أي تسهيلات في ليبيا وإتفاقهم على أن يقوم السفير الأمريكي بمقابلة الملك إدريس ويشكو له من تصرفات بن حليم ومخاطر سكوته على تغلغل النفوذ الروسي–المصري وتعاونه معه أملاً في أن يقنع الملك بطرد بن حليم من رئاسة الوزارة.

ومن ضمن ما جاء في تلك الرسالة المطوّلة، ما ورد في البند ١١ منها وترجمته كالآتي:

> بعد الإتفاق على عدم القيام بأي تصرف قاطع دون إذن سلطات عليا، عكفنا على التفكير في ما هي التصرفات المفتوحة أمامنا إذا تمّت الموافقة عليها، لقد اتفقنا أنه بالإمكان الذهاب لرئيس الوزراء، وتحذيره بعد استيضاح نواياه حيال الروس – إن هناك تصرفات معينة ستكون مخالفة للإتفاقيتين الانجلو-ليبية، والأمريكية-الليبية، إذا لم يكن التجاوب مع هذا الاسلوب مرضيا – وهذا محتمل – نستطيع بعد ذلك أن نذهب للملك لتوضيح المخاطر التي تتعرض لها البلاد بسبب سياسة رئيس الوزراء. لقد ظل الملك دوماً يظهر ميولاً نحو الغرب وخاصة بريطانيا، ومن المحتمل أن الحجة القوية قد تدفع به إلى التخلي عن بن حليم، واعتقد أن هذه المحاولة تستحق الاعتبار كملجأ أخير مع عدم الاطمئنان للنتائج.(١٥)

رسالة من السفير البريطاني في واشنطن سير روجر ماكينز (Sir Roger Makins) إلى وزير الخارجية البريطانية بتاريخ ١٩ يناير ١٩٥٦، يذكر فيها أن وزارة الخارجية الأمريكية منزعجة لأن بن حليم أبلغ السفير الأمريكي في طرابلس بعدم رضاه بتاتاً عن موقف الولايات المتحدة وأنه – أي بن حليم – لا يستطيع رفض العرض الإقتصادي الروسي ما لم تقدم الولايات المتحدة عروضاً سخية... لذلك فإن الخارجية الأمريكية طلبت من سفيرها في طرابلس أن يتحدث مع الملك ويحذره من قبول المساعدات الروسية مهما كانت غير مشروطة. ويشتمل التقرير على ملخص لعرض أمريكي بمساعدات إقتصادية وعسكرية إضافية ستقدم إلى الحكومة الليبية.(١٦)

---

(١٥) وثيقة رقم 1039/56 G

(١٦) راجع الملحق رقم ٤

رسالة بتاريخ ٢٤ يناير ١٩٥٦ من السفير البريطاني في طرابلس إلى رئيس قسم أفريقيا بوزارة الخارجية البريطانية يذكر فيها أن بن حليم قد رفض قبول العرض الأمريكي وطلب من السفير الأمريكي خمسة ملايين دولار مساعدة إقتصادية اضافية. وسبعة آلاف طن من القمح كهدية، وقرض بدون فائدة لصالح محطة الطاقة بمدينة طرابلس ومساعدة عسكرية أمريكية على قدر أكبر من السخاء مما هي عليه الآن.(١٧)

رسالة سرية بتاريخ ١٢ مارس ١٩٥٦ من وزير الخارجية البريطاني إلى حكومتي بغداد وأنقرة يطلب منهما نصح الحكومة الليبية وتحذيرها من قبول المساعدات الروسية. (١٨)

رسالة من وزير الخارجية البريطانية إلى السفير البريطاني في واشنطن تشير إلى ضرورة التعهد لرئيس الوزراء الليبي (بن حليم) بالمساعدات الأمريكية وتحذر من مغبّة قبول ليبيا المساعدات الروسية أو المصرية والسعودية. كما تشير الرسالة إلى اثارة موضوع المساعدات مع الرئيس أيزنهاور.(١٩)

وبإيجاز سادت حالة من الهرج والمرج وأصبحت الشكوك والظنون تسيطر على علاقاتنا مع بريطانيا وأمريكا.

مناورة العرض الروسي الشهير

كانت تجربة المزايدة الأولى التي قمت بها أواخر عام ١٩٥٥ هي أنني استدعيت السفيرين البريطاني والأمريكي، كل على حدة، وأبلغتهما أن الرئيس جمال عبد الناصر يودّ تقديم هدية من السيارات المدرعة إلى الجيش الليبي، وقلت لهما أنني، حرصاً على تجنّب أي سوء فهم، فإنني أبلغهما أنني بسبيل قبول الهدية المصرية. ولم يمضِ إلاّ يومان فقط وإذ بالحكومة البريطانية تتقدم بهدية للجيش الليبي، هي عبارة عن عشرة سيارات مدرّعة من أحدث طراز، وتقوم الحكومة الأمريكية بتقديم خمسة عشر سيارة

---

(١٧) راجع الملحق رقم ٥

(١٨) راجع الملحق رقم ٦

(١٩) راجع الملحق رقم ٧

مدرّعة بنصف جنزير وسيارات أخرى لنقل الجنود. وقبلنا الهديتين في احتفال رسمي في ميدان الشهداء.

وفي رسالة بعث بها السفير البريطاني في طرابلس إلى وكيل وزارة الخارجية المساعد في لندن، واتسون، بتاريخ ١٣ يناير ١٩٥٦ إشارة إلى هذه الحادثة حيث يقول:

عندما أبلغت رئيس الوزراء الليبي عن العرض البريطاني-الأمريكي لتقديم هدية من السيارات المدرّعة، كررت على الأقل مرتين بأنني آمل أن يكون قبول ليبيا لهذه الهدية يعني انها ستعتذر عن قبول العرض المصري لتقديم الأسلحة، وردّ رئيس الوزراء بالايجاب، ولكنّه مهما كان يعني في ذلك الوقت فإنه يبدو جلياً أنه يأمل أن يتمكن من الحصول على المزيد منها مستعملاً نفس الطعم.

منذ أيام عندما كنت أتحدث معه عن ترتيبات الاحتفال بتسلّم هدية المدرعات قال أنه يأمل أن أقول في خطابي أن هذه هي الدفعة الأولى من سلسلة من الهدايا المتعددة، وإلاّ فإنه سيجد صعوبة في رفض عرض مصر غير المحدود، فقلت له فيما يتعلق ببريطانيا فليس هناك أي هدية أخرى من الأسلحة غير هذه الهدية. اننا ساهمنا مساهمة كبيرة تجاه الخزانة الليبية، وهذه الهدية كانت زيادة خاصة ولا تشكل سابقة، وبرغم هذا فقد أرسل لي بيت هارديكر ليجسّ نبضي حول تقديم هدية أسلحة خفيفة لقوة دفاع برقة، فأخبرته هو الآخر بأن بريطانيا لم تعطِ وعداً كما لا يمكن أن يتوقع منها أن تقدم هدايا أخرى من الأسلحة. ولم أقل، ولا شك أنه يعرف ذلك كما أعرفه أنا، أن الأمريكان يفكرون في تقديم هدايا كثيرة من الاسلحة.

لا بد أن الليبيين مزهوون كثيراً بنجاحهم الباهر في حصولهم على هدايا منا بطريقة بسيطة، وهي تهددنا بقبول هدايا مماثلة من مصر.[٢٠]

---

(٢٠) راجع الملحق رقم ٨

وفي زيارة قمت بها للقاهرة في ذلك الوقت شكرت فيها الرئيس جمال وضحكنا كثيراً عندما قلت له أنني سأستعمله كسلاح للتخويف - بعبع - في مناورات جديدة.

وبعد نجاح هذه المناورة الصغيرة اتجهنا إلى مناورة أخرى كبيرة. فقد كانت السفارة الروسية فتحت أبوابها في طرابلس، وبدأت الاتصالات بينها وبين وزارة الخارجية الليبية، وكنت أعتمد كثيراً على وكيل الخارجية الدائم سليمان الجربي، وكان يمتاز بكفاءة عالية ومقدرة عجيبة على العمل المضني ودبلوماسية ولباقة. وكنت كذلك أعتمد على السفير المصري اللواء أحمد حسن الفقي، وكان صديقاً حميماً لجنرالوف، السفير السوفييتي، وأوعز الجربي للفقي بأن الرئيس (يعني بن حليم) قد يكون مستعداً لقبول عرض روسي للمساعدة الإقتصادية إذا كان عرضاً سخياً غير مقيّد بشروط. وبدأت الأمور تتفاعل بين الأطراف الثلاثة، السفير الروسي والسفير المصري ووكيل الخارجية الليبي، وأنا أراقب عن كثب تلك التفاعلات دون أن أشترك فيها. ومضى أكثر من شهر قبل أن تصل الإشارة الأولى (عن طريق السفير المصري) تبشر بأن عرضاً روسيا في طريقه إلينا. وبعد ذلك بأيام طلب السفير الروسي من وكيل الخارجية الجربي أن يحدد له موعداً لمقابلة رئيس الوزراء في أقرب فرصة ممكنة.

وفهمت أن الغرض في المقابلة هو تقديم عرض روسي بالمساعدة الإقتصادية. ونتوقف هنا قليلاً لشرح خلفية مهمة، فقد كان في وزارة المالية خبير إنجليزي اسمه بيت هاردايكر من بقايا الإدارة العسكرية البريطانية في طرابلس، وكان حائزاً على ثقة سلفي محمود المنتصر. وكان هاردايكر يظهر إخلاصه وتفانيه في خدمة ليبيا، ويشيع أن الحكومة البريطانية غير راضية عن بقائه في ليبيا لأنه ليبي أكثر من الليبيين. وعند استلامي مقاليد الحكم أبقيته برغم نصائح الملك إدريس الذي كان يقول لي عنه أنه بصّاص أي جاسوس، وينصحني بطرده. وكنت أردّ على الملك بأنني أعرف أنه بصّاص ولكنني في حاجة إليه لكي يبصّ لحسابي دون أن يشعر هو بذلك.

وجاءت فرصتي الأولى يوم وصول السفير الروسي لمقابلتي فاستدعيت بيت هاردايكر قبيل وصول السفير الروسي وجعلته ينتظر في مكتب سكرتيري الخاص إلى أن

رأى السفير ومستشار السفارة الروسية يدخلان مكتبي برفقة الوكيل سليمان الجربي، وبعد المجاملات أخرج السفير الروسي من حقيبته مظروفاً كبيراً به رسالة مطبوعة باللغة الروسية على ورق من نوع البرشمان الممتاز وفي أعلاها شعار الإتحاد السوفييتي، وأرفق الرسالة بترجمة إنجليزية على ورقة بيضاء من نوع فولسكاب.

وكانت الرسالة تبدأ بمقدمة تعبير عن النوايا الحسنة للإتحاد السوفييتي نحو ليبيا ورغبته في المساهمة في تطوير الإقتصاد الليبي، ثم عرض في الفقرة الثانية بتقديم قرض بمقدار مليون روبيل أي حوالي مليون جنيه بفائدة ٢،٥ بالمائة يسدد على مدى عشرين عاماً بشرط استعمال القرض في شراء معدات من الإتحاد السوفييتي. (هذا هو العرض الروسي الشهير أعلن عن تفاصيله ربما لأول مرة.)

وبعد أن قرأت الترجمة الإنجليزية شكرت السفير وأظهرت له بلباقة أنني كنت أنتظر عرضا أكثر سخاء وأوسع مدى لأن قبولنا لمساعدة روسية سيزعزع علاقاتنا مع أمريكا، وربما سيتسبب في توقف المساعدات الأمريكية الإقتصادية. لذلك كان بودي أن يكون العرض الروسي بمقدار يجعلنا نستغني عن المساعدات الأمريكية إذا اضطررنا لذلك. وعلى أية حال، قلت للسفير الروسي، إنني أشكره وطلبت منه أن يعطيني مهلة لدراسة الموضوع من جميع نواحيه ثم أتصل به فيما بعد.

ودّعت السفير الروسي واستبقيت وكيل الخارجية سليمان الجربي وأمليت عليه (رغم احتجاجه) مقدمة العرض الروسي كما جاءت في الترجمة ولكن غيرت الفقرة الثانية، فبدلا من عرض بمليون جنيه، جعلت العرض يعادل حوالي ١٢ مليون دولار أمريكي - واخفيت الترجمة الإنجليزية الأصلية وجعلت الأصل الروسي مطروحاً على مكتبي يسهل للواقف أمامي أن يراه مكتوبا باللغة الروسية، وعليه شارة الإتحاد السوفييتي، واستدعيت بيت هاردايكر الذي كان ينتظر وأظهرت على وجهي علامات الحيرة والقلق. وعندما سألني عن سبب تجهمي، قلت: أنظر إلى هذه الرسالة الروسية، أنني حائر في أمر هذه القنبلة الزمنية، هذا عرض من موسكو إذا قبلته قامت قيامة أمريكا وبريطانيا، واذا رفضته فالويل لي من الشعب الليبي والبرلمان، فكيف أبرر لهم رفضي عرضاً سخياً

بالمساعدة في الوقت الذي يعاني فيه الشعب من الفقر والمرض. ثم طلبت من وكيل الخارجية أن يتلو على بيت هاردايكر نص ترجمة العرض الروسي (طبعا الترجمة المزورة التي ألفتها، المحتوية على الـ ١٢ مليون دولار).

وظهرت الحيرة على وجه هاردايكر وسأل: ولكن ماذا ستفعل يا سيادة الرئيس؟ قلت: لا أدري الآن، سأفكر كثيراً وأتكلم قليلاً، وأرجوك يا بيت أن تفكر معي، لإيجاد حل لهذا المأزق الخطير، ولن أطلع أحداً على العرض الروسي عدا الملك، حتى مجلس الوزراء لن أخبره بهذا العرض اللعين. وأرجوك ألا تبوح بأية تفاصيل ولا تناقشني فيه إلاّ مشافهة وفي مكتبي هذا حرصاً على االسرية التامة.

أكدّ لي أنه سيحافظ على االسرية المطلقة وسيفكر ويحاول مساعدتي للخروج من هذا المأزق الخطير. وبمجرد أن خرج من مكتبي اتصلت بالخط التلفوني المباشر باللواء محمد الزنتوتي، مدير عام الشرطة الإتحادية، وطلبت منه وضع بيت هاردايكر تحت رقابة دقيقة طوال الليل والنهار وإعلامي شخصياً بتحركاته واتصالاته.

وفي صباح اليوم التالي أخبرني اللواء الزنتوتي أن بيت هاردايكر زار البارحة منزلّي السفيرين البريطاني والأمريكي. عند ذلك تأكدت أن المرحلة الأولى من المناورة قد نجحت فلا شك أنه أبلغ السفيرين أن عرضاً روسياً لمساعدة ليبيا يبلغ قدره إثنا عشر مليون دولار قد قُدم لرئيس الوزراء الذي يجد نفسه في موقف في منتهى الإحراج. وقد بُلّغ السفيرين هذا الخبر عن طريق جاسوسهم دون أن يمكن لأي منهما أن ينسب الخبر لأي جهة ليبية ولا يمكن لهما أن يلوما الحكومة الليبية (إذا افتضح أمر العرض المزور) على خبر وصلهما عن طريق خبير إنجليزي خان أمانة مستخدميه.

وذهبت لزيارة الملك ووضعته في الصورة وطلبت منه أن يؤازرني عندما تصله شكاوي واشنطن ولندن لأنني على يقين من أن مناورتي ستنجح إذا ما وقفنا صفاً واحداً، وسنحصل منها على ١٢ مليون دولار من المساعدات الأمريكية البريطانية الإضافية. ضحك الملك كثيرا ووعدني بتأييده.

وبدأت المناورات وانتشرت الشائعات، فمن قائل أن الروس يحاولون الحصول

على امتياز للتنقيب عن البترول، ومن قائل انهم طلبوا الحصول على تسهيلات لهبوط طائراتهم في المطارات الليبية، إلى قائل أنهم سيقدمون لليبيا عوناً إقتصادياً يغنيها عن عون دول الغرب، ولم ننف الشائعات ولم نؤكدها مما زاد نارها اشتعالاً.

وجاءني السفير الأمريكي، ولفّ ودار وأخيرا عندما رأى أنني لم أفتح معه موضوع العرض الروسي سألني سؤالاً مباشراً: هل صحيح أن السفير الروسي قدم لكم عرضاً بالمساعدة الإقتصادية؟ قلت نعم. قال: هل يمكنني أن أعرف مقدراه وتفاصيله؟ قلت: لا. قال: أن بلدينا على صداقة وطيدة. قلت: وهذا يدعوكم لاحترام سيادتنا. كيف نطلعكم على ما يدور بيننا وبين دول أخرى؟ هل ترى من الصواب أن نطلع الروس على ما يدور بيننا وبينكم؟ قال: الفارق كبير نحن أصدقاء وهم أعداء. قلت: لم يكن الروس أعداء لنا في يوم من الأيام. وهكذا كانت مناقشة طرشان.

وجاءني السفير البريطاني في اليوم نفسه، ولكنه كان أكثر لباقة وكياسة، وفهم من الدقائق الأولى أنني لن أقول له إلاّ أن العرض الروسي قُدم لنا وهو موضوع دراستنا.

وتوالت تقارير الشرطة الليبية تصلنا عن اجتماعات يعقدها السفيران البريطاني والأمريكي في السفارة الأمريكية ويحضرها قائدا القوات البريطانية والأمريكية وعدد من كبار المسؤولين عن المخابرات والإعلام من السفارتين. وفهمنا أن الغرض من تلك الاجتماعات هو تنسيق موقف وجهود الحكومتين لمواجهة المنافس الروسي ومحاولة بث الشك والريبة حول كل ما هو روسي أو مصري، ونشر المخاوف من خطر تغلغل الشيوعية نتيجة تعاون الروس مع المصريين الموجودين في ليبيا بكثرة (خصوصا في مجال التعليم). بل إن حملة السفارتين لم تخل من هجوم مبطن ضدي شخصيا بتصويري كعميل لمصر ومتواطىء مع السوفييت.

وكان لدى السفارة البريطانية موظف كبير هو المستشار الشرقي ويدعى سيسيل جريتوريكس إنجليزي من مواليد الإسكندرية يجيد اللغة العربية بطلاقة، وعمل كضابط مخابرات في الجيش السنوسي في الأربعينات وتعرف على الملك إدريس ورجال حاشيته ثم عُيّن في السفارة البريطانية في طرابلس مسؤولاً عن المخابرات

وكذلك عن الاتصالات الحساسة مع الملك ورجال القصر والولاة وبعض كبار رجال الدولة.

وتولى جريتوريكس بمكر ونشاط بث دعاية خبيثة وبدأ يسربها في أحاديثه مع الملك وكبار المسؤولين مما سبب لي ولزملائي الكثير من الجهد لتكذيب تلك الدسائس. أما بالنسبة للسفارة الأمريكية فقد قام بعض ضباط مطار الملاّحة المنحدرين من أصل عربي (والذين استقدموا لنفس الأغراض التي يقوم بها زميلهم جريتوريكس) بنشاط مماثل في بث البلبلة وزرع الشكوك وزعزعة الثقة في الحكومة وفيّ أنا شخصياً.

ولم نقف مكتوفي الأيدي أمام الهجوم الإنجليزي-الأمريكي. فقد أوعزنا للجرائد الليبية أن تقوم بحملة مركزة على بريطانيا وأمريكا وتوجه لهم النقد والتهكم على ضآلة مساعداتهم التي لا تتمشى مع وعودهم ومع ما قامت به ليبيا من تضحيات في سبيلهم.

ويشير السفير البريطاني في رسالته إلى وزارة الخارجية في لندن بتاريخ ١٧ يناير ١٩٥٦ إلى الحملة في الصحافة الليبية فيقول:

> الأخبار صحيفة اسبوعية متعاطفة جداً مع بريطانيا في العادة إلى حد أننا تعهدنا بدعمها عن طريق نشر إعلانات فيها بما قدره عشرة جنيهات في الشهر، هذه الصحيفة احتجبت عن الصدور لعدة اسابيع لصعوبات مالية وغيرها. إلاّ أنها في ١٤ يناير أعلنت عودتها للصدور بمقال واضح جداً انه موحى به، تحت عنوان «ليبيا والغرب» تساءلت فيه عن مدى استفادة ليبيا من التسهيلات العديدة التي تمنحها للقوى الغربية ووصفت المساعدات التي استلمتها ليبيا بأنها لا تساوي شيئا مقارنة بما منح لدول أخرى في الشرق الأوسط بالرغم من أن احتياجات ليبيا تفوق احتياجاتهم. وأن موقفها من الغرب أكثر مرونة وتعاوناً من مواقفهم.
>
> لماذا إذن نحن كرماء لهذا الحد في منح التسهيلات إذا كان ما استلمناه مقابل تعاوننا هو مساعدات هزيلة وفي غاية البخل؟ ألم يحن لنا أن نعيد النظر

في سياساتنا وموقفنا كي لا نعطي أكثر مما نأخذ (يبدو هذا وكأنه صوت بن حليم في حديثي معه كما اوردته في رسالتي رقم ١٠٤١/٥/٥٥، ديسمبر ١٩٥٥).

بل إنني كنت أكتب المقال الرئيسي في جريدة الرائد تحت اسم مستعار هو ابن العاص أهاجم فيه الحكومة (التي كنت أرأسها) على قبولها المساعدات الغربية التافهة وأحثها على البحث مع دول أخرى عن مساعدات مجدية لليبيا.

أما بعد أن قدّم السفير الروسي عرض المساعدة الروسية فقد اشتدت حملة الجرائد الليبية وعلى الخصوص المقال الرئيسي في جريدة الرائد على الحكومة الليبية التي لم تقبل العرض الروسي في التو وعلى الفور.

ثم استدعيت عبد العزيز الزقلعي (وكان فعلا زعيم المعارضة في مجلس النواب)، وأمليته استجواباً عن العرض الروسي. متى ستقبله الحكومة الليبية؟ ومتى ستحيط مجلس النواب علماً بتفاصيله؟ وطلبت منه أن يوجه إلي هذا الاستجواب، وقلت: سأرد عليك بأننا ندرس الموضوع وسنُعلم المجلس في المستقبل القريب، وطلبت أن يقوم هو وزملاؤه ببعض الإحتجاج ثم يوافق المجلس على إمهال الحكومة وقتاً للدراسة.

وبعبارة موجزة بدأت فترة هرج ومرج في علاقتنا مع الحكوتين البريطانية والأمريكية، ومع أنني كنت أعرف أنهما يخططان لعمل ما، فانني لم أعرف بالتأكيد ما هو ذلك التخطيط، إلى أن اطلعت مؤخراً على الوثائق السرية للحكومتين البريطانية والأمريكية فقرأت العجب العجاب.

ويبدو أن ما خفي كان أعظم حيث أن تفاصيل المؤامرة لا زالت طيّ الكتمان بعد قرار الحكومة البريطانية بتأجيل الإفراج عن الوثائق التي تتعلق بها لمدة عشرين عاماً أخرى مما يقطع بأن حجم المؤامرة كان كبيراً وخطيراً، وكيف أنهم في سبيل الخلاص مني فكروا حتى في القيام بانقلاب عسكري إذا فشلوا في إسقاطي في الانتخابات أو في إقناع الملك بإقالتي من رئاسة الحكومة.

وفي هذه الأثناء تلقيت رسالة ودية من وزير الخارجية الأمريكية دالاس يقول فيها أن الرئيس أيزنهاور سيرسل مستر هنري كابوت لودج مندوبهم في مجلس الأمن (والرجل الثالث في الحزب الجمهوري الحاكم بعد أيزنهاور ونيكسون) حاملاً رسالتين شفهيتين للملك ولي، وعقدت مع لودج اجتماعين طويلين منفردين حاول أن يعطيني محاضرة عن الخطر الشيوعي وعن ماضي السفير جنرالوف (السفير السوفييتي في ليبيا) وأعماله السيئة عندما كان سفيرا لبلاده في استراليا، وحاول أن يفهم مني ما هو موقفنا من عروض المساعدة التي تتقدم بها روسيا وعن مدى استعدادنا للتعاون مع الكتلة الشرقية. قلت لمستر لودج إنني عندما زرت واشنطن في يوليو ١٩٥٤ وعدني أيزنهاور بأنه سيتبنى الإقتصاد الليبي كما تبنى إقتصاد الفيلبين، ونقلت أنا بدوري تفاؤلي العظيم بأن المساعدات الأمريكية ستتدفق على ليبيا إلى البرلمان والشعب الليبي. ولكن المساعدات لم تتدفق، بل وصلت قطرة قطرة، مما جعلني أواجه حملة عنيفة في البرلمان الليبي وأفقد شعبية كبيرة لدى الرأي العام لأنني في نظر معارضيّ راهنت رهاناً خاسراً. وأمام الشحّ والتقطير في المساعدات الأمريكية يتقدم الروس بعروض المساعدة لليبيا دون أي شروط أو قيود. فماذا تريدني أن أفعل؟

هل أستطيع أن أرفض العروض وشعبي يعاني، أي أن أمنعه من عون هو في أشد الحاجة إليه خصوصاً بعدما اتضح للشعب الليبي أن الوعود الأمريكية تكاد تكون حبراً على ورق. إننا في ليبيا نكره الشيوعية وما يصاحبها من ديكتاتورية وظلم وكبت، ونميل بطبعنا نحو مبادىء الديمقراطية والحرية والعدالة التي ينادي بها الغرب عموماً وأمريكا على وجه الخصوص، ولكني لا أستطيع أن أطعم شعبي الجائع مبادىء حرية وديمقراطية. إنني في حاجة ماسّة إلى مساعدات سخيّة لنفض غبار تخلف قرون عديدة لحق بوطني، وسيثلج صدري أن أتلقى تلك المساعدات من أصدقائنا، من الذين وثقنا بهم وتعاونا معهم واعطيناهم من التسهيلات ما جعلنا نبدو أمام اخواننا العرب وكأننا ربطنا مصيرنا بهم إلى الابد. أما إذا كان عون أصدقائنا لا يصلنا إلاّ بالنزر اليسير، وبما لا يكفي للتنمية الحقيقية، فلا مفر أمام أي مسؤول ليبي من أن يقبل العون الضروري من مصادر أخرى

قد لا يرتاح لها ارتياحاً تاماً. ثم بودي أن تستمع لبعض المعارضين للتأكد بنفسك بأنني في موقف لا أحسد عليه، وهنا أبدى رغبته في الاجتماع مع معارضي الحكومة. فدعوت ثلاثة منهم وعلى رأسهم عبد العزيز الزقلعي (وقد عرف عنه عنف شديد في معارضة الحكومة وسياستها الموالية للغرب كما كان مشهوداً له بالنزاهة والوطنية).

واجتمع لودج مع المعارضين الثلاثة على عشاء أقمته في منزلي في اليوم التالي. وقد أوعزت لهم بألا يتردّدوا في توجيه أعنف النقد لسياسة الحكومة الليبية والولايات المتحدة. وقد قاموا في أحاديثهم مع لودج بهجوم ذكي ومركّز على الولايات المتحدة ومساعداتها، وعلى سياسة الحكومة الليبية المتعاونة مع أمريكا إلى درجة جعلت لودج يقول لي – بعد انتهاء الاجتماع – أن معارضيك أعنف كثيراً من معارضينا في الحزب الديمقراطي.

ورافقت لودج في زيارته للملك الذي أجابه، عندما أثار المخاوف من التغلغل الشيوعي: اننا في ليبيا سنعتمد عليكم في إعطائنا وسائل مقاومة خطر أي تغلغل شيوعي، وربما كانت أنجح وسيلة هي زيادة مساعداتكم لليبيا بدرجة تجعل الشعب يلمس فائدة التعاون مع دول الغرب ولا يحتاج لمساعدة الروس.

وبعد رجوع لودج بدأ نوع من الترطيب في علاقاتنا مع واشنطن وبدأوا يسألوننا: هل إذا قدمنا لكم عوناً إقتصادياً مجزياً ترفضون علناً العرض الروسي؟ وهل تقبلون مطالبة الروس بتحجيم عدد دبلوماسييهم إلى عشرة بدلاً من الخمسين؟ وهل تؤكدون لنا أنكم ستفرضون على الدبلوماسيين الروس حداً جغرافياً لا يتعدونه – كما يفعلون هم في بلادهم؟ (وكانوا يودون أن يمنعوهم من الاقتراب من قاعدة الملاّحة)، وهل... وهل... سلسلة طويلة من الاسئلة والمساومات. وأخيراً طلب السفير الأمريكي جون تابن موعداً على انفراد مع الملك، أو بمعنى آخر مقابلة مع الملك لا أحضرها أنا، ورفض الملك ذلك الطلب، ولكنني أقنعته بأنه من حق رئيس دولة أجنبية أن يبلغه رسالة فيها شكوى من أحد وزرائه وفي هذه الحالة من حق المشكو فيه أن ينيب عنه مندوباً يحضر الاجتماع، فقبل الملك بعد تردّد كبير، وأنبت أنا عبد الرزاق شقلوف لحضور المقابلة.

ونقل السفير الأمريكي إلى الملك تحيات الرئيس أيزنهاور وتمنياته الطيبة ثم عرج على رسالة شفوية من الرئيس تقول بأن بن حليم جرى على سياسة ابتزاز خطيرة مع الولايات المتحدة وأصبح يحاول المزايدة بينها وبين الإتحاد السوفييتي وأن مقياسه الوحيد هو مقدار العون الذي يقدم لليبيا، ويضعنا في نفس الميزان مع الإتحاد السوفييتي، أي لا فرق عنده بين مساعدات الأصدقاء التي تقدم بنوايا حسنة، ومساعدات الأعداء التي ما هي إلا سبيل للتغلغل وزعزعة استقرار البلاد، وهذه سياسة خطيرة قد تجعل الولايات المتحدة تنسحب من المزاد آسفة لذلك.

ومضى يشرح بإسهاب خطر تغلغل الشيوعية عن طريق تلقي مساعداتها والسماح لدبلوماسييها بنشر دعايتهم في البلاد، وعرج إلى تذكير الملك بدور الصداقة والمساعدة الذي قامت به الولايات المتحدة. ورغبة الرئيس أيزنهاور أن تستمر تلك الصداقة، وأخيراً طلبه أن يلجّم بن حليم أو أن تُسهّل إزاحته بطريقة لطيفة (لخص لي الملك إدريس طلب الأمريكان في (أن يُلجّم بن حليم أو يُحجّم أو يُدحرج بلطف).

وردّ الملك بمجاملات مناسبة ثم انتقل إلى صلب الموضوع فقال للسفير الأمريكي: إن بن حليم تحت ضغط كبير من الرأي العام ومن المعارضين في البرلمان الذين يظهرون خيبة أملهم في المساعدات الأمريكية وينتقدون بن حليم لسكوته ومسايرته لكم. ثم أنني لم أشعر بأن بن حليم عمل ضدكم، بل بالعكس هو صديق لكم ولكنه في نفس الوقت يريد أن يثبت للجميع أن صداقتكم والتعاون معكم يفيد ليبيا مادياً وسياسياً، ثم إن إزاحة بن حليم من أسهل الأمور فهو ليس متمسكاً بمنصبه، ولكنني لن أقوم بهذا لأنني أحتاج اليه، ولو أقلته إرضاءً لكم فإن هذه هي أسوأ خدمة أقدمها لكم. لذلك فإنه من الخير لكم التعاون مع بن حليم وقبول طلباته المعقولة بدلاً من أن تضطروا للعمل مع من يخلفه الذي لن يكون أحسن منه.

ولو أنني لم أتمكن من العثور على تقرير السفير الأمريكي عن تلك المقابلة الشهيرة التي أوعز فيها إلي الملك تلاشي ثقة حكومته (الحكومة الأمريكية) في بن حليم وأملها في أن يزاح من المسرح السياسي غير أنني عثرت على تقرير لمقابلة هامة جرت بين

الملك والسفير الأمريكي يوم ١٣ فبراير ١٩٥٦ وهي مقابلة سبقت طلب إزاحتي عن المسرح السياسي ولكنها ربما كانت تمهيداً لذلك الطلب.

في مقابلة ١٣ فبراير يشكو السفير بمرارة من بعض الوزراء الذين يزايدون بين العروض الروسية والعروض الأمريكية، ويتخذون مع أمريكا موقف أعطونا هذا وإلاّ أخذناه من الروس. كما يشكو السفير الأمريكي من تغلغل النفوذ المصري ومؤازرته للتغلغل الروسي، وهو على العموم يبث بذور الشك ويحاول زعزعة الثقة بين الملك وحكومته. ويختتم السفير تقريره بأن الملك، رغم مجاملاته، إلاّ أنه كرر طلب زيادة العون الأمريكي، ولو أنه قدم طلبه بطريقة مؤدبة تفوق كثيراً طريقة رئيس الوزراء.

كما أشار السفير إلى دفاع الملك المبطن عن رئيس وزرائه، وأن الملك راضٍ عن سير الأمور على يد بن حليم.(٢١)

بعد رجوع السفير تابن من زيارة الملك جاءني ليشرح لي ما تمّ في المقابلة، فقلت له إنني على علم تام بما دار فيها. وعندما حاول أن يبرر شكوى حكومته مني قلت: لقد تألمت فقط من أن عملهم هذا يؤكد أنهم يكرهون التعامل مع السياسيين الذين يحرصون على مصالح أوطانهم، ويحرصون كذلك على صداقتهم داخل ذلك الإطار. انكم تحاولون دائماً التخلص من هذا النوع من السياسيين. تحاولون إزاحتهم وإحلال طبقة من السياسيين العملاء محلهم... أولئك الذين لا يعرفون إلاّ ترديد كلمة آمين. ثم تماديت وقلت للسفير: إنني نسيت هذه الزلّة من أصدقائي الأمريكيين ويهمني الآن أن أفتح صفحة جديدة في علاقاتنا خصوصاً وقد تبيّن لكم أن الملك، رغم ما يشاع لا يختلف مع سياسة حكومته تجاهكم... ومرة أخرى أؤكد لك أنني لا أحمل لكم العداء، ولكني لا يمكنني أن أقيم صداقتكم على حساب مصالح وطني. وعلى أية حال آمل أن تصلني من واشنطن عروض سخيّة للمساعدات الإقتصادية تغنينا عما عداها من المساعدات.

وبعد ذلك بأيام عاجلتهم بمناورة أخرى كانت هي القشة التي قصمت ظهر البعير الأمريكي-البريطاني. ذلك أنني استدعيت السفير البريطاني وذكرت له أن السفير

(٢١) راجع الملحق رقم ٩

المصري نقل لي اليوم رسالة شفهية من الرئيس جمال عبد الناصر تستمزجني فيما يكون رد فعل ليبيا إذا ما تقدمت مصر والمملكة السعودية وسوريا بعرض لمساعدة ليبيا إقتصادياً بمقدار يغني ليبيا عن المساعدات الغربية. وطبعاً كانت القصة مختلفة تماماً (ولو أنني كنت على إتفاق حولها مع السفير المصري). وكان لهذه المناورة وقع الصاعقة على لندن وواشنطن، (كما اتضح لي من الوثائق االسرية للحكومتين الأمريكية والبريطانية).

وانطلت الحيلة عليهم، فقد وجهت السفارة البريطانية في ليبيا بتاريخ ٢١ مارس ١٩٥٦ برقية عاجلة إلى وزارة الخارجية في لندن بخصوص (العرض المصري-السوري-السعودي لمساعدة ليبيا) جاء فيها:

> بالطبع هناك احتمال أن رئيس الوزراء الليبي قد اختلق هذا العرض لكي يضع المزيد من الضغط على بريطانيا وأمريكا.
>
> ولكن كون أن السفير الليبي في القاهرة ليس لديه أي علم أو دراية بهذا الموضوع فإن ذلك لا يعني شيئاً على الإطلاق، إذ انه من المحتمل أن يكون قد تمّ تجاهله في هذا الأمر، كما أن نفي عبد الناصر لا يمكن أن يعتمد عليه.
>
> انني أميل إلى صحة هذا العرض وتصديقه لأنه طالما ليس هناك ما يدعو للشك في صحة العرض الروسي، فليس هناك ما يدعو رئيس الوزراء الليبي إلى اختلاق فكرة العرض المصري.[٢٢]

ويسارع السفير الأمريكي في لندن بإرسال برقية إلى وزير الخارجية في واشنطن، وصورة منها إلى السفارة الأمريكية في طرابلس جاء فيها:

> إلحاقاً لبرقية السفار رقم ٣٨٥١ فإن وزارة الخارجية البريطانية مستمرة

---

(٢٢) راجع الملحق رقم ١٠

في إظهار قلقها الشديد من جراء الحالة في ليبيا وبالخصوص نظراً للكلام الذي بلغها أمس من السفارة البريطانية في طرابلس من أن السفير المصري في طرابلس أبلغ رئيس الوزراء الليبي عرضاً من ناصر وسعود والقوّتلي (المجتمعين في القاهرة) لتزويد ليبيا بالمساعدات الإقتصادية والمالية بدلاً من المساعدات الأمريكية والبريطانية.

ان وزارة الخارجية البريطانية تنظر لهذا التطوّر الجديد بالإضافة إلى العرض الروسي على أنه خطير وسيكون له عواقبه بخصوص الابقاء على التسهيلات العسكرية البريطانية والأمريكية في ليبيا.[٢٣]

ولم تمضِ إلا أيام وجاءني العرض الأمريكي بالمساعدات الإقتصادية الإضافية التالية:

- مساعدات إقتصادية إضافية لمشروعات الإعمار بمقدار ١٢ مليون دولار لسنتي ١٩٥٦-١٩٥٧.
- كمية كبيرة من الاسلحة والعتاد والآليات للجيش الليبي تقدر قيمتها بملايين.
- ٢٥ ألف طن من القمح.

(ملحوظة: كل هذه المساعدات كانت بالإضافة إلى المساعدات المتفق عليها قبل مناورة العرض الروسي).

على أن الأمريكان أصرّوا أن يقترن قبولنا للمساعدات الإضافية برفض العروض الروسية، وبعد فترة من التمنع اعتذرنا للروس عن قبول مساعداتهم لصغر مقدارها.

هذه هي القصة الحقيقية لمناورة العرض الروسي الشهير والتي حصلنا فيها على أكثر من ١٢ مليون دولار من العون الأمريكي وُظّفت في إعمار البلاد.

---

(٢٣) راجع الملحق رقم ١١

مبدأ أيزنهاور

منذ خريف ١٩٥٥ إلى خريف ١٩٥٦ حدثت سلسلة من الأفعال وردود الأفعال كان لها أثر جذري قوي على موازين القوى والنفوذ في الشرق الأوسط. بدأت تلك السلسلة بكسر احتكار السلاح عندما تمكّن الرئيس عبد الناصر من الحصول على صفقة كبيرة من السلاح والعتاد الروسي الحديث، فأحدث عمله هذا رد فعل سيء في واشنطن ولندن أدى إلى سحب أمريكا وبريطانيا عرضهما لتمويل السد العالي على نهر النيل. وهذا العمل الأخير أو رد الفعل الغربي تسبّب هو كذلك في رد فعل مصري عنيف عندما أمّم عبد الناصر قناة السويس، فتدهورت علاقات مصر (وكذلك بعض الدول العربية) مع الغرب عموماً ومع بريطانيا وفرنسا بنوع خاص إلى درجة أدّت إلى الاعتداء الثلاثي البريطاني-الفرنسي-الإسرائيلي على مصر.

هذه السلسلة الطويلة من الازمات – وخصوصاً تآمر بريطانيا وفرنسا مع إسرائيل – قضى على نفوذ تلك الدولتين في العالم العربي قضاء كاد يكون مبرماً. وأثناء تلك الازمات انتهز الروس الفرصة الذهبية التي أتاحها لهم تخبط سياسة الغرب وقصر نظرها فزادوا من نشاطهم السياسي والدعائي في العالم العربي، وأخذ نفوذهم يزداد اتساعاً وعمقاً... وشعر مخططو السياسة الأمريكية أن تقلص النفوذ البريطاني -الفرنسي في العالم العربي قد سبّب فراغاً رهيباً وأتاح للدولة الشيوعية فرصاً ممتازة لملء ذلك الفراغ. وفي نفس الوقت حاول أولئك المخططون للسياسة الأمريكية الاستفادة من الموقف المتزن الشجاع الذي وقفه الرئيس أيزنهاور والنوايا الحسنة التي خلقها ذلك الموقف لدى أغلب الدول العربية بمعارضته لحلفائه البريطانيين والفرنسيين، وإدانته لهم لاعتدائهم على مصر، وتهديدهم وحملهم على الانسحاب من قناة السويس مما أفشل الاعتداء الثلاثي. وحاول مخططو السياسة الأمريكية ابتكار سياسة أو أداة جديدة لملء ذلك الفراغ المظنون، فهداهم تفكيرهم إلى ابتكار ما أسموه مبدأ أيزنهاور (Eisenhower Doctrine)، وعناصره الأساسية كما وردت في الوثائق الرسمية هي:

- أن تتعاون الولايات المتحدة مع أية دولة أو مجموعة دول في منطقة الشرق الأوسط، وتساعدها على تنمية قواها الإقتصادية للمحافظة على إستقلالها.
- تتعهد الولايات المتحدة بالقيام ببرامج مساعدات وتعاون عسكري مع أية دولة أو مجموعة دول التي ترغب في ذلك التعاون.
- أن تستعمل القوات العسكرية للمحافظة على إستقلال وسلامة أراضي دول الشرق الأوسط التي تطلب المساعدة ضد أي اعتداء علني مسلّح يقع عليها من دول تسيطر عليها الشيوعية الدولية. وفي حالة اتخاذ تلك الإجراءات فإنها ستكون بناء على التزامات الولايات المتحدة التعاقدية بما في ذلك واجباتها القائمة على المبادئ الواردة في ميثاق الامم المتحدة.

وقدمت هذه السياسة للكونجرس الأمريكي فوافق عليها واعتمد مائتي مليون دولار توزع كمساعدات إقتصادية على دول الشرق الأوسط التي تقبل مبدأ أيزنهاور، وعيّن الرئيس الأمريكي جيمس ريتشاردز (James Richards) مساعداً خاصاً له ليقوم بعرض المبدأ على دول الشرق الأوسط. وكان نائب الرئيس الأمريكي نيكسون في طريقه لزيارة ليبيا زيارة رسمية، وكان وصوله متوقعاً قبل وصول ريتشاردز بأيام قليلة، لذلك كان على مجلس الوزراء الليبي اتخاذ موقف محدد من مبدأ أيزنهاور حتى أتمكن أنا من الإشارة إلى موقفنا الرسمي في الخطاب الذي كنت سألقيه في حفلة تكريم نيكسون.

وعُرض الموضوع على مجلس الوزراء وبُحث بحثاً دقيقاً على ضوء التزامات ليبيا العربية والدولية، ولم نترك ولا واردة إلا فحصناها عميقاً من كافة الوجوه، فتبين لنا أنه ليس في قبولنا مبدأ أيزنهاور أي ارتباط أو قيد على السيادة الليبية، وهو لا يتطلب أية التزامات مع الغرب أكثر من الإتزامات الليبية معه بناءً على معاهدة التحالف والصداقة الليبية البريطانية... ومن جهة أخرى فلم تكن ليبيا في يوم من الأيام ميّالة أو متعاونة مع الشيوعية الدولية بل على العكس تماماً كنا دائماً على أشدّ الحرص والحذر من تغلغل الشيوعية في ديارنا. بل أذكر انني قلت للسفير الروسي جنرالوف عندما استقبلته أول

مرة (لاستلام صورة من أوراق اعتماده) إن اعترافنا بدولته وتبادلنا التمثيل الدبلوماسي معها لا يعني إطلاقاً قبولنا للمبادئ الشيوعية، فردّ السفير انهم لا يصدرون مبادئ الشيوعية. فقلت له: المهم أن تعرفوا أننا لا نعطي تراخيص لإستيرادها إلى ليبيا.

كذلك فإن تأجيرنا لقاعدة الملاّحة للولايات المتحدة هو ارتباط آخر بالغرب المعادي للشيوعية. ثم أننا سنحصل إذا قبلنا مبدأ أيزنهاور على مساعدة إقتصادية نحن في أشدّ الحاجة اليها... ولا يستدعي قبولنا لذلك المبدأ أي زيادة في التزاماتنا الدولية أو أية تعهدات جديدة أكثر من ذلك. فإن المساعدات الدفاعية العسكرية في مبدأ أيزنهاور لا تطبق إلاّ بعد أن نطلب تطبيقها. لهذه الأسباب فقد وافق مجلس الوزراء بالإجماع على قبول المبدأ، وكلفني مع وزير الدفاع بالتفاوض بخصوصه مع مندوب الرئيس أيزنهاور جيمس ريتشاردز، كما وافق المجلس على مسودة الخطاب الذي كنت سألقيه ترحيباً بنيكسون.

ومن الغريب أن بعض وسائل الإعلام العربي - تلك التي تنشر المقالات وتذيع التعليقات الموترة دون دراسة وتمحيص - صورت قبولنا لمبدأ أيزنهاور على أنه انعطاف واضح للسياسة الخارجية الليبية نحو الغرب، وتغيير جوهري في مجرى تلك السياسة. كأنما كانت ليبيا إحدى الدول التي تدور في فلك موسكو وانتقلت فجأة إلى واشنطن. ووصل نيكسون إلى طرابلس وأقمت له حفل عشاء، ألقيت فيه خطاب الترحيب الذي أقرّه مجلس الوزراء وأعلنت قبول ليبيا مبدأ أيزنهاور.

ثم جاء مندوب الرئيس الأمريكي وعقدت معه جلسات طويلة عاونني زميلي وزير الدفاع عبد القادر العلام الذي كان من أكفأ وأشجع وأخلص الزملاء، وعرض الأمريكيون علينا مساعدة مقدارها أربعة ملايين دولار، فرفضتها على الفور قائلاً: لقد قبلنا بمبدأ أيزنهاور لأننا نعارض الشيوعية الدولية لتعارضها مع مبادئنا الإسلامية والديمقراطية، وخير لنا أن يكون قبولنا بدون أية مساعدات من أن نقبل مع هذه المساعدات الضئيلة. وأحرج مندوب الرئيس الأمريكي ثم طلب أن نرجئ موضوع المساعدة الإقتصادية إلى ما بعد عودته من زيارته لدول الشرق الأوسط.

وهذا ما حدث، فبعد أسابيع قليلة عندما رجع المندوب الأمريكي إلى طرابلس عرض علينا مساعدة إقتصادية مقدارها ستة ملايين دولار قبلتها بعد إلحاح من الأمريكيين.

واليوم وبعد سنوات عديدة من هذه الوقائع فإني أسأل المؤرخ المنصف أن يحكم على قبولنا لمبدأ أيزنهاور الذي حصلنا منه على ستة ملايين دولار من المساعدات الإقتصادية في الوقت الذي كنا في أشدّ الحاجة لكل دولار للتنمية الإقتصادية الوطنية. كل ذلك دون أن ندخل في أي ارتباط أو التزام أو تعهد جديد.

أزمات متلاحقة مع بريطانيا

في نفس الوقت الذي كنا نفاوض فيه حكومات الولايات المتحدة على المساعدات الإقتصادية لليبيا تارة باللطف والدبلوماسية وتارة أخرى بالتهديد المبطن والتلويح بعون كبير من الدول العربية والاشتراكية فقد كنا نبذل جهوداً كبيرة لإقناع الحكومة البريطانية لإعادة التفاوض معنا على المساعدات المالية المحددة بالمعاهدة المذكورة. ومن ناحيتهما (أمريكا وبريطانيا) فقد كان بينهما، تنسيق كبير وتفاهم، بحيث لم يكن في الاستطاعة إجراء أي نوع من المزايدة بينهما وكانت أمريكا قد قبلت أن تقوم بالدور الرئيسي في مجال المساعدات للتنمية الإقتصادية.

واذا كان تعاملنا مع أمريكا وضغوطنا عليها قد نجح بدرجة كبيرة وآتى ثماراً سريعة، فإن التعامل مع بريطانيا، وهي الشهيرة بالدهاء، العريقة في الإستعمار، كان صعباً معقداً ومحفوفاً بالمواقف شديدة الحساسية وذلك للأسباب التالية:

أولاً: معاهدة الصداقة والتحالف الليبية-البريطانية حددت المساعدات المالية بمليونين وثلاثة أرباع المليون جنيه استرليني لسدّ العجز في الميزانية الليبية، ومليون جنيه للتنمية الإقتصادية لكل عام من السنوات الخمس الأولى ١٩٥٣ إلى ١٩٥٨، ثم - بناءً على المعاهدة - يعاد التفاوض على السنوات الخمس التالية، ولم يكن هناك مدخل لإعادة التفاوض في هذه المبالغ قبل انقضاء فترة الخمس سنوات الأولى.

ثانياً: كان لبريطانيا نفوذ خاص في ليبيا فهي في نظر الكثيرين تعتبر الدولة التي

ساعدت الليبيين على تحرير وطنهم من الإحتلال الإيطالي، وقد كان للسفارة البريطانية اتصالات مباشرة مع القصر الملكي والولاة وعدد كبير من كبار المسؤولين. وكان السفير البريطاني الأول سير أليك كيركبرايد، وهو رائد الإستعمار البريطاني في الشرق الأوسط وصاحب الدور الشهير في الأردن وشمال الجزيرة العربية، وكان يتكلم اللغة العربية بطلاقة تامة بل كان خبيراً في العادات العشائرية واللهجات البدوية، وسرعان ما أقام صداقة وطيدة مع الملك إدريس ورجال القصر والولاة. ولم يكن كيركبرايد بالسفير العادي، لقد كان رئيسا الوزراء ونستون تشرشل وانتوني إيدن يستشيرانه كثيراً في شؤون الشرق العربي.

كذلك كان للسفارة البريطانية في طرابلس مستشار هو سيسيل جريتوريكس وقد ورد ذكره غير العطر في هذا الباب، وكان هذا الأخير على صلة مباشرة بالقصر وبكبار المسؤولين خصوصاً بولاية طرابلس الغرب.

عنصر آخر له أهمية عظيمة يفسر نفوذ بريطانيا في ليبيا – وهو الذي أخاف الملك إدريس من مؤامرات بريطانيا على إستقلال ليبيا وإيمانه القوي بأنها وراء أغلب النكسات والدسائس التي تقع في العالم العربي – هو شبح شريف مكة الذي غدرت به بريطانيا ونقضت عهدها له وتآمرت عليه وتركته شبه مشرد. هذا الشبح كان يمثل كثيراً في ذهن الملك ولذلك فقد كان يتعامل مع بريطانيا بمجاملة كبيرة ويتجنب المشاكل معها.

كذلك كان عدد كبير من الخبراء البريطانيين منتشرين في أجهزة الدولة المالية والإدارية، وأجهزة الشرطة. ولذلك فقد كان خداع الحكومة البريطانية وتهديدها – ولو تهديداً مبطناً – بعون عربي أو اشتراكي كان يستوجب حذراً شديداً.

ثالثاً: كان هناك شعور بعدم الثقة بين الحكومة البريطانية وبيني بدأ منذ أن كنت وزيراً للأشغال والمواصلات في برقة حيث أشاع الإنجليز أنني عدوّهم اللدود، أحاول استبدال خبرائهم بخبراء مصريين، بل ذهبت بعض إشاعاتهم باتهامي بالعمالة لمصر وبالتعاون مع حكومة الثورة لنشر النفوذ المصري... (انظر الملحق رقم ٢)

ولو أنني لم أطّلع على هذا التقرير إلاّ مؤخراً إلاّ أنني كنت أشعر دائماً أن هناك

شعوراً بعدم الثقة والحذر ينتاب علاقاتي بالبريطانيين ويزداد كلما اجتمعت مع الرئيس جمال عبد الناصر، وكلما ازدادت سياسة وزارتي اندفاعاً في اتجاهها القومي العربي.

الأزمة الأولى:

إلغاء لجنة العملة الليبية وإنشاء المصرف المركزي الليبي

قرر مجلس الوزراء أن يخصّص الجزء الأول من المساعدة الأمريكية لإنشاء المصرف المركزي الليبي (بنك ليبيا) والمصرف الزراعي الليبي.

أما بالنسبة للمصرف الزراعي فقد تمّ إنشاؤه بسرعة وبدون عراقيل واخترت فاضل بن زكري - والي طرابلس السابق - ليرأس مجلس إدارته وكان خير من قام بواجبات ذلك المنصب الهام، وسرعان ما بدأ المصرف في إقراض المزارعين في الولايات الثلاثة لتشجيع الزراعة وتيسير شراء المعدات الزراعية، مما كان له أطيب الأثر في النهوض بالمرفق الزراعي الهام.

أما بالنسبة لإنشاء البنك المركزي الليبي فقد كانت له قصة أخرى وزوبعة شديدة. فبمجرّد أن علم الإنجليز بنوايانا اعترضت الحكومة البريطانية بحجّة أن المادة الرابعة من الإتفاقية المالية الملحقة بمعاهدة الصداقة تنص على استمرار الترتيبات الحالية للعملة الليبية إلاّ إذا اتفقت الحكومتان على غير ذلك... ورأت الحكومة البريطانية أن إلغاء لجنة العملة الليبية ونقل صلاحياتها لبنك مركزي ليبي يبدل ترتيبات العملة الليبية الحالية ولذلك لم توافق على إنشاء ذلك البنك المركزي الليبي. وكنا - زملائي وأنا - نرى أن بقاء إصدار العملة الليبية ورسم وتنفيذ السياسة النقدية الليبية في أيدي لجنة العملة الليبية التي يرأسها بريطاني ومقرها لندن وأغلب موظفيها بريطانيون (فيما عدا شخصين اثنين هما سفير ليبيا في لندن ووكيل المالية)، فيه انتقاص صارخ للسيادة الوطنية. بل الأدهى والأمر أنه لم يكن للدولة الليبية مصرف تحفظ فيه أموالها، بل كانت تستعمل فرعي بنك باركليز في طرابلس وبنغازي لهذا الغرض.

وبرغم حساسية وأهمية الموضوع فقد حاولت أن أصل إلى إتفاق بشأنه مع الحكومة

البريطانية بالدبلوماسية الهادئة. فأرسلت إلى المسؤولين في لندن، القائم بالأعمال الليبي في بريطانيا حسن مخلوف ومعه خبير مالي، وقلت لهما أن يحاولا شرح موقفنا بالحسنى وأن يقولا للحكومة البريطانية «قولاً ليناً لعلّه يتذكر أو يخشى».

ولكن الحكومة البريطانية لم تتذكر ولم تخشَ، بل أصرّت على موقفها وكشرت عن أنيابها. ومن الحجج التي أبدتها أن تكاليف إنشاء البنك المركزي الليبي ستكون باهظة ولا داع لها، وعرضت كحل وسط أن ينقل مقر لجنة العملة إلى ليبيا، وأن يعين وزير المالية الليبي رئيساً لها على أن تبقى أغلب أعمالها في لندن وتستمر في إصدار العملة من لندن. طبعاً رفضنا كل هذا وعند ذلك استدعيت السفير البريطاني كيركبرايد وحمّلته رسالة شخصية مستعجلة إلى سلوين لويد وأنتوني إيدن شرحت فيها بحزم ولطف في نفس الوقت أننا إما أن ننشئ المصرف المركزي الليبي بالتفاهم والتعاون مع بريطانيا وإلاّ فإننا سننشئه بدون تعاون أو تفاهم معهم. إننا سنقيم البنك المركزي الليبي مهما كانت الأمور... وأكدت لهم أننا لا ننوي أن نخرج من منطقة الاسترليني وان احتياطي العملة الليبية لن يتغير وكذلك النقد الليبي.

وعندما رأى الانكليز أننا مصممون لا محالة على المضي في إنشاء البنك المركزي الليبي تراجعوا وقبلوا وجهة نظرنا وتعاونوا معنا في تأسيسه تعاوناً مثمراً. واخترت الدكتور علي العنيزي وزير المالية بالذات ليكون أول محافظ للبنك المركزي، وكان عهده في السنوات الستة التي أمضاها كمحافظ للبنك المركزي هو العهد الذهبي للمصرف. وكانت هي الفترة التي تدرب فيها عدد كبير من الشباب الليبي الذي يتولى الآن المناصب المصرفية الكبرى في ليبيا.

وأذكر أنني عندما رشحت العنيزي كمحافظ للبنك وطلبت من الملك التوقيع على مرسوم تعيينه تردّد الملك ثم سألني: لماذا العنيزي بالذات؟ فقلت: لأنه لا بدّ لمن يتولى منصب محافظ البنك المركزي أن تتوافر فيه ثلاث خصال أساسية: وهي النزاهة المطلقة، والكفاءة العالية في شؤون المال والإقتصاد، والمقدرة الفائقة على قول «لا»، والعنيزي تتوافر فيه هذه الخصال الثلاثة.

الأزمة الثانية:

بريطانيا تتدخل لمناصرة فرنسا خلال مفاوضات الجلاء

أما الأزمة الثانية مع بريطانيا فقد كانت تتعلق بعلاقاتنا مع فرنسا ولذلك فقد كانت أزمة من النوع السياسي الحاد، ذلك أنه بعد أن أنذرنا فرنسا في اكتوبر ١٩٥٤ بوجوب جلاء قواتها عن فزّان تأزمت العلاقات معها بدرجة خطيرة. وفي طريقي إلى باريس أواخر ديسمبر ١٩٥٤ تلبيةً لدعوة رئيس وزراء فرنسا للتفاوض المباشر معه، كان طريقي يمرّ بلندن (لم تكن هناك خطوط طيران مباشرة من ليبيا إلى باريس في ذلك الوقت) حيث زارني لورد ريدنج وزير الدولة في وزارة الخارجية البريطانية وتحدث معي عن أزمة علاقاتنا مع فرنسا وذكّرني بأن فرنسا حليفة مهمة لبريطانيا، وإن على ليبيا أن تتفاهم معها وتعقد معها معاهدة مثل التي عقدتها مع بريطانيا، لأن بريطانيا تعتمد على فرنسا في الدفاع عن الجنوب الليبي، وبذلك لا مفرّ من إتفاق في الدفاع المباشر.

وكدت أفقد صوابي عندما سمعت كلام اللورد، وانقلب الاجتماع إلى نقاش حاد عاصف. قلت له: أن معاهدة التحالف والصداقة بين ليبيا وبريطانيا لم تشر ولو من بعيد لطرف ثالث – أعني فرنسا - فهل دخلتم في إتفاقية من الباطن (Subcontract) مع فرنسا وكلفتموها بالدفاع عن الجنوب الليبي دون الرجوع إلى ليبيا صاحبة الشأن؟ وثارت ثائرته عندما وصفت كلامه بأنه هراء لا يجدر أن يصدر من وزير بريطاني، وغادر مكان الاجتماع بعصبية ظاهرة.

وبعد أسبوع واحد لاحقنا البريطانيون بضغط آخر هذه المرة عن طريق سفيرهم في باريس أثناء إقامتي فيها للتفاوض مع منديس فرانس، وكان اجتماعي مع جلادوين جيب السفير البريطاني في باريس عاصفاً بعيداً عن أي نوع من الدبلوماسية.

ثم في أوائل ١٩٥٥ عندما اتفقنا مع فرنسا على مبدأ الجلاء، ونقلنا التفاوض على التفاصيل إلى طرابلس حاولت بريطانيا للمرة الثالثة التدخل لمؤازرة فرنسا ضدنا، وكان ردّنا انه أحرى بهم أن يساعدونا نحن في مطالبنا المشروعة، نحن حلفاؤهم بمقتضى معاهدة لم يكد حبرها يجفّ. فقد تقدموا بمذكرة أشارت إلى أنه في إتفاقيات حلفهم

مع فرنسا للدفاع عن العالم الحرّ فإن الدفاع عن الجنوب الليبي يقع في مناطق النفوذ الفرنسي. وأذكر أنني رفضت استلام المذكرة الشفوية التي أحضرها القائم بالأعمال هالفورد (Halford) وقلت له: أنني لا أقبل حتى مجرد الحديث في هذا الموضوع لأننا نعتبر إصرارهم وتماديهم في إثارة هذا الموضوع إهانة لذكائنا، واحتقاراً لتعهداتهم في معاهدة التحالف، ومساس خطير بالسيادة الليبية، ثم أنهيت المقابلة بعصبية. ولعلّ معاملتي هذه للقائم بالأعمال هالفورد هي سبب الكراهية التي حفظها لي وظهرت في تقاريره العدائية عني ووصفي بالغرور والعداء لبريطانيا. عند ذلك فقط توقفوا عن محاولاتهم، وانتهت الأزمة الثانية مع بريطانيا.

وفي أوائل ١٩٥٥ عُيّن سفير جديد لبريطانيا في ليبيا هو وولتر جراهام، وجدته أكثر دبلوماسية من سابقه كيركبرايد وأميَل إلى الافكار التحررية. كما وجدته أحسن نوايا وأسلم طويه من سلفه الذي، ولو أنه أحيل على التقاعد، فقد كان يقوم بزيارات موسمية للقصر ويجتمع مع الملك وبعض كبار الليبيين خصوصاً في ولاية برقة ويسبّب لي الكثير من المشاكل والإرباك.

الأزمة الثالثة:

حول علاقاتنا الدولية وطلبات المساعدة الاضافية

كان بيني وبين وزير الخارجية البريطاني الجديد سلوين لويد نوع من التقدير والاحترام المتبادلين، بدأ عندما اجتمعت به عدة مرات عام ١٩٥٤، عندما كان نائباً لوزير الخارجية. وقد أثبتت الأيام أن الرجل كان على قدر كبير من الاعتدال، ونهج سياسة تميل إلى تفهم أكثر مع العالم العربي ومعنا بنوع خاص عندما تولّى منصب وزير الخارجية البريطانية في أوائل ١٩٥٥. وفي اجتماعاتي به عام ١٩٥٤ شعرت بأنه يحاول تشجيعي على استعمال صداقتي مع الرئيس جمال عبد الناصر لتحسين علاقات بريطانيا مع حكومة الثورة، وقد بذلت جهوداً كثيرة في هذا المضمار، وشكرني هو عليها في حينها. على أية حال، كان بينه وبيني نوع من الصداقة وحسن التفاهم وصادف أن

كان الوزير البريطاني في مارس عام ١٩٥٦ يقوم بجولة في الشرق الأوسط، وأبرق لي من البحرين سائلاً إذا كان من المناسب أن يتوقف في طرابلس لعدة ساعات للاجتماع بي. فأبرقت له مرحباً. وصل إلى طرابلس وزارني في منزلي، وبعد المجاملات العادية أكد على أن العلاقة المتينة بين لندن وطرابلس علاقة نموذجية في التفاهم والتعاون لصالح البلدين، ومضى قائلاً: أن من أهم أسس الصداقة المتينة والتعاون الحر هو الصراحة بين الأطراف المتعاونة، ولذلك فإنه يستسمحني في أن يكون صريحاً معي في تحذيري من الاقتراب كثيراً من الدب الروسي، وكذلك ينبهني إلى خطورة انتشار النفوذ المصري في أرجاء البلاد خصوصاً في ميدان التعليم وما يسبب هذا من انصراف الشعب عن التعلق بقيادته الحكيمة الممتازة، إلى الجري وراء زعامات من وراء الحدود (يعني الرئيس جمال عبد الناصر). وكرر أنه ينصح كصديق وكوزير في حكومة يهمها بقاء الاستقرار ودوام التقدم والازدهار في المملكة الليبية. ثم خفف من ثقل نصحه بأن ذكر بأنه لا يشك في وطنية المسؤولين الليبيين وإدراكهم للمخاطر التي ذكرها ولكنه رغب في أن يعبّر لي عن قلق حكومته ورغبتها الأكيدة في المساعدة على تفادي تلك المخاطر.

وكان ردّي بعد المجاملات والترحيب به كضيف عزيز في بلد صديق لبلاده: لقد شجعني الكلام الذي تفضلت به لأبادلك صراحة بصراحة. أن السبب الرئيسي لما نشعر به جميعاً - أنتم ونحن - من قلق وخوف من مخاطر يرجع أولاً وأخيراً إلى عدم تجاوب الدول الغربية مع ليبيا ووقوفها من الآمال الليبية في التقدم والتطور والازدهار موقف اللامبالاة وعدم الاكتراث، في حين ينصرف اهتمام الدول الغربية إلى العناية بالدول التي تشاكسها وتناصبها العداء. يا مستر لويد لقد اختارت الزعامة الليبية صداقتكم والوقوف بجانبكم في أحلك أوقات تاريخكم المعاصر. فمنذ عام ١٩٤٠ ربطتنا بكم علاقة تعاون وتحالف فعلي وسقط كثير من رجالنا إلى جانب رجالكم في معارك الشرف والتحرير في شمال أفريقيا، في طبرق وبنغازي والبريقة، ولا داعي لأن أذكرك بما قام به الليبيون من مخاطرات كبرى وراء خطوط المحور تعاوناً مع رجال الكوماندو البريطانيين خلال الحرب العالمية الثانية في الصحراء الليبية. ثم عند إستقلالنا منحناكم أنتم،

ثم فيما بعد منحنا حليفتكم أمريكا، تسهيلات عديدة وقواعد هامة على التراب الليبي. كل ذلك على أمل أن تتعانوا معنا تعاوناً مخلصاً في النهوض بالإقتصاد الليبي، وفي نفض غبار التخلف عن شعب جاهد أكثر من ثلاثين عام، ودمرت الحروب مدنه وريفه ومرافقه، لكي يدرك ركب الحضارة الذي تخلف عنه رغماً وقهراً. فاتفقتم معنا على تسديد عجز ميزانيتنا، واتفق معنا الأمريكيون على تمويل مرحلة تطوير إقتصادنا، بل أن الرئيس أيزنهاور وعدني عندما زرته في واشنطن في يوليو عام ١٩٥٤ بأن يغدق علينا العون، وذكر لي بأنه سيتبنى التنمية الإقتصادية في ليبيا كما تبنى نظيرتها في الفيلبين. ولكن ماذا حدث في الواقع؟ لا تكاد مساعدتكم أنتم تكفي لسدّ عجز ميزانيتنا. بل أثبت الواقع أن المبالغ المتفق عليها للسنوات الخمس لم تعد تكفي إطلاقاً لسدّ عجز الميزانية الليبية. أما الأمريكان فإن مساعدتهم للتنمية الإقتصادية أقل كثيراً مما وعدوني به ومما يلزم للسير ببرنامج التنمية الإقتصادية بسرعة معقولة. ورأى الشعب الليبي ولمس البرلمان أن ما نقلته لهم أنا شخصياً من وعود بتدفق العون الأمريكي، كلام معسول لم يتحقق منه إلا النزر اليسير. ورأى الشعب ولمس البرلمان أن الإتفاقية المالية معكم لا تكفي لسدّ عجز الميزانية. ورأى العالم كله أنكم تقدمون المساعدات الكبرى لبناء السد العالي في أسوان وترفضون اقراضنا مليوني جنيه لبناء محطة كهرباء طرابلس. أي تساعدون مصر التي تناصبكم العداء وتهملون ليبيا التي تجاهر العالم بصداقتها لكم وتقدم لكم القواعد والتسهيلات، ماذا يكون الأثر السياسي لهذه المواقف العجيبة؟ النتيجة الحتمية هي أن شعب ليبيا يتساءل لماذا لا تنهج حكومته نفس المنهاج الذي سارت عليه حكومة مصر وحصلت بمقتضاه على أضعاف أضعاف ما طالبنا به نحن ولم نحصل عليه. الحل يا مستر لويد هو أن يكون هناك توازن بين الحلفاء، بينكم وبيننا أقصد، لا يعقل أن نسمي العلاقة بين بلدينا علاقة حلف وصداقة إذا كان أحد الأطراف من أغنى بلاد العالم وأقواها والطرف الآخر من أفقر دول العالم وأضعفها. لا يمكن أن يسمى هذا حلفاً ما لم يكن هناك سعي حثيث لإجراء تعاون عن طريق مساعدات سخية وخبراء أكفاء مخلصين. عندما يشعر الشعب أن علاقته مع الغرب علاقة مجدية

ومبنية على صداقة واهتمام متبادل فإن الشعب الليبي لن ينصت للدعاية المصرية ولا لغيرها ولا خوف عليه من الدب الروسي. أما عن تغلغل المصريين في مجال التعليم فلماذا لا تساعدونا في إنشاء مدرسة ممتازة مثل التي أقمتموها في الإسكندرية، وأؤكد لك يا معالي الوزير أنني سأكون أسعد الناس يوم أن أثبت للشعب الليبي أن الصداقة التي أقامتها الزعامة الليبية مع دول الغرب صداقة مثمرة يعتمد عليها في تطوير البلاد وإلحاقها بركب التقدم والحضارة.

وكان الوزير ينصت باهتمام ويدون بعض الملاحظات، ثم دار بيينا نقاش ختمه الوزير بأن سألني سؤالاً مباشراً وهو أن أحدد له مطالبنا المعقولة بحيث يكون قبولها من طرفهم دليلاً على حسن نواياهم وتقديرهم لدور ليبيا كدولة حليفة وصديقة. وهنا ذكرت له المطالب الآتية: (وأنا أنقلها كما جاءت في الوثيقة االسرية رقم (٧٥) التي لخص فيها سفير بريطانيا في طرابلس مطالبنا التي قدمناها لوزير الخارجية)

١. خطة التنمية الإقتصادية للسنوات الخمس بها عجز يزيد عن ٢٠ مليون جنيه استرليني (للفترة المتبقية من تلك الخطة أي للأربع سنوات القادمة، أي بمعدل ٥ ملايين جنيه لكل عام من السنوات الاربعة القادمة).
٢. نطلب من بريطانيا قرضاً بدون فائدة مقداره مليوني جنيه استرليني لتمويل إنشاء محطة كهرباء طرابلس، والغرض منها هو توزيع الكهرباء على المزارعين في الشريط الساحلي بولاية طرابلس الغرب لتشجيع الزراعة وهو بالنسبة لنا في نفس أهمية السد العالي لمصر.
٣. مساعدتنا لإنشاء مدرسة عربية – إنجليزية من طراز ممتاز مثل مدرسة فكتوريا بالإسكندرية.
٤. تسديد عجز الميزانية الليبية، فقد تبيّن أن مبلغ ٢,٧٥ مليون جنيه استرليني الذي خصصته معاهدة التحالف والصداقة لتسديد عجز الميزانية الليبية لا يكفي إطلاقاً ونحتاج لزيادة في المساعدة بمقدار نصف مليون جنيه لعامي

١٩٥٦-١٩٥٧. اما بالنسبة للعامين القادمين فإن الزيادة في المساعدة ستكون أكثر كثيراً من نصف مليون جنيه.[٢٤]

وقال: بالنسبة للطلب الأول فإنه يعد بأن يبذل هو ورئيسه إيدن قصارى جهدهما لدى الرئيس أيزنهاور بالذات للنظر بعين العناية التامة لطلباتنا وتلبيتها بسخاء وسرعة، كما أكد أن بريطانيا لا تستطيع أن تساهم بأكثر من ذلك في هذا الطلب (وبالفعل فقد عثرت في الوثائق االسرية على الكثير من المراسلات بين الحكومتين الأمريكية والبريطانية التي ألحّت فيها لندن على واشنطن بقوة على تلبية طلباتنا ولمحت لواشنطن بمغبة إهمال طلباتنا).

وبالنسبة للطلب الثاني فقد وعد ببحث الموضوع في مجلس الوزراء البريطاني، مع وعد منه أن يكون مدافعاً عن مطلبنا، كما عبّر عن أمله إذا ما استجيب لطلبه بأن نستعمل معدات كهربائية من صنع بريطانيا في مشروع محطة الكهرباء.

أما بالنسبة لطلبنا الثالث فقد رحب به دون تردد وقال إنه تأكيد منه على رغبته في نشر الثقافة الإنجليزية في ليبيا.

وأما طلبنا الرابع فقد واجهه بكثير من التردد والتملص، وأمام إلحاحي قبل أن يبحث موضوع عجز الميزانية الليبية بتمعن فإن تأكد من وجود فجوة كبيرة في العجز فسوف نتشاور في الموضوع ولكنه كان حذراً وتجنّب إعطائي أي وعد محدد.

وفي ختام المقابلة قال إنه يسرّه كثيراً لو تمكنا من ترتيب زيارة رسمية أقوم بها أنا للندن لأجتمع مع رئيس الوزراء وبقية الوزراء ونرسي معا قواعد ثابتة للتعاون والتفاهم بين بلدينا. شكرته على الدعوة وتركنا التفاصيل لما بعد.

ولأسباب تكتيكية فقد تعمدت ألا أثير مع الوزير البريطاني أهم مطالبنا وهو ما يتعلق بزيادة عدد ومعدات القوات البرية الليبية إلى خمسة آلاف مقاتل كمرحلة أولى، وإنشاء نواة للأسطولين البحري والجوي، لأنني خشيت أن ارتفاع تكاليف هذا المطلب

---

(٢٤) راجع الملحق رقم ١٢

سيجعل البريطانيين يرفضون الإستجابة للمطالب الأخرى – ثم أن هذا المطلب الخاص بالقوات الليبية المسلّحة سيصعب عليهم التنصل من الإستجابة له لأن المعاهدة بين ليبيا وبريطانيا هي أصلاً معاهدة تحالف، ولكي يقوم تحالف بين طرفين لا بدّ لكل طرف من قوات مسلحة مناسبة. وأجّلت إثارة موضوع القوات المسلحة خلال زيارة الوزير البريطاني ولكني بعد ذلك بفترة وجيزة وبالتحديد يوم ١٨ يونيو ١٩٥٦ قدمت لبريطانية طلبين رسميين أحدهما بخصوص تغطية العجز في الميزانية الليبية، والثاني يتعلق بعدد وعتاد الجيش الليبي. ويقول الوكيل الدائم لوزارة الخارجية البريطانية في تقريره السرّي الذي رفعه إلى وزير الدولة البريطاني للشؤون الخارجية عن الطلب الثاني:

لقد قدم رئيس الوزراء الليبي صبيحة هذا اليوم طلبين منفصلين، ولكن لهما علاقة مشتركة وهما:

... إن الرأي العام الليبي قلق من مشاهدة القوات البريطانية في كل مكان بالإضافة إلى أن عدم وجود جيش ليبي لا يليق ولا يتفق مع إستقلال ليبيا وكرامتها واذا عرف الرأي العام الليبي أن هناك جيش ليبي يتم تأسيسه فإنه سوف يتحمل رؤية القوات البريطانية هناك.

الذي يدور في خيال رئيس الوزراء الليبي هو جيش قوامه ٢٠ ألف جندي على غرار الفيلق العربي بالإضافة إلى قوة جوية يبدأ تكوينها بسرب واحد، وقوة بحرية صغيرة.

عندما ذُكر له أن هذا سيكلف حوالي ١٥ مليون جنيه استرليني سنوياً، قال رئيس الوزراء أن هذا لا يشكل عبئاً كبيراً على دافعي الضرائب من الشعب الإنجليزي، إذ أن هذا الجيش سيضيف قوة لها أثرها من الليبيين الموثوق بهم إلى جيوشنا فيما وراء البحار.

وفي الوقت الذي ينكر فيه أن يصوّب المسدس نحو رؤوسنا فإن رئيس الوزراء الليبي أوضح – من خلال حديثه - أن هذا ما يقصد فعله تماماً، إذ أن

اتصالاته وطلباته تحمل طابع الانذار والتهديد.[٢٥]

وصلت إلى لندن وبدأنا نتفق على المطالب الأخرى وعندما قدمت طلباتنا الخاصة بالأسلحة الليبية الثلاث وبررتها بقيام تحالف بين بلدينا اضطر البريطانيون للموافقة لا كرماً منهم ولكن لأنهم لم يستطيعوا الرفض للأسباب التي شرحتها، ولكنهم أصروا على أن تسبق الزيادة الكبيرة في القوات الليبية دراسة فنية من الطرفين. أما بالنسبة لطلبنا زيادة العون المالي المخصص لتسديد عجز الميزانية فقد ظهر لي جلياً (من كلام الوزير) أن الحكومة البريطانية لن توافق على هذا المطلب بأي حال من الأحوال ما لم نحرجها ونثبت لها بالأرقام أن عجز الميزانية الليبية أكثر كثيراً من المساعدة المالية البريطانية المخصصة لتغطية العجز.

ولقد لجأت مرة أخرى لحيلة بسيطة ساعدني في إخراجها وتنفيذها وكيل المالية عبد الرزاق شقلوف، ومدير عام الجمارك محمد عبد الكافي السمين (وكانا على درجة كبيرة من الوطنية والكفاءة). فقد تعمدت إدارة الجمارك التباطؤ في إرسال كشوفات حصيلة الرسوم الجمركية المحصلة في الأشهر الأولى من ١٩٥٦ بحجة تراكم العمل وقلة الموظفين مما اضطر» وزارة المالية أن تستعمل كشوفات حصيلة الأشهر المماثلة من عام ١٩٥٥ وذلك في تقديراتها لدخل الدولة عن عام ١٩٥٦. ولما كان الفارق كبيراً بين دخل السنتين (نظراً لبدء نشاط شركات النفط عام ١٩٥٦ وإستيرادها بضائع كثيرة) فإن هذه الحيلة أظهرت عجزاً مصطنعاً في الميزانية يزيد عن العجز الفعلي... ومرة أخرى وبذكاء وكياسة فقد سرب وكيل وزارة المالية أرقام العجز المصطنع (على أنه العجز الحقيقي) إلى الخبير المالي بيت هاردايكر الذي سارع وسرّبه للسفارة البريطانية، ونجحت هذه الحيلة في إقناع وزارة الخارجية البريطانية بأن المبالغ المخصصة من بريطانيا لتسديد عجز الميزانية الليبية غير كافية، وهذا كان له أثر طيب في تقوية حجتنا في هذا المطلب.

---

(٢٥) راجع الملحق رقم ١٣

زيارة لندن والإتفاق على مساعدات إقتصادية وعسكرية

بعد الزيارة التي قام بها وزير الخارجية البريطاني لطرابلس ودعوته لي لزيارة لندن فإن انفراجاً في العلاقات بين البلدين بدأ يلوح في الافق وتواصلت الاتصالات بين الحكومتين لتحديد جدول أعمال للزيارة الرسمية للندن وتهيئة الأجواء الملائمة لنجاح المحادثات. غير أن بعض عناصر السفارة البريطانية وعلى الأخص هالفورد الوزير المفوض، وجريتوريكس المستشار الشرقي بدأوا حملة في تقاريرهم إلى الخارجية البريطانية ناصحين بالعدول عن دعوة بن حليم إلى لندن لأن زيارته إما أن ترضي غروره وهذا ما سيكلف الخزانة البريطانية مبالغ طائلة، أو أنها ستفشل في إرضاء مطالبه، وهذا ما سيعطيه الحجة والذريعة لمهاجمة بريطانيا وإنهاء معاهدة الصداقة والتحالف والمطالبة بإجلاء القوات البريطانية.

فقبل أن تتم الزيارة بيوم واحد فقط حاول الوزير المفوض البريطاني أن يحصل من وكيل الخارجية الليبي على معلومات محددة تتعلق بالبنود التي أنوي طرحها في اجتماعات لندن على المسؤولين البريطانيين، وحين فشل في ذلك قال في رسالته إلى وزارة الخارجية في لندن المؤرخة ١٠ يونيو ١٩٥٦:

> يبدو من كل هذا أن رئيس الوزراء الليبي سيفجر بعض المفاجآت. إن غروره هو السبب في عدم رغبته في الانصات إلى نصائح مساعديه أو إلى التصريح بنواياه إلى قليليّ الأهمية (يعني نفسه).[٢٦]

وبعد مغادرتي ليبيا في طريقي إلى لندن بعث الوزير المفوض تقريراً ثانياً إلى رئيس قسم أفريقيا في الخارجية البريطانية بتاريخ ١٢ يونيو ١٩٥٦ يبدي فيه امتعاضه من المعاملة التي لقيها من رئيس الوزراء بن حليم ويقول:

---

(٢٦) راجع الملحق رقم ١٤

... لعلّ السبب في ذلك يرجع إلى أنه عندما يكون في حالة غروره المزمنة، التي هي مثل حالة غرور الطاووس فإنه لا يكون لديه الوقت لمقابلة مجرد (قائم بأعمال) أو لأنه يعرف جيداً أنني لا أكنّ له وداً، أو لأن آراءه تبدو له جيدة ومقبولة عندما يعرضها على الآخرين ولكنه عندما يعرضها علي يلاقي بعض ما يغضبه من التعقيبات.

...إن الدافع الرئيسي لزيارة بن حليم إلى لندن تتعلق بالرغبة في الحصول على تطوير جوهري للجيش الليبي.

ثم يصف كاتب التقرير رئيس حكومة ليبيا بأنه زعيم عصابة ويطلب الضغط عليه لأجل السماح بعودة فورسايث إلى ليبيا، وهو جاسوس بريطاني كان يعمل في ليبيا تحت ستار الأعمال الحرّة وطردته الحكومة الليبية من أراضيها.[٢٧]

ويبدو من الوثائق أن سلوين لويد لم يعر تلك النصائح أذناً صاغية، وبدأت المحادثات في لندن يوم ١٨ يونيو واستمرت إلى مساء ٢٦ يونيو ١٩٥٦، وكان يرافقني الدكتور فكيني، ووكيلا الخارجية والمالية سليمان الجربي وعبد الرازق شقلوف، وانضم الينا في لندن سفيرنا محمود المنتصر، والوزير المفوض الباروني، واستمرت المحادثات يومين أكثر مما حدد لها مسبقاً، وعقدت اجتماعين مع إيدن بحضور السفير محمود المنتصر، كما عقدنا ستة اجتماعات بين الوفدين الليبي والبريطاني في مكتب وزير الخارجية، واضطر وزير الخارجية أن يرجع إلى مجلس الوزراء البريطاني مرتين للحصول على موافقة على عروض أحسن لأنني قد رفضت العروض الأولى والثانية.[٢٨]

ومرت المفاوضات بساعات حرجة وفترات عصبية، وأخيراً وقبيل سفري من لندن بساعتين فقط توصلنا إلى الإتفاق على البنود الآتية:

---

(٢٧) راجع الملحق رقم ١٥

(٢٨) راجع الملحق رقم ١٦

- تمّ الإتفاق على زيادة حجم القوات الليبية المسلحة إلى خمسة آلاف مقاتل، كمرحلة أولى من برنامج يصل بالقوات المسلحة الليبية إلى عشرين ألف مقاتل، وتعهدت الحكومة البريطانية بتجهيز تلك القوات ومدّها بالأسلحة والعتاد وتدريبها تدريباً عصرياً. ولم يكن في الاستطاعة تحديد المساعدات المالية اللازمة لزيادة عدد القوات المسلحة الليبية وتسليحها وتدريبها قبل أن تنتهي لجنة الخبراء من دراستها، ولكن التقديرات الأولية كانت تصل إلى حوالي عشرة ملايين جنيه استرليني للأسلحة والمعدات، وحوالي أربعة ملايين استرليني سنوياً للمرتبات والتدريب والتشغيل والصيانة.
- زيادة المساعدة البريطانية لتسديد عجز الميزانية الليبية على الوجه الآتي:
للعام المالي ٦٥-١٩٥٧ تكون الزيادة ربع مليون جنيه استرليني.
للعام المالي ٧٥-١٩٥٨ تكون الزيادة ثلاثة أرباع مليون جنيه استرليني.
- أخذت الحكومة البريطانية علماً برغبة الحكومة الليبية إنشاء سلاح بحري، وسلاح طيران، ووافقت الحكومتان أن تفحص لجنة من الخبراء إمكانية إقامة السلاحين المذكورين.[٢٩] وبينما أبدت الحكومة البريطانية استعدادها لمدّ ليبيا بالسفن والأسلحة اللازمة لسلاح البحرية فإنها رغبت أن تتولى الولايات المتحدة مسؤولية مساعدتنا في إنشاء سلاح الطيران.
- وعدت الحكومة البريطانية، سواء عن لسان رئيس الوزراء إيدن أو وزير الخارجية لويد، ببذل قصارى الجهود لحمل الحكومة الأميركية على الاستمرار في تمويل خطة التنمية الليبية بسخاء وعناية (وبالفعل كما اتضح لي مؤخراً من الوثائق الرسمية زاد الضغط البريطاني على الولايات المتحدة لهذا الغرض).

هذا وقد يتساءل القارئ عن الأهمية الكبيرة التي أعطيتها لرفع المساعدة البريطانية بمليون جنيه كما شرحت في البند رقم ٢، إذ أن مليون جنيه حتى بمقاييس عام ١٩٥٦

(٢٩) راجع الملحق رقم ١٧

ليس بالمبلغ العظيم الذي يستدعي كل هذا الاهتمام، غير أن غرضي الحقيقي لم يكن مجرد في العون البريطاني لليبيا، بقدر ما كان حمل بريطانيا على الإعتراف بأن المبلغ المتفق عليه في معاهدة عام ١٩٥٣ لسدّ العجز في الميزانية قد أثبت عدم كفايته، وبالتالي فقد سلمت بريطانيا بمبدأ التزايد في المساعدة المالية مما يجعل المفاوض الليبي في مركز أقوى عندما يفاوض على العون الإقتصادي للسنوات الخمس التالية ١٩٥٨-١٩٦٣، وهذا بالذات هو السبب الذي جعل المفاوض البريطاني شديد الصلابة معنا، وما وافق على تلك الزيادة إلاّ في الساعات الأخيرة من الزيارة الرسمية بعد أن خشي من فشل المفاوضات.

إيدن يطلق تهديدات خطيرة ضد مصر

أما النتائج السياسية للزيارة فقد كانت مهمة كذلك. ففي الاجتماعات مع إيدن التي لم يحضرها معي إلاّ سفيرنا في لندن فقد تناولنا مواضيع سياسية حساسة خصوصاً فيما يتعلق بالشرق الأوسط، فقد بدأ إيدن حديثه بعتاب خفيف، إذ قال أنه كان يتوقع ويأمل أن يتلقف أصدقاؤه العرب الفرصة التي سنحت لهم في الخطاب التقليدي الذي ألقاه في الجيلدهول (Guildhall) في ديسمبر ١٩٥٥ والذي دعا فيه إلى مصالحة بين العرب وإسرائيل على أساس أن تقوم حدود إسرائيل على حدود وسط بين حدودها الحالية (أي حدود ١٩٥٥) وحدود قرار التقسيم الدولي، وأن يعالج موضوع اللاجئين بنفس الطريقة، ولكن: لم أسمع من الأصدقاء العرب أي صدى.

وكنت في حرج شديد لأنني عندما سمعت الخطاب في ديسمبر ١٩٥٥ حاولت الإتفاق مع الرئيس جمال عبد الناصر لجعل الجامعة العربية تخطو بعض الخطوات في اتجاه بحث ذلك الخطاب. ولكن الرئيس عبد الناصر رأى أن الخطاب هو عبارة عن مناورة بريطانية استعمارية.

ثم أضاف أنه رئيس الوزراء البريطاني الوحيد الذي يجيد العربية وله عدد كبير من الأصدقاء بين الزعماء العرب وبالرغم من هذا الرصيد: فإنني ام أتمكن من بناء

جسر من الثقة والتفاهم مع أغلبية الحكومات والشعوب العربية، بل الأدهى والأمر أنني عارضت رئيسي السابق ونستون تشرشل» واندفعت بصدق وعزم في سياسة التفاهم مع ناصر ووضعت كل وزني السياسي في جانب إتفاقية الجلاء عن مصر آملاً أن أفتح عهداً جديداً من التعاون معها، فماذا كان الجزاء؟ لقد تمادى ناصر في التآمر على المصالح البريطانية في العالم العربي، خصوصاً في الأردن وعدن وليبيا والسعودية... باثاً أخبث الدعاية ضد بريطانيا ومؤازراً، بكل قوة، تسرّب الشيوعية إلى البلاد العربية.

قلت: أجدني في حرج كبير فأنا حديث العهد بالسياسية قليل الخبرة فيها وأجد نفسي مضطراً لتقديم النصح إلى رجل دولة مخضرم يعتبر أستاذاً للدبلوماسية والسياسة في العالم الغربي. ولكن ما سمعت منك يا سيادة الرئيس يجعلني أشعر بضرورة تقديم النصح. قال: سأستمع لك بكل انتباه.

قلت: إنك محل تقدير في العالم العربي، وكثيرون يذكرون مواقف كثيرة صدرت منك دلّت على صداقة مخلصة نحو الشعوب العربية، ويؤسفني أن يحدث سوء فهم بينك وبين الرئيس ناصر، لقد شُوّهت صورته لديك، إنني أؤكد لك أن الرئيس عبد الناصر يكره الشيوعية كراهية الكوليرا، وأني على ثقة أنه يفضل التعاون مع الدول الديمقراطية على التعاون مع أي مجموعة أخرى، فهو يرغب بكل صدق في رفع مستوى شعبه وإدراك الركب الحضاري. ويسعى لكي تتبوأ مصر مكاناً مرموقاً في العالم ولا أبرئه من أنه يسعى لزعامة العالم العربي وله — في رأيي- الكثير من المؤهلات لذلك. وهو يرى أن دول الغرب تهمل تطلّعاته بل تحاول إقامة زعامة منافسة له عن طريق حلف بغداد ونوري السعيد...

قاطعني قائلاً: إن حلف بغداد موجّه نحو الخطر الآتي من الشمال ونوري صديق قديم ومخلص لنا وأؤكد لك أننا سيسرنا كثيراً لو تفاهم نوري مع ناصر.

قلت: صحيح أن حلف بغداد موجه للخطر الآتي من الشمال ولكن الرئيس عبد الناصر يحاول بكل قوة جمع العرب في حلف ضد خطر يأتي من داخل العالم العربي وهو الخطر التوسعي الإسرائيلي، ويرى أن حلف بغداد يشتت الجهود العربية ويصرفها بعيداً عن مواجهة الخطر الإسرائيلي، وهو يرى أنكم وراء هذا التخطيط. وهذا في رأيي هو السبب

الرئيسي لسياسة عدم الثقة والحذر والمعارضة التي يتبعها الرئيس عبد الناصر نحوكم.

ومضيت قائلاً: أن نوري السعيد زارني بالأمس وأنا أسعى لعمل يعيد الثقة بين الرئيس عبد الناصر ونوري السعيد (جرت مناقشة مماثلة لهذه المناقشة في اجتماع الوفدين الليبي والبريطاني في مكتب وزير الخارجية البريطاني لويد).[٣٠]

ولكنه تمادى في هجومه على عبد الناصر واصفاً إياه بأنه ديكتاتور يتشبه بموسوليني وأنه مخلب للدب الروسي، ثم انتابت رئيس الوزراء البريطاني نوبة عصبية فأخذ يخبط الطاولة بيده قائلاً: إن صبر بريطانيا يكاد أن ينفذ. ما لم يتوقف ناصر عن مؤامراته ضدنا فإننا سنضطر إلى معالجته بضربات لن يقوم بعدها. وكلام كثير استغربته من رئيس الوزراء البريطاني مما اضطرني أن أكرر كلامي السابق وأضفت أنني أستغرب أن يستعمل إيدن، السياسي المحنك، لغة التهديد والوعيد في مجال لا يصلح فيه إلاّ اتباع سياسة التفاهم والدبلوماسية الهادئة.

ثم ختمت حديثي في هذا الموضوع قائلاً: إذا كنت يا سيادة الرئيس تودّ أن أنقل تهديدك للرئيس عبد الناصر فلست فاعلاً ذلك. إنني أشعر بأنك متأثر بخبرتك مع الديكتاتور موسوليني، ولكن الرئيس عبد الناصر ليس بموسوليني آخر، ولقد أكد لي شخصياً أنه لم يكن وراء طرد الجنرال جلوب من الأردن، وأنا واثق أنه يكره الشيوعية، وأنا على يقين من أنه إذا خفّفتم من تأييدكم المطلق لحلف بغداد ولم تحاولوا دفع دول عربية أخرى لدخوله فإنه يمكن للدبلوماسية الهادئة أن تصل مع الرئيس جمال عبد الناصر إلى تفاهم معقول.

رد سير أنتوني أن حجة الخطر الإسرائيلي التي يتذرع بها ناصر هي حجة واهية، وأشار إلى أن مبيعات بريطانيا من الأسلحة إلى الدول العربية هي خمسة أضعاف مبيعاتها من الاسلحة لإسرائيل، وردد كلامه الأول في الجيلدهول، ولو أنّ لهجة التهديد خفت قليلاً إلاّ أنني شعرت بأن شيئاً سيئاً يدور في تفكير الرئيس البريطاني. ولكن لم يخطر ببالي أنه من الممكن أن يذهب إلى حدّ شنّ هجوم عسكري على مصر.

---

(٣٠) راجع الملحق رقم ١٧

ثم انتقل الحديث إلى ليبيا، ومرة أخرى نصحني بالانتباه إلى خطر التسرّب المصري–الروسي في ليبيا، وهنا قلت له: إن صداقتي لعبد الناصر لا تصل إلى درجة تسليمه مقاليد الأمور في ليبيا، أنت أول من يعرف ما ضحّى به الليبيون لنيل إستقلالهم (إشارة لعلاقته مع الأمير إدريس عام ١٩٤٠) ولذلك حري بك أن تعلم بأن ليس هناك ليبي واحد يتساهل مع من يحاول زعزعة ذلك الإستقلال أو يرجعه إلى استعمار آخر.

ثم انتقل الحديث إلى العلاقات الثنائية ومشروعاتنا للتنمية الإقتصادية في ليبيا وكان تكراراً لما جرى بين الوزير لويد وبيني إلاّ أنه أكد لي أنه سيبذل قصارى جهده ومساعيه لدى الرئيس أيزنهاور لكي يفي الأخير بوعده لي من تبنيه للتنمية الإقتصادية في ليبيا بسخاء وبسرعة خاصة.

وانتقلنا إلى غرفة الأكل وكان هناك وزير الخزانة ماكميلان، ووزير الخارجية لويد، ووزير الدفاع انتوني هيد، وآخرون. وفي اليوم التالي استدعيت السفير المصري في لندن وحملته رسالة شخصية للرئيس عبد الناصر حذرته فيها من النوايا البريطانية دون أن أبالغ في نقل تهديدات إيدن ونصحته بالتجاوب مع أي مسعى للتفاهم يقوم به رئيس الوزراء البريطاني وعدم دفع الأمور إلى حدّ المواجهة بعد أن شرحت له ما دار بيني وبين إيدن. وأذكر أنه عندما خرجنا من عند رئيس الوزراء البريطاني قال لي سفيرنا محمود المنتصر إنك قمت بدور رئيس وزراء مصر أكثر من قيامك بدور رئيس وزراء ليبيا.

اجتماعات في لندن مع نوري السعيد ونبوءة تحققت

أثناء الأيام الأولى من مفاوضاتنا مع الحكومة البريطانية في لندن وصل إليها نوري السعيد رئيس وزراء العراق وطلب الإجتماع بي في أقرب فرصة ممكنة. وعقدت معه اجتماعين مطوّلين فهمت منذ الدقائق الأولى من الاجتماع الأول أنه مكلّف من الحكومة البريطانية بسبر غوري واستجلاء نواياي نحو بريطانيا، وتقديم النصح والتحذير من الخطر الشيوعي ومن مخاطر التساهل مع انتشار النفوذ المصري في ليبيا وتحذيري من مؤامرات عبد الناصر. وشرحت لنوري السعيد موقفنا مع الحكومة البريطانية بنفس

الأفكار والعبارات التي قدمتها للوزير لويد عند زيارته لي في طرابلس، وأكدت لنوري أنني لا أضمر أي عداء لبريطانيا بل إنني أسعى بكل إخلاص لإقامة صداقة وتحالف حقيقي معها. وقلت أودّ أن أرى بين ليبيا وبريطانيا تحالف وصداقة بين أنداد متوازيين، لا علاقة عبيد وأسياد مسيطرين.كما أكدت له أن صداقتي مع الرئيس عبد الناصر لا تعني إطلاقاً أنني عميل له. وشكوت لنوري السعيد من تصرفات الغربيين (بريطانيا وأمريكا) وشكواهم إلى الملك إدريس من سياستي ومن نشرهم الدعايات المغرضة ضد الحكومة الليبية وضدي شخصياً. وأظهر نوري السعيد تفهمه ووعد بأن يستعمل مساعيه الحميدة لدى أصدقائه البريطانيين وأن يطمئنهم ويشجعهم للتفاهم معي والثقة بي.

ولاحظت في كلام نوري السعيد تحاملاً شديداً على الرئيس جمال عبد الناصر واتهامات كثيرة بأنه هو الذي ينشر النفوذ الشيوعي في أرجاء الوطن العربي ويتآمر على الأنظمة الموالية للغرب ويشجع شعوبها على الثورة على حكامها، كما لوّح لي عدة مرات بفوائد حلف بغداد وأمله أن يرى تعاوناً أكبر بين ليبيا والعراق وتركيا لروابط الدين والتاريخ بين دولنا الثلاث، ووقوفنا نحن الثلاثة في مواجهة التغلغل الشيوعي.

ومن جهتي فقد دافعت كثيراً عن الرئيس عبد الناصر وشرحت وجهة نظري بخصوص حلف بغداد، وبيّنت له رأيي أن ذلك الحلف الذي هو موجه ضد خطر قد يكون قريباً من تركيا والعراق لكنه بعيد جداً بالنسبة لليبيا، ولذلك فإننا بصراحة لا نرى ضرورة لاشتراكنا في ذلك الحلف. وذكرت لنوري السعيد أن الرئيس عبد الناصر برر لي مقاومته وعدائه لحلف بغداد، بأن ذلك الحلف يعالج – في نظر صانعيه – خطراً بعيداً عن الأمة العربية (اي الخطر الشيوعي) ويشتت جهود الأمة العربية في مواجهة الخطر الحقيقي (أي الخطر الصهيوني). وأضفت أن هذا الرأي له الكثير من الوجاهة ويستند على منطق معقول. وذكرت لنوري السعيد أنني على يقين من أن الرئيس عبد الناصر يكره الشيوعية كراهية شديدة وقد أكد لي هو نفسه ذلك العديد من المرات، وأنه لو أحسنت الدول الغربية معاملة عبد الناصر وقدمت له القروض التي يحتاجها في تنمية إقتصاد بلاده لما اتجه إلى الروس ولما تعاون معهم.

رد نوري بكلام كثير كرّر فيه تهجمه على مصر واتهاماته للرئيس عبد الناصر بالسعي لزعامة الأمة العربية مهما كان الثمن، وبسط النفوذ المصري على العالم العربي حتى لو أدى ذلك إلى انتشار الشيوعية في أرجائه. وهنا قلت لنوري السعيد: دعنا نحاول إيجاد أرضية للتفاهم بينك وبين عبد الناصر، أنت رجل دولة مخضرم خبير بمسالك السياسة ومنعطفاتها، وأنت كذلك رجل العراق الأول، والعراق وإن لم يكن أكبر دولة عربية إنه لا شك من أهمها وأقواها، والرئيس عبد الناصر زعيم شعبي لأكبر دولة عربية عدداً وقوة، وقد لا تكون له خبرتك السياسية الحافلة، ولكنه لا شك له تطلعات عربية ووطنية كبيرة وحتى لو سعى لزعامة الأمة العربية، كما تقول يا دولة الرئيس، فإنني أرى أن له الكثير من المقومات لتلك الزعامة. فهو لا شك أكثر زعماء العرب شعبية وله ميزات كثيرة أخرى. وجوهر الخلاف السياسي بينكما هو أن الرئيس عبد الناصر يرى في حلف بغداد تشتيتاً للقوى والجهود العربية وتوجيهاً لها بعيداً عن مواجهة الخطر الصهيوني، فهل هناك من وسيلة تجعل العراق يستمر مشتركاً في حلف بغداد – إن اضطر إلى ذلك – دون أن يؤثر اشتراكه في الإقلال من إسهامه مع بقية العرب في مواجهة الخطر الصهيوني؟ هذا في رأيي هو جوهر الخلاف. أما إذا كانت هناك خلافات شخصية أو تنافسية أخرى فإنني أرجو أن نتخطاها الآن أمام الظروف الحرجة التي تمر بها أمتنا العربية.

وكان رد نوري السعيد على كلامي رداً تاريخياً، يكاد يحتوي على نبوءة – استغفر الله– ولا تزال كلماته عالقة في ذهني بعد مرور السنوات الكثيرة. قال: لقد أرسلت للرئيس عبد الناصر الاسبوع الماضي رسالة شخصية أود أن أكشف لك محتوياته، شريطة أن تساعدني وتؤازرني إذا اقتنعت بجوهر رسالتي أو تبين لي الخطأ إذا رأيت في جوهرها أي خطأ، لقد قلت في رسالتي لعبد الناصر:

> أهنئك على نجاحك في كسر احتكار السلاح ونجاحك في تزويد قواتك المسلحة بكميات كبيرة من السلاح الروسي الحديث وأستسمحك أن تنصت لنصائحي وهي نصائح ناتجة عن خبرة نصف قرن من السياسة والأمور

العسكرية. أنصحك بأن تدرب أسلحتك الثلاثة، الجيش والبحرية وسلاح الطيران تدريباً مركزاً شاملاً على استعمال هذه الاسلحة الجديدة كل سلاح على حدة، ثم التدريب والتنسيق بين الاسلحة الثلاثة. بعد ذلك أنصحك أن نقيم حلفاً وتعاوناً بين القوات المسلحة المصرية والعراقية، وأسلحة أية دولة عربية أخرى تقبل الاشتراك معنا ونجري تدريباً طويلاً عميقاً بين الجيوش العربية المشتركة. وإني على استعداد أن أجعل جيش العراق تحت إمرتك ورهن اشارتك وأقبل بك قائداً أعلى للجيوش العربية بما فيها جيش العراق، ولكن بشرط وحيد وهو أن نتفق نحن قادة تلك الدول على أن نركز اهتماماتنا وجهودنا ضد الخطر الصهيوني دون غيره، ونتعهد بألا ندخل في أي مشكل دولي آخر.

وأضاف نوري السعيد: ولكنني في نهاية رسالتي حذرته من خطر عظيم فقد قلت لعبد الناصر... ولكنني أخشى أن تستعرض قواتك المسلحة في ميادين القاهرة وهي حاملة الأسلحة الروسية الحديثة قبل أن تتدرب عليها التدريب الكامل، وأخشى أن يداخلك الغرور وينتابك حب الظهور والخيلاء فتعتقد أنك على رأس قوة ضاربة كبيرة فتنزلق في إشكال دولي قد يوقعك ويوقع إخوانك العرب معك في كارثة لا يعلم إلاّ الله مداها.

قلت لنوري السعيد ليتك لم تضف الفقرة الأخيرة، ولكن لا شك أن جوهر الرسالة يحتوي على الكثير من آمال العرب بل هو حلم جميل لو تمكنا من تحقيقه، ووعدته بمؤازرته لدى الرئيس جمال عبد الناصر.

جرى هذا الحديث في يونيو ١٩٥٦ وكادت تتحقق نبوءة نوري في نوفمبر ١٩٥٦ لولا لطف الله ولكنها – للأسف الشديد – تحققت بعد ذلك بسنوات في يونيو ١٩٦٧.

لقد كان نوري السعيد شعلة ذكاء، وعلى خبرة نادرة في شؤون الحرب والسياسة، ولو وُظفت خبرته، ووُظف نفوذه في العالم الغربي في الجهد العربي، ولو كان بينه وبين الرئيس عبد الناصر بشعبيته العظيمة تفاهم وتعاون، لتجنّب العرب كوارث كثيرة ولبلغوا

الكثير من آمالهم الوطنية، ولكن لعن الله السياسة وحزازاتها.

عدت إلى طرابلس يوم ٢٨ يونيو ١٩٥٦ وأدليت ببيان في مجلس النواب فيه كثير من التفاؤل، وقوبلت بحماس كبير من الشعب ومن النواب وشعرت بأنني نجحت في إقامة تفاهم طيب مع بريطانيا وأنني حصلت لوطني على عون كبير في مجالات كثيرة، ولم أدرِ أن جزءاً كبيراً من آمالي هذه سيتحطم على صخرة الإعتداء الثلاثي (البريطاني-الفرنسي-الإسرائيلي) عام ١٩٥٦ على مصر والذي جعل ليبيا تهب لنصرة الشقيقة مصر وتضرب عرض الحائط بعلاقاتها القديمة والجديدة مع بريطانيا.

الباب السابع

معاهدة الصداقة
وحسن الجوار مع فرنسا

إتفاقيات تقسيم النفوذ

إن العلاقة بين ليبيا وفرنسا بدأت من أواخر القرن التاسع عشر، بعد أن احتلت فرنسا الشمال الإفريقي وتسرّب مدّها الإستعماري في اتجاه أواسط أفريقيا واصطدم صداماً دموياً مع الحركة السنوسية التي كانت تنتشر في أراضي التشاد والنيجر وتبشّر سكان تلك المناطق بالشريعة الإسلامية ء وتبني الزوايا ومدارس تحفيظ القرآن في تلك البقاع النائية. ودارت معارك طاحنة بين السنوسيين والفرنسيين (في ديسمبر ١٩٠٢) انتهت، مع الأسف، بانتصار فرنسا بعد أن استشهد عدد كبير من السنوسيين كان من بينهم القادة محمد البرّاني وبوعقيلة ثم سقط موقع بير العلالي في يد الفرنسيين وتراجع السنوسيين إلى نقطة تكرو.

وكانت الدول الإستعمارية قد اتفقت قبيل ذلك الصدام على تقسيم مناطق النفوذ فيما بينها. (حسب إتفاقية ٢١ مارس ١٨٩٩) وعقدت سلسلة من المعاهدات التي تحدد مناطق نفوذ تلك الدول وترسم الحدود بين التراب الليبي الواقع تحت الحكم العثماني من جهة والأراضي المجاورة الواقعة تحت نفوذ فرنسا من جهة أخرى.

واحتجّت تركيا لدى بريطانيا وفرنسا على بسط نفوذها على أجزاء من الامبراطوية التركية، غير أن الاحتجاجات التركية لم يكن لها من أثر. ثم ظهرت إيطاليا في ميدان تسابق الدول الأوروبية على مناطق النفوذ واحتجت على بريطانيا وفرنسا لحرمانها من بعض الغنائم وألحّت في الاحتجاج والتهديد والتلويح بالانضمام إلى أعداء الدولتين، فقبلتا إشراكها في الغنائم. ولما كانت إيطاليا تخطط لاحتلال ليبيا فقد جاءت ترضيتها

بتنازلات وتطمينات وردت في الخطابات المتبادلة في روما في ١٤ ديسمبر ١٩٠٠ بين وزير الخارجية الفرنسي وسفير إيطاليا في باريس، حيث أكدت فرنسا لإيطاليا أن إتفاقية ٢١ مارس ١٨٩٩ تُبقي ولاية طرابلس-برقة خارج توزيع مناطق النفوذ بين بريطانيا وفرنسا، وبأن فرنسا لا تمانع امتداد النفوذ الإيطالي في تلك الولاية التركية، وبالمقابل فقد تعهدت إيطاليا بأنها لا تمانع امتداد نفوذ فرنسا على سلطنة مراكش.

ويجب الملاحظة أن إتفاقية مارس ١٨٩٩ بين بريطانيا وفرنسا، وإتفاقية ١٢ سبتمبر ١٩١٩ بين فرنسا وإيطاليا مع أنها إتفاقيات توزيع مناطق ونفوذ وتقسيم أراضي مستعمرات بين الدول الإستعمارية، إلاّ أنها مع الأسف المعاهدات التي تقرر الحدود الليبية، حيث أن قرار الأمم المتحدة الذي بموجبه استقلت ليبيا جعل الحدود الليبية هي الحدود حسب المعاهدات الدولية القائمة.

غير أن إيطاليا لم تكتف بتلك الترضية وواصلت ضغطها على فرنسا وألّحت في شكواها في أنها لم تعامل بعدل وإنصاف في توزيع غنائم الحرب. فهي لم تعوّض التعويض الكافي عن مشاركتها في الحرب العالمية الأولى بجانب الحلفاء. ثم تفاقمت الشكاوى الإيطالية بعد استيلاء موسوليني على مقاليد الحكم في روما وتطورت الأحداث الدولية تطوراً باستيلاء هتلر ونظامه النازي على مقاليد الحكم في ألمانيا وتهديده المباشر لفرنسا. وزاد من خطورة ألمانيا النازية محاولتها التحالف مع إيطاليا الفاشستية وتكوين محور يهدد فرنسا.

هذه التطورات جعلت الحكومة الفرنسية تحاول بجميع ما أوتيت من وسائل استرضاء حكومة روما واستمالة موسوليني إلى تفاهم مع حكومة باريس تفادياً وتجنبا لتحالفه مع الحكومة الألمانية.

وانتهز رئيس الوزراء الفرنسي اليميني بيير لافال علاقته الودية مع موسوليني فتقرب منه وعقد معه معاهدة روما في ٧ يناير ١٩٣٥ التي بموجبها تنازلت فرنسا لإيطاليا عن بعض الأراضي الحدودية حول مستعمرة ليبيا ومستعمرة الصومال. من هذه التنازلات مثلا في شريط من الأراضي في الجنوب الليبي تقع واحة اوزو، وهو ما اصطلح مؤخراً

على تسميته شريط اوزو.[٣١] غير أن إيطاليا لم تحتل ذلك الشريط انتظاراً لموافقة البرلمانين الفرنسي والإيطالي على معاهدة روما المذكورة. ثم زادت مطامع موسوليني وتفاقمت فوقع في شرك أطماعه ذلك أنه أوعز لبرلمانه رفض التصديق على المعاهدة، كما أمر وزير خارجيته ابلاغ فرنسا أن تلك المعاهدة (أي معاهدة ١٩٣٥) تعتبر لاغية.

وبناء على ذلك الأمر أرسل وزير الخارجية الإيطالي في ١٧ ديسمبر ١٩٣٨ خطابا إلى السفير الفرنسي في روما يلخص فيه إلى أن:... إتفاقيات ٧ يناير ١٩٣٥ التي كما ذكرتم سعادتكم خلال حديثنا في الثاني من الشهر الجاري لم تنفّذ أبداً، قد فقدت فحواها. ومن البديهي ألا يعود من الممكن اليوم اعتبارها سارية المفعول. بل إن هذه الإتفاقيات قد تجاوزها التاريخ. فقد كانت تتعلق بوضع سياسي عام ما لبث أن تغير بسبب الأحداث التي أعقبت تطبيق العقوبات[٣٢]، هذا بالإضافة إلى تأسيس الإمبراطورية وما نشأ عن ذلك من حقوق ومصالح جديدة بالغة الأهمية. وبناء عليه وحرصاً منّا على تحسين العلاقات الإيطالية الفرنسية، لم يعد من الممكن في يومنا هذا اعتبار إتفاقيات ١٩٣٥ أساساً لهذه العلاقات واذا كنا راغبين حقاً في تحسينها فلا بد من إعادة النظر فيها بالتوافق بين الحكومتين.

وفي ٢٥ ديسمبر ١٩٣٨ رد السفير الفرنسي على ذلك الخطاب برسالة مطولة قال فيها أن حكومته لا ترغب في بحث النتائج التي قد تترتب على خطاب من هذا النوع وأبدى عدداً من الملاحظات التي تؤكد تمسك فرنسا بالإتفاقية، وبأنها بدأت بالفعل في تطبيقها لصالح إيطاليا قبل المصادقة عليها وأنها ليست مسؤولة عن إرجاء المصادقة على الإتفاقية.

ثم قامت الحرب العالمية الثانية وغزت القوات الفرنسية (قوات فرنسا الحرة) جنوب ليبيا واحتلت مقاطعة فزّان. وفي معاهدة الصلح بين الحلفاء (ومنهم فرنسا) من جانب، وإيطاليا من جانب آخر، فإن الحكومة الفرنسية تمكنت حسب أحكام معاهدة

---

(٣١) راجع الملحق رقم ١٨

(٣٢) العقوبات التي فرضتها عصبة الأمم على ايطاليا عام ١٩٣٥ عقاباً على غزوها لدولة الحبشة.

الصلح هذه من دق آخر مسمار في نعش معاهدة. كما سيأتي توضيحه فيما بعد عند الحديث عن مشكلة تحديد الحدود الليبية مع الأراضي الواقعة تحت النفوذ الفرنسي.

مطامع فرنسية في ولاية فزّان

وعند غزو قوات فرنسا الحرة لجنوب ليبيا واحتلالها لولاية فزّان في يناير ١٩٤٣، في نفس الوقت الذي احتلت فيه القوات البريطانية ولاية برقة وطرابلس الغرب، فان الجنرال البريطاني منتجمري اتفق مع قائد فرنسا الحرة لو كليرك على أن تتولى فرنسا إدارة فزّان بإدارة عسكرية بينما تتولى بريطانيا إدارة برقة وطرابلس بإدارتين عسكريتين بريطانيتين.

وأقامت فرنسا إدارة عسكرية في فزّان مرتبطة بقيادة التراب الجزائري فيما عدا واحة غدامس، فان إدارتها ألحقت بتونس. ورافق الجنرال لو كليرك في دخول فزّان عدد من المهاجرين الليبيين الذين كانوا قد فرّوا من الإستعمار الإيطالي وأقاموا في تشاد وكان على رأسهم أحمد سيف النصر (زعيم قبيلة أولاد سليمان) الذي عينه لو كليرك متصرفاً عليها. وقامت فرنسا بحملة متعددة الاطراف بعيدة الأهداف لاسترضاء سكان فزّان وإقناعهم بالفوائد العظيمة التي ستعود عليهم من التعاون معها، فقامت بمشروعات عديدة سواء في أعمال الزراعة والري أو الصحة العامة والمواصلات والتعليم، كما نشطت أجهزة الإدارة الفرنسية في بث دعاية خطيرة لجعل السكان يطالبون بالانضمام إليها عندما تستفتيهم هيئة الأمم المتحدة، وذلك في أواخر الأربعينات عندما بدأ فجر الإستقلال الليبي يلوح في الأفق.

ففي استفتاء أجرته لجنة التحقيق التابعة للدول الأربعة الكبرى التي ذهبت إلى فزّان في أبريل عام ١٩٤٨ وجدت حسبما ورد في تقريرها أن:

- ٤٤ بالمائة من السكان يفضلون البقاء تحت إدارة فرنسية بحتة.
- ٢٦ بالمائة يفضلون أي حكومة مهما كان نوعها.

- ١٨ بالمائة منهم يفضلون دولة إسلامية.
- ١٢ بالمائة منهم يقبلون بأي حكومة تفرضها الدول الأربعة الكبرى.

وتركزت الجهود الفرنسية بنوع خاص على واحة غات التي كانت تأمل ضمّها إلى الجزائر وواحة غدامس التي كانت تأمل أن تكون من نصيب تونس.

وتعرض زعماء فزّان وعلى الخصوص عائلة سيف النصر إلى ضغوط فرنسية كثيرة ولإغراءات مادية عديدة، وصمد الكثيرون خصوصاً أحمد سيف النصر.ولكن مع الأسف انخدع بعض الفزّانيين واستمروا، حتى بعد الإستقلال، يطالبون الحكومة الليبية بأن تعامل فرنسا على قدم المساواة مع بريطانيا أي أن تعقد معها معاهدة تحالف بحيث يُكرّس الوجود العسكري والنفوذ السياسي الفرنسي في الجنوب الليبي.

وعند مراجعتي لوثائق الحكومة الفرنسية اطّلعت على الكثير من الأدلة التي تؤكد محاولات فرنسا ضم ولاية فزّان برمتها، أو على الأقل واحتيّ غات وغدامس إلى الممتلكات الفرنسية. لذلك فإن تسوية العلاقات بين ليبيا المستقلة وفرنسا كانت من أصعب الأمور وأخطرها، لأن مطامع فرنسا كانت تتميز على مطامع الدول الغربية الأخرى بأنها كانت مطامع استعمار توسعي يحاول بشتى الطرق انتزاع جزء من الوطن الليبي وضمه إلى الممتلكات الفرنسية. وهذا ما يجعلني أكرر هنا ما قلته دائما من أني أعتبر إخراج القوات الفرنسية من التراب الليبي والحفاظ على حقوق ليبيا كاملة دون التنازل عن شبر واحد من أرض الوطن من أهم إنجازاتي السياسة.

شرحت في أبواب سابقة أن الدول الغربية حاولت تقسيم ليبيا إلى مناطق نفوذ بينها عن طريق مشروع بيفن سفورزا الذي فشل في هيئة الامم المتحدة. لذلك لجأت الدول الغربية الثلاث إلى وسائل أخرى لتحقيق أطماعها، فاتفقت (بريطانيا وفرنسا وأمريكا) على التعاون والتساند فيما بينها، ثم الضغط بوسائل عدة لكي تقنع الحكومة الليبية عند الإستقلال لكي تمنح كل منها حق ابقاء قواتها على التراب الليبي، فمثلا وجدت مؤخراً بين الوثائق للحكومة البريطانية نص إتفاق سرّي بين الحكومتين البريطانية والفرنسية

مؤرخ في ١٥ يونيو ١٩٥١ ينص على أن تسعى الحكومة البريطانية بقدر إمكانها وفي اطار الدولة الليبية المقبلة لكي تحتفظ فرنسا بوضعها الراهن في فزّان في المجالات العسكرية والإقتصادية والسياسية، وأن تعرض على الحكومة الليبية المقبلة تعيين مستشار فرنسي في الحكومة الإتحادية ليرجع إليه في جميع القضايا التي تهم الولاية. وبالمقابل تتعهد فرنسا بعدم الاعتراض على دخول ليبيا كعضو في منطقة الاسترليني.[٣٣]

كما تكشف الوثائق التي أفرج عن نشرها أخيراً أن مناقشة جرت في مجلس الشيوخ الفرنسي بتاريخ ١٦ مارس ١٩٥٠ إثر سؤال وجّهه أحد أعضاء مجلس الشيوخ إلى وزير الخارجية الفرنسي روبير شومان متسائلاً كيف تقبل فرنسا بالقرار ٢٨٩ الداعي لإستقلال ليبيا وتتجاهل المطالب المشروعة لشعب فزّان؟ وردّ وزير الخارجية الفرنسي أنه لا يمكن أن تقبل فرنسا إرغام شعب فزّان على الانضمام لبرقة وطرابلس إذا كان ذلك الشعب لا يرغب في ذلك مما يعني أن احتمال صدور مقررات مواتية لمصلحة بلدنا ما زال هو الارجح. كما وعد الوزير الفرنسي بأن ينظر في موضوع مصير مقاطعة غدامس ومنطقة غات-سردليس (أي إمكانية ضمها إلى فرنسا).[٣٤]

تطور العلاقات الليبية الفرنسية في عهد وزارتي المنتصر والساقزلي

ذكرت في مواضيع سابقة أن الدول الثلاث، بريطانيا وفرنسا وأمريكا، انتزعت من الحكومة الليبية المؤقتة عشية إعلان الإستقلال يوم ٢٤ ديسمبر ١٩٥١ ثلاثة إتفاقيات مؤقتة تسمح لكل واحدة بإبقاء قواتها في قواعدها على التراب الليبي، إلى أن يحل محل هذه الإتفاقيات المؤقتة معاهدات طويلة المدى يوافق عليها البرلمان الليبي وتكرّس بقاء قوات هذه الدول على التراب الليبي بطريقة دستورية مشروعة.

وأبادر إلى القول أن رئيس الحكومة الليبية المؤقتة، محمود المنتصر، لم يكن لديه خيارات كثيرة، فتلك القوات الأجنبية كانت موجودة فعلاً ولو طالب باجلائها فان ذلك

(٣٣) راجع الملحق رقم ١٩

(٣٤) راجع الملحق رقم ٢٠

سيتطلب شهوراً كثيرة، فضلاً عن النزاع الحاد الذي سيببه هذا الطلب. وأهم من ذلك فإن خزينة الدولة الليبية الفتية كانت خالية الوفاض، فاختار محمود المنتصر الطريق الأسهل ووافق على الإتفاقيات المؤقتة حتى يضمن سيولة نقدية يصرف منها على أجهزة الحكومات الليبية الاربعة (الحكومة الإتحادية وثلاث حكومات الولايات) على أمل أن يتم في المستقبل الإتفاق مع كل منهم على ترتيبات أو معاهدات بأحسن الشروط وأقل مساساً بالسيادة الوطنية.

وبالنسبة لفرنسا فقد كانت الإتفاقية المؤقتة تجدد كل ستة أشهر ونصت تلك الإتفاقية المؤقتة على تقديم عون مالي فرنسي إلى ليبيا يعادل العجز المالي في ميزانية ولاية فزّان.

أي أن العلاقة المالية بين فرنسا وفزّان استمرت ولكن من خلال الإتفاقية المؤقتة، وحفاظاً على المظاهر فان العون كان يقدم عن طريق حكومة الإتحاد.

وبتاريخ ١٢ نوفمبر ١٩٥٢ طلبت الحكومة الفرنسية من الحكومة الليبية رسمياً وبمذكرة مكتوبة، عقد معاهدة تحالف على غرار معاهدة التحالف مع بريطانيا التي كانت لا تزال في دور التفاوض، وردت الحكومة الليبية بمذكرة بتاريخ ٢٤ ديسمبر ١٩٥٢ مؤكدة موافقتها على بقاء القوات الفرنسية في فزّان ومعترضة على بعض الامتيازات والاعفاءات التي كانت فرنسا تطالب بها.[٣٥] ولكن المفاوضات الليبية-الفرنسية لم تستأنف على يد الحكومة الليبية الأولى إلا بعد الانتهاء من التوقيع على معاهدة التحالف مع بريطانيا في يوليو ١٩٥٣.

وبعد اتمام إجراءات المعاهدة البريطانية اتجه محمود المنتصر إلى عقد إتفاقيتين مماثلتين للمعاهدة البريطانية مع كل من الولايات المتحدة وفرنسا، غير أنه واجه احتجاجات شديدة سواء في مجلس وزرائه ومن الرأي العام الليبي مما جعله يتردد ويسوّف ويماطل ولو أنه كان يرغب حقيقة في عقد إتفاق مع فرنسا للأسباب التالية:

أولاً: لأنه وعد الوزير المفوض الفرنسي بذلك.

---

(٣٥) خدوري، ص ٢٥٨ - ٢٦٠

ثانياً: لأنه كان يظن أن نفوذاً فرنسياً قوياً سيحد من المطامع الإقليمية لعائلة سيف النصر التي كانت تهدف إلى ضم جزء من منطقة سرت إلى فزّان.

ثالثا: ولأنه كانت هناك ضغوط كثيرة تمارس على الحكومة الليبية من قبل بريطانيا ومن قبل سكان فزّان، لكي توقع الحكومة الليبية معاهدة تحالف مع فرنسا إسوة بالمعاهدة الليبية-البريطانية. ولكنه كما قلت لاقى معارضة شديدة من الوزراء علي العنيزي وفتحي الكيخيا. ولقد ورد ما ذكرت في تقرير كتبه البريطاني في ليبيا سير اليك كيركبرايد موجهاً إلى وزير الخارجية البريطاني أنتوني إيدن بتاريخ ١٧ فبراير ١٩٥٤، استعرض آراء الساسة الليبيين وحدّد موقف كل منهم من المعاهدة، فيقول مثلاً أن إبراهيم الشلحي ناظر الخاصة الملكية كان من أعنف وأشد المعارضين لعقد أية معاهدة بين ليبيا وفرنسا، كما أن كل من عمر باشا منصور الكيخيا رئيس مجلس الشيوخ، والدكتور فتحي الكيخيا وزير العدل، والدكتور علي العنيزي وزير المالية، والنائب عبد الرحمن القلهود جميعهم يعارض فكرة عقد أية معاهدة بين ليبيا وفرنسا. بل أن عمر باشا منصور والدكتور فتحي الكيخيا حاولا حثّ السفير البريطاني على أن تقف بريطانيا في صف ليبيا إذا ما تأزم الأمر بين ليبيا وفرنسا، ولكن السفير البريطاني أفهمهما استحالة مثل ذلك الموقف من بريطانيا ضد حليفتها فرنسا.[٣٦]

أما رئيس الديوان الملكي محمد الساقزلي الذي كان مرشحاً في ذلك الوقت لتولي رئاسة الوزارة، فقد أبدى معارضته لعقد المعاهدة، ولكنه أبدى ميله لعقد معاهدة صداقة تُمنح بمقتضاها القوات الفرنسية تسهيلات مواصلات في أرجاء فزّان. أما صحافة برقة والرأي العام فيها فقد كان ضد أية معاهدة تحالف مع فرنسا بسبب أعمال القمع التي يواجهها المسلمون في شمال أفريقيا على يد الفرنسيين.

وفي رسالة أخرى من السفير البريطاني كيركبرايد إلى مدير قسم أفريقيا بالخارجية البريطانية بتاريخ ٥ مارس ١٩٥٤ يكرر بعض ما جاء في رسالته السابقة ويضيف بعض الافكار التي يقول أنه سمعها من رئيس الوزراء الليبي الجديد محمد الساقزلي فيقول:

---

(٣٦) راجع الملحق رقم ٢١

إن الساقزلي أبدى أسفه لأن القلاقل الأخيرة في مصر لم تستمر طويلاً بحيث تعطيه فرصة الوصول إلى إتفاق مع فرنسا. (يعني بذلك النزاع بين محمد نجيب وجمال عبد الناصر في فبراير ١٩٥٤).

فقد اقترح الرئيس الساقزلي رسمياً على فرنسا عقد معاهدة صداقة وحسن جوار تسمح لفرنسا الاستمرار في استعمال ثلاثة مطارات في فزّان (سبها – غات – غدامس) كما تعطي لفرنسا تسهيلات مواصلات، من وإلى، هذه الاماكن والاقطار المجاورة الواقعة تحت الإدارة الفرنسية، كما ستسمح لفرنسا بالاحتفاظ بحرّاس لهذه المطارات يعادل عددهم عدد القوات الفرنسية الموجودة آنذاك أي حوالي ٤٠٠ جندي شريطة أن يرتدي هؤلاء الحرّاس زيّاً خاصاً من نوع يتم الإتفاق عليه.

ثم يشير السفير إلى المعارضة الشديدة التي يواجهها الساقزلي حول هذا الاقتراح في مجلس الوزراء، ولكنه يتشكك في أن تنطلي حيلة الزيّ الخاص على الرأي العام الليبي المعارض لأي إتفاق عسكري مع فرنسا، وأنه ينصح الحكومة الفرنسية بتلقف هذا الاقتراح والموافقة عليه بسرعة.(٣٧)

واستمرت المفاوضات على يد الحكومة الليبية الثانية حيث رأس الوفد الليبي محمد الساقزلي رئيس الحكومة وكان أعضاء الوفد الليبي هم الدكتور علي العنيزي وأنا وسليمان الجربي وكيل وزارة الخارجية، وشمس الدين عرابي مدير الشؤون السياسية.

ولم يكن مبدأ بقاء القوات الفرنسية بفزّان موضع ممانعة أو رفض في ذهن الرئيس الساقزلي الذي كان همّه الأوحد هو محاولة تغطية الوجود العسكري الفرنسي بطريقة أو بأخرى حتى أنه اقترح في إحدى جلسات المفاوضات أن يرتدي العسكريون الفرنسيون زيّاً يختلف قليلاً عن الزيّ العادي للعسكريين الفرنسيين.(٣٨)

---

(٣٧) راجع الملحق رقم ٢٢

(٣٨) خدوري، ص٢٥٩

وعندما نوقش اقتراح رئيس الوزراء محمد الساقزلي في مجلس الوزراء، إبدال زيّ القوات الفرنسية والابقاء على عددها وتسهيلاتها، قوبل بعاصفة شديدة من المعارضة لا سيما من الوزراء خليل القلال وعلي العنيزي وعبد الرحمن القلهود. واقترحت تأجيل المناقشة لكي نتريث ونفكر في هذا الاقتراح. فقد كنت أخشى أن يكون رئيس الوزراء قد زيّن فكرة الزيّ هذه وعرضها على الملك إدريس وحصل على موافقته، لذلك اقترحت التأجيل حتى لا تتطور الأمور وندخل في صراع داخلي يستفيد منه المفاوض الفرنسي.

وفي اليوم التالي طلبت مقابلة مستعجلة مع الملك وعندما استفسرت منه هل وافق على قصة الزيّ الخاص؟ استغرب الملك واستهجن الفكرة وأمرني بمعارضتها بل تهكّم تهكّماً شديداً على سخافة الفكرة. وبعدما اطمأنّيت أعلمت زملائي الوزراء المعارضين وقرّرنا وأد ذلك الاقتراح. وعندما استأنف مجلس الوزراء مناقشة موضوع المعاهدة الفرنسية هزم اقتراح الرئيس الساقزلي بأغلبية أصوات الوزراء. ولذلك فقد لجأ الساقزلي إلى المماطلة والتسويف مع الحكومة الفرنسية إلى أن استقال في أوائل ابريل ١٩٥٤.

المفاوضات الليبية الفرنسية أثناء رئاستي للحكومة الليبية

عندما توليت رئاسة الحكومة في ١٢ ابريل ١٩٥٤ كنت قد عقدت العزم نهائياً على اخراج القوات الفرنسية من فزّان مهما كان الثمن ومهما وجدت من صعوبات. واتفقت مع بعض الزملاء الوزراء سراً على ذلك (وهم الدكتور علي العنيزي، والقلهود، والسراج وخليل القلال). غير أنني بالرغم من عزمي على ذلك، فقد كان علي أن اتبع طريقاً حذراً وأقوم ببعض المناورات السياسية. فلقد كانت الصعوبات تعترض اتّباع تلك السياسة الوطنية كبرى، وكانت ليبيا متورطة بوعود رسمية صادرة من حكومات سابقة. وكانت الإمكانات المتوفرة لدي ضئيلة. وبمعنى آخر لم يكن لدي نقاط ارتكاز لأستند عليها في أي ضغط أواجه به قوة فرنسا ومطامعها، وكنت ولا زلت، أكره أن أفاوض من نقطة ضعف. كما أنني لم أكن قد تأكدت من العون السياسي الأمريكي لمؤازرتي ضد فرنسا. ولكن برغم ذلك

كله استمرينا في المفاوضات مع الحكومة الفرنسية وبطريقة حذرة وحكيمة، تفادينا فيها الارتباط بأي وعد جديد باعطائهم أي نوع من التسهيلات العسكرية وأظهرنا ميلاً بالبدء في معالجة القضايا الثقافية والإقتصادية، ثم ماطلنا وسوّفنا كسباً للوقت. وكنا نقول لهم، دعونا نفرغ أولاً من الإتفاقيات الأمريكية التي كنا قد باشرنا المفاوضات حولها بنشاط. وما ذلك إلاّ لرغبتي في سبر غور الحكومة الأمريكية والتأكد من أنها ستقبل مؤازرتنا إذا طلبنا جلاء فرنسا عن فزّان.

وجدير بي أن أعيد إلى الذاكرة أن فرنسا عام ١٩٥٤ كانت تعتبر في نظر الاجماع العربي أكبر عدو للعرب لما كانت تقوم به من قمع وابادة في الشمال الأفريقي وفي الجزائر بنوع خاص – وكنا – زملائي وأنا – على استعداد لدفع أي ثمن لاخراج فرنسا من فزّان والتخلص من أي تحالف معها لا سيما وقد بدأنا بالتعاون مع الرئيس جمال عبد الناصر والأمير فيصل بن عبد العزيز في تهريب كميات كبيرة من العتاد والسلاح عبر ليبيا إلى الثورة الجزائرية والثورة التونسية.

وأثناء المراحل الأخيرة من مفاوضاتنا مع الحكومة الأمريكية بخصوص قاعدة الملاّحة، وأثناء وجودي في واشنطن اجتمعت على انفراد بالرئيس أيزنهاور في البيت الابيض وأثرت معه مطلب فرنسا منا في أن نعقد معها معاهدة تحالف على غرار المعاهدة الليبية–البريطانية. شرحت له أننا بتحالفنا مع بريطانيا وبتأجيرنا قاعدة الملاّحة للولايات المتحدة الأمريكية نكون قد ساهمنا مساهمة عظيمة في جهود الدفاع عن العالم الحر. ولست أرى أنه من الإنصاف أو المنطق أن نطالب باعطاء قواعد عسكرية لفرنسا ليرابط فيها أربعمائة جندي فرنسي بدعوى مشاركتهم في الدفاع عن العالم الحر. وقلت إنني على يقين من أن هدف فرنسا من وراء الإصرار على بقاء جنودها في فزّان إنما هو لأغراض استعمارية محضة.

قال الرئيس أيزنهاور أنه يوافقني على ان بقاء اربعمائة جندي فرنسي مسلّح في جنوب ليبيا لا أهمية له إطلاقاً في الدفاع عن العالم الحر اللهم إلاّ إذا كان ذلك يعني الدفاع عن مصالح فرنسية لا يعرفها هو. وهنا قلت له لهذه الأسباب فإنني سأذهب من

هنا إلى باريس وأبلغ الحكومة الفرنسية بأننا لن نعقد معها أية إتفاقية عسكرية، ولي أمل كبير في أن تقفوا معنا فخامة الرئيس في إقناع فرنسا باتباع سياسة واقعية وهي الجلاء عن ليبيا. فإن رفضت فأنني آمل كذلك أن تساندوننا وتؤيّدوننا في المحافل الدولية. ولقد وعد الرئيس الأمريكي أن تبذل إدارته ضغطاً وديّاً على فرنسا.

وفي ذلك الوقت فإن وعد الرئيس أيزنهاور بإجراء ضغط ودّي على فرنسا كان أكثر مما كنت أتوقع لأنني كنت على يقين أن الضغط الودّي على فرنسا من طرف أمريكا لا بدّ أن يتطور إلى ضغط أشدّ إذا ما وقفت الحكومة الليبية موقفاً صلباً.

محادثاتي الأولى مع الحكومة الفرنسية في باريس في يوليو ١٩٥٤

قبيل مغادرتي واشنطن، وبعد انتهاء محادثاتي مع الرئيس أيزنهاور، طلبت من سفارتنا بواشنطن الاتصال بالسفارة الفرنسية في العاصمة الأمريكية ورجائها إبلاغ حكومة باريس رغبتي في مقابلة رئيس الوزراء الفرنسي في طريق عودتي إلى ليبيا، وجاءني ترحيب سريع من الحكومة الفرنسية، لذلك عدّلت مسار عودتي ومررت على باريس وقابلني في المطار وزير فرنسا المفوض بطرابلس وبعض رجال الخارجية الفرنسية وفهمت منهم أن موعدي مع الرئيس سيكون في الغد، وإنهم سيبلغوني بتفاصيل الاجتماع صباح الغد الباكر.

ويبدو أنه تسرّب مني أثناء حديثي معهم ما فهموا منه أنني أنوي أن أبلغ رئيس وزرائهم عزوف ليبيا عن أي إتفاق عسكري مع فرنسا، لأنني فوجئت صباح اليوم المحدد للمقابلة بإبلاغي بأن رئيس الوزراء يعتذر عن مقابلتي لارتباطه بمواعيد سابقة، وأنه يقترح علي ان أتحادث مع وكيل وزارة الخارجية مسيو بارودي، وكان ردّي الفوري هو أنني جئت لمقابلة رئيس الحكومة وأنني لن أقبل أن أذهب إلى وزارة الخارجية الفرنسية لمقابلة وكيلها الدائم.

ومرّت فترة حرجة بعيدة عن جميع أنواع المجاملات وكنت على وشك مغادرة باريس غاضباً عندما اتصل بي مسيو بارودي وأبلغني أنه قادم لزيارتي، وصحبه في تلك

المقابلة مدير عام الشؤون السياسية، ومدير عام قسم أفريقيا والشرق الأوسط، ووزير فرنسا المفوض بطرابلس. ودارت بيننا مناقشات حادة سوف أترك للملحق (رقم ٢٣)، وهو رسالة من سفير بريطانيا في طرابلس عن حديث أجراه مع وزير فرنسا المفوض بخصوص تلك المقابلة، وما دار في ذلك اللقاء.[٣٩] ويكفي أن ألفت نظر القارئ إلى ما جاء على لسان وزير فرنسا المفوض أن حكومته لم تكن مرحبة بزيارتي، وأنها فقط أعطتني أقل قدر من المجاملات يمكن تقديمه على الإطلاق بحيث يحافظ فقط على مظهر دبلوماسي سليم.

على أية حال، فإنني أبلغت وكيل الخارجية خلال تلك الزيارة أن الحكومة الليبية ترى أنه من المستحيل عليها – نظراً لأعمال القمع التي تقوم بها فرنسا في الشمال الإفريقي – أن تعقد معها إتفاقية عسكرية وأننا مستعدون لعقد معاهدة صداقة وحسن جوار مع تسهيلات مواصلات مدنية. وأنني شخصيّاً لا أصدق أن بقاء أربعمائة جندي فرنسي في فزّان سيساهم أدنى مساهمة في الدفاع عن العالم الحر. ولذلك فإنني أرى أن إصرار فرنسا على بقائهم هناك إنما هو لأغراض أخرى.

وكان رد وكيل الخارجية يعبّر عن دهشته الشديدة وانزعاجه التام من أنني أتنكر لوعود الحكومات الليبية السابقة. وقاطعته قائلاً أنني أعبّر له الآن عن سياسة الحكومة الليبية الحالية ولا أرتبط بأية وعود سابقة مهما كان نوعها. وعندما أثار بارودي موضوع تسرب السلاح من ليبيا إلى الشمال الأفريقي أبديت استغرابي، ووعدته ببحث الموضوع ومراقبة التسرّب إن كان هناك تسرّب. وبالرغم من عنف المقابلة وجوّها المتوتر إلا أنه بدا لي أن وكيل الخارجية الفرنسي لم يأخذ كلامي مأخذ جد كبير، ربما أملاً منه أن الحكومة الليبية لا بدّ وأن تنصاع لما ستبذله فرنسا من ضغوط ومؤامرات.

وعودةً إلى الوثائق، يقول السفير البريطاني في طرابلس في رسالة بعث بها إلى بروملي يلخص فيها حديث دار بيني وبينه حول مقابلتي العاصفة مع بارودي وبقية أعضاء الوفد الفرنسي:

---

(٣٩) راجع الملحق رقم ٢٣

أرجو مراجعة رسائلي السابقة التي نهايتها كانت الرسالة رقم ٦٦ المؤرخة أول يوليو ١٩٥٤ بخصوص مشروع الإتفاقية الليبية (الفرنسية) المقترحة.

قال لي رئيس الوزراء الليبي أنه قابل مسيو بارودي، وكيل وزارة الخارجية الفرنسية (رئيس الوزراء الفرنسي كان مشغولاً لم يستطع مقابلته)، وتكلم معه بصراحة شديدة في موضوع وجهة نظر الحكومة الليبية الحالية حول مشروع الإتفاقية الليبية الفرنسية.

يذكر مصطفى بن حليم بأنه قال أن الرأي العام في ليبيا نحو سياسة وأعمال فرنسا في تونس والمغرب قد تأثر بصورة يستحيل معها عقد إتفاقية عسكرية بين فرنسا وليبيا.

وقال أنه مستعد لعقد معاهدة صداقة وحسن جوار مع فرنسا وأن يعطي فرنسا تسهيلات مواصلات معقولة خلال فزّان، ولكنه لا يستطيع الموافقة على بقاء قوات فرنسية على التراب الليبي.

كما وعد مصطفى بك باتخاذ كل الخطوات الممكنة لمنع تسرّب السلاح من ليبيا إلى شمال أفريقيا.

ويبدو أن مسيو بارودي كان في غاية الانزعاج ولعدة مرات استعمل عبارة تحيّز صارخ ضد فرنسا، كما قال أن محمود المنتصر كان قد وعد فرنسا بإتفاقية مماثلة لمعاهدة ليبيا مع بريطانيا من جهة أو ليبيا وأمريكا من جهة أخرى. ويطالب مسيو بارودي بالإيفاء بذلك الوعد. رد مصطفى بك بأنه غير مقيد بأية وعود كان قد أعطاها سابقوه. إنه فقط يشرح له سياسة حكومته الجديدة. وقد تفادى (بن حليم) أن يجرّ إلى مناقشة أحقيّة فرنسيا وبريطانيا في الاحتفاظ بقوات على التراب الليبي، إلاّ أنه أشار إلى أنه على بريطانيا الاحتفاظ بقوات في ليبيا لكي يمكنها أن تؤدي التزامها في الدفاع عن البلاد (ليبيا). أما في حالة فرنسا فإنه يرى أن بقاء أربعمائة جندي فرنسي في فزّان لا فائدة منهم بالنسبة لليبيا (في مجال الدفاع) وبالتأكيد فهم هناك لأغراض

أخرى لم تُعلن.

لم يخبرني مصطفى بك، قبل مغادرة ليبيا، عن رغبته في القيام بهذه الخطوة، كما أنه، حسب اعتقادي، لم يخبر الملك إدريس، ولكن يظهر أن الأخير وافق على تلك الخطوة فيما بعد. لقد أشار رئيس الوزراء عدة مرات إلى الصعوبات الناجمة عن حجم السخط الموجود في ليبيا ضد السياسة الفرنسية في شمال أفريقيا ولقد حاولت الرد عليه بالتعبير عن الامل في أن تتمكن الحكومة الليبية، رغم كل شيء، من تلبية الطلبات الفرنسية. ولكن يبدو لي أنه اتخذ في نفسه قراراً نهائياً ضد أي إتفاق عسكري مع فرنسا.[٤٠]

وبعد حوالي شهر من هذه الرسالة التي لخّص فيها الوزير البريطاني المفوض في طرابلس روايتي عن ما دار في المفاوضات مع الوفد الفرنسي في ذلك اللقاء العاصف، أرسل خطاباً بتاريخ ٦ سبتمبر ١٩٥٤ إلى مستر بروملي يحدثه فيه عن رواية الجانب الفرنسي، وهي لا تختلف في جوهرها عما قلته له. يقول في رسالته:

أرجو الرجوع إلى رسالتي رقم ١٠٣١/٣٨/٥٤ والتي نقلت لكم فيها ما رواه لي مصطفى بن حليم عما حدث بينه وبين مسيو بارودي في باريس بخصوص مشروع الإتفاقية الفرنسية الليبية عن فزّان.

دي مارساي (وزير فرنسا المفوض) أعطاني مؤخراً روايته هو عن ذلك الاجتماع وهي تتفق عموماً مع رواية رئيس الوزراء الليبي. ولكن، وكما هو متوقع، لا يبدو أن الأخير كان كلامه بالعنف الشديد، كما قال. ومنذ البداية، فإن الحكومة الفرنسية لم تكن مرحّبة بتلك الزيارة لأنه كان ظاهراً أنها تقررت في اللحظات الأخيرة وبعد إعادة وجهة النظر من جهة الليبيين، ولذلك فقد أعطي لمصطفى بن حليم أقل قدر من المجاملات يمكن تقديمه على الإطلاق بحيث

(٤٠) راجع الملحق رقم ٢٤

يحافظ فقط على مظهر دبلوماسي سليم.

ولقد أعطيت تعليمات لدي مارساي بالعودة إلى الهجوم (الدبلوماسي) على أمل أن يكون تحسّن الاوضاع في تونس قد أوجد جوّاً أكثر ملاءمة للآمال الفرنسية في ليبيا. وقد قابل (دي مارساي) مصطفى بن حليم منذ أيام ويأمل أن يقابل الملك إدريس خلال العشرة أيام المقبلة.

ان رئيس الوزراء الليبي لا يزال عند موقفه المعارض لأي نوع من القواعد العسكرية الفرنسية في فزّان ولكنه مستعد أن يتفاوض على إتفاقيات تجارية وثقافية وحسن جوار.

ولا يمكنني أن أتنبأ بموقف الملك إدريس، ولكن من المؤكد أن رئيس الوزراء قد اتخذ موقفاً نهائياً ضد السماح للقوات الفرنسية بالبقاء في فزّان. ولم تظهر إلى الآن نتائج تحسّن الاوضاع في تونس على الرأي العام الليبي أي تأثير يذكر فيما يتعلق بموضوع الإتفاقيات مع فرنسا، ولكن من المأمول أن يخلق ذلك جواً أحسن بعد فترة.(٤١)

مؤامرات وضغوط على الحكومة وموقف صلب يتخذه مجلس الوزراء

بعد عودتي إلى ليبيا بأيام بدأت المؤامرات واشتدت الضغوط على الحكومة الليبية، وأود أن يعف قلمي عن ذكر الذين اشتركوا في تلك المؤامرات إلا أنني ينبغي أن أقول أن بعض الاشخاص من فزّان كانوا يصرّون إصراراً شديداً مريباً على ضرورة عقد تحالف مع فرنسا يسمح لقواتها بالبقاء. بل إن بعضهم قال أن هذا كان أحد شروطهم الأساسية لقبول الانضمام إلى برقة وطرابلس في إتحاد ليبي وأن طرد الفرنسيين هو رجوع عن الوعود المعطاة لهم قبل الإستقلال وبعده من الحكومة الليبية، فضلاً عن أنه ضار بمصالح فزّان المرتبطة بأوثق الصلة بالبقاء العسكري الفرنسي فيه. ولو أننا – زملائي وأنا – لم نعر تلك المؤامرات أية عناية إلا أننا رأينا، بعد أن اشتدت وتطورت، أن نحدد

(٤١) راجع الملحق رقم ٢٤

سياسة الحكومة الليبية تجاه فرنسا تحديداً لا رجوع فيه.

وبالفعل عرضنا الأمر على مجلس الوزراء الذي قرر بعد مناقشة مستفيضة إصدار أمر إلى وزارة الخارجية بتوجيه مذكرة رسمية إلى الحكومة الفرنسية لمطالبتها بالآتي:

١. إجلاء قواتها عن التراب الليبي بأسرع ما يمكن.

٢. أن الإتفاقية الفرنسية المؤقتة لن يتم تجديدها بعد ٣١ ديسمبر ١٩٥٤.

(مذكرة وزارة الخارجية الليبية إلى السفارة الفرنسية بتاريخ ١٦ نوفمبر ١٩٥٤) مشار إلى فحواها في رسالة المفوض الفرنسي في طرابلس إلى وزير خارجية فرنسا.[٤٢]

وقامت قيامة الحكومة الفرنسية واشتدت في الضغوط الداخلية وحاولت الحكومة البريطانية أن تنصحنا بالعدول عن ذلك الطريق وتشجيعنا على إعادة النظر في طلب الجلاء. إلاّ أننا لم نتزحزح وأفهمنا الجميع أن قرارنا نهائي لا عودة عنه، ورجونا أصدقاءنا الأمريكان بمزاولة ضغوطهم الودية على فرنسا، واستعنّا بالصحافة الليبية والعربية التي أيدت موقف الحكومة وهاجمت فرنسا. وكان موقف الملك موقفاً وطنياً في تأييده التام لسياسة حكومته ورفضه نصح بريطانية بالعدول عن مطلب الجلاء.

ولقد وجدت في وثائق الحكومة الفرنسية صورة من تقرير بعثه الوزير الفرنسي المفوض بطرابلس إلى وزير الخارجية الفرنسي منديس فرانس يشرح فيه تطورات الأزمة بين الحكومة الليبية والحكومة الفرنسية.[٤٣] وإني أورد هنا ترجمة عربية لأهم أجزاء ذلك التقرير مع تعليق مني على بعض ما جاء فيه:

يشرفني أن أبعث طيّه إلى وزارة الخارجية الترجمة الحرفيّة للرسالة التي سلمها لي يوم ١٣ نوفمبر ١٩٥٤ وزير الخارجية الإتحادي (يعني الليبي)

---

(٤٢) راجع الملحق رقم ٢٥

(٤٣) راجع الملحق رقم ٢٥

بخصوص القرارات التي اتخذها مجلس الوزراء في بنغازي أوائل هذا الشهر، وذلك عندما طلب من المجلس ابداء الرأي حول نصوص الإتفاقية التي كنت قد قدمتها يوم ١٩ اكتوبر إلى مفاوضينا (الليبيين).

وكما أعلمتكم في برقيتي المؤرخة يوم ١٢ نوفمبر فإن مناقشة تلك الوثيقة (في مجلس الوزراء الليبي) قد أثارت رد فعل عاصف من أغلبية الوزراء ومنهم السادة خليل القلال والعنيزي والقلهود الذين عبّروا بطريقة عنيفة عن معارضتهم لابرام اية معاهدة أو إتفاق مع فرنسا، ولقد حرّضهم السيد بن حليم عندما ذكّرهم – العديد من المرات – بأن قراراتهم لا يجب أن تملى عليهم إلا من اعتبارات مصالح ليبيا والإسلام والعروبة وهذا ما جعلهم لا يتجاوبون إطلاقاً لنداءات الاعتدال التي اطلقها السيدين الدكتور عبد السلام البوصيري وزير الخارجية ومحمد بن عثمان وزير الصحة. أما الاقتراحات التي طرحها الأخيران لكي يتمكنا من تقرير مبدأ حل وسط، فهي تهدف إلى السماح (لفرنسا) باستعمال (الدرب رقم ٥)[٤٤] لأغراض تجارية، كما تهدف للموافقة على مبدأ تأجير المطارات الثلاثة الموجودة في فزّان لفرنسا بشرط أن تكون القوات المسلحة الليبية هي المسؤولة عن أمن تلك المطارات. وحتى هذا الحل الوسط قوبل بالرفض الشديد.

وفي ختام المداولات (في مجلس الوزراء الليبي) أعطيت تعليمات لوزير الخارجية لتقديم رسالة للمفوضية الفرنسية لاخبارها بقرار الحكومة الفيدرالية (الليبية) بأن الإتفاقية المؤقتة لن تجدد بعد يوم ٣١ ديسمبر ١٩٥٤، ومطالبة المفوضية باتخاذ كافة الترتيبات بحيث يتم جلاء القوات الفرنسية المعسكرة في فزّان في ذلك التاريخ.

إن التوصيات التي تركها السيد بن حليم قبل سفره إلى مصر كانت تقضي بأن تصلني تلك الرسالة يوم ٦ نوفمبر – بل أن هذا في الواقع ما قالته جريدة

---

(٤٤) الدرب رقم ٥ هو طريق غير معبد (ترابي) يصل بين تونس وتشاد والنيجر ماراً بمدينة سبها.

الاهرام القاهرية – غير ان السيد البوصيري قرر تأجيل تقديم الرسالة على أمل أن تقع أحداث غير منظورة توفّر عليه تنفيذ مهمة يشمئز من تنفيذها نظراً لمشاعر التعاطف الوديّة التي تحرّكه نحونا. غير أن بادرة الجريدة القاهرية (بنشر الرسالة) لم تترك له مجالاً للحفاظ على سرية الوثيقة بعدما نشرت تفاصيلها على الجمهور.

هذا وكما ذكرت في برقيتي المؤرخة ١٤ نوفمبر فلقد قدمت لمحاوري (وزير الخارجية الليبي) أعنف الاحتجاجات التي أكدّتها برسالة – مرفق صورتها – كما وأنني أبديت التحفّظات على المطالب الصادرة من مجلس الوزراء الإتحادي التي تطالب قواتنا بالجلاء عن قواعدها يوم ٣١ ديسمبر ١٩٥٤، ولفت نظري السيد البوصيري إلى أن الإتفاقية المؤقتة، والتي لا تزال سارية المفعول، تسمح للقوات الفرنسية المرابطة في تلك المقاطعة بالبقاء فيها إلى نهاية العام الحالية.

وأخيراً فقد لفتّ نظر وزير الخارجية بأن مقترحات الحكومة الليبية بمواصلة التفاوض على إتفاقية حسن جوار وإتفاقية إقتصادية وأخرى ثقافية، لا تشير إلى عقد معاهدة عامة للصداقة والتي كان قد وافق على مبدأ عقدها في المحادثات التي جرت في بنغازي يوم ٢٣ اكتوبر ١٩٥٤.

وأمام هذه البيانات فقد ظهر على السيد البوصيري التأثر الشديد والحيرة ولم يتمكن من الرد إلا بوعود تملّص ومراوغة.

هذا وبناءً على معلومات وصلتنا أخيراً فإن موضوع معاهدتنا قد تمّ بحثه في مجلس الوزراء ولقد حاربها بشراسة أعدائنا التقليديين، ثم قام السيد بن حليم بوضع اللمسات الأخيرة في صياغة الرسالة فجعلها تتجاوب مع رغبات أعداءنا التقليديين، وحرص على إزالة أية إشارة لمسألة عقد معاهدة عامة.

تعليق من الكاتب على ما ورد في رسالة الوزير الفرنسي المفوض:

بالرغم من تأكدي – بأن معلومات المفوضية الفرنسية عمّا دار في مجلس الوزراء الليبي كانت تستند إلى أخبار نقلها لها أحد الوزراء ضعاف النفس فإن تلك المعلومات محرّفة كثيراً وللأمانة التاريخية فإني أقر هنا:

- ان الوزراء الذين عارضوا عقد اية معاهدة عسكرية مع فرنسا هم: خليل القلال، والدكتور علي العنيزي، الشيخ عبد الرحمن القلهود ومصطفى السراج وكاتب هذه المذكرات.
- أما الوزراء الذين تجاوبوا – لسبب أو لآخر – مع مطالب فرنسا العسكرية فهم محمد بن عثمان الصيد، وإبراهيم بن شعبان، والدكتور عبد السلام البوصيري.

وللأمانة التاريخية كذلك فإن الدكتور عبد السلام البوصيري، كان واقعاً تحت تأثير ضغط شديد من السفير التركي بليبيا جلال كره صابان. ومن الجدير بالذكر أنه أمضى ربع قرن لاجئاً في تركيا وعمل موظفاً في وزارة الخارجية التركية قبل أن يستدعيه الملك ويعيد له جنسيته الليبية، ويعيّنه وزيراً للخارجية. كما أنه من الإنصاف القول أن له ماضي وطني مضيء لذلك فإنني أستبعد أن يكون كلامه مع الوزير الفرنسي صادر عن قناعة.

وبالرغم مما ذكرت فقد رأيت أنه من الحكمة إبعاد الدكتور البوصيري عن وزارة الخارجية وتعيينه في منصب آخر، فانتهزت فرصة إقالة الصديق المنتصر، والي طرابلس، ورشّحت الدكتور البوصيري خلفاً له، وتوليت وزارة الخارجية بنفسي (ربيع ١٩٥٥). أما محمد بن عثمان وإبراهيم بن شعبان فقد خيّرتهما بين الاستقالة من الوزارة أو السير في الطريق الوطني الذي قررناه والتعبير علناً عن تضامنهما مع سياسة اخراج القوات الفرنسية من فزّان. وبالفعل قام كل من الوزيرين بالادلاء بتصريح يؤيد سياسة الحكومة، وبعد شهور قليلة عاد إبراهيم بن شعبان إلى سياسة التردّد بين التضامن مع زملائه الوزراء وبين تأييد العناصر الفزّانية المنادية بالتفاهم مع فرنسا، وعندئذٍ اضطررت إلى إبعاده عن الوزارة خريف ١٩٥٥.

دعوة للتفاوض في باريس

واستمرت الأزمة بيننا وبين فرنسا إلى أن جاءني يوم ١٦ ديسمبر ١٩٥٤ وزير فرنسا المفوض وأبلغني رسالة شخصية من رئيس الوزراء الفرنسي منديس فرانس يدعوني للتفاوض معه شخصياً بدون شروط مسبقة قائلاً في رسالته، أن مساعيه الأخيرة في إيجاد حلول معقولة للقضية التونسية وعطفه المشهور على حركات التحرر في العالم، وماضيه المتجاوب المتعاطف مع مؤسسات الدفاع عن الحرية وحقوق الإنسان لأكبر ضمان على رغبته في التفاهم معنا.

وبعد مناقشة الدعوة بمجلس الوزراء عرضت الأمر على مجلس النواب في جلسة سرية ناقشنا فيها بادرة منديس فرانس وأفضل السبل للرد عليها والتعامل معها، وطلبت من المجلس النصح والتوجيه، فقُرر بأغلبية أن أسافر على رأس وفد ليبي للتفاوض مع رئيس الحكومة الفرنسية، شريطة ألا نتنازل عن مطلب الجلاء، وشريطة أن تبدأ المفاوضات قبل تاريخ انتهاء الإتفاقية المؤقتة (أي ٣١ ديسمبر ١٩٥٤)، وفي نفس الوقت أرسلت إلى الرئيس عبد الناصر رسالة سرية، عن طريق سفيره في ليبيا اللواء أحمد حسن الفقي، ورجوت فيها النصح فيما يجب أن أتخذ من موقف حيال بادرة رئيس الحكومة الفرنسية، كما رجوته إذا كان رأيه هو التجاوب مع تلك البادرة أن يزوّدني بعدد من المستشارين القانونيين ذوي الخبرة في القانون الدولي لأستعين بهم في مفاوضاتي مع فرنسا. وسرعان ما جاءني رد الرئيس عبد الناصر مشجعاً على قبول الدعوة الفرنسية مؤكداً أنني أجد في باريس اثنين من خيرة خبراء القانون الدولي سيرسلهما سراً إلى باريس لمعاونتنا.

ثم قرر مجلس الوزراء تشكيل وفد ليبي برئاستي وعضوية الدكتور علي العنيزي، ومصطفى السراج، وسليمان الجربي، وانضم الينا في باريس محمد عبد الكريم عزوز سكرتيراً للوفد. ونظراً لأنه لم يكن هناك خطوط جوية مباشرة بين طرابلس وباريس فقد سافر الوفد عن طريق لندن.

وفي لندن طلب اللورد ريدنج وزير الدولة البريطاني للشؤون الخارجية مقابلتي، وتمّت المقابلة بحضور سفيرنا حيث أبلغني ريدنج رسالة من وزير الخارجية انتوني إيدن

(الذي كان خارج بريطانيا في مهمة رسمية) قال فيها أن الحكومة البريطانية منزعجة كثيراً من موقف ليبيا تجاه فرنسا وتخشى أن تتطور الأزمة الليبية-الفرنسية إلى نزاع دولي سيجعل بريطانيا في موقف دقيق وهي على أية حال لن تستطيع أن تؤيد ليبيا، وأنذرني بألا أتوقع أية مؤازرة من بريطانيا في أي نزاع يقع بيننا وبين فرنسا.

وأبديت للوزير البريطاني استغرابي واستهجاني لموقف حكومته وقلت له بعبارات حازمة: إننا لن نغير من موقفنا مهما كان رأي الحكومة البريطانية. وأضفت أنه من الاصوب أن يقدموا نصحهم لفرنسا. لأننا نطلب من فرنسا الجلاء عن التراب الليبي، وفرنسا تصر على البقاء بطريقة غير قانونية لذلك فإن نصحكم لفرنسا هو الذي سيحول دون وقوع أزمة دولية حادة ستصل حتماً إلى هيئة الأمم المتحدة.

ولقد وجدت في وثائق الحكومة الفرنسية رسالة عاجلة جداً من وزير الخارجية الفرنسية منديس فرانس إلى سيغلي، سفير فرنسا في لندن، يطلب منه بإلحاح إجراء مسعى شديد الحزم لدى رئيس الوزراء البريطاني أنتوني إيدن ليؤثر على رئيس الوزراء قبل وصوله إلى باريس ليتخذ موقفاً معقولاً، ويعدل عن طلب جلاء القوات الفرنسية، لأن فرنسا لا تستطيع أن تقبل طلب الجلاء عن فزّان لأن ذلك يعرّي الجنوب الجزائري.[٤٥]

وعند وصولنا إلى باريس قابلنا وزير فرنسا المفوض في طرابلس وموظف من وزارة الخارجية، كما قابلنا ثروت عكاشة الملحق العسكري المصري بسفارة باريس وقدم لنا سراً، اثنين من كبار المستشارين القانونيين المصريين الذين أرسلهم الرئيس عبد الناصر لمساعدتنا. وبالفعل فقد كنا نعقد معهما اجتماعات في فندقنا ونتشاور معهما في كل خطوة نخطوها مع الفرنسيين ونحيطهم علماً بكل كبيرة وصغيرة، وكان لأحد المستشارين، وهو أحمد خيرت السعيد (الذي تولى بعد ذلك منصب نائب وزير الخارجية المصرية)، اليد الطولى والاثر الاكبر في تجنبنا الكثير من المزالق وتزويدنا بالحجج القانونية القوية في مفاوضاتنا.

---

(٤٥) راجع الملحق رقم ٢٦

المفاوضات الليبية–الفرنسية في باريس

مرة أخرى فقد عبّرت السلطات الفرنسية عن غضبها بإبداء حماقات جديدة. فامتنعت عن تقديم أبسط المجاملات التي تتبع عادة في مثل هذه الاجتماعات الدولية. فلم يقابلنا عند وصولنا محطة السكة الحديد في باريس إلا الوزير الفرنسي المفوض بطرابلس وموظف من الخارجية الفرنسية. وركب أعضاء الوفد الليبي سيارة أجرة إلى الفندق، أما زوجتي وأنا فقد اصطحبنا ثروت عكاشة في سيارته.

وعند ذهابنا يوم ٣١ ديسمبر ١٩٥٤ إلى وزارة الخارجية الفرنسية لعقد أول اجتماع مع رئيس الوزراء الفرنسي فقد استعملنا كذلك سيارات الأجرة، بل وعند خروجنا من الاجتماع في مساء نفس اليوم مشينا على الاقدام مدة إلى أن أوقفنا سيارة اجرة، ولم يستعمل في اجتماعاتنا بالمسؤولين الفرنسيين أي قدر من المجاملات، بل كانت الاجتماعات سلسلة من المناقشات العنيفة والمواجهات الصلبة والعبارات الخشنة.

في اجتماعنا الأول مع رئيس الوزراء يوم ٣١ ديسمبر عرضت عليه مطالبنا مفصلة وشرحت أننا حرصنا على أن تبدأ محادثاتنا معهم قبل انتهاء مدة الإتفاقية المؤقتة حتى تكون فترة المفاوضات والمدة اللازمة لإجلاء قواتهم عن فزّان عبارة عن امتداد معقول للإتفاقية المؤقتة. وكان رد الرئيس الفرنسي ردّاً عاماً أكد فيه رغبته في الوصول إلى تفاهم معنا، ولذلك فقد دعاني شخصياً للاجتماع به وأنه يأمل أن نصل في اجتماعاتنا المقبلة إلى حلول للقضايا المعقدة التي تواجهنا جميعاً، ثم اقترح أن نستأنف الاجتماع صباح يوم الثالث من يناير ١٩٥٥ عند العاشرة صباحاً بمبنى وزارة الخارجية.

وفي صباح الثالث من يناير، وبينما كنا مجتمعين مع المستشارين القانونيين المصريين، دقّ جرس التليفون وكان المتحدث وكيل وزارة الخارجية الفرنسي، الذي تحدث مع وكيل الخارجية الليبي سليمان الجربي قائلاً: أن رئيس الوزراء الفرنسي يعتذر عن رئاسة وفد بلاده صباح ذلك اليوم لإنشغاله في أمور هامة مستعجلة، وان مسيو موتييه، وزير الدولة للشؤون الخارجية، سيرأس وفد فرنسا. وعلى الفور طلبت من سليمان الجربي أن يواصل حديثه الهاتفي مع وكيل الخارجية الفرنسي وأن يبلغه

أنني اعتذر، من طرفي كذلك، عن تغيبي اليوم وأنني أوكلت رئاسة الوفد الليبي إلى الدكتور علي العنيزي. وبالفعل ذهب الوفد الليبي إلى الموعد دون أن أشترك معهم في الاجتماع، وتعمّدت أن أمضي صباح ذلك اليوم متنزهاً في شوارع باريس وبصحبتي زوجتي وسكرتيري الخاص.

وطبعاً فهم الفرنسيون مغزى تغيّبي وعلى الفور رتبوا اجتماعاً مستعجلاً للوفدين بعد ظهر نفس اليوم مؤكدين ان الرئيس منديس فرانس سيرأس وفد بلاده وأعربوا عن أملهم في أن أحضر الاجتماع. وطبعاً حضرت الاجتماع الذي بدأه الرئيس بالاعتذار عن تغيبه صباح اليوم لأسباب قاهرة وعاتبني لتغيّبي. فقلت لقد قبلت يا سيادة الرئيس دعوة شخصية منك نظراً لأنني كنت متأكداً من ماضيك العادي للاستعمار وتعاطفك مع آمال الشعوب المتطلعة إلى الإستقلال، ولأنني رأيت في ذلك أكبر ضمان لتجاوبك مع مطالبنا، وعليه فعندما اضطرتك الأمور القاهرة إلى التغيب عن المفاوضات رأيت أن حضوري أصبح غير ذي موضوع. وعلى أية حال دعنا يا سيادة الرئيس نواجه صلب الموضوع.

كرر الرئيس اعتذاره وأعطاني الكلمة، فبدأت بعرض مركز للأسباب التي دعت الحكومة الليبية إلى المطالبة بحقها المشروع في إجلاء القوات الفرنسية عن التراب الليبي وأسهبت في شرح ما نشعر به من شكوك ومخاوف من بقاء القوات الفرنسية على أرض فزّان، وركزت على متطلبات السيادة الوطنية وعلى أحكام القانون الدولي. (وكان المستشاران المصريان قد زوداني بذخيرة قوية في هذا المضمار)، وأهم بصراحة، انكم تحتجوا علينا باستمرار لأننا لا نرغب في عقد معاهدة عسكرية معكم بينما عقدنا تحالفاً مع بريطانيا وأجّرنا قاعدة الملاّحة لأمريكا. أنكم تتناسون أن أمريكا وبريطانيا لهما دور كبير في الدفاع عن العالم الحرّ ولست أعرف دوراً مماثلاً لفرنسا. ثم أن بريطانيا وأمريكا لا مطامع لهما في الأراضي الليبية ولكم مطامع كثيرة في الجنوب الليبي، لذلك وجب علينا، حفاظاً على سلامة أراضي وطننا، أن نتعامل معكم بحذر شديد وأن نصر على إجلاء قواتكم وأن ندافع عن حقوقنا وسيادتنا الوطنية وسلامة أراضينا أمام مطامعكم. ثم أشعلت نار غضبهم عندما أضفت أن أعمال القمع الإستعماري الذي

تزاوله القوات الفرنسية في شمال أفريقيا والقتل والتعذيب الذي يمارس ضد المسلمين هناك، كل هذا ليس من الأمور التي تعيد الثقة بيننا. ثم أضفت قائلاً: وبالرغم من الصورة القاتمة التي عرضتها فإنني، رغبة في أن أؤكد حسن النوايا الليبية، فقد لبيت دعوة الرئيس وجئت مع زملائي لباريس لأعرض عليكم عقد معاهدة صداقة وحسن جوار خالية من أي عنصر عسكري. وكذلك عقد إتفاقيات ثقافية وتبادل تجاري، وإتفاقيات تنظم شؤون المراعي وتنقّل البدو الرحّل عند الحدود، وأيضاً إتفاقيات في المجالات الفنية مثل الزراعة والطيران والمواصلات. واختتمت عرضي قائلاً: وانني آمل أن تساهم معاهدة الصداقة وحسن الجوار التي نقترحها في تخفيف حدّة الخلافات المزمنة بين فرنسا والعالم العربي عامة.

شكرني الرئيس على صراحتي وقال أنه سيبادلني صراحة بصراحة. ثم أسهب في استعراضه الاسانيد القانونية التي قال أنهم يستندون عليها في مطالبتنا عقد معاهدة تحالف عسكرية على غرار تحالف ليبيا مع بريطانيا. وكرّر مطالبه مستنداً إلى أن الإتفاقية الموقعة بين فرنسا وليبيا (٢٤ ديسمبر ١٩٥١) تلزم ليبيا بالتفاوض مع فرنسا على عقد معاهدة تحالف بين البلدين. وإلى أن تتم إجراءات التفاوض ثم إجراءات عقد المعاهدة المذكورة فإن ليبيا ملتزمة بالابقاء على وجود القوات الفرنسية في فزّان. ثم أشار إلى الوعود الشفوية الكثيرة التي أعطاها كل من محمود المنتصر ومحمد الساقزلي للحكومة الفرنسية بينهما عقد معاهدة تحالف مع فرنسا. وأخيراً قدّم لي صورة من خطاب الحكومة الليبية المؤرخ في ٢٧ نوفمبر ١٩٥٢ الذي يؤكد نيّة الحكومة الليبية في التفاوض مع فرنسا لعقد معاهدة تحالف. ولذلك فإن الحكومة الفرنسية ترى أنها على حق عندما تطالبنا اليوم بتنفيذ وعود الحكومات الليبية السابقة واحترام التعهدات الشفوية والكتابية الصادرة من الجانب الليبي.

وقلت رادّاً على هذه الادعاءات، أن الحكومة الليبية التي أرأسها لا تعطي أية قيمة لأية وعود معطاة من حكومات سابقة، ما لم تكن تلك الوعود على شكل قوانين أو معاهدات أو إتفاقيات قدمت لمجلس الأمة وصادق عليها. أما إتفاقية ٢٤ ديسمبر ١٩٥١ فإنها إتفاقية

مؤقتة فرضت على الحكومة الليبية المؤقتة فرضاً، ولقد صبرنا على إجحافها لسنتين، وأخيراً أبلغناهم في نوفمبر الماضي بقرارنا بإلغائها.

ورد منديس فرانس مؤكداً أن فرنسا تقوم بدور أساسي في الدفاع عن العالم الحرّ مثلها مثل بريطانيا وأمريكا، ولها قواعد عسكرية في بعض الدول المستقلة حيث تساهم قواعدها في الدفاع عن العالم الحر. وهنا قاطعت الرئيس الفرنسي سائلاً: هل تتكرّم يا سيادة الرئيس وتذكر لي بلداً مستقلاً واحداً لفرنسا فيه قواعد عسكرية تدافع بها عن العالم الحر؟ فأسرع الرئيس الفرنسي وذكر مدغشقر. فقلت متهكماً أن مدغشقر يا سيادة الرئيس مستعمرة فرنسية وليست دولة مستقلة.

وشعرت بأنني أفقدت الرئيس الفرنسي توازنه فعاجلته بأخرى شديدة فقدمت له صورة من خريطة فرنسية قُدّمت إلى الوفد الليبي عند بداية جلستنا تلك، والخريطة تظهر واحة غدامس الليبية ضمن أراضي تونس، كما تظهر واحة غات الليبية ضمن أراضي الجزائر. قلت: ما هذا يا سيادة الرئيس؟ أليس هذا تعبير فاضح عن مطامع فرنسا في الأراضي الليبية؟ وتهامس الرئيس الفرنسي مع أعضاء وفده ثم استأنف كلامه قائلاً: لقد عبّر سكان واحتي غدامس وغات عن رغبتهم في الانضمام إلى فرنسا. فقاطعته قائلاً: يا سيادة الرئيس أن كلامك هذا يتنافى تماماً مع ما سمعته عن ماضيك المعارض للاستعمار وتعاطفك مع أماني الشعوب المقهورة. ثم ما هذا الادعاء؟ أي سكان في غدامس وغات طالبوا بالانضمام إلى فرنسا؟ هذا تزوير قامت به الإدارة الفرنسية في فزّان. وهذا هو السبب الرئيسي الذي يدعونا إلى الالحاح على إجلاء القوات الفرنسية لنوقف أعمال الدس التي يقوم بها مواطنوكم، عسكريين منهم ومدنيين في ولاية فزّان.

واستأنف الرئيس الفرنسي كلامه قائلاً أن هذه الخريطة كانت تمثل مطالب سابقة ويمكنكم اعتبارها لاغية، وعاد الحديث عن القواعد الفرنسية في فزّان فأبدى استغرابه: كيف يجوز لليبيا ألا ترى أي حرج في وجود ما يزيد عن عشرة آلاف جندي بريطاني على أراضيها في الوقت الذي تأنف وترفض السماح لأربعمائة جندي فرنسي البقاء في فزّان؟

قلت: إننا نأنف ونرفض للأسباب التي سبق وأن شرحتها لكم يا سيادة الرئيس...

إنني على يقين أن رغبة فرنسا في ابقاء هؤلاء الجنود إنما كان لتأكيد مطامعها في أراضي الجنوب الليبي وتكريس نفوذها السياسي في فزّان ولذلك فإننا نصرّ على وجوب جلاء هؤلاء الجنود.

قال: إن جلاء القوات الفرنسية سيكشف الجنوب الجزائري أمام تسرّب السلاح من ليبيا والشرق العربي إلى الخارجين عن القانون في الجزائر. قلت: ليس هناك تسرّب سلاح لا من جنوب ليبيا ولا من شمالها. قدّموا لنا الأدلّة على عكس ذلك وسوف تروا أننا سنتخذ ما يلزم من إجراءات. ثم انتهزت الفرصة وركّزت على فكرتي التي تقول أن العلاقة بين فرنسا وليبيا لهي أهم بكثير من إبقاء أربعمائة جندي في ليبيا، بل أن بقاءهم هو مصدر دائم لمشاكل حادة بيننا، ومنبع لمؤامرات استعمارية لا شك أن الرئيس لا يستسيغها. ثم أن أمام ليبيا وفرنسا مجالات تعاون رحبة ومجدية في المجالات الثقافية والتجارية والفنية. أن صداقة متينة بين ليبيا وفرنسا ستساعد كثيراً في تقريب وجهات النظر بين فرنسا والعالم العربي. وأهم من هذا قد تساعد على ايجاد المخارج المشرّفة لقضايا فرنسا في شمال أفريقيا.

وشعرت أن منديس فرانس بدأ يتجاوب مع أفكاري هذه بعكس أفراد الوفد الفرنسي الذي كان يشتمل على عدد كبير من الخبراء المخضرمين في شؤون أفريقيا الشمالية والمستعمرات الفرنسية، وهنا اقترح الرئيس الفرنسي رفع جلسة للاستراحة.

إتفاق مبدئي على جلاء القوات الفرنسية

أثناء الاستراحة ترك منديس فرانس مقعده وانتقل إلى مكاني وأخذني جانباً وبدأ معي حديثاً ودياً على انفراد... بدأ حديثه قائلاً: لقد قيل لي أنك كنت على جانب من المرونة والحكمة والواقعية في مفاوضاتك مع الأمريكان، وكنت أتوقع أن تكون بنفس المرونة والواقعية معنا. فهل لاّ قلت لي لماذا أجدك في غاية الصلابة والشك، بل العداء في تعاملك معنا بالرغم من أن ثقافتك فرنسية في الأساس وتجيد لغتنا اجادة فائقة.

قلت: أؤكد لك يا سيادة الرئيس أنني لا أكره بلدكم بل بالعكس انني أرغب وأتمنى

في أن أبني علاقة صحية نظيفة مع فرنسا. فرنسا التي كنا نعتبرها المؤيد الأول لكل حركات الحرية والأخوة والمساواة في العالم. إنني يا سيادة الرئيس أود أن أطوي صفحة المطامع الإستعمارية الفرنسية في الأراضي الليبية وأفتح صفحة جديدة من التعاون بين بلدينا. تعاون بين أنداد لا مطمع لأحد منهما في أراضي وحقوق الطرف الآخر. وافق لنا على إجلاء قواتكم عن أراضينا وستجدنا مرنين متعاونين في جميع المجالات المدنية التي لا تمسّ سيادة وطننا ولا سلامة أراضيه.

هنا فقط ولأول مرة نطق منديس فرانس بكلمة الجلاء حيث قال: لو فرضنا ووافقت على إجلاء القوات الفرنسية عن فزّان فما هي التسهيلات التي تعطوها لنا؟ وما هي الضمانات التي تقدموها لكي لا تنقلب ولاية فزّان إلى مستودع لتخزين وتهريب السلاح إلى شمال أفريقيا. قلت: دعنا نستأنف الجلسة وأرجو أن تبلغ الوفدين بقبولك المشروط للجلاء، ثم نتحدث في التسهيلات والضمانات.

واستأنفنا الجلسة بتصريح للرئيس الفرنسي عما اتفقنا عليه مبدئياً في اجتماعنا المنفرد ولاحظت على وجوه المخضرمين من أعضاء الوفد الفرنسي مظاهر من الاستغراب وعدم الاستحسان، عبّروا عنها بالمطالبة بتسهيلات غير معقولة وضمانات غير مقبولة من طرفنا. ولكننا واصلنا التفاوض بصبر ومثابرة ووافقنا مبدئياً على:

أن ننظر في الطلبات الفرنسية بمرور قوافل مدنية عبر الدرب رقم ٥ من جنوب تونس باتجاه تشاد والذي يمر عبر فزّان دون أن نعطي فرنسا حق المرور، بمعنى أن يكون لنا حق الرفض أو القبول، وذلك طوال مدة سريان معاهدة الصداقة وحسن الجوار المقترحة.

وافقنا على إعطاء فرنسا تسهيلات لمرور سياراتها المتجهة من جنوب الجزائر إلى مركزيّ فورسان ودجانت حيث أن الطريق الوحيد الذي يصل إلى هذين المركزين يمر عبر الأراضي الليبية، ولكن موافقتنا هذه تسري لمدة محدودة يتفق عليها الطرفان وهي المدة اللازمة لإنشاء طريق بديل عبر الأراضي الجزائرية.

وافقنا مبدئياً على استعمال خبراء فرنسيين لا يزيد عددهم عن خمسة عشر لإدارة المطارات الثلاثة في فزّان (سبها وغات وغدامس) ولكن بعقود لمدة سنتين فقط

وكموظفين لدى الحكومة الليبية.

وافقنا على أن تحل في القواعد الفرنسية بعد جلاء القوات الفرنسية عنها قوات ليبية فقط، أي أن لا يحل البريطانيون محل الفرنسيين كما كان يخشى الفرنسيون.

هذه نقاط الإتفاق المبدئي وأما نقاط الخلاف فهي كالآتي:

١. طالبت فرنسا بحق العودة إلى قواعدها في فزّان في حالة الحرب، فرفضنا هذا الطلب جملةً وتفصيلاً. ثم عدّل الوفد الفرنسي هذا الطلب فيما بعد وجعله، بأن توافق ليبيا أن تجري فرنسا إتفاقاً مع بريطانيا يتم بموجبه عودة القوات الفرنسية إلى هذه القواعد في حالة الحرب، أي إتفاق باطني بين الدولتين (بريطانيا وفرنسا) بحيث تترك بريطانيا لفرنسا مسؤولية الدفاع عن فزّان في حالة الحرب. ورفضنا هذا الطلب جملةً وتفصيلاً بحجة أن الدفاع عن ليبيا مقرر ومضمون بمعاهدة تحالف مع بريطانيا ولسنا في حاجة لمقاول من الباطن للدفاع عن فزّان.

٢. طلبوا أن يستمر الفنيون الفرنسيون في إدارة المطارات الثلاثة لمدة عشرين عام، رفضنا وحددنا فترة استعمال الفنيين الفرنسيين بمدة سنتين فقط.

٣. رفضنا طلب فرنسا في الحصول على موافقة ليبيا على حق استعمال الطائرات الفرنسية للأجواء الليبية في فزّان والتزود بالوقود في مطارات فزّان لمدة عشرين عام. وعرضنا أن تكون المدة قصيرة لا تتجاوز المدة اللازمة لإنشاء مطار في الأراضي الواقعة تحت سيطرة فرنسا.

٤. طالبوا بأن ترسم الحدود بين ليبيا والأراضي الخاضعة للحكم الفرنسي حسب المعاهدات الدولية السارية المفعول عند قيام إستقلال ليبيا. وافقنا على هذا ولكنهم طلبوا أن يتم رسم الحدود قبل الفراغ من التصديق على معاهدة الصداقة وحسن الجوار المقترحة وقبل جلاء قواتهم. رفضنا هذا المطلب الأخير وعرضنا عليهم أن نتعهد بأن يتم رسم الحدود، حسب المعاهدات

الدولية سارية المفعول عند إستقلال ليبيا، في أقرب فرصة ممكنة ورفضنا أن يرتبط موضوع رسم الحدود بموضوع الجلاء.

ولاحظت في ذلك الاجتماع أن الجانب الفرنسي يشدد على نقطتين هما حق رجوع فرنسا إلى قواعدها في حالة الحرب، وموضوع ربط رسم الحدود بين ليبيا والأراضي الفرنسية بمواعيد الجلاء عن فزّان. لذلك ومن باب الحذر قمت بمجرد انتهاء الجلسة الأولى بالاتصال بسفيرنا بلندن وطلبت منه إبلاغ رسالة عاجلة وهامة إلى وزير الخارجية البريطاني انتوني إيدن قلت فيها إنني قد حاولت التفاهم مع فرنسا بقدر الإمكان ولكن الجانب الفرنسي يصرّ على نقطتين حساستين لا يمكن لي بأي حال من الأحوال قبول حل وسط في أيّهما. ثم قلت: في النقطة الأولى لا يمكن لنا قبول رجوع فرنسا إلى فزّان بأي شكل وفي أية ظروف مهما كانت. أما موضوع رسم الحدود فإننا نوافق على أن ترسم الحدود حسب أحكام المعاهدات الدولية السارية المفعول عند قيام إستقلال ليبيا، ولكن عملية رسم الحدود لا بدّ أن تأخذ وقتها المناسب ولا سيما وأنه ليس لدى ليبيا خبراء في هذا المجال، ولذلك فإننا نتعهد برسم الحدود في أقرب فرصة ممكنة ولكن لا نقبل إطلاقاً جعل جلاء القوات الفرنسية عن فزّان مرهوناً برسم الحدود وتحديدها. هذا وشددت على سفيرنا أن يلفت نظر البريطانيين إلى أنه عندما نصحونا بالحكمة والتعقل، تجاوبنا مع نصيحتهم، وان الدور الآن على بريطانيا بأن تنصح حليفتها فرنسا بالتعقل والحكمة، وإلاّ فإن الاحراج لا شك واقع عليهم (البريطانيين) إذا اضطررنا إلى اللجوء إلى مجلس الأمن الدولي.

وفي الملحق تقرير عن محادثات وزير الدولة البريطاني انتوني ناتنج مع السفير الفرنسي في لندن، بعد أن تلقى رسالتي من سفيرنا في لندن يقول فيه:

بعد مناقشة الموضوع مع سير كيركباتريك (الوكيل الدائم لوزارة الخارجية البريطانية) استدعيت السفير الفرنسي لمقابلتي قبل الظهر ونقلت إليه ما قاله

لي السفير الليبي وشدّدت على أن طلب فرنسا بتحديد الحدود الليبية قد وضع الليبيين في وضع حرج، وهم يخشون أنهم إذا تمّ الضغط عليهم في هذا الموضوع فهذا سيشجع المصريين بالضغط عليهم في تعديل حدودهم الشرقية. لم أكن على علم إذا كان منديس فرانس قد جعل هذا الموضوع شرطاً أساسياً للوصول إلى إتفاق بخصوص فزّان ولكن حيث أنني علمت من السفير الليبي أن الطرفان قد وصلا إلى شبه إتفاق فإنه بدى لي أنه ليس من الحكمة أن يثار هذا الموضوع الشائك في المفاوضات. ولذلك قلت للسفير الفرنسي أن يتركوا هذا الموضوع وشأنه الآن وذلك لتجنيب الليبيين احراجات وصعوبات كبيرة.

قال مسيو ماسيغلي (السفير الفرنسي) أنه لا يفهم لماذا يشعر الليبيون بهذه الحساسية في موضوع الحدود، حيث أن الحدود المجاورة للأراضي (المستعمرة) الفرنسية يختلف تماماً عن موضوع الحدود مع مصر. إن لمصر مطالب في بعض الأراضي الليبية، أما فرنسا فكل ما تطلبه هو الإتفاق على الحدود كما هي، وليس من الصواب القول أن هذا الموضوع قد تمت تسويته أثناء الحكم الإيطالي، فهناك خلاف حول عدة نقاط خصوصاً منطقة تبستي. ولكنه قال أنه سيثير مع حكومته جعل موضوع الحدود شرط أساسي للوصول إلى إتفاق.

ثم ذكرني بمقابلته مع سير كيركباتريك الذي كان قد طلب منه فيها أن يعترف بمبدأ أنه على فرنسا أن تشارك في الدفاع عن فزّان في حالة الحرب. ثم سألني هل يمكنني أن أقول له أكثر ممّا قاله له كيركباتريك في هذا الشأن. بالتأكيد أنه سيسهل مهمته كثيراً لو قدّم لباريس ما قلته له عن موضوع الحدود إذا ما أعطيته بعض التشجيع بخصوص مساهمة فرنسا بالدفاع عن فزّان. قلت أنني آسف لأنني لا أستطيع ارضاءه في هذه النقطة، وقلت إنني فهمت بأنهم وصلوا في باريس (الوفدين الليبي والفرنسي) إلى إتفاق بأن يترك هذا الموضوع مفتوحاً وذلك نظراً لتنازل فرنسا عن إصرارها بأن تعود القوات الفرنسية إلى فزّان في حالة الحرب. ولقد بدى لي أن ما كان يطلبه السفير قد

يؤدي إلى فتح هذا الموضوع من جديد. فردّ مسيو ماسيغلي قائلاً أنه ليس لديه أي معلومات تؤكد أنه قد تم التوصّل إلى إتفاق حول هذه النقطة، وأنه سوف يحاول التأكد من ذلك وسوف يحاول الاتصال بي مرة أخرى اليوم.[٤٦]

وبعد الجلسة الرئيسية للمفاوضات حاولت لجنة مكونة من الطرفين وضع محضر مشترك للاجتماع فلم تتمكن من ذلك ولهذا وضع كل جانب محضراً يمثل وجهة نظره.

النص الليبي لمحضر اجتماعات باريس موجود بوزارة الخارجية الليبية أما النص الفرنسي فهو مترجم في هذه المذكرات.[٤٧] وبعد أسابيع من تلك الاجتماعات، لاحظنا بعد عودتنا إلى طرابلس أن الحكومة الفرنسية عادت إلى عادتها القديمة في المماطلة والتسويف والمناورة لا سيما بعد سقوط وزارة منديس فرانس وتولي ادجارفور، السياسي اليميني مقاليد الحكم في باريس.

وفي فترة المماطلة هذه حاولت الحكومة البريطانية بذل محاولة ضغط أخيرة علينا إذ أبلغتنا أنها على إتفاق قديم مع فرنسا تتولى الأخيرة بمقتضاه مسؤولية الدفاع عن جنوب ليبيا وذلك ضمن مسؤوليات فرنسا الدفاعية العالمية، ولذلك فإن الحكومة البريطانية تطالب الحكومة الليبية بالموافقة على اعطاء فرنسا حق العودة إلى جنوب ليبيا إذا ما استدعت متطلبات الدفاع ذلك. وأعربت الحكومة البريطانية عن أملها أن تبرهن الحكومة الليبية عن تفهمها ضرورة الدفاع عن ليبيا. ورفضنا هذا التدخل بكل استهجان، بل أنني رفضت مجرد استلام المذكرة البريطانية التي أحضرها معه هالفورد القائم بالأعمال البريطاني.

ومرة ثانية تعثرت المفاوضات وتأزمت الأمور مع فرنسا بعد تولّي ادجارفور رئاسة الحكومة الفرنسية وتعيين الرئيس السابق أنطوان بينييه وزيراً للخارجية. وبينييه هذا من أشد اليمينيين تطرّفاً ولعلّ في الرسالة الموجهة من وزير فرنسا المفوض في ليبيا

---

(٤٦) راجع الملحق رقم ٢٧

(٤٧) راجع الملحق رقم ٢٨

إلى بينييه ما يظهر بجلاء وجهة نظر فرنسا عن تعثر المفاوضات في تلك الفترة، إذ يقول فيها الوزير المفوض عن موقف حكومته فيما يخص حق عودة القوات الفرنسية إلى فزّان في حالة الحرب ما يأتي:

ان هذا الاعتراض الليبي هو من النوع الذي يهدد بخطر القضاء على النتائج المتفق عليها في باريس. ان السيد بن حليم وأعضاء حكومته قد قرروا عدم التراجع إطلاقاً في هذا الموضوع وهم على استعداد لأن يواجهوا ببرود تام انقطاع المفاوضات، ذلك الانقطاع الذي سيؤدي بالتأكيد إلى لجوئهم إلى هيئة الامم المتحدة.[٤٨]

كما عثرت، في وثائق وزارة الخارجية الأمريكية على الرسالة المؤرخة ٢٠ ابريل ١٩٥٥ الموجهة من السفير الأمريكي جاك تابن إلى وزير خارجيته دالاس بخصوص موقف أمريكا من نزاع ليبيا مع فرنسا على جلاء قوات الأخيرة عن فزّان. وأورد هنا بعض ما جاء فيها:

ان وزارة مسيو فور الجديدة قررت رفض إتفاقية وزارة مسيو منديس فرانس للتفاوض (مع ليبيا) على إجلاء القوات الفرنسية عن فزّان. وإني أرى أن معالجة فرنسا لموضوع فزّان بهذه الطريقة جعل المملكة المتحدة والولايات المتحدة في موقف شديد الخطورة في مواجهة حكومة بن حليم. ويختتم بهذا الرجاء لوزير الخارجية: انني آمل بكل إخلاص وقوة أن تبذل وزارة الخارجية وسفارتنا في باريس جهوداً مركّزة جديدة لإقناع الفرنسيين بسرعة تسوية نزاع فزّان، وذلك لمصلحتهم هم. ليس فقط في علاقاتهم مع ليبيا والجامعة العربية ككل ولكن بنوع خاص لإعادة بعض الثقة في حسن

---

(٤٨) راجع الملحق رقم ٢٩

نواياهم نحو شمال أفريقيا.[٤٩]

محاولات ليبية لاستطلاع الحدود الجنوبية والغربية

إن أهمية وحساسية موضوع رسم الحدود بين ليبيا والأراضي الواقعة تحت سيطرة فرنسا بدت لي واضحة أثناء مفاوضاتنا مع الفرنسيين في باريس. صحيح أنني استشرت المستشارين القانونيين المصريين الذين أوفدهما الينا الرئيس جمال عبد الناصر، وصحيح أنهما أكّدا لنا أنه لا مفر أمامنا من التسليم بأن الحدود الليبية إنما تستند على ما ورد في المعاهدات الدولية القائمة قانوناً يوم إعلان إستقلال ليبيا، لأن قرار إستقلال ليبيا ينصّ على ذلك، وأن معاهدة روما ٧ يناير ١٩٥٣ سقطت ولم يعد لها وجود في نظر القانون الدولي، إلاّ أنني بالرغم مما تقدم رأيت أن نتأكد وأن نستطلع إلى أي مدى تمتد حدودنا غرباً وجنوباً وأين تتواجد الحاميات الفرنسية في تلك المناطق وأن نقوم بعمليات استطلاعية عفوية المظهر لكي لا نلفت النظر لها ونثير شكوك الفرنسيين.

وانتهزت فرصة التعداد العام الذي كنا نقوم به في فبراير ١٩٥٥ بمعونة هيئة الامم المتحدة، التي انتدبت الخبير المصري الدكتور الشنواني لمعاونتنا في اجرائه، وأرسلت إلى منطقة أوزو بجنوب ليبيا بعثة برئاسة متصرف بنغازي محمد احنيش، وعضوية الدكتور الشنواني الخبير المصري في التعداد، وعضوية مساعد متصرف الكفرة وعدد من الجنود وضباط الصف في رتل من السيارات، وذلك في الظاهر لإجراء عملية الاحصاء في ذلك القطاع على أساس أنه جزء من الأراضي الليبية، آملاً ألا تصادف الرحلة أيّاً من القوات الفرنسية فتجري عملية التعداد بحضور خبير الأمم المتحدة ويكون هذا العمل من الاسانيد التي نقيم عليها دعوانا في ملكية ذلك القطاع.

وبمجرد أن وصلت البعثة الليبية إلى منطقة مويا شمال واحة أوزو قابلتها القوات الفرنسية وطلبت منها الرجوع فوراً إلى ما وراء الحدود الليبية. ولم تقاوم بعثتنا لأن التعليمات التي أعطيناها لرئيس البعثة هي أن يستطلع بحذر وأن يحاول أن يغافل

---

(٤٩) راجع الملحق رقم ٣٠

الفرنسيين ويجري التعداد، فإن واجهه وجود فرنسي فما عليه الا العودة بسلام.

وقد ورد في الوثائق الفرنسية الإشارة إلى هذا الحادث يوم ٢٣ فبراير ١٩٥٥:

أن بعثة مكونة من ثلاثة سيارات تحمل تسعة عشرة شخصاً منهم ضابط واحد وشاويش وأحد عشر جندياً بالإضافة إلى موظف ليبي كبير، (متصرف بنغازي) ومتصرف الكفرة وطبيب مصري اسمه شنواني وثلاثة آخرين، صادفت دورية فرنسية في منطقة مويا، فطلب منهم الضابط الفرنسي العودة فوراً إلى ما وراء الحدود. ولكن رئيس البعثة الليبية طلب أن يقابل قائد حامية أوزو فسُمح له بذلك تحت حراسة فرنسية. وقال رئيس البعثة للضابط الفرنسي أن مهمته هي إجراء إحصاء السكان وعرضهم على الطبيب الذي يرافقه، كما أفهمه أن الطبيب مصري واسمه الشنواني. وحاول رئيس البعثة الليبية أن يبرهن على أنه في أرض ليبية وذلك بأن أظهر خارطة إيطالية تبين أن المنطقة التي جاؤوا اليها أرض ليبية ولكن القائد الفرنسي طلب من البعثة الليبية سرعة الرجوع من حيث أتوا وهذا ما فعلوه.(٥٠)

على الفور تقدمت فرنسا باحتجاج شديد إلى وزارة الخارجية الليبية كما قدمت احتجاجاً إلى هيئة الامم المتحدة على أن أحد موظفي الأمم المتحدة الدكتور الشنواني ساهم في تلك المؤامرة. وقد اضطر رئيس بعثة هيئة الامم المتحدة الفنية في ليبيا الذهاب إلى المفوضية الفرنسية والاعتذار عن اشتراك الشنواني في تلك البعثة.

وفي نفس الوقت أرسلت بعثة أخرى إلى الحدود الجزائرية بعد اكتشاف حقل ادجلي البترولي. وكانت البعثة برئاسة أبو بكر أحمد عضو لجنة البترول عن ولاية فزّان، وعضوية هوغنهاوس مدير عام إدارة البترول بوزارة الإقتصاد الليبية، وعدد من خبراء المساحة والرصد من موظفي لجنة البترول الليبية، ومن موظفي الشركات البترولية العاملة في

---

(٥٠) راجع الملحق رقم ٣١

ليبيا. وبمجرد وصول البعثة إلى منطقة ادجلي قابلتها القوات الفرنسية وأمرتها بالعودة من حيث أتت، إلاّ أن هوغنهاوس أقنع قائد القوة الفرنسية بالسماح للبعثة الليبية بالمبيت في المعسكر الفرنسي وعرض على القائد الفرنسي بعضاً من زجاجات البيرة والمشروبات الروحية الأخرى. ولم تمضِ إلا ساعات حتى استرخى الفرنسيون وتجاوبوا مع البعثة الليبية، وقدّموا لها كل التسهيلات والمساعدات وانتهز هوغنهاوس ومجموعة الخبراء الذين بصحبته الفرصة وقاموا برصد المنطقة على الخرائط وتبين لهم أن منطقة آبار بترول ادجلي لا تقع ضمن الأراضي الليبية بل أنها قطعاً داخل أراضي الجزائر وتبعد عدة أميال عن الحدود الليبية. هذا وعند رجوع البعثة إلى طرابلس قدّمت تقريراً مفصّلاً بذلك إلى رئيس لجنة البترول الدكتور أنيس القاسم الذي أرسل لي صورة منه في ذلك الحين.

لا شك أن البعثتين اللتين أرسلناهما إلى الحدود الجنوبية والحدود الغربية لسبر غور الوجود الفرنسي في مناطق الحدود تلك وما نتج عن ذلك من احتجاجات شديدة من الحكومة الفرنسية، قد أثار الشكوك وزاد من الريبة والتحسب لدى الدوائر الفرنسية عن النوايا الليبية ولا شك أن كل هذا زاد من مستوى التوتر الذي عاد يسيطر على العلاقات الليبية-الفرنسية.

هذا ولعلّ في التقرير المؤرخ أول أبريل ١٩٥٥ الذي أعدّته وزارة الخارجية الفرنسية لتشرح فيه النزاع الليبي-الفرنسي بتوسع، يشرح بإسهاب مخطط الحكومة الفرنسية في مواجهة الأزمة في علاقاتها مع ليبيا.

وبالرغم من طول التقرير واسهابه، وبالرغم من أنه يمثل وجهة النظر الفرنسية فقد رأيت نشره كما هو ليطّلع القارئ على ما كان يدور في ذهن فرنسا في تلك المرحلة من نزاعنا معها، يقول التقرير:

بذلت الحكومة الفرنسية قصارى جهدها لإقامة علاقات طيبة مع المملكة الليبية المتحدة التي أعلن إستقلالها بإشراف الامم المتحدة في

١٩٥١/١٢/٢٤، وفقاً لما يقتضيه الحفاظ على النفوذ الفرنسي وصيانة المصالح الفرنسية في هذا البلد المتاخم لتونس والجزائر وأفريقيا الغربية الفرنسية وأفريقيا الاستوائية الفرنسية. وكان قد تم عقد إتفاقات مؤقتة في ديسمبر ١٩٥١ بشأن تخصيص مساعدة مالية لفزّان وابقاء الوضع العسكري في المنطقة على ما هو عليه، بانتظار ان يتم إبرام معاهدة حلف وصداقة بين البلدين. ولم يلبث السفير الفرنسي لدى طرابلس أن اقترح على الحكومة الليبية في يونيو ١٩٥٢ نص هذه المعاهدة الذي صيغ على غرار المشروع الذي قدمته بريطانيا في نفس الفترة.

وفي نوفمبر من العام نفسها، أعربت الحكومة الليبية عن نيتها بإجراء مفاوضات مع فرنسا وبريطانيا والولايات المتحدة الأميركية بصورة متزامنة وعلى أسس مشتركة. إلا أن الحكومة الليبية تخلّت، وللاسف، عن هذا الإجراء في يناير ١٩٥٣ بعد أن توصّلت طرابلس ولندن إلى إتفاق يقضي بمناقشة المعاهدة البريطانية الليبية في المرتبة الأولى. وقد حصلت ليبيا بموجب هذه المعاهدة التي تمّ التوقيع عليها في يوليو ١٩٥٣، على مساعدة مالية ضخمة سرعان ما أضيفت اليها المبالغ الطائلة التي تعهدت الحكومة الأميركية بدفعها سنوياً بدل إيجار قاعدة ويلس فيلد (Wheelus Field) الجوية. وازدادت المفاوضات الفرنسية الليبية منذ ذلك الحين صعوبة إلى أن اضطرت الوزارة في أواخر عام ١٩٥٣ إلى التفكير بالاستعاضة عن معاهدة التحالف بمعاهدة صداقة وحسن جوار تستكمل بإتفاقيات مالية وعسكرية وإقتصادية وثقافية وحسن جوار.

وفي فبراير ١٩٥٤ اقترح السيد الساقزلي، رئيس الوزراء الليبي الجديد، الاستعاضة عن الإتفاقية العسكرية التي يتعذر على مجلس الشعب الليبي من حيث المبدأ الموافقة على ابرامها، بإتفاقية تقنية تنص على تأجير قواعد فزّان الجوية لفرنسا على أن يتولى أمن هذه القواعد جنود فرنسيون غير تابعين للجيش الوطني.

غير أن السيد بن حليم، رئيس الوزراء الحالي، رفض مشروع الإتفاقية التقنية الذي أعدته فرنسا بشأن تلك القواعد في خطاب مؤرخ في ١٣ نوفمبر ١٩٥٤ أبلغ فيه الحكومة الفرنسية، علاوةً على ذلك، أن الحكومة الليبية لن تستطيع التوقيع على أي إتفاق بشأن بقاء القوات المسلحة الفرنسية في فزّان وأنها لن تمدد إتفاقات عام ١٩٥١ المؤقتة التي تنتهي مدتها في ٣١ ديسمبر ١٩٥٤. واقترحت الحكومة الليبية دون أية إشارة إلى مشروع المعاهدة، عقد إتفاقيات إقتصادية وثقافية وحسن جوار وعرضت على فرنسا بعض التسهيلات لاستخدام مطارات فزّان بعد أن تتولى إدارتها السلطات الليبية.

رفضت الحكومة الفرنسية هذه الاقتراحات في خطاب تمّ تسليمه إلى وزير الخارجية الليبي في ٢٢ نوفمبر ١٩٥٤ وأعربت عن نيتها بعدم إجراء أي تعديل على الوضع القائم الناشئ عن الإتفاق العسكري المؤقت المعقود في ٢٤ ديسمبر ١٩٥١ إلى أن يتم ابرام إتفاق عام بين فرنسا وليبيا.

غير أن السيد بن حليم، الذي كان قراره – على ما يبدو – يستند إلى توقع حدوث تدهور سريع للاوضاع في شمال أفريقيا، لم يلبث أن لطّف موقفه بعض الشيء فحضر إلى باريس، بناءً على اقتراح من الحكومة الفرنسية، على رأس وفد ليبي اجتمع من ٣ إلى ٦ يناير ١٩٥٥ بالوفد الفرنسي الذي كان برئاسة بيار ميندس فرانس. وبعد أن تعذّر خلال هذه المحادثات التوفيق بين وجهات نظر الحكومتين، اقترح رئيس مجلس الوزراء الفرنسي على نظيره الليبي البحث عن قواسم مشتركة بغية التوصل إلى أحكام عملية تفي بمصالح البلدين.

ووافقت الحكومة الفرنسية في مشروع الإتفاق المقترح، وفقاً لشروط معينة يتم تحديدها في معاهدة صداقة وحسن جوار، العزوف في زمن السلم عن احتلالها العسكري لقواعد فزّان التي هي بتصرفها بموجب الإتفاق المؤقت المعقود في ٢٤ ديسمبر ١٩٥١. ومن بين تلك الشروط في زمن الحرب إعادة تنشيط قواعد فزّان التي يتم اخلاؤها في أعقاب المفاوضات. ويسمح هذا البند

لفرنسا، في حال قيام نزاع مسلح، بتولّي الدفاع عن فزّان الذي يمكن للقوات الفرنسية إعادة احتلاله بأسرع وقت. وهذا هو موضوع الخلاف الرئيسي الذي ما زال قائماً بين فرنسا وليبيا.

فقد رفض السيد بن حليم، خلال محادثات باريس، إجراء مناقشة مباشرة مع السلطات الفرنسية بشأن اشتراك القوات الفرنسية في الدفاع عن ليبيا مؤكداً أن القوات الليبية، تساندها في ذلك القوات البريطانية بموجب المعاهدة البريطانية الليبية، قادرة على القيام بهذه المهمة. إلاّ أنه وافق على أن تعالج هذه المسألة عن طريق إتفاق بين فرنسا وبريطانيا. ولكنه عدّل موقفه، لدى عودته إلى طرابلس، موضحاً أن أي إتفاق عسكري بهذا الشأن يتم بين فرنسا وبريطانيا يجب أن يبقى سرياً وأن لا نيّة لدى ليبيا بالمشاركة فيه.

بل ان الحومة الليبية رفضت أن تَرِد في محضر محادثات باريس أية إشارة إلى مجرد تبادل الحكومتين وجهات النظر بشأن مسألة الدفاع عن فزّان في حال الحرب. وعليه، فإن المفاوضات وصلت إلى الطريق المسدود بعد أن تعذر التوفيق بين وجهات النظر الليبية والفرنسية. ومن جهة أخرى، وبعد الاتصالات التمهيدية التي تمت في بداية عام ١٩٥٥ بين رئاسة الاركان الفرنسية والسلطات العسكرية البريطانية، اتضح أن السلطات العسكرية البريطانية على استعداد للموافقة على مشاركة القوات الفرنسية في الدفاع عن فزّان، إلاّ أنها تنوي الاحتفاظ بدور في قيادة العمليات في تلك المنطقة وفقاً لمعاهدة التحالف البريطانية-الليبية. في حين أننا نرى، على عكس ذلك، أنه لا يمكن للمعاهدة المذكورة أن تحول دون تولينا الدفاع عن فزّان لوحدنا وبصورة مطلقة، مع مراعاة الترتيبات العامة التي يتم التوصل اليها مع رئاسة الاركان البريطانية بهدف تنسيق الدفاع عن كامل الأراضي الليبية.

أما بالنسبة للمفاوضات التي ننوي استئنافها في أقرب وقت مع الحكومة الليبية، ينبغي أولاً أن نقرر ما إذا كنا سنتبع نفس المبدأ الذي انتهجناه حتى

الآن، أي الموافقة المبدئية على اخلاء فزّان شرط توفر جميع الشروط التي نعتبرها ضرورية لأمن أفريقيا الفرنسية ولضمان وجودنا في ليبيا. وتتعلق هذه الشروط بوجه خاص بحق العبور المدني والعسكري في فزّان وبقاء الفنيين الفرنسيين في مطارات سبها وغات وغدامس، والرسم المسبق للحدود والتعاون بين شرطة المناطق الحدودية، وعدم احلال أي قوى مسلحة ليبية مكان القوى المسلحة الفرنسية في وقت السلم، وحق القوى المسلحة الفرنسية بإعادة احتلال فزّان في حالة الحرب.

ومن الخطورة بمكان العودة عن المبادئ العامة التي اتبعناها حتى الآن، كأن نرفض مثلاً أية مناقشة بشأن سحب قواتنا من فزّان.

وتجدر الإشارة في هذا السياق إلى ضعف الحجة القانونية التي بإمكاننا الاستناد اليها. فمنذ أول يناير ١٩٥٥ لم يعد من الممكن العودة إلى أحكام إتفاقات ديسمبر ١٩٥١ المؤقتة من حيث حرفيّة نصوصها إنما من حيث روحها فحسب.

ومن جهة أخرى، الوسائل المتاحة لنا لإقناع الحكومة الليبية تضاءلت إلى حدّ كبير بعد أن وافقت الحكومة البريطانية والحكومة الأميركية على مدّ ليبيا بالمساعدة المالية الخارجية التي تحتاج اليها هذه الدولة الفتية، مقابل امتيازات عسكرية ضخمة، دون الاكتراث للمفاوضات الفرنسية الليبية في وقت كانت فيه تلك المفاوضات تزداد دقة بسبب تفاقم وضعنا في شمال أفريقيا وما نتج عن ذلك من سلبيات تجاهنا في موقف جميع الحكومات العربية.

ان التراجع من شأنه أن يحمل الحكومة الليبية على وقف المحادثات. ولا نستبعد أبداً أن يلي ذلك، عقب المؤتمر الإفريقي الآسيوي في باندونغ، شكوى إلى مجلس الأمن أو إلى الجمعية العامة للامم المتحدة، ترفعها بالنيابة عن ليبيا إحدى الدول الأعضاء في تلك المنظمة. وقد تتزامن هذه المبادرة مع أعمال ارهابية ضد الموظفين الفرنسيين في فزّان، المدنيين منهم

والعسكريين، مما سيؤدي دون أي شك إلى ازمة حادة ليس في علاقاتنا مع ليبيا فحسب بل مع العالم العربي برمّته.

ومن الافضل على ما يبدو التمسك بجميع الشروط الدنيا التي حددناها بالنسبة لانسحاب قواتنا من فزّان وعدم إجراء اية تنازلات إضافية ستكون بالضرورة موازية لرحيلنا التام والشامل عن منطقة نعتبرها حيوية للدفاع عن أفريقيا.

وقد يجدر في هذا السياق دراسة إمكانية زيادة المساعدة المالية التي قررنا منحها للحكومة الليبية في نهاية عام ١٩٥٤ زيادة كبيرة، كأن تبلغ مثلاً ٥٠٠ مليون بدلاً من ٢٦٠ مليون.

تخضع محادثاتنا مع الليبيين، إلى حد كبير، للإتفاق الذي لا بد من التوصل إليه مع البريطانيين بشأن دورنا في الدفاع عن ليبيا وعن فزّان بوجه خاص.

ولذا فمن المهم جداً إعادة الاتصال مع لندن بأسرع وقت ممكن ليس على الصعيد العسكري فحسب بل على الصعيد الدبلوماسي أيضاً. وينبغي أن نشدّد في هذا المجال على أننا كنا دائماً نسعى إلى عقد معاهدة تحالف مع ليبيا موازية لتلك التي حصل البريطانيون عليها بفضل مساعدتنا على أية حال. وسيكون من المؤسف حقاً عدم التوصل إلى إتفاق مع بريطانيا يكرّس المساواة بيننا في فزّان على الاقل ويجب أن يحظى هذا الإتفاق أيضاً على موافقة الحكومة الليبية، بشكل سري إذا اقتضى الأمر، إذ ان الحكومة الليبية تنوي ادخال قواتها إلى فزّان بعد رحيل قواتنا ولا بدّ إذا من أن تبلّغ ذلك وأن تكون قادرة على المساهمة في الترتيبات الدفاعية العامة التي يتم الإتفاق عليها بين فرنسا وبريطانيا.

إن فشلاً مزدوجاً سيعرض للخطر وضعنا في ذلك البلد الذي يطغى فيه النفوذ البريطاني، وسيكون له بالغ الأثر على علاقاتنا مع بريطانيا وليبيا والعالم العربي برمّته.

ويجب أن نتوصل إلى إتفاق مع الحكومة الليبية بشأن التوقيع الفرنسي-الليبي على محضر محادثات باريس إذ أن هذا المحضر لم يتم التوقيع عليه بعد، بسبب اعتراض الحكومة الليبية على أن ترد فيه اية إشارة إلى مسألة الدفاع عن فزّان في حال الحرب.

وكنا قد قررنا مؤخراً ارسال خطاب إلى السيد بن حليم تبلغه فيه وزارة الخارجية الفرنسية بأنها أخذت علماً بهذا الرفض مع التأكيد، علاوةً على ذلك، على نيتنا بالعودة إلى هذا الموضوع خلال محادثاتنا المقبلة نظراً إلى الأهمية التي يكتسبها بنظرنا. فيصبح بإمكاننا في هذه الحالة الموافقة على توقيع المحضر دون تضمينه الإشارة المذكورة. وقد أرسلنا هذا الخطاب إلى ممثلنا في طرابلس الذي ينتظر تعليمات الوزارة لتسليمه إلى رئيس الوزراء إلاّ أن السيد بن حليم تقدم في هذه الاثناء باقتراح آخر يقضي بإثارة هذا الموضوع عن طريق رسائل يتم تبادلها بشكل عادي على أن تكتفي الحكومة الليبية في ردّها بالإشارة إلى مطالبنا بشأن الدفاع عن فزّان دون الموافقة عليها، موضحة أن فرنسا هي حليفة بريطانيا التي تربطها بليبيا معاهدة تحالف.

إن توقيع الطرفين على هذا المحضر بالغ الأهمية نظراً إلى أن المفاوضات لا بدّ من إعادة بدئها من جديد إن لم يتم التوصل إلى إتفاق بشأن هذا الموضوع، مما يعني إعادة فتح النقاش بشأن مبدأ عدم حلول القوات الليبية مكان قواتنا الذي وافق عليه الوفد الليبي في شهر يناير.

إلا أنه من البديهي ألا نكتفي برسالة تكون بمثابة رفض شامل لمطالبنا، وعليه، لا يكون اقتراح السيد بن حليم مقبولاً إلاّ إذا أقرت الحكومة الليبية في رسالتها، بطريقة أو بأخرى، أن لا اعتراض لديها على أن تقوم فرنسا حليفة بريطانيا بالإتفاق مع حليفتها على تسوية المسائل الناشئة عن وجود حدود مشتركة بين الاقاليم الفرنسية في أفريقيا وليبيا.

ينبغي، على كل حال، اتخاذ قرار بأسرع وقت ممكن بشأن استئناف

المفاوضات الفرنسية-الليبية والفرنسية-البريطانية بخصوص فزّان.

وإن لم يتخذ هذا القرار قبل انعقاد مؤتمر باندونغ سنكون خلاله عرضة للانتقاد الشديد مما سيكون له أسوأ الأثر في شمال أفريقيا وفي العالم العربي حيث ستتعالى اصوات تصفنا مرة أخرى بالامبرياليين المتعنّتين. علينا إذن أن نختار بين أمرين:

إما أن نرسل إلى رئيس الوزراء الليبي الخطاب الذي أعدّه الرئيس بيناي (وزير الخارجية، رئيس الوزراء السابق) مع إعادة التأكيد على رغبتنا بايجاد تسوية لمسألة المشاركة الفرنسية في الدفاع عن فزّان في حال الحرب.

وإما أن نأخذ بفكرة تبادل الرسائل التي اقترحها السيد بن حليم.

يشكل الحل الأول ضماناً أقوى إلاّ أنه عمل من طرف واحد بالإضافة إلى كونه قد يتسبب بوقف المفاوضات إذ أن الليبيين قد يرفضون وجهة نظرنا رفضاً قاطعاً ويمتنعون عن مواصلة المحادثات.

اما الحل الثاني فلا يوفر لنا أية ضمانة محددة إلاّ أنه يساهم في مواصلة المفاوضات مع البريطانيين من جهة للتوصل إلى التسوية المنشودة، ومع الليبيين من جهة أخرى. ويجب إيفاد ممثل خاص لنا إلى ليبيا يعمل على انجاح هذه المفاوضات.

على الحكومة أن تختار بين هذين الحلين إذا كانت راغبة في تحريك الاوضاع والحيلولة دون تدهورها واذا كانت تستبعد اللجوء إلى سياسة القوة أي رفض الانسحاب من فزّان ما دامت مطالبنا، التي من الصعب دعمها قانونياً لم تتحقق.[٥١]

ويبدو أن هذا التقرير بُحث في مجلس الوزراء الفرنسي المنعقد يوم ٦ أبريل ١٩٥٥. لأن المجلس المذكور اتخذ قراراً سرياً بالتنكر لمبدأ الجلاء الذي كان الرئيس السابق

(٥١) راجع الملحق رقم ٣٢ حيث النص الفرنسي الكامل

منديس فرانس قد وافق عليه، وذلك لأن وزير فرنسا المفوض في طرابلس أبلغنا بأنه تلقى تعليمات من حكومته بأن الوزارة الفرنسية الجديدة برئاسة ادجارفور لا يمكنها، في الوقت الراهن، أن توافق على سحب القوات الفرنسية من فزّان.

استمرار تدهور العلاقات مع فرنسا

ومرة أخرى نعود إلى وثائق الحكومة الفرنسية حيث نقرأ في البرقية المستعجلة المؤرخة ٩ أبريل ١٩٥٥ تعليمات وزير الخارجية الفرنسي انطوان بينييه للمفوضية الفرنسية بطرابلس لابلاغ الحكومة الليبية أن مجلس الوزراء الفرنسي لا يمكنه في الوقت الراهن سحب القوات الفرنسية من فزّان.[٥٢]

وبعد هذا الموقف الفرنسي الغريب الجديد، انتاب علاقاتنا مع فرنسا إعصار سياسي شديد فساءت الأمور وتوترت العلاقات بيننا ورأيت أن أواجه الإعصار بهدوء وعزم وكياسة. فقمت بحملة سياسية قوية متزنة لدى بريطانيا ولدى الولايات المتحدة.

بدأت بإرسال رسائل مستعجلة إلى سفيرنا في لندن لابلاغ إيدن، رئيس وزراء بريطانيا، بأننا على وشك رفع شكوى إلى مجلس الأمن التابع للامم المتحدة ضد فرنسا التي تنكرت لوعودها بالجلاء عن الجنوب الليبي، وأنني أخاطبه كحليف وأطلب منه أن ينفذ بنود معاهدة التحالف بين بلدينا، فيتدخل لدى حكومة باريس لتعود عن غيّها وتحترم تعهداتها، وإلاّ فإنني أطلب من الحكومة البريطانية تأييداً قوياً لحليفتها ليبيا في المحافل الدولية. ولفت نظر إيدن إلى ما قد يقع من صدام دموي بين القوات الفرنسية والقوات الليبية في فزّان، وما يترتب على ذلك من التزامات على بريطانيا تنفيذاً لمعاهدة التحالف.

وأرسلت كذلك وعلى الخصوص رسالتين عن طريق سفيرنا في واشنطن إلى الرئيس أيزنهاور وإلى وزير الخارجية دالاس. إلى الرئيس أيزنهاور ذكّرته بوعده لي (عند لقائه بي في يوليو ١٩٥٤) بإجراء ضغط ودّي على فرنسا إذا ما تأزمت الأمور معها. وقلت أما

(٥٢) راجع الملحق رقم ٣٣

وقد تراجعت فرنسا عن تعهداتها ونقضت دون خجل ما ارتطبت به معنا فإنني أرجوه أن يتدخل شخصياً لمنع حدوث نزاع حادّ بيننا وبينها قد يكون دموياً في جنوب ليبيا، وقد يصل إلى المحافل الدولية في نيويورك. وأما في رسالتي لوزير الخارجية دالاس فقد شددت على رغبتنا الحصول على تأييده القوي إذا ما اضطررنا إلى اللجوء إلى المحافل الدولية. وأضفت أننا نتوقع منه، وهو الصديق والخبير في المحافل الدولية، أن ينصحنا ويؤيدنا. (جون فوستر دالاس كانت له خبرة طويلة في المحافل الدولية حتى قبل أن يتولّى وزارة الخارجية مع الرئيس أيزنهاور وقد كان يمثل أمريكا في هيئة الامم المتحدة إبان حكم الديمقراطيين قبل وصول الجمهوريين إلى سدة الرئاسة في أمريكا).

ومع الأسف لا امتلك صوراً من هذه المراسلات لأنها موجودة في سجلات وزارة الخارجية الليبية. غير أن وثائق الحكومات الثلاثة، فرنسا وبريطانيا وأمريكا، يظهر فيها العديد من البرقيات السريعة والرسائل الشديدة، ومذكرات الاحتجاج التي قدمتها الحكومة الأمريكية، بل وحتى الحكومة البريطانية التي انتابها الخجل أخيراً وأجرت مساع كثيرة لإقناع حكومة باريس بتنفيذ تعهداتها بالجلاء عن الجنوب الليبي.

وإلى القارئ نموذجاً موجزاً من هذه المراسلات.

أولاً: مذكرة قدّمها يوم ١٥ يونيو ١٩٥٥ السفير الأمريكي في باريس إلى وزير الخارجية الفرنسي انطوان بينييه تأكيداً لمحادثته مع الوزير الفرنسي بتاريخ ٢٥ مايو ١٩٥٥ من ضمن ما جاء فيها:

ان الولايات المتحدة تخشى أنه في حالة عدم حل قضية فزّان في القريب، فإن ليبيا قد تتحول مصدراً لدعم العناصر القومية في شمال أفريقيا، وأنه ليس من الحكمة إطلاقاً في رأي الولايات المتحدة، وآخذاً في الاعتبار أهمية تونس والجزائر والمغرب النسبية لفرنسا مقارنة بفزّان، أن تجعل فرنسا من ليبيا دولة معادية يمكن للعناصر القومية في شمال أفريقيا الفرنسي أن يحصلوا منها على امدادات بكميات كبيرة. كما تخشى الولايات المتحدة أنه في حالة عدم

التوصل إلى حل سريع فإن موضوع فزّان قد يطرح أمام الامم المتحدة حيث من المرجّح أن يوجد قدر كبير من الإتفاق على اتخاذ إجراءات فورية لإلغاء الحقوق الفرنسية المتعلقة بفزّان.[٥٣]

ثانياً: تقرير بتاريخ ٣٠ مايو ١٩٥٥ من السفير البريطاني في باريس سير جلادوين جيب إلى وزير الخارجية البريطاني عن مساعيه لدى وزير الخارجية الفرنسي بينييه حول النزاع الليبي-الفرنسي. وهذا التقرير يحتوي على رد الحكومة الفرنسية والمبررات الغريبة التي برر بها مسيو بينييه رجوع فرنسا عن وعدها بإجلاء قواتها عن فزّان. من الملاحظ أن السفيرين الأمريكي والبريطاني قالا لوزير خارجية فرنسا أنه سيكون من الحماقة استفزاز الحكومة الليبية بدون مبرر. ولفظ الحماقة لا يستعمل عادة في الأحاديث الدبلوماسية الودية.

وكان وزير خارجية فرنسا قد برر رفض بلاده لسحب قواتها من فزّان بأنه قد ثبت لديهم وصول كميات كبيرة من الاسلحة عبر ليبيا (للمتمردين) في الجزائر.[٥٤]

ثالثاً: برقية مستعجلة من وزير الخارجية البريطاني إلى سفيره في باريس يطلب منه الضغط على الحكومة الفرنسية لإجلاء قواتها عن فزّان:

يبدو لنا أن الحكومة الفرنسية لا تزال ترفض أن الموافقة على إجلاء قواتها من فزّان داخل مدة محدودة يعتبر الشرط الأساسي الذي بدونه لن يتم أي إتفاق بينهم وبين الليبيين، وبالرغم من تعاطفنا مع صعوباتهم في الجزائر إلا أننا نجد من الصعوبة أن نفهم كيف يمكن أن يكون لبقاء أربعمائة جندي فرنسي في فزّان أي تأثير على الأحداث التي تقع على بعد ستمائة ميل إلى الشمال الغربي (يقصد الجزائر). ولذلك فإننا نعرف أن هذه الحجة ليست

(٥٣) راجع الملحق رقم ٣٤

(٥٤) راجع الملحق رقم ٣٥

السبب الحقيقي ولذلك نطلب اليكم أن تكرروا بذل جهود جديدة لافهام مسيو بينييه حقائق الحالة الراهنة.(٥٥)

كما تظهر وثائق الحكومة البريطانية انها لم تناصر ليبيا مناصرة تامة مخلصة. صحيح أنها بذلت جهداً كبيراً لإقناع فرنسا بالرجوع عن حماقتها التي كانت ستؤدي بها إلى نزاع علني مع ليبيا في مجلس الأمن الدولي وهو موقف كان سيحرج بريطانيا إحراجاً شديداً، لذلك فهي ألحّت عليها أن تتفادى هذا الموقف المحرج. ولكنها كي تسترضي فرنسا دخلت معها في مفاوضات عسكرية سرية للإتفاق على تنظيم الدفاع عن فزّان في حالة الحرب وتوزيع الادوار بينهما، كل ذلك في الخفاء الشديد ومن وراء ظهر الحكومة الليبية. بل أن وثائق تلك المفاوضات تشير صراحة إلى الغرض من المفاوضات هو تنفيذ الوعد السري الذي كانت بريطانيا قد قطعته على نفسها يوم ١٥ يونيو ١٩٥١ (قبل إستقلال ليبيا) بأن تبذل قصارى جهدها ومساعيها لدى الحكومة الليبية عند الإستقلال للإبقاء على الوجود العسكري الفرنسي في فزّان.

وعقد ضباط أركان حرب الدولتين عدة اجتماعات في لندن فوصلوا إلى مشروع إتفاق فيما بينهما، وقدم مشروع الإتفاق هذا إلى وزارة الخارجية البريطانية لإبداء الرأي فيه، فكتب الوكيل الدائم لوزارة الخارجية البريطانية كيركباتريك التعليق المشرّف الآتي:

اننى لست راضياً إطلاقاً على الوثيقة التي تقدم بها الفرنسيون، وأخشى في حالة قبولنا لها أن توقعنا في اشكال خطير واذا ما نشرت هذه الوثيقة فسيكون من الصعب الدفاع عنها، فسوف نتهم بأننا قد دخلنا في إتفاق آثم ومشؤوم مع الفرنسيين من وراء ظهر الحكومة الليبية، إتفاق يتعلق بجزء لا يتجزأ من الدولة الليبية.(٥٦)

---

(٥٥) راجع الملحق رقم ٣٦

(٥٦) راجع الملحق رقم ٣٧

ولقد ذكرت فيما سبق أن الحكومة البريطانية حاولت عدة مرات البحث معنا في احتمال إتفاقها مع فرنسا على إشراك الأخيرة في الدفاع عن فزّان في حالة الحرب وكان ردّنا واضحاً سريعاً بأننا لن نقبل بأي حال من الأحوال أن يكون لفرنسا أي دور عسكري، حتى في حالة الحرب. وقلنا لهم بوضوح أننا دخلنا معكم في تحالف ولا نقبل أن تعقدوا إتفاقية من الباطن، بل أنني رفضت استلام مذكرة شفوية حاول القائم بالأعمال البريطاني أن يسلمها لي بهذا الخصوص. ولكننا لم نكن على علم، في تلك الأيام، بما كان يدور في الخفاء بين بريطانيا وفرنسا.

المفاوضات مع فرنسا في طرابلس

واستمر التوتر الشديد في العلاقات الليبية–الفرنسية طوال شهري مايو ويونيو ١٩٥٥، وفي أوائل شهر يوليو أبلغني وزير فرنسا المفوض أن حكومته قررت استئناف المفاوضات مع الحكومة الليبية، وأن وفداً كبيراً برئاسة شخصية فرنسية ذو رتبة كبيرة، هو سفير فرنسا، سيحضر إلى طرابلس في النصف الثاني من شهر يوليو وأنه يأمل أن تقابل هذه الخطوة الودية الفرنسية ببادرة طيبة من الجانب الليبي.

وبدأت المفاوضات مع الوفد الفرنسي يوم ١٩ يوليو في طرابلس، وكان رئيس الوفد الفرنسي دي جان دبلوماسي مخضرم على جانب كبير من الخبرة والكياسة والحكمة، ولكنه كان في نفس الوقت صلباً كالحديد المبطّن في غطاء من الحرير.

وسرعان ما تصادمت الآراء واختلفت المواقف وكادت المفاوضات أن تنقطع، فقد برزت مشكلة ما أسماه الفرنسيون مشكلة تنشيط القواعد الفرنسية في فزّان لكي تعود اليها القوات الفرنسية في حالة الحرب تماماً على غرار الترتيبات التي وردت في إتفاقية الجلاء بخصوص تنشيط القواعد البريطانية في قناة السويس وحق عودة القوات الإنجليزية في حالة تهديد بالحرب يقع على أية دولة من دول الشرق الأوسط.

ومن جانبنا فقد رفضنا هذا الطلب بشيء من التهكم. فعاد الفرنسيون وعرضوا علينا أن نوافق على أن تتم ترتيبات بين الحكومتين الفرنسية والبريطانية على الدفاع

عن فزّان في حالة الحرب. ومرة أخرى رفضنا هذا الطلب. وحاولت بعبارات كلها لطف ومجاملة إقناع رئيس الوفد الفرنسي بأننا لا نقبل بأية طريقة مهما كانت وفي أية ظروف رجوع القوات الفرنسية إلى فزّان وأن التمادي في تقديم عروض مختلفة تؤدي إلى نفس الغاية، وهي تعد مضيعة للوقت، وأفضل لنا أن نركز جهودنا على أوجه التعاون بين بلدينا في الحقول المفيدة الأخرى. وإنني بعد أن يتخلصوا من عقدة الدفاع عن فزّان فإنني مستعد، مع زملائي، للنظر في مجالات التعاون الأخرى التي تعود بالفائدة على بلدينا.

وقد رفع رئيس الوفد الفرنسي تقريراً لوزير الخارجية الفرنسية عن سير المفاوضات، عثرت عليه في الوثائق السرية للحكومة الفرنسية، ولأهميته أنشره هنا بالكامل. يقول التقرير والمقدم من جانب مسيو دي جان (رئيس الوفد الفرنسي المفاوض وكان يحمل لقب سفير فرنسا، وهو لقب يعطى لعدد محدود من السفراء المخضرمين):

أولاً: بعد ثلاثة أيام من المفاوضات، وبعد العديد من الاجتماعات الشخصية مع السيد بن حليم، فقد تبين لي وجوب تسليط الضوء على بعض الحقائق:

أن السيد بن حليم لا يزال يصرّ على موقفه الرافض بعناد وصلابة (réfractaire) لأي نوع من الارتباط المباشر أو غير المباشر فيما يتعلق بموضوع إعادة تنشيط قواعدنا الحالية في فزّان في حالة الحرب. إن هذه القضية تسبب عنده عقدة فكرية أو هاجس حقيقي يجعله يصرّ على الرفض البات لأي اعتراف، بأي شكل من الاشكال، بأي ترتيب إنجليزي-فرنسي للدفاع عن ذلك الجزء من التراب الليبي، فزّان.

وهو يجزم بحزم أن أية محاولة منا في هذا الاتجاه ستصطدم بعداء شديد في البرلمان الليبي. عداء لا يمكن التغلب عليه مما سيدفع البرلمان لرفض أي إتفاق، أياً كان نوعه، مع فرنسا. كما أنه (بن حليم) يؤكد بأنه غير مستعد ولا يقبل أن يرتبط بأي تعهد سرّي لا يُعرض على مجلس الأمة الليبي.

وبالرغم مما تقدم فإني أظن أن رئيس الوزراء (الليبي) صادق في تطلعه

لمعالجة القضايا المطروحة وارساء قواعد صداقة متينة بين البلدين ولذلك فهو يحرص على إقامة معاهدة صداقة وحسن جوار. وفي ظروفنا الحالية، إذا أخذنا بعين الاعتبار المشاكل التي نواجهها في شمال أفريقيا وفي الشرق، فإن إقامة معاهدة من هذا النوع مع دولة عربية عمل لا يمكن اهمال أهميته خصوصاً أن المعاهدة المراد إبرامها تعبّر في مقدمتها عن رغبة الجانبين في التعاون المتبادل. وتذكر تلك المعاهدة في بندها الخامس تعهداً بالتشاور في حالة الحرب في إجراءات الدفاع، ولو أن تلك المعاهدة المقترحة لا يمكن اعتبارها معاهدة تحالف إلاّ أنها تزيد قليلاً عن اطار معاهدة صداقة عادية.

ومن ناحية أخرى فإنه يبدو لي أن الليبيين يرغبون في تنمية العلاقات الليبية-الفرنسية في الحقلين الثقافي والإقتصادي، وبعبارة أكثر شمولاً انهم يسعون لإيجاد بديل للوجود والعون الانجلو ساكسوني الذي بدأ يثقل عليهم.

أن السيد بن حليم يرغب أن يتفق معنا وفي بعض الوجوه يبدو لي انه يرغب أن يكون رجل الصداقة مع فرنسا على نقيض سلفه الذي وقّع على التحالف مع بريطانيا، غير أنه يقف موقفاً سلبياً من مسألة إعادة تنشيط القواعد (الفرنسية) في حالة الحرب، وكذلك فإنه قليل السخاء معنا في التسهيلات التي نطالب بها في حالة السلم.

ثانياً: هذه الحيثيات والتأملات تدفعني إلى التفكير بأنه سيكون علينا — في القريب العاجل — أن نختار بين مَسلكين اثنين، عواقب كل منهما تختلف اختلافاً كبيراً عن عواقب الآخر.

المسلك الأول: وهو أن نثابر ونلازم السير في الطريق الذي خططناه لأنفسنا محافظين على موقفنا، أي أن لنا مسؤوليات خاصة في فزّان وعلى الليبيين أن يعترفوا بها.

في هذه الحالة، فإنه ليس من المستحيل أن يضطر بن حليم — أمام صلابة موقفنا — ان يرضخ ويتركنا ننتزع منه نصّاً صالحاً (لأغراضنا) بطريقة أو

بأخرى. لكن هذا المسلك يتطلب من البريطانيين ضغطاً قوياً نشطاً (على الليبيين) ويحتاج كذلك للتنسيق معنا، ولكني لا أظن أن هذا العمل سيؤدي إلى النتائج المرغوبة. بل في الحقيقة فإنني لا أعتقد بجدوى هذا المسلك. لأننا إذا ثابرنا في إصرار واشترطنا - كشرط أساسي - أن يعترف الليبيون بمسؤوليتنا الخاصة في الدفاع عن فزّان، فإنه يجب علينا أن نواجه بوضوح احتمال انقطاع المفاوضات، وفي هذه الحالة علينا أن نضع في حساباتنا عواقب لجوء (ليبيا) إلى الأمم المتحدة.

وهناك طريقة أخرى هي أن نلمّح للجانب الليبي بإمكانية تنازلنا في مسألة إعادة تنشيط القواعد على أن نفهمهم بأن تنازلنا هذا يجب أن يقابله من جانبهم تقديم ترضيات هامة لنا في مجال التسهيلات (في حالة السلم). هذه التسهيلات يجب أن تساوي على الأقل تلك التسهيلات التي كنا نطالب بها.

ولست إلى الآن في وضع يمكنني أن أتنبأ بما سيمكننا الحصول عليه من بن حليم في هذا الخصوص، ولكن يبدو لي أن رئيس مجلس الوزراء سيكون، بلا شك، أكثر تجاوباً إذا تأكد له أن فرنسا ستتخلى عن مطالبتها باعتراف الحكومة الليبية بالدور الذي يقع على عاتق فرنسا في الدفاع عن فزّان بناءً على الإتفاق البريطاني-الفرنسي.

ثالثاً: سأكون شاكراً لو تكرّمتم بإعلامي - بأسرع ما يمكن - إذا كنتم تعتبرون أن هذا الاعتراف من طرف الحكومة الليبية يعتبر شرطاً أساسياً لأي إتفاق. فإذا كان هذا هو الوضع فليس من المستبعد أن نصل بسرعة إلى طريق مسدود.

أما إذا كان العكس فيمكنني أن أبدأ من الآن في إعداد دقيق لتفاصيل التسهيلات التي قد نتمكن من الحصول عليها في حالة السلم كما يمكنني البحث عن إمكانية التوسع في تلك التسهيلات.[٥٧]

---

(٥٧) راجع الملحق رقم ٣٨ للنص الفرنسي الكامل

وأخيراً عرض الوفد الفرنسي علينا:

- أن تتنازل فرنسا عن طلب العودة إلى قواعد فزّان في حالة الحرب.
- أن تتنازل فرنسا عن طلبها بإجراء إتفاق مع بريطانيا بخصوص الدفاع عن فزّان في حالة الحرب، وأن تأخذ الحكومة الليبية علماً به وتوافق عليه. ولكن هذين التنازلين كانا مقابل:
- أن نعطي فرنسا تسهيلات مواصلات وتسهيلات استعمال مطارات فزّان.
- أن نقبل أن يتشاور الجانبان (ليبيا وفرنسا) وخصوصاً فيما يتعلق بإجراءات الدفاع عن فزّان في حالة الحرب.

وكان ردنا أننا سنبحث التسهيلات التي يطلبونها وسنوافق على ما لا يتعارض مع سيادة ليبيا وسلامة أراضيها.

أما بخصوص التشاور في حالة الحرب فلا مانع لدينا من التشاور على ألا يتدخل جانب في أمور الجانب الآخر، بمعنى أن يكون كل منّا على علم بالترتيبات الدفاعية التي يقوم بها الطرف الآخر ولكن مجرد العلم لا غير، وعلى هذه الأسس العامة بدأت المفاوضات التفصيلية واستمرت عدة أيام.

عقبة تحديد الحدود الليبية

ما أن انتهينا من عقبة إعادة تنشيط القواعد، أو اعطاء فرنسا حق العودة في حالة الحرب، أو الموافقة على أن تتفق فرنسا مع بريطانيا لإشراك الأولى في الدفاع عن فزّان، حتى برزت عقبة أخرى أكثر حساسية ودقة وتعقيداً وهي مشكلة الحدود بيننا وبين الأراضي الواقعة تحت سيطرة فرنسا. ذلك أننا اتفقنا مع الوفد الفرنسي أثناء مفاوضات باريس في يناير ١٩٥٥ على أن تحدد الحدود بيننا كما حددتها المعاهدات والإتفاقيات الدولية القائمة قانوناً يوم إعلان إستقلال ليبيا. وعندما تعمقنا في تفصيل

هذا النص لتحديد تلك المعاهدات والإتفاقيات الدولية برز خلاف شديد بيننا لأن فرنسا أصرّت على أن معاهدة روما الموقعة في ٧ يناير ١٩٣٥، تعتبر لاغية ولا قيمة لها في نظر القوانين الدولية. وأصرت على أن تقرر الحكومة الليبية أن معاهدة ١٩٣٥ المذكورة تعتبر لاغية، وبرّرت موقفها هذا ببراهين قانونية قوية. وفي مفاوضات باريس لم نتخذ موقفاً محدداً من إصرار فرنسا هذا بل تركنا هذه النقطة بالذات معلقة رغبة منا في أن نواصل ونعمّق الاستشارة والبحث القانوني.

وفي الفترة بين مفاوضات باريس (يناير ١٩٥٥) ومفاوضات طرابلس (يوليو ١٩٥٥) أجرينا العديد من الاتصالات رغبة منّا في التأكد من الوضع القانوني لمعاهدة روما ١٩٣٥.

وبدأنا باستشارة المستشارين القانونيين المصريين اللذين أوفدهما الرئيس عبد الناصر لمساعدتنا، فأفتيا بأن معاهدة روما تعتبر لاغية في نظر القانون الدولي، لأن أحد الطرفين في المعاهدة وهو إيطاليا نقض تلك المعاهدة قبل التصديق عليها.

ثم استشرنا الاستاذ الدكتور ادوارد زيلفيجر أستاذ القانون الدولي بجامعة زيورخ الذي استقدمناه لمعاونتنا فأبدى نفس الرأي. واستشرنا إدارة التشريع والقضايا بالحكومة الليبية فأفتت بنفس الرأي.

وبذلنا بعض المساعي الدبلوماسية لدى الحكومتين البريطانية والأمريكية لعلهما تساعدانا في زحزحة الحكومة الفرنسية عن اصرارها، فكان رد الحكومتين هو النصح لنا بقبول وجهة نظر فرنسا لأنها تتفق وأحكام القانون الدولي. بل أن الحكومة البريطانية قالت في ردها علينا أنها أجرت أبحاثاً قانونية مسهبة في هذا الموضوع وتبين لها أن موقف الحكومة الفرنسية لا غبار عليه. وبالرغم من كل ما تقدم فقد قمنا ببعض أعمال الاستطلاع في مناطق الحدود لسبر غور الوجود الفرنسي على الحدود وفشلنا في محاولتنا تلك كما شرحت في الصفحات السابقة من هذا الباب.

وأمام هذه الحقائق القانونية والنصائح المتعددة لم يكن أمامنا مفرّ من الموافقة على عدم ذكر معاهدة ١٩٣٥، في بيان المعاهدات والإتفاقيات الدولية التي ستحدد الحدود الليبية بناءً على أحكامها.

لذلك اقتصر الملحق بمعاهدة الصداقة وحسن الجوار مع فرنسا والذي عددت فيه المعاهدات والإتفاقيات الدولية التي ستحدد حدود ليبيا الجنوبية والغربية بناءً على الكشف الآتي:

- الإتفاقية البريطانية الفرنسية الموقعة يوم ١٤ يونيو ١٨٩٨.
- الإعلان الاضافي للإتفاقية المذكورة والمؤرخ في ٢١ مارس ١٨٩٩.
- الإتفاق الفرنسي-الإيطالي المؤرخ في أول نوفمبر ١٩٠٢ (المسمى بإتفاق برينيتي - بارار (Prinetti - Barrère)
- المعاهدة المعقودة بين الجمهورية الفرنسية والباب العالي المؤرخة في ١٢ مايو ١٩١٠.
- الإتفاقية البريطانية الفرنسية المؤرخة في ٨ سبتمبر ١٩١٩.
- الإتفاق الفرنسي الإيطالي المؤرخ في ١٢ سبتمبر ١٩١٩.

وتجدر الإشارة إلى أن هذه الإتفاقيات والمعاهدات الستة هي التي تحدد حدود ليبيا كما كانت عليه تلك الحدود أثناء الحكم الإيطالي وكما هي عليه إلى يومنا هذا.

الوضع القانوني لمعاهدة عام ١٩٣٥

لماذا اعتبرت معاهدة روما الموقعة بين موسوليني ولافال عام ١٩٣٥ لاغية ولا قيمة لها في نظر القوانين الدولية؟

إن حكم القانون الدولي على هذه المعاهدة باعتبار هل هي لا تزال صالحة أم أنها سقطت وأصبحت لاغية أمر في غاية الأهمية والخطورة، لأن قصة هذه المعاهدة وما أحاطها من غموض كانت مصدر التخبط ومنبع سوء الفهم بل السبب المباشر لكثير من التشويش والاشاعات التي استغلها انقلاب سبتمبر ١٩٦٩ واتخذ منها مادة دسمة للهجوم على العهد الملكي السابق وعليّ أنا شخصياً بصفة خاصة. فكال علي التهم الخطيرة

ظلماً وعدواناً وكرر اتهاماته عبر أجهزة دعاياته الجهنمية، فصدقها بعض البسطاء بل وحتى بعض المثقفين لأن أحداً لم يكلف نفسه مشقة محاولة إزالة الغموض والشك للوصول إلى الحقيقة، واتخاذ موقف محدد لا غموض فيه ولا غبار عليه من الوضع القانوني الدولي لهذه المعاهدة. أقول وبما أن هذه المعاهدة هي مصدر هذه الشكوك والغموض فإنني أستميح القارئ أن أبسط هنا الحقائق عن هذه المعاهدة بإسهاب في العرض والشرح لكي لا يبقى للغموض من أثر ولا للشك من أساس.

وقعت معاهدة روما عام ١٩٣٥ بين موسوليني ورئيس وزراء فرنسا اليميني بيير لافال، وبمقتضاها تنازلت فرنسا لإيطاليا عن شريط واسع من الأراضي في جنوب ليبيا مساحته حوالي ١٤٠٠٠ كم مربع وهو ما اصطلح على تسميته أخيراً بشريط أوزو. على أن هذه المعاهدة كانت تشتمل على أحكام كثيرة أخرى تتعلق بتسوية مطالب رعايا إيطاليا في تونس وتسويات أخرى بين مستعمرة الصومال الإيطالية ومستعمرة جيبوتي الفرنسية.

وكان الدافع الأساسي الذي جعل فرنسا تتنازل لإيطاليا عن تلك الأراضي هو رغبتها في استمالة إيطاليا نحو تعاون لاتيني، أي فرنسي إيطالي، ومنع إيطاليا من الانضمام إلى ألمانيا بعد أن بدأ خطر هتلر يتفاقم ويثير المخاوف الكثيرة لدى فرنسا وبريطانيا. بعد التوقيع على المعاهدة بدأت الحكومتان بالإجراءات الدستورية المعروفة. فقدّمت الحكومة الفرنسية المعاهدة إلى البرلمان كما فعلت إيطاليا ذلك. أما البرلمان الفرنسي فقد وافق على المعاهدة بدون صعوبات وأما البرلمان الإيطالي فقد أوحت إليه حكومته بالتريث فاتبع وسائل التأجيل والتسويف.

غير أن الصداقة الفرنسية-الإيطالية، التي قدمت فرنسا عربوناً لها بتنازلاتها في المعاهدة، بدأت تفتر ثم تذوب بسرعة عجيبة، ذلك لأن إيطاليا تحرّشت بأثيوبيا ثم قامت بغزوها، فقامت قيامة عصبة الأمم وشنّت حملة شديدة ضد إيطاليا وأوقعت العقوبات الإقتصادية الصارمة عليها، وطبعاً اشتركت فرنسا في الحملة وفي توقيع العقوبات على إيطاليا.

وبعد نجاح إيطاليا في غزوها للحبشة أعلن عن تنصيب ملك إيطاليا إمبراطوراً على

الحبشة وطلبت إيطاليا من الدول أن تقدم اوراق اعتماد السفراء المعنيين في روما باسم «ملك إيطاليا وإمبراطور الحبشة». فرفضت أغلب الدول ومنها فرنسا هذا الاعتراف بالغزو الإستعماري بالرغم من أن لافال كان قد وافق في معاهدة روما على نص غامض يعترف بطريقة ملتوية بالمصالح والتطلعات الإيطالية في الحبشة.

لهذه الأسباب ساءت العلاقات بين الحكومتين، ولأن حكومة روما اعتقدت أن فرنسا لم تراعِ روح المعاهدة التي ظنت إيطاليا أنها احتوت بنوداً توافق ضمناً على المطامع الإيطالية في الحبشة، فقد اعتبرت ادانة فرنسا للغزو تراجعاً فرنسياً ونقضاً لتعهداتها.

وفي خطاب ألقاه موسوليني في ميلانو يوم ١ نوفمبر ١٩٣٦، هاجم فرنسا بقوة وأعلن قيام محور برلين–روما. ثم سحبت إيطاليا سفيرها من باريس في اكتوبر ١٩٣٧ بحجة أنه ليس لفرنسا سفير في روما. وبذلك تردّت العلاقات بين البلدين إلى أدنى المستويات واستمرّت فرنسا في محاولات استرضاء إيطاليا خصوصاً بعد أن وقّعت فرنسا وبريطانيا مع ألمانيا وإيطاليا على إتفاقية ميونيخ الشهيرة التي كان غرضها الأساسي ترضية هتلر على حساب تشيكوسلوفاكيا.

بعد توقيع إتفاقية ميونيخ اتخذت فرنسا خطوة كبرى على طريق ترضية حكومة موسوليني بأن عيّنت السفير فرانسوا بونسييه سفيراً لدى ملك إيطاليا وإمبراطور الحبشة. أي أن فرنسا اعترفت بشرعية غزو الحبشة. ولكن الديكتاتور الإيطالي لم يكن ليرضى بهذه الخطوة رغم أهميتها، فأوعز إلى زبانية الحزب الفاشستي من ذوي القمصان السود بإقامة المظاهرات في شوارع المدن الإيطالية مطالبين بالسويس وتونس وجيبوتي. ثم أوعز إلى نواب الحزب الفاشستي في مجلس النواب الإيطالي بإجراء تظاهرات مماثلة وزادوا من حدة الموقف بمطالبتهم بجزيرة كورسيكا الفرنسية بالإضافة إلى المطالب الأخرى.

عند هذا تقدم السفير الفرنسي يوم ٢ ديسمبر ١٩٣٨ باستفسار مهذّب إلى وزير الخارجية الإيطالي الكونت تشانو متسائلاً:

هل هذه التظاهرات تمثل رأي الحكومة الإيطالية؟

ورد تشانو بأن الرد على هذا التساؤل يحتاج لبعض الوقت وسيرد على السفير برسالة مكتوبة. وفي ١٧ ديسمبر ١٩٣٨ كتب وزير الخارجية الإيطالي رسالة إلى الحكومة الفرنسية نقض فيها معاهدة روما الموقعة يوم ٧ يناير ١٩٣٥ على أساس أن الأحداث الأخيرة وتطلعات إيطاليا الجديدة تعدّت ما نصت عليه تلك المعاهدة، وأن إيطاليا تعتبر تلك المعاهدة لاغية وكأنها لم تكن. وكذلك أوعزت الحكومة الإيطالية للبرلمان الإيطالي برفض معاهدة روما المذكورة. وردت الحكومة الفرنسية محتجة على رسالة وزير الخارجية الإيطالي برسالة مطوّلة بتاريخ ٢٥ ديسمبر ١٩٣٨.

ومن سوء حظ إيطاليا (وبالتالي ليبيا) فإن الجو السياسي في أوروبا في أوائل ١٩٣٩ لم يكن جو تساهل من قبل الحلفاء (اي بريطانيا وفرنسا) لأنه على أثر إتفاقية ميونيخ وما ورد فيها من ترضيات لدول المحور فإن الرأي العام في فرنسا وبريطانيا ثار ضد أي تنازل أو مهادنة للديكتاتورين، مما جعل وزارة ادوارد دالادييه الفرنسية تتصلب في مواجهة المحور. لذلك وبعدما شرح موسوليني مطالب إيطاليا القومية وحددها في خطاب ألقاه يوم ٢٦ مارس ١٩٣٩ بأنها هي السويس وجيبوتي وتونس. رد عليه رئيس الوزراء الفرنسي بخطاب يوم ٢٩ مارس ١٩٣٩ قال فيه: لن نتنازل عن شبر واحد من أراضينا ولا عن حق واحد من حقوقنا.

ثم استمرت العلاقات الفرنسية–الإيطالية في الانزلاق من أزمة إلى أخرى حتى قامت الحرب العالمية الثانية. وبدلاً من أن تغزو قوات إيطاليا الممتلكات الفرنسية المجاورة لليبيا، فإن القوات الفرنسية هي التي غزت الجنوب الليبي (قوات فرنسا الحرة تحت إمرة الجنرال لوكلارك)، وأقامت إدارة عسكرية فرنسية في ولاية فزّان إلى آخر القصة التي يعرفها الجميع.

وتجدر الإشارة إلى نقطة في غاية الأهمية وهي أن الأراضي التي تنازلت عنها فرنسا لإيطاليا بمقتضى معاهدة روما بقت تحت سيطرة فرنسا دون أي تدخل من جانب إيطاليا. وتُظهر الوثائق الرسمية الفرنسية أنه عند قيام الحرب كان الكابتن ديو قائداً لحامية واحة أوزو وكان الملازم ماسو قائداً لحامية زوار.

وكما هو معلوم انتهت الحرب العالمية بهزيمة إيطاليا وألمانيا، بل أن إيطاليا أعلنت استسلامها قبل نهاية الحرب، فقد اتصل المارشال بادوليو بقادة القوات الحليفة – الأمريكية والبريطانية والفرنسية – وعرض إيقاف القتال وطلب شروط الصلح. وبعد مفاوضات طويلة وقّعت إيطاليا مع الحلفاء معاهدة الصلح يوم ١٠ فبراير ١٩٤٧ في باريس، وتضمنت المعاهدة شرطاً خطيراً هو ما ورد في المادة ٤٤، حيث أعطت الحق للدول الحليفة ومنها فرنسا في أن تؤكد ما تختاره من المعاهدات والإتفاقيات التي عقدتها مع إيطاليا قبل يوم ١٠ مايو ١٩٤٠ (يوم دخول إيطاليا الحرب)، وما لا تؤكده يعتبر لاغياً وكأنه لم يكن.

وأعطت تلك المعاهدة للدول الحليفة مدة ستة أشهر تنتهي يوم ١٥ مارس ١٩٤٨ لكي تعلن عن المعاهدات التي تختارها للبقاء. وقد نصت الفقرة الثالثة من المادة رقم ٤٤ على ما يأتي:

> تعتبر لاغية جميع المعاهدات المشار اليها في الفقرة الأولى والتي لا يتم ابلاغها وفقاً لما سبق. وطبعاً لم يرد ذكر لمعاهدة روما الموقعة في ٧ يناير ١٩٣٥ بين المعاهدات التي اختارتها فرنسا للبقاء. وبذلك تمّ دق آخر مسمار في نعش معاهدة روما وأصبحت لاغية في نظر القانون الدولي.[(٥٨)]

لهذه الأسباب ونظراً لأنه لم يكن لدينا أي خيار آخر خصوصاً بعد أن استشرنا جميع من كان يمكن لنا أن نستشيره وتطابقت آراءهم بسقوط معاهدة روما، فإننا قبلنا على مضض على ألا تذكر في كشف المعاهدات التي اتفقنا مع فرنسا على أنها الأساس الذي ترسم عليه الحدود بيننا.

---

(٥٨) راجع نص المادة ٤٤ من معاهدة الصلح بين إيطاليا والحلفاء بالملحق رقم ٣٩

وثيقة بريطانية حول سقوط معاهدة ١٩٣٥

ذكرت في السطور السابقة أن الحكومة البريطانية نصحتنا بقبول وجهة نظر الحكومة الفرنسية فيما يخص سقوط معاهدة روما، ولو أنني لم أعطِ تلك النصيحة البريطانية آنذاك أية أهمية. فقد وجدت مؤخراً انها كانت نصيحة صادقة (على غير عادة الإنجليز في تلك الأيـام) وكانت قد قُدّمت بعد أن قامت الحكومة البريطانية بدراسة قانونية واسعة مستفيضة حول تلك المسألة. فلقد وجدت في وثائق الحكومة البريطانية بحثاً قانونياً عن الحدود الليبية الفرنسية وبالخصوص عن معاهدة روما المذكورة وقام بهذا البحث عدد من خبراء القانون الدولي البريطانيون.

زادت صفحات هذه الدراسة القانونية المستفيضة على الثلاثين وأنني أورد هنا نص وترجمة خاتمة تلك الدراسة.(٥٩)

بعد أن يلخص الخبراء الاسانيد القانونية التي بنت عليها فرنسا وجهة نظرها ويحللوا تلك الاسانيد بالنسبة لكل قطاع من قطاعات الحدود يختتمون تقريرهم بهذه النصيحة التي لا تخلو من بعض التهكم:

... إن أية محاولة يقوم بها الليبيون لمهاجمة هذه الاسانيد بدعوى أنهم خلفاء وورثوا الإيطاليين، ومن قبلهم الأتراك، مثل هذه المحاولة لن تنجح للأسباب التي فصّلناها في الفقرة الرابعة من هذا التقرير، وكذلك للأسباب التي فصّلها بتوسع مستر نيوبولد في مذكرته. غير أنه قد يحاول الليبيون، استناداً على دعوى أصولية، مقلدين بذلك دعاوى الحركة الصهيونية، أن يحاولوا الادعاء بأن الحركة السنوسية، بقيادة محمد المهدي، ابن مؤسس الحركة، قد بسطت نفوذها إلى بحيرة تشاد بين عامي ١٨٤٤ و١٩٠٢.

ولكن مثل هذه الدعوى لا تستند على أية حقوق في الإتفاقيات الدولية، كما أنه ليس لدى الليبيين وعد كوعد بلفور. فضلاً عن أنه ليس لديهم، حتى الآن،

---

(٥٩) وثيقة رقم F037/113907/XL170887

أمريكيين من أصل ليبي، أثرياء (وذوي نفوذ) لكي يقوموا بدعم هذه الدعوى (كما يدعم يهود أمريكا دعاوى إسرائيل).

لذلك يجب علينا أن نساند الفرنسيين.

إمضاء

جاي. بي. أس. فيليبس

مراحل التصديق على إتفاقية الصداقة وحسن الجوار

وقد جُعل الملحق الخاص بالحدود مع فرنسا كجزء لا يتجزأ من معاهدة الصداقة وحسن الجوار، وقد نوقشت المعاهدة، بما فيها الملحق الخاص بالحدود، في مجلس الوزراء الليبي في العديد من الجلسات وتمت الموافقة على جميع بنودها وملاحقها، ثم قدمت بملحقاتها إلى مجلس الأمة ونوقشت في اللجان البرلمانية ثم في المجلسين.

أما في مجلس النواب فقد قدمت أسئلة كثيرة واستجوابات كثيرة كان من أهمها أسئلة النائب المهدي بوزو عن الدرب رقم ٥. وأما الاستجوابات فكان أهمها استجواب النائب محمود صبحي الذي تضامن معه حوالي عشرة من النواب فتقدموا بأسئلة واستجوابات أخرى. وأذكر من هؤلاء النائب عبد العزيز الزقلعي.

أما أسئلة النواب عن الدرب رقم ٥ فكانت عبارة عن طلب شرح وايضاح وابداء الأسباب التي دعت الحكومة الليبية إلى اعطاء فرنسا حق استعمال هذا الدرب لمرور قوافل سياراتها من تونس إلى تشاد عبر أراضي فزّان. وكان رد الحكومة الليبية أنها لم تعطِ فرنسا أي حق بالمرور عبر الأراضي الليبية عبر الدرب رقم ٥، كل ما في الأمر أنها قبلت أن تتقدم فرنسا، من آن لآخر بطلب السماح لقافلة محدّدة عدداً وتاريخاً بالمرور وللحكومة الليبية أن توافق على أو ترفض دون إبداء الأسباب، ولذلك فليس في هذا الترتيب أي مساس بالسيادة الوطنية كما أن ذلك لا يسبب أي خطر على الحركات الوطنية في الشمال الإفريقي مثلما كان يتبادر إلى ذهن بعض النواب، وبعد مناقشات طويلة قُبل تفسير الحكومة.

أما الاستجواب المقدم من النواب العشرة، وعلى رأسهم النائبان محمود صبحي وعبد العزيز الزقلعي، فقد تولى الأول شرحه وتقديمه في خطاب حماسي ألهب مشاعر الحاضرين هاجم فيه الحكومة لأنها، في اعتقاده، بعقدها معاهدة صداقة مع فرنسا فهي تعترف ضمناً باحتلال فرنسا لتونس والجزائر والنيجر وتشاد، وكلها شعوب أفريقية مجاورة أقل ما يجب على ليبيا، نحو الجزائر المجاهدة، هو ألا تطعنها من الخلف. ثم تساءل النائب صبحي: لماذا لا تلجأ الحكومة الليبية إلى مجلس الأمن أو الجمعية العمومية للامم المتحدة لكي ترغم فرنسا على الخروج صاغرة من فزّان؟ ولما كان الجواب المقنع على النواب أصحاب الاستجواب متوفر ميسور، شريطة ألا يباح به في جلسة علنية فقد طلبنا وحصلنا على الموافقة في أن تتم الجلسة في سرية.

وفي الجلسة االسرية توليت بنفسي الردّ على النواب وقلت أما الحرص على ثورة الجزائر فإنني على يقين من أن النواب يعرفون أن حكومتهم تحرص أشد الحرص على استمرار الثورة الجزائرية إلى أن تحصل على إستقلالها. وأننا نقوم، بالتعاون مع دول شقيقة أخرى، بمدّ العون المادي للثورة، واذا كان أحد النواب المحترمين في شك من قولي هذا فما عليه إلاّ أن يستفسر من ممثلي الثورة الجزائرية الموجودين في طرابلس. وشدّدت على أن سلامة الثورة الجزائرية تستدعي منّي ألا أقول أكثر مما قلت.

أما اللجوء إلى مجلس الأمن فقد لفتَ نظر النواب إلى أن فرنسا لديها حق النقض (الفيتو) ولا شك أنها سوف تستعمله إذا وجدت أن المجلس على وشك إدانتها. أما الجمعية العمومية فقد لفتّ نظر النواب إلى أنها تستطيع أن تصدر الكثير من القرارات ولكنها قرارات دون سلطة تنفيذ، وقد قال سيدنا علي بن أبي طالب كرّم الله وجهه «لا رأي لمن لا يطاع».

وللتدليل على جدوى كلامي هذا أشرت إلى عشرات القرارات التي أصدرتها الجمعية العمومية خصوصاً فيما يتعلق بقضية فلسطين التي لم ينفذ منها شيء على الإطلاق.

ثم استعرضت التسهيلات المدنية التي أعطيناها لفرنسا بموجب المعاهدة، وانتهيت إلى القول بأن جميع هذه التسهيلات مدنية كما أنها مؤقتة. ومهما يكن من أمر فهي في

مجموعها أقل ما يمكن اعطاءه للحصول على إجلاء القوات الفرنسية وإنهاء مطامعها الإستعمارية في فزّان، ولذلك فإنني أطالب النواب الموافقة على المعاهدة.

وأعيدت الجلسة إلى جلسة علنية واستمر الحوار والنقاش إلى أن وافق المجلس بأغلبية ٤١ صوت مقابل صوتين وتغيّب أو امتناع ١٢ عضواً.

وجدير بالملاحظة أن أحداً من النواب لم يثر، من قريب أو بعيد، موضوع الحدود الوارد في المعاهدة.

ثم قُدمت المعاهدة لمجلس الشيوخ ووافق عليها، ثم بعد تصديق الملك نُشرت بالجريدة الرسمية وكذلك بالجرائد السيارة وقوبلت بترحيب وموافقة شبه إجماعية سواء في ليبيا أو في الدول العربية الشقيقة.

الحكومة الفرنسية تعود إلى المماطلة في إتمام الجلاء

بعد التوقيع على معاهدة الصداقة وحسن الجوار مع فرنسا انفرجت الأزمة وتحسنت العلاقات بين البلدين خصوصاً بعد أن استقبل الملك إدريس رئيس وأعضاء الوفد الفرنسي بحضوري يوم ١١ اغسطس ١٩٥٥ في مصيفه بالبيضاء، ودعاهم لتناول الغداء وأكد لهم رغبة ليبيا في صداقة وتفاهم مع فرنسا. وطلب من رئيس الوفد، السفير دي جان، أن ينقل إلى رئيس الجمهورية الفرنسية تحياته وأمله الوطيد أن تسير فرنسا على سياسة تفاهم وتعاون مع سكان الجزائر وتلبي تطلعاتهم في الحرية وتقرير المصير، وذكّر الفرنسيين أن الشعب الفرنسي هو أول من نادى بمبادئ الحرية والمساواة.

وكان من أحكام معاهدة الصداقة وحسن الجوار أن يتمّ الجلاء التام للقوات الفرنسية عن جميع قواعدها في فزّان قبل يوم ٣٠ نوفمبر ١٩٥٦، وقد قبلنا هذا التاريخ، الذي يعطي فرنسا حق البقاء لمدة ثمانية عشر شهراً، على مضض وبعد مفاوضات صعبة، إلاّ أن الجانب الفرنسي أصرّ بدرجة قوية، اضطررنا أمامها، إلى قبول هذا الشرط خشية نكسة في المفاوضات. غير أننا طلبنا من فرنسا أن تجلو قواتها عن قاعدتي براك وسيناو قبل آخر نوفمبر ١٩٥٥ حتى نثبت علناً أمام العالم أن عملية الجلاء قد بدأت فعلاً

بالرغم من أن براك وسيناو قاعدتان ثانويتان.

وبعد أن تمت إجراءات واحتفالات الجلاء عن تلك القاعدتين حدث تطور سيء في العلاقات، أو ربما عملية الجلاء عن تلك القاعدتين أظهرت على السطح ما كان يدور في الخفاء في كواليس المؤسسات الفرنسية العليا. فقد قامت قيامة مجلس النواب الفرنسي وقدم النائب ميشيل دوبريه (الذي تولى رئاسة الحكومة الفرنسية عام ١٩٥٩) استجواباً للحكومة متسائلاً: كيف تسمح الحكومة بالجلاء عن قواعد فرنسية قبل أن يصادق المجلس الوطني على معاهدة الصداقة وحسن الجوار مع ليبيا؟

ثم هاجم النائب دوبريه الحكومة الليبية واتهمها بتهريب السلاح إلى ثوار الجزائر وطالب وزير الخارجية أن يحصل على ضمانات تؤكد عدم تدفق السلاح من ليبيا إلى الجزائر قبل تقديم معاهدة الصداقة وحسن الجوار للمجلس الوطني الفرنسي للتصديق عليها. كان هذا الاستجواب في نوفمبر ١٩٥٥.

كما أنني وجدت في وثائق الحكومة الفرنسية خطاباً جوابياً من حاكم الجزائر جاك سوستيل رداً على رئيس وفد المفاوضات الفرنسي دي جان يعترض فيه على بعض أحكام معاهدة الصداقة خصوصاً الأحكام المتعلقة بتحديد الحدود مع الجزائر. ويقول في خطابه:

غير انني أرغب أن أقول لكم بكل صراحة أنه بعد عودة الكمندان كونياي الذي كان قد أجرى مهمة اتصال بالوفد الفرنسي فقد اضطررت إلى التعبير عن عدد من التحفظات التي وردت في كتاب مؤرخ يوم ١٥ اغسطس ١٩٥٥ موجّه إلى السيد وزير الداخلية، وهذه التحفظات تركز بنوع خاص على تخطيط الحدود بين غات وتوجو، منطقة المراعي وتجارة القوافل، والتي يبدو لنا أنها حددت بطريقة في صالح الليبيين وتتجاهل مطالب الجزائر.

كذلك فإنه بالبند ١٥ يظهر أن الحقوق التقليدية لمواطنينا في مناطق فيهوت والبركات لم تذكر بنوع خاص برغم محاولات الضابط السابق الذكر.

انني لا أتجاهل الصعوبات التي واجهتكم في طرابلس غير أنني أعتقد أنه من واجبي أن أعبّر عن التحفظات المذكورة لأنني إلى أن أحصل على معلومات أكثر، أشعر بأن بعض مصالح الجزائر، أو بالأحرى مصالح فرنسا، قد تتضرر من جراء بعض ترتيبات تلك الإتفاقيات.[٦٠]

وبعد استجواب النائب دوبريه استمرت حملة النواب والشيوخ الفرنسيين على ليبيا وشاركتهم الصحافة الفرنسية في تلك الحملة المركزة على الحكومة الليبية وعليّ شخصياً بالاتهامات العنيفة للحكومة الليبية بمساعدة ثوار الجزائر، بل أن بعض النواب استعملوا أسلوب التهكم قائلين كيف تثق الحكومة الفرنسية في أي عهود يقدمها بن حليم مهرّب السلاح للخارجين عن القانون الفرنسي. بل أن نائباً في مجلس الإتحاد الفرنسي لما وراء البحار اتهم طلب ليبيا بفتح قنصلية في تشاد بأنه طلب لإنشاء وكالة لتهريب السلاح لا غير.

وعلى إثر تلك الحملات المركزة على ليبيا وعلى معاهدة الصداقة وحسن الجوار الموقعة مع فرنسا، اتخذ مجلس الوزراء الفرنسي قراراً يوم ١٣ يونيو عام ١٩٥٦ بالعدول عن تقديم معاهدة الصداقة وحسن الجوار للمصادقة عليها من قبل المجلس الوطني الفرنسي. وصرح وزير الدفاع الفرنسي في نفس اليوم بذلك القرار وبأن فرنسا لن تجلو ابداً عن غدامس.[٦١]

ولقد اخترت نموذجاً معتدلاً من تلك الحملات لتقديمه للقارىء وهو تقرير داخلي من لجنة الدفاع في مجلس الإتحاد الفرنسي وقد جاء فيه:

تقرير قدمه السيد جان غيتر، مستشار الإتحاد الفرنسي بتاريخ ١٥ مارس ٥٦، باسم لجنة الدفاع عن الإتحاد الفرنسي بهدف استيضاح الحكومة

(٦٠) راجع الملحق رقم ٤٠

(٦١) راجع جريدة لوموند الصادرة في ١٤ يونيو ١٩٥٦

الفرنسية بشأن الإجراءات التي تنوي اتخاذها بصورة عاجلة لوقف عمليات تهريب الاسلحة التي تتم على الحدود المشتركة بين ليبيا وأقاليمنا الإفريقية والتي تجعل الحفاظ على سلامة تلك الاقاليم عرضة لاعظم الاخطار.

سيداتي، سادتي، إن الحوادث الاليمة التي نعيشها حالياً لهي الدليل الساطع، وللأسف، على تهريب الاسلحة إلى المتمرّدين في شمال أفريقيا وإلاّ كيف نفسّر كون أولئك المتمرّدين الذين لعام خلت ما كان لديهم في الجزائر إلاّ أسلحة بدائية، وقد تحقق مقرركم من ذلك خلال الجولة الاستطلاعية التي قام بها في الأوراس وفي القبائل الكبرى في يناير ١٩٥٥، أصبح الآن في حوزتهم العديد من الاسلحة الاوتوماتيكية وأكثرها تطوراً.

من غير الجائز أن ندع مهرّبي الاسلحة يواصلون، دونما عقاب، تقويض الجهود التي نبذلها لإحلال النظام في تلك الاقاليم. ومن أولى واجباتنا ألا ندع جنودنا يقتلون يوماً بعد يوم بأسلحة تُهرب خفية إلى الذين اختاروا التمرّد سبيلاً.

إن مسؤولية البلدان المجاورة، الخاضعة للجامعة العربية، واضحة جلية في هذه المسألة الخطيرة. وما تقوم به ليبيا تجاهنا، بتحريض من مصر، إنما هو التواطؤ بعينه إذا أنها تسهل عبر حدودها تزويد الارهابيين بالذخيرة والعتاد. هذا بالإضافة إلى تعاطفها مع المنظمات التخريبية التي تسعى، انطلاقاً من القاهرة، إلى بث الفتنة تدريجياً في جميع أنحاء أفريقيا.

ولا يقتصر تواطؤ ليبيا على لعب دور الوسيط في عملية تسليح المخرّبين في الجزائر وتونس والمغرب بل يستهدف على المدى الطويل اقاليمنا في وسط أفريقيا. أنها حقيقة لا تقبل الجدل خاصة وأن الاسلحة القادمة من واحة الكفرة تتسرب أيضاً عبر حدودها إلى التشاد مروراً بتبستي. صحيح أن هذه التجارة لا علاقة لها بالأحداث الراهنة وأنها قائمة منذ زمن بعيد بين القبائل البدوية ذات الأصل الواحد التي تسعى وراء الكلأ على جانبي الحدود الليبية،

إلاّ أن هذا لا يخفف من خطورة الوضع وما ينذر به من مخاطر بل يقتضي منا تدخلاً سريعاً لوضع حدّ لهذه العمليات التي تهدد مستقبل الإتحاد الفرنسي في أفريقيا.

إن موقف ليبيا، برأينا، يتعارض كلياً مع الحياد المطلق، إن لم نقل التعاطف، الذي من حقنا أن ننشده من جانبها بموجب معاهدة الصداقة وحسن الجوار المزعومين التي وقعنا عليها مؤخراً معها. قد يكون من المفيد استرعاء انتباهها إلى ضرورة احترام ما يترتب على ابرام تلك المعاهدة من واجبات.[٦٢]

عند ذلك تبين لنا أن فرنسا عادت إلى عادتها القديمة فهي تحاول أن تؤجل تقديم المعاهدة إلى برلمانها إلى أن يقترب موعد الجلاء فتأتينا قائلة أنها لا تستطيع إجلاء قواتها قبل تصديق المجلس الوطني الفرنسي على المعاهدة وعليه لا بدّ من التأجيل.

وأخيراً تأكدت لدينا نوايا فرنسا السيئة وانكشفت أمامنا مناوراتها وثبتت مطامعها عندما أبلغتنا المفوضية الفرنسية أن الحكومة ترى أن المجلس الوطني لن يصادق على معاهدة الصداقة وحسن الجوار ما لم يتم رسم الحدود الليبية-الفرنسية على الخرائط وتحديدها بعلامات على الطبيعة. ثم قامت بإرسال امدادات من الجنود والعتاد إلى قواعدها في فزّان في الوقت الذي كان من المفروض أن تبدأ بترحيل الجند والعتاد. لذلك فقد عاودّت الاتصال بالحكومة البريطانية وأرسلت رسالة مستعجلة إلى وزير الخارجية سلوين لويد شرحت فيها مراحل المماطلة الفرنسية ومحاولات الضغط التي تزاولها علينا لا سيما بإرسالها تعزيزات لحامياتها في فزّان في الوقت الذي كان عليها البدء في عملية الجلاء عن قواعدها هناك. وأشرت إلى القرار الفرنسي (الذي أبلغ الينا) بتأخير الجلاء إلى أن يتم تخطيط الحدود بيننا وبين الأراضي الواقعة تحت سيطرتها، ورفضِنا لهذا الشرط الأخير.

---

(٦٢) راجع الملحق رقم ٤١

وقلت للوزير البريطاني إنه ما لم ترجع فرنسا عن غيّها وتحترم التزاماتها وتنفذ ما تعهدت به فلا مفر أمامي من التقدم إلى مجلس الأمن بشكوى ضد فرنسا. وأضفت أنني أخاطبه كوزير خارجية الدولة الحليفة لليبيا وأنني أنتظر منه إجراءاً سريعاً وتدخلاً فورياً لدى حكومة باريس لردّها عن الدرب الخطر الذي بدأت تسير فيه. وقد رفع السفير البريطاني تقريراً إلى وزير الخارجية البريطاني بفحوى المذكرة الشفوية التي قدمتها إليه وقد جاء في ذلك التقرير ما يلي:

بالإشارة إلى برقيتي رقم ٣٨١ المؤرخة ٢٩ اكتوبر يشرفني أن أنقل لكم ترجمة المذكرة الشفوية التي قدمها لي رئيس الوزراء الليبي مصطفى بن حليم صباح أمس والتي تتناول موضوع إجلاء القوات الفرنسية من فزّان. تقول المذكرة أن الفرنسيين أكدوا أكثر من مرة نيّتهم في إجلاء قواتهم قبل ٣٠ نوفمبر ولكن تحركات القوات والمعدات العسكرية في المنطقة خلال الفترة الأخيرة جعلت الحكومة الليبية تشك في سلامة نواياهم. ولذلك فإن الحكومة الليبية تلفت نظر حكومة صاحبة الجلالة، كحليفة لليبيا، إلى النتائج الخطيرة التي ستنجم عن أي تخلف فرنسي عن تنفيذ تعهداتهم.

عند تقديم المذكرة قال لي رئيس الوزراء أنه تحدث مع الوزير الفرنسي المفوض بخصوص نفس الموضوع حيث قال الوزير أن القوات (الفرنسية) التي وصلت حديثاً ربما جاءت بغرض زيادة عدد الحاميات. وقال له بن حليم أنه إن قبل هذا التفسير بالنسبة للرجال فإنه لا يقبله بالنسبة لازدياد المعدات والذخائر (التي وصلت أخيراً)، وأنه يشعر بشكوك خطيرة تجاه النوايا الفرنسية.

واستطرد بن حليم قائلاً أن هذه المسألة تعتبر من المسائل التي لا يمكنه أن يقبل فيها أي تنازل أو حلول وسط، كما أنه لا يستطيع أن يظهر في معالجتها أية مرونة فيما يخص التواريخ. إن البرلمان الليبي سيُفتتح للاجتماع في بداية

شهر ديسمبر ولا بد من أن يشير خطاب العرش إلى موضوع فزّان. فإما أن تكون القوات الفرنسية قد رحلت قبل ذلك التاريخ، وإلاّ فإنه سيكون لزاماً عليه أن يعلن عن الإجراءات التي اتخذتها الحكومة (الليبية).

سيكون أول هذه الإجراءات هو رفع النزاع إلى مجلس الأمن الذي تتوقع فيه ليبيا التأييد من بريطانيا، حليفتها. ومن الواضح أنه سيكون موقفنا محرجاً إذا وقفنا ضد فرنسا. فإن بن حليم يأمل أن نتمكن من استعمال نفوذنا في إقناع فرنسا بالجلاء في الوقت المطلوب.

أما الإجراء الليبي الثاني فإنه سيكون اعطاء الأوامر للسلطات المحلية بفزّان لعرقلة القوات الفرنسية بكافة الاساليب الممكنة، مثلاً منع وصول الامدادات والتموينات القادمة عن طريق الجو. إن هذا الإجراء قد يؤدي بالتأكيد إلى تصادم مسلح، لذلك فإن الوضع لا شك خطير للغاية.

ثم قال بن حليم أنه يعتقد أن الموقف الفرنسي فيما يتعلق بإجلاء قواتهم مرتبط بموضوع تحديد الحدود بين فزّان والجزائر وهو ما سيشرع فيه قريباً. ولقد أشار الفرنسيون اشارات مبطنة بأنه إذا ساعد الليبيون فرنسا في موضوع الحدود، فإن الفرنسيين، بدورهم، سوف لن يقيموا أية صعوبات في موضوع جلاء قواتهم. ولكن قبوله لمثل هذا العرض يعتبر خضوعاً للابتزاز. وليبيا تتمسك بفكرة أن المسألتين لا علاقة لإحداهما بالأخرى وأن موضوع تحديد الحدود يجب أن يعالج على حدة.

سألت رئيس الوزراء هل سيقدم مذكرة شفوية مماثلة للسفير الأمريكي فردّ بأنه تحدث في الموضوع مع السفير (الأمريكي) ولكنه لم يكتب اليه، وذلك لأن بريطانيا حليفة ليبيا ولهذا فهو يعتمد بصفة خاصة على مساندتنا.

وفي ردّي وعدته فقط بنقل صورة المذكرة ونقل أقواله كذلك اليكم، وبما أنني قد كتبت بإسهاب عن هذا الموضوع في الرسالة رقم ١٥٠ المؤرخة ٢٩ اكتوبر فإنني سوف لن أعلق أكثر.

سأرسل صورة من هذه الرسالة إلى ممثلي جلالة الملكة في باريس وواشنطن وبنغازي وكبير موظفي المكتب السياسي لقوات الشرق الأوسط.(٦٣)

وقمت بمسعى مماثل لدى الحكومة الأميركية عن طريق سفيرها بطرابلس(٦٤) أنظر الملحق وهو تقرير من السفير الأمريكي في باريس بخصوص احتمال تقدم ليبيا إلى هيئة الامم المتحدة بشكوى ضد فرنسا وموقف أمريكا المؤيد لتلك الشكوى.

التصديق على إتفاقية الصداقة وحسن الجوار

ولا أدري بالتأكيد تفاصيل ما تم من اتصالات بين الحكومات الثلاث (أمريكا وفرنسا وبريطانيا) ولكن من المؤكد أن ضغطاً قوياً على حكومة باريس من كل من واشنطن ولندن قد حدث في أوائل نوفمبر ١٩٥٦، لأن الحكومة الفرنسية غيّرت موقفها وتقدمت إلى المجلس الوطني يوم ١٣ نوفمبر ١٩٥٦ بطلب التصديق على معاهدة الصداقة وحسن الجوار بين ليبيا وفرنسا.

قامت الحكومة الفرنسية بهذه الخطوة على مضض ورغبة منها في تفادي أزمة دولية مع ليبيا خصوصاً بعد فشل فرنسا وبريطانيا في الاعتداء الثلاثي على مصر وما تبعه من إدانة جماعية من دول العالم. وكذلك لأن الحكومة الفرنسية رغبت أن تحسن علاقاتها مع الولايات المتحدة التي لا شكّ أنها نصحت فرنسا باحترام تعهداتها. ومن الأهمية أن ألخّص هنا المناقشات التي دارت في مجلس النواب الفرنسي والقرارات التي اتخذت في النهاية بالتصديق المشروط على المعاهدة المذكورة.

يلاحظ أن الحكومة الفرنسية في نوفمبر ١٩٥٦ كانت برئاسة جي موليه الاشتراكي، وكانت قد أحالت قانون المعاهدة إلى مجلس النواب مقرونة بطلب النظر بالاستعجال نظراً لقرب موعد الجلاء للقوات الفرنسية عن فزّان. ولكن طلب الاستعجال رُفض بأغلبية

---

(٦٣) راجع الملحق رقم ٤٢

(٦٤) راجع الملحق رقم ٤٣

كبيرة. ثم تقدم اليمينيون من النواب باقتراح بتأجيل النظر في المعاهدة ورُفض ذلك الاقتراح كذلك. ثم أحيل مشروع قانون المعاهدة إلى لجنة الشؤون الخارجية فدرسته لعدة أيام وأخيراً أحالته إلى المجلس لمناقشته التي أخذ مجراه في جو استسلام كئيب (كما وصفته جريدة لوموند يوم ٢٤ نوفمبر ١٩٥٦). فتحدث أولاً وزير الدفاع الفرنسي وشدّد على اتباع نظام الاستعجال نظراً لقرب مواعيد الجلاء، وبعد مناقشة طويلة وافق المجلس على ذلك بأغلبية كبيرة. ثم تولى رئيس لجنة الشؤون الخارجية دانيال مايير، وهو اشتراكي، عرض المشروع فبدأ بالتنصل من مسؤولية المعاهدة قائلاً: إن هذه المعاهدة عقدت إبان رئاسة إدجارفور اليميني للوزارة وعندما كان انطوان بينييه، اليميني هو الآخر، وزيراً للخارجية وعندما كان الجنرال كوينح، اليميني الديجولي وزيراً للدفاع، ولذلك فإن حزبه (الاشتراكي) يتنصل من مسؤولية ما ورد في تلك المعاهدة من تنازلات، وبالرغم من هذا فإنه يوصي بالمصادقة عليها لأن المصادقة عليها أصبحت اليوم هي ارتكاب أقل الشرّين، لأننا لو رفضنا المصادقة فإننا سنتعرض لإدانة من جميع دول العالم. وانني أحيل القارئ إلى (الملحق رقم ٤٤)[٦٥] وهو صورة لتقرير لجنة الشؤون الخارجية لمجلس النواب الفرنسي التي برغم طولها وإسهابها إلاّ أنها تعطي القارئ صورة أمينة لما كان يدور في رأس المسؤولين الفرنسيين في تلك الأيام. ومن ضمن ما جاء في ذلك التقرير قوله:

وبرأي السيد بن حليم والعديد من الليبيين الهدف الرئيسي من هذا الإتفاق، وقد أدليت بيانات مؤسفة بهذا الصدد، هو وضع حدّ للوجود الفرنسي في فزّان.

ونذكر هنا، على غرار السيد جاك سوستل، بالبيان الذي أدلى به الرئيس مصطفى بن حليم إلى وكالة الصحافة الفرنسية في ١٤ أكتوبر ١٩٥٥، أن المعاهدة الفرنسية الليبية إتفاق جلاء فحسب لا يلزم ليبيا بأي شيء.

---

(٦٥) راجع الملحق رقم ٤٤

أما النائب جرون وهو من الحزب الاشتراكي فقد قال، بعد هجومه على المعاهدة، أنها لا خير فيها إلاّ للسيد بن حليم وللسيد موريس فور والأخير هو وزير الدولة للشؤون الخارجية.

ثم جاء موريس فور فقال أنه يطلب من المجلس المصادقة على المعاهدة مضيفاً أن الحكومة الفرنسية تشعر، وهي تتخذ قرار تقديم المعاهدة لمجلس النواب، وكأن قلبها ينتابه الضيق ثم أورد بعض الأسباب التي أملَت على الحكومة قرارها وأهمها خشية الإدانة الدولية.

واشترك عدد كبير من النواب في المناقشة أغلبهم أبدى أسفه في أن تضطر فرنسا للرضوخ للرأي العام العالمي بل حاول بعضهم أن يعرقل التصديق على المعاهدة. وأخيراً تكلم رئيس الوزراء جي موليه راجياً المجلس أن يحترم العهود المعطاة وهتف فيهم قائلاً: يجب علينا أن نشرف كلمتنا بتنفيذ ما تعهدنا بتنفيذه ووقعنا عليه بإمضائنا عام ١٩٥٥.

وهنا جاء النائب جاك ايزورني وأبدى اقتراحاً بأن يوافق المجلس على المعاهدة مع الامتناع عن تبادل وثائق التصديق بل يحتفظ المجلس بها إلى أن يتم الإتفاق على تحديد الحدود ورسمها فيما بين ليبيا وأراضي الجزائر والنيجر وتشاد.

وقبل ممثل الحكومة هذا الاقتراح (بل أنني أكاد أجزم أنه اقتراح متفق عليه بين الحكومة الفرنسية ومجلس النواب).

وأخيراً وافق مجلس النواب الفرنسي على قانون معاهدة الصداقة وحسن الجوار بأغلبية ٤١١ ضد ١٢٠ صوت ولكن الموافقة كانت مشروطة بالشرط الذي شرحته عاليه.

أما مجلس الشيوخ الفرنسي فقد وافق على المعاهدة موافقة مشروطة بأغلبية ١٩٦ صوت ٩٢ صوت.[٦٦]

---

(٦٦) جميع هذه المناقشات البرلمانية تمّ نشرها في الجريدة الرسمية للحكومة الفرنسية بتاريخ ٢٢ و٢٩ نوفمبر ١٩٥٦

إنزال العلم الفرنسي عن قاعدة سبها ورسم الحدود

ولنعود الآن إلى طرابلس لنتناول بالشرح مداولاتنا مع الحكومة الفرنسية وتطور النزاع على الإجراءات الأخيرة خلال شهري أكتوبر ونوفمبر ١٩٥٦.

يوم ٢١ اكتوبر زارني وزير فرنسا المفوض وقدم لي سفير فرنسا جورج بالائي على أنه هو الذي سيتولى إكمال المفاوضات الخاصة بجلاء القوات الفرنسية وتسوية موضوع الحدود بين بلدينا. والسفير بالائي، على عكس سلفه دي جان، كان من غلاة اليمينيين الإستعماريين، وأبلغني بأن حكومته سوف لن تتقدم إلى البرلمان الفرنسي بطلب الموافقة على معاهدة الصداقة وحسن الجوار ما لم نتفق معهم على رسم الحدود بين بلدينا على الخرائط حسب نص ملحق الحدود بالمعاهدة، وكذلك نقيم العلامات على أرض الحدود. وكان ردي جافاً، فرفضت هذا الشرط وقلت أن موضوع الحدود يتطلب شهوراً عديدة من العمل الفني الشاق ولا يعقل أن يتم في الأيام القليلة الباقية على موعد الجلاء (٣٠ نوفمبر ١٩٥٦). ولمّحت له أن هذا الشرط يدل من جديد على سوء نية الحكومة الفرنسية وعلى محاولة جديدة للتهرب من تنفيذ ما تعهدت به في إتفاقيات دولية، وهذا سيؤدي بنا بسرعة إلى الشكوى إلى مجلس الأمن، وأنهيت الاجتماع بطريقة عصبية. ثم عاد بالائي ومعه وزير فرنسا المفوض بعد يومين وكانت العلاقات قد تدهورت بشكل مفاجئ بين فرنسا والدول العربية على إثر اختطاف زعماء الجزائر الخمسة وإجبار طائرتهم على الهبوط في مطار الجزائر.

في هذه المقابلة حاول أن يكون أكثر حصافة ومجاملة. فاعتذر عن سوء التفاهم الذي حدث في لقائه الأول معي شارحاً أن الحكومة الفرنسية قد تكتفي بأن يتم الإتفاق بين الحكومتين على رسم الحدود على الخرائط الفنية من قبل لجان مشتركة وأن يكون هذا تطبيقاً لنصوص الملحق رقم واحد من معاهدة الصداقة وحسن الجوار.

قلت حتى هذا الطلب يستحيل علينا تلبيته لأن رسم الحدود على الخرائط يحتاج إلى خبراء فنيين ونحن في سبيل البحث لتعيين خبيرين من دول محايدة ليساعدونا في ذلك التخطيط، وقد قمنا بالاتصالات اللازمة مع مكاتب الأمم المتحدة على أمل أن ترشح

لنا أسماء بعض الخبراء الموثوقين. وانتهى الاجتماع دون أي نتيجة إلا أننا اتفقنا أن نستأنف الحديث في الأيام القادمة. وفي الواقع كنا قد اتصلنا منذ الصيف بهيئة الامم المتحدة بجنيف برجاء ترشيح بعض خبراء تخطيط الحدود من السويسريين أو أية جنسية محايدة أخرى. وجاءنا ترشيح هيئة الامم لمكتب المسيو وايسمان السويسري، فاستخدمناه واتفقنا معه على أن يشترك هو شخصياً مع بعض معاونيه في لجنة الحدود التي ستؤلف لغرض رسم الحدود على الخرائط، ثم فيما بعد في اللجنة الفرعية الفنية التي ستقوم بعملية وضع علامات الحدود في المناطق الحدودية.

وبحثنا الموضوع في مجلس الوزراء الذي قرر تشكيل اللجنة التي ستمثل ليبيا في أعمال تحديد الحدود ورسمها، وحاولنا أن نشرك في هذه اللجنة أكبر عدد ممكن من الليبيين الذين لهم خبرة واطّلاع على موضوع الحدود. وكانت اللجنة الليبية مكوّنة من الآتي اسماؤهم:

الدكتور علي الساحلي وزير الخارجية، رئيساً.

سيف النصر عبد الجليل رئيس المجلس التنفيذي لولاية فزّان، عضواً.

العربي عبد القادر ناظر العدل بولاية فزّان، عضواً.

عمر الباروني مساعد وكيل وزارة الخارجية، عضواً.

العقيد السنوسي لطيوش مساعد رئيس اركان الحرب، عضواً.

أحد كبار ضباط الجيش (لا أذكر اسمه)، عضواً.

أبو بكر أحمد عضو لجنة البترول عن ولاية فزّان، عضواً.

الفقي انقدزان أحد رؤساء قبيلة الطوارق التي تسكن في منطقة الحدود، عضواً.

الخبير السويسري مسيو وايسمان، عضواً.

مساعد الخبير السويسري، عضواً.

وحدد مجلس الوزراء صلاحية هذه اللجنة في تطبيق أحكام الملحق رقم واحد من معاهدة الصداقة وحسن الجوار، أي تحديد أحكام الإتفاقيات الستة المدرجة في الملحق رقم واحد، والتحديد على الخرائط بعد الإتفاق مع الوفد الفرنسي، ثم تشكيل

لجنة من الخبراء لوضع علامات الحدود على الخرائط.

وفي مقابلة ثالثة مع السفير بالائي أبلغته بقرار مجلس الوزراء بتشكيل الوفد الليبي لتحديد الحدود وفقاً لأحكام معاهدة الصداقة، وأن الوفد على استعداد لبدء الاتصالات مع الوفد الفرنسي. وأبلغني بأنه سيكون رئيساً للوفد الفرنسي وأعطاني كشفاً بأسماء أعضاء وفدهم. والجدير بالذكر أن وزير الخارجية الليبي علي الساحلي كان قد حضر معي جميع مقابلاتي مع بالائي. وفي اليوم التالي اجتمع الوفدان وباشرا أعمالهما.

وأخيراً وفي معمعة الاعتداء الثلاثي على مصر، في الوقت الذي كان مجلس الوزراء الليبي يعالج هذه الأزمة الخطيرة، طلب السفير بالائي مقابلة عاجلة. فقابلته بحضور وزير الخارجية علي الساحلي، وأبلغني بأن تعليمات حكومته هي أن القوات الفرنسية لن تجلو عن فزّان ما لم يفرغ الوفدان الليبي والفرنسي من رسم الحدود على الخرائط والتوقيع عليها. قلت أن هذا تهديد بل ابتزاز، ونحن لن نقبل رهن تاريخ جلاء قواتهم بأي عمل آخر. ولفتُّ نظره إلى أن ترجمة ما ورد في الإتفاقيات الدولية المتفق عليها، وتحديده، ثم رسمه على الخرائط عمل فني يحتاج لوقت طويل، ومهما يكن من أمر فإننا لا نقبل لأي سبب تأجيل موعد جلاء قواتهم عن التراب الليبي وإلاّ فإن شكوانا ستبلّغ فوراً لمجلس الأمن.

وأذكر جيداً أنه رد بفظاظة قائلاً: ان جمال عبد الناصر الذي كنتم تعتمدون عليه قد هُزم وانتهى أمره... فقاطعته قائلاً: إن جمال عبد الناصر لم ينهزم ولن ينتهي أمره، ونحن نعتمد على حقنا وعلى ميثاق الامم المتحدة وعلى عدد كبير من دول العالم المحبة للسلام التي أدانت فرنسا في اعتدائها الثلاثي الغاشم على مصر وستدينها مرة أخرى لنقضها العهود التي ترتبط بها، ولا شك سيجبركم مجلس الأمن على الخروج من ليبيا وأنتم تجرون أذيالكم صاغرين. واعتقد أن العبارات المتبادلة في تلك المقابلة كانت بعيدة كل البعد عن تلك التي تستعمل في الدبلوماسية العادية.

وفي اليوم التالي اتصل بي الوزير المفوض الفرنسي دي مارساي (وكان أكثر فهماً لي وأكثر عطفاً على المشاعر العربية من زملائه الفرنسيين الآخرين، فقد أمضى فترة

طويلة من أعماله الدبلوماسية في سورية والأردن وبلاد الشرق الأوسط) وطلب مقابلتي على انفراد. وشرح أنه يودّ ان يصارحني بأن السفير بالائي يقع تحت ضغط شديد من باريس التي تصر على انهاء موضوع الحدود قبل موعد الجلاء. ثم قال: أرجو أن يتسع صدرك لمصارحتي لك ببعض الحقائق والآراء، وأن يبقى حديثي معك طيّ الكتمان. فوعدته بالصبر والكتمان. فقال: إن حكومتي لا تطمئن كثيراً للتعامل معك وهي تشعر دائماً بنوع من الشك والحذر في جميع معاملاتها معك وتعتقد أنك مسيّر بالاتجاهات القومية العربية وأنك مطيع لتوجيهات عبد الناصر ولقد بذلتُ جهداً كبيراً لدى وزارة الخارجية لإزالة شعور عدم الثقة. وحاولت افهامهم أن ما يسيّرك هو ما تظنه مصلحة وطنك، وأضاف ان الحكومة الفرنسية لا ترغب أن تفقد أهم ورقة ضغط في يدها أي ورقة الجلاء قبل إنهاء موضوع تحديد الحدود لذلك فإني أقترح عليك هذا الحل: أن يستجيب الملك إدريس لطلب السفير بالائي بمقابلته. وأن يتم هذا اللقاء بحضورك وحضوري أنا، وأن يقترح الملك إدريس في هذا الاجتماع أن تواصل لجنة الحدود المشتركة أعمالها في تطبيق أحكام معاهدة الصداقة وحسن الجوار بالسرعة والكفاءة الممكنة وفي جوّ من التفاهم والابتعاد عن التطرف والتسويف، وفي نفس الوقت تقوم فرنسا بإجراء الجلاء حتى يتم في اليوم المحدد له حسب معاهدة الصداقة، وألا يكون هناك ارتباط محدد بين تاريخ الجلاء وتاريخ انتهاء لجنة الحدود المشتركة، وأن يؤكد الملك أخيراً للسفير بالائي رغبته في علاقة صداقة متينة مع فرنسا.

شكرت دي مارساي صراحته ونصحه وقلت إنني لا أستغرب فقدان ثقة حكومته في شخصي لأن فقدان الثقة متبادل. وعلى أية حال سأفكر في اقتراحه وأرد عليه. وفي الغد قابلت الملك، وكان في طرابلس، وشرحت له الموقف قائلاً إنني أظن أن السفير بالائي يسعى لانقاذ ماء وجهه أو أنه يسعى أن يقول لحكومته أنه حصل على تأكيدات شخصية من الملك نفسه وكلا الحالتين لا تزعجني.

ولذلك اقترحت على الملك قبول فكرة دي مارساي. وبالفعل دعى الملك بالائي والوزير المفوض دي مارساي لتناول الشاي بقصر الخلد، وحضرت المقابلة التي صار

فيها التفاهم كما شرحت في السطور السابقة وأكثر الملك من مجاملاته وأكد لهما أن توجيهاته لحكومته هي السعي إلى تفاهم مشرّف مع فرنسا لعلّ أن يكون في ذلك مثالاً يحتذى به للتفاهم بين فرنسا وشعوب شمال أفريقيا.

وبعد خروج السفير والوزير المفوض استبقاني الملك في حضرته فحذرني قائلاً أنه يشتمّ سوء النية من جانب فرنسا ولذلك يجب علينا أن لا نعطي الفرنسيين ذريعة يستندون عليها في نقض تعهداتهم لنا. ويتعيّن علينا أن ننهي القضايا المعلقة معهم حتى نتخلص من مطامعهم ونطهر البلاد من قواعدهم.

وأطلعت وزير الخارجية علي الساحلي على ما دار في اجتماع الملك بالفرنسيين كما أبلغته توجيهات الملك. وواصل الوفد الليبي عمله واجتماعاته بالوفد الفرنسي، ولم أتابع تلك المفاوضات لأنني اضطررت للسفر إلى بيروت لأنوب عن الملك إدريس في اجتماع القمة العربي الذي دعى إليه الرئيس اللبناني شمعون يوم ١٣ نوفمبر ١٩٥٦.

وبعد اسبوعين وبالتحديد يوم ٢٩ نوفمبر ١٩٥٦ وافق المجلس الوطني الفرنسي على معاهدة الصداقة وحسن الجوار بعد مناقشات طويلة. ويوم أول ديسمبر ١٩٥٦ أنزل العلم الفرنسي عن قاعدة سبها في احتفال وطني كبير حضرته مع الكثير من رجال الدولة من مدنيين وعسكريين.

ويوم ٢٠ من ديسمبر انتهت مفاوضات الحدود بين الوفدين الليبي والفرنسي وتمّ التوقيع بالحروف الأولى على الإتفاق على الحدود.

ويوم ٢٦ ديسمبر تمّ التوقيع الرسمي وتبادل وثائق إتفاق الحدود بين وزير الخارجية الليبي علي الساحلي والسفير الفرنسي بالائي والوزير المفوض دي مارساي.

أما أعمال تحديد الحدود على الطبيعة وإقامة علاماتها فقد بُدئ العمل به في شتاء عام ١٩٥٦ وكان الجانب الليبي يرأسه العقيد السنوسي لطيوش يساعده عدد من العسكريين والخبراء السويسريين المتخصصين في المساحة وتخطيط الحدود واستمر العمل لمدة طويلة، ولا أذكر متى تمّ ولكنه بالتأكيد لم يتم في عهدي لأنني وجدت في الوثائق الفرنسية الكثير مما يدل على استمرار العمل في إقامة علامات الحدود إلى

أواخر عام ١٩٥٨. فمثلاً وجدت في برقية لوكالة فرانس برنس مؤرخة ١٠ يونيو ١٩٥٨ ما يفيد بأن الجانب الفرنسي في لجنة الحدود قد فرغ من عمله، وسيعرض نتيجة أبحاثه على الجانب الليبي ليدققها ويراجعها ويبدي رأيه فيها.

اتهامات العقيد القذافي والردّ عليها

بالرغم من أن الوثائق التي أشرت اليها في هذا الباب وعشرات غيرها من الوثائق تتحدث بوضوح عن نصاعة موقف الحكومة الليبية والرجال الذين أداروا بكفاءة مباحثات إجلاء الفرنسيين عن كامل التراب الليبي، وهذه الوثائق متاحة للنظام الليبي ومتاح له أيضاً وثائق ومداولات مجلس الوزراء ووزارة الخارجية الليبية، ومجلسي الشيوخ والنواب، وهي جميعها تشهد كيف وقف نفر من أبناء ليبيا في مواجهة التهديد والوعيد وصمّموا على تحرير تراب وطنهم من الاحتلال الفرنسية.

ومع ذلك فلم يخجل العقيد القذافي في أن يخصني بالهجوم العنيف، وباتهامات خطيرة يعلم تمام العلم براءتي منها، فقد قال في خطابات علنية عدّة أنني تواطأت مع فرنسا وبعت لها قطعة كبيرة من الارض الليبية هي شريط أوزو وأن هذا البيع تمّ بإتفاقية سرية وأنني قبضت ثمن خيانتي رشوة ملايين كثيرة، أعيش الآن متمتعاً بثمارها. وأطلق القذافي اتهاماته الجزافية هذه دون أن يسوق عليها دليلاً واحداً أو أن يؤيدها بقرينة يتيمة.

وبداية رأيت أن أتجاهل هذه الاتهامات في هذه المذكرات. وما أكثر ما أطلق العقيد من اتهامات – لاعتقادي أنها بلغت درجة عالية من السخف ومجافاة المنطق والعقل بحيث تعتبر إهانة لذكاء الشعب المسكين واستخفافاً بعقول الذين استمعوا لتلك التهم. غير أن الكثير من الأصدقاء نصحوني بضرورة الرد على تلك التهم الخطيرة مهما كان سخفها لأن تكرار التهمة وتزيينها وترديدها وتوشيحها من قبل اجهزة إعلام الجماهيرية جعل البسطاء يصدقونها، بل أن بعض الخاصة من المثقفين أدركهم بعض التساؤل عن السبب الذي فرض علي السكوت، أهو العجز عن الرد بالحجة والبينة أم أنه الخوف من

العنف والإنتقام، لذلك رأيت أن أستجيب لنصائح الأصدقاء وأفرد مساحة قليلة من هذا الباب للرد على القذافي في هدوء وموضوعية وباختصار شديد:

أولاً: أطلق العقيد القذافي اتهاماته بطريقة جزافية عارية من أي دليل ولو لإقامة شبهة بأن ادعاءه صحيح.

ان جميع الإتفاقيات والوثائق والمستندات محفوظة في وزارة الخارجية الليبية، وهي تحت تصرفه للدراسة والتمحيص والتدقيق. وهذه الوثائق هي محاضر اجتماعات مجلس الوزراء الذي كان يناقش الموضوع في جلساته، ومحاضر مجلسي النواب والشيوخ ولجانه التي دُوّنت فيها مداولات المجلسين ومناقشات اللجان، وكذلك فإن هذه الوثائق تتضمن الرسائل المتبادلة بين الطرفين وآراء رجال القانون الدولي الذين استشارتهم الحكومة الليبية في ذلك الوقت، وبالإضافة إلى هذا كله ففي استطاعته أن يكلّف من يشاء بدراسة وتحليل الوثائق والمستندات الفرنسية، حتى االسرية منها التي رفع الحظر عن الاطلاع عليها. ومن المؤكد أنه لو وجد تواطؤ أو خيانة أو بيع أو تنازل، فإن هذه المستندات ستكشف عن وجوده ولا يعقل أبداً أن تكون هناك صفقة بيع لمنطقة الحدود ولا يعثر على عقد البيع أو على دليل، خاصة في المستندات الفرنسية، ولا يعقل أن تفرط الحكومة الفرنسية بدليل قانوني قاطع إن وجد، يثبت ملكيتها لمنطقة الحدود التي يدّعي العقيد أنني بعتها لها.

ثانياً: يدّعي القذافي أن التنازل أو البيع الذي يتهمني به قد جرى بمقتضى إتفاقية سرية، دون أن يبيّن كيف عرف بوجود هذه الإتفاقية االسرية وبمضمونها. واذا كانت هذه الإتفاقية موجودة لديه فلماذا لا ينشرها ليطلع عليها الجميع ويقيم الحُجة القاطعة على ما يتهمني به؟ والأغرب من هذا أن القذافي يدّعي وجود هذه الإتفاقية في حين أن الطرف المستفيد منها، لو وجدت، وهو الطرف التشادي، لم يشر اليها من قريب أو بعيد ليدعم بها موقفه من مواجهة مطالب القذافي. فمن المؤكد أن الطرف التشادي (والفرنسيين أيضاً) من مصلحتهم المحققة أن يستندوا إلى هذه الإتفاقية، لو وجدت، في نزاعهم مع العقيد لاثبات حقهم.

ولا شك ان تصرفات العقيد بشأن هذه الإتفاقية المزعومة قد لفتت انتباه الطرف التشادي اليها، إذا كان التشاديون قد غفلوا عنها، ومع ذلك فإنهم لم يبرزوها ولم يشيروا إلى وجودها.

أليس غريباً أن تقع حرب بين ليبيا القذافي وتشاد بسبب المنطقة التي يدّعي القذافي أنني بعتها، وتقف فرنسا إلى جانب تشاد، ومع ذلك تغفل كل من فرنسا وتشاد حتى عن مجرّد الإشارة لوجود هذه الإتفاقية المزعومة التي تدعم الموقف القانوني التشادي والفرنسي في النزاع؟ وما قيمة مثل هذه الإتفاقيات سوى الاستناد عليها في حالة نزاع حول الحدود؟

ثالثاً: إن الوثائق االسرية الفرنسية والتي ما كان يطلع عليها، في حينه، سوى الفرنسيين أنفسهم، ملأى باتهامي بالعداء لفرنسا وبالعناد وبغير ذلك من الصفات التي لا تستقيم أبداً مع تهمة التواطؤ معهم وقبول الرشوة منهم.

رابعاً: لقد شرحت في هذا الباب مراحل المحادثات والمفاوضات التي جرت مع فرنسا، ثم مراحل المناقشات والمداولات بمجلس الوزراء ثم احالة معاهدة الصداقة وحسن الجوار مع فرنسا إلى مجلس الشيوخ والنواب والمناقشات والاسئلة التي دارت حولها، ثم المرحلة الأخيرة وهي التصديق على المعاهدة واصدارها في الجريدة الرسمية ومعنى هذا كله هو أن المئات من الليبيين من الوزراء والنواب والشيوخ وكبار المسؤولين قد اطّلعوا وناقشوا ودقّقوا في بنود هذه المعاهدة قبل أن يوافقوا عليها. فهل يقبل العقل السليم أن ينطلي على هذا العدد الكبير من الليبيين التواطؤ والخيانة فلا يدركوا أن ما وافقوا عليه يشتمل على بيع أو تنازل عن جزء عزيز من أرض الوطن؟ الحقيقة هي أننا لم نتنازل لفرنسا عن شبر واحد عن أرض الوطن، وأي ادّعاء يخالف هذه الحقيقة هو زور وبهتان وإفك.

خامساً: ثم أن رسم الحدود وتحديدها بصفة نهائية لم يتم في عهدي ولو كان هناك تواطؤ أو بيع لحرص الفرنسيون على أن أنفذ مطالبهم قبل تركي لمنصبي، كما كان يمكن لرئيس الحكومة الذي خلفني أن يصحح ما قمت به من عمل وان يوقف عملية رسم

الحدود التي تمّت في عهده.

سادساً: فإن العقيد لم يخرج عن السنّة التي ابتدعها أسلافه ومعاصروه من الطغاة أصحاب الإنقلابات وهي سنّة إلصاق التهم بمن سبقهم زوراً وبهتاناً وبغير حساب لتبريروجود أنظمتهم وتغطية فشلها الذريع

الباب الثامن

قصة البترول

السياسة طويلة المدى
لتحقيق الإستقلال الإقتصادي

بطبيعة الحال فقد كانت آمالنا قد تعلّقت على العثور على البترول، خاصة وأن عدداً من شركات النفط كانت قد أظهرت إهتماماً بالبحث عنه منذ أيام الإدارة العسكرية البريطانية (عام ١٩٤٣).

وكانت الأمم المتحدة قبل إستقلال ليبيا، قد اهتمت بالبحث عن الموارد الطبيعية، فأرسلت خبيراً جاب البلاد طولاً وعرضاً وأجرى بعض الدراسات الأولية وخرج من ذلك بنتيجة لم تكن مشجّعة، موجزها أن الأمل في العثور على بترول في ليبيا ضعيف جداً، وأنه، على أي حال، يتوقف على نتيجة الأبحاث الجارية، في ذلك الوقت، في تونس.

وعندما أصبحت رئيساً للوزراء (في أبريل ١٩٥٤) كانت عمليات البحث والتنقيب عن البترول في تونس قد توقفت أو كادت تتوقف، كما أن الشركات الأمريكية التي كانت تنقب عن البترول في صحراء مصر الغربية كانت تستعد للانسحاب بعدما أتمّت حفر العديد من الآبار الجافة العميقة.

من جهة أخرى لم يكن في مقدور الدولة الليبية الناشئة أن تتحمّل النفقات الباهظة التي يتطلبها البحث عن البترول في رقعة الوطن الشاسعة، خاصة في ظروف غير مشجعة ودون أن يكون هناك ما يبرر هذه النفقات، وعلى أي حال لم يكن لدى الدولة أموال تنفقها لهذا الغرض حتى لو كانت البوادر مشجعة نوعاً ما.

الخطوات التي اتخذتها وزارة محمود المنتصر

بعد الإستقلال تزايد عدد شركات النفط التي أبدت اهتماماً بليبيا، كان منها شركات أمريكية كبرى، وأخرى من تلك التي اصطلح على تسميتها بالمستقلة (وهي شركات بترول متوسطة الحجم لم يكن لها مساهمة في حقول نفط الشرق الأوسط وبالتالي فإن مصالحها وأهدافها مستقلة تماماً عن التأثر بسياسة شركات النفط في الشرق الأوسط).

لذلك بادرت حكومة المنتصر إلى محاولة إعداد قانون ينظّم العمليات البترولية على أساس قانوني عام بدلاً من اتباع طريقة منح الامتيازات الفردية كما كان حاصلاً في مناطق بترول الشرق الأوسط (العراق - إيران - المملكة السعودية - البحرين - الكويت). ونظراً لأن إعداد قانون شامل يستغرق وقتاً طويلاً، ومشاورات معقدة مع حكومات الولايات في ظل الدستور الإتحادي الذي وزع الاختصاص فيما يتعلق بأمور البترول بين الحكومة الإتحادية وحكومات الولايات (الفقرة السادسة من المادة ٣٨ من الدستور)، فقد رأت وزارة المنتصر اتخاذ خطوات تمهيدية لتحافظ على استمرار اهتمام شركات البترول، وتتيح في الوقت ذاته فرصة البدء في الاستطلاعات الأولية في انتظار صدور قانون شامل للبترول.

من أجل ذلك صدر قانون مختصر هو قانون المعادن رقم ٩ لعام ١٩٥٣، الذي نص على إمكانية إصدار تراخيص استطلاع على النفط تجيز لحاملها القيام بالدراسات السطحية والتصوير الجوّي للمناطق، دون أن يترتّب على إصدار هذه التراخيص أية حقوق للحصول على امتيازات نفطية مهما كانت نتيجة تلك الدراسات. وأعلنت الحكومة وبمنتهى الصراحة أنه لا يجوز القيام بأية عمليات غير تلك المحددة في التراخيص، وأن العمليات الأخرى لا بدّ لها من أن تنتظر صدور قانون البترول.

وتنفيذاً لذلك صدرت تراخيص استطلاع لجميع الشركات التي طلبتها، وكانت التراخيص شاملة لجميع البلاد وذلك لاتاحة اوسع فرصة للقيام بتلك الدراسات الأولية، بحيث تصبح الشركات مستعدة لتقديم طلباتها للحصول على عقود بترولية عند صدور

القانون. وقبلت الشركات هذا الوضع الذي لا يترتّب عليه أي حقوق، وبالتالي فإن أية شركة من هذه الشركات لم تكن مطمئنة إلى أنها ستحصل على أي امتياز بترولي مهما كانت نتائج دراساتها ومهما بلغت النفقات التي ستنفقها.

بعد ذلك انهمك مستشارو الحكومة في إعداد مشروع قانون للبترول، ولكن مع الأسف كان جميع أولئك المستشارين من الأجانب المتعاطفين مع مصالح بعض الشركات. فقد كان المستشار القانوني للحكومة بريطانياً يدعى وليام ديل، ومستشار المعادن في وزارة المالية هولندياً يدعى هوجنهاوز، أما المستشارون الماليون الغربيون الذين ساهموا في إعداد قانون البترول، فكلهم بريطانيون، لذلك فقد انعكس ميل هؤلاء المستشارين في مشروع قانون البترول الذي أعدّوه ووزّعته الحكومة الليبية على شركات البترول لاستطلاع رأيها فيه. فمثلاً سلّم مشروع القانون ذلك بحق الأولوية للشركات البريطانية لأنها بدأت البحث عن البترول في ليبيا منذ ١٩٤٣.

وحق الأولوية هذا يعني أن تمنح الحكومة الليبية امتياز التنقيب عن البترول في جميع المناطق التي تطلبها الشركات البريطانية قبل النظر في طلبات الشركات الأخرى. وحق الأولوية هذا موضوع بالغ الأهمية والخطر، وضار بمصلحة ليبيا لأنه يقضي على التنافس بين الشركات، وبعبارة موجزة يمكن أن يؤدي إلى جعل البلاد كلها ضمن عقد امتياز واحد مع الشركات البريطانية.

وتدعوني الأمانة إلى ذكر أن رئيس الوزراء محمود المنتصر، ووزير المالية الدكتور علي العنيزي لم يخضعا للضغط البريطاني بل تهرّبا من اعطاء أي وعد محدد بقبول اعطاء الشركات البريطانية حق الأولوية.

هكذا كان الحال عندما تولّيت أمور البلاد وابتدأت في تنفيذ سياسة وزارتي الأولى. وللإنصاف والأمانة التاريخية فإنني أودّ أولاً أن أشيد بالجهود المخلصة التي تلقيتها من صديقين كان لتعاونهما معي أنجح الأثر في نجاح سياستي البترولية.

أولهما الدكتور علي نور الدين العنيزي وزير المالية في حكومة المنتصر والذي استبقيته وزيراً للمالية في وزارتي الأولى.

لقد وقف العنيزي بجانبي وآزرني بصدق وكياسة في مواجهة المناورات البريطانية التي كانت تسعى لانتزاع حق الأولوية في الحصول على الامتيازات البترولية، وساهم معي في مقاومة تلك الضغوط.

ثانيهما الدكتور أنيس مصطفى القاسم المستشار القانوني بوزارة العدل، والفلسطيني الأصل، الذي جعلته منذ اوائل عهدي في رئاسة الوزراء مسؤولاً عن التفاوض الأولي مع شركات البترول حول مسودة مشروع قانون البترول وتصحيح أحكامه، واستبعاد ما أدخله المستشارون الغربيون فيه من محاباة للشركات البريطانية. ثم أوكلت إليه فيما بعد الإشراف على إعداد قانون جديد للبترول يتماشى مع سياسة وزارتي الجديدة. وأخيراً عيّنته رئيساً لأول لجنة للبترول. وكان في جميع هذه المناصب والمهمات المثال النادر في الكفاءة والنزاهة والتفاني، ويرجع له بعض من الفضل في النجاح الذي يسّره الله لنا في مجال البترول.

الخطوات الأولى التي قامت بها وزارتي تنفيذاً للسياسة البترولية

خطوات حثيثة للتعجيل بإصدار قانون البترول

إن من أهم ركائز السياسة التي قررتها وزارتي الأولى كان البحث السريع الحثيث عن الثروات المعدنية خصوصاً البترول أملاً في الاعتماد على ثروات الوطن في الوصول إلى إستقلاله الإقتصادي الكامل. لذلك قررت الحكومة التعجيل في إصدار قانون البترول، لكي يحدّد حقوق والتزامات جميع الاطراف، حتى لا نقع فريسة للتعامل بطريق منح عقود الامتياز الفردية التي كانت سائدة في المنطقة في ذلك الوقت، والتي ساعدت على قيام الاحتكارات البترولية،

إصدار قانون البترول

وحيث أن قانون البترول يختلف في طبيعته عن القوانين الأخرى لأن تنفيذه يحتاج إلى قبول الشركات له في البداية، وإلاّ فإنها تحجم عن تقديم طلباتها، فقد رأت الحكومة كسباً للوقت، ألا تنتظر ملاحظات الشركات على المشروع، وأن تدعو الشركات بدلاً من ذلك لاجتماع مشترك بينها وبين ممثلي الحكومة لبحث نقاط الخلاف وتسويتها قدر الإمكان. وكان الهدف من هذه الطريقة هو أن يكون القانون في معظم أجزائه مقبولاً من الحكومة والشركات.

وكما قلت سابقاً فإنه لا جدوى من اصدار قانون للبترول يكون مثالياً ولصالح الدولة في جميع جوانبه إذا كانت النتيجة أن الشركات ستمتنع عن الاقبال بسبب ما قد تراه من

شروط مجحفة بحقوقها. أما بعد اكتشاف البترول وثبوت وجوده بكميات تجارية قابلة للاستغلال، فإن الوضع يختلف، وهذا ما حدث فعلاً حتى في الأيام الأولى حين استغلت لجنة البترول التنافس بين الشركات للحصول على شروط أفضل من الشروط التي نصّ عليها القانون.

اتخذت الحكومة قرارها بتوجيه الدعوة لشركات البترول للإجتماع المشترك مع ممثليها، وقررت تكليف الدكتور أنيس القاسم برئاسة الجانب الليبي في ذلك الاجتماع.

وبدأ الدكتور القاسم في الإعداد للإجتماع واطّلع لأول مرة على مشروع القانون الذي كان قد أعدّه المستشار القانوني البرطاني وتمّ توزيعه على الشركات، وكانت له عليه ملاحظات عديدة أدرجها في مذكرة قدّمها إلي وتم عرضها على مجلس الوزراء. ومن الأمور المهمة ذات الأثر البعيد التي عالجناها قبل أي أمر آخر مسألة تتعلق بالجانب التنفيذي للقانون، إذ لاحظنا أن مشروع القانون المعدّ من المستشار البرطاني قد أوكل تنفيذه لأربع جهات.

جهة في كل ولاية من الولايات الثلاث، ثم جهة في الحكومة الإتحادية، وذلك لمواجهة المشكلة الدستورية التي وزعت الاختصاص فيما يتعلق بالبترول بين الحكومة الإتحادية والولايات.

وتتمثل المشكلة الدستورية في أن المادة ٣٨ من الدستور الإتحادي، في ذلك الوقت، وزّعت الاختصاصات فيما يتعلق بعدد من الأمور، ومن بينها الثروة الطبيعية كالبترول، بين الحكومة الإتحادية والولايات. فعهدت تلك المادة للحكومة الإتحادية باختصاص التشريع والإشراف على تنفيذه، في حين عهدت للولايات باختصاص التنفيذ. وكانت هذه السلطات المشتركة مدار أخذ وردّ ونزاع مستمر بين الحكومة الإتحادية والولايات.

وتطبيقاً لتوزيع الاختصاصات هذا، نص مشروع قانون البترول (الذي وضعه المستشار البرطاني) على إنشاء أربع جهات مختصة في شؤون البترول، فأقام في كل ولاية جهة خاصة تتولى تنفيذ القانون داخل حدود ولايتها، وأقام جهة رابعة إتحادية تشرف على تنفيذ الجهات الولائية للقانون.

وفي الحال أدركنا الخطر على مصير البلاد الذي ينطوي عليه ذلك النص، بالرغم من أنه يتماشى مع أحكام الدستور.

فوجود هذه الجهات المتعددة وإستقلال كل ولاية بتنفيذ القانون في حدود ولايتها يؤدي إلى التنافس فيما بينها، كما يؤدي إلى استغلال شركات البترول لذلك التنافس لتحقيق مصالحها على حساب مصالح الوطن، ويزيد من حدّة النعرة الإقليمية في مسألة من أخطر المسائل، ويحول في الوقت ذاته دون وجود سياسة بترولية عامة يلتزم بها الجميع تشريعاً وتنفيذاً. وإذا عُثر على البترول في ولاية دون أخرى، فإن هذه الإستقلالية تشجع الاتجاهات الانفصالية في وطن حديث الإستقلال. وقررنا عوضاً عن ذلك أن تتولى تنفيذ القانون هيئة اعتبارية مستقلة يعيّن أعضاؤها بإتفاق بين الحكومة الإتحادية والولايات، ويصدر بتعيين الأعضاء مرسوم ملكي تعبيراً عن مكانة الهيئة وإستقلاليتها. وتُعرف هذه الهيئة باسم لجنة البترول وتتولى تنفيذ القانون نيابةً عن كل ولاية من الولايات، وتخضع قراراتها لمصادقة وزير الإقتصاد الإتحادي، وبذلك تزاول صلاحيات الولايات والحكومة الإتحادية في نفس الوقت، وهي وسيلة ماهرة للخروج من مأزق تضارب الصلاحيات، وبذلك نكون قد أنشأنا جهازاً موحداً للتعامل مع شركات البترول.

وبعد مناقشة مستفيضة وافق مجلس الوزراء على ذلك الاقتراح. غير أن موافقة مجلس الوزراء وحدها لا تكفي، إذ لا بد من إقناع الولايات بهذا الحل، خاصة بعد أن كانت قد اطّلعت على المشروع الذي يعهد لكل منها بالتنفيذ. وبادرتُ بالاتصال بالولاة ورؤساء المجالس التنفيذية لشرح وتحبيذ فكرة إنشاء لجنة البترول، واستعملت في هذا السبيل جميع ما لدي من وسائل الترغيب والإقناع، ثم عقدنا اجتماعاً مشتركاً لبحث الموضوع. وبعد مناقشات مطوّلة مستفيضة اتفقنا على إبرام إتفاق بين الحكومة الإتحادية والولايات بمضمون الاقتراح، حيث أنه لا يوجد مانع دستوري يحول دون ذلك الإتفاق، ولا يوجد ما يمنع كل ولاية من أن تحدد الجهة التي تتولى التنفيذ. فتمّ الإتفاق على أن تكون لجنة البترول هي تلك الجهة. وبالتغلب على هذه العقبة الدستورية أصبح الطريق مفتوحاً للحديث مع الشركات من موقف موحد بسياسة بترولية واحدة تشريعاً وتنفيذاً.

وعقد أول اجتماع مشترك بين ممثلي الحكومة وممثلي الشركات في طرابلس في اليوم الأول من نوفمبر ١٩٥٤ وتوالت الاجتماعات اليومية بعد ذلك شهراً كاملاً.

وفي توجيه الدعوة للشركات، تعمدت الحكومة ألا تقتصر الدعوة على الشركات الكبرى، وبوجه الخصوص ألا تقتصر على الشركات المسيطرة على نفط الشرق الأوسط، وإنما تعمدت أن تدعو أيضاً مجموعة من الشركات المستقلة التي لم يكن لها في ذلك الوقت امتيازات بترولية في الشرق الأوسط، أو حتى خارج بلدانها، وذلك لايجاد تنافس حقيقي بين الشركات.

فالشركات المستقلة ستبذل كل جهدها للعثور على البترول وتسويقه في أقرب فرصة وبالتالي فإنها ستكون عنصر ضغط تنافسي مستمر على الشركات الكبرى، لا سيما وأن البترول الليبي، إن وجد، لا يحتاج للوصول إلى الاسواق الاوروبية أو الأمريكية إلى العبور من قناة السويس أو دفع رسوم القناة، ولا يحتاج كذلك إلى خطوط أنابيب تمر عبر أراضي بلدان أخرى بحيث يتعرض للانقطاع، كما حدث مراراً للبترول العراقي المارّ عبر سوريا.

وبطبيعة الحال لم ترتح الشركات الكبرى لوجود هذه الشركات المستقلة وحاولت الطعن في كفاءتها وقدرتها على التسويق وقدرتها المالية. غير أن ذلك لم يؤثر على موقف الحكومة الليبية، وشاركت الشركات المستقلة، في الاجتماع على قدم المساواة مع الشركات الكبرى. وكذلك كنا قد اتخذنا منذ البداية، بالتفاهم بيني وبين الدكتور القاسم، موقفاً محدداً من طريقة منح عقود الامتياز.

ويتلخص ذلك الموقف في أن يكون الهدف من القانون تشجيع العمليات الميدانية والتركيز عليها، بحيث نطمئن إلى ان البحث عن البترول سيسير بأسلوب جدّي. ولذلك قررنا التعامل مع تلك الشركات بمرونة كبيرة، واعطائها قدر معقول من الحرية فيما يتعلق ببرامج العمل والبحث، علماً بأنها، وبنص القانون، ستضطر للتخلي عن نسب كبيرة من المساحات على فترات متعاقبة وتعود إلى الحكومة الليبية حرية التصرف فيها من جديد لشركات أخرى، وبشروط أفضل، بعد أن تكون قد اتضحت مدى انتاجيتها

للبترول، فقد نصت المادة العاشرة من قانون البترول (التخلي عن منطقة العقد) على أنه:

١. يجب على صاحب العقد أن يخفض العقد إلى ٧٥ بالمئة من مساحته الأصلية وذلك خلال السنوات الخمس الأولى ابتداءاً من تاريخ العقد. وعليه خلال السنوات الثمانية من هذا التاريخ أن يخفضها مرة أخرى إلى ٥٠ بالمئة من مساحتها الأصلية، وعليه خلال السنوات العشر من التاريخ ذاته أن يخفضها مرة ثالثة إلى ٣٣ وثلث بالمئة من مساحتها الأصلية بالنسبة إلى المناطق الواقعة في القسمين الأول والثاني وإلى ٢٥ بالمئة من مساحتها الأصلية بالنسبة إلى المناطق الواقعة في القسمين الثالث والرابع مع مراعاة ألا يفرض على صاحب العقد بحال من الأحوال تخفيض منطقة العقد إلى أقل من ٣٠٠٠ كيلومتر مربع في القسمين الأول والثاني وإلى أقل من ٥٠٠٠ كيلومتر مربع في القسمين الثالث والرابع.
٢. يحق لصاحب العقد في أي وقت أن يتخلى عن منطقة العقد كلها أو بعضها بشرط إخطار اللجنة بذلك كتابة قبل التخلي بثلاث أشهر على الاقل.
٣. عند تطبيق الفقرتين ١ و ٢ من هذه المادة يكون لصاحب العقد حرية اختيار المساحات التي يتخلى عنها من جزء واحد أو أكثر من أجزاء منطقة العقد بشرط أن يكون الجزء أو الأجزاء التي يحتفظ بها متلاحمة ومحددة بقدر الإمكان بالخطوط المبينة في الخريطة الرسمية الصادرة من اللجنة. وتظلّ لصاحب العقد جميع الحقوق الممنوحة له في عقد الامتياز بالنسبة إلى المساحات التي يحتفظ بها.
٤. يرفق بإخطارات التخلي رسم يحيل إلى الخريطة الرسمية الصادرة من اللجنة وكذلك بيان وصفي يوضحان على وجه الدقة المساحات المتخلي عنها والمساحات المحتفظ بها.

٥. فيما يتعلق بالمساحات التي يتخلى عنها صاحب العقد حقه ينقضي في استعمال أي حق من الحقوق المخولة له بمقتضى العقد فيما عدا ما نص عليه في البند ٢٦ من الملحق الثاني لهذا القانون، كما تسقط عنه الالتزامات المفروضة عليه فيما عدا ما يتعلق منها بتصرفاته في المساحات المذكورة قبل التخلي عنها وذلك مع عدم الاخلال بما لصاحب العقد من حقوق استعمال في المساحات التي تخلى عنها.

واتفقنا كذلك ومنذ البداية على ألا تعطى أولوية الحصول على عقود الامتياز لأية شركة من الشركات مهما كان وضعها أو جنسيتها، وعلى أن ينظر إلى الشركات المؤهلة بمنظار المساواة.

حل مشكلة الأولوية التي طالبت بها الشركتان البريطانيتان

كانت مشكلة الأولوية هذه من أعقد المشاكل، ولذلك فإنه من المهم والمفيد خصوصاً للقراء من الجيل الجديد أن أشرح ببعض التوسّع مشكلة الأولوية التي كادت أن تسبب أزمة حادة مع الحكومة البريطانية، والتي وقفنا فيها، زملائي وأنا، موقفاً صلباً كان له أنجح الأثر في تكريس سياسة المساواة والتنافس الحر بين جميع الشركات، تلك السياسة التي سرعان ما أتت ثمارها في اكتشافات بترولية هامة وبسرعة لا مثيل لها.

كانت الشركتان البريطانيتان شل وبريتش بتروليوم قد قامتا أثناء الإدارة العسكرية (منذ عام ١٩٤٣) بالبحث عن البترول في مناطق متعددة من ولايتي طرابلس وبرقة، غير أنهما لم تعثرا على شيء، ولكنهما كانتا تطالبان بما أسمتاه حق الأولوية على غيرهما من شركات البترول في الحصول على المناطق التي تريدانها ثم بعد أن تختار هي ما تريد يجري توزيع المناطق المتبقية على بقية الشركات. وكانت تبرر طلبها في الأولوية بأنها جاءت إلى البلاد قبل غيرها وبذلت جهوداً وأموالاً في أبحاثها.

وبالرغم من أن وعود الإدارة العسكرية، لا تقيّد الحكومة الليبية بأي وجه، إلا أنه تبيّن

بعد البحث أن الإدارة العسكرية البريطانية لم تلتزم قانوناً بأن تمنح أياً من الشركتين امتيازاً خاصاً. وقد ادّعت الشركتان حصولهما على وعود شفوية من رئيس الوزراء السابق محمود المنتصر، ولكن البحث قد أثبت أنه لا صحة لدعوى الشركتين. وكان من السهل عند هذا الحدّ إقفال دعوى الأولوية لولا أن الحكومة البريطانية جاءت تؤيد دعوى الشركتين بقوة وبأنواع مختلفة من الضغوط، بل أن مستشاري الحكومة الليبية الغربيين حاولوا توريط الحكومة، فأدرجوا في مشروع قانون البترول الأول الذي وزّع على شركات البترول نصّاً غامضاً يقبل بمبدأ الأولوية، والأدهى والأمرّ، هو ما اطّلعت عليه مؤخراً في وثائق وزارة الخارجية البريطانية بما كان بينها وبين سفارتها في ليبيا وشركتي البترول البريطانيتين والمستشار القانوني للحكومة الليبية وليام ديل من تنسيق وتعاون وثيق لتوريط الحكومة لكي تعطي حق الأولوية للشركتين البريطانيتين.

ورغبةً في تقوية موقف الشركتين وإرهاب المسؤولين الليبيين فقد اختارت شركة شل البريجادير موريس لاش كممثل لها في ليبيا، وهو أول حاكم عسكري بريطاني لولاية طرابلس الغرب عينه المارشال مونتجمري حاكماً عام ١٩٤٣. وكان مشهوراً بالشدة في إدارته والتعالي والغطرسة في علاقته مع الليبيين. وظل يتوهم أن أوامره أو طلباته لا زالت مطاعة ولا تقبل المناقشة كما كان الحال عندما كان حاكماً عسكرياً لطرابلس.

وزيادة في إيضاح خطورة قبول مبدأ الأولوية للشركتين البريطانيتين أكرر القول أن قبولنا اعطائهما حق الأولوية كان سيحول الوطن كله إلى منطقة احتكار واحدة كما كان الحال في ذلك الوقت في السعودية والكويت والعراق.

فكانت شركة أرامكو في المملكة السعودية، وشركة KOC في الكويت، وشركة IPC في العراق تتمتع بشبه احتكار تام لموارد البلاد البترولية، في حين كنا في ليبيا نهدف للتعاون مع أكبر عدد ممكن من الشركات المتعددة الجنسيات والمشارب في جوّ من المساواة والتنافس الحرّ لنصل في أقل وقت إلى اكتشاف البترول بكميات وفيرة، ولنحصل من تلك الشركات – نتيجة تنافسها – على أفضل الشروط بما يحقق مصالحنا الوطنية. لذلك فقد أردت أولاً أن أفهم الحكومة البريطانية والبريجادير لاش بالحسنى

بأن مصلحة ليبيا تستدعي أن نتجنب موضوع الأولوية.

وفي نفس الوقت، ولتفادي تصادم مبكر مع الحكومة البريطانية، فقد كنت ألجأ إلى استعمال بعض الوعود المطاطة مثل: أنني برغم معارضتي لمبدأ الأولوية فإنني سأبذل جهدي في إقناع وزير المالية لإيجاد حل وسط يحافظ على مصالح ليبيا الأساسية ويرضي الشركات البريطانية. إلا أنني كنت على يقين من أنه لا وجود لمثل هذا الحل الوسط كما أنني كنت على تفاهم تام مع وزير المالية بل كنا نتقاسم الادوار في مناورات كسب الوقت، وعاونني في مناوراتي هذه، بالإضافة إلى وزير المالية، الدكتور القاسم.

ولكن يبدو أن البريجادير لاش بدأ يدرك مراوغتنا، لذلك حاول أن يتخطى الوزارة وأن ينقل مساعيه ومطالبه إلى الملك كما يتضح من الرسالة المرسلة من السفارة البريطانية بطرابلس إلى وزارة الخارجية البريطانية، حيث ورد في الفقرة السادسة منها أن البريجادير لاش بالتفاهم مع مستر بريدجمان، رئيس مجلس إدارة بريتش بتروليوم، قد حثّ السفير البريطاني كيركبرايد على رفع مظلمة الشركتين البريطانيتين إلى الملك، لأنه أقدر من وزرائه على فهم القيم المعنوية التي يقوم عليها مطلب الشركتين البريطانيتين في حق الأولوية. ولكن كيركبرايد رفض بذل مساعيه في هذا الموضوع لدى الملك، لأن الملك سوف لن يتقبل مثل هذه المساعي بالرضى لأنها من اختصاص وزرائه. ثم يمضي كيركبرايد فينصح البريجادير لاش بأن لا يلتمس موعداً لمقابلة الملك في هذا الخصوص.[(٦٧)]

وفي طريقي لزيارة الرئيس أيزنهاور في واشنطن في يوليو ١٩٥٤ توقفت ليومين في لندن، ودعاني وزير الدولة للشؤون الخارجية سلوين لويد للغداء، ومن بين المواضيع التي أثارها معي كان طلب الشركات البريطانية للحصول على حق الأولوية، بل إن البريجادير تبعني إلى لندن وحاول انتزاع وعد مني. ولكني اتبعت في كلتا الحالتين سياسة المجاملة ومزيجاً من الوعود الجوفاء كسباً للوقت حتى نصل إلى مرحلة حاسمة نعلن فيها سياستنا الحقيقية دون لبس أو غموض.

---

(٦٧) راجع الملحق رقم ٤٥

وتكشف وثائق وزارة الخارجية البريطانية عن مدى الأهمية التي كانت تعيرها حكومة لندن والشركتين البريطانيتين لموضوع حصولهما على حق الأولوية. كما تكشف هذه الوثائق النقاب عن التعاون الذي كان قائماً بين ممثلي الشركتين والمستشار القانوني البريطاني الذي كان يعمل رئيساً لدائرة التشريع في الحكومة الليبية ويتولى إعداد قانون البترول الجديد. بل أن هذه الوثائق تكشف النقاب عن محاولات مخجلة من قبل الحكومة البريطانية والمستشار القانوني العتيد وشركتي البترول لتوريط الحكومة الليبية وحملها على قبول مبدأ الأولوية المذكور.

وللحقيقة والأمانة التاريخية فإن الواضح من الوثائق البريطانية أن الحكومات الليبية السابقة كانت تناور وتراوغ من أجل رفض طلب الشركتين البريطانيتين.

غير أنه من الواضح كذلك أن المستشار القانوني البريطاني قد تمكن من إدخال نص صريح يعطي، عند تطبيقه، الأولوية للشركات البريطانية وذلك في مشروع القانون الذي أعده ووزّع نسخاً منه على شركات البترول. ولذلك فإنه عندما عقد الاجتماع المشترك الأول بين ممثلي الحكومة الليبية وممثلي شركات البترول في أول نوفمبر ١٩٥٤، فإن كبير ممثلي الحكومة الليبية (أنيس القاسم)، بناءً على تعليمات مشددة مني، أبلغ الشركات قرار الحكومة الليبية النهائي بأنها ترفض رفضاً قاطعاً منح أية أولوية لأي شركة بترول.

وكان وقع هذا القرار شديداً على الشركتين البريطانيتين، ولم يعد أمامهما إلا أحد خيارين: أن تنفذا تهديدهما بالانسحاب، أو أن تقبلا بالقرار الليبي. فقررتا قبول الوضع الجديد والتراجع أمام موقف الحكومة الليبية الصارم.

ويبدو أن وقع القرار كان شديداً – أيضاً – على السفارة البريطانية في طرابلس. فقد جاءني السفير البريطاني الجديد جراهام للحديث حول ذلك الأمر وكان رجلاً لبقاً، وأفهمته بسهولة أن مصلحة ليبيا العليا تعلو على أية مصلحة أخرى، ولا تسمح لي بأن أعطي أولوية لأحد، وتملي علي أن نجعل تعاملنا مع جميع الشركات تعاملاً عادلاً منصفاً في جو من المنافسة الحرة النزيهة دون أي محاباة.

وأنهيت حديثي معه بالجملة الآتية: إنني أعرف أنك يا سعادة السفير ممثل صاحبة

الجلالة البريطانية، ولا أظنك ممثلاً لشركتي بريتش بتروليوم أو شل. وفهم السفير، ويبدو أنه حاول إقناع حكومته بسلامة وجهة نظرنا، إلا أن البريجادير لاش لم تتوقف تدخلاته، بل حاول مرة أخيرة أن يحظى لشركته بأولوية بالنسبة لمنطقة تنافست عليها جميع الشركات في المرحلة الأولى لمنح عقود الامتياز.

ولا بد أن أشير هنا إلى حقيقة هامة وهي أن الشركات البريطانية التي أقامت الدنيا وأقعدتها واستعملت وسائل الضغط لكي تفرض علينا حق الأولوية، لم تتمكن من اكتشاف نقطة بترول واحدة في حقوق الامتياز التي منحت لها، وكان الاكتشاف الوحيد الذي ساهمت فيه شركة بريتش بتروليوم كان في منطقة امتياز شركة بنكرهانت الأمريكية بعد الاندماج الذي حدث بين الشركتين في عام ١٩٥٩، بعد خروجي من الوزارة بحوالي سنتين.

الاتصال بشركات البترول في أمريكا

كنت في زيارة رسمية للولايات المتحدة الأمريكية في يوليو ١٩٥٤، وبعد انتهاء محادثاتي مع الرئيس أيزنهاور ومساعديه قمت، وبرفقة الدكتور علي العنيزي، بزيارة لولايات اوكلاهوما وتكساس ولويزيانا، حيث قمنا بزيارات مكثفة لحقول البترول في تلك الولايات الغنية بالبترول، واستمعت لشرح الخبراء وحاولت استيعاب اكبر قدر من المعلومات عن صناعة البترول. كما ناقشت باسهاب كبار رجال تلك الصناعة، وفهمت منهم بكل صراحة ودون لبس أنهم على استعداد لبذل جهود كبيرة ورصد أموال وفيرة للبحث والتنقيب عن البترول في ليبيا، شريطة أن نضمن لهم معاملة أساسها العدل والإنصاف والمنافسة الحرة. كما فهمت فهماً لا لبس فيه أن الشركات الأمريكية سواء منها الكبرى أو المستقلة لن تقبل بأي نوع من الأولوية لأية شركة مهما كانت جنسيتها.

أودّ هنا أن أذكر قصة حوار جرى لي مع صحافي أمريكي متخصص في شؤون البترول. كان ذلك الصحافي ضمن مجموعة من رجال البترول اجتمعت بهم في هيوستن، تكساس، أثناء تلك الرحلة. فاجأني الصحافي بسؤال محرج عندما قال: أنت

تقوم بدعاية هنا لتشجيع شركات البترول ورؤوس الأموال الأمريكية للعمل في بلدك، وبذل جهدها وتوظيف أموالها هناك للبحث عن البترول، ولكن قل لي ما هو دليلك على وجود البترول في ليبيا؟ أطرقت قليلاً ثم أجبت بسؤال: هل زرت السعودية؟ وعندما أجاب بنعم، استأنفت قائلاً: لا شك أنك رأيت في السعودية صحراء وجمال وبدو ورمال... وبترول، كذلك في ليبيا عندنا صحراء وجمال وبدو ورمال... فلا بد أن يكون لدينا بترول. وتعالت ضحكات الحاضرين... ثم أضفت أن هذا هو الدليل الوحيد الذي أملكه الآن.

إني أذكر هذه القصة ليدرك القارئ الوضع الذي كنا نواجهه عام ١٩٥٤ عندما كنا نحاول بكل الوسائل تشجيع رؤوس الأموال والتقنية الغربية للبحث عن البترول في ليبيا، وليعرف كذلك الأسباب التي جعلتنا نصدر قانون البترول الأول في صورته المعتدلة المشجعة للشركات على استثمار أموالها للبحث والتنقيب. ولكن بمجرد أن اكتشف البترول وتأكد وجوده بكميات تجارية، بدأت لجنة البترول في المطالبة بامتيازات كثيرة وتحسينات جديدة على نصيب الحكومة من الدخل والآتاوات، كما سيأتي شرحه فيما بعد.

ولعلّه من الطبيعي - الآن - وبعد اكتشاف البترول بكميات تجارية في مواقع متعددة، أن يظن البعض أن الشروط التي وردت في قانون البترول كانت سخية إلى حدّ ما بالنسبة لشركات البترول، غير أن هذا الظن يتناسى أن الإمكانيات البترولية في ليبيا كانت مجهولة تماماً، وأنه لولا هذا السخاء فإنه كان من المشكوك فيه أن تقدم الشركات البترولية على إنفاق الملايين من الدولارات لمجرّد الأمل في العثور على البترول، ويتجاهل الهدف الأساسي الذي كنا نسعى إليه وهو محاولة تأمين الإستقلال الإقتصادي للبلاد. ويتجاهل أخيراً أن التأكد من وجود البترول بالفعل، هو العامل الحاسم الذي أدى إلى تطوير شروط العقود البترولية.

النقاط الأساسية
التي ارتكز عليها قانون البترول الجديد

ذكرت فيما سبق أن النقاط الأساسية التي ارتكز عليها القانون هي ضمان العمل الجدّي بحيث لا تتقاعس الشركات في البحث عن البترول والعثور عليه بأسرع ما يمكن، والطريقة في غاية البساطة ولا يبدو في ظاهرها أي إرهاق على الشركات... وتتلخص في نقطتين:

الأولى: أن كل عقد امتياز يعتبر عقداً مستقلاً قائماً بذاته وبالتزاماته.

الثانية: على صاحب عقد الامتياز أن يتخلى إجبارياً عن نسبة معينة من مساحة امتيازه البترولي المحدد في العقد بعد فترات حددها القانون. معنى هذا أنه يتعين على صاحب عقد الامتياز ان يبذل قصارى جهده، خلال الفترة الزمنية المحددة للتخلي، لكي يتعرف على الإمكانيات البترولية للمنطقة بحيث لا يتخلى عن منطقة مأمولة. إزاء هذا، فإن مسألة الالتزامات المالية بالانفاق أو وضع برنامج محدد للتنقيب والبحث يلتزم صاحب العقد بتنفيذه كانت مسألة ثانوية، لأن مصلحته تفرض عليه جدية البحث والعمل والاّ أضاع على نفسه فرصة العثور على البترول بالتنازل عن مناطق ربما يعثر فيها عليه لو أنه بذل جهداً جدياً. ونتيجة لهذا المنهج شهدت ليبيا في السنوات الخمس الأولى بعد صدور قانون البترول أكبر نشاط بترولي في تاريخ صناعة البترول في العالم.

البترول ملك الأمة الليبية

بعد الانتهاء من وضع مشروع القانون من قبل الاجتماع المشترك، عُرض المشروع على مجلس الوزراء فوافق عليه، بعد إدخال تعديلات طفيفة. ثم جرى عرضه على مجلسي

النواب والشيوخ وتمت الموافقة عليه واصداره بتاريخ ٢١ ابريل ١٩٥٥ بعد مناقشات حادة وصعوبات كثيرة أثارها تمسك نواب يمثلون بعض القبائل مطالبين لقبائلهم بالحق في جزء من الثروة البترولية. بل أن بعض أولئك النواب نادى بمطلب ملكية الاشخاص والقبائل لجميع ما يعثر عليه في أراضيهم من ثروات معدنية أو بترولية، وأيّدوا وجهة نظرهم هذه بما هو جارٍ في الولايات المتحدة حيث يمتلك الأفراد جميع ما يعثر عليه في أراضيهم من بترول. ومن السهل على القارئ تصور ما كان قد يحدث لو قبلنا بهذا المطلب من تفاوت خطير في توزيع الثروة في الوطن. لذلك فقد قاومنا ذلك المطلب بكل قوة واستعملنا في ذلك من الضغوط قدراً كبيراً حتى تمكّنا من تثبيت مبدأ ملكية الدولة لجميع ثروات الوطن البترولية.

وقد تم نشر قانون البترول في الجريدة الرسمية يوم ١٩ يونيو ١٩٥٥ وسرى مفعوله اعتباراً من ١٩ يوليو ١٩٥٥.

إنشاء لجنة البترول

ولتنفيذ القانون لا بد من تشكيل لجنة البترول. وحصل التشاور مع الولاة وتمّ الإتفاق على تشكيل اللجنة الأولـى من الدكتور أنيس القاسم رئيساً، وعضوية كل من محمد السيفاط عن ولاية برقة، والطاهر البشتي عن ولاية طرابلس، وأبو بكر أحمد عن ولاية فزّان. وصدر مرسوم ملكي بتعيينهم يوم ٢١ مايو ١٩٥٥، وذلك حتى تكون اللجنة جاهزة لتطبيق القانون بمجرد دخوله حيّز التنفيذ.

وبدأت اللجنة عملها، وكان عليها أول الأمر، أن تتلقى الطلبات من الشركات. وقد وضع القانون معايير محددة للشركات التي يمكن أن ينظر في طلباتها الأصلية، ومن بين هذه المعايير الخبرة في صناعة البترول والكفاءة المالية، على ان يراعى دائماً عنصر هام وهو مصلحة البلاد العليا. وفي اطار هذا المعيار يمكن رفض أية شركة، حتى ولو كانت مؤهلة من النواحي الأخرى، إذا اتضح أن منح عقود لها لا يخدم مصلحة البلاد. وكانت أول مناسبة لتطبيق هذا المعيار عندما تقدمت مجموعة شركات كونورادو

(اويزس فيما بعد) طالبة عقود امتياز في الدورة الأولى لمنح العقود. وبعد البحث تبيّن للجنة أن هذه الشركات وإن كان عددها ثلاث شركات، إلا أنها متداخلة وتكوّن مجموعة واحدة، ورأت اللجنة، وقد وافقتها على رأيها، أن اعتبار هذه الشركات في هذه المرحلة ثلاث شركات مستقلة لا يخدم المصلحة العامة لأنه يركّز في يد مجموعة واحدة ما يمكن لثلاث شركات مستقلة الواحدة عن الأخرى أن تحصل عليه وتركز جهودها فيه. ولذلك وبالإتفاق معي ومع وزير الإقتصاد الوطني اتخذت اللجنة قراراً باعتبار هذه الشركات الثلاثة شركة واحدة في تلك المرحلة. واحتجت الشركات الثلاثة على ذلك القرار، ولكنها لم تجد منفذاً للخروج منه بالنظر إلى التفاهم الوثيق الذي كان قائماً بين جميع المسؤولين. ولو كانت هناك أربع جهات، كما قال المشروع الأصلي لقانون البترول، لما أمكن الوصول إلى هذا الإتفاق.

وبموجب القانون كان على الشركات أن تقدم طلباتها قبل منتصف ليلة ٢٦ يوليو ١٩٥٥ حتى تعتبر طلباتها متساوية في الأولوية. ولذلك بقيت مكاتب اللجنة مفتوحة تتلقى الطلبات حتى منتصف الليل.

وبطبيعة الحال فقد جاءت الطلبات متعارضة فيما بينها ومتداخلة، وبموجب القانون كانت المرحلة الأولى على هذا التعارض هو التفاوض فيما بين الشركات، فإذا فشلت في مفاوضاتها اتخذت اللجنة القرار الذي تراه مناسباً.

وقد يبدو غريباً أن يترك للشركات أن تتفاوض، ولكن تزول الغرابة إذا تذكرنا:

أولاً: أن البلاد كلها تعتبر بِكراً من الناحية البترولية فلا ميزة، في ذلك الحين، لمنطقة على أخرى.

وثانياً: فإن الشركات التي قُبلت طلباتها جميعها اعتُبرت مؤهلة قانوناً للحصول على عقود بترولية، ولهذا لا فرق عندنا اين تعمل هذه الشركة أو تلك.

ثالثاً: أن القانون قد عيّن الحد الأعلى الذي يمكن لأي شركة أن تحصل عليه سواء من حيث مساحة المنطقة وعدد العقود أو حتى شكل هذه المناطق على الطبيعة.

وكانت نتيجة المفاوضات تسوية الخلافات في جميع المناطق باستثناء منطقة

واحدة، وأدت هذه التسوية إلى انتشار العقود في معظم أرجاء البلاد حيث عمّت الفائدة جميع المناطق وليس مناطق محددة. وهذا من ضمن ما كنا نسعى اليه.

أما المنطقة التي لم يحصل إتفاق بشأنها فهي مساحة ثمانية كيلومترات مربعة في شمالي ولاية برقة تعرف بمنطقة جردس العبيد. وكان سبب تناحر الشركات عليها أن الظواهر الجيولوجية السطحية تشير كلها إلى احتمال وجود البترول فيها. وكان على اللجنة أن تحل الخلاف، وبالإتفاق معي. وكنت أعقد اجتماعات يومية مع رئيس اللجنة الدكتور القاسم نبحث فيها التطورات ونضع التصورات والحلول، وإتفقنا على استغلال تلك الفرصة إلى أبعد حدّ ممكن ما دام أن تلك هي المنطقة التي يبدو أنها المأمولة في العثور على البترول وإخراج البلاد من ضائقتها المالية.

وبدأ رئيس اللجنة التفاوض مع الشركات واحدة واحدة سعياً وراء الحصول على أفضل العروض. وكان الذي نسعى إليه ليس دفعة مقدمة تصرف وينتهي أمرها، وإنما كنا نسعى للحصول على برنامج عمل مكثف في اكتشاف البترول بأسرع ما يمكن. وبعد مفاوضات مضنية جاء أفضل العروض من شركة صغيرة هي الشركة الليبية-الأمريكية للبترول، حيث تم الإتفاق معها على تقسيم تلك المنطقة إلى ثلاثة أجزاء، ووضع برنامج للحفر في كل جزء من هذه الأجزاء الثلاثة بعدد الآبار التي يجب أن تحفر، وبالمدة التي يبدأ فيها الحفر، وكانت ثمانية أشهر فقط وهي فترة زمنية قياسية، ربما لم تكن كافية حتى لإستيراد معدات الحفر اللازمة من الخارج. ففي الوقت الذي يمنح فيه قانون البترول جميع الشركات مهلة ثمانية أشهر للقيام بأعمال الاستطلاع – فقط – عن البترول (المادة ١١) اشترطنا نحن على هذه الشركة أن تقوم خلال ذات المهلة بحفر الآبار الثلاثة المتفق عليها.

طرد البريجادير موريس لاش من ليبيا

كان من عادة البريجادير موريس لاش، ممثل شركة شل في ذلك الوقت، أن يستعمل أسلوب التهديد للحصول على امتيازات خاصة لشركته. وكانت تهديداته تقابل دائماً

بالرفض سواء مني أو من رئيس اللجنة الدكتور القاسم. وكانت أول صدمة له رفض منح شركته أية أولوية في اختيار المناطق والحصول على امتيازات بترولية. وكان يهدّد ويتوعّد إذا لم يُستجب لموقف شركته من هذا الطلب.

وجاءت الصدمة الثانية عندما قررت اللجنة منح امتياز منطقة جردس العبيد لشركة صغيرة . وكان قد عقد عدة اجتماعات مع رئيس اللجنة قبل اتخاذ القرار، وهدّد بأن شركته ستنسحب إذا أعطى الامتياز في تلك المنطقة لغيرها. كما أنه رفض ان يقبل الشروط التي قبلتها الشركة الليبية–الأمريكية في برنامج الحفر السريع كما ورد. وكان جواب رئيس اللجنة باستمرار بأن شركته حرة في اتخاذ الموقف الذي تريده، وأما اللجنة فدورها هو حماية مصلحة البلاد وتتخذ قراراتها في ضوء تلك المصلحة.

وبعد صدور القرار وجّه لاش رسالة إلى اللجنة وبعث منها نسخة إلي يحتج فيها ويعبر عن رأيه بأن اللجنة لم تتصرف وفق مصلحة البلاد عندما منحت الامتياز لتلك الشركة بدلاً من شركته. وعلى الفور طلبت من رئيس لجنة البترول ان يستدعي البريجادير إلى مكتبه ويخبره أن الذي يقرر ما هو من مصلحة البلاد هو الحكومة الليبية وليس البريجادير لاش، وأن اللجنة ترفض هذا النوع من التدخل، وأنه (أي رئيس اللجنة) سيطلب من شركة شل سحبه من البلاد. وبالفعل وجه رئيس اللجنة رسالة لرئاسة شركة شل طلب فيها سحب ممثلها فتم نقله إلى خارج البلاد على الفور.

وشاع الخبر لدى الشركات وكان المقصود به أن يكون درساً لها جميعاً من أننا نرفض أن تتدخل بأي وجه من الوجوه في القرارات التي تتخذها اللجنة في حدود القانون.

دعاية خبيثة تبثها بعض الشركات ضد الحكومة

وبطبيعة الحال روَّجَت بعض الشركات بأن منح عقد الامتياز للشركة الليبية–الأمريكية كان نتيجة رشوة، مع أن الشروط القاسية التي فُرضت على تلك الشركة كافية في حد ذاتها لدحض أية تهمة من هذا القبيل. بل أن هذه الشركة قبلت شروطاً رفضت الشركات الأخرى قبول ما هو أقل منها.

وانغمست الشركة الليبية–الأمريكية للبترول في عمليات الحفر في منطقة جردس العبيد وأغفلت أن تقوم بأي نشاط في عقد آخر من عقودها في منطقة فزّان. وكان القانون يفرض مباشرة أعمال الاستطلاع عن البترول في كل من العقود خلال ثمانية أشهر من التوقيع على العقد. وجاءني الدكتور القاسم يخبرني بأن الشركة الليبية–الأمريكية تعتبر مخالفة لشروط عقد امتيازها في منطقة فزّان، وبالتالي فإن من حق اللجنة أن تسحب العقد وتلغيه، وأنه يرى من الضروري إلغاء العقد أولاً لأن الشركة أخلّت بشروطه، وثانياً لتعرف جميع الشركات بأن اللجنة لن تتهاون في مسألة وفاء الشركات بجميع التزاماتها على الوجه الصحيح الذي يقتضيه القانون. ووافقت على اقتراحه دون تردد.

وبالفعل اتخذت اللجنة قرارها بالغاء عقد الشركة بولاية فزّان بالرغم من احتجاجاتها وتبريرها لموقفها بأنها كانت منهمكة في تنفيذ التزاماتها في منطقة جردس العبيد.

وبصدور هذا القرار تبخرت الشائعات وتأكد لجميع الشركات أن السيادة فعلاً هي للقانون، وللقانون وحده.

ولعله من المفارقات العجيبة أن منطقة جردس العبيد التي تنافست عليها شركات البترول وتناحرت من أجل الحصول على عقد الامتياز فيها، والتي كنا نعوّل عليها كثيراً في الحصول على عائد سريع يخرج البلاد من ضائقتها المالية لم يعثر فيها على أي بترول. فلقد قامت الشركة بحفر البئر الأول ووجدته جافاً، وحاولت التخلص من العقد الذي يلزمها بحفر ثلاثة آبار في ذات المنطقة، ولكننا رفضنا محاولتها وأجبرناها على حفر البئرين اللذين نُصّ عليهما في العقد، وبكل أسف كانا جافّين هما أيضاً.

وبمناسبة الحديث عن الرشوة، كان من الضروري إفهام شركات البترول بأن الرشوة لا محل لها في ليبيا في ذلك الوقت، وجاءت مناسبة لوضع هذه النظرية موضع التطبيق، ذلك أن إحدى الشركات الأمريكية تقدمت بطلب للحصول على عقد امتياز ورفضت اللجنة طلبها. ولم تمضِ أيام إلاّ والشركة ترسل رسالة لرئيس اللجنة تفيده بأنها اشترت باسمه أسهماً في شركة ملاحة، وأنها في استطاعتها ان تضع هذه الاسهم باسم وكيل له بحيث لا يُعرف أبداً بأنها له، وفي المقابل، وبطبيعة الحال، طلبت مساعدته في الحصول

على عقود الامتياز.

وأطلعني رئيس اللجنة على تلك الرسالة فوجهته بأن يحولها للنيابة العامة وذلك للقبض على ممثل الشركة عندما يدخل البلاد بتهمة محاولة رشوة موظف عمومي. وبالفعل قام رئيس اللجنة بإبلاغ النيابة العامة في طرابلس بالواقعة وطلب منها اتخاذ الإجراءات اللازمة.

ويبدو أن الشركة المذكورة قد أحسّت بما حدث وخاصة عندما لم يصلها رد بالقبول من جانب رئيس اللجنة فلم ترسل أحداً إلى طرابلس. غير أن رئيس اللجنة بدأ يطلع مدراء الشركات على تلك الرسالة وعلى قرار احالتها للنيابة العامة بحيث تدرك تلك الشركات بأن الموقف ضد محاولات الرشوة موقف جدّي وحاسم وأن أية محاولة من ذلك القبيل ستعرض من يقوم بها لتهمة جنائية. ت

بهذا الأسلوب وبهذه الأمثلة الواقعية أصبح واضحاً لدى الجميع بأنه لا مجال للتلاعب أو التحايل وأن القانون وحده هو الذي يحكم العلاقة بين الحكومة والشركات.

ومع الأسف فإن هذا الموقف لم يستمر بعد استقالتي، وبدأ رئيس اللجنة يتعرض لضغوط لا حدود لها من اصحاب النفوذ ومن كبار المسؤولين في الدولة.

محاولات لتعديل أساس توزيع أرباح البترول

لقد كانت سياسة الحكومة، حتى قبل اكتشاف البترول، تهدف إلى تحسين شروط العقود لصالح الدولة الليبية كلما سنحت الفرصة لذلك. وبالفعل فقد صدرت عقود متعددة بشروط أفضل من العقود الأولى من الناحية المالية بوجه خاص، إلاّ أننا لم نستطع التغلب على مبدأ مناصفة الأرباح الذي كان قد استقرّ في البلدان المنتجة للبترول في الشرق الأوسط.

وسنحت الفرصة بظهور انريكو ماتاي رئيس شركة أجيب الإيطالية في الميدان البترولي. فقد اتفق ماتاي مع الحكومة الإيرانية في أوائل عام ١٩٥٧ على عقد جديد تكون فيه نسبة الأرباح للحكومة الإيرانية ٧٥٪ والـ٢٥٪ المتبقية لشركة أجيب. ولهذا فقد

سارعتُ وأجريتُ إتصالات به وساعدني في ذلك صديق إيراني هو السيد انتظام، رئيس شركة البترول الوطنية الإيرانية في ذلك الوقت، وهو الذي تفاوض مع ماتاي نيابةً عن الحكومة الإيرانية.

وبدأتُ مع ماتاي المفاوضات بعلم رئيس لجنة البترول ومشاركته في إعداد الوثائق اللازمة، ووصلنا إلى المراحل الأخيرة من الإتفاق غير أنني استقلت قبل التوقيع على العقد مع شركة أجيب.

لم تكن أهمية محاولة الإتفاق مع شركة أجيب محصورة فقط في ميزة حصول ليبيا على ٧٥٪ من الأرباح، بل أن الأهمية تكمن في هدف تحطيم مبدأ مناصفة الأرباح مع شركات البترول الذي كان أساساً للعقود البترولية في ليبيا والشرق الأوسط (كانت الدول المنتجة تتقاسم أرباح البترول مناصفة مع شركات البترول بعد استقطاع المصاريف)، ومن البديهي أن هذا لو تحقق سيعدُّ سابقة لا شك ستليها محاولة من الحكومة الليبية لتطبيقها على العقود السابقة، لذلك فقد كانت مفاوضاتنا مع ماتاي محاطة بسرية تامة تجنّباً لما قد تقوم به شركات البترول الأخرى من عراقيل وصعوبات.

لما تقدم، وحرصاً على المصلحة الوطنية العليا فإنني بعد استقالتي اطلعت خليفتي عبد المجيد كعبار على تفاصيل مفاوضاتنا مع الشركة الإيطالية، ولافتاً نظره إلى الفوائد التي كنا نتوقعها من وراء ذلك الإتفاق على عقود الامتيازات البترولية الأخرى. ونصحته بالمضيّ في تلك المفاوضات متعاوناً مع رئيس لجنة البترول الذي كان على علم تام شامل بكل التفاصيل، وشدّدت على أهمية االسرية التامة محذّراً إياه من الصعوبات التي قد تقيمها شركات البترول الأخرى لو تسرب لها سر مفاوضاتنا مع شركة أجيب. وأكد لي تقديره لجهودي وإصراره على إتمام المفاوضات مع الشركة الإيطالية على نفس النهج الذي سرت عليه جملةً وتفصيلاً.

ومع الأسف الشديد فإن شيئاً من هذا لم يحدث. بل بالعكس سرعان ما تسرّب سر مفاوضاتنا إلى الشركات الأخرى فهبّت بنفوذها ومؤامراتها لوأد المفاوضات مع أجيب وتمّ لها ذلك في يسر وبأقل ثمن وعناء.

إجهاض الإتفاق مع شركة أجيب الإيطالية

أن اهتمامي بشؤون البترول، ورغبتي الشديدة في دفع نشاطه بسرعة فائقة وحمايته من الضغوط السياسية والمصالح الشخصية جعلتني أقيم سداً منيعاً حول لجنة البترول ورئيسها لحمايتهم من التدخلات والضغوط بحيث تكون قراراتهم أساسها أن السيادة للقانون وحده. وبالفعل اكتسبت لجنة البترول، في سنواتها الأولى على الاقل، سمعة عالية في النزاهة والكفاءة وسرعة الإنجاز والمراعاة التامة لسيادة القانون والحرص على مصالح الوطن. وكان لهذه السمعة الطيبة ما جعل شركات البترول تشعر بالثقة والاستقرار وتطمئن لجو الإنصاف فاندفعت صناعة البترول بكل قواها في نشاط.

غير أن جو الثقة هذا بدأ يتناقض بعد استقالتي - ويعلم الله – أنني أذكر هذه الحقيقة المؤلمة بكل أسف وأسى دون تفاخر أو مباهاة، ذلك أن ذوي النفوذ ورجال الحاشيات الملكية والوزارية ومحسوبيهم والتابعين... أولئك الذين اصطلح الناس على تسميتهم بمراكز الفساد، سرعان ما خلي لهم الجو وشعروا بزوال ذلك الحاجز الذي كان يمنعهم من الوصول إلى لجنة البترول، فبدأوا زحفهم الكريه عليها وعلى رئيسها بمساع حثيثة لطلبات وصفقات تتعارض مع مصلحة الدولة وأيّدوا مساعيهم تلك بالتلميح والضغط والتهديد. وعندما لجأ رئيس اللجنة إلى رئيس الوزراء آملاً أن يحميه من تلك الضغوط لم يجد عنده لا الحماية ولا التأييد بل سمع منه النصح بالتعاون مع الفساد الجديد.

وفي تلك الفترة كان أهم مراكز الفساد في عهد الحكومة التي تولّت بعدي هو عبدالله عابد السنوسي، الصديق الحميم لرئيس الوزراء الجديد والحليف العتيد لأهم رجال الحاشية الملكية.

وعندما تسرّب خبر المفاوضات الجارية بين الحكومة الليبية وشركة أجيب الإيطالية، - وأود أن يعفُ قلمي عن ذكر تفاصيل تسريب ذلك السر – فإن مجموعة من الشركات الأمريكية التي شعرت بالخطر الداهم الذي يهدد أرباحها في ليبيا، استنجدت بنفوذ عبدالله عابد واتفقت معه نظير ثمن بخس على أن يحصل لها من لجنة البترول على عقد امتياز لنفس المنطقة التي كانت موضع المفاوضة مع شركة أجيب.

وجاء عبدالله عابد ليبلغ رئيس لجنة البترول امراً شفوياً من رئيس الوزراء برفض طلب شركة أجيب للحصول على امتياز بترولي، واعطاء نفس منطقة الامتياز إلى مجموعة من الشركات الأمريكية تقدمت في نفس اليوم بطلب للحصول على ذلك العقد. وأسقط في يد رئيس اللجنة المسكين ولكنه رفض تلقي تعليمات من رئيس الوزراء عن طريق شخص غير مسؤول وغير مؤهل لذلك (برغم نفوذه الطاغي). وبعد يومين استدعاه رئيس الوزراء إلى مكتبه وأفهمه أنه يودّ أن يجامل ويساعد عبدالله عابد باعطاء عقد امتياز المنطقة التي تطالب بها شركة أجيب للشركات الأمريكية التي يمثلها. ولفت رئيس الوزراء نظر رئيس اللجنة إلى نفوذ عبدالله عابد الذي أصبح يعيّن ويقيل الوزراء. ولكن رئيس اللجنة رفض أمر رئيس الوزراء ولفت نظره إلى الفوائد العظيمة التي يحتوي عليها الأساس الجديد الذي سيقوم عليه الإتفاق مع شركة أجيب، ولفت نظره كذلك إلى رد فعل هذا الإتفاق على العقود الموقعة سابقاً مع الشركات المختلفة، وختم كلامه بأنه كرئيس للجنة البترول لا يستطيع أن يتغاضى عن تلك الفوائد العظيمة التي يحتوي عليها أساس الإتفاق الجديد مع أجيب، ولكن إذا أصرّ رئيس الوزراء على رأيه وقرّر ان مصلحة البلاد هي في استبعاد شركة أجيب ومنح نفس المنطقة لمجموعة الشركات الأمريكية، فما على رئيس الوزراء إلاّ أن يوجّه رسالة خطية بذلك إلى لجنة البترول، بصفته المسؤول الأول عن مصلحة البلاد العليا، ولجنة البترول ملزمة قانوناً بمراعاة مصلحة البلاد العليا في القرارات التي تتخذها.

وأذكر انني تحدثت مع عبد المجيد كعبار رئيس الوزراء لتأييد رئيس اللجنة في هذا الموضوع، ولمته على موقفه المساند لعبدالله عابد المتعارض مع مصلحة الوطن وذكّرته بالحديث الذي جرى بيننا بعد استقالتي والذي سبق الإشارة إليه، ولكن رئيس الوزراء رد بأنه تلقى توجيهاً سامياً بعدم التعامل مع الشركات الإيطالية (إنني أعتقد أن هذا الرد لم يكن له أي أساس من الصحة بل أعتقد أنه تبرير رخيص جاء به رئيس الوزراء لتغطية موقفه الضعيف أمام عبدالله عابد).

وبعد أيام من ذلك الاجتماع (اكتوبر ١٩٥٧) وردت للجنة البترول رسالة خطية من

رئيس الوزراء تفيد أن المصلحة العليا للبلاد تقتضي بعدم منح عقود لشركات النفط الحكومية، وحيث أن شركة أجيب حكومية فإن مؤدى تلك الرسالة منع اصدار عقد امتياز لها. وإزاء تلك الرسالة أصبح لا مفرّ من اصدار العقد لمجموعة الشركات الأمريكية. وبذلك تمكنت هذه الشركات من القضاء على محاولة رائدة جريئة لو تمّت في حينها لبدّلت الكثير من أسس عقود امتياز البترول في ليبيا.

وأذكر أن عبدالله عابد زارني في منزلي في تلك الفترة، وعندما لمته على أعماله الضارة بالمصالح الوطنية وحذرته من عواقب التدخل في شؤون البترول بهذه الطريقة السيئة، كان رده أن هذه تجارة وقد أحلّ اللّه التجارة وحرّم الربا. ثم أردف راجياً أن انصح صديقي الفلسطيني (يعني أنيس القاسم) ان يمتثل لأوامر اصحاب النفوذ، أو ان يحمل شنطته ويرحل من البلاد. وعندما أبلغتُ صديقي الفلسطيني تلك الرسالة كان ردّه أنه جاهز للرحيل في أي وقت.

ومن الأمور المضحكة المبكية ان شركة أجيب مُنحت في آخر الأمر عقوداً بترولية في ليبيا. وتفصيل ذلك، أن انريكو ماتاي علم بذكائه أن رفض طلبه الأول في الحصول على عقد بترولي لم يكن سببه الحقيقي أن شركته شركة حكومية، بل أن السبب الحقيقي هو تضافر جهود الشركات الأمريكية مع عبدالله عابد السنوسي لاستبعاد أجيب. وفهم أن عبدالله عابد أصبح هو صاحب الكلمة في منح عقود البترول في ليبيا.

لذلك أسرع واجرى اتصالاته به واتفق معه على أن تُمنح أجيب عقوداً بترولية مقابل أن يتنازل بنك دي روما عن أغلبية أملاكه في بنغازي لعبدالله عابد مقابل ثمن إسمي.

وهذا ما تمّ فعلاً، فصدر قرار كتابي جديد من رئيس الوزراء يلغي القرار السابق ويسمح للشركات الحكومية بالحصول على عقود امتياز، ويشجع لجنة البترول على إفساح المجال أمام الشركات الإيطالية.

قانون لتوزيع العائدات البترولية

كانت خطوة إنشاء لجنة البترول الخطوة الأولى على طريق التغلب على المشاكل

الدستورية من أجل صيانة وحدة البلاد وحماية مصالحها في مواجهة صناعة البترول بجهاز واحد.

غير أن الخطوة الثانية، التي استقلّت قبل اتخاذها والتي كنت أتوق لاتخاذها بنفسي وأجريت حولها أبحاث وقمت بكثير من التحضيرات ولكن لم يسعفني الوقت لادخالها حيّز التنفيذ، فقد كانت تتعلق بتوزيع العائدات البترولية. فبموجب الدستور، كانت معظم العائدات ستدفع للولاية التي يعثر على البترول في أراضيها، وبالتالي فقد كان من الممكن أن يقفز دخل إحدى الولايات بشكل صاروخي، في حين تبقى الولايتان الاخريان، وكذلك الحكومة الإتحادية، في حالة فقر شديد. وكان لا بدّ من مواجهة هذا الوضع الذي لا يقل في خطورته على مصير البلاد ومستقبلها من تجزئة السياسة البترولية. ومع أن الأمر لم يكن من اختصاص لجنة البترول ورئيسها، إلاّ أن رئيس اللجنة الذي عاصر جهودي في هذا المجال تطوّع لإتمام ما بدأته، وبناءً على ذلك تقدم لرئيس الحكومة، في ذلك الوقت، عبد المجيد كعبار، بمشروع قانون يقضي بأن توزّع العائدات البترولية على الوجه الآتي:

- ٧٠٪ للإعمار يتمّ التصرف فيها عن طريق مجلس الإعمار (الذي كنت قد أنشأته في مايو ١٩٥٦).
- ١٥٪ للحكومة الإتحادية.
- ١٥٪ للولاية التي يُعثر على البترول في أراضيها.

وقد أخذت من جانبي – وأنا خارج الحكومة أراقب من بعيد – توقيتاً مناسباً لحثّ رئيس الحكومة عبد المجيد كعبار، وتوصيته بشدة وبإلحاح لكي يتبنّى مشروع توزيع عوائد البترول.

وكان ذلك الوقت المناسب الذي أخذته لبذل مساعيّ لدى رئيس الحكومة، مباشرة بعد ظهور بوادر وجود البترول في ليبيا، ولكن قبل اكتشافه بالفعل بكميات تجارية.ذلك

الوقت الذي كانت كل ولاية يتنازعها الطمع في أن يكتشف البترول بغزارة في أراضيها، وينتابها الخوف من أن لا يعثر في أراضيها على البترول بكميات تجارية مناسبة.

وفي هذا الصراع بين الخوف والطمع تقدمت الحكومة الإتحادية بمشروعها، ولم تستطع الولايات رفضه. فكل ولاية يُعثر على البترول في أراضيها ضمنت لنفسها ١٥٪ من العائدات، وتستفيد في الوقت ذاته من خطة التنمية، أما الولاية التي لا يعثر على البترول في أراضيها فتستفيد من خطة التنمية بدلاً من أن يضيع منها كل شيء. وهكذا وافقت الولايات وصدر القانون في ١٩ يوليو ١٩٥٨ وجرى تنفيذه من تاريخ نشره في الجريدة الرسمية.(٦٨)

تأمّلات في السرعة الفائقة التي تم بها اكتشاف البترول

لعل في التواريخ والأرقام التي سأوردها هنا ما يبلور أمام القارئ مدى السرعة الفائقة التي تمّ فيها اكتشاف البترول وتصديره وتسويقه:

- مُنحت عقود البترول الأولى في شهري ديسمبر ١٩٥٥ ويناير ١٩٥٦.
- كانت أول الآبار قد حفرتها الشركة الليبية–الأمريكية في منطقة جردس العبيد في شمالي برقة في اواخر عام ١٩٥٦ في العقد رقم ١٨.
- في يناير عام ١٩٥٨ حفرت شركة إسو أول بئر بترول ناجح، انتاجه ٥٠٠ برميل/ اليوم في العقد رقم ١ بولاية فزّان، ولكن الشركة لم تستغله لبعده عن الساحل ولقلّة انتاجه.
- في ابريل عام ١٩٥٩ اكتشفت إسو حقل زلطن الشهير، وأول بئر انتج ١٧٥٠٠ برميل/اليوم.
- توالت الاكتشافات وتزايدت عدداً وغزارة.
- في ٢٥ اكتوبر ١٩٦١ افتتح الملك أول خط أنابيب وميناء تصدير للبترول في مرسى البريقة.

---

(٦٨) راجع الملحق رقم ٤٦

تزايدت سرعة الاكتشافات، وحطم النشاط البترولي الليبي جميع الأرقام القياسية السابقة بدرجة فاقت جميع التصورات فمثلاً:

- في يوليو ١٩٦٨ زاد الانتاج الليبي على انتاج الكويت حيث بلغ ٨٥,٢ مليون برميل/الشهر مقابل ٨٠ مليون برميل/ الشهر للانتاج الكويتي.
- بلغ انتاج شهر اغسطس ١٩٦٩ - ٣,٢ مليون برميل/اليوم وأصبحت ليبيا رابع مصدر للبترول في العالم، أي أنه في جيل واحد انتقلت ليبيا من مرتبة أفقر دول العالم إلى دولة يبشّر مستقبلها القريب بأنها ستصبح من أغنى الدول.

وبالفعل بلغ دخل ليبيا حوالي ٢١ مليار دولار عام ١٩٨٠ مقارناً بمجموع دخل ليبيا (بما في ذلك إيجار القواعد) عام ١٩٥٧ لم يتعدّ ٦٠ مليون دولار.

ومن الإنصاف والأمانة التاريخية التنويه والاشادة بعدة تعديلات هامة أدخلت على قانون البترول الوزارات الليبية المتعاقبة، بغرض زيادة نصيب الدولة الليبية من العوائد البترولية، وكذلك بغرض مشاركة الدولة الليبية في النشاط البترولي. ومن أهم تلك التعديلات تعديلات عام ١٩٦١، والتحسينات الكثيرة التي توصلت اليها وزارة حسين مازق عام ١٩٦٥ بعد مفاوضات طويلة مضنية مع شركات البترول.

كذلك المفاوضات الناجحة التي أجرتها وزارة عبد الحميد البكوش عام ١٩٦٨ (بعد حرب ١٩٦٧). كل هذه التعديلات زادت من نصيب ليبيا وفتحت أمام الدولة مجال المشاركة الفعلية في النشاط البترولي، حتى أنه عندما وقع الإنقلاب العسكري في سبتمبر ١٩٦٩ كان البترول الليبي سلاحاً فتاكاً في يد النظام العسكري الجديد استعمله سنتي ١٩٧٠ و١٩٧١ للضغط على شركات البترول الغربية وحكوماتها وإرغامها على قبول شروط لم تكن تلك الشركات لتقبل جزءاً منها لولا حرصها على استمرار وارداتها من البترول الليبي.

ثم جاءت حرب اكتوبر ١٩٧٣ والمقاطعة التي فرضتها الدول العربية المنتجة للبترول على صادراتها لبعض الدول الغربية ثم سياسة المزايدة في رفع اسعار البترول التي

قامت بها الدول العربية وإيران، وما نتج عن كل هذه التقلبات السريعة الخطيرة من انفجار في أسعار البترول في فترة قصيرة جداً.

وأخيراً أدخلت الثورة الإسلامية في إيران عام ١٩٧٩ عنصراً جديداً في زيادة اسعار البترول، بحيث وصلت اسعار بعض أنواعه في تلك الفترة إلى ما يقارب الأربعين دولاراً أمريكياً للبرميل الواحد، مما جعل دخل الدول المنتجة للبترول يصل إلى أرقام خيالية. بل أن الزيادة في دخل ليبيا قد زادت نسبتها على ما يقابلها من زيادة في دخل دول الشرق الأوسط المنتجة للبترول، وذلك نظراً لجودة البترول الليبي وقربه من الاسواق الاوروبية دون حاجته للمرور من قناة السويس أو الالتفاف حول رأس الرجاء الصالح.

مقارنة بين عهدين... حقائق مذهلة

إن النجاح السريع في الكشف عن الثروة البترولية وتفجير تلك الطاقة من عوائد البترول قد حرر الدولة من الحاجة إلى العون المالي الأجنبي. وبذلك فإن الوطن تمكن في أوائل الستينات من الوصول بسرعة فائقة إلى الإستقلال الإقتصادي الكامل،

كذلك فلا شك أن اكتشاف البترول قد شجع الليبيين على الدخول في مجالات ونشاطات إقتصادية وتجارية كثيرة فقام كثير منهم بأعمال ناجحة في مجالات النقل والمقاولات والخدمات، وعمل كثير من الشباب الليبي المتعلم في أوجه نشاطات البحث والتنقيب عن البترول، فنشأت في ليبيا خبرات وصناعات ومهن جديدة أثرت الإقتصاد وفتحت كثيراً من الآفاق أمام الشباب.

ولكن كانت هناك أيضاً آثار سلبية للاكتشافات البترولية السريعة، أهمها زيادة الهجرة من الريف إلى المدن وإهمال الزراعة، والتضخم في الأسعار، واستقطاب صناعة البترول لعدد كبير من الليبيين المدربين فندر بذلك وجودهم لسد حاجة الدولة في التوسع الإداري الكبير، وإستيراد أعداد كبيرة من الفنيين الأجانب وما لازم ذلك الإستيراد من مشاكل اجتماعية كثيرة.

فقد سببت هذه الزيادة الكبيرة في عدد الأجانب المستوردين ضغطاً على الإسكان والمرافق العامة، ولأن هذه التطورات حدثت بسرعة فائقة، فإن أثرها على الأمور الحياتية تضاعف وزادت حدّتها، وبعبارة موجزة فإن التطورات الإقتصادية الجوهرية التي سببها اكتشاف البترول السريع كان لا بد لها من أن تحدث بعض السلبيات وتزيد

من حدة بعض الأزمات خصوصاً تلك المتعلقة بالمرافق العامة والتطور الإجتماعي.

وإذا أردنا عمل مقارنة تحليلية منصفة ودقيقة لتحديد الفوائد التي نتجت عن الاكتشافات البترولية والمداخيل الكبيرة التي حصلت عليها الحكومات الليبية المتعاقبة فيجب علينا أولاً أن نسلم بأن أهم عنصر مؤثر في المقارنة هو حصيلة نتائج صرف هذه المداخيل على رفاهية الشعب وإنماء دخله ورفع مستوى معيشته في مجالات الصحة والتعليم والخدمات العامة وأسباب التقدم والازدهار والاستقرار.

كذلك معرفة ما إذا وُظفت أجزاء كبيرة من هذه المداخيل في تنمية موارد الوطن الأخرى، مثل الزراعة والصناعة وزيادة الطاقة الإنتاجية للدخل القومي، والتدريب على مهن وصناعات حديثة متطورة، وبعبارة أخرى هل صُرفت تلك المداخيل والعوائد على كل ما يجعل الوطن يدرك بسرعة ركب الحضارة ويجعل الشعب يطوي سنين الفقر والتخلف ويدرك مرحلة طيبة من الاستقرار والتقدم والحرية؟

أودّ بادئ ذي بدء أن اقول أنه لا حدود للأموال التي يمكن للدولة أن تبذّرها يميناً وشمالاً، لا سيما إذا كانت النزوات والأهواء تسيطر على قادة تلك الدولة. هذا من ناحية، ولكن هناك حدود وضوابط زمنية وضرورات للدراسة تستدعي جهوداً وزمناً طويلاً لتطبيق أية خطة للصرف الحكيم على تطوير أي بلد. ومهما توفر لدى الحكماء من المسؤولين من مال فلا بدّ من زمن لدراسة الخطط التطويرية وتقييم علمي للإمكانات والأهداف. ثم أن هناك عوائق وصعوبات في مجالات كثيرة مثل توفر المواد الأولية، وتوفر الأيدي العاملة المدربة، وقدرة الإقتصاد الوطني على الامتصاص، ومقدرة المرافق العامة على تحمّل الضغوط التي ستنتج عن خطط التنمية، أقول عراقيل كثيرة تحدد من سرعة إنجاز التنمية الحكيمة الهادفة إلى رفع مستوى الشعب بصورة عاقلة ذات نتائج مضمونة.

ولذلك، في نظري، فإن المعيار المنصف لمدى استفادة الوطن من ثرواته البترولية لا يكون بالنظر إلى مقادير الدخل السنوي من البترول فقط، ولكن في مدى استفادة الوطن والمواطنين من صرف هذه المداخيل على مشروعات مدروسة.

وتطبيقاً لهذه المعايير والمقاييس المنصفة فقد أجريت مقارنة بين مداخل الدولة الليبية قبل انقلاب سبتمبر ١٩٦٩ وما حصل عليه النظام الإنقلابي الجديد من الثروة البترولية من يوم قيامه إلى أول أبريل ١٩٩١ وانعكاسات تلك المداخيل على الوضع الإقتصادي للشعب الليبي.

وقد حصلت على هذه الأرقام من تقارير المراجع العام للدولة الليبية ومن نشرات منظمة الدول المصدّرة للبترول OPEC، ومن نشرات صندوق النقد الدولي IMF.

وإلى القارئ بيان لتلك الأرقام:

القسم الأول: حصيلة الخزانة الليبية من عوائد صناعة البترول منذ اكتشافه في ليبيا وحتى الأول من سبتمبر ١٩٦٩:

العام	الدخل بملايين الدولارات الأمريكية
١٩٦٠/٥٩	٠،٢٨
١٩٦١/٦٠	٠،٢٨
١٩٦٢/٦١	٥،٦٠
١٩٦٣/٦٢	١٩،٦٠
١٩٦٤/٦٣	٦٧،٢٠
١٩٦٥/٦٤	١٥٤،٠٠
١٩٦٦/٦٥	٣٢٤،٨٠
١٩٦٧/٦٦	٣٨٩،٠٠
١٩٦٨/٦٧	٥٣٤،٨٠
١٩٦٩/٦٨	٧٨١،٢٠
من أول ابريل ٦٩ إلى أول سبتمبر ١٩٦٩	٥٠٨،٠٠
المجموع	٢,٧٨٤,٩٦٠,٠٠

يخصم منه احتياطي الخزانة الليبية لدى مصرف ليبيا (حسبما ورد في نشرة إدارة البحوث التابعة للمصرف والصادرة عن الفترة سبتمبر/اكتوبر ١٩٦٩) وهو ١٧٦,٣٨٦ جنيه ليبي أي ٤٩٣,٠٠٠ دولار.

المجموع النهائي ٢,٢٩١,٩٦٠,٠٠٠

القسم الثاني:

حصيلة الخزانة الليبية من عوائد صناعة البترول عن الفترة من أول سبتمبر ١٩٦٩ إلى أول ابريل ١٩٩١:

العام	الدخل بملايين الدولارات الأمريكية
من أول سبتمر ١٩٦٩ إلى اوائل ابريل ١٩٧٠	٥٠٨،٠٠
١٩٧١/٧٠	١،٣١٣
١٩٧٢/٧١	٢،٩٠٠
١٩٧٣/٧٢	٤،١٠٠
١٩٧٤/٧٣	٣،٩٠٠
١٩٧٥/٧٤	٨،١٠٠
١٩٧٦/٧٥	٧،٩٠٠
١٩٧٧/٧٦	٨،٥٠٠
١٩٧٨/٧٧	١٢،٨٥٠
١٩٧٩/٧٨	٢٠،٨٧٠
١٩٨٠/٧٩	١٤،١٦٠
١٩٨١/٨٠	٢١،٤٠٠
١٩٨٢/٨١	١٥،٣٠٠
١٩٨٣/٨٢	١٣،٠٠٠
١٩٨٤/٨٣	١١،٩٠٠

١٩٨٥/٨٤	١٠،٦٠٠
١٩٨٦/٨٥	١٠،٠٠٠
١٩٨٧/٨٦	٥،٤٠٠
١٩٨٨/٨٧	٥،٤٠٠
١٩٨٩/٨٨	٥،٢٠٠
١٩٩٠/٨٩	٧،٥٠٠
١٩٩١/٩٠	١١،٢٠٠

المجموع ٢٠٨،٢٠٠،٠٠٠،٠٠٠

أي مائتي وثمانية مليارات ومائتي مليون دولار اميركي.

ومن هذه الأرقام يتضح أن مجموع المداخيل التي حصلت عليها حكومات النظام الملكي (إلى سبتمبر ١٩٦٩) بلغت أقل من مليارين ونصف مليار دولار أمريكي وظّفها النظام فيما قام به من بناء المدارس والمستشفيات والجامعات ومشاريع الاسكان والطرق والكباري وغيرها من المشروعات العامة، إلى أن أطيح بذلك النظام في سبتمبر ١٩٦٩.

ويتضح من هذه الأرقام أيضاً أن مجموع المداخيل التي حصل عليها النظام الجماهيري الجديد قد تعدّت مائتي مليار دولار أمريكي من سبتمبر ١٩٦٩ إلى أول ابريل ١٩٩١ أي أكثر من مائة ضعف ما حصل عليه النظام الملكي.

أما ما أنجزه النظام الجماهيري بهذه المليارات المائتين فإنني أعترف بأنني لست مؤهلاً لابداء رأي منصف، فقد فرضت علي الظروف واخترت لنفسي العيش خارج الوطن على ما في ذلك من مرارة ولما كان الحكم على الشيء فرع من تصوره، فإنني أترك الحكم على منجزات النظام الجماهيري للمؤرخين ولأبناء الوطن الذين يعيشون تحت نظام الجماهيرية العظمى.

ولكني أشير فقط إلى التساؤلات التي طرحها كثير من المفكرين من رجال الإقتصاد والسياسة والاجتماع عمّا فعله النظام الإنقلابي الجديد في ليبيا بالأموال الخيالية التي استلمها منذ قيام نظامه إلى ابريل عام ١٩٩١؟ وقد تساءل هؤلاء المفكرون هل وظّفها النظام حقاً في مخططات ومشروعات ترفع مستوى الشعب صحّياً وتعليميّاً ومادياً، وهل تحسنت أحوال الشعب ونما دخله وارتفع مستوى معيشته وزادت رفاهيته؟

وجدت هذا التساؤل بل وكذلك الردّ عليه في بحث علمي إقتصادي طويل نشرته دائـرة الإيكونومست الإنجليزية (The Economist Intelligence-EIU-Unit) في عددها الصادر عن شهر ابريل ١٩٩١. والمجلة المذكورة هي أعرق مطبوعة إقتصادية في العالم اشتهرت بدقة البحوث وعمقها. جرت عادة المجلة أن تنشر ابحاثاً إقتصادية اجتماعية كل شهر تجعلها في ملحق خاص بالمجلة وقد أصدرت المجلة تقريراً خاصاً عن ليبيا عنوانه:

«ليبيا في عقد التسعينات هل يمكن إنقاذ ما تبقى من مواردها؟»

ولقد بلغت صفحات هذا التقرير ما يزيد على المائة صفحة تناولت فيه النواحي السياسية والإقتصادية والإجتماعية في ليبيا منذ قيام النظام الإنقلابي فيها. وأودّ أن انقل للقارئ فقرتين إثنتين فقط من هذا التقرير:

أولاً: ورد في صفحة ٨٢ دراسة لما أسمته المجلة «العامل المزاجي» (The Whim Factor) وهي تسمية طريفة مهذّبة ابتدعتها المجلة وقصدت بها أو ضمّت تحت مظلة التسمية، ما يأتي:

- الأمـوال التي صرفت لأسباب مزاجية مثل المشروعات التي يأمر بها قائد الإنقلاب دون أن يكون لتلك الأعمال والمشروعات مبرر إقتصادي أو أية منفعة عامة.
- الأموال التي تبخّرت أي التي سُرقت أو بُدّدت لأغراض سرية أو صرفت لتمويل أعمال غير قانونية، أو أعمال لم ترد في الميزانية العامة للدولة.

- الأموال التي وزّعها النظام على أعوانه بصفة سرية أو تلك الأموال التي دفعها النظام لتمويل أعمال خطيرة ضد أنظمة معادية.

وافترض البحث المذكور افتراضين، احدهما يؤدي إلى أقل مبلغ يقع تحت هذه التسمية الطريفة أي العامل المزاجي، والافتراض الثاني يؤدي إلى أكبر مبلغ للعامل المزاجي.

أما بالنسبة للافتراض الأول: قد بلغ تقدير الباحثين إلى أن المبلغ لا يقلّ عن اربعة وثلاثون مليار وخمسمائة مليون دولار تمّ تبذيره وتلاشى، ووضعه الباحثون تحت العامل المزاجي.

أما الافتراض الثاني: فقد قدّر الباحثون أن المبلغ الذي بُدّد يتجاوز مائة مليار وخمسمائة مليون دولار.

أي بلغة بسيطة أن مبلغاً رهيباً من المال يتراوح بين ٣٤ مليار ونصف المليار و١٠٠ مليار ونصف المليار دولار قد تمّ تبديدها أو سرقتها أو صرفها في غير وجه قانوني أثناء الحكم الجماهيري وعلى مدى عشرين عام.

ثانياً: في صفحة ٩٥ من ذلك البحث وردت الفقرة التالية:

> وبالرغم من ان هناك مجال واسع للصرف على مشروعات تحسين الخدمات الصحية والتعليم، فإن مقارنة لأبسط موازين التقدم الإقتصادي والاجتماعي تبين أنه بعد أربعين عام من الإستقلال، وبعد ثلاثين عام من الواردات البترولية، وعلى الأخص بعد عشرين عام من واردات بترولية عظيمة بدرجة خيالية، فإن ليبيا لا تزال تحتل مركزها المتواضع بين أفقر دول العالم فيما يتعلق بالتعليم، وبالعمر المتوسط لليبيين، وبغذائهم وصحتهم. وليبيا كذلك تحتل في هذه المجالات أقل مستوى بين دول منظمة تصدير البترول OPEC. بل الأدهى والأمر فإنه في بعض أوجه الخدمات العامة التي تمسّ

حياة أفراد الشعب فإن مستوى تلك الخدمات في ليبيا أقل منها في الجمهورية التونسية، وجمهورية مصر العربية... وبناءً على الحقائق المعروفة لدينا وحسب توقعاتنا فإن الثغرة بين ليبيا والدول المتقدمة سوف تزداد باستمرار...[٦٩]

---

(٦٩) The Economist: Libya In the 1990s can its resources be salvaged, April 1990

الباب التاسع

ثورة الجزائر ودور ليبيا في مساندتها

الوضع السياسي في الشمال الإفريقي في الخمسينات

لقد كانت فرنسا تبسط سيادتها التامة على المغرب الأقصى والجزائر وتونس، أما المغرب فكان تحت ستار نوع من الحماية، مع الاعتراف بأنه يشكل دولة شبه مستقلة، وعندما أظهر سلطان المغرب محمد الخامس نوعاً من المعارضة للحماية الفرنسية ونوعا من الإستقلال في آرائه، اعتقلته فرنسا ونفته إلى جزيرة مدغشقر وعينت ابن عم بعيد له يدعى بن عرفة سلطانا على المغرب واستمرت في سياسة القمع، إلى أن أجبرتها مقاومة المغاربة ورفضهم لبن عرفة إلى إعادة محمد الخامس إلى عرشه أوائل عام ١٩٥٧.

أما تونس فكان يحكمها الباي حكماً صورياً تحت سيطرة حماية فرنسية عسكرية يمثلها جنرال فرنسي كبير، وكان الباي التونسي لا يسبب لفرنسا أي إزعاج (على الأقل ظاهرياً)، فتركته وشأنه واستمرت تحكم هي بإسمه وتطارد الوطنيين الذين كانوا ينادون بإنهاء الحماية الفرنسية وإستقلال تونس، وكانت العناصر الوطنية في الخمسينات مكونة في الغالب من الحزب الدستوري برئاسة الحبيب بورقيبة وصالح بن يوسف اللذان كانا يمضيان أغلب أوقاتهما في سجون فرنسا ومعتقلاتها.

أما بالنسبة للجزائر فكان الوضع مختلفاً، فقد اعتبرتها فرنسا جزءاً لا يتجزأ من الوطن الفرنسي الأم وطبقت فيها منهاجاً طويل الأمد، عميق الأثر لفرنسيتها، ومحو كل ما هو عربي مسلم فيها. وفي الحرب العالمية الأخيرة وخصوصا بعد انهيار فرنسا أمام

ضربات الجيش النازي، فإن الجزائر أصبحت هي العاصمة الفعلية لفرنسا الحرة، كما اشترك مئات الألوف من الجنود الجزائريين في الحرب في صف فرنسا. وبعد انتهاء الحرب عام ١٩٤٥ وتسريح الجنود الجزائريين، الذين أبلوا بلاءً أسطورياً في محاربة الألمان والطليان، فإن هؤلاء المسرحين أصيبوا بنكسة كبرى عندما رأوا الحكومة الفرنسية ترجع إلى وسائل القمع والقتل والتشريد لمقاومة أي اتجاه ينادي حتى بالحكم الذاتي داخل الكيان الفرنسي.

أما بالنسبة لفرنسا فقد تعاقبت الوزارات اليمينية واليسارية على كراسي الحكم ولم يكن لأي منها بعد النظر والجرأة السياسية لمواجهة الوضع المتفجر في الشمال الإفريقي، بل على العكس من ذلك فإن المستعمرين الفرنسيين (وأغلبهم من أصل أسباني وإيطالي ومالطي) كان لهم نفوذ عظيم داخل كواليس الحكم في باريس بحيث لا يسمح لأي وزارة فرنسية أن تتخذ أي قرار حكيم لمعالجة المشكلة، بل كانت كلها تتجه إلى إقرار اعتمادات أكثر لزيادة عدد الجيوش الفرنسية في الشمال الإفريقي، والاستمرار في سياسة القمع، حتى وزارة منديس فرانس ١٩٤٥ التي قيل أنها متحررة لم يمكّنوها من شيء اللّهم إلا بعض إصلاحات طفيفة في تونس.

الإتفاق مع عبد الناصر لتهريب السلاح لثوار الجزائر

وبالرغم من المشاكل التي كانت تواجهنا في سنوات الإستقلال الأولى فإننا لم نترك فرصة تمر إلا وأبدينا للحكومة الفرنسية قلقنا الشديد مما يجري في الشمال الإفريقي، ولفتنا نظرها للعواقب الوخيمة التي ستترتب على سياسة القمع التي تتبعها.

وكانت سياسة فرنسا في الشمال الأفريقي أحد المواضيع التي بحثتها مع الرئيس جمال عبد الناصر في لقائي الأول معه في يونيو ١٩٤٥. وعندما زرت القاهرة في آخر شهر أكتوبر اتصل بي الرئيس ودعاني لاجتماع منفرد، وفاجأني قائلا أنه يود أن يتحدث معي عن الثورة الجزائرية التي اندلعت اليوم (١٩٥٤/١١/١) وشرح أنه اتفق مع الملك سعود والأمير فيصل على أن تقوم المملكة العربية السعودية بتقديم كافة الأموال اللازمة

لشراء السلاح والعتاد والإمدادات اللازمة للثورة الجزائرية، وأن يقوم رجال الجيش المصري والمخابرات المصرية بشراء ذلك السلاح والعتاد وإيصاله إلى الحدود الليبية، وهو يأمل أن أقوم بنقله عبر ليبيا إلى الحدود الجزائرية حيث يستلمه منا ممثلو الثورة.

قال هذا ببساطة كمن يتحدث عن شيء عادي، روتيني، ثم أضاف: أو لعلك ستخشى الفرنسيين وتخاف بطشهم؟ وأرفق جملته الأخيرة بضحكة عالية.

وبرغم صدمة المفاجأة، وبرغم إدراكي أن عبد الناصر كان يقصد المزاح بجملته الأخيرة، إلا أنني تضايقت، ولم تعجبني الدعابة التي أطلقها، فقلت: يا ريّس، لعلك لا تعرف أن جد الملك إدريس جاء إلى ليبيا من الجزائر هارباً من الطغيان الفرنسي وأمضى حياته في نشر الدعوة الإسلامية وإيقاظ الأمة الإسلامية لتقاوم موجة الطغيان والتنصير الفرنسي، ووالد الملك إدريس ظل يقاوم تغلغل المد الفرنسي في تشاد والسودان والنيجر، حتى لقي وجه ربه. والسيد أحمد الشريف والملك إدريس أفنيا عمرهما في الجهاد ضد الطليان. وقاطعني الرئيس ضاحكا وقال: ألا تستوعب الدعابة؟ إنني أعرف كل هذا وأعرف أن الليبيين أبطال جهاد ولكنني رغبت أن أرى ردة فعلك... وتبين لي أنك مغربي حاد المزاج لا تتقبل الدعابة بروح مرحة. (لفظ مغربي يطلق في مصر على سكان الشمال الإفريقي غرب السوم)

وبعد أن هدأ الجو وانتقل من المزاح والدعابة إلى جو من الجدية قلت للرئيس: أنت تعرف أن القوات البريطانية منتشرة على طول ليبيا من طبرق إلى غرب طرابلس، والموظفون الإنجليز يسيطرون على مراكز حساسة خصوصا في شرطة ولاية طرابلس، وفرنسا لا تزال تحتل جنوب ليبيا (فزّان)، ولسفاراتها في طرابلس وبنغازي جهاز مخابرات من الطراز الأول يرأسه الكومندان نيزا وله أعوان وعيون منتشرة في طول البلاد وعرضها، وأنت تعرف أن علاقاتنا مع فرنسا هي الآن في غاية التدهور بعدما أنذرناها في مذكرة رسمية وطالبناها بالجلاء عن فزّان. وبالرغم من الظروف البالغة دقة وحرجاً ومخاطرة فإننا لن نتردد، بل ونرحب بنقل السلاح والعتاد إلى ثوار الجزائر تحت أنف الفرنسيين، وأنت تعرف تمام المعرفة أنه لا يمكن لنا أن نرفض القيام بهذا

العمل العربي المجيد. ولكن فقط أمهلني أسبوعاً لأتفاهم مع الملك ولأدبر أموري وأتخذ احتياطاتي وأخترع الحيل التي أتستر وراءها في القيام بهذا العمل النبيل دون أن أعرض وطني لمخاطرة لا يعلم إلا الله نتائجها. قال الرئيس عبد الناصر: أنني على علم تام بأن ما أطلبه منك عمل ينطوي على خطورة كبيرة ومغامرة خطيرة ولكن هذا مصيرنا يا صديقي... علينا أن نوصل شعلة الثورة إلى الجزائر مهما كلفنا هذا من جهد ومخاطرة، وأني أقدر ظروفك الصعبة بل شبه المستحيلة ولكن لا خيار لنا لا أنت ولا أنا، هذه خُطاً كتبت علينا ومن كتبت عليه خطاً مشاها. ثم أضاف: لولا أنني مطمئن لوطنية الملك إدريس ووطنيتك وحرصكما الشديد على تحرير الشمال الإفريقي من نير الإستعمار الفرنسي البغيض لما طلبت منكم ما طلبت، وعلى أية حال فأنا رهن إشارتكم لأي عون أو نصح أو مساعدة في سبيل تخليص الجزائر من ربقة الإستعمار. ثم عرّفني فيما بعد بأحمد بن بلآ، وكان شابا في العقد الرابع من عمره طويل القامة، حسن التقاطيع، متواضع، دائم الابتسامة. عرفني به على أنه ممثل الثوار الجزائريين في الخارج، ولم أدري عندما تعرفت لأول مرة على ذلك الشاب أنه يخفي وراء وجهه الباسم إرادة حديدية وشجاعة بطولية ونزاهة مثالية وتقشف وزهد، وهذا ما لمسته في السنوات التي تعاملت معه فيها والتي بدأت باجتماعنا في القاهرة في الأول من نوفمبر ١٩٥٤.

سافرت من القاهرة إلى طبرق للاجتماع بالملك إدريس ولأعرض عليه الأمر وأحصل على موافقته وتأييده. ولكنني قبل أن أفاتح الملك اختليت بناظر الخاصة الملكية البوصيري الشلحي ووضعته في الصورة وطلبت تأييده ومؤازرته، لا عند الملك فهذا أمر سأعالجه بنفسي، ولكنني حريصا أن يتدخل لدى صهره الفريق محمود بوقويطين قائد قوة دفاع برقة لكي لا يقيم الصعوبات ويبث الشكوك حول غايات المصريين (فلا يدّعي للملك مثلا أن ستار مرور السلاح العربي إلى الجزائر سيستعمل كوسيلة لتوزيع السلاح داخل ليبيا لتفجير القلاقل وزعزعة النظام).

وبعد أن شرحت تفاصيل اجتماعي مع الرئيس عبد الناصر للبوصيري تحمس كثيراً وأكد لي أنه سيساندني بكل قواه. وبالفعل استدعى الفريق بوقويطين لمقابلته في اليوم

التالي وأقنعه بالتعاون وتقديم كل التسهيلات اللازمة. أما الملك إدريس فقد قابل ما عرضته عليه عما دار في القاهرة مع الرئيس عبد الناصر بهدوء ثم قال: من ناحية لا يمكننا أن نرفض مساعدة ثوار الجزائر في جهادهم، هذا واجب ديني محتم علينا تلبيته ولا يمكننا أن نتردد في القيام به... ومن ناحية أخرى فإنني لا أريد أن أعرّض إستقلال هذا الوطن الذي استشهد في سبيله مئات الآلاف من الليبيين للخطر، ولا أود أن أقامر بهذا الإستقلال خصوصاً مع فرنسا التي خرجت عن طورها وترتكب كل يوم الكثير من الجرائم في قمع كل حركة إستقلالية في الشمال الإفريقي... ومع توتر علاقاتنا مع فرنسا بعد طلبنا إجلاء قواتها عن فزّان فإنها ستتلمس أي عذر لترتكب معنا حماقة كبرى.

قلت: يا مولاي، أن المسألة تتلخص في إمرار سلاح وعتاد من الحدود الليبية الشرقية إلى الحدود الليبية الغربية... أما مرور هذا السلاح في ولاية برقة فإن هذا لا يشكل أي خطر أو مخاطرة لأنه سيتم بالتعاون مع قوة دفاع برقة وتحت إشراف الفريق بوقويطين وأظنكم على ثقة تامة به... وأعتقد أن مولانا يطمئن لهذا الترتيب خصوصا لو جعلنا كل قافلة سلاح مصحوبة بعدد من ضباط قوة دفاع برقة إلى حدود ولاية طرابلس... أما في ولاية طرابلس فإني قد اهتديت إلى طريقة مضمونة تجعل عمل تهريب السلاح في مأمن من أي تسرب، وأرجو أن يمهلني مولاي بضعة أيام لأتحقق بنفسي من هذه الطريقة التي أفكر فيها بالنسبة لولاية طرابلس وسأخبر مولاي بما يتم. وأطرق الملك مليا وقال: ولكن إذا لاسمح الله انكشف الأمر وعرف الفرنسيون به ماذا يكون الموقف؟ قلت بدون تفكير: في هذه الحالة تطردوني من الحكومة وتدّعون أنني كنت أتآمر دون علمكم، وبعملكم هذا تكونون قد منحتموني أرفع وسام سياسي وطني. وضحكنا وتركنا الأمر عند هذا الحد.

حيلة لتضليل أجهزة المخابرات الأجنبية

أكملت سفري إلى طرابلس وأنا أفكر في وسيلة لتهريب السلاح والعتاد للثوار الجزائريين خلال ولاية طرابلس التي يتولى قيادة الشرطة فيها البريجادير جايلز البريطاني، وأغلب مراكز الشرطة الحساسة في أيدي ضباط بريطانيين، ثم إذا تمكنت من التغلب على هذه

الصعوبة فكيف العمل مع السفارة الفرنسية ومخابراتها، ومخابرات السفارة البريطانية تحت إمرة سيسل جريتوريكس ذو العلاقات بأغلب شخصيات طرابلس.

وهداني الله إلى حيلة في غاية البساطة تبعد عنا أغلب الشبهات. لقد كنت منذ أيام دراستي الهندسية في القاهرة على صلة وصداقة مع عبد الحميد بيّ درنة الذي كان يتلقى العلم في الأزهر الشريف، وعندما كوّن الأمير إدريس الجيش السنوسي عام ١٩٤٠ تطوع بّي درنة وأبلى بلاء حسنا وأصبح من كبار ضباطه، وبعد التحرير انضم إلى قوة الشرطة في ولاية طرابلس الغرب ووصل عام ١٩٥٤ إلى رتبة عقيد. وكنت أطمئن لوطنيته وتفانيه في خدمة الوطن، فاستدعيته إلى مسكني بطرابلس وفاتحته برغبتي مساعدة الثوار الجزائريين، وقلت له أن هذا عمل عربي وطني اخترته هو بالذات للقيام به مع مجموعة من الضباط الليبيين الذين يختارهم هو ولا يتعدى عددهم العشر ضباط... وسأعمل من جهتي لإصدار أمر للبريجاير جايلز بجعل مجموعة الضباط التي يرأسها عبد الحميد بيّ درنة مسؤولين أمامي مباشرة ولا دخل له بها... وافقني بيّ درنة بدون تردد، ووعدني أن يقدم لي في الغد كشفا بأسماء الضباط الذين سيختارهم ويفاتحهم في المهمة ويحصل على موافقتهم. وهذا ما حدث في اليوم التالي، بل أن جميع الضباط الذين اختارهم بيّ درنة وافقوا على الفور بالاشتراك في مهمة تهريب السلاح.

بعد هذا استدعيت والي طرابلس، ولو أنني لم أفصح له بكل التفاصيل، إلا انني استأذنته في أنني سأستعمل عدداً من ضباط شرطة طرابلس الغرب في مهمة دقيقة لمدة قد تصل إلى العام، وأشهد أن الوالي لم يتردد في الموافقة بل عرض علي تقديم أي عون آخر قد أحتاج إليه.

بعد هذا التحضير والتمهيد كان علي تمثيل دور مع البريجادير جايلز ولكن لنلقي بعض الضوء على شخصيته...

لقد كان أحد كبار الضباط الإنجليز الذين عملوا في فلسطين أثناء الإنتداب، وفي مصر سنوات الإستقلال الأولى، ومنح لقب «البكوية» من الملك فاروق على خدماته الجليلة في الشرطة المصرية، ثم عينته الإدارة العسكرية البريطانية مع مجموعة من

الضباط الإنجليز المخضرمين في قيادة شرطة ولاية طرابلس الغرب.

وعندما توليت الوزارة كنت أفكر في تلييب رئاسة الشرطة في طرابلس، إسوة بما قمت به في ولاية برقة، وتسليم أغلب المراكز الحساسة للضباط الليبيين فقد كان عدد كبير منهم قد تدرب تدريبا جيداً، وأصبح مستعدا لتولي المراكز القيادية، وكنت على صلة وطيدة مع البريجادير وأعرف فيه رسوخاً في مبادىء الإستعمار وكراهية شديدة لكل ما هو مصري، وكانت علاقتي به علاقة نفاقية من الدرجة الأولى. كانت تقارير بريجادير جايلز االسرية عن التغلغل المصري تصلني شهرياً وأقرأ فيها خيال البريجادير الخصب... على أي حال استدعيته إلى مكتبي وأحطت المقابلة بكثير من الشكليات، والتحذير بالمحافظة على االسرية، وتفاصيل ما يدور فيها بيننا، ثم عاجلته بقولي أنني أتتبع مؤامرة مصرية خطيرة طويلة الأمد متشعبة السبل. فابتسم وقال: أنا رهن إشارتكم لتحطيم تلك المؤامرة. قلت: بل بالعكس لا أريد أن تتولى أنت شيئاً بخصوص هذه المؤامرة المصرية لسبب واضح، فعندما نقبض على أعضائها وينكشف أمرها ستدّعي وسائل الدعاية المصرية أنها مؤامرة دبرها البريجادير جايلز بك.

وهنا ابتسم وقال: فهمت الآن. قلت: لا زلت لم تحط بتفاصيل الموضوع علماً. وقدمت له كشف الضباط الذين اختارهم العقيد عبد الحميد بيّ درنة، وقلت له أن العقيد وهؤلاء الضباط هم مسؤولون أمامي مباشرة من هذه اللحظة. وقد تفاهمت مع سعادة الوالي على ذلك، وها أنت أعلمت بهذا الأمر وأرجو أن تحافظ على االسرية المطلقة إلى أن نتمكن من تتبع ومراقبة عناصر المؤامرة المصرية ونقوم بالقبض عليهم، وقد يستدعي هذا العمل وقتا طويلا. على أي حال هؤلاء الضباط يعملون معي مباشرة ولا دخل لأحد بهم. وقف البريجادير وأدى التحية العسكرية وخرج ووجهه يطفح سروراً.

رجعت إلى طبرق وشرحت للملك الحيلة التي أتبعتها وأنني أصبحت الآن مطمئناً على مرور السلاح الجزائري عبر ولاية طرابلس. قال الملك أن محمود بوقويطين حضر لمقابلته ووافق على إجراءات الرقابة التي ستصاحب قوافل السلاح عبر برقة (وفهمت من بوصيري الشلحي أن موافقة بوقويطين كانت بعد جلسة عاصفة فرض فيها البوصيري

إرادته على بوقويطين فرضا، فقد كان بوقويطين يخشى أن يكون وراء الموضوع مؤامرة مصرية يستعمل فيها ذلك السلاح لزعزعة أمن البلاد واستقرارها). وحمدت الله الذي وفقني إلى هذه الخطة بوسائل بعيدة عن أي شبهة أو ظن يخامر فرنسا وجواسيسها في فزّان بنوع خاص، وأجزاء ليبيا الأخرى على وجه العموم. فالسلاح سيكون إما محملاً في سيارات يراقبها ضباط قوة دفاع برقة أو يتولى نقله وتهريبه ضباط شرطة ولاية طرابلس الغرب بأنفسهم، والقائد العام الإنجليزي لشرطة طرابلس يحلم بمؤامرة مصرية خطيرة يقوم ضباطه بتعقبها.

الطلقات الأولى في حرب التحرير الجزائرية

وصلت الشحنة الأولى من السلاح والعتاد والأجهزة الميدانية في أوائل ديسمبر ١٩٥٤ إلى ميناء طرابلس الغرب على ظهر اليخت المصري «فخر البحار» (وهو أحد يخوت الملك السابق فاروق)، ووصل في نفس الوقت إلى طرابلس عضو مجلس قيادة الثورة قائد الجناح حسن إبراهيم تلبية لدعوة مني لحضور افتتاح البرلمان... وأوعزنا للجرائد أن تقول أن السيد إبراهيم وصل على ظهر «فخر البحار».

ثم غادر «فخر البحار» الميناء متجهاً إلى خليج منزوي غرب مدينة طرابلس وأفرغ الضباط الليبيون حمولة اليخت ونقلوها إلى مخازن مضمونة إلى أن حضر أحمد بن بلّا ومساعدوه واستلموا سلاحهم وهربوه إلى داخل الجزائر... وهذه هي قصة الطلقات الأولى في حرب التحرير الجزائرية.

ثم توالت الشحنات تصل براً يستلمها رجال قوة دفاع برقة من السلوم، وينسّقون مع ضباط خلية العقيد عبد الحميد بيّ درنة الذين يتسلمون الشحنات عند الحدود البرقاوية الطرابلسية ويوصلونها إلى مخازن مأمونة أعدوها لذلك، ثم يتولى رجال أحمد بن بلّا تسريب ذلك السلاح تدريجياً إلى الجزائر. واستمر هذا الحال في سرية وكفاءة تامتين لمدة عام تقريبا. وكان أحمد بن بلّا يتردد على طرابلس للإشراف والتنسيق ولكنه يرفض أية حراسة نعرضها عليه، فقد كان يصر على االسرية التامة في تنقلاته متخفيا

تحت أسماء مستعارة، ومستعملاً فنادق الدرجة الثالثة المتواضعة، ولم يكن يعلم بوجوده في طرابلس إلا نفر قليل هم رجال خلية العقيد بيّ درنة، وبعض رجال المخابرات الليبية، وأنا شخصياً.

وأذكر هنا قصة طريفة حدثت في منتصف عام ١٩٥٥. فقد كنا في أوائل الصيف وأذكر كان يوم خميس، وكنت على موعد مع بن بلّا وبعض مساعديه، دعوتهم للغذاء ثم تباحثنا بعد ذلك في أمور السلاح والعتاد والثورة... وأثناء النهار اتصلت بي وزارة الخارجية تقول أن السفير الفرنسي يلح في مقابلتي حاملا رسالة من إدجار فور رئيس الحكومة الفرنسية، وبدون تفكير قلت ليحضر السفير الساعة الخامسة إلى المنزل ناسياً موعدي السابق مع بن بلّا وجماعته... ورجعت إلى مسكني عند الثالثة وتناولت الغداء مع الأخ أحمد وجماعته، والعقيد بيّ درنة ومساعديه، ثم بدأنا مناقشة طويلة لاختيار أحسن المواقع التي تخزن فيها شحنات السلاح القادمة. وأثناء أنهماكنا في هذه المناقشة الدقيقة دخل كبير المباشرين (وبرغم أوامري بعدم دخول أحد علينا في ذلك الاجتماع)، واستأذن وأسرّ في أذني أن السفير الفرنسي وصل وأدخله في الصالون المجاور. ارتبكت ثم قلت لبن بلّا: أستأذنكم لبضع دقائق فقد حان موعد كنت نسيته مع السفير، وأضفت: لعله لم يسمع مناقشاتنا. وذهبت لاستقبال مسيو دي مارساي الذي كان يحمل لي رسالة عاجلة من رئيس وزراء فرنسا يرجو المساعدة في القبض على طريد العدالة الفرنسية المدعو بن بلّا، وتمكنت بصعوبة كبيرة من السيطرة على عضلات وجهي وكتم ضحكة ساخرة. وقلت للسفير أرجو أن تحضروا لنا صوراً للمجرم بن بلّا، صور مواجهة وصور جانبية، ووصف دقيق للرجل وتقدموا هذه المعلومات للبريجادير جايلز بك في طرابلس، وللفريق بوقويطين في برقة، وسأصدر تعليماتي لهما بمساعدتكم بكافة الوسائل. وودعت السفير ثم استأنفت الاجتماع، فسألني الأخ أحمد عن سبب زيارة السفير قلت: أراد المساعدة في القبض عليك. قال: وماذا قلت له؟ قلت: وعدته بالمساعدة بعد ما يقدم لي تفاصيل كافية تمكّن رجال الشرطة من القبض عليك، وضحكنا كثيراً. وكنت كلما التقيت بالأخ أحمد بن بلّا يذكرني بتلك الحادثة.

إطلاق الرصاص على بن بلّا في طرابلس

ولكن رجال المخابرات الفرنسية سرعان ما بدأت تصلهم شائعات وأخبار عن وجود بن بلّا في طرابلس، وسرعان ما تتبعوا خطواته وعرفوا أين يقطن، وكُلف أحد رجال المخابرات الفرنسية باغتياله. وبالفعل داهم الفرنسي غرفة بن بلّا في فندق اكسيلسيور بطرابلس وأطلق الرصاص عليه، إلا أن بن بلّا سارع لمسدسه وأطلق الرصاص على الفرنسي الذي فرّ، ولاحقته الشرطة الطرابلسية إلى أن أصابته في عدة مواقع في كتفه وصدره وقبضوا عليه بالقرب من الحدود التونسية ولكنه قضى نحبه قبل أن يصل إلى المستشفى. كان هذا في أواخر ١٩٥٥، ومن يومها كشف الستار عن نشاط الثورة الجزائرية في ليبيا وبدأت أخبارها تتسرب إلى الصحافة الفرنسية والعالمية، ولكن بعد أن كانت الثورة قد قطعت شوطاً كبيرًا في إقامة ودعم المقاومة العسكرية الفعلية للوجود الفرنسي في الجزائر.

وبعد هذا الحادث أنهيت خدمات البريجادير جايلز بعد التفاهم مع والي طرابلس جمال باشا آغا. وعيّنت العقيد سالم بن لامين قائداً لشرطة طرابلس، وتبع هذا تصفية عدد كبير من الضباط الإنجليز. ومنذ ذلك التاريخ أصبحت مساعدتنا للثورة الجزائرية حقيقة يعرفها الخاص والعام. ولكن الحكومة الليبية كانت شديدة الحرص على الإدعاء بأنها تقف موقفاً محايداً تماماً، فبينما تعطف على آمال الشعب الجزائري في الحرية والإستقلال إلا أنها لا تساعد على أعمال العنف. ولذلك فهي تدعو فرنسا وثوار الجزائر إلى الجلوس إلى طاولة المفاوضات للوصول إلى حل سلمي. طبعاً كان كل هذا ستار دبلوماسي لأن مساعدات ليبيا للجزائر زادت نوعاً ومقداراً، بل سمح للمؤسسات الشعبية بتكوين جمعيات شعبية لنصرة الثورة الجزائرية، وجمع التبرعات، وإرسال برقيات الشجب للحكومة الفرنسية. وكنا في الحكومة ندّعي أن لا دخل لنا بالأعمال الشعبية العفوية وأن خير سبيل أمام فرنسا هو الإستجابة لنصائحنا باتباع الطرق السلمية وإيقاف القمع والقتل التي تقوم بها.

إختطاف قادة الثورة الجزائرية وتدهور العلاقة مع فرنسا

واستمر الدعم الحكومي والشعبي للثورة الجزائرية وتزويدها بالسلاح بالطريقة التي ورد ذكرها، وموقف من الحكومة تدعو علناً لنبذ العنف واللجوء إلى التفاوض بين جبهة التحرير الجزائرية والحكومة الفرنسية، وتؤيد الثورة الجزائرية تأييداً مطلقاً ولكن بسرية تامة. وما ذلك إلا حرصاً على ألا تعطي فرنسا ذريعة التراجع عن تعهدها بالجلاء عن الجنوب الليبي في مدة أقصاها آخر نوفمبر ١٩٥٦.

جاءني بن بلّا في أوائل ١٩٥٦ لمقابلتي في سكني بطرابلس، وبعد أن استعرضت معه المواضيع التي أراد مناقشتها معي قال أنه سيسافر إلى الرباط ثم منها إلى تونس بمعية الملك محمد الخامس لاجتماع هام مع كل من محمد الخامس وبورقيبة. وبعفوية تامة قلت له: ولماذا المخاطرة؟ إذا كانت وجهتك هي مدينة تونس فإن رجالنا على استعداد لمرافقتك إلى العاصمة التونسية في أمن تام. رد بن بلّا: أن غاية الملك محمد الخامس هو أن نصل، رفاقي وأنا، إلى تونس في معيّته. لم يقنعني رده وظننت أن هناك أسباباً أخرى رغب أن يكتمها عني.

وبعد ذلك بأيام (وكنت في القصر الملكي بطبرق) أيقظني من أيقظني ليبلغني اعتراض الطيران الفرنسي للطائرة التي كانت تقل بن بلّا ورفاقه وهم في طريقهم من الرباط إلى تونس، وإرغامها على الهبوط في مطار الجزائر واعتقالهم هناك.

ويصعب علي وصف شعور الألم والإحباط الذي أصبنا به، الملك إدريس وكبار رجال القصر وأنا، كما يصعب علي وصف ما دار بيني وبين سفير فرنسا (في اليوم التالي) في اجتماع اتهمت فيه حكومته بالقرصنة وارتكاب الجرائم. وقلت له كلاما كثيراً هو أبعد ما يكون عن لغة الدبلوماسية الهادئة. وطبيعي أن تدهورت العلاقات مع فرنسا، كما تأكد للحكومة الفرنسية أن ليبيا تقف وراء الثورة الجزائرية مؤيدة لها قولاً وفعلاً. ولا شك أن الدور السري الذي كنا نقوم به بالإضافة إلى التأييد السياسي والمعنوي، قد انكشف للسلطات الفرنسية، مما أثار حفيظة نواب اليمين في البرلمان الفرنسي ووصلت حملتهم، على دور ليبيا في نصرة الثورة الجزائرية، حد الهستيريا، الأمر الذي جعل

الحكومة تحاول التملص من تعهداتها بالجلاء. فأرسلت السفير بالائي (المشهور بآرائه الإستعمارية اليمينية المتطرفة) وأبلغني أن حكومته لا تستطيع أن تنفذ جلاء قواتها عن فزّان بعد ما تبين لها مواقف الحكومة الليبية المعادية لفرنسا. وكان ردي أننا سنرفع الأمر إلى مجلس الأمن، وبالفعل اتخذنا الخطوات الأولى في هذا الطريق، في نفس الوقت استنجدت بالرئيس أيزنهاور لكي يتدخل كما وعدني، وينصح حلفاءه الفرنسيين باحترام ميثاقهم معنا، وقد شرحت ذلك بالتفصيل في الباب السابق.

نحو المغرب العربي الكبير

في أواخر ديسمبر ١٩٥٦ وأوائل يناير ١٩٥٧ جرت بيننا وبين تونس مفاوضات تُوجت بالتوقيع على معاهدة حسن الجوار ووقعتها مع الرئيس بورقيبة يوم ٤ يناير ١٩٥٧ على ما أذكر. ولكن هذه المعاهدة لم تكن إلا الحجر الأول في بناء عظيم كنا نسعى لإقامته، لبناء المغرب العربي الكبير. فقد كنت اتفقت مع الرئيس بورقيبة على الخطوات الآتية:

أ- التفاوض ثم التوقيع على معاهدة إخاء وتعاون بين ليبيا والمغرب، وفي هذا المجال سعينا في إزالة سوء تفاهم بين الملك إدريس والملك محمد الخامس، وذلك أن الملك كان قد أبرق للملك محمد الخامس مهنئا بعودته إلى عرشه بعد رجوعه من منفاه في أواخر عام ١٩٥٥ إلا أن الملك لم يرد على تلك البرقية بحجة أنها لم تصله، والواقع أنه تعمد إهمال الرد. فقد كانت هناك حفيظة في نفس محمد الخامس لأن الملك إدريس عند مروره بالمغرب عائدا من رحلة علاج في أوروبا عام ١٩٥٣ اجتمع مع السلطان بن عرفة الذي كان الفرنسيون قد نصبوه مكان محمد الخامس بعد نفي الأخير. غير أن الحقيقة كما فهمتها من الملك هي أن بن عرفة أقحم نفسه على مكان إقامته في فاس فلم يكن في استطاعته رفض مقابلته ولو أنه لم يتطرق في حديثه معه لأي موضوع سياسي بل حصر الحديث في مواضيع دينية بحتة.

ب- عقد معاهدة إخاء وتعاون بين تونس والمغرب.

ج- مطالبة وتشجيع جبهة تحرير الجزائر لإعلان تأسيس حكومة مؤقتة في المنفى وعقد معاهدات إخاء بين تلك الحكومة المؤقتة وليبيا وتونس والمغرب.

د- بمجرد أن تستقل الجزائر وتصبح حكومتها المؤقتة مسيطرة على التراب الجزائري يشرع على الفور في إقامة مؤسسات المغرب العربي الكبير.

ويبدو أن الرئيس بورقيبة استمزج الحكومة الفرنسية على مشروع المغرب العربي الكبير وكان ردها عنيفاً فورياً، فأوفدت إلى تونس نائب وزير الخارجية الذي هدد بورقيبة وحذره من عواقب السير في ذلك المشروع، فما كان من بورقيبة إلا أن تراجع بسرعة وبدّل موقفه وأصر على ألا يتجاوز عملنا المرحلة الأولى فقط وهي معاهدة الإخاء وحسن الجوار بين ليبيا وتونس.

صفقة سلاح تركية للثورة الجزائرية

في آخر يناير أو أوائل فبراير ١٩٥٧ لا أذكر بالتحديد، قام رئيس وزراء تركيا عدنان مندريس بزيارة رسمية لليبيا وكان محل حفاوة بالغة في طرابلس وبنغازي والجبل الأخضر ثم زار الملك في طبرق، وفي طريق العودة استضفته في بلدتي ودائرتي الانتخابية درنة، وخلوت به بعد أن رجوت من مرافقينا أن يتركونا لنمضي سهرة ثنائية على انفراد، وبدأت حديثي معه بذكر لمحة تاريخية عن دور الأتراك العظيم في نشر الإسلام وزعامتهم للأمة الإسلامية عبر قرون عديدة. وشددت على روابط الدين التي تربط الأتراك ببقية الأمة الإسلامية، وعلى أن لتركيا دورها الإسلامي بالرغم من دعاوي العلمانية، ثم عرجت بحديثي على شمال أفريقيا وشرحت لمندريس مدى الظلم الذي يعاني منه شعب الجزائر المجاهد ومحاولات فرنسا قمع ثورته الإسلامية وتنصيره وفرنسته. ثم دخلت في صلب الموضوع وقلت لعدنان بك: أنني آمل أملاً قوياً أن تمد تركيا الشقيقة يد المساعدة لشعب الجزائر المجاهد في محنته الراهنة. قال أنه كمسلم

يعطف بكل جوارحه على الشعوب الإسلامية جميعا، وبنوع خاص على شعوب الشمال الإفريقي، وهو على إدراك تام بما يعانيه الشعب الجزائري في حربه الإستقلالية. وأن تركيا بذلت الكثير من المساعي االسرية الحميدة لدى حكومة باريس موصية وناصحة بأن مشلكة الجزائر لا تحل بالقوة والقمع بل بحلول سياسية وتفاوض مع ممثلي سكان الجزائر. وأضاف أنه على استعداد لمضاعفة هذه المساعي بل وتوسيعها بحيث تشمل ضغطاً ودياً لدى دول حلف الأطلسي الأخرى مثل الولايات المتحدة وبريطانيا وإيطاليا.

شكرته وشجعته على مواصلة تلك المساعي الدبلوماسية الطيبة ولكنني قلت له: أن مساعدة شعب الجزائر تتطلب أكثر كثيراً من المساعي الحميدة، فهي تتطلب عوناً مادياً، أعني مالاً وسلاحاً. ونظر إلي عدنان بك وبدى على وجهه شيء من الإضطراب واختفت الابتسامة التي لا تفارق وجهه إلا قليلاً، وفكر ملياً ثم قال: يا أخي العزيز أنت تعرف أن تركيا عضو هام في حلف الأطلسي فكيف ترى أن تقدم لثوار الجزائر سلاحاً من سلاح الحلف لكي يحاربوا به عضواً هاماً آخر من ذات الحلف؟ قلت: أنا أعرف أن تركيا من أقوى الدول الإسلامية وهي التي كانت تتولى القيادة والريادة للأمة الإسلامية، فكيف ترى أنت يا أخي العزيز ألا تمد تركيا العون المادي للجزائريين المسلمين الذين تقتلهم قوات فرنسا وتعذبهم أنكل التعذيب؟ وما لهم من ذنب إلاّ أنهم يسعون لنيل حريتهم وإستقلالهم؟

كرر منديس مخاوفه الشديدة من عواقب اكتشاف أية شبهة بأن تركيا تمدّ الثورة بأي عون مادي. وكرر عدة مرات بأن هذا سيسبب طرد تركيا من الحلف الأطلسي وهو الركيزة الرئيسية التي يرتكز عليها دفاع تركيا في مواجهة الخطر الروسي. وكنت أشعر بأن مخاوفه هي في الواقع مخاوف حقيقية، فهدّأت من روعه وقلت أن الثورة الجزائرية في أشدّ الحاجة إلى أنواع كثيرة من الاسلحة الحديثة وهذه الاسلحة متوفرة لديكم، فإذا أعطيتكم كشفاً مفصلاً بهذه الاسلحة وأهديتموها أنتم إلى شقيقتكم ليبيا فليس في هذا ما يثير أي شك أو ريب لدى فرنسا، وسنقوم نحن بتسريب ذلك السلاح تدريجياً وأعدكم بألا يعلم هذا السر إلا القيادة الجزائرية العليا بل عدد قليل جداً من أفرادها.

وبدأ يتأرجح في آرائه. أولاً قال أنه من السهل على فرنسا أن تربط بين ما تهديه تركيا لليبيا وما يصل إلى الجزائريين بمراجعة العدد والنوع. قلت: نستطيع أن نقطع الصلة بين هديتكم لنا وما نسربه للثورة بأن نحتفظ ببعض تلك المعدات لاستعمال الجيش الليبي، وكذلك بأن يكون تسريب السلاح بحذر شديد، ثم أضفت: لقد قمتُ مع نفر قليل من الأعوان بالمهمة االسرية في تهريب كميات كبرى من الاسلحة، وعلى مدى سنتين لم تكتشف فرنسا شيئاً، وفي العام الثالثة بدأت الشكوك والظنون حول دور الحكومة في التهريب ولم يستطيعوا إلى هذه الساعة أن يحصلوا على دليل واحد يدين الحكومة الليبية. لذلك اطمئن يا أخي عدنان أنك إذا وافقت على ما أقترحه فإن سرك لن ينكشف أبداً بعون الله، ولو انكشف الأمر فيمكنكم أن تقولوا أنكم قدمتم هدية لجيش ليبيا الشقيقة مبررين ذلك بالعلاقة التاريخية بين شعبينا، وتقولوا: أما إذا تسرب بعض ذلك السلاح خارج ليبيا فلستم أنتم المسؤولين عن ذلك التسرب. اقتنع وشدد على المحافظة على االسرية المطلقة ولا أعتقد أن هذا السر أذيع قبل اليوم. وبعد أسابيع قليلة وصلت هدية السلاح التركي واستلمها الجيش الليبي في احتفال عسكري ثم بدأ تسريبها تدريجياً إلى ثوار الجزائر.

سفيراً في باريس من أجل ثورة الجزائر

بعد استقالتي من رئاسة الحكومة في آخر مايو ١٩٥٧ أصرّ الملك واشترط أن أَعَيّن مستشاراً خاصاً له بمرتب رئيس وزراء.

وبقيت حوالي ستة أشهر في منصب المستشار الخاص للملك أتناول مرتباً عالياً ولا أقوم بشيء إطلاقاً، وهو وضع غريب بل مهين. فذهبت لمقابلة الملك وقلت له أنني أشكره على المنصب الذي أنشأه لي خصيصاً ولكنني لا أطيق أن أتناول مرتباً بدون أن أقوم بأي عمل، ولذلك فإنني ألتمس منه أن يقبل استقالتي ويتركني حراً لأزاول مهنتي الأصلية، مهنة الهندسة، مؤكداً له عزوفي عن ممارسة أي نشاط سياسي.

ولكن الملك أصرّ على بقائي في خدمة الدولة وشرح أنه سيحتاج إلي قريباً ولذلك

لا يودّ أن أقطع صلتي بالدولة. ثم عرض علي أن يرسلني لباريس سفيراً لليبيا، مضيفاً أن علاقاتي الممتازة مع رجال الثورة الجزائرية وشعوره بأن الحكومة الفرنسية قد تكون وصلت لقناعة بأن قضية الجزائر لا تُحلّ عسكرياً وأنما بالمفاوضات. هذان العنصران سيجعلاني في وضع ممتاز للوصول إلى حلّ سلمي لقضية الجزائر، وعندما لفتّ نظر الملك إلى أن الحكومة الفرنسية أصبحت على علم تام بالدور الذي قمت به في مساعدة الثورة الجزائرية وتهريب السلاح لها، وأن الثقة منعدمة بينهم وبيني. رد الملك بأن هذا هو خير مؤهل يجعل الحكومة الفرنسية تستعمل مساعيّ كقناة للوساطة مع الثورة الجزائرية لتأكدها من أن زعماء الجزائر سيتقبلون نصحي قبولاً حسناً ويثقون بما أنقل لهم من اقتراحات. وأضاف الملك: عليك أن تكمل رسالتك نحو الثورة الجزائرية.

ولم يكن لي أن أقاوم إغراء الجملة الأخيرة، خاصة وأن القادة الجزائريين عبّروا أكثر من مرة عن شعورهم بالأسف والمرارة لتركي الوزارة خشية أن يكون لذلك تأثير على موقف الحكومة الليبية في مساندة ثورة الجزائر، وكنت قد تلقيت بعد استقالتي بأيام رسالة مؤرّخة ١٢ يونيو ١٩٥٧ من جيش وجبهة التحرير الوطني الجزائري:

صاحب الدولة سيدي الرئيس بن حليم

السلام عليكم ورحمة الله وبركاته.

وبعد أنه ليؤسفنا كثيراً استقالتكم من رئاسة الحكومة في وقت تلحّ فيه الضرورة لأن يتولى الحكم رئيس وطني قوي يؤازره الشعب، ويسانده الملك.

والعالم لم ينسَ بعد مواقفكم المشهورة من القضايا العربية فلقد وقفتم دائماً إلى جانب الشقيقات من الدول، والمكافحين من الشعوب، الجزائر، فلسطين، القنال، ولم تنسوا ابداً في أن يكون للجزائر في أعمالكم نصيب، وفي اجتماعاتكم ومحادثاتكم مع المسؤولين من الدول حظ، في إتفاقكم مع الرئيس بورقيبة، وفي محادثاتكم مع المسؤولين في الدول العربية، أنا نشكركم على هذا العمل المجيد الذي لا يوفيه شكر. وجدير على من يخلفكم أن يترسم خطاكم

فتلك هي السياسة المثلى والطريق الأقوم لخدمة السلام العالمي والقضايا العربية والنهوض بالشعب الليبي إلى مصاف الدول الحرة المتقدمة.

وقد كنا نظن أن جلالة الملك حفظه الله، سيراعي الظروف ويرفض استقالتكم ولكنه بالعكس سارع وقبلها ليختار دولتكم مستشاراً، إنها فرصة لم يضيعها الملك الحازم، فلن يجد طريقاً أرشد ولا رأياً أسد من الذي ترتضونه رأياً وطريقاً. والله ما ندري هل نهنئكم أم نهنئ أنفسنا بهذا المنصب الجديد. فما انتقلتم من الحقيقة إلا إلى مكان أعلى تشرفون منه على قضايا أهم ومشاكل أعظم.

وفقكم الله إلى خدمة ليبيا والعروبة والإسلام.

وتقبلوا سيدي أزكى أمانينا.

رئيس المحطة والمسؤول عنها.

ولما لم يكن لنا سفارة في باريس، فكانت مهمتي تبدأ بإنشاء سفارة جديدة وما يتبع ذلك من إجراءات ومصاعب. واخترت من موظفي الخارجية للعمل معي محمد عبد الكريم عزوز كسكرتير أول، وعبدالله اسماعيل بن لامين كسكرتير ثاني وقنصل، وفرج فارس ككاتب طباع. وما أن وصلت إلى باريس مع معاونيّ إلا وحدث الإنقلاب الشهير الذي أعاد الجنرال ديجول إلى الحكم رئيساً للوزراء.

بعد تقديم أوراق اعتمادي لرئيس الجمهورية كوتي، وخلافاً للتقاليد فقد اجتمعت به في طرف من القاعة ودار بيننا حديثاً حول قضية الجزائر. وأدهشني الرئيس بقوله: أنني لا أميل كثيراً للجنرال والود بيننا مفقود، ولكنني اضطررت إلى دعوته لاستلام مقاليد الحكم لأنني أعتقد أنه الرجل الوحيد الذي يمكنه استئصال مشكلة الجزائر الدامية من جسم فرنسا. ثم أضاف مجاملاً: أنه يشكر الملك إدريس لأنه أرسل رجل دولة كأول سفير له في فرنسا وأنه يفهم ماذا يعني هذا العمل من لفتة طيبة نحو فرنسا، وتمنى لي التوفيق في تعاملي مع الجنرال.

وتجدر الإشارة هنا إلى أن الجنرال ديجول جاء للحكم بعد ثورة العسكريين الفرنسيين في الجزائر ومناداتهم به كمنقذ فرنسا الوحيد. فتولى الحكم كرئيس للوزراء، وبرغم معارضة اليسار الشديدة للطريقة التي جاء بها، إلا أن الجنرال حصل على أغلبية الأصوات في مجلس النواب وأعطي صلاحيات استثنائية، ثم عُدّل الدستور وأنشأ الجمهورية الخامسة وتولّى رئاسة الجمهورية أوائل ١٩٥٩.

ومن حسن حظي فقد كنت على صداقة قوية بثلاثة من أقرب المقرّبين للجنرال ولقد لعبوا دوراً ممتازاً في إنجاح مهمتي وترطيب الاجواء معه، فقد انتابت علاقتي بالجنرال كثيراً من اللحظات الحرجة والمواقف الدقيقة.

أول الثلاثة هو موريس كوف دي مورفيل، أول وزير خارجية في وزارة ديجول الأولى عام ١٩٥٨، ومعرفتي به لها قصة، ذلك أنني في صيف ١٩٥١ (وكنت وزيراً للأشغال والمواصلات في حكومة برقة) وفي طريقي براً إلى الإسكندرية، ولدى اجتياز الحدود المصرية بمركز السلوم، وفي مكتب مأمور الحدود المصري، وجدت أجنبياً يحاول أن يتفاهم معه بدون جدوى لأنه لا يجيد العربية ولا الإنجليزية. وشعرت بأن الرجل ذو حيثية، فقد كانت على سيارته الرابضة أمام مركز الحدود علامة هيئة سياسية، فحادثته بالفرنسية وتبين أنه سفير فرنسا في القاهرة وفي طريقه إلى تونس في رحلة سياحية. فشرحت وضعه للمأمور الذي قام بالمجاملات العادية نحو السفير، وقد كان يرافقني العقيد غيث قدورة قائد مركز حدود امساعد الليبي. وبعد أن ساعدت السفير في انهاء إجراءاته المصرية طلبت من العقيد غيث أن يصحبه وأن يستضيفه تلك الليلة، ثم يوصي به متصرفي المناطق التي يمرّ بها حتى يستضيفوه ويقدموا له ما قد يحتاج من مساعدة.

وبعد شهر تقريباً وصلتني رسالة من السفير دي مورفيل تعبر عن شكره وتقديره لمساعدتي له، ونسيت هذا اللقاء نسياناً تاماً، إلى أن وصلت إلى باريس سفيراً. وكم كان سروري عندما أذيع، بعد وصولي بأيام نبأ تعيين موريس كوف دي مورفيل وزيراً للخارجية الفرنسية (وقد كان قبل ذلك سفيراً لفرنسا في ألمانيا الإتحادية). وعندما زرت وزير

الخارجية لتقديم نسخة من أوراق اعتمادي رحب بي بحرارة واستبقاني مدة طويلة، خلافاً للتقاليد، وذكرني بلقائنا في السلوم، وأكّد لي رغبته في إنجاح مهمتي واستعداده لتقديم أية مساعدة. وطبعاً لم أترك الفرصة تفلت مني فقد صارحته بالغرض الرئيسي من تعييني في باريس ألا وهو البحث مع الحكومة الفرنسية عن سبل سلمية لإعطاء شعب الجزائر حق تقرير مصيره، وتشجيع الحكومة الفرنسية على انتهاج سياسة التفاهم والتفاوض مع جبهة تحرير الجزائر. وأكدت لوزير الخارجية استعداد ليبيا ملكاً وحكومة وشعباً على بذل كل الجهود لجعل جبهة التحرير تنهج نهجاً وطنياً معتدلاً، وأضفت أن رجوع الجنرال ديجول إلى قيادة فرنسا يعد فرصة ذهبية لفرنسا والجزائر فهو الفرنسي الوحيد الذي له بُعد النظر والشجاعة والماضي المجيد بما يجعله مستعداً لاتخاذ خطوات جريئة.

رد الوزير، وكان من الفرنسيين المتحررين، أنه سعيد بأن تقوم ليبيا بهذه المساعي، ولكنه حذرني من التسرع أو إظهار الضغط في حديثي مع الجنرال ديجول ونصحني بإتباع أسلوب الصديق الذي ينصح بإخلاص، وأكد على ضرورة إبداء حسن نوايانا في تلك المساعي ومحاولة كسب ثقة الجنرال بالتروي والحكمة والأسلوب الليّن. ووعدني بترتيب أول مقابلة لي مع الجنرال. وهذا ما تمّ إذ قابلت الجنرال بعد أسبوع واحد من تقديم أوراق اعتمادي لرئيس الجمهورية.

واستمرت العلاقة ودية ووطيدة بين دي مورفيل وبيني طوال مدة سفارتي، وكم من مرة تدخل عند الجنرال ديجول لترطيب الجوّ وإزالة العقبات.

أما الصديق الثاني فهو الجنرال جاك دي جيلبون وقد تعرفت عليه في يناير ١٩٥٥ عند عودتي من مفاوضاتي مع الرئيس الفرنسي منديس فرانس. وخلال مروري بالطريق البري من تونس إلى طرابلس، دعاني الجنرال لتناول طعام الغداء في مركز قيادته بمدينة قابس وكان يتولى منصب قائد القوات الفرنسية في الجنوب التونسي. بعد الغداء اختلى بي وشكى من تسرّب الأسلحة من ليبيا إلى الوطنيين التونسيين وطلب مني أن أساعده في ايقاف ذلك. وكان ردّي أنني اجهل تماماً أن هناك تهريب للسلاح من ليبيا

في أي اتجاه، وابتسم الجنرال وقال: هذا هو الردّ الذي أتوقعه منك، حسناً دعني أحدثك لا كقائد القوات الفرنسية في جنوب تونس ولكن كجاك دي جيلبون، إنني أعطف على حركات التحرّر الوطنية في الشمال الإفريقي كله وأرى أن حكومتنا تسير على سياسة قمعية خاطئة، وأود وآمل أن تُعطى شعوب شمال أفريقيا إستقلالها ولكن بطرق سلمية رتيبة وهذا يتطلب أن يتولى الأمر في باريس رجل قوي شجاع مثل الجنرال ديجول، وعليكم أنتم في ليبيا أن تساعدونا بنصح الوطنيين في شمال أفريقيا على أن ينهجوا نهجاً معتدلاً وأن يتعاونوا مع الأحرار في فرنسا ولا يقعوا فريسة في أيدي المتطرفين من المستعمرين.

رحبت كثيراً بآراءه واستمر الحديث بيننا لمدة طويلة فهمت منه أنه من أشدّ أنصار ديجول وأنه أحد الضباط الذين انضموا لحركته عام ١٩٤٠ وكان عندئذ برتبة كابتن. على أي حال كان هذا اللقاء فاتحة صداقة بيننا فدعوته لزيارة طرابلس وأحطته بعناية كبيرة، وأعجبني فيه آراؤه المتحررة وبُعد نظره السياسي. ومرّت الأيام وإذ به يتصل بي في باريس بعد وصولي اليها بأسابيع (مايو ١٩٥٨)، وكان الجنرال ديجول قد عهد له بمنصب عسكري كبير في العاصمة الفرنسية، ودعاني للعشاء في مركز قيادته ووعدني بأن يشرح لرئيسه المهمة الحقيقية التي جعلتني أقبل سفارة باريس، كما وعد بالمساعدة والنصح ولم يبخل بهما كما اتضح لي فيما بعد.

أما الصديق الثالث فهو لوي جوكس، الوكيل الدائم لوزارة الخارجية الفرنسية، وكنت قد التقيت به عدة مرات عند زياراتي لباريس وأعجبني فيه تحرر آرائه وبُعد نظره. وقد كان من كبار أنصار ديجول أثناء الحرب وإبان حكومة فرنسا الحرة عندما كان مقرّها مدينة الجزائر. وشعرت بأنه يعطف عطفاً قوياً على آمال سكان الشمال الإفريقي في الحصول على حق تقرير المصير والتحرر من الإستعمار الفرنسي. وعندما عاد ديجول إلى الحكم في مايو ١٩٥٨ أصبح جوكس من أهم العناصر التي يعتمد عليها الجنرال في وضع سياسته الإفريقية، ثم عُيّن وزيراً للمعارف، وثم عيّن عام ١٩٦٠ رئيساً للوفد الفرنسي في المفاوضات التي جرت مع جبهة التحرير في إيفيان. ولهؤلاء

الأصدقاء الثلاثة يرجع الكثير من الفضل في نجاح مساعيّ لدى ديجول لصالح الإخوان الجزائريين.

مقابلات مع ديجول من أجل القضية الجزائرية

وقد حظيت بالاجتماع بالجنرال ديجول أكثر من عشر مرات في فترة سفارتي التي دامت عشرين شهراً، وأعترف بأن أغلبها لم يكن من النوع السهل بل تخلّل أغلبها لحظات حرجة ومواقف مربكة.

ومن الغريب أن الأزمة العاصفة الأولى التي حدثت في مقابلتي الأولى مع الجنرال، لم يكن سببها قضية الجزائر، فقد تقبل الجنرال كلامي عن الجزائر بهدوء، وردّ بأنها قضية فرنسا دون غيرها وأنه أخذ كلامي مأخذ نصيحة الأصدقاء في أمور داخلية، وهذا كرد أول لم يكن رداً سيئاً. لكن العاصفة قامت عندما ذكرت للجنرال أن جولدا مايير، وزيرة خارجية إسرائيل، ستزور فرنسا قريباً وكان أملنا، نحن العرب، أن ينهج الجنرال ديجول على سياسة متوازنة بين العرب وإسرائيل خلافاً لسياسة سابقيه الذين اعتدوا اعتداءً سافراً على الأمة العربية. ولم يتركني أكمل كلامي بل رد علي في عصبية ظاهرة بأنه فخور بصداقته الوطيدة مع إسرائيل وأنه يعطف على ذلك الشعب النشط الذكي الدؤوب الذي حوّل صحارى فلسطين إلى حقول وبساتين، وأنه سيستقبل جولدا مايير بكل ود واحترام. بل وخرج الجنرال عن طوره واصفرّ وجهه، وتكهرب الجوّ، فعاودت الكرّة بلطف وهدوء وقلت أن مهمتي الأولى سيدي الجنرال هي أن أساعدكم – إذا احتجتم لمساعدتنا – في تسوية مشكلة الجزائر والتي نعتبرها مفتاح العلاقات الفرنسية-العربية، بمعنى أننا نطمع ونأمل أن تعود فرنسا لتأدية دورها الشهير في الشرق الأوسط، دور الدولة الكبرى الصديقة للأمة العربية، وهو الدور الطبيعي لفرنسا وثقافتها المتميزة ومبادئها العالية، وهذا ما دعاني للتعبير عن الأمل في أن تكون سياستك في الشرق الأوسط سياسة متوازنة عادلة.

وفي مقابلاتي العديدة مع الجنرال لم يخرج مرة واحدة عن طوره كما حدث في

مقابلتي الأولى هذه – ولقد راجعت صديقي وزير الخارجية دي مورفيل (وهو مسيحي – بروتستانتي من الاقلية البروتستانتية الفرنسية، وقد اشتهر بالبرود في علاقته مع اليهود) عن سبب ميل الجنرال الشديد لإسرائيل وعطفه على اليهود. قال: أن علاقة الجنرال باليهود ترجع إلى أوائل عهد حركة فرنسا الحرة، فعندما تمرّد الجنرال على الحكومة الفرنسية ورفض الرضوخ للإحتلال النازي وأسس حركته في المنفى فإن الأغلبية العظمى من اليهود الفرنسيين أمثال منديس فرانس، وبول موك، وشريبار وغيرهم، انضموا إلى حركة فرنسا الحرة لا حباً فيها، ولكن كراهية وفراراً من المدّ النازي، ولما كان أغلب أولئك اليهود من كبار الساسة والمفكرين والكتّاب فقد تولوا أهم المراكز القيادية في حكومة فرنسا الحرة وبنوا علاقة قوية مع الجنرال دعموها بإخلاصهم له وتفانيهم في التعاون معه، هذا هو السبب الرئيسي وعليك أنت يا صديقي أن تُشعر الجنرال بأن لفرنسا دوراً بارزاً ورسالة إنسانية كبرى في العالم العربي وأنها ستكون محبوبة ومرحباً بها بمجرد أن تزول قضية الجزائر من الأفق السياسي، بل ربما كانت الجزائر المستقلة هي الجسر الذي تعود فرنسا مرحباً عنه إلى العالم العربي.

ولقد اتبعت نصيحة الصديق بدقة تامة في مقابلاتي التالية مع الجنرال ديجول.

رغبت أن أذكر هذه الحادثة لكي أنفي ما علق في أذهان الكثير من الناس في عالمنا العربي من أن ديجول كان دائماً يميل ويعطف على التطلعات العربية ويكره اليهود أو على الأقل لا يميل اليهم، العكس هو الصحيح. غير أن ديجول، وهو في نظري من أقدر وأكفأ رجال الدولة في القرن العشرين، تطور تفكيره ورأى أن مصلحة فرنسا تكمن في تعاونها مع العرب والإتجار معهم، وإقامة معهم أوثق العلاقات وخاصة دول الشمال الإفريقي. ولما كان لا يسيّره في سياسته إلاّ مصلحة فرنسا قبل أي شيء آخر فقد عدّل من سياسته تدريجياً إلى أن انعطف بسياسة فرنسا في اتجاه معاد صراحةً لإسرائيل عام ١٩٦٧. وهذا ما أكده لي سفير فرنسي عام ١٩٦٨ بعد مقابلته مع الملك فيصل بن عبد العزيز في ١٩٦٧ لدى مرور الملك بباريس، ولا أدري ماذا جرى في لقائهما ولكن من المؤكد أن ذلك اللقاء كان نقطة تحول في سياسة ديجول نحو العالم العربي. طبعاً جعل لذلك

التحول في سياسته ذريعة وسبباً أن إسرائيل هي التي بدأت الإعتداء على الدول العربية. ولكن كم من اعتداء بدأته إسرائيل قبل عام ١٩٦٧ وبعد ١٩٦٧ وكوفئت عليه بالإعجاب وزيادة العون والتأييد؟

واستمرت اللقاءات مع ديجول بمعدل مقابلة كل شهرين تقريباً، وهو معدل كم حسدني عليه زملائي السفراء خصوصاً السردار بانيكار سفير الهند، وفينو جرادوف، سفير روسيا، وموسى مبارك سفير لبنان.

وبعد انتهاء سفارتي في باريس راجعت التقارير التي كنت كتبتها لوزارة الخارجية الليبية عن مقابلاتي مع الجنرال فوجدت أن هناك سلسلة من التتابع والترابط بين كلامه وتصريحاته لي منذ مقابلتي الأولى إلى مقابلتي الأخيرة، وهناك تكامل وتوسع تدريجي في عرض أفكاره وسياسته بالنسبة للجزائر. أذكر أنني قابلته بعد دعوته للمجاهدين الجزائريين بإلقاء سلاحهم والمجيء للتفاوض وهو ما أسماه سِلمُ الأبطال، وكان أول تصريح علني يبيّن فيه الجنرال إمكانية التفاوض مع الجزائريين، ولكن رفضت جبهة تحرير الجزائر سِلمُ الأبطال رفضاً فورياً. وقلت عندما قابلت الجنرال: لا شك عندي سيدي الجنرال أنك لم تكن تتوقع من الجزائريين أن يقبلوا دعوة سِلمُ الأبطال. وردّ: لا لم أتوقّع أن يقبلوا دعوتي ولكنني لم أتوقع كذلك أن يرفضوها بهذه السرعة.

ومن الحديث الذي دار بيننا يومئذٍ فهمت أنه كان يفكر في خطوات أخرى سيعلن عنها قريباً. وعند إعلان قيام حكومة الجزائر في المنفى قابلت الجنرال وأشرت، ولكن بحذر شديد، أن فرنسا كانت تبحث دائماً عن المحادث المفاوض L'interlocateur Valable، وربما أن الحكومة الجزائرية في المنفى هي ذلك المحادث المفاوض.

ولم يُبدِ الجنرال ميلاً للأخذ باقتراحي بل ظهر لي من كلامه أنه لا يكنّ احتراماً كبيراً لفرحات عباس (رئيس الحكومة الجزائرية في المنفى)، وأنه يكنّ احتراماً دفيناً لأحمد بن بلّا ورفاقه المسجونين في سجون فرنسا.

وأنا في باريس لم تنقطع اتصالاتي بالأخ أحمد بن بلّا نزيل سجن لاسنتيه بجوار باريس. وكان محامي أحمد بن بلّا همزة الوصل، وكم من رسالة نقلها مني وإلي. كذلك

قمت بنقل رسائل عديدة من ديجول لفرحات عباس ومن فرحات عباس لديجول، ولكن كانت رسائل ديجول تتخذ شكلاً غريباً، ذلك أنه بعد حديث طويل ومداولات كثيرة مع الجنرال أوجّه له سؤالاً: هل تريد يا سيدي الجنرال أن أنقل هذه الآراء لفرحات عباس؟ فيردّ الجنرال: هذا راجع لتقديرك. أنت تعرفه أكثر مني. وفي إحدى الجلسات تجرأت وقلت للجنرال: لماذا لا تجتمع سيدي الجنرال مع فرحات عباس أوتوكل لأحد معاونيك الاجتماع به، إنني متأكد من أن خيراً كثيراً سينتج عن ذلك الاجتماع. وردّ الجنرال: أن معرفة عباس بشوارع باريس أكثر كثيراً من معرفتي بأزقة القاهرة وحواريها. وكان يقصد أنه إذا كان فرحات عباس يريد التفاوض فيتعين عليه أن يأتي إلى باريس.

مساع لإطلاق سراح بن بلا

بعد وصولي لباريس بأيام اتصل بي محامي أحمد بن بلّا، وكان من المحامين المغاربة الأكفاء، ونقل لي أول رسالة من سجنه. واستمرت الاتصالات مع بن بلّا عن طريق محاميه طوال بقائي سفيراً في باريس، كما أقمت اتصالات سرية مباشرة مع مندوب جبهة التحرير الجزائرية السرّي الموجود في باريس لمعالجة بعض المشاكل المحلية. فمثلاً حدث في أواخر عام ١٩٥٨ أن زارني المندوب بعد ظهر يوم سبت في مسكني، وكان يصطحب معه شاباً يظهر على وجهه الخوف الشديد وقدّمه لي ثم شرح أن رفيقه هذا اشترك بالامس في قتل أحد الخونة الجزائريين الذين يتجسسون على الوطنيين الجزائريين، وأضاف أن الشرطة السرية الفرنسية تبحث عنه وتحاول تعقبه، ولذلك فقد جاء به إلي لأقوم بتهريبه في إحدى سيارات السفارة إلى خارج فرنسا.

قلت للمندوب أن السائقين العاملين في السفارة فرنسيان ولا شك أنهما على صلة بالمخابرات الفرنسية، ولذلك فإن تهريب الشاب في صندوق سيارة السفارة عمل محاط بمخاطر عظيمة. ثم استدعيت كبير المباشرين الليبيين ويدعى عيسى البرشوشي وكنت قد لاحظت أن أوصافه تقارب أوصاف الشاب الجزائري. فأخذت منه جواز سفره الليبي وعلى الفور استدعيت القنصل عبدالله اسماعيل بن لامين وأمرته بإلصاق صورة الشاب

الجزائري محل صورة عيسى البرشوشي ثم ختمها بختم القنصلية، وطلبت من الشاب الجزائري أن يغادر بالقطار إلى ألمانيا الغربية (ولم يكن الليبيون في حاجة إلى تأشيرة دخول لألمانية الغربية) وأن يبرق لي برقية أعطيته نصها بمجرد وصوله إلى ألمانيا. وهذا ما حدث. وبعد أن اطمأنيت لنجاة الشاب الجزائري أخطرت إدارة الجوازات في طرابلس بفقدان جواز سفر عيسى البرشوشي وأصدرت له وثيقة سفر مؤقتة إلى أن وصله جواز سفر جديد من طرابلس.

أما اتصالاتي بصديقي الوكيل الدائم للخارجية لوي جوكس فقد كانت بمعدل مرتين في الشهر. واذكر حادثين طريفين في اجتماعاتي معه، فبعد أن أعلنت جبهة التحرير الجزائرية عن إقامة حكومة جزائرية مؤقتة، ومبادرة الحكومة الليبية بالاعتراف بتلك الحكومة كممثل شرعي لشعب الجزائر، استدعاني جوكس، وكان على غير عادته رسمياً، واتخذ مني موقفاً صارماً على غير عادته، ثم قدم لي احتجاجاً شديد اللهجة على اعتراف الحكومة الليبية بما يسمى حكومة الجزائر في المنفى، وأن هذا العمل ينطوي على عمل عدائي لفرنسا ويزيد من الصعوبات التي تواجهها الحكومة الفرنسية في معالجة قضية الجزائر، وقاطعته قائلاً: لقد كنت أتوقع أن تشكرنا الحكومة الفرنسية لا أن تحتج علينا. فظهرت الدهشة على وجهه وسأل: نشكركم على ماذا؟ أنشكركم على عملكم العدائي. قلت: لقد قلتم وأعدتم مراراً وتكراراً أنكم تبحثون عن ممثل مفاوض عن شعب الجزائر Interlocateur Valable لتتحدثوا معه عن مستقبل الجزائر في نطاق بقائها في الفلك الفرنسي، وها نحن ندلكم على هذا الممثل المفاوض... حكومة الجزائر المؤقتة في المنفى. ثم أردفت قائلاً: لا شك عندي أن صديقي جوكس المتمع بالآراء المتحررة والسياسي بعيد النظر يفهم تمام الفهم أن لا ليبيا ولا أية دولة عربية أخرى تستطيع أن تمتنع عن الإعتراف السريع بحكومة الجزائر المؤقتة. وانتهى الاجتماع في جو لطيف وتناسينا الاحتجاج فقد تركته على مكتب جوكس.

مرة أخرى في أواخر عام ١٩٥٩ استدعاني وبيده احتجاج لأن الحكومة الليبية منحت أحد القادة الجزائريين (بوصوف) جواز سفر دبلوماسي ليبي. قلت له: نصيحتي ألا

تقدم لي هذا الإحتجاج لأنني أعرف من الآن أن الحكومة الليبية سترفضه على أساس أن منح جوازات السفر الدبلوماسية عمل من أعمال السيادة لا دخل لغير الحكومة الليبية فيه طالما لم يحدث من حامل الجواز أية مخالفة للقوانين الدولية. ثم سكتّ برهة وأضفت مبتسماً: أما إذا أصررت يا عزيزي لوي على تقديم الاحتجاج فأنني أودّ أن تصحح كتابته فتذكر جوازات دبلوماسية وليس جواز دبلوماسي لأن أغلب قادة الجزائر المناضلين يحملون جوازات سفر دبلوماسية ليبية. وانفجر في ضحكة عالية وقال: لست أدري ماذا أسمي عملك هذا أهو جرأة أو صراحة أو تحدي. قلت: بل صراحة مع صديق. وأخذ جوكس ورقة الاحتجاج ومزقها.

طرفة أخرى حدثت في اجتماعاتي الأخيرة مع الجنرال ديجول في ديسمبر ١٩٥٩، فقد كانت فرنسا قد وافقت مبدئياً على إجراء مفاوضات مع جبهة التحرير الجزائرية وعُيّن لوي جوكس رئيساً للوفد الفرنسي، وكان أحمد بن بلّا ورفاقه قد نُقلوا من سجن لاسنتيه ذي النظام الصارم إلى معتقل آخر، وكنت على موعد سابق لمقابلة الجنرال فرغبت أن أبذل مسعاً لإطلاق سراح بن بلّا ورفاقه لكي يتولّوا بالتعاون مع إخوانهم في الحكومة المؤقتة مهمة مفاوضة فرنسا. وبدأت المقابلة بداية طيبة، وحمدت الخطوات الأخيرة التي قام بها الجنرال، ثم نقلت له رسالة شفوية من الملك إدريس يرجو فيها إطلاق سراح بن بلّا ورفاقه، أو على الاقل تخفيف وطأة السجن إلى إقامة مراقبة أو شيء من هذا القبيل. رد الجنرال بأن بن بلّا ورفاقه مواطنون وفرنسيون، وأنه يقدّر ويحترم الملك إدريس، ولكن يتساءل عن الأهمية الكبرى التي نعلقها على بن بلّا ورفاقه.

ولا ادري السبب الذي دفعني أن أتحمس وأورّط نفسي ورطة لم تخرجني منها إلا عناية الله، فقلت: يا سيدي الجنرال أهمية بن بلّا في نظرنا هي أنه إذا سلّمنا وسلّم العالم كله بأنه يستحيل على فرنسا أن تتخذ مواقف شجاعة بعيدة النظر واسعة الأفق في تغيير مصير الجزائر، ما لم يكن الجنرال ديجول على رأس فرنسا، فإننا في ليبيا نرى ويرى معنا العالم العربي كله أنه لكي يكون هناك تجاوب من جانب الجزائر، فلا بدّ أن يكون بن بلّا على رأس الوفد الجزائري المفاوض. ورأيت الجنرال ينظر لي بنوع من

الامتعاض ويظهر على وجهه قناع أصفر ويقول بتهكم: تعني الجنرال ديجول والجنرال بن بلّا. وأطال لفظ كلمة بن ب... يلاّ. وهنا أدركت الورطة التي أوقعت نفسي فيها فتداركت وقلت: سيدي الجنرال لم أعنِ إطلاقاً أن أقيم مقارنة أو مساواة بينك وبين بن بلّا، فأنت رئيس جمهورية إحدى الدول العظمى وبن بلّا رهين أحد السجون الفرنسية، غير أنه عندما أشبه بن بلّا بك فإنني أسبغ عليك أعظم الإجلال وأعز التقدير. فأنت سيدي الجنرال هو ذلك الرجل الذي وقف وحيداً ورفض الركوع للغزو النازي وتحداه وحرر بلده وأعاد لها مجدها بشبه معجزة، وأحمد بن بلّا يا سيدي الجنرال رفض قبول استعمار المستوطنين الاوروبيين الذين هم خليط من الطليان والإسبان والمالطيين مع قلة نادرة من الفرنسيين، وجاهد وخاطر بحياته آملاً أن يتجاوب معه وطني فرنسي له من الشجاعة والرصيد الوطني وبُعد النظر ما يجعله يتلاقى معه على حلّ سلمي ينهي هذا النزيف المزمن الذي أنزل بالجزائر وبفرنسا التعاسة والعنف. وكنت ألاحظ أن وجه الجنرال بدأ يضيء بمشروع ابتسامة إلى أن قاطعني قائلاً: أشكرك على اطرائك وأقدّر فصاحتك ولكنها لم تقنعني بتغيير اسمي إلى شارل بن بلّا.

ما رغبت أن أشرحه هنا هو أن الجنرال ديجول كان على قدر كبير من الغرور. وأخيراً وفي نهاية المقابلة صافحني قائلاً: يمكنك أن تبلغ الملك أن مسعاه لن يذهب سدى. وفهمت من ذلك أن قراراً بالافراج أو تخفيف الاعتقال عن بن بلّا ورفاقه أصبح وشيك الوقوع، وهذا ما حدث بعد أيام اذ نُقل ورفاقه إلى فيلا في ضاحية شانتيي بجوار باريس.

بن بلّا رئيساً لجمهورية الجزائر

وبعد انتهاء سفارتي في باريس بعدة أشهر أفرج عن أحمد بن بلّا ورفاقه وقدموا إلى طرابلس وكانوا محل حفاوة شعبية كبيرة، وعقدت هيئة التحرير اجتماعاتها في طرابلس وعُيّن يوسف بن خدة رئيساً للوزارة الجزائرية في المنفى، ثم عقدت إتفاقية ايفيان وتقرر عودة بن بلّا ورفاقه إلى الجزائر، كما تقرر أن يعود الجيش الجزائري المعسكر في تونس.

وقامت صعوبات مع الحكومة الفرنسية في آخر لحظة. فقد اعترضت على عودة بن بلّا مصحوباً بالجيش الجزائري الموجود في تونس، واعترضت بنوع خاص على عودة قائد الجيش هواري بومدين. وتمسك بن بلّا بموقف في غاية الصلابة، وهو أنه لن يرجع إلا مصحوباً برفيقه في السلاح هواري بومدين وبالجيش الجزائري. ولو أنني كنت بعيداً عن كل المناصب الحكومية إلاّ أنه استشارني في الأمر، ولحسن الحظ فقد كان السفير الفرنسي في طرابلس يومئذٍ بيير سيبيو، صديقاً قديماً لي (منذ أن كان رئيساً لقسم شمال أفريقيا والشرق الأوسط في وزارة الخارجية الفرنسية ١٩٥٨ إلى ١٩٦٠) وكان من أولئك الفرنسيين المتحررين ومن أنصار ديجول وعلى صلة وثيقة بلوي جوكس، واجتمعت معه وشرحت له العواقب الوخيمة التي ستترتب على رفض فرنسا عودة بومدين مع بن بلّا بعدما أصرّ الأخير أنه لن يعود إلاّ مصحوباً به. وحمّلت السفير رسالة شخصية مستعجلة إلى جوكس نصحته فيها بالعدول عن موقفه المتعنت وشددت بضرورة التفاهم مع أحمد بن بلّا، وهو في نظري الزعيم الحقيقي للثورة الجزائرية ورجل المستقبل في الجزائر المستقلة.

ولم يمضِ إلا يوم واحد وجاءني رد شخصي من جوكس يقول فيه أن أحمد بن بلّا لم يعبّر ولو مرة واحدة عن رغبته في التعاون والتفاهم مع فرنسا، فكيف تريد أن نتفاهم ونتساهل معه، ألا يمكنه أن يصدر تصريحاً أو بياناً يعبّر فيه عن استعداده لنسيان الماضي وفتح صفحة جديدة مع فرنسا. إذا عمل شيئاً من هذا فإنني أستطيع أن أبدل الموقف الفرنسي. أسرعت إلى بن بلّا وصغت معه بياناً مطاطاً لا يقيّده بأي قيد ولكن فيه تعبير عن رغبة في التفاهم العام والتعاون لمصلحة الشعبين. وكان بن بلّا مسافراً إلى القاهرة مساء ذلك اليوم فأدلى بتصريحه هذا في القاهرة وتناقلته وكالات الانباء ونشرته الصحافة المصرية بالخطوط العريضة. وسرعان ما تبدّل موقف باريس، وقبلت عودته إلى الجزائر ومعه رفيقه في السلاح هواري بومدين عودة الفاتحين، وما هي إلا أيام وانتخب الأخ أحمد بن بلّا أول رئيس للجمهورية الجزائرية.

وفي حفلات الإستقلال دعت الحكومة الجزائرية مندوبين عن جميع الشعوب

والحكومات العربية والإسلامية والـدول الصديقة، ودعـانـي الرئيس بن بـلّا دعوة شخصية... وكـان استقبال الحكومة الجزائرية لي يفوق بمراحل استقبال مندوب الحكومة الليبية مما دعاني أن أرجو الرئيس بن بلّا ألا يحرجني مع الحكومة الليبية، خصوصاً وأن محمد بن عثمان هو الذي كان يرأس الحكومة الليبية في ذلك الوقت، ولم يكن بيني وبين بن عثمان ودّ كبير.

وأذكر آخر زيارة قمت بها للجزائر في عهد الرئيس بن بلّا في أواخر ١٩٦٤، فقد وصلت إلـى العاصمة الجزائرية عصر يوم سبت (كان يوم الاحد عطلة اسبوعية) واتصلت بعبد الرحمن الشريف مدير مكتب رئيس الجمهورية، وأبلغته بوصولي ورجوته ابلاغ الرئيس. وما هي إلا دقائق وإذ به يدعوني لحفلة استقبال كان يقيمها الرئيس لوفد سوري يرأسه رئيس الحكومة السورية صلاح بيطار ويرافقه حوالي ستين عضواً من أعضاء الحكومة وحزب البعث. وذهبت للاستقبال ضمن مئات المدعوين، وسلم علي الرئيس بن بلّا بحرارة وأخذني من يدي وقدمني للوفد السوري بعبارات أخجلت تواضعي، وأسرّ لي ألا أترك غرفتي في الغد إلى أن يتصل بي.

وفي صباح الغد اتصل بي عبد الرحمن الشريف من ردهة الفندق واصطحبني إلى مسكن رئيس الجمهورية. وفي الطريق شكا لي عبد الرحمن من أن الرئيس يتجاهل كل الإحتياطات الأمنية وينزل بنفسه ويشتري جرائد الصباح، وهذا قد يعرضه للخطر، ورجاني أن أنصحه بالعدول عن ذلك العمل وأن يترك شراء الجرائد لعبد الرحمن.

كان الرئيس بن بلّا يسكن في شقة متواضعة في الدور السادس من عمارة يسكن أغلب شققها ضباط جزائريون من رتب متوسطة، ولا أبالغ إذا قلت أن موظفاً من الدرجة المتوسطة قد لا يقبل السكن في تلك الشقة.

ونجحت في نصح الرئيس بالعدول عن شراء الجرائد بنفسه، وأن يلتزم بالإجراءات الأمنية الضرورية للمحافظة على سلامته. ثم بدأنا جلسة طويلة استمرت حوالي ست ساعات. قلت له برغم إعجابي بزهده وتقشّفه إلاّ أن منصب رئيس الجمهورية يستدعي نوعاً من اليسر والرتابة. رد بأنه يشعر بأنه رئيس ثورة أكثر منه رئيس جمهورية، ثم قال

أن الجزائر في حاجة لكل دينار لإعادة البناء والتعمير، وهو لا يسمح لنفسه إلاّ بالقدر الضروري من الانفاق.

نصائح لم تمنع الإنقلاب

حاولت أن أخفف من اندفاع بن بلّا وراء الرئيس عبد الناصر وأحذّره من عواقب ذلك وذكرت له الكثير من الأمثلة التي حدثت عندنا في ليبيا، وكنت حريصاً أن أنبّهه لذلك الخطر لأنني كنت قد سمعت من كثير من الجزائريين انتقادهم للرئيس بن بلّا على إندفاعه وراء المصريين. وكذلك كنت أحاول نصحه بالتخفيف من اشتراكيته المتطرفة على أساس أن الجزائر في أشدّ الحاجة لتضميد جروحها وتشجيع المموّلين من جميع الجنسيات على توظيف أموالهم في الإقتصاد الجزائري، ولكنني لم أنجح كثيراً في مساعيّ تلك وكنت أخشى أن يذهب ضحية لحسن نواياه وإهماله للحراسات الضرورية. وهذا ما حدث، ومع الأسف الشديد، ومن المؤلم حقاً أن الذي انقلب عليه وأطاح به هو رفيقه في السلاح هواري بومدين الذي أبى الرئيس بن بلّا قبل ذلك بعامين فقط أن يرجع إلى الجزائر إلاّ مصحوباً به.

وكنت كذلك على صلة وثيقة بكثير من الإخوة قادة ثورة الجزائر، وإن أنسَ فلن أنسى موقفاً نبيلاً وقفه معي أحدهم وهو كريم بالقاسم.

كان كريم من أبرز قادة الجزائر ومن أشجعهم وأكثرهم شعبية وهو الذي رأس وفد الجزائر في مفاوضات ايفيان التي أدت إلى اعتراف فرنسا بإستقلال الجزائر. ثم بعد الإستقلال تولى عدة مناصب هامة إلى أن اختلف مع الرئيس بن بلّا، فاستقال وجمّد نشاطه السياسي. ولكن بعد انقلاب بومدين على بن بلّا استأنف كريم بالقاسم نشاطه السياسي لا سيما في مناطق البربر التي ينتمي اليها ثم اضطرّ إلى الفرار إلى أوروبا في اواخر الستينات.

وبعد الإنقلاب الليبي وانتقالي مؤقتاً إلى لندن في شتاء ١٩٦٩، وفي مساء يوم من أيام شتاء لندن القارص قرع الباب وإذ بكريم بالقاسم. استقبلته بترحاب عظيم

واستغربت كيف توصل إلى عنواني. فقال لقد بذل جهوداً كبيرة على مدى اسبوع إلى أن عرف مكان سكني، وهو يزورني ليعرض علي أن يتقاسم معي المال القليل الذي يعيش منه في المنفى، فهو لا ينسى مواقفي الوطنية من الثورة الجزائرية. وقد بذلت جهداً مضنياً طوال تلك الليلة حتى أقنعت كريم أنني لست بحاجة لأية معونة وأنني سأطرق بابه قبل أي باب آخر إذا ما احتجت إلى المساعدة. وقد اغتيل كريم بالقاسم بعد ذلك بشهور معدودة رحمه الله رحمة واسعة.

الباب العاشر

ليبيا والعدوان الثلاثي على مصر

الأسباب الحقيقية

منذ وقوع العدوان الثلاثي على مصر وإلى يومنا هذا فإن سيل الكتب والأبحاث والتحقيقات حول هذا العدوان لم ينقطع. ولا أهدف من كتابة هذا الباب من مذكراتي إلى إضافة بحث آخر، إنما إلى سرد ما عرفت من حقائق وما بدى لي من انطباعات وآراء عن تلك الأحداث وعن السياسيين الذين لعبوا الأدوار الرئيسية في هذه الأزمة الدولية التي كادت أن تؤدي إلى كارثة كبرى، ثم أوضح للقارىء الكريم موقف ليبيا - شعباً وحكومةً - من تلك الأحداث الجسام، وما تركته - بعد ذلك من بصمات على السياسة الليبية.

إنني لا أجاري القول بأن اعتداء بريطانيا وفرنسا وإسرائيل على مصر كان سببه الحقيقي تأميم الرئيس جمال عبد الناصر لقناة السويس كذلك فإنني أكاد اجزم، بناء على معرفتي وخبرتي، في ذلك الوقت، بأن تأميم القناة لم يكن إلا الشرارة التي أشعلت مستودع البارود. ففي خريف ١٩٥٦ كان مستودع البارود الغربي جاهزاً، تتراكم فيه المتفجرات يوماً بعد يوم. إن أسباب الاعتداء أعمق وأوسع وأشمل من هذا السبب الظاهر، كما أنني لا اجاري القول أن جمال عبد الناصر فكر ثم نفذ تأميم قناة السويس كمصدر بديل لتمويل السد العالي بعدما سحبت أمريكا وبريطانيا عرضهما السخيّ الأول. لا شك عندي أن عبد الناصر كانت تراوده فكرة تأميم القناة لفترة طويلة قبل قصة السد العالي. ولكنه أسرع بتنفيذ التأميم بعد الصفعة التي تلقاها من أمريكا وبريطانيا برفضهما التمويل رفضاً مبنياً على مبرّرات مهينة وأعذار واهية وأسباب كان

القصد منها التشهير بمصر والنيل من سمعتها. فرأى أن يصيب عصفورين بحجر واحد، أي أن يأمم قناة السويس ويرد على صفعة الغرب بصفعة أشد وأبعد أثراً. وأضاف إلى تلك الصفعة إخراجاً إعلامياً تفوح منه رائحة التحدي والاستفزاز والظهور بمظهر من رد الصاع صاعين.

أن الاحتكاكات بين الطموحات السياسية والكتل العقائدية التي أدت إلى إنفجار العدوان الثلاثي هو ذلك الصراع القديم الجديد بين الإستعمار الغربي الذي كان مسيطراً سيطرة تامة على العالم العربي، والذي بدأت شمسه تغرب ولكنه كان لا يزال يعيش وهم تاريخه القديم ويتمسك بأهداب بقايا إمبراطوريته المتداعية، وبين روح الإستقلال والحرية والتحرر التي بدأت تنتاب العالم العربي ابتداءً من نهاية الحرب العالمية الأولى، وهزيمة الدولة العثمانية. فما أن انفرطت عنها البلاد العربية في جو كله ترقّب وآمال في التحرر والإستقلال، لاسيما بعد إعلان مبادىء الرئيس الأمريكي ويلسون عام ١٩١٩ المنادية بإستقلال الشعوب وحقها في تقرير المصير، حتى سارعت بريطانيا وفرنسا إلى اقتسام الغنائم قبل أن تنطلق وتعم مبادىء ويلسون وتصيب الشعوب العربية بحمّى التحرر (حسب تعبيرهم) فاتفقتا على توزيع النفوذ لكل منهما:

وادي النيل وفلسطين والخليج وعدن لبريطانيا

سوريا ولبنان وشمال أفريقيا لفرنسا.

وبدأت سلسلة طويلة من الصراعات بين المستعمرين الغربيين والشعوب العربية: ثورة مصر عام ١٩١٩، الثورات السورية المتعاقبة، الحرب الليبية-الإيطالية، ثورات الشمال الإفريقي، قلاقل العراق وانقلاباته، بل حتى الثورة العربية الكبرى التي قام بها الهاشميون في الحجاز بتأييد وتمويل بريطاني ضد دولة الخلافة العثمانية انتهت بتنكر بريطانيا لوعودها، وبترضية الهاشميين بعرش ونصف: عرش العراق وإمارة شرق الأردن، ثم اضطرابات أخرى في مصر سويّت عام ١٩٣٦ بمعاهدة صداقة وتحالف بين بريطانيا ومصر ووقّعها انتوني إيدن وزير خارجية بريطانيا ومصطفى النحاس باشا رئيس وزراء مصر. ثم قمع في الشمال الإفريقي وثورات عديدة في سوريا.

ثم قامت الحرب العالمية الثانية وجُمدت حركات التحرر. وجاءت نهاية الحرب بوثيقة الأمم المتحدة وما اشتملت عليه من مبادىء الحرية والإستقلال وحق تقرير المصير وحقوق الإنسان، وألهبت مشاعر العرب (بل حتى وثيقة حلف الأطلسي نادت بمبادىء تحرر الشعوب وإستقلالها). فقامت حركات شعبية قوية منادية بتطبيق مبادىء ميثاق الأمم المتحدة: مصر طالبت بجلاء القوات البريطانية عن أراضيها، وفي سوريا قامت ثورة ووقعت صدامات دامية مع القوات الفرنسية، وحتى قبل نهاية الحرب العالمية الثانية قامت ثورة رشيد علي الكيلاني في العراق مما اضطر بريطانيا لإعادة غزو العراق مرة أخرى.

وفي شمال أفريقيا قامت اضطرابات وقلاقل، وفي ليبيا ازدادت الضغوط السياسية من اجل الحصول على إستقلال البلاد، وباختصار فإن حُمّى الإستقلال والتحرر أصابت جميع أجزاء العالم العربي. ثم وقعت الواقعة في فلسطين، وأدخل جسم مسموم في قلب الأمة العربية بقرار من الأمم المتحدة، مؤيد من الدول الكبرى جميعاً بما في ذلك روسيا ولكن بدور رئيسي لكل من الولايات المتحدة وبريطانيا.

وأخيراً فإن لاعبين جديدين قد ظهرا على المسرح السياسي في الشرق الأوسط. اللاعب الأول هو الولايات المتحدة الأمركية التي خرجت من الحرب العالمية الثانية منتصرة قوية لم يصبها من دمار تلك الحرب أي ضرر يذكر في مدنها وصناعاتها، بل أن صناعاتها ازدادت رواجاً ونشاطاً لأنها كانت تغذّي العالم بأدوات القتال والدمار أثناء الحرب، وأصبحت بحلول السلم تغذّيه بأدوات الإنشاء والإعمار. ثم أنها استغلّت حاجة بريطانيا لمساعدتها في تلك الحرب فانتزعت منها ثمناً باهظاً لتلك المساعدات.

كان بعض ذلك الثمن يتعلق بتنازل بريطانيا عن كثير من نفوذها واحتكاراتها البترولية في الشرق الأوسط.

وجاءت الولايات المتحدة إلى مسرح الشرق الأوسط برغبة أكيدة في إزاحة الإستعمار البريطاني جانباً وإحلال نفوذها السياسي والإقتصادي والعسكري بدلاً منه. ربما لم تكن الولايات المتحدة تسعى لاستعمار مباشر مثل البريطاني أو الفرنسي.

ولكن تسعى لتكون صاحبة الكلمة العليا في سياسة الشرق الأوسط وإقتصادياته وتحصل على نصيب الأسد في احتكارات بتروله وتفتح أسواقه امام منتجاتها وتحميه وتحمي مصالحها فيه بسلسلة من الأحلاف الغربية تحت زعامتها، وكذلك تحمي صديقتها إسرائيل ولكن في نفس الوقت لا تمانع في مساعدة الشعوب العربية في الحصول على البعض من حقوقها ولكن في إطار مفاهيم أمريكا وفي نطاق أهدافها ومصالحها. لذلك فإن كثيراً من الزعماء العرب حتى الثوريين منهم نظروا إلى مجيء أمريكا إلى ساحة الشرق الأوسط نظرة رضى وترحيب.

أما اللاعب الآخر الجديد فهو الإتحاد السوفييتي مدفوعاً بآمال عريضة في الوصول إلى المياه الدافئة في البحر المتوسط والخليج العربي، وتطلعه إلى التغلغل في المنطقة بنشر نفوذه وبث مبادئه العقائدية الماركسية والتظاهر بأنه الصديق الصدوق للأمة العربية وطبقاتها المظلومة.

وزيادة في الارباك فإن بريطانيا هي الأخرى كانت تسعى لتقليص نفوذ حليفتها فرنسا. فقد سعت بريطانيا لإزاحة فرنسا من سوريا ولبنان أملا في أن يكون لها مربط فرس في تلك البقاع.

وأخيراً بدأت هذه الأحداث، لاسيما هزيمة الجيوش العربية على يد إسرائيل عام ١٩٤٨، تتفاعل داخلياً على تركيبة الكيانات العربية الهشة، فأفرزت سلسلة من الإنقلابات، في سوريا (انقلابات حسني الزعيم، والحناوي، والشيشكلي)، وقلاقل كثيرة في الأردن والعراق ولبنان، ثم أخيراً فجرت انقلاباً في مصر جاء بمجموعة من الضباط الوطنيين المتحمسين سرعان ما بدأ حماسهم واندفاعهم يصطدم بمصالح الغرب وخصوصاً مصالح بريطانيا.

بداية الاحتكاك بين أهداف القومية العربية ومخططات الغرب

كان الهدف الأول إجلاء البريطانيين عن مصر، وبلغوا هدفهم هذا بعد ثلاث سنوات من المفاوضات المضنية، قبلت بريطانيا بعدها إجلاء قواتها مقابل حصولها على حق

العودة في حالة وقوع أي اعتداء على إحدى دول الشرق الأوسط، ومقابل بعض الآمال في فتح صفحة جديدة من التعاون والتفاهم بين بريطانيا ومصر. وكان قبول بريطانيا بإجلاء قواتها على مضض (تم بالرغم من معارضة رئيس الوزراء تشرشل) وبناء على إلحاح من وزير الخارجية إيدن الذي كان يردد لرئيسه أن إجلاء القوات البريطانية سيفتح صفحة جديدة من التعاون الوثيق مع القيادة المصرية الجديدة.

ولكن في واقع الأمر لم يفتح الجلاء البريطاني عن مصر أية صفحة جديدة ولم يحدث أي تعاون فأصيب إيدن بأول إخفاق في سياسته العربية الجديدة التي كان يسعى من خلالها إلى تحقيق مصالح بريطانيا عن طريق كسب صداقة العالم العربي، عوضاً عن سياسة التصادم التي كانت تنتجها الحكومة البريطانية.

ثم اتجهت القيادة الجديدة إلى تحويل تعاون مصر (الذي كان محصوراً مع الغرب عموما وبريطانيا بنوع خاص) إلى وجهة أخرى، فقد اتجهت إلى التعاون مع الشرق والغرب على قدم المساواة، بل بدأت تطبق سياسة المزايدة بين الشرق والغرب، ونجحت تلك السياسة وحصلت على عون كبير من الجانبين. ثم سارت على سياسة الحياد الإيجابي، وناهضت الأحلاف الغربية بحجّة أن عدو العرب الأول هو إسرائيل وأن أي تحالف غير الذي يُوجّه أساساً ضد إسرائيل ما هو إلاّ تشتيت للجهود العربية.

وتنفيذاً لهذه السياسة فقد قامت القيادة المصرية بحملة عنيفة شعواء على حلف بغداد وعلى صانعيه وبنوع خاص على نوري السعيد رئيس وزراء العراق في ذلك الوقت.

ثم تدخلت مصر تدخلاً يكاد يكون مكشوفاً في الأردن ولبنان فموّلت المظاهرات ودبّرت الاضطرابات فيهما مما أرهب حكّام البلدين فجعلهم يتراجعون بسرعة عن أي فكرة للانضمام لحلف بغداد، فمثلا في عام ١٩٥٥ أرسلت بريطانيا الجنرال تمبل رئيس أركان الحرب البريطاني إلى عمان للتفاهم مع الملك حسين على تفاصيل انضمام الأردن إلى حلف بغداد، ولكنه وُجه بمظاهرات شديدة وقلاقل سياسية خطيرة مما دعاه إلى قطع الزيارة والعودة إلى بلاده ، واضطر الملك حسين إلى أن يعلن أن بلاده لن تدخل حلف بغداد بأي طريقة من الطرق.

ورأى إيدن في هذا العمل من القيادة المصرية مظهر عداء لبريطانيا وأصيب باخفاق ثان ضاعف من آثاره تبنيها لدعاوى القومية العربية وانتشار التيار القومي بين الشعوب العربية وما صاحب ذلك من عداء شديد للسياسة البريطانية بين شعوب المنطقة.

ثم في نوفمبر ١٩٥٤ قامت ثورة الجزائر ولعبت القيادة المصرية الجديدة دوراً رئيسياً في مدها بالسلاح والعتاد (بالتعاون مع المملكة العربية السعودية ومع ليبيا) وبالرغم من االسرية المطلقة التي أحيط بها موضوع تسليح الثورة الجزائرية ومساعدتها والعون العربي لها، إلا أن أخبار ذلك العون سرعان ما بلغت فرنسا التي شعرت بآثاره تظهر في ميادين القتال في الجزائر، وتأكد لها أن القضاء على الثورة الجزائرية يستدعي أولاً القضاء على القيادة المصرية الجديدة.

وفي أوائل الخمسينات حاولت القيادة المصرية تسليح جيشها بأسلحة حديثة، ولكن دول الغرب ماطلت في الاستجابة حتى بأسلحة دفاعية بحتة، مما اضطرها إلى الحصول على السلاح المتطور من روسيا، وبذلك حطمت الاحتكار الغربي لتجارة السلاح، فأصيب الغرب عموماً، وبريطانيا وأمريكا بنوع خاص، بخيبة أمل شديدة وشعرتا بأن مصر ارتبطت بالمعسكر الشرقي برباط مكين.

وكانت مصر تقوم بتزويد الدول العربية بعدد كبير من المدرسين والخبراء، مساعدة منها في تطوير التعليم العربي وتوحيده. فتصورت بريطانيا والدول الغربية أن مصر تحاول غزو أفكار العالم العربي وربطه بعجلتها، بل صوّرت أولئك المدرسين والخبراء بأنهم أرسلوا لبث الدعاية المصرية ضد المصالح الغربية. (وفي الوثائق التي اطلعت عليها مؤخراً العديد من التقارير التي كان يرسلها سفراء بريطانيا في العالم العربي ويثيرون المخاوف تحسبا من تأثير المدرسين المصريين على عقلية الشباب في العالم العربي).

كما ان القيادة المصرية الجديدة لم تتوان عن تقديم العون المادي والمعنوي لكل ثائر عربي وكل حركة تحرير عربية، بل أن القاهرة أصبحت ملجأ الثائرين العرب، الثائرين ليس على النفوذ الغربي فقط بل وفي أغلب الأحيان الثائرين على أنظمة بلادهم

الموالية للغرب.

وأخيراً وليس آخراً فإن إذاعة صوت العرب أقلق الدول الغربية، لا لأنه كان يهاجمها بدون هوادة فقط، بل لأنه كان يهاجم كذلك أي زعيم عربي يتعاون معهم حتى ولو كان تعاونه لصالح بلده. وكانت مسموعة في أرجاء العالم العربي من الخليج إلى المحيط، وكان تأثيرها يكاد يكون تأثيراً سحرياً.

أسباب كراهية الجماهير العربية لسياسة بريطانيا وفرنسا

وكانت الجماهير العربية في المشرق العربي تشعر بكراهية دفينة نحو بريطانيا لماضيها الإستعماري في مصر والعراق والسودان والأردن، وبنوع خاص في فلسطين. وكانت الكراهية نحو أمريكا تنبثق من نصرة أمريكا لإسرائيل وحمايتها لها، ولو أن هذه الكراهية (في تلك الحقبة) خففتها مظاهر التحرر والمناداة بحق تقرير المصير ومناصرة الشعوب على التخلص من الإستعمار كما كانت تدّعي.

أما فرنسا فكانت تتمتع بأعلى درجة من الكراهية نظراً لماضيها البغيض في الشمال الإفريقي وقمعها الدموي للثورة في سوريا.

من المسلّم به أن أهم سياسيين قاما بأبرز أدوار واتخاذ أهم القرارات المصيرية التي أدت إلى مأساة حرب السويس هما الرئيس جمال عبد الناصر ورئيس وزراء بريطانيا أنتوني إيدن.

ومن أهم المؤثرات التي تكوّن قناعات ثابتة واتجاهات محددّة في أذهان السياسيين وتدفعهم إلى اتخاذ قراراتهم في الأزمات الخطيرة هي البيئة التي نشأوا فيها ومدى تحصيلهم الدراسي في صباهم وشبابهم، وما تعرضوا من تجارب وما صادفهم من عقبات، أو ما نعموا به في رغد في العيش. لذلك فإني أستأذن القارىء من هذا التحليل السريع لشخصيتيّ الرئيس جمال عبد الناصر وأنتوني إيدن. هذا التحليل الذي أثريته بتجاربي وتعاملي مع كل منهما لاسيما قبيل وأثناء أزمة تأميم قناة السويس.

لمحة عن شخصية الرئيس عبد الناصر

أما عبد الناصر فلن أستطرد كثيرا في تحليل شخصيته والظروف الأسرية والاجتماعية والسياسية التي نشأ في ظلها. فالحديث عن هذا الزعيم الذي ترك بصمات عميقة في تاريخ الأمة العربية يحتاج إلى الكثير من الوقت والجهد والحجم مما لا تتسع له مثل هذه المذكرات، بالإضافة إلى أن المكتبة العربية حافلة بالعديد من المؤلفات القيمة التي تحدثت عن عبد الناصر الإنسان والسياسي. عن أفكاره، وتجربته السياسية وما حققه خلال فترة حكمه لمصر من إنجازات عظيمة... ومن مآسي دامية . فلقد كانت سنوات حكم عبد الناصر حافلة بالصراع، والتحديات، والمعارك على جميع المستويات السياسية، والإقتصادية، والعسكرية... تخللتها انتصارات باهرة وهزائم قاسية.

كان عبد الناصر مستهدفاً من الكثيرين، داخل مصر وخارجها، أفراداً وجماعات ودول، كما استهدف هو – أيضا – العديدين أفراداً وجماعات ودول.

لقد اختلف الدارسون حول شخصية عبد الناصر بين مادح، وقادح، كل بحسب موقعه، وكل بحسب النظرية السياسية التي يؤمن بها. فمنهم من سلط الضوء على المنجزات العملاقة، ومنهم من سلط الضوء على المساوىء الرهيبة... وبقدر ما التفّ حول عبد الناصر من مؤيدين ومشجعين وأنصار، بقدر ما كان له من خصوم وأعداء.

وبالرغم من أنني لدي الكثير مما أقوله عن عبد الناصر، من انطباعات شخصية، ومحصلة للقاءات ثنائية عديدة جمعت بينه وبيني، ومشاهدات ومشاركات سياسية، إلا أنني احتفظ بذلك لوقته ومكانه المناسبين. إذا كان في العمر متسع من الوقت.

وبدون الدخول في تفاصيل سياسة عبد الناصر، فلقد كان لي عليها مآخذ رئيسية تتمثل في:

أولاً: سياسة القبضة الحديدية التي طبقها في مصر والتي لم تترك متنفساً أو متسعاً لحقوق الإنسان وحرياته الأساسية.

ثانياً: سياسته العربية وتدخلاته المستمرة في الشؤون الداخلية للدول العربية والتآمر على أغلب أنظمة الحكم فيها والسعي لإسقاطها بكافة الوسائل.

ثالثاً: عدم المرونة في التعامل مع القضايا والأزمات الدولية ومواجهتها بأسلوب التحدي والاستفزاز دون إعطاء فسحة كافية للدبلوماسية الهادئة في أن تؤدي دورها مما جلب على مصر والأمة العربية الكثير من المشاكل والمصاعب والعداوات.

لا شك أن الرئيس عبد الناصر بهرني بشخصيته القوية الجذابة وبسرعة بديهته وذكائه المشتعل، وزادني اعجاباً به ما أبداه من آراء وطنية صادقة ومشاعر عربية فياضة، وشعرت بأنه صادق قولاً وعملاً، فيما شرحه من رغبة في إجراء إصلاحات واسعة شاملة في مصر، وإقامة صرح التعاون العربي على أسس قوية سليمة وصريحة.

كما أعجبت بصدق نوايا الكثير من زملائه ومعاونيه وبدأ بينه وبيني منذ لقاءنا الأول في مايو ١٩٤٥ عهد طويل من التفاهم والتضامن كان له أطيب الأثر في علاقات بلدينا.

غير أنني بعد اجتماعاتي الأولى معه اكتشفت أنه يعتمد على ذكائه السريع، وردود الأفعال الفورية أكثر مما يعتمد على التفكير العميق، والتحليل الدقيق المبني على الدراسة والتجربة والاستعانة بأهل الخبرة والمعرفة. وأن سرعة بديهته وذلاقة لسانه كثيراً ما ورطه في مواقف صعبة، كما شعرت أن عروبته تشترط أن تكون مصر في كرسي الزعامة العربية وأن يكون هو زعيم الأمة العربية. والحقّ أنني لم أكن أرى بأساً في ذلك بحكم مكانة مصر وحجمها، وثقلها العربي والدولي.

كما لمست تناقضاً - تزايد مع مر الأيام - بين سلوكه وأخلاقه الشخصية من جهة، وسلوكه وأخلاقياته التي نهج عليها في تعامله السياسي من جهة أخرى. كان نزيه اليد، متديناً، محافظاً، عفيفاً في حياته العائلية، متقشفاً في حياته الخاصة، أبعد زوجته وأولاده عن الأضواء، ومنع عائلته وأقاربائه وأصدقائه من الإنزلاق في أعمال الاستغلال والمحسوبية. أما في سلوكه وأخلاقياته السياسية فلقد كانت له مفاهيم أخرى مختلفة تمام الاختلاف. كان يفصل بين الأمرين، وما لا يقبله في تعامله الشخصي مع الناس، وما تأباه عليه أخلاقه في تعاملاته الخاصة، لم يكن يجد أي غضاضة في ممارسته ضد خصومه السياسيين، فلقد كانت الغاية عنده تبرر الوسيلة، وبما أنه يعتقد أن غايته نبيلة وشريفة وتهدف إلى حماية مصالح المواطنين، فإن كل الوسائل تصبح مشروعة بصرف

النظر عن مخالفتها للقوانين، ولو أدى ذلك إلى استعمال العنف والقمع ضد معارضيه في الداخل والخارج. لقد شعر أنه كان مستهدفاً من قبل عناصر كثيرة داخلية وخارجية، ولذلك فقد كانت ردود أفعاله في غاية القسوة والشدة.

أما على مستوى العالم العربي فان تدخله في الشؤون الداخلية لأغلب الدول العربية كان صارخاً، ولم يتورع في التآمر على أنظمة الحكم فيها، والسعي لتأليب الشعوب عليها والعمل على إسقاطها بشتى الطرق والوسائل.

وكان يشعر بكراهية شديدة نحو النفوذ الأجنبي خصوصا البريطاني، وبرغم تفهمي للأسباب التي دعت إلى تلك الكراهية فكنت أقول له أن الوقت ربما قد حان لفتح صفحة جديدة من التعاون المثمر ومحاولة إقامة ذلك على قدم المساواة ولصالح الطرفين ولكنه لم يتمكن من تخطي ذلك الحاجز المنيع، حاجز الكراهية المطلقة لكل ما هو أجنبي وما هو بريطاني بنوع خاص. وأعتقد أن هذه الكراهية الدفينة كان لها عظيم الأثر في مواقفه من بريطانيا. كما كنت أجد عنده نوعاً من الاستخفاف بآراء الخبراء والفنيين. أذكر أنني انتقدته بعد أن تخلّص من أحد وزرائه الأكفاء فكان رده ان ذلك الوزير كان يلح عليه بآرائه الإقتصادية وأبحاثه وإحصائياته ظناً منه أنه لا يفهم النظريات الإقتصادية المعقدة، لذلك فقد أحضر كتب الإقتصاد التي تدرّس في الجامعة وقرأها كلها وأصبح يشعر أنه على مقدرة تامة لفهم المشاكل الإقتصادية وحلّها.

أما فيما يخص سياسته المصرية فلا شك أنه كان يهدف لإجراء إصلاحات كثيرة، وكان مخلصا في ذلك وكان حلمه الكبير أن يرفع من مستوى المواطن المصري وأن يوفر له حياة كريمة، ولذلك سعى بجدّ لإعادة توزيع الثروة، وكان يؤمن بأن الوسيلة الوحيدة لتحقيق ذلك هي تبنّي النظرية الاشتراكية، ولكنه في اندفاعه وتسرعه وراء الإصلاحات وقع في أخطاء كثيرة، وزج ببلده في سياسات اشتراكية متطرفة وتأميمات كثيرة لا داعي لها أضرت بإقتصاد البلاد أعظم الضرر.

وأخيراً فقد كنت أشعر بأنه لم يكن مطمئناً لشعبيته في سنوات حكمه الأولى، عندما كان الجيش المصري هو سنده الوحيد، لذلك فقد كان شديد الحذر وكثير الترقب في

خطواته السياسية، وكان يخشى من مزايدة بقايا حزب الوفد وبقايا تنظيمات الإخوان المسلمين على مواقفه الوطنية.

أذكر أنني كنت أزوره في منزله بمنشية البكري في ربيع ١٩٥٦، وكنا عادة نبدأ اجتماعاتنا بتبادل الفكاهات والأحاديث الخفيفة. وكان الرئيس قد نشر في تلك الأيام مشروع الدستور المصري الجديد في الصحافة المصرية، وبادرني بسؤالي: هل اطلعت على مشروع الدستور وما رأيك فيه؟ (وكان قد وضع ضمن الشروط الواجب توافرها في المرشح لرئاسة الجمهورية أن يكون إبنا لأبوين مصريين ومولوداً في مصر وذلك لكي يتجنب ترشيح اللواء محمد نجيب). وتلقفت الفرصة لكي أثير فضوله ولأغمر به، فقلت: لقد أكثرت يا ريس من الشروط الواجب توافرها في المرشح لرئاسة الجمهورية. فقال: ماذا تعني؟ قلت: لم ينقصك إلاّ أن تحدد أن المرشح لرئاسة الجمهورية يجب أن تكون الحروف الأولى لإسمه ج، ع.

فانفجر في ضحكة طويلة ثم توقف فجأة وقال في عفوية وبالعامية: عاوزني أتركها سبهلله عشان يأخذها مني النحاس (يعني مصطفى النحاس)؟ وعندي أن هذه الجملة العفوية تعني الكثير وتفسر نمط التفكير الذي كان يسيطر عليه في أوائل عهده، فلم يكن على ثقة من شعبيته، ولذلك زايد على منافسيه بحشو خطبه الديماغوجية بوعود يستحيل تنفيذها، ولكنه كان يرددها لجذب الجماهير وكسب رضاهم . ومع الأسف فقد تسببت خطبه تلك في أزمات سياسية كثيرة وورطته في كثير من المواقف المحرجة.

ولا أود أن يظن القارىء أنني أحاول بعرضي هذا أن أقلل من منزلة الرئيس عبد الناصر أو أن أطعن في منجزاته. فقد كان زعيماً عربياً له مواقف وطنية مشهورة وإنجازات لا يمكن لمنصف أن ينتقص منها. ولكنني أردت فقط أن أعطي القارىء بعض الانطباعات عن شخصية عبد الناصر ومواقفه السياسية في تلك الفترة التي قامت فيها أزمة السويس بالذات.

لمحة عن شخصية أنتوني إيدن

نشأ إيدن في عائلة أرستقراطية قديمة من ملاك الأراضي. ولد في عام ١٨٩٧ وهي العام التي احتفلت فيها فيكتوريا، ملكة بريطانيا وإمبراطورة الهند، بيوبيلها الماسي، وهي أيضاً العام التي بلغت فيها الإمبراطورية البريطانية أوج مجدها وقمة عظمتها. ومات إيدن عام ١٩٧٧ عندما بلغت بريطانيا درك الحضيض في مكانتها الدولية وتفتّتت إمبراطوريتها.

لقد عرفت إيدن معرفة جيدة ولكنها لم تكن مثل تلك المعرفة والعلاقة الحميمة التي كانت بين عبد الناصر وبيني. لقد اقتصرت علاقتي بإيدن على إجتماعين في يونيو ١٩٥٦، ووليمة غذاء أقامها لي، والعديد من الرسائل الشفوية والكتابية التي تبادلتها معه أثناء رئاستي للحكومة الليبية. ولذلك فإنني أثريت معلوماتي عنه بمطالعتي لكثير مما كتب عنه، وكذلك باطلاعي على الوثائق المتعلقة بسياسته، خصوصاً سياسته العربية.

لقد بدأت حياة أنتوني إيدن كلها نجاح. التحق بمدرسة إيتن الشهيرة، ثم بجامعة اكسفورد حيث درس وأجيز في اللغات الشرقية، اللغتين العربية والتركية. ثم فاز بمقعد في مجلس العموم وكان عمره ٢٦ عاماً. ثم عُين مساعداً لوزير الخارجية أو ما يسمونه بمنصب وزير صغير وعمره ٣٤ عاماً، ثم تولى منصب وزير الخارجية البريطانية وعمره لم يتجاوز الأربعين، وفي كل هذه المناصب كان مثال الدبلوماسي الارستقراطي الناجح.

وزادت شهرته عندما استقال من منصب وزير الخارجية عام ١٩٣٨ احتجاجاً على سياسة المهادنة التي كان رئيس الوزراء تشامبرلين يتبعها مع موسوليني وهتلر. وقبل استقالته هذه كانت له اجتماعات عديدة مع موسوليني تصادم فيها مع الديكتاتور الإيطالي مصادمات عنيفة، ويبدو أنه تأثر تأثراً نفسيا من جرّاء تصادمه هذا وزاد من تأثره شعور الإحباط والإزدراء عندما شعر بأن رئيسه تشامبرلين مال بسياسته نحو مهادنة موسوليني مما دعاه إلى تقديم استقالة مسببّة كان لها صدى كبير.

ويبدو لي أن شعور الكراهية نحو كل ما هو ديكتاتوري كان شعوراً مسيطراً على تفكير إيدن ومنقوشاً في عقله وقلبه ولازمه إلى آخر أيام حياته.

ثم اشترك مع تشرشل في وزارة الحرب في عدة مناصب، وبعد نهاية الحرب وهزيمة المحافظين ثم رجوعهم للحكم في أوائل الخمسينات كان الرجل الثاني في الحكومة البريطانية، وكان تشرشل يماطل ويسوّف ليمدد من استمراره في رئاسة الوزارة برغم تدهور صحته وضعف نشاطه، وإلحاح كبار رجال حزب المحافظين عليه بضرورة الانسحاب من المسرح السياسي وتسليم القيادة للوريث الشرعي أنتوني إيدن الذي كان قد قارب الستين من عمره. ولم يرضخ السياسي العجوز للضغوط إلاّ عام ١٩٥٥ فسلّم مقاليد الحكم له ولكنه ظل في الحزب وفي مجلس العموم يراقب خليفته ويكثر له النصائح ويشدّد عليه في التمسك بأجزاء الإمبراطورية البريطانية.

وعندما تسلم مقاليد الحكم كانت أجزاء هامة من تلك الإمبراطورية قد انسلخت عنها واستقلت (الهند وباكستان)، وأجزاء أخرى تحاول الانسلاخ (المستعمرات الإفريقية)، وأخرى تحاول أن تتخلص من ارتباطها مع الإمبراطورية وتسعى لنيل إستقلالها التام (مثل العراق ومصر والسودان). لذلك فانه كان في موقف حرج. لقد جاء إلى الحكم بعد سلف دخل التاريخ من بابه الرئيسي ونال سمعة ملأت أرجاء العالم واشتهر عنه أنه المحافظ الأول الحريص على الإمبراطورية والساعي إلى ربط أجزائها ربطا وثيقا بالوطن الأم بريطانيا. بل أن تشرشل لم يوافق على إتفاقية جلاء القوات البريطانية عن مصر عام ١٩٥٥، إلاّ على مضض شديد وبعد ضغوط قوية من زملائه ومن إيدن نفسه.

أما عن إستقلال الهند وباكستان فقد وافقت عليه وزارة حزب العمال (الرئيس كلمنت أتلي) في أواخر الأربعينات رغم صيحات تشرشل زعيم المعارضة في ذلك الوقت، واتهاماته وتهجماته على الرئيس أتلي ووصفه بما يشبه الخيانة العظمى.

وكان إيدن يعدّ نجم الدبلوماسية الإنجليزية في القرن العشرين. فإن عراقة عائلته وانتمائها القديم لحزب المحافظين، والمناصب الهامة التي تقلّدها في شبابه (كان أصغر وزير خارجية لبريطانيا في القرن الماضي)، كل ذلك هيأ له فرصاً كثيرة في التعامل مع زعماء العالم الكبار. ولكنه لم يصل إلى كرسي رئاسة الحكومة إلاّ وقد أدركته شيخوخة مبكرة سببها مرض لم يتمكن الأطباء من تشخيصه، وأربعون عاماً من العمل

السياسي الدؤوب المضني، وزواج من سيدة من إحدى العائلات العريقة تصغره بثلاثين عام حاول أن يجاريها حتى لا تشعر بفارق السن، وحاول أن يظهر أمامها بمظهر خير خلف لخير سلف (لقد كانت زوجته الثانية هذه من أقرباء تشرشل).

كل هذه العوامل وغيرها جعلته عصبي المزاج سريع الغضب قليل الصبر، وهي نواقص خطيرة تقضي على كفاءة السياسي وتؤدي به إلى أسوأ العواقب. ثم أنه كان يعاني من مركّب نقص غريب، ذلك أنه يبقي عشرين عام يعمل في ظل الداهية تشرشل وما أن خرج من ذلك الظل واستتب له الأمر وتولى الرئاسة، فإذا به يقع تحت كابوس خوف شديد من أن يسجل عليه التاريخ أن غروب شمس الإمبراطورية وتفكك بقاياها قد تم على يده وفي عهده، فازداد تمسكاً بأشتات الإمبراطورية وحفاظاً على ما ظنه حقوقها ومصالحها وممتلكاتها.

هذه العوامل التي شرحتها هي الأسباب المباشرة التي أدت إلى حالة الرئيس إيدن النفسية عندما واجه أزمة السويس عام ١٩٥٦، وكانت السبب المباشر لعصبيته وسرعة غضبه وميله لاتخاذ القرارات التي يشتمّ منها روح الإنتقام والرغبة في إيقاع العقاب على مناوئيه.

فكان يذكر لكل من يتعرف عليه من الساسة العرب أنه أول رئيس للحكومة البريطانية يجيد لغة العرب ويفهم قضاياهم ويتعاطف معهم ويحتفظ بصداقة حميمة مع كثير من زعمائهم (ذكر لي هذا الحديث كما ذكره للرئيس جمال عبد الناصر الذي قال لي أنه اندهش عندما رحّب به مستر إيدن بالعربية واستمر يتحدث بها، بل ويستعمل بعض الأمثال العربية والشعر العربي).

أود أن أحلل بنود دعاوي إيدن بنداً بنداً بروح الإنصاف والأمانة التاريخية:

أولاً: أما عن إجادته اللغة العربية فهذه الإجادة لا تشكل في حد ذاتها دليلا على تعاطف مع الآمال العربية، وإلاّ لأدّعى أبا إيبان وزير خارجية اسرئيل السابق تعاطفاً عظيماً مع آمال العرب. فقد كان أستاذاً ضليعاً في اللغة العربية وآدابها.

ثانياً: أما عن مواقفه السياسية في مناصرة العرب ومساعدتهم في جمع شملهم في الجامعة العربية، ومساعدتهم في حل قضية فلسطين، فإن لم يكن له حق في كل ما يدّعيه فلا شك أن له حق في بعضه ما، وهذا بحث طويل أود أن أوجزه هنا في هذه النقاط كما ذكرها لي:

أ- تصريحه بتاريخ ٢٩ مايو ١٩٤١ المؤيد للتطلعات الإستقلالية العربية والمتعاطف مع رغبة العرب في إقامة تعاون وثيق بينهم في المجالات الإقتصادية والثقافية، وكذلك في العلاقات السياسية. كما أن ذلك التصريح الشهير وعد وعداً صريحاً بتأييد الحكومة البريطانية لتلك التطلعات ولرغبة الدول العربية في الإستقلال. غير أنه لا يجب أن يغيب عن البال أن هذا التصريح الموالي للعرب جاء عشية إنقلاب رشيد عالي الكيلاني في العراق، وجاء كذلك بعد التصريح الألماني الصادر في ١٠ اكتوبر ١٩٤٠ عن الحكومة الألمانية المؤيد للنضال العربي الإستقلالي.

ولقد رحبت كثير من الأوساط العربية بتصريحه المذكور واعتبرته تشجيعاً للعرب لجمع شملهم في تنظيم إقليمي، بل ان بعض الزعماء العرب طالبوا بريطانيا أن تعد لهم مشروعاً لإقامة ذلك التنظيم وتتشاور معهم ثم تساعدهم في إقامته.

ب-تصريحه الشهير في فبراير ١٩٤٣ الذي عبر فيه صراحة عن تأييد بريطانيا للجهود العربية الرامية لإقامة تنظيم إقليمي يلم شمل العرب، وذكر أن على العرب أنفسهم التفاهم والتشاور على إقامة ذلك التنظيم. وسرعان ما اجتمعت الحكومات العربية وتشاورت وتفاهمت وجرت سلسلة من الاجتماعات الطويلة في الإسكندرية ما بين ٢٥ سبتمبر إلى ٦ اكتوبر ١٩٤٤ صدر بعدها تصريح الإسكندرية ثم وقعت الدول العربية على بروتوكول الإسكندرية الذي حدّد الأسس التي قامت عليها الجامعة العربية.

ولكن أي مطالعة دقيقة للتقارير التي أرسلها سفراء بريطانيا وممثلوها في البلاد العربية تؤكد الحقائق الآتية:

١- رحّب جميع ممثلي بريطانيا بقيام الجامعة العربية واعتبروها الوعاء

الطبيعي الواقعي لاحتواء آمال العرب في توحيد جهودهم السياسية والثقافية والإقتصادية.

٢- جميع ممثلي بريطانيا أيّدوا وزير الخارجية إيدن ومدحوا سياسته المشجعة لقيام الجامعة العربية، واعتقدوا أنها ستكون أكبر ضمان لبقاء الدول العربية في الفلك السياسي الإقتصادي البريطاني.

٣- بل أن بعض هؤلاء الممثلين ذهبوا في توقعاتهم إلى درجة التأكيد بأن قيام الجامعة العربية لن يخلّد ويكرّس النفوذ البريطاني في العالم العربي فحسب بل سيمنع تسرّب أي نفوذ غير النفوذ البريطاني إلى العالم العربي.[٧٠]

ثالثاً: ثم نأتي لخطاب إيدن في ديسمبر ١٩٥٥، خطاب الجيلد هول الشهير:

لقد جرت العادة أن يلقي رئيس الوزراء البريطاني خطاباً سياسياً في قاعة جيلد هول في بلدية لندن، ويتناول فيه موضوعاً من موضوعات الساعة يدلي فيه ببعض الآراء ويطرح بعض الأفكار التي عادة ما تكون جديدة وهامة.

وقد انتهز فرصة خطاب آخر عام ١٩٥٥ وركّز فيه على النزاع العربي-الإسرائيلي، واقترح أن تكون الحدود بين العرب وإسرائيل حلاً وسطاً بين حدود هدنة ١٩٤٩ (التي تتمسك بها إسرائيل) والحدود التي اقترحتها هيئة الأمم المتحدة عام ١٩٤٧.

واقتراحه هذا يعطي العرب مساحات واسعة من الأراضي التي كانت تحتلها إسرائيل، ولذلك فقد عارضته إسرائيل بعنف شديد وبهجوم مركز خبيث.

وأذكر أن ذلك الخطاب وما ورد فيه من أفكار أثار اهتمامي، وناقشت محتوياته مع الرئيس عبد الناصر الذي أبدى اهتماماً جيداً، واقترحت عليه أن نبحث خطاب إيدن في

---

(٧٠) وعلى القارىء الذي يرغب زيادة في البحث أن يطلّع على الوثائق السرية الآتية المحفوظة في دائرة الوثائق البريطانية:

رسالة «شون» الوزير البريطاني المفوض في القاهرة بتاريخ ١٠ اكتوبر ١٩٤٤ رقم: F0371/39991, E6477/41/65

رسالة لورد «موين» الوزير البريطاني المقيم في الشرق الأوسط إلى إيدن ورقمها: F0371/39991, E6697/41/65

رسالة السفير البريطاني في بغداد إلى إيدن بتاريخ ٢٥ اكتوبر ١٩٤٤ ورقمها: F0371/39991, E7213/41

مجلس الجامعة ونبدأ اتصالات معه لزيادة الاستفسار ثم الدخول في خطوات إيجابية. ولكن الرئيس عبد الناصر أحجم عن القيام بأية خطوة إيجابية تجاوباً مع ذلك الخطاب المذكور، وذلك لأسباب لم أفهمها في ذلك الوقت.

وفي اجتماعي بإيدن في يونيو ١٩٥٦ عاتبني على موقفي السلبي من خطابه في، كما صارحني بشعور الإحباط الذي سيطر عليه عندما لم تتجاوب الدول العربية. وكنت في الواقع في موقف حرج، لم أسمح لنفسي أن أصارحه بأنني حاولت أن أحث الرئيس عبد الناصر للتجاوب مع الخطاب ولكنه أحجم لأسباب لم يصارحني بها.

وللإنصاف والأمانة التاريخية فان خطاب الجيلد هول كان يشكل خطوة جريئة بناءة، كما كان يشتمل على موقف بريطاني ودّي وفي صالح العرب، وكان - في رأيي - أن على الساسة العرب أن يتلقفوا تلك الفرصة الذهبية ويحثّوا بريطانيا على تنفيذ ما ورد في ذلك الخطاب.

وبما كان لبريطانيا في ذلك الوقت من نفوذ عظيم لدى إدارة الرئيس أيزنهاور، فربما كان في الإمكان حل جزء كبير من قضية فلسطين على أساس ذلك الخطاب. ولكن أضاع بعض الساسة العرب هذه الفرصة الذهبية كما أضاعوا فرصاً أخرى كثيرة.

رابعاً: موقفه في المفاوضات البريطانية المصرية عام ١٩٥٤:

من الإنصاف أن نعترف له ببعض الفضل في إتمام مفاوضات جلاء القوات البريطانية عن مصر. تلك المفاوضات التي جرت عاميّ ١٩٥٤ و١٩٥٥. فقد بذل جهوداً عظيمة وأصر وألح على رئيسه تشرشل لكي يوافق على تلك الاتفاقية إلى درجة أن تشرشل اتهمه باتباع سياسة ضعف وتهدئة مع مصر، بعكس موقفه المتصلب من سياسة التهدئة التي اتبعها رئيس الوزراء البريطاني تشمبرلين في ميونخ مع هتلر عام ١٩٣٨، فقد صاح تشرشل في وزير خارجيته إيدن قائلاً: لم أكن أعرف أبداً أن ميونخ تقع على نهر النيل.

في عامي ١٩٥٥ و١٩٥٦ سمعت الكثير عن جهوده في إنجاح مفاوضات الجلاء عن مصر، سمعت ذلك منه، ومن وزير خارجيته سلوين لويد ومن زملائه الآخرين خاصة أنتوني ناتنج وزير الدولة للشؤون الخارجية، كما سمعت ما يؤيد ذلك من كلمنت أتلي

زعيم المعارضة البريطانية ورئيس الوزراء السابق.

وكان من الطبيعي أن يتوقع إيدن نوعاً من العرفان بالجميل من المصريين، على شكل تحسن في العلاقات بين البلدين، وفتح صفحة جديدة من التفاهم والتعاون المثمر بينهما، ولكن آماله وتوقعاته أصيبت بإحباط شديد.

خامساً: كما لا شك أن موقفه في المراحل الأولى من مفاوضات تمويل السد العالي من قبل أمريكا وبريطانيا، كان أكثر تعاطفاً وسخاءً من موقف دالاس، وزير الخارجية الأمريكية. هذا ما اتضح لي من اطلاعي على الوثائق الرسمية للحكومة الأمريكية والتي نشرت في عدة مجلدات مؤخراً.

سادسا: تبقى دعوى إيدن بأنه كان على علاقة صداقة قديمة ووطيدة مع عدد كبير من زعماء العرب، وأنه كان يعمل دائما على تلبية رغباتهم المشروعة والدفاع عن وجهة نظرهم في المحافل البريطانية السياسية. والحقيقة أن إيدن كان يسعى لتحقيق مصالح بريطانيا في المنطقة ولكن بوسائل أكثر تحضّراً من تلك التي استعملها أسلافه، ولذلك عمل على إقامة علاقة ودية مع عدد كبير من رجال الدولة العرب المخضرمين أمثال: الملك عبدالله (الأردن)، والأمير عبدالله، ونوري السعيد (العراق)، واسماعيل صدقي ومحمد محمود، ومصطفى النحاس (مصر)، وعبد الرحمن المهدي (السودان)، والسلطان سعيد بن تيمور (عُمان)، والملك السنوسي (ليبيا)، وبعض زعماء ومشايخ الخليج. ولكنه فشل في ربط أي علاقات صداقة مع زعماء الجيل الجديد من السياسين. فمثلاً حاول إيدن مصادقة الرئيس عبد الناصر وبذل جهداً كبيراً في محاولة التفاهم معه واحتوائه وإغرائه بمساعدات إقتصادية لمصر وحاول استقطابه وجذبه إلى نوع من التعاون مع بريطانيا بل والمشاركة في حال دفاعي، ولكن عبد الناصر كان قد اتخذ لنفسه موقفاً مسبقاً من الأحلاف ومن إيدن نفسه وحملته الودية، فلقد كان فاقداً للثقة في كل ما يأتي عن طريق بريطانيا، فلم تنجح جهود إيدن.

سابعاً: بقيام أزمة حلف بغداد في أواخر عام ١٩٥٤ وأوائل عام ١٩٥٥، ومعارضة مصر لذلك الحلف معارضة شديدة وأرهبت بعض الدول التي كانت تفكر في الانضمام

إليه (الادرن ولبنان)، ثم تمادي تلك المعارضة المصرية وتعاظمها وتركيزها ضد المصالح البريطانية في العالم العربي، ودخول صوت العرب كسلاح فتاك في تلك الحملة... كل ذلك جعل الجماهير العربية في حالة تحفز وتحرك بتظاهرات في كل مناسبة معبّرة عن رفضها لكل ما هو بريطاني، حتى أن كبار المسؤولين البريطانيين كانوا يخشون على سلامتهم من غضب الجماهير العربية أثناء زياراتهم للبلاد العربية (هذا ما قاله لي سلوين لويد وزير خارجية برطانيا في ربيع ١٩٥٦).

هذا التحرك المصري العنيف ضد الأحلاف الغربية عموماً، وضد حلف بغداد بنوع خاص، كان أحد الأسباب الرئيسية التي جعلت رئيس الوزراء البريطاني إيدن يعتقد أن وجود عبد الناصر يتصادم جذريّاً مع مصالح بريطانيا في المنطقة، ويلحق بها أفدح الأضرار، ولذلك أخذ يفكر جدياً في التخلص منه، وهذه هي الأزمة الأخيرة قبل الانفجار الكبير، انفجار تأميم قناة السويس ثم حرب السويس.

دور ليبيا في أزمة السويس

تأييد ليبي لقرار تأميم قناة السويس

بعد تأميم قناة السويس يوم ٢٦ يوليو ١٩٥٦ بدأت سلسلة طويلة من الاتصالات بالحكومة البريطانية، سواء برسائل شفوية إلى رئيس الوزراء إيدن أو إلى وزير خارجيته سلوين لويد وكل اتصالاتي كانت تحذّر من اللجوء إلى استعمال القوة وتشجع على السير في النهج الدبلوماسي السلمي، وكنت أصارحهم بأننا لا نستطيع إلاّ أن نقف مع شقيقتنا مصر. كما عرضت على الحكومة البريطانية استعدادنا لبذل جهودنا للوساطة وتلطيف الجو والتمهيد لإتفاق سلمي.

ثم رافقت الملك في زيارة رسمية إلى تركيا وأوكلت لكل من رئيس الوزراء بالوكالة خليل القلال ووزير الخارجية بالوكالة الدكتور علي الساحلي مهمة مواصلة تلك المساعي والتحذيرات مع الحكومة البريطانية. فقاما بتلك المهمة كما يتضح من الوثائق التالية:

- تقرير من السفير البريطاني عن مقابلة اجراها وزير الخارجية بالوكالة الدكتور علي الساحلي بتاريخ ٩ أغسطس ١٩٥٦ جاء فيها:

لقد استدعاني وزير الخارجية الليبي بالوكالة هذا الصباح بناء على تعليمات من مجلس الوزراء وقدم لي انذاراً بخصوص استخدام القواعد الليبية

في هجوم ضد مصر. لقد كان الحديث ودياً للغاية وقد بدأه بقوله أنه ليس لدي - بالطبع - ما يدعو إلى افتراض أن بريطانيا تنوي استخدام القواعد، ولكنه يشعر أنه من الأفضل ان يقوم بتوضيح الموقف.(٧١)

- ما نشرته جريدة الأهرام في عددها الصادر بتاريخ ١٦ أغسطس ١٩٥٦:

«إنذار من ليبيا إلى أمريكا: إذا هوجمت مصر تعرضت القاعدة الأمريكية لأشد الأخطار»

استدعى السيد علي الساحلي وزير خارجية ليبيا بالنيابة سفراء أمريكا وبريطانيا وفرنسا وأوضح لهم أن مصر لها كل الحق في تأميم قناة السويس وأنه موقف سليم ويلقى التأييد المطلق من ليبيا.

كما حذر السيد علي الساحلي سفراء الدول الثلاث من استخدام القوة ضد مصر كما حذرهم بأنه غير ضامن للنتائج المترتبة على أي عمل عدواني ضد مصر.

وكلّف وزير الخارجية بالنيابة سفير أمريكا بأن يبلغ حكومته أنه في حالة أي اعتداء على مصر فان أكبر قاعدة أمريكية في العالم وهي قاعدة ويلس ستتعرض لأخطار اعتداء من الشعب الليبي، وأن هذا هو شعور ليبيا شعباً وحكومة نحو مصر، وحذر السيد علي الساحلي السفير الأمريكي بأنه إذا تعرضت مصر لأي عدوان فإن الماء والنور سيقطع عن قاعدة ويلس ويتوقف كل تعاون من الليبيين فيما يتعلق بهذه القاعدة، فلما سأله السفير الأمريكي هل هذا إنذار، وبإسم من يتكلم؟ رد عليه السيد الساحلي بأن هذا إنذار رسمي بصفتي وزيراً للخارجية بالنيابة وأنه يتكلم باسم الشعب والملك والحكومة.

وقد علمت وكالة أنباء الشرق الأوسط أن السيد مصطفى بن حليم قام

---

(٧١) راجع الملحق رقم ٤٧

على إثر عودته باستدعاء سفراء الدول الثلاث وأبلغهم بأن ما صرح به السيد علي الساحلي وزير الخارجية بالنيابة ما هو إلا تعبير عن رأي الشعب والملك والحكومة.

وفي اسطنبول وأثناء مرافقتي للملك في أوائل اغسطس ١٩٥٦ أجريت مباحثات مع الحكومة التركية حول مشكلة تأميم القناة وحاولت إقناع رئيس الوزراء التركي بوجهة نظر الحكومة الليبية المؤيدة لمصر، ولكن اتضح لي ان الحكومة التركية تختلف مع وجهة نظرنا اختلافاً كبيراً، وأثناء هذه المحادثات وصلتني برقية شفرية مستعجلة من القائم بأعمال السفارة الليبية في القاهرة وهبي البوري يقول فيها: أن الرئيس عبد الناصر استدعاه وطلب منه أن يتصل بي على عجل، ويبلغني رجاء الرئيس عبد الناصر أن أبذل قصارى جهدي لدى أصدقائنا الأتراك لكي لا يقفوا موقفاً عدائياً من مصر في مؤتمر المنتفعين (The Users) الذي كان سيعقد في لندن، وكذلك أن أعمل جهدي في شرح وجهة النظر المصرية بخصوص تأميم قناة السويس، وأحاول إقناع الحكومة التركية بمسايرة وجهة النظر المصرية، أو على الأقل اتخاذ موقف محايد في النزاع المصري الغربي حول تأميم القناة. (كانت الدول الغربية قد دعت الدول ذات الأساطيل البحرية التي تستعمل قناة السويس إلى مؤتمر سمّته المنتفعين يُعقد في لندن في اغسطس ١٩٥٦ للتشاور، وذلك لإيجاد جهاز مناسب للإشراف على حرية الملاحة في قناة السويس). وبما أن معاهدة عام ١٨٨٨ التي تنظم حرية الملاحة في القناة قد عُقدت في الاستانة عندما كانت تركيا هي الدولة صاحبة السيادة الإسمية على قناة السويس لذلك كان من المتوقع أن يكون لتركيا دور مميز في مؤتمر لندن المذكور.

وأذكر أن برقية الرئيس عبد الناصر وصلتني يوم الخميس ٩ أغسطس، وكنت مجتمعاً بالملك إدريس في قصر يلدز خارج اسطنبول، فتشاروت معه وشجعني على إجراء اتصال فوري بالرئيس مندريس، وعندما قلت للملك أن غداً الجمعة ومن المفروض أن نؤدي، هو وأنا وبقية الوفد، صلاة الجمعة في جامع الصحابي سيدنا أيوب، رد الملك:

إن مسعاك لنصرة مصر أفضل عند الله من صلاتك في جامع الصحابي أيوب، توكل على الله واتصل بعدنان بك الآن. وهنا قلت للملك إنني أخشى الفشل ولذلك أود ان اضطررت، أن أقول لمندريس إن الملك إدريس يأمل ويرجو أن يتجاوب إخواننا الأتراك مع مسعانا الإسلامي هذا وينتهز فرصة مؤتمر لندن للتجاوب مع إخواننا المصريين ويفتحوا بتفضلهم عهد تفاهم إسلامي مع مصر. فكان رد الملك إدريس رداً إيجابياً، وعلى الفور اتصلت برئيس الوزراء التركي واتفقنا على اجتماع في الغد، يوم الجمعة، في استراحة حكومية على ضفاف البوسفور.

اجتماع البوسفور مع رئيس وزراء تركيا

عقدنا اجتماعنا عند الساعة الحادية عشر وحضره من الجانب التركي الرئيس مندريس، ووزير خارجيته، ووكيل الخارجية التركية، والسفير التركي بطرابلس. ومن الجانب الليبي حضر معي سفيرنا بأنقره، ووكيل الخارجية الليبي سليمان الجربي، ووكيل المالية عبد الرازق شقلوف واستمر الاجتماع إلى ما بعد الخامسة والنصف مساء.

بدأت باستعراض لجهودي السابقة ومحاولاتي لتقريب وجهات النظر بين تركيا ومصر، وبين عدنان بك والرئيس عبد الناصر بالذات، ثم ذكرت أن هذه فرصة ذهبية لكي تعبر تركيا عن نواياها الحسنة نحو إخوانها العرب، ثم شرحت وجهة النظر المصرية وشدّدت على تأكيدات الرئيس عبد الناصر بضمان حرية الملاحة في قناة السويس، وعرجت على مؤتمر المنتفعين الذي كان سيعقد في لندن قريباً ورجوت الرئيس مندريس أن تقف تركيا في جانب إخوانها العرب.

رد مندريس باستعراض مقابل للمواقف العدائية التي وقفها عبد الناصر من تركيا، ورفض مصر محاولات ليبيا لعقد اجتماع بين عبد الناصر وبينه، ثم عرّج على ذكر ما قامت به مصر من حملات صاخبة على حلف بغداد وعلى تركيا وعليه هو شخصياً، وأعمال الشغب والقلاقل التي مولّتها مصر في بيروت وعمّان ودمشق ضد تركيا، ولم ينس تذكيري بموقف مصر من قضية قبرص. واستمر في عرض للأعمال غير الودية

التي صدرت من مصر ومن الرئيس جمال عبد الناصر بالذات، وكان كلما توقف تدخّل وكيل وزارة الخارجية التركية وذكّره بإساءة أخرى أو موقف عدائي من مصر.

واستمر النقاش بين مندريس وبيني لأكثر من ثلاثة ساعات حتى أضحى كلامنا مكرراً وتحاورنا عديم الجدوى. ثم بدأ عدنان بك يتأثر بما كان يحتسي، فظهرت عليه علامات النشوة وأصبح أكثر توددا وألين موقفاً، فأعدت الكرة مطعماً محاولاتي الجديدة بتذكيره بدور تركيا الإسلامي المجيد، ولكن كان كلّما ظهر بعض اللين والتفهم لدى مندريس فإن وكيل الخارجية التركي كان يتدخل لإفساد بادرة ذلك التفاهم إلى أن كاد اليأس يدركني، وعند ذلك قلت لمندريس: لم أرد أن أصارحك في أول اجتماعنا بأن المسعى الذي أقوم به إنما أقوم به بأمر الملك إدريس السنوسي ضيفكم وصديقكم، وملك البلد العربي الوحيد الذي وقف مع تركيا إلى آخر رمق، البلد الذي خاطر بإستقلاله واستقراره قي سبيل طاعته لخليفة المسلمين ونصرة أشقاءه الأتراك. وأشهد أنه لان في تلك اللحظة واغرورقت عيناه ثم وجّه كلامه لوكيل خارجيته قائلاً: لا تتدخل أيها الشيطان من الآن فصاعداً. ثم وجّه كلامه لي قائلاً: إنه على استعداد للوقوف في مؤتمر المنتفعين في لندن موقفاً محايداً، بل أن موقفه سيكون مؤيداً لمصر لو تقدّمت هي بحل وسط معقول. وأضاف: وهذا بالرغم من كشف السيئات الطويل الذي قدمته مصر لنا، وما موقفي هذا إلاّ إكراماً للملك إدريس الذي نجلّه ونحترمه وإنه يأمل أن يتجاوب عبد الناصر مع هذا الموقف التركي الكريم.

وبالطبع قمت بالردّ اللازم واستمر الحديث عمّا يمكن أن يتم فيما بعد بين تركيا ومصر وليبيا.

هذا ملخص لما أتذكره عن ذلك الاجتماع الهام، وطبعاً أطلعت الملك إدريس عمّا دار في ذلك الاجتماع وكان سروره عظيماً. رغبت أن أذكر هنا موقف الملك إدريس من مصر وتشجيعه لي ليفهم القارئ أن الملك إدريس لم يكن في يوم من الأيام يكره مصر أو لا يهتم بسلامتها واستقرارها، إلا أن الملك إدريس كان في نفس الوقت شديد الحرص على إستقلال ليبيا وشديد الرغبة في عدم تعريض ذلك الإستقلال لمؤامرات بريطانيا.

وفي اليوم التالي لاجتماعي بالرئيس مندريس أدليت ببعض التصريحات الصحفية المؤيدة لمصر وجدتها أخيراً واردة في عدد صحيفة الأهرام القاهرية الصادرة بتاريخ ١١ أغسطس ١٩٥٦. وهذه التصريحات هي كالآتي:

ليبيا توافق على تأميم القناة وترفض حلف بغداد ولا تدخل غير حلف عربي بحت.

أنقرة في ١٠ أغسطس ١٩٥٦: أدلى السيد مصطفى بن حليم رئيس وزراء ليبيا بتصريح في مؤتمر صحفي عقده اليوم قال فيه إن تأميم مصر لقناة السويس عمل داخلي مصري بحت، وقال أن ليبيا تقر هذا العمل وتوافق عليه كل الموافقة. ثم قال أن ليس في نيّة ليبيا الانضمام إلى الحلف التركي العراقي البريطاني بأي حال وأن ليبيا متضامنة مع شقيقاتها دول العالم العربي وأنها لن تشترك إلاّ في حلف عربي بحت.

وعاد رئيس الوزراء الليبي فأشار إلى مسألة قناة السويس، فقال، إنه من غير المنطقي أن تدير القناة شركة اجنبية، ومضى فقال أنه لا يفهم سبب المخاوف التي تبديها بعض الدول بشأن حرية الملاحة في القناة بعد أن أكد الرئيس عبد الناصر أنه حريص على احترام إتفاق عام ١٨٨٨ الخاص بحرية الملاحة بالقناة، وفي برقية من لندن أن الدوائر السياسية تقول أن بريطانيا لم تستطع المضي في نقل قوات إلى منطقة الشرق الأوسط ولا سيما إلى قبرص وليبيا لمواجهة تأميم مصر لقناة السويس، وذلك بسبب اعتراض ليبيا على مجيء عدد من القوات البريطانية أكثر مما هو منصوص عليه في معاهدة الصداقة الإنجليزية.

الاجتماع الأخير مع الرئيس عبد الناصر

بعد اجتماعي الطويل مع رئيس الوزراء التركي أبرقت للرئيس عبد الناصر قائلاً أنني قادم إلى القاهرة يوم ١٢ اغسطس، وبالفعل عند وصولي وجدت بعض أعوان الرئيس في انتظاري ثم رافقوني مباشرة إلى مجلس قيادة الثورة، ذلك المبنى المطلّ على النيل حيث وجدت الرئيس عبد الناصر في انتظاري. كان يبدو عليه مزيج من الاعياء والعصبية، وتظهر على وجهه آثار الارق والاجهاد. لذلك بدأت حديثي بمحاولة رفع معنوياته ببعض المداعبة والنكات، ثم بدأت في شرح تفاصيل محادثاتي مع رئيس وزراء تركيا، فسرّ بما سمع مني وشكرني كثيراً على ذلك الجهد، كما لخّصت له اتصالاتنا ببريطانيا والتعهد الكتابي الذي قدّمته لنا بأنها ستحترم معاهدة التحالف والصداقة نصّاً وروحاً، كما أحطته علماً باتصالاتنا العديدة مع أمريكا ومحاولاتنا توظيف علاقتنا الممتازة مع واشنطن بغرض جعل إدارة الرئيس أيزنهاور أكثر تفهماً لموقف مصر، ثم اقترحت على الرئيس عبد الناصر أن يشرح لي الظروف والأسباب التي جعلته يتخذ قراره الخطير بتأميم القناة.

لمست من شرح الرئيس المسهب عن أسباب تأميمه لقناة السويس أن العامل الرئيسي إنما يرجع لكراهيته الشديدة لشركة قناة السويس الأجنبية التي رأى فيها – عن حق – رمزاً حياً لاستمرار الاستغلال الاجنبي لمصر والمصريين، وكان شرحه يفيض بما علق في ذهنه من مآسي وضحايا صاحبت إنشاء القناة والتي هلك فيها آلاف العمال المصريين، عمال السخرة، الذين قضوا نحبهم وهم يحفرون القناة بأيديهم.

بعبارة موجزة كان دافعه الرئيسي هو استعادة حقوق مصر التي بدّدها الخديوي اسماعيل، والإنتقام لكرامة مصر التي أهانتها شركة قناة السويس ربيبة الإستعمار البريطاني-الفرنسي. وأنه انتهز فرصة الاساءة الكبيرة التي عوملت بها مصر عندما سحبت بريطانيا وأمريكا عرضهما بتمويل السد العالي لتحقيق حلمه باسترداد ملكية مصر لقناة السويس.

وبعد أن فرغ من شرحه سألته قائلاً: أخ جمال قل لي بصراحة... ألم يكن أمامك

طريق آخر لتمويل السد العالي غير تأميم القناة؟ قال: نعم، كان لدي عرضاً روسياً لتمويل بناء السد العالي. فسألته: ولماذا لم تقبل العرض الروسي، وتجنّب مصر وأشقائك العرب هذه الأزمة الدولية الحادة؟ وهنا ظهرت علامات الاستغراب على وجه الرئيس، وأشار بإصبعه في اتجاهي قائلاً: أنت... مصطفى بن حليم تشجعني على قبول عرض روسي لتمويل السد العالي؟ قلت: نعم، أشجعك على قبول العرض الروسي لتمويل السد العالي، اللهم إلا إذا كان العرض الروسي مناورة مثل المناورات التي قمنا بها أنت وأنا من قبل.

أكد الرئيس أن لديه عرضاً روسياً لتمويل بناء السد العالي وأنه لو قبله لكنت أنا، مصطفى بن حليم، أول من سارع إلى القاهرة للاحتجاج عليه، لأنه يفتح باب مصر والعالم العربي واسعاً أمام النشاط الشيوعي.

قلت للرئيس: لا أعتقد أنك مُصيب في توقعك هذا، ألا تذكر أنني هنّأتك وأيّدتك عندما عقدت صفقة السلاح الروسي؟ ثم ما هو الفرق بين تسليح القوات المسلحة المصرية بسلاح روسي، وتمويل مشروع السد العالي بقرض روسي؟ رد الرئيس: بل هناك فوارق هامة وكثيرة... أسمع يا صديقي... السلاح الروسي استلمه على أرصفة ميناء الإسكندرية، أما تمويل السد العالي فسيجلب معه آلاف الخبراء الروس للإقامة والعمل في مصر لسنوات عديدة، وماذا يضمن لي أن نصفهم لن يكون من المخابرات الـ KGB؟ ثم ماذا يضمن لي أن هؤلاء الخبراء لن يعلموا بجدّ على نشر مبادئ الشيوعية؟ إن الفارق كبير يا صديقي، وأنا حريص على ألا أدع الروس يغلغلون مبادئهم الشيوعية في مصر والعالم العربي.

وكنت أشعر أن الرئيس عبد الناصر كان يتحدث بعفوية وصدق، ولذلك قلت: يا أخ جمال كلامك هذا في غاية الأهمية وصدوره منك بعفوية تامة يجعلني أصدقك تماما، ولذلك فإني أود أن أستأذنك في نقل هذا الكلام العفوي إلى الرئيس أيزنهاور... لأنك، كما تعلم، متّهم من قبل الإنجليز بأنك تعمل بنشاط وتعاون مع الروس لبسط نفوذهم ونشر مبادئهم ودعاياتهم في مصر والعالم العربي، وفي أحاديثي الكثيرة مع الأمريكان

شعرت بأن وزير خارجيتهم دالاس بدأ يصدّق مكر الإنجليز ودسّهم. رد الرئيس جمال: بل إنني أشجعك على نقل كلامي هذا للأمريكان.

واستمر حديثي مع الرئيس وانتقلنا إلى ما يجب عمله في حالة نشوب حرب بين بريطانيا ومصر. ومن الطبيعي أن جزءاً هاماً من الحديث دار عن القواعد الغربية في ليبيا وخصوصاً القواعد البريطانية. فأكدت للرئيس عبد الناصر أن معاهدة التحالف والصداقة لا تسمح لبريطانيا باستعمال قواعدها ضد أي بلد عربي.

استعرضت معه التصريحات العديدة الصادرة مني ومن الحكومة الليبية، والتي تؤكّد دون شك أو ريب أن ليبيا لن تسمح باستعمال القواعد الغربية ضد أية دولة عربية مهما كانت الظروف.

قلت للرئيس عبد الناصر: أؤكد لك لو ارتكبت بريطانيا حماقة وحاولت أن تستعمل قواعدها في ليبيا للهجوم على مصر فإنها ستواجه معارضة مسلحة من الجيش الليبي ومن المقاومة الشعبية الليبية قبل أن تتمكن من الهجوم على مصر.

ثم اتفقنا على عدد من الوسائل االسرية لكي أزوده بمعلومات دقيقة عن عدد ونوع القوات البريطانية في ليبيا وتحركاتها واستعرضنا عدة احتمالات، واتفقنا على أن احتمال لجوء بريطانيا لاستعمال القوة هو احتمال ضعيف (هكذا كنا نظن) ولو لجأت لاستعمال القوة فإن الرئيس عبد الناصر كان يرجّح أن يلعب الأسطول البريطاني في البحر المتوسط الدور الرئيسي قبل أي انزال للقوات البريطانية، ولذلك فإنه قد سلّح السواحل المصرية خصوصاً المناطق المحيطة بالإسكندرية وبورسعيد بمدفعية ثقيلة بعيدة المدى، كما أن السلاح الجوي المصري والمدفعية المضادة للطائرات قد وصلت إلى درجة عالية من الاستعداد. ثم انتقل الحديث إلى النواحي الدبلوماسية، وركّز الرئيس عبد الناصر طلباته مني في النقاط الآتية:

- توظيف نفوذ ليبيا لدى الولايات المتحدة وصداقتها معها في محاولة جادة لشرح وجهة النظر المصرية حول تأميم قناة السويس للرئيس أيزنهاور، والتأكيد له أن

لا صحة لما يدّعيه الانكليز من أن الرئيس عبد الناصر يساعد على تغلغل النفوذ الروسي في العالم العربي، بل الحقيقة على العكس من ذلك، فهو شديد الحرص على علاقات تفاهم وود مع واشنطن. كذلك فقد طلب مني السعي لدى واشنطن لكي تكبح من جماح السياسة العدوانية الحمقاء التي يسير عليها إيدن والاصرار على حلّ الأزمة بالطرق الدبلوماسية، وأنه على استعداد للتفاهم شريطة أن يفهموا أنه لا رجوع في تأميم القناة أو السيادة المصرية الكاملة عليها.

- في نفس الوقت طلب منّي التأكيد لبريطانيا عن تضامن ليبيا والعالم العربي كله مع مصر تضامناً تاماً، ونصحها بمعالجة أزمة تأميم القناة بدبلوماسية هادئة وسياسة سلمية حكيمة بعيداً عن التهديد والوعيد الذي لا يجدي شيئاً مع مصر، وإفهام بريطانيا أن أي اعتداء على مصر هو اعتداء على ليبيا التي لن تسمح للقوات البريطانية الموجودة على ترابها بالقيام بأي عدوان من أي نوع على شقيقتها مصر.
- لما كانت العلاقات الليبية–الإيطالية تدخل مرحلة من التفاهم (كمقدمة لتوقيع الإتفاق الليبي–الإيطالي لتصفية موضوع الممتلكات الإيطالية) فإن الرئيس جمال عبد الناصر أشار إلى أمله أن توظِّف ليبيا صداقتها الجديدة مع إيطاليا لحملها على الوقوف موقفاً معتدلاً من مصر في مؤتمر المنتفعين المزمع عقده في لندن، وكذلك اتخاذ مواقف معتدلة في معالجة أزمة تأميم القناة، وحثّ حليفتيها بريطانيا وفرنسا على الاعتدال والتوقف عن التلويح باستعمال القوة والتهديد بالحرب والقتال.

وعند انتهاء اجتماعنا قال لي أنه أمر بوضع طائرة عسكرية مصرية تحت تصرفي لنقلي إلى طرابلس، وكرّر شكره لموقف ليبيا حكومة وشعباً، وتقديره الخاص لجهودي في مساندة مصر.

شكرته على تخصيص الطائرة العسكرية وقلت مبتسماً، وسأجعل طاقم الطائرة

يلتقط ما يشاء من صور لقاعدة العضم البريطانية (القريبة من طبرق).

بعدها اجتمعت مع سامي حكيم محرّر الشؤون العربية بجريدة الأهرام وأجرى معي حديثاً طويلاً نشره يوم ١٣ أغسطس ١٩٥٦ مع كثير من المدح والتقدير لموقفي من مصر. ولكن الغريب العجيب هو أن سامي حكيم نفسه هو أحد إثنين من محرري الأهرام الذين هاجماني واتهماني بأخطر التهم يوم ١ يونيو ١٩٥٧ بعد استقالتي من الوزارة.

وإلى القارئ نصّ مقال سامي حكيم:

الأهرام ١٣ اغسطس ١٩٥٦:

«الرئيس يجتمع ببن حليم ويشكر موقف ليبيا»

استقبل أمس الرئيس جمال عبد الناصر السيد مصطفى بن حليم رئيس وزراء ليبيا على أثر وصوله إلى القاهرة من تركيا، لحضور اجتماع اللجنة السياسية للجامعة العربية. وقد تناول البحث بينهما الموقف الراهن بشأن قضية قناة السويس وموقف تركيا من هذه القضية.

وشكر الرئيس عبد الناصر، رئيس وزراء ليبيا، لموقف حكومته من تأميم القناة، كما شكر سيادته لما أبداه الشعب الليبي من كريم العواطف ونبيل الغايات والتضامن الكامل مع مصر.

وأمر الرئيس جمال عبد الناصر بأن توضع تحت تصرّف رئيس وزراء ليبيا طائرة خاصة ليسافر بها اليوم إلى ليبيا بعد أن يشهد سيادته اجتماع اللجنة السياسية، وذلك تقديراً منه لموقف السيد بن حليم وحكومته من مصر.

وسأل مندوب الأهرام في الدوائر العربية السيد مصطفى بن حليم عن موقف ليبيا من موضوع القناة، فقال: إن ليبيا إذ تؤيد مصر تأييداً مطلقاً في خطتها الجبارة التي خطتها بتأميم شركة قناة السويس، وترغب رغبة صادقة في أن تتغلب الحكمة والعقل على العاطفة وتعالج الأمور بطرق سلمية، وإن

الالتجاء إلى القوة أو التهديد باستعمالها، يعدّ في نظري أسلوباً مضى عهده وانتهى أمده، وأصبحت شريعة الغاب أمراً مذموماً منكراً لا يتفق وميثاق الأمم المتحدة في نصه وروحه.

ومضى السيد بن حليم يقول: وإنا اذ نرجو مخلصين ألا تكون القوة هي نهاية المطاف، فإنني اؤكد أنه إذا ما استعملت – لا قدر الله – فإن القواعد الغربية في ليبيا لن تكون جسراً يستعمل ضد مصر أو ضد أية دولة عربية أخرى، ويدعوني واجب الأمانة إلى القول أن الدول الغربية تعرف هذا جيداً.

وعلى هذا الأساس ترى ليبيا أن تهديد مصر هو تهديد للعرب في شتى ديارهم، ولذلك لا يعقل ابداً أن تستعمل أرض ليبيا وتسهيلاتها التي أعطيت بشروط للدفاع عن العالم الحر ضد مصر الشقيقة العزيزة.

وبمجرد وصولي إلى طرابلس استدعيت السفير الأمريكي تابن وحملته رسالة شخصية إلى الرئيس أيزنهاور ووزير الخارجية دالاس، نقلت لهما ما دار بين الرئيس عبد الناصر وبيني بخصوص العرض الروسي لتمويل السد العالي، وأكدت لهما أن رد الرئيس عبد الناصر العفوي يؤكد لي دون أي شك أنه أبعد ما يكون عن أي تعاون وثيق مع الروس، وأنه يخشى تغلغل الشيوعية في مصر، وأن ما يدّعيه الإنجليز من تعاون عبد الناصر مع الشيوعية الدولية هو إدعاء كاذب يروّجونه لتخويف أمريكا وإبعادها عن أي تفاهم مع مصر، وشدّدت النصح لهما بأن الفرصة لا زالت مواتية للتفاهم مع عبد الناصر.

كذلك استدعيت السفير الإيطالي وحملته رسالة مناسبة إلى رئيس الوزراء الإيطالي انطونيو سينيي. وبعد أيام رد سينيي بأن أعرب عن رغبته الاجتماع بي في روما، وهذا ما حدث في أواخر سبتمبر ١٩٥٦، حيث أجريت محادثات مطولة مع رئيس الوزراء الإيطالي، ومع وزير خارجيته بخصوص مشكلة تأميم القناة، على أمل أن تستعمل إيطاليا نفوذها لدى بريطانيا وفرنسا لتجنب التهديد والوعيد والسير في طريق الدبلوماسية الهادئة. وأبدى الإيطاليون تفهماً وتجاوباً طيباً إلا أنني شعرت بأن نفوذ إيطاليا لدى حليفتيها

(بريطانيا وفرنسا) كان أقل بكثير مما كنت أتصور.

وقبل أن أغادر روما عائداً إلى طرابلس بعثت برسالة إلى الرئيس عبد الناصر أحيطه فيها علماً بنتيجة مساعيّ لدى الحكومة الإيطالية، وقد رد الرئيس على تلك الرسالة قائلاً:

أخي الفاضل

السلام عليكم ورحمة الله وبركاته

فقد تلقيت ببالغ الشكر كتاب سيادتكم المؤرخ في روما ٢٨ سبتمبر ١٩٥٦.

وإني إذ أقدر لسيادتكم هذا الشعور الأخوي وتوضيحكم لنا ما يمسّ مصر من أمور، ليسرني أن أبلغ سيادتكم أنه قد أصدرت التعليمات لسفيرنا في روما بإبلاغ الحكومة الإيطالية تقدير مصر لموقفها عقب مؤتمر لندن الثاني، ورغبة مصر في استمرار توطيد علاقات الصداقة التقليدية بين البلدين.

وختاماً أبعث اليكم بتحياتي الأخوية وأرجو من الله أن يوفقنا لما فيه مجد العروبة.

وبقيت في طرابلس من ١٣ إلى ٢٠ أغسطس لتصريف شؤون الدولة المتراكمة أثناء غيابي. وفي تلك الفترة قامت مظاهرات شعبية عارمة للتعبير عن مشاعر التأييد لمصر، وشجب مواقف بريطانيا وأذكر أن إحدى تلك التظاهرات أحاطت بمبنى ولاية طرابلس الغرب، واشتدت هتافاتها بعبارات شديدة، وكادت تتطور إلى شغب وقلاقل. فاتصل بي والي طرابلس جمال باشا آغا طالباً النصح، قائلاً أنه سيصدر أمره إلى الشرطة بتفريق المظاهرة بالقوة وبإطلاق النار إذا استدعى الحال. قلت: لا تفعل، ودعني أعالج الأمر بنفسي. وعلى الفور استقليت سيارتي الحكومية ورافقني الشيخ عبد الرحمن القلهود وزير المعارف، واللواء الزنتوتي قائد الشرطة الإتحادية. وعند وصولي مخترقاً المظاهرة طلبت من اللواء الزنتوتي أن يستعمل مكبراً للصوت ويبلّغ الجماهير تجاوب الحكومة مع

مشاعرهم وتبني طلباتهم، ورجائي الشخصي لهم أن يتفرقوا بهدوء، بعد أن عبّروا عن تأييدهم للشقيقة مصر واستنكارهم للاستعمار، وتجاوبت الجماهير بسرعة وتفرقت.

ثم غادرت طرابلس إلى اسطنبول للحاق بالملك، الذي كان على وشك القيام بزيارة رسمية للبنان، وفي طريقي توقفت في أثينا فوجدت وزير الخارجية أفيروف الذي اصطحبني إلى مصيف رئيس الحكومة على الشاطئ. وهناك عقدت معه اجتماعاً طويلاً شاملاً. فقد كان رئيس الحكومة قسطنطين كارامنليس تساوره بعض الشكوك حول موقف ليبيا من قضية قبرص نظراً للعلاقة الودية بين ليبيا وتركيا، لا سيما أثناء إقامة الملك إدريس في تركيا، وكنت صريحاً معه فقلت له أننا لا نستطيع أن نتلاعب بمبادئنا. فحيث أننا مع حق تقرير المصير في قضية فلسطين فلا بدّ لنا أن نقف مع نفس الحق بالنسبة لقبرص بصرف النظر عن علاقاتنا الودية التاريخية مع تركيا. ثم انتقل الحديث إلى أزمة الساعة الدولية، أي أزمة تأميم مصر لقناة السويس. فشرحت له وجهة نظر الرئيس عبد الناصر طالباً منه أن لا ينسى أن مصر وقفت دائماً في جانب اليونان، وأنني أتوقع منه أن يقف إلى جانب مصر.

وعلى العموم كان اجتماعي مع رئيس الوزراء اليوناني ووزير خارجيته اجتماعاً ممتازاً. (علمت بعد ذلك الاجتماع بأيام أن كارامنليس قال لزائر مصري كبير أن أفصح محام دافع عن وجهة نظر مصر في مشكلة القناة هو رئيس الوزراء الليبي. نقل لي ذلك السفير المصري في ليبيا الذي سمع تلك العبارة من الرئيس عبد الناصر شخصياً).

هذا وبعد وصولي إلى اسطنبول رافقت الملك إدريس في زيارة رسمية إلى لبنان على ظهر اليخت التركي سفارونا ثم رجعت إلى طرابلس بالطائرة، بينما رجع الملك إدريس باليخت التركي إلى طبرق.

دسائس ومؤامرات بريطانية تؤدي إلى عزل وزير المعارف

ولم يمضِ إلاّ يومان على وصول الملك إلى طبرق وإذ به يرسل لي برقية شفرية مستعجلة يقول فيها أنه بُلّغ بأن عبد الرحمن القلهود كان يقود المظاهرات التي قامت في شوارع

طرابلس مؤخراً والتي كانت تهتف بهتافات معادية، ولذلك فقد قرر إصدار مرسوم ملكي بإقالة القلهود من منصب وزير المعارف وتعيين علي الساحلي وزيراً للمعارف بالوكالة، وأن المرسوم المذكور هو في طريقه إلي وعليّ تنفيذه في الحال.

انزعجت وانتابني شعور غضب ممزوج بالأسى والمرارة، إذ كيف يصدق الملك ما يبلغه من إشاعات خصوصاً إذا كان مصدرها في الغالب هو السفارة البريطانية. ثم كيف يقال وزير بتهمة كاذبة دون تحقيق وقبل التفاهم مع رئيس الوزراء. واذا بلغ الأمر إلى هذا الدرك حيث يقال الوزير لمجرد إشاعة تبلغ الملك فماذا يتبقى من هيبة الوزارة وكرامة الوزراء واستقرار الحكم؟

وزاد من انزعاجي أن هذه التهمة وجهت لوزير بريء، اشتهر بالوطنية وبميوله العربية القومية وكان دائماً خير عون لي. وشعرت بأن محاولة بريطانية إزاحة القلهود من الساحة السياسية إنما هي إهانة موجهة لي شخصياً، وزاد من انزعاجي لما كان قد حدث صباح ذلك اليوم من مناقشات حادة في مجلس الوزراء حول تأسيس كلية طرابلس (تلك الكلية التي اتفقنا مع انكلترا على تأسيسها على غرار كلية فكتوريا بالإسكندرية)، فقد كان عبد الرحمن القلهود وزير المعارف شديد المعارضة لتأسيس تلك الكلية، ولم يتوقف عن معارضته حتى بعد أن صوّت جميع الوزراء الحاضرين لصالح تأسيسها، لذلك فقد خشيت بنوع خاص أن يظنّ الوزير القلهود أنني على علم بمرسوم إقالته وأنني وافقت على ذلك المرسوم إنتقاماً من معارضته لإنشاء كلية طرابلس.

والحقيقة هي أنني لم أغضب من معارضة وزير المعارف، بل على العكس كنت أزداد احتراماً للوزير الذي كان يقف مدافعاً عن رأيه حتى لو تعارض مع رأي زملائه، لذلك ولما تقدم من أسباب فقد اتخذت على عجل الإجراءات الآتية:

استدعيت وكيل وزارة المالية عبد الرزاق شقلوف (وكنت أكلفه عادة بالمهمات الصعبة الحسّاسة لدى الملك). وحمّلته رسالة إلى الملك ملخصها أنني أعارض بشدة مرسوم إقالة وزير المعارف القلهود معارضة في الجوهر والأسلوب. أما في الجوهر فلأنني متأكد من بطلان التهمة لأنني كنت في طرابلس أثناء تلك المظاهرات وكان

القلهود يجلس بجواري أثناء إشرافي على تفريق المظاهرة، ومهما يكن من أمر فلا مانع عندي من إجراء تحقيق عادل في التهمة على مستوى وزاري. أما في الأسلوب فحتى لو ثبتت التهمة فإن المشاركة في تظاهرة وطنية لا يستدعي اخراج الوزير بطريقة الإقالة. وأضفت من ناحية أخرى أنني لا أقبل أن تُنزّل علي المراسيم بإقالة زملائي كأمر واقع، فهذا ما يزعزع مركز الوزارة ويقضي على الثقة والتعاون بين أعضاء مجلس الوزراء.

واستدعيت وزير المعارف القلهود وأطلعته على نص برقية الملك، وقلت له: أنني أطلعك عليها خشية أن يذاع مرسوم إقالتك قبل أن أتمكن من إيقافه، وعلى أي حال لو أذيع المرسوم كأمر واقع فإنني سأتقدم على الفور بإستقالة وزارتي. وأضفت: لقد حرصت على إطلاعك على هذه الحقائق لأنني رغبت ألا يتبادر إلى ذهنك أنني ربما تراجعت في الدفاع عنك لما صدر منك من معارضة شديدة في جلسة مجلس الوزراء صباح اليوم. وقلت بل على العكس فقد ازددت تقديراً لك لتمسّك برأيك.

وتأثر عبد الرحمن القلهود واغرورقت عيناه، وقال: إنني لا أرغب أن أكون سبباً لأزمة بينك وبين الملك خصوصاً في هذه الظروف العصيبة، قلت: بل إنني أصر على بقائك وإذا تأكد لي أن الملك يصرّ على خروجك من الوزارة فإن هذا الخروج يجب أن يكون بعد فترة طويلة ويكون خروجك – إذا لزم الأمر – بطريقة مكرّمة معزّزة تسجل وتقدّر لك جهودك في خدمة الوطن.

وجاءني عبد الرزاق في اليوم التالي بعد رجوعه من مقابلة الملك، وقال أن الملك كان في غاية الإنزعاج، وكان تعليقه الأول على موقفك من مرسوم إقالة القلهود بأنه لم يعد في استطاعته توجيه رئيس وزرائه ونصحه، وأصبح رئيس الوزراء شديد الحساسية يرى في أي إجراء من الملك تدخلاً في شؤون وزارته. ثم هدأت مشاعره وقبل اقتراحك بتشكيل لجنة وزارية للتحقيق فيما نُسب للوزير القلهود ووافق على بقائه في الوزارة إلى أن ينتهي التحقيق.

وعلى الفور كوّنت لجنة تحقيق من ثلاثة من الوزراء، وأثبت التحقيق براءة القلهود، وبعد هذا الحادث بشهرين قدّم عبد الرحمن القلهود استقالته فقبلتها بخطاب شكر حار

على خدماته وجهوده في خدمة الوطن. ونشر خطابي يوم نُشرت استقالة القلهود.

لقد حرصت على ذكر هذه الحادثة بتفاصيلها ليعلم القارئ من خلالها أنه كان هنالك من يقول للملك لا، وأن الملك كانت لديه من الاخلاق الكريمة والحلم ما يجعله يتقبلها ممن يقولها له بإخلاص وعن قناعة وبغرض تجنيبه الوقوع في الخطأ.

وفي شهر سبتمبر أمضيت أسبوعين إجازة في إيطاليا، وانتهزت الفرصة وأجريت عدة اجتماعات مع رجال الحكومة الإيطالية، ثم عدت إلى طرابلس مستأنفاً نشاطي السياسي، فزرت الملك في طبرق، وأذكر أنه كرّر النصح بوجوب الحذر في التعامل مع بريطانيا وتجنب الدخول معها في نزاع. وشعرت بأن مخاوفه قد ازدادت أثناء غيابي، وظننت أن الدسّ الإنجليزي والدعاية الغربية قد زاد تركيزها عليه أثناء غيابي. لذلك فقد بذلت جهداً خاصاً لطمأنة الملك وإزالة آثار الشكوك التي حاول أعدائي زرعها لديه، فأكّدت له بأنني على تفاهم معقول مع الحكومة البريطانية التي تعرف تماماً أن معاهدة التحالف بيننا لا تسمح لها باستعمال قواعدها في ليبيا في العدوان على أي بلد عربي. وأنني واثق من أن إيدن، وهو الدبلوماسي العريق، لن يلجأ إلى استعمال القوة ضد مصر، بل سيستعمل الطرق الدبلوماسية وهي صناعته التي برز فيها على مدى السنين، وشعرت بأن الملك بدأ يطمئن ويرتاح لتأكيداتي. ثم أثار معي موضوع الوزير عبد الرحمن القلهود، وعاتبني على موقفي منه. وشرحت له أن موقفي من عبد الرحمن القلهود موقف سليم أملاه علي شعوري بأنه مظلوم، وتأكدي من أن مولانا الملك لا يقبل الظلم، وكذلك لأسباب أخرى تتعلق بمبدأ الترابط بين الزملاء في مجلس الوزراء. ثم قلت أن القلهود أبلغني رغبته في الاستقالة، وسأقترح قبولها مع شكري على خدماته. وافقني الملك وأكّد أنه لا يقبل أن يقع الظلم على أحد.

وفي طرابلس واصلت نشاطي الدبلوماسي بإرسال العديد من الرسائل الكتابية والشفوية إلى كل من وزير الخارجية الأمريكية دالاس والرئيس الأمريكي أيزنهاور شارحاً وجهة نظر مصر، المؤيدة من جميع العرب، في تأميم قناة السويس راجياً وقوف الولايات المتحدة في جانب العدل. كما أرسلت العديد من الرسائل لرئيس الوزراء إيدن

ووزير خارجيته لويد محذراً من الآثار الوخيمة لاستعمال القوة لحلّ النزاع مع مصر، مشجعاً إياهما لاستعمال الطرق السلمية مؤكداً بشدة انه في حالة العدوان على مصر فإن ليبيا ستجمّد القوات البريطانية الموجودة على ترابها ولن تسمح لها بالاشتراك في العدوان. ولكنني في نفس الوقت لم أقم بأي نشاط دبلوماسي مع فرنسا، فلقد كانت علاقاتنا معها سيئة متردّية، كما شرحت في أجزاء سابقة، ولذلك فلم أحاول إجراء أي مساعي في هذا الصدد.

في النصف الثاني من شهر اكتوبر اشتد تركيز بريطانيا في محاولات للتأثير على الملك وبث الشائعات حول سياسة الحكومة الليبية، وحاولوا إقناع الملك أن حكومته لا تهتم بمعاهدة التحالف معها مثل اهتمامها بمسايرة عبد الناصر. بل حاولوا اتهامي بأنني عميل لمصر ولعبد الناصر. ومع الأسف كان بعض رجال الحاشية الملكية ورجال قوة دفاع برقة من بين العناصر النشطة في بث تلك الدعايات. ولو أن الملك إدريس لم يصدق كل هذه الشائعات إلاّ أن جوّاً من القلق والشك بدأ ينتشر حول الملك مما جعل ناظر الخاصة الملكية (الذي كان يقف بجانبي مناصراً لي في سياسة التعاون مع مصر) يلحّ علي بضرورة البقاء بجانب الملك لمدد أطول وشرح سياستي بتفصيل أشمل حتى أطمئن الملك وأحصل على تأييده، وأفوّت فرصة دق أسفين بين الملك وحكومته.

وبالفعل أمضيت الأيام الأخيرة من شهر اكتوبر في ضيافة الملك بطبرق فكنا نعقد اجتماعين كل يوم، وكان ناظر الخاصة يحضر بعضها. وبدأت شرحي باستعراض مسهب لعلاقاتنا مع بريطانيا وأكدت حرصي على إقامتها على أسس متينة من الصراحة والتعاون المثمر للطرفين، كما فعلت في زيارتي الرسمية لبريطانيا في شهر يونيو الماضي حيث بلغت درجة عالية من التفاهم مع رئيس الوزراء ووزير خارجيته وآخرين من كبار رجال الحكومة البريطانية.

ثم استعرضت علاقاتنا الأزلية مع مصر وشدّدت على أن مصر كانت دائماً ملجأً لليبيين ومتنفسهم عندما يقسو عليهم الدهر، وذكّرت الملك بأن عدد الليبيين المقيمين في مصر أكثر من عدد الليبيين المقيمين في ليبيا، وضربت على الوتر الحسّاس لدى

الملك عندما ذكّرته بموقف عدد كبير من زعماء مصر الذين ناصرونا في نكبتنا، أمثال الأمير عمر طوسون وصالح حرب، وحمد الباسل وكثيرين آخرين. ثم انتقلت بحذر إلى وضع مصر الحالي فشرحت أنني على ثقة من أن عبد الناصر لا يضمر لنا شراً وقد أمكنني أن أقيم تفاهماً مثمراً معه. وأن أهمية ليبيا ووزنها الدولي يزداد قوة كلما شعرت الدول الغربية بمدى تعاوننا مع العرب عموماً ومع مصر بنوع خاص، وأضفت أنه في الظروف الراهنة، ولو أنني أرى أن الرئيس عبد الناصر قد تورّط بتسرعه في تأميم القناة وأحاط خطابه الذي أعلن فيه تأميم القناة بجوّ من التحدي والاستفزاز للغرب ولبريطانيا بنوع خاص، فإن القناة كانت عائدة لمصر بعد بضع سنوات على أي حال، وهناك مجال واسع للحلول الوسط والدبلوماسية الهادئة بين المصريين والبريطانيين. وأضفت أنني لا أتوقع أن يلجأ البريطانيون لاستعمال القوة لأن بريطانيا دولة ديمقراطية، وحيث أنها من مؤسسي هيئة الامم المتحدة فلا يعقل أن تخرق ميثاق الامم المتحدة. وأشرت إلى اخبار نيويورك الأخيرة التي تبشر باحتمال الوصول إلى تفاهم شامل بين الدكتور محمود فوزي وزير خارجية مصر ولويد وزير خارجية بريطانيا، كما شدّدت على أن موقف الولايات المتحدة صريح في عدم الموافقة على استعمال القوة في حلّ نزاع قناة السويس.

أما إذا استعملت القوة - لا قدّر الله - فليس أمامنا من سبيل غير أن نتمسك بروح ونص معاهدة الصداقة والتحالف بيننا وبين بريطانيا، التي تنص صراحة في المادتين الثانية والرابعة على عدم السماح لها باستعمال قواتها المرابطة في ليبيا في أي نزاع مسلّح ضد أي بلد عربي. كما أن معاهدة التحالف المذكورة تسلّم بأن التزامات ليبيا الناجمة عن كونها عضواً في جامعة الدول العربية لها الأولوية على التزامات ليبيا الناجمة عن معاهدة الصداقة والتحالف.

وختمت عرضي ذلك بأن قلت أن السياسة التي تود الوزارة الليبية أن تنهج عليها في النزاع المصري-البريطاني، إذا ما تطور إلى نزاع مسلّح بينهما، هي التمسّك بنص وروح معاهدة التحالف وهو موقف قانوني لا يحمل أي عداء لبريطانيا، وهو في

نفس الوقت يجنب ليبيا أي اتهام بأنها سمحت لقوات أجنبية بالهجوم على مصر من أراضيها، وسنقوم بتنفيذ هذه السياسة بدقة تامة وبعيداً عن روح الاستفزاز والتحدي. واقتنع الملك بعرضي هذا ولمست أن شعور الثقة عاد بينه وبيني. ثم زوّدني بنصائحه وشدّد علي مراراً أن أتبع طريق الحكمة في تعاملي مع بريطانيا وحذّرني من أنه يخشى، إن شعرت بريطانيا بحرج في موقفها أو ظروف أشدّ صعوبة مما تتوقع، أن تلجأ إلى استعمال القوة لقهر الحكومة الليبية أو احتلال ليبيا عسكرياً ثم العدوان على مصر بالرغم منّا قهراً وقمعاً لنا وللمصريين.

وأعترف اليوم أنني لم آخذ تحذير الملك الأخير مأخذ الجدّ، فما كنت لأتصوّر أن تقدم بريطانيا على حماقة كبرى مثل التي حذّرني منها الملك. كما أعترف اليوم، وبعد اطّلاعي على الوثائق البريطانية التي يجد القارئ بعضاً منها ملحقاً بهذه المذكرات، أن الملك إدريس كان على حق في حذره ومخاوفه... فقد أثبتت تلك الوثائق أن الحكومة البريطانية كانت قاب قوسين أو أدنى من احتلال ليبيا عسكرياً وقمع أية مقاومة من الجيش أو الشعب الليبي وغزو مصر بالفرقة العاشرة المدرعة البريطانية.

وفي اليوم الأخير من تلك الزيارة استعرضنا احتمالات تطوّر أزمة تأميم القناة والخيارات المتوفرة لدينا لكل من هذه الاحتمالات خصوصاً احتمال استعمال القوة. وتوصلت إلى تفاهم مع الملك على الخطوط الرئيسية، ثم انتقلنا لمناقشة موضوع منصب وزير الخارجية. فقد كنت أبديت رغبتي في إسناد الشؤون الخارجية لزميل من زملائي في الوزارة ورشّحت عبد القادر العلام أو محيي الدين فكيني، ولكن الملك أصرّ على أن يتولى وزارة الخارجية الزميل علي الساحلي، حتى أتفرغ أنا لشؤون الرئاسة والإشراف على السياسة الخارجية بينما يتولى الساحلي عبء أعمال وزارة الخارجية الروتينية. ولم يكن لي اعتراض على الزميل الساحلي من ناحية الكفاءة، ولكن كانت لي اعتراضات أخرى، فقد لمست بعد تجربته في مناصب وزارية عديدة أن علي الساحلي كان كثيراً ما يخلط الخيال بالواقع، بالإضافة إلى أن ضعف شخصيته يجعله يحاول ارضاء الجميع، وهي مثالب خطيرة لا يجب أن تتوفر فيمن توكل إليه إدارة الشؤون الخارجية للوطن لا

سيما في تلك الأيام والظروف العصيبة ذات التقلبات السريعة. ولكن الملك أصرّ على تعيينه فقبلت على مضض، وغادرت طبرق بعد ظهر يوم ٣٠ اكتوبر إلى طرابلس.

ماذا تكشف الوثائق البريطانية عن موقف ليبيا من العدوان على مصر

ماذا كان يدور في كواليس الحكومة البريطانية بسرية تامة خلال الأشهر (اغسطس وسبتمبر واكتوبر ١٩٥٦)؟

أولاً: توجيه من رئيس الوزراء إيدن رسالة[٧٢] إلى وزير الخارجية البريطانية يطلب منه فيها عمل أي شيء لتهدئة ليبيا وذلك بإرسال رسالة إلى الملك أو رئيس الوزراء لطمأنتهم.

وفي تعليق وزارة الخارجية البريطانية على رسالة إيدن تلك كتب مساعد وزارة الخارجية بخط يده:

من الواجب إشعار الحكومة الليبية بخطورة نظرة الحكومة البريطانية لتأميم القناة وأن الحكومة البريطانية لا تطمئن للكولونيل ناصر، وإذا ما قام بأية خطوة أخرى فإن عليه تلقي العقاب.

ثم ملحق آخر (نفس الوثيقة) بتوقيع رئيس قسم أفريقيا بالخارجية البريطانية يتضمن مسودة نص الرسالة المقترحة ويوصي بتقديم تلك الرسالة إلى رئيس الوزراء الليبي في الوقت المناسب وبالتحديد بعدما تقرر رئاسة أركان الحرب البريطانية خطة انتشار قواتها في ليبيا تمهيداً لاستعمالها في الهجوم ضد مصر.[٧٣]

ثانياً: محضر اجتماع سري[٧٤] كتبه رئيس قسم أفريقيا بالخارجية يلخّص فيه ما اتفق عليه في ذلك الاجتماع (لا يذكر أسماء الحاضرين).

فيقول أن معاهدة التحالف مع ليبيا لا تسمح لبريطانيا باستعمال قواعدها للهجوم

---

(٧٢) وثيقة رقم: JT 1053/89 بتاريخ ٥٦/٧/٢٩

(٧٣) راجع الملحق رقم ٤٨

(٧٤) وثيقة رقم: JT 1053/91 بتاريخ ١٩٥٦/٧/٢٨

على مصر ما لم نحصل على إذن خاص بذلك من الحكومة الليبية. ثم يمضي فيقول إن بن حليم قد صرّح أمام مجلس النواب الليبي أن ليبيا لن توافق أبداً باستعمال القواعد الأميركية والبريطانية في الهجوم على أي بلد عربي. ولذلك فإنهم يعتقدون أنه من الصعب على بن حليم أن يتراجع عن موقفه ذلك. ثم يأتي إلى بيت القصيد فيقول: انه من السهل أن ترغم الحكومة الليبية بالقوة ونستعمل مطار العضم بالرغم من الحكومة الليبية، وأن القوات البريطانية يمكنها أن تتعامل مع أي هجوم من القوات الليبية المحلية على المطار وربما يمكننا كذلك حماية مطار ويلس ونستعمله في الهجوم على مصر. انه يمكننا أن نقمع أي قوة ليبية تعارضنا، فلدينا الجزء الاكبر من الفرقة العاشرة المدرّعة في ولاية طرابلس. ولكن إذا فعلنا ما تقدم فعلينا مواجهة الآتي:

لا شك أن مصر ستقدم مساعدة مسلحة إلى ليبيا.

ستقوم اضطرابات كبيرة في طرابلس وبنغازي مع ما يتبع هذا من اصابات في الارواح البريطانية.

ويختتم محضر تلك الجلسة بأنه: إذا ما رغبنا في استعمال قواعدنا في ليبيا فإن هذا في استطاعتنا من الناحية العملية، ولكن جميع قواتنا ستكون مشتبكة (لقمع المقاومة الليبية)، ولن يتبقى شيئاً من تلك القوات لاستعماله في أماكن أخرى.[٧٥]

ثالثاً: رسالة من القائم بالأعمال البريطاني في ليبيا إلى وكيل الخارجية، وصورة منها أرسلت إلى وزير الخارجية البريطاني، يحذر القائم بالأعمال من مغبّة محاولة استعمال القواعد البريطانية في الاعتداء على مصر، ويقول:

ان الدم العربي أكثف من الإعانات الخارجية. ثم يردّ على رسالة وصلته من الخارجية البريطانية حول نفس الموضوع فيقول: لا يمكننا الاعتماد على أن السلطات الليبية ستتطوع بالتعاون معنا، بل أني أتوقع آثاراً بعيدة المدى لو أجبرناهم على التعاون معنا بالقوة كأن نعيد الحكم العسكري (البريطاني لليبيا). وأنصح بعدم التفكير في هذا الحل على أي وجه. ثم يمضي فينصح بعدم إجراء مناورات الخريف العسكرية

---

(٧٥) راجع الملحق رقم ٤٩

البريطانية على حدود ليبيا الشرقية التي يقصد منها تخويف ناصر لأن مجرّد تحرّك القوات البريطانية نحو الحدود الليبية الشرقية سيسبب لنا مشكلة أمن جوهرية، وعلى الأقل ستقوم قلاقل كبيرة في ولاية طرابلس.(٧٦)

رابعاً: رسالة من السفير البريطاني بطرابلس إلى وزير الخارجية مؤرخة ٩ أغسطس ١٩٥٦ تلخص تحذيره الشديد من مغبّة محاولة استعمال القوة البريطانية في ليبيا للاعتداء على مصر، إلاّ إذا تمّ الحصول على إذن ليبي ثم يستطرد قائلاً:

إن الحصول على الأذن يبدو أنه غير وارد على الإطلاق. ويصف استعمال القواعد بأنه مخالف لكل المواثيق وسيسبب اضطرابات شديدة، وينتهي إلى نصح وزارة الخارجية بأن تقف بقوة ضد فكرة استعمال القواعد البريطانية في الهجوم على مصر.(٧٧)

خامساً: رسالة بتوقيع رئيس قسم أفريقيا في وزارة الخارجية البريطانية رامزدين مؤرخة ٩ أغسطس ١٩٥٦ وفي آخر الرسالة تعليق وتلخيص من وكيل الخارجية الدائم سير ايفون كيركباتريك.

الرسالة تلخص خطط بريطانيا لاستعمال القواعد البريطانية في ليبيا وتحريك الفرقة العاشرة المدرّعة إلى الحدود المصرية، وإرسال ثلاث ألوية من المشاة إلى طرابلس. (اتضح في رسائل لاحقة أن هذه الألوية متخصصة في مقاومة الاضطرابات والشغب)، كما تحتوي الرسالة على بحث قانوني حول إمكانية انزال قوات بريطانية في مطار بنينا المدني. وتشير الرسالة إلى نصائح السفير البريطاني المشددة لتجنب استعمال القواعد البريطانية في ليبيا وإلى أن وزير الخارجية الليبي بالإنابة اتصل بهم لطلب عدم استخدام ليبيا كقاعدة للعمليات ضد مصر، ثم نأتي لتعليق الوكيل الدائم الذي يقول ملخصه أنه ما لم يكن استعمال القواعد في ليبيا أمراً جوهرياً للعمليات ضد مصر، فإنه ينصح بالعدول عن استعمالها.(٧٨)

سادساً: رسالة شخصية من السفير البريطاني في ليبيا جراهام إلى مدير شؤون

(٧٦) راجع الملحق رقم ٥٠

(٧٧) راجع الملحق رقم ٥١

(٧٨) راجع الملحق رقم ٥٢

أفريقيا واتسون مؤرخة ٢٥ سبتمبر ١٩٥٦ يعبر له فيها عن انزعاجه الشديد من أن بعض المخططين العسكريين البريطانيين لم يتخلوا بعد عن فكرة استعمال ليبيا في حالة وقوع القتال مع مصر. ويمضي في تقديم الحجج والبراهين عن الأخطار الكبيرة التي ستنجم عن ذلك الاستعمال. ويختتم رسالته مشدداً بأنه لا يمكن إطلاقاً استعمال الأراضي الليبية لأية حملة ضد مصر، وأنه يجب اعتبار ليبيا منطقة ممنوعة تماماً وبصفة نهائية للاغراض العسكرية ضد مصر. [(٧٩)]

سابعاً: رسالة من واتسون إلى وكيل الخارجية المساعد روس مؤرخة ٢٩ سبتمبر ١٩٥٦ ينقل إليه محتويات رسالة السفير البريطاني المذكورة بعاليه (بند سادساً)، ويذكر كذلك أنه أرسل نفس الرسالة إلى هيئة أركان الحرب البريطانية، كما يذكر أنه أرسل صورة من رسالة السفير إلى وزير الخارجية البريطاني.

ويختتم رسالته قائلاً: إنه يجب علينا أن نكون شديديّ الحذر ولا نسمح لأنفسنا بالظن أن ليبيا منطقة يمكننا استعمالها كما نشاء. [(٨٠)]

ثامناً: رسالة من سكرتير هيئة أركان الحرب البريطانية رداً على رسالة واتسون مؤرخة ٥ أكتوبر ١٩٥٦ يقول فيها أن هيئة الأركان درست رسالة السفير جراهام ولاحظت أن وجهة نظر السفير هي:

> أنه لا يمكن إطلاقاً استعمال الأراضي الليبية لأية حملة ضد مصر، وأنه يجب اعتبار ليبيا منطقة ممنوعة تماماً وبصفة نهائية للأغراض العسكرية ضد مصر. إن خطط رئاسة أركان الحرب لا تحتوي على استعمال مباشر للأراضي الليبية ولكن يجب علي أن أصارحك بأنه، لا رئاسة أركان الحرب ولا الجنرال كيتلي (قائد حملة السويس) يفكران في تجنب استعمال ليبيا تجنباً كاملاً مطلقاً كما ينصح بذلك السفير «جراهام». لذلك إذا كانت وزارة الخارجية

---

(٧٩) راجع الملحق رقم ٥٣

(٨٠) راجع الملحق رقم ٥٤

تؤيد توصيات السفير جراهام فإنني أرى أنه من الضروري أن تعيد لجنة مصر (اللجنة الوزارية الموكّل لها الإشراف على الحملة ضد مصر) النظر في الموضوع ودراسة العواقب السياسية لتطبيقه.(٨١)

تاسعاً: كما تحتوي الوثائق على العديد من الرسائل الهامة الأخرى، خصوصاً رسائل طويلة متبادلة بين وزارة الخارجية البريطانية ومستشارها القانوني الذي أفتى بأن معاهدة التحالف مع ليبيا لا تسمح لبريطانيا باستعمال قواعدها في أي عدوان على البلاد العربية.

هذا جزء بسيط من سيل الرسائل االسرية المتبادلة بين وزارة الخارجية البريطانية ووزارة الدفاع، وهيئة أركان الحرب، والسفارة البريطانية بطرابلس، ومنها يتضح أنه كان هناك خلاف حاد بين الخارجية البريطانية والسفير البريطاني في طرابلس من جهة، ووزارة الدفاع وهيئة أركان الحرب البريطانية من جهة أخرى، حول استعمال القواعد البريطانية في ليبيا.

فبينما وقف السفير جراهام موقفاً شجاعاً محذّراً بقوة وإلحاح ضد استعمال القواعد البريطانية في ليبيا في الحملة ضد مصر، وبينما لاقى بعض التأييد من وزير الخارجية لويد ومساعديه، فإن رئاسة الاركان ولجنة مصر وكبار العسكريين البريطانيين كانوا حتى أواخر اكتوبر ١٩٥٦ يفكرون في استعمال قواعدهم في ليبيا في العدوان استعمالاً محدوداً، كما كانوا يدّعون. كما يتضح من الوثائق التي أوردتها أيضاً أن بريطانيا فكرت جدياً في احتلال ليبيا بالقوة وإعادة الحكم العسكري البريطاني لكي تتمكن من استعمال قواعدها في ليبيا في عدوانها ضد مصر.

وأذكّر القارئ أن هذه المعلومات اطّلعت عليها مؤخراً ولم يكن لي علم مؤكد بها عندما كنت أتعامل مع الحكومة البريطانية في خريف ١٩٥٦ وعندما كنت أبذل قصارى جهودي لإقناعها باللجوء إلى السبل السلمية والإقلاع عن التفكير في استعمال القوة. غير

---

(٨١) راجع الملحق رقم ٥٥

أنني كنت أشعر في تلك الفترة بأن هناك الكثير من الأمور المريبة والإجراءات الغريبة تقوم بها القوات البريطانية مما جعلني شديد الحذر قليل الثقة في معاملاتي مع الحكومة البريطانية. وإني آسف، إذ أعترف اليوم، بأنني لم أكن لأثق بالسفير البريطاني جراهام في ذلك الوقت، ولكن اتضح لي مؤخراً أنه كان يقف من ليبيا موقفاً شريفاً منصفاً.

المواجهة مع بريطانيا وتجميد قواعدها في ليبيا

غادرت طبرق بعد عصر يوم الثلاثاء ٣٠ اكتوبر، وقبيل إقلاع طائرتي العسكرية من مطار العضم أبلغني رجالنا المكلّفين بالرقابة االسرية على تحركات القواعد البريطانية بالمطار بأنهم شاهدوا ازدياداً كبيراً في نشاط سلاح الطيران البريطاني. ثم عند وصولي لمطار إدريس بطرابلس أبلغني زملائي الذين كانوا في انتظاري بالمطار بوقوع هجوم إسرائيلي غادر في اتجاه قناة السويس، وصدور إنذار بريطاني-فرنسي مشترك لكل من مصر وإسرائيل بإيقاف القتال والإنسحاب عشرة كيلومترات من جانبي القناة لكي تنزل قوات بريطانية-فرنسية في منطقة القناة للمحافظة على حرية وسلامة الملاحة الدولية... وعلى الفور، ومن المطار طلبت من وزارة الخارجية الليبية استدعاء السفير البريطاني لمقابلتي على الفور. وكررت اتصالاتي من مسكني بطرابلس ولكن دون جدوى، فقد كان رد السفارة أن السفير غير موجود (Not Available).

وأمضيت جزءاً من الليل في مشاورات مع بعض زملائي ناقشنا فيها جميع الاحتمالات وكان الأمر الأهم المسيطر على أفكارنا هو وضع القواعد البريطانية، وضرورة ضمان تجميدها تجميداً تاماً بحيث لا تشترك في أي عدوان محتمل على مصر. وناقشنا كذلك كيف يكون موقفنا لو ارتكبت بريطانيا حماقة أخرى وحاولت أن تهجم على مصر بقواتها (ومنها خصوصاً الفرقة العاشرة المدرعة) الموجودة في ليبيا.

واتفقنا أنه يجب علينا في هذه الحالة أن نقاوم ذلك العدوان بكل ما لدينا من قوة

مع تسليمنا مقدماً بأن عملنا هذا ضرب من الأعمال الإنتحارية، إذ كيف يمكن للجيش الليبي المكوّن، في ذلك الوقت، من ثلاثة ألوية أن يقاوم فرقة بريطانية كاملة مدرّعة ومجهزة بأحدث الدبابات والمدفعية الثقيلة والعتاد الحديث. واتفقنا على ضرورة أن نجري اتصالاً فوريا مع السفير البريطاني ومطالبته برد كتابي من الحكومة البريطانية على أسئلة صريحة محدّدة حول وضع القوات البريطانية في ليبيا، وكذلك تقديم احتجاج شديد اللهجة على الإنذار البريطاني الفرنسي الموجه لمصر.

وبعد مغادرة الوزراء لمسكني في الساعات الأولى من صباح ٣١ اكتوبر، حاولت النوم دون جدوى فقد استبدت بي الوساوس والظنون لاسيما بعد عدم تمكّني من العثور على السفير البريطاني، وظني أنه كان يتهرب من مواجهتي. وفي الصباح الباكر اتصلت بالسفارة البريطانية وأبغلت الموظف المناوب أنني أطلب حضور السفير البريطاني فوراً، وعندما رد بأن السفير غير موجود، قلت ليحضر من ينوب عنه في السفارة في التو والساعة إلى مكتب رئيس الوزراء. ولم تمضِ إلاّ دقائق وحضر مستشار السفارة ويدعى غاندي - على ما أذكر - وأحضر معه سيسيل جريتوريكس السكرتير الشرقي في السفارة البريطانية (والشخص المسسؤول عن المخابرات) ثم حضر وزير الخارجية الساحلي. ولا أذكر أنني استعملت في حياتي الدبلوماسية ألفاظاً أشد وتهكمات ألذع مما استعملت في ذلك الاجتماع الصاخب.

سألت عن السفير وقلت إذا كان خارج ليبيا فإنه لم يتبع العرف الدبلوماسي الذي يحتم عليه إخطار وزارة الخارجية قبل مغادرة البلاد، ورد غاندي بأن السفير غير موجود وعلى أي حال فانه سيتصل بي مساء نفس اليوم.

قلت أنني لا أفهم كيف يرتكب الدبوماسي العريق إيدن أكبر حماقة ارتكبت في القرن العشرين، كيف وبأي حق يجوز له أن يوجه انذاراً لمصر - الدولة المعتدى عليها من إسرائيل - بأن تسحب قواتها من منطقة قناة السويس وتسمح لقوات الغزو البريطاني- الفرنسي باحتلال القناة؟ ما هذا العبث والاستخفاف بعقول الناس. واستمررت في القول: يبدو لي جلياً أن بريطانيا ترتكب أكبر حماقة في تاريخها، إذ هي تتآمر متعاونة

مع فرنسا وإسرائيل لغزو مصر والاعتداء عليها، بل إنني على يقين من أن الاعتداء الإسرائيلي كان مخططاً له من قبل الدول المعتدية الثلاث، وأن الاعتداء الإسرائيلي هو الفصل الأول في المسرحية الهزلية ثم تتخذ بريطانيا وفرنسا ذلك الإعتداء مبرراً وذرعية لإنذارها ثم غزوها لمصر.

ثم تساءلت إذا كانت بريطانيا حريصة على سلامة القناة وحرية الملاحة فيها، فلماذا لم تتشاور مع أصدقائها وحلفائها؟ وما هو وضع معاهدة التحالف بين ليبيا وبريطانيا التي تنص صراحة على ضرورة التشاور في مثل هذه الأمور، وأضفت، حتى الولايات المتحدة حليفتكم الكبرى أخذت على غرة واستهجنت إنذاركم ونددت به. ثم ماذا عن تنفيذ ذلك الإنذار الغريب؟ ما هي القوات التي ستستعملونها في الإعتداء على مصر؟ وهنا اتخذت موقفاً فيه نغمة التهديد وقلت: إن أي تحريك لقواتكم المرابطة في ليبيا في اتجاه الحدود المصرية سيشعل نار حرب ضروس بيننا وبينكم. أود أن تفهموا هذا جيداً وتقولوه لحكومتكم.

ثم تسألت: إذا كانت بريطانيا صادقة حقاً في الخوف على القناة من الغزو الإسرائيلي فلماذا لم توجه إنذارها لإسرائيل دون غيرها؟ ولماذا لا تستعمل القوة لإيقاف الغزو الإسرائيلي في مهده؟ إنني لآسف أشد الأسف أن يتخذ إيدن الذي طالما تغنّى بصداقته للعرب هذا الموقف الجنوني الذي ينم عن العداء الدفين والكراهية الشديدة، ألا تعلم حكومة بريطانيا أنها باعتدائها على مصر فإنها ترتكب انتحاراً سياسياً؟ انني أرثي لحليفتنا بريطانيا التي أصبحت مسيّرة من فرنسا وإسرائيل.

وقد شرح غاندي»بصعوبة أن الإنذار البريطاني-الفرنسي إنما يهدف لإيقاف القتال بين مصر وإسرائيل. وكذلك يهدف لضمان حرية الملاحة في قناة السويس.

وأخيراً طلبت من غاندي ما يلي:

- حضور السفير بأسرع ما يمكن لمقابلتي (ووزير الخارجية الليبي).
- إبلاغ حكومته احتجاجنا الشديد على الإنذار الموجه لمصر وطلبنا بسحبه.

- أن التهديد بانزال قوات بريطانية في القناة هو غزو وعدوان على مصر نطلب من بريطانيا العدول عنه فوراً.
- أننا لن نسمح تحت أي ظروف مهما كانت الأسباب أن تستعمل القوات البريطانية الموجودة على التراب الليبي في أي اعتداء، مباشر أو غير مباشر، على الشقيقة مصر وذلك تنفيذاً لأحكام المادتين الثانية والرابعة من معاهدة التحالف بين بلدينا.

وكررت أنني أطلب تأكيداً كتابياً من الحكومة البريطانية بأنها لن تستعمل قواتها المرابطة في ليبيا في أي عدوان على مصر.

يلخص غاندي بعبارات مهذّبة ما دار في ذلك الاجتماع الصاخب فيقول في تقريره الذي أبرقه إلى الخارجية البريطانية:

استدعى السيد رئيس الوزراء والسيد وزير الخارجية قبل قليل مسؤول السفارة وسكرتير شؤون الشرق (في غياب السيد السفير) للتعبير عن قلقهما العميق تجاه الانذار الانجلوفرنسي. لقد كان من الأولى التشاور مع الحكومة الليبية أو إخبارها مسبقاً باعتبارها حليفاً لحكومة صاحبة الجلالة. ماذا كان الهدف من الإنذار؟ وهل سيتم تنفيذه؟ وإذا تم ذلك فمن أين ستأتي القوات؟ أن استخدام القواعد الليبية سيقود إلى نشوب قتال في ليبيا.

لقد تساءل السيد رئيس الوزراء عن سبب تهديد حكومة صحابة الجلالة لمصر - الضحية بدلاً من إسرائيل – المعتدية. وأكد ان التحرك الانجلو فرنسي المزمع القيام به سيؤدي ببريطانيا إلى فقدان كل أصدقائها العرب. كما أشار إلى تصريح رئيس الولايات المتحدة بأنه لم يتم التشاور معه قبل إصدار الإنذار، وأعرب عن أسفه لظهور حكومة صاحبة الجلالة بمظهر المعتمد على مشورة فرنسا التي تقوم بارتكاب عملية انتحار سياسي.

طالب السيد رئيس الوزراء برد سريع من حكومة صاحبة الجلالة وقد صدرت تعليمات للسفير الليبي بالإتصال بكم.

تعهد مسؤول السفارة بايصال وجهة نظر السيد رئيس الوزراء وطلب تعليمات منكم وقد أكد له أن أهداف الإنذار كما فهمها هي كالتالي:

أ) ضمان وقف العدوان فوراً.

ب) ضمان حرية الملاحة عبر القناة.

كما أشار أن الإنذار قدم لكل من مصر وإسرائيل معاً. لقد كانت لهجة السيد رئيس الوزراء شديدة للغاية خاصة عند إدانته لفكرة التحرك العسكري ضد مصر ووصفها بأنها حماقة وظلم.

هل بالإمكان تفويضنا لتأكيد الضمانات الخاصة باستخدام القواعد الليبية؟ وبأي شروط؟[٨٢]

وعند خروج مندوبا السفارة البريطانية من عندي طلبت من وزير الخارجية الساحلي إرسال مذكرة على الفور إلى السفارة البريطانية تأكيداً لما ذكرناه في الاجتماع، واذكر أنني قد لمت الساحلي كثيراً بعد ذلك حينما علمت انه استعمل في المذكرة عبارات دبلوماسية مهذبة لا تعكس روح التحدي والغضب التي سادت الاجتماع المذكور. من ضمن ما جاء في تلك المذكرة ما يلي:

... وبالإشارة إلى المحادثة التي دارت صباح اليوم بين السيدين رئيس الوزراء ووزير الخارجية من جهة وبين مندوبين من السفارة البريطانية من جهة أخرى حضرا نيابة عن سعادة السفير البريطاني الذي لم يتمكن من الحضور، فان وزارة الخارجية الليبية تود أن تبين أن المعلومات حول هذا الموضوع البالغ الأهمية والمتعلق بأحداث خطيرة تهم السلام والأمن في هذه المنطقة ويتصل النزاع فيه

(٨٢) راجع الملحق رقم ٥٦

بأطراف تربط ليبيا بأحدها معاهدة حلف وصداقة لم تصلها بصفة رسمية.

والواقع أن الحكومة الليبية يخالجها شعور قوي من الدهشة والاستغراب للطريقة التي استقر رأي الحكومتين البريطانية والفرنسية عليها لمعالجة مشكلة قناة السويس بما يبدو منها أن الحكومتين المذكورتين تنتهزان الاعتداء الإسرائيلي على الأراضي المصرية لتحقيق أغراض خاصة. إنه لا يسع الحكومة الليبية التي ما فتئت تبذل كافة المساعي لدى كافة الأطراف المعنية لإيجاد حل سلمي عادل لمشكلة قناة السويس إلا أن تعرب عن قلقها الشديد لما آلت إليه الأمور في هذه المنطقة من العالم بسبب تصرف الحكومتين البريطانية والفرنسية على الوجه المشار إليه.

وتود الحكومة الليبية أن تعبر عن إحتجاجها على التهديد باللجوء إلى استعمال القوة وتلفت نظر الحكومة البريطانية بصفتها دولة حليفة صديقة لليبيا إلى النتائج الخطيرة التي ستترتب عليها هذه الأعمال بالنسبة لبريطانيا في العالم العربي عامة وليبيا على وجه الخصوص.

وان ليبيا تود أن تكرر الإعلان عن عزمها في هذه الظروف على عدم السماح للقوات البريطانية المرابطة فيها بالاعتداء على أية دولة عربية وذلك وفقا لأحكام المادتين الثانية والرابعة من معاهدة الصداقة الليبية البريطانية.

واذ توجه الحكومة الليبية نصحها الصادق إلى الحكومة البريطانية بالعدول عن تنفيذ الانذار المذكور، لتؤكد حرصها الشديد على ضرورة معالجة كافة المشاكل الدولية في نطاق هيئة الامم المتحدة وتنفيذا لمبادىء ميثاقها، بالطرق الواردة فيه عن طريق المؤسسات المختصة في الهيئة.

قرارات حاسمة

وخرجت من الاجتماع مع أعضاء السفارة البريطانية وقد زادت شكوكي في موقف الحكومة البريطانية، وتقلصت ثقتي في تعهداتها بالإلتزام بنص معاهدة التحالف بيننا

وخشيت أن أرى نفسي أمام أمر رهيب، كأن تزحف القوات البريطانية على مصر وتجعلنا أمام أمر واقع قد لا نستطيع له رداً، ولذلك قررت أن أحتاط لجميع الاحتمالات، فتشاورت مع عدد من زملائي (العلاّم - فكيني - الساحلي - القاضي) واتخذت القرارين الآتيين:

١- أصدرت أمراً سرياً لرئاسة أركان حرب الجيش الليبي، وبالتحديد إلى اللواء السنوسي لطيوش رئيس الأركان بإرسال ألوية الجيش الليبي الثلاث بأسرع ما يمكن إلى الحدود الليبية الشرقية ونشرها على حدودنا مع مصر، بحيث تكون على استعداد لاعتراض أية قوة بريطانية تحاول غزو مصر، ومنعها بالقوة. وكنا نعلم أن استعمال الجيش الليبي القوة لمنع الدروع البريطانية تكاد تكون عملية انتحارية ولكننا رأينا فيها تعبيراً عن مشاركتنا الشقيقة مصر ووقوفنا معها في نفس الخندق.

٢- وقررنا كذلك التحضير والإستعداد للقيام بمغامرة خطيرة بتنظيم جهاز المقاومة الشعبية، وذلك للقيام بالهجوم على القواعد البريطانية ونسف النقاط الحسّاسة (مثل أنابيب وشبكات الكهرباء التي تزود تلك القواعد) وتنظيم المظاهرات وإثارة القلاقل في المدن والدواخل، ولأول وهلة تبيّن لي أنني لن أستطيع تنفيذ أي جزء من هذه المغامرة في ولاية برقة، فلم يكن للحكومة الإتحادية سلطة أكيدة على الولايات، وبالتأكيد فإن مساهمة أية ولاية في هذه المغامرة يتطلب تجاوباً وجرأة لم تكن متوفرة لدى المسؤولين في ولاية برقة في ذلك الوقت، وبالخصوص لدى قوة دفاع برقة وقائدها الفريق محمود بوقويطين. لذلك ركزت جهودي كلها في ولاية طرابلس الغرب حيث وجدت تعاوناً وتفانياً كبيرين لدى والي طرابلس جمال باشا آغا الذي كانت تربطني به علاقة صداقة حميمة منذ أيام الهجرة في مصر، والذي كان على قدر كبير من الوطنية والشجاعة.

وبعد تشاور سريع مع جمال باشا آغا، وبعض الزملاء، قررنا استدعاء عبد السلام المرّيض وهو أحد زعماء ترهونة وكان له دور معروف في أعمال المقاومة الشعبية أثناء الحركة الوطنية. كما استدعينا سالم شيتا زعيم عمّال مدينة طرابلس واتفقنا معهما بعد ظهر ذلك اليوم على تنظيم أجهزة المقاومة الشعبية بأسرع ما يمكن في ولاية طرابلس

وحول القواعد البريطانية وميناء طرابلس بوجه خاص، ثم استدعيت اللواء السنوسي لطيوش وطلبت منه تزويد جهاز المقاومة الشعبية، فور انشائه، ببعض الأسلحة والقنابل. كما استدعيت وكيل وزارة المالية شقلوف وأمرته بتزويد جهاز المقاومة الشعبية، سالف الذكر، بما يلزمه من أموال ولكنني شددّت على الجميع بأن قرارنا يقتصر على التحضير فقط انتظاراً لإشارة منّي بالتنفيذ، وذلك بعد أن يتضح لي موقف بريطانيا بخصوص استعمال قواتها في ليبيا، وأنني أتوقع أن يتضح لي موقف قبل صباح الغد.

ثم استدعيت القائم بأعمال السفارة المصرية وحضر على الفور ومعه الملحق العسكري العقيد اسماعيل صادق (السفير كان في طريق عودته برّاً من القاهرة).

شرحت لهما باختصار اتصالاتنا بالحكومة البريطانية، وقلت ولو أنهم أكدوا لنا كتابياً انهم سيحترمون نصوص معاهدة التحالف التي تمنع استعمال قواتها ضد أي بلد عربي إلاّ أنني لا زلت أصر على أن أحصل منهم على تعهد كتابي آخر بأن قواتهم المرابطة في ليبيا ستجمّد ولن تخرج من ليبيا إلى قواعد أخرى ثم توجه للاعتداء على مصر. كذلك فأنني سأطلب من بريطانيا الموافقة على وضع مراقبين ليبيين داخل القواعد البريطانية للتأكد من احترامهم لوعودهم حتى أطمئن الشعب الليبي على موقف حكومته القومي.

وأضفت، ومن باب الاحتياط فانني كذلك أقوم بتنظيم جهاز مقاومة شعبية سوف نستعمله إذا ما فشلنا في الحصول على الضمانات المذكورة، ولم أتوسع أكثر من ذلك. ولكن الملحق العسكري المصري تلقف كلامي الأخير وعرض معاونتنا في تنظيم المقاومة الشعبية، فشكرته قائلا، إن مقاومتنا الشعبية إذا اقمناها فستكون ليبية بحتة حتى لا تتهم بانها مأجورة أو مسيّرة من خارج ليبيا (وأعتقد أنني ارتكبت خطأ كبيراً بكشفي لسر تنظيم المقاومة الشعبية للملحق العسكري المصري كما سيتضح فيما بعد).

عودة السفير البريطاني إلى طرابلس وتقديم تعهدات كتابية

وفي مساء نفس اليوم ٣١ اكتوبر ١٩٥٦، قيل لي أن السفير البريطاني قد رجع إلى سفارته

فاستدعيته على الفور ودار بيننا اجتماع عاصف ألخصه فيما يلي:

استهل السفير كلامه بالإعتذار عن تغيّبه عن السفارة طوال اليوم قائلاً: ولا شك عندي أنك ستعذرني عندما تعرف السبب في تغيّبي طوال اليوم، لقد استقليت طائرة نفاثة من طائرات سلاح الطيران البريطاني وطرت إلى لندن لأنني شعرت أننا نواجه حالة شديدة الخطورة لاتنفع البرقيات في معالجتها، لذلك ذهبت بنفسي إلى لندن وقابلت وزير الخارجية على عجل، ووكيلها، ورئاسة أركان الحرب ثم رجعت بنفس الطائرة ووصلت منذ ساعة، وأود أن أسرّ إليك يا سيادة الرئيس أنه كان هناك خلاف بين رئاسة الأركان ووزارة الخارجية. فبينما ترى رئاسة الأركان أن نصوص معاهدة التحالف لا تمنع استعمالاً محدوداً للقواعد البريطانية في ليبيا في حالة حرب، فإن وزارة الخارجية (بناء على نصحي وإلحاحي الشديدين) رأت أنه لا يجوز استعمال القواعد البريطانية بأي حال من الأحوال وبأي قدر من المقادير، وانه يجب اعتبار القواعد البريطانية غير موجودة إطلاقاً فيما يتعلق بالحملة العسكرية على مصر. ولقد تمكنا من إقناع رئاسة أركان الحرب بوجهة نظرنا. صدقني يا سيادة الرئيس عندما أقول لكم أنني في صفكم وأدافع بإخلاص وقوة عن وجهة نظركم، وأرجوكم أن يبقى ما قلته لكم الان سراً بيننا. (من اطلاعي على الوثائق الرسمية مؤخراً التي ألحقت بعضاً منها بهذه المذكرات تأكد لي أن السفير كان صادقاً تماماً في قوله هذا).

قلت للسفير: هذا حسن، ولكن المسألة أخطر كثيراً مما تتصور، لا بد لي من طمأنة الشعب الليبي وإطفاء نار غليان الجماهير، ولا أستطيع أن أقول لهم أنني متأكد من صدق تأكيدات سفير بريطانيا، لا بد لي يا سعادة السفير من تأكيد كتابي بأن القوات البريطانية المرابطة في ليبيا ستجّمد تماماً، ولا بد لي من نشر وإذاعة هذا التأكيد والاّ فإنني لا أضمن الأمن والاستقرار في البلاد.

قال: لا بد لي من الاستئذان من وزير الخارجية. قلت: يمكنني أن أنتظرك إلى غد الساعة الثانية عشرة ظهراً. وإلاّ فإنني أنذرك بأنني لن أكون مسؤولاً عما يحدث إذا تأخر وصول تعهدكم الكتابي. ثم انتقلت بالحديث عن الإجراءات التي قد نضطر لاتخاذها في

حالة ما ارتكبت حكومته حماقة أخرى وحاولت استعمال قواتها المرابطة في ليبيا في عدوانها على مصر، وصارحت السفير بأنني أعطيت أوامري بإرسال جميع قوات الجيش الليبي إلى الحدود المصرية لكي تعترض دخول أية قوات بريطانية معتدية إلى مصر، وقلت سيؤلمني كثيراً أن أرى جيشنا الصغير يدافع ببسالة عن شرف وطنه أمام قوات بريطانية تفوقه عدداً وعدة. وقد تكون عملية إنتحارية ولكن يجب عليكم أن تعلموا أنكم لن تدخلوا مصر إلاّ على جثثنا.

رد السفير بأنه متأكد بأننا لن نصل إلى هذه الحالة المؤسفة. ثم انتقل بنا الحديث عن حماقة إيدن الكبرى وتآمر بريطانيا مع فرنسا وإسرائيل للعدوان على بلد عربي. وتساءلت أين ما يدّعيه إيدن من صداقة للعرب؟

بئس الصداقة وبئس الصديق. وشعرت أن السفير يتجاوب معي ولكنه محرج أشد الإحراج. وقد لخص السفير ما دار في هذا الاجتماع في مذكرة وجهها بصفة عاجلة إلى وزير الخارجية البريطاني قال فيها:

استدعاني السيد رئيس الوزراء الليبي فور عودتي هذه الليلة. وخلال شكوى طويلة حول الهجوم الانجلو فرنسي ضد مصر طالب بضامانات مكتوبة بأننا لن نخرق الإتفاقية باستخدام القواعد الليبية ضد مصر. لقد أكدت له أن محادثاتي في لندن اقنعتني أن موقف لندن لم يتغير ولكنني لم استطع تقديم تعهدات مكتوبة دون تفويض محدد. ألح علي بإرسال برقية للحصول على تفويض، ولكي يحافظ على الأمن الداخلي فهو يعتزم إصدار تصريح، إلاّ أنه إن لم يتمكن من الإستناد على تصريحاتنا فلن يكون بإمكانه السيطرة على الموقف.

وعليه فانني أطلب بإلحاح تفويضي بتقديم التصريح المطلوب وبأدق العبارات الممكنة، وذلك قبل ظهر يوم ١ نوفمبر بتوقيت جرينتش إذا أمكن. لقد تأججت هنا مشاعر قوية لا يمكن مواجهتها إلاّ بالتعهدات المطلوبة. سأبرق

بتقرير لاحق حول المقابلة التي عبّر فيها رئيس الوزراء ووزير الخارجية الذي تم تعيينه مؤخراً عن انتقادهما العنيف للسياسة البريطانية.[٨٣]

وقوع العدوان على مصر

إلاّ أن تدهوراً جديداً حدث مساء يوم ٣١ اكتوبر إذ بدأ الاعتداء البريطاني-الفرنسي على مصر ولذلك طلبت من وزير الخارجية أن يوجه مذكرة إحتجاج شديدة وفورية إلى السفارة البريطانية، وقد جاء في تلك المذكرة ما يلي:

> ١- على أثر المقابلة التي تمت بين السيد رئيس الوزراء والسيد وزير الخارجية من جهة وبين مندوبين عن السفارة البريطانية من جهة أخرى حضرا نيابة عن سعادة السفير البريطاني الذي لم يتمكن من الحضور. وذلك صباح يوم ٣١ اكتوبر ١٩٥٦، أرسلت وزارة الخارجية الليبية مذكرة شفوية إلى السفارة الموقرة أبدت فيها دهشة الحكومة الليبية واستغرابها للطريقة التي اتبعتها الحكومتان البريطانية والفرنسية في تهديد مصر باستعمال القوة إذا لم ترضخ لمطالبهما التي تضمنها الإنذار الموجه إلى الحكومة المصرية في يوم ٣٠ اكتوبر ١٩٥٦ على أثر الإعتداء الإسرائيلي على الأراضي المصرية كما أعربت عن قلقها الشديد لتطور الأحداث في هذه المنطقة محتجة على التهديد باستعمال القوة ولافتة نظر حكومة صاحبة الجلالة بصفتها دولة حليفة وصديقة إلى النتائج الخطيرة التي ستترتب عليها هذه الأعمال. وقد وجهت الحكومة الليبية في المذكرة المذكورة نصحها الصادق لحليفتها بالعدول عن تنفيذ الإنذار ومعالجة مثل هذه المشاكل الدولية في نطاق هيئة الأمم المتحدة وذلك حرصا على علاقات الصداقة والتحالف القائمة بين الحكومتين الليبية والبريطانية وبين شعبيهما.

---

(٨٣) راجع الملحق رقم ٥٧

٢- إلاّ أن الحكومة الليبية قد علمت على اثر تسليمها للمذكرة المذكورة للسفارة المحترمة بمزيد الأسف والاستياء أن الحكومتين البريطانية والفرنسية قد شرعتا فعلا في تنفيذ تهديدهما لمصر بشن غارات جوية على المدن الرئيسية المصرية وشواطئها.

٣- أن الحكومة الليبية تجد نفسها مضطرة إزاء هذه التطورات الخطيرة أن تحتج بشدة على هذه الأعمال العدوانية ضد مصر وتعتبرها خرقاً صارخاً لميثاق هيئة الامم المتحدة الذي يعتبر أساسا لمعاهدة التحالف والصداقة المبرمة بين ليبيا وبريطانيا وتعديا صريحا على مبادىء هيئة الامم المتحدة وخطرا يهدد سلام العالم وأمنه.

٤- والحكومة الليبية تكراراً لحرصها الشديد على استمرار علاقات التحالف والصداقة القائمة بينها وبين الحكومة البريطانية ترى من واجبها ان تلح في مطالبة الحكومة البريطانية في أن تكف عن المضي في سياستها العدوانية هذه وان تنظر بعين التقدير إلى النتائج الوخيمة التي تترتب عليها هذه الأعمال التي تتنافى وروح العصر الذي نعيش فيه وتتعارض مع ما تصبو إليه أمم العالم أجمع من رغبة في السلام وتؤثر تاثيرا كبيرا في العلاقات التي تربط بين بريطانيا والعالم العربي بصورة عامة وليبيا بوجه الخصوص.

بعد ظهر يوم أول نوفمبر طلب السفير البريطاني مقابلة مستعجلة معي فاستقبلته على الفور، وقدم لي تعهداً كتابياً، وطلبت منه الطلبات الإضافية الآتية:

أ - أن تجمد القوات البريطانية المرابطة في ليبيا داخل قواعدها بحيث ينحصر أي تحرك بسيط خارج القواعد في الضرورة القصوى لأغراض التموين فقط.

ب - يُمنع منعاً باتا شحن أو إنزال أي إمدادات للقوات البريطانية المرابطة في ليبيا.

ج - منع أي زيادات من أية سفن بريطانية للموانىء الليبية.

د - وهذا أهم طلب، الأذن لمراقبين ليبيين من الجيش بالإشراف على تحركات القوات البريطانية داخل قواعدها للتأكد من تنفيذ التعهدات السابقة على وجه تام.

وأضفت: أنني يا سعادة السفير لا أتشكك في احترام الحكومة البريطانية لتعهدها الكتابي ولكن ليطمئن قلبي. وكذلك لأنني أرغب أن أذيع كل هذه التعهدات على الشعب الليبي ليطمئن على موقفنا القومي العربي وليتجاوب مع دعوتنا بالتزام الهدوء والنظام، والإبتعاد عن القلاقل والشغب وعدم الانصات للدعايات المغرضة، خصوصاً بعد أن مضى إيدن وأرسل طائراتكم تقصف المدن المصرية. وأضفت أنه من الأهمية أن تصلني موافقة الحكومة البريطانية على هذه الطلبات الإضافية بأسرع ما يمكن.

رد السفير بأنه على استعداد لتنفيذ طلباتي هذه بتعاونه مع جنرال موور قائد القوات البريطانية المرابطة في ليبيا، ودون الرجوع إلى لندن، لأن التفاهم مع لندن بالبرقيات أصبح أمراً صعباً ويتطلب وقتاً طويلا وكذلك لأنه يود أن يتجنب الرجوع إلى هيئة أركان الحرب البريطانية من جديد.

وقد عثرت من ضمن وثائق الخارجية البريطانية على صورة البرقية السريعة التي أرسلها السفير البريطاني إلى وزارة الخارجية بملخص لطلباتنا وما دار في ذلك الاجتماع وقد جاء فيها:

لقد أرسل السيد رئيس الوزراء في طلبي قبل قليل وشكرني على التعهد الذي سيقوم بنشره. لقد أكد أن مما سيعينه على المحافظة على الأمن أن نلتزم خلال الأيام القليلة القادمة بالطلبات الأربع التالية:

أ - إلتزام الجنود البريطانيين في ليبيا بالتواجد في المواقع المتفق عليها.

ب - عدم شحن أو تفريغ أي إمدادات عسكرية - أو مدنية إذا أمكن - من بواخر بريطانية.

ج - عدم زيادة السفن البريطانية لأي موانىء ليبية.

د - السماح بإرسال مراقبين ليبيين إلى قاعدة العضم وإلى القسم الخاص بالقوات الجوية البريطانية بمطار طرابلس، مما سيمكنه من الإعلان عن وجود دليل حقيقي على إلتزام بريطانيا بتعهدتها.

سأناقش الفقرة (أ) مع قائد فرقة المدرعات العاشرة لتحديد مدى عملية هذا الطلب، وأرجو الاّ تشكل الفقرة (ج) أي صعوبة ، إذا كانت السفينة دالريمبل لا تزال في طبرق فيجب أن تغادر وأن يحوّل مسار أي سفن أخرى في الطريق.

بالنسبة للفقرة (ب) فقد أشار السيد رئيس الوزراء إلى أن عمال الميناء قد رفضوا شحن سفينة أمريكية ببضائع متجهة إلى الرباط وأنهم بالتأكيد سيرفضوا شحن أي إمدادات عسكرية بريطانية في الظروف الراهنة... وإذا تم استخدام الجنود فستنشأ مشاكل بينهم وبين العمال لا محالة.

لا ادري إذا كانت هناك أي اعترضات عملية حقيقية ضد الفقرة (د) أن السيد رئيس الوزراء يرغب في الإعلان عن...القواعد إلاّ أن ذلك سيشمل القاعدتين المذكورتين فقط. أن التنويه بعدم الثقة في كلمتنا وحدها قد ينطوي على شيء من الإهانة ولكنني لا أرى بالضرورة أن هناك أي إهانة في تقديم ما يدلل على عدم وجود أية نوايا خفية لدينا (ارجو مراجعة البرقية التالية مباشرة). ولذا فانني أنصح وبقوة أنه إذا كان بالإمكان أن نوافق على كل هذه الطلبات لفترة محدودة مع علمي بأن الفقرة (ب) على الأخص قد تشكل صعوبة. وأرجو تحويل مسار أية سفن متجهة إلى ليبيا في الوقت الحالي (بما في ذلك السفن الحاملة للسيارات العسكرية التي ووفق عليها). إن الوضع هنا في غاية الحدة حيث قامت عدة مظاهرات في بنغازي (لم تتوفر لدينا تفاصيلها بعد) ولا تزال إذاعة صوت العرب تحرض على العنف باستمرار. ان الإجراءات

المقترحة من شأنها أن تسهل مهمة السلطات الليبية إلى حد كبير.[٨٤]

تجميد القواعد البريطانية

عاد السفير لزيارتي مساء نفس اليوم، أول نوفمبر، وأبلغني موافقة السفارة وموافقة الجنرال مور على طلباتي. فأصدرت بياناً رسمياً أعلمت فيه جماهير الشعب الليبي أن القوات البريطانية المرابطة في ليبيا ستجمدّ تماماً، وسوف لن تستعمل مباشرة أو غير مباشرة في أي عدوان على أي بلد عربي، وأذعت التعهد الكتابي البريطاني، وأضفت أن مراقبين ليبيين سيقومون بالرقابة على القواعد البريطانية لضمان ذلك التعهد (راجع ما نشر في الجرائد الليبية يومي ٢و٣ نوفمبر ١٩٥٦).

غير أن السفير البريطاني أثار معي في نفس المقابلة موضوع سلامة القوات البريطانية المرابطة على التراب الليبي، قائلاً: بعد أن وافقنا على جميع طلبات الحكومة الليبية وقبلنا أن يقوم مراقبون ليبيون برصد تحركات قواتنا، وضمان تنفيذنا لتعهداتنا، جاء الآن دورنا، فلا بد أن تتخذ الحكومة الليبية الإجراءات الضرورية لضمان سلامة القواعد والقوات البريطانية، ومنع أي مظاهرات عدائية أو أعمال شغب، وأضاف أن عنده من التقارير االسرية ما يؤكد أن الملحق العسكري المصري يقوم بتحريض الجماهير الليبية ويوزع المال والسلاح على بعض الغوغاء ويدفعهم للاعتداء على الجنود البريطانيين. أكدت للسفير أنني سأتخذ كافة الإجراءات لضمان سلامة البريطانيين مدنيين وعسكريين، وأتعهد له بذلك طالما احترمت الحكومة البريطانية تعهداتها.

وبمجرد خروج السفير البريطاني اتصلت بالسفارة المصرية فوجدت السفير أحمد حسن الفقي قد وصل لتوه من القاهرة بالسيارة فطلبت منه الحضور إلى مكتبي.

وصل السفير وهو في حالة إعياء جسدي ومعنوي، كان شبه منهار فأخذت في تطمينه وتشجيعه وبث روح التفاؤل في نفسه، قلت له: يا أحمد إننا في نفس الخندق إن ما يمس مصر يمسنا ولن نتخلى عنكم وعن نصرتكم مهما كانت الصعاب والمخاطر. ثم قلت له

---

(٨٤) راجع الملحق رقم ٥٨

كلاماً (ذكرني به مؤخراً في يوليو ١٩٩٠ عندما التقينا في الإسكندرية). قلت ما بيننا لا يخرج عن أمور ثلاثة:

١- ما يفيد مصر ولا يضر ليبيا فسنعطيه لكم على الفور.

٢- ما لا يفيد مصر ويضر ليبيا فأرجو ألا تطلبوه منّا. فلنوازن بين الفائدة والضرر كما لو كانت مصر وليبيا بلداً واحداً. فان زادت الفائدة على الضرر وافقناكم على طلبكم، وان كان العكس فأرجو أن تتغاضوا عن طلبكم.

وتأثر السفير تأثيراً بالغاً بكلامي هذا وقال: والله لو كان جمال عبد الناصر هو الذي يحكم ليبيا ما قال أكثر مما قلت أنت.

ثم شرحت له التطورات التي حدثت في اليومين الماضيين تفصيلا وبكل صراحة وأطلعته على تعهد الحكومة البريطانية كما أطلعته على البيان الذي سيذاع على الشعب مساء نفس اليوم، وأخيراً عرّجت على تذكير السفير البريطاني لي بأن الحكومة الليبية مسؤولة عن سلامة البريطانيين، وردّي عليه بقولي أننا نتحمل مسؤولياتنا هذه شريطة أن تنفذ الحكومة البريطانية تعهداتها لنا بكل دقة، ثم شرحت للسفير أنني بعد هذه التعهدات من الحكومة البريطانية قد عدلت عن مشروعي السرّي بتنظيم مقاومة شعبية ليبية، فلم يعد لهذا المغامرة الخطيرة أي داع، وحيث إنني قد صارحت القائم بالأعمال المصري والملحق العسكري المصري بمشروعي السري ذلك، فإنني أرجو من السفير أن يبلغ ملحقه العسكري بعدولي عن ذلك المشروع ويطلب منه الإمتناع عن أي نشاط لإثارة القلاقل، فقد أصبح الآن واجبنا منع أي اعتداء على البريطانيين لكي لا نعطيهم الحجة لنقض تعهداتهم واشراك قواتهم في الاعتداء على مصر.

رد السفير بتأثر بالغ شاكراً الموقف الليبي الأخوي نحو مصر، وختم كلامه بأنه سيأمر الملحق العسكري بالامتناع عن أي نشاط لأن الأهمية الآن تركزت في حفظ الأمن والنظام الداخلي ومنع الاعتداء على القوات البريطانية.

شعرت ببعض التفاؤل بأننا نقترب من بلوغ وضع مشّرف لنا. فقد ظننت أنه إما أن توقف بريطانيا عدوانها على مصر وفي هذا نصر لمصر ولنا جميعاً، أو أن تستمر

بريطانيا في مخططها العدواني ولكن بدون استعمال قواتها المرابطة في ليبيا وفي هذا نكون قد ألحقنا الشلل في جزء مهم من القوات المدرعة البريطانية التي كان مخططو العدوان ينوون استعمالها، وفي هذا بالتالي نصر سياسي لليبيا وعون كبير لمصر.

غير أنني عندما درست الوثائق البريطانية تبين لي أن العسكريين البريطانيين لم يتوقفوا عن محاولات استعمال قواتهم المرابطة في ليبيا حتى بعد أن قدم لنا سفير بريطانيا تعهداً مكتوباً من حكومته. ففي برقية طوارىء وسرية فوق العادة بتاريخ ٢ نوفمبر ١٩٥٦ تحاول القيادة العسكرية إقناع وزارة الخارجية الموافقة على إرسال ثلاثة ألوية مشاة وثلاثة كتائب مدفعية إلى ليبيا (ترسل بالطائرات) لتتولى تلك القوات المحافظة على الأمن ومنع الشغب، لكي تتمكن الفرقة العاشرة المدرعة البريطانية من الاشتراك في عملية موسكتير وهو الإسم العسكري لعملية غزو قناة السويس. فقد جاء في تلك البرقية:

١- كما نرى الأمور من هنا أنكم سترسلون إلى ليبيا ثلاثة ألوية مشاة لتصل يوم ٥ نوفمبر كذلك سترسلون ثلاثة أفواج مدفعية تنقل جواً لتصل يوم ٧ نوفمبر وان وصول هذه القوات (إلى ليبيا) سيمكن الفرقة العاشرة المدرعة من التوجه إلى مصر للاشتراك في عملية موسكتير.

٢- إن برقيات سفارتنا بطرابلس رقم ٣٩٥ و٣٩٦ المكررة إلى قيادة مخابراتنا بالشرق الأوسط لفظياً وكذلك برقيات سفارة طرابلس رقم ٥٥ و٥٦ ومعلومات كثيرة أخرى توفرت لدنيا من مصادر أخرى، كل ذلك يؤكد لنا ان الحالة هي في غاية التوتر بحيث أن تنفيذنا لما ورد في الفقرة (١) بعاليه قد يؤدي بنا إلى انفجار وعمليات قمع رئيسية في ليبيا. أن برقية السفير البريطاني رقم ٣٩٥ توصي توصية قوية بأن نعطي (للحكومة الليبية) التأكيدات التي تؤكد (للحكومة الليبية) امتناعنا عن القيام بأية عمليات مثل هذه التحركات هذا وربما رأينا ان إرسال قوات إضافية قد يحسن حالة الأمن هناك.

٣- ولكن قبل اتخاذ قرار لا بد لنا أن نتأكد مما يلي:

أولاً: ما هو مقدار الإرباك الذي سيسببه لعملية موسكيتر تأخير وصول الفرقة العاشرة المدرعة. وكذلك استعمال ألوية المشاة الثلاثة وافواج المدفعية الثلاثة.

ثانياً: ما هو مقدار العمليات العسكرية الإضافية التي ستلقى على أعبائنا في ليبيا (أي عمليات القمع) في حالة تنفيذنا لما ورد في الفقرة ١ بعاليه.

٤- أن وزارة الخارجية تتشاور الآن مع السفير (البريطاني بطرابلس) فيما يتعلق بما ورد في الفقرتين ٢ و٣ كما أننا سنتشاور مع مور الذي ارسلنا له صورة من هذه البرقية.[٨٥]

في برقية تالية تحت بند (سري للغاية / طوارىء) بعث بها السفير «جراهام» إلى وزارة الخارجية البريطانية بتاريخ ٣ نوفمبر ١٩٥٦ وأرسل صورة منها إلى قيادة المخابرات البريطانية يقول فيها:

بخصوص الفقرة الثانية من برقيتكم. إننا نتوقع أن يتزايد الهياج الشعبي بسرعة بمجرد إنزال القوات البريطانية الفرنسية في مصر وان ما تقترحونه سيزيد في حدة التوتر هنا بشكل كبير بل قد يسبب عداء شديداً من قبل السلطات الليبية ومن المتوقع أن يتوقف الليبيون عن المحافظة على النظام العام مما سيتطلب منا الحماية. كذلك لقد رفضت السلطات الليبية فعلاً أي تعاون معنا لا سيما في المواصلات اللاسلكية ومع سلاح الطيران بمطار إدريس.

بخصوص الفقرة الثالثة الجزء الثاني من برقيتكم:

---

(٨٥) راجع الملحق رقم ٥٩

فإنه في الحالات الخطيرة المتوقعة (وهي ليست الحالات التي كنا نتوقعها في السابق) فان قواتنا التي سنضطر لتخصيصها للحفاظ على الأمن الداخلي والتي سيكون عددها كما اقترحنا. هذه القوات ستتمكن من تأمين النقاط الأساسية (البترول – الميناء- المطار الخ..) شريطة أن يكون جميع الرعايا البريطانيين قد رحلوا قبل وقوع الاضطرابات التي ستقع لا محالة بمجرد وصول أول باخرة.

اما إذا بقي الرعايا البريطانيون المدنيون في ليبيا حتى لو تم تجميعهم في المعسكرات فان الجيش (البريطاني) لن يتمكن من تأمين استمرار العمل في النقاط الهامة التي يتعمد عليها الجيش في بقائه.

(مجموع رعايا بريطانيا ٤٦٠٠ نسمة يضاف اليهم عدة آلاف من المالطيين الذين لا يرغب الكثير منهم في الرحيل).

وتعليقي على كل ما تقدم هو أنه من وجه النظر بعيدة المدى فانني أرى أن العمليات العسكرية المقترحة أعلاه ستعني نهاية وضعنا في ليبيا (مثلا ستنقض ليبيا معاهدة التحالف).

ولكن إذا تمكنا من الحفاظ على علاقة معقولة مع السلطات الليبية أثناء فترة النزاع المسلح مع مصر وإذا كانت فترة ذلك النزاع قصيرة فانني لن أفقد الأمل في إمكانية إعادة علاقتنا (مع ليبيا) إلى ما كانت عليه في السابق.[٨٦]

إعلان حالة الطوارئ وتوجيه تحذير شديد إلى بريطانيا

ولنرجع من جديد إلى مساء يوم ٣١ اكتوبر ١٩٥٦، ذلك اليوم الذي نقشت أحداثه في ذهني نقشاً لما لها من خطورة وتأثير بالغ في مجريات الأمور السياسية. فبعد اجتماعاتي مع السفيرين البريطاني ثم المصري دعوت مجلس الوزراء للاجتماع طوال

(٨٦) راجع الملحق رقم ٦٠

ليلة ٣١ اكتوبر/١ نوفمبر بمنزلي، وكنا قد أعلنا حالة الطوارئ في جميع أنحاء البلاد. ولذلك فقد كان على مجلس الوزراء تحديد الإطار الذي ستسير عليه سياسة الحكومة في مواجهة تلك الأحداث الخطيرة. أحطت الزملاء علماً بتفاصيل أحداث الساعة، ونتيجة مداولاتنا (وزير الخارجية وأنا) مع السفارتين البريطانية والمصرية. ولم أكتم عن مجلس الوزراء شيئاً عدا مشروع تلك المغامرة، أي مغامرة تنظيم المقاومة الشعبية في حالة نكوص بريطانيا ونقضها لتعهداتها. وبعد مناقشات مستفيضة حدد مجلس الوزراء الإطار العام لسياسة الحكومة وأصدر القرارات الآتية التي أذيعت في نفس اليوم (من الطبيعي أن مجلس الوزراء قرر إبقاء نشر الجيش الليبي على الحدود المصرية طي الكتمان لأسباب بديهية).

نص قرارات مجلس الوزراء:

قرار صادر عن مجلس الوزراء في جلسته الطارئة المنعقدة يوم الاربعاء ٢٦ ربيع أول ١٣٧٦هـ الموافق ٣١ اكتوبر ١٩٥٦ بشأن موقف ليبيا من التطورات الخطيرة التي تمر بها مشكلة قناة السويس على ضوء الأعمال العدوانية والتهديد بالعدوان في يومي ٣٠ و٣١ اكتوبر عام ١٩٥٦.

مجلس الوزراء: بعد استعراض الأحداث الأخيرة الجارية بمنطقة الشرق الأوسط نتيجة العدوان الإسرائيلي الغادر على الأراضي المصرية وللتطور الخطير الذي طرأ على الموقف بسبب توجيه بريطانيا وفرنسا إنذارا إلى الحكومة المصرية باحتلال مواقع هامة على طول قناة السويس.

وبعد الإطّلاع على المعاهدة الليبية - البريطانية وما ينجم عنها من التزامات لكلا الطرفين على ضوء تصرف الحكومة البريطانية المنفرد في الموضوع، وبعد النظر في وضع ليبيا الناجم عن عضويتها في جامعة الدول العربية وما يتبع ذلك من التزامات بموجب ميثاق الجامعة وتصريحات الحكومة الليبية السابقة في مجلس الأمة فيما يتعلق بموقف ليبيا من اعتداء إسرائيل على إحدى الدول

العربية قرر ما يلي:

أولا: يستنكر مجلس الوزراء استنكارا شديداً العدوان الذي اقترفته إسرائيل غدراً ضد الشقيقة مصر متجاهلة بذلك ميثاق الأمم المتحدة وإتفاقيات الهدنة على الحدود المصرية الإسرائيلية وأبسط قواعد الأخلاق الدولية.

ثانياً: يعلن اسعتداد ليبيا التام لمؤازرة مصر والدول العربية مؤازرة فعلية في سبيل رد العدوان.

ثالثاً: يستنكر كافة الطرق الرامية إلى حسم المشاكل الدولية من جانب واحد عن طريق اللجوء إلى استعمال العنف والعدوان ويعرب في هذا الصدد عن دهشته واستغرابه للطريقة التي استقر رأى الحكومتين البريطانية والفرنسية عليها لمعالجة مشكلة قناة السويس متحيزتين لأغراض أنانية للاعتداء الإسرائيلي الغادر على الأراضي المصرية ويحتج على التهديد باللجوء إلى استعمال القوة.

رابعاً: يكرر عزم ليبيا على عدم السماح للقوات المرابطة فيها بالاعتداء على أية دولة عربية كما يعرب عن عزم الحكومة الليبية على الحيلولة دون ذلك بكافة الوسائل.

خامسا: يؤكد حرص الحكومة الليبية الحرص الشديد على معالجة كافة المشاكل الدولية في نطاق هيئة الأمم المتحدة وتنفيذا لمبادىء ميثاقها وبالطرق الواردة فيه عن طريق المؤسسات القائمة في الهيئة وينتهز هذه المناسبة للإشادة بالمجهودات التي بذلتها الدول المحبة للسلام في هذا الصدد وبموقف الولايات المتحدة الأمريكية والدول الأخرى الشاعرة بمسؤوليتها العالمية العالية في مجلس الأمن لوضع حد للعدوان والوقوف دون تنفيذ التهديد باستعماله.

وقد استقبل الشعب الليبي تلك القرارت بارتياح شديد وتجاوبت معها جميع الفئات، خاصة فئة العمال وبادر سالم شيتا الأمين العام للإتحاد العام الليبي للعمال بإرسال برقية بتاريخ ١٩٥٦/١١/١ نصها كالاتي:

حضرة السيد مصطفى بك بن حليم

رئيس الوزراء المحترم

طرابلس

تحية طيبة وبعد

استقبلنا بارتياح بالغ قرارات الحكومة الليبية فيما يتعلق بالاعتداء البريطاني الفرنسي الغادر على الشقيقة مصر والعمال في هذا الجزء من الوطن يؤيدون بقوة موقف الحكومة ويعلنون تضامنهم ووقوفهم إلى جانبها واستعدادهم لبذل دمائهم رخيصة في سبيل الذود عن حياض الوطن وعزة العروبة وكرامتها واننا على يقين بأن حكومتنا الوطنية لن تألوا جهداً لتنفيذ ما قررته وأعلنت عنه في مناسبات عدة بالمشاركة الفعلية في الدفاع عن سلامة الوطن العربي كله ولا يخامرنا أدنى شك في أن الشعب الليبي بجميع طبقاته سيقف من ورائكم وقفة رجل واحد وأنه مستعد للتضحية والبذل بكل ما يملك من عزيز وغال.

فإلى الامام والله ناصرنا

وتفضلوا سيدي بقبول فائق الاحترام والتقدير

غير أننا فوجئنا مساء ذلك اليوم بأن بريطانيا وفرنسا شرعتا فعلاً في تنفيذ تهديدهما لمصر بشن غارات جوية على المدن الرئيسية، وعلى الفور اتصلت بوزير الخارجية وطلبت منه تقديم مذكرة شديدة اللهجة إلى السفير البريطاني، فقام بذلك وسلم السفير مذكرة ليبية تستنكر وتدين الاعتداء البريطاني-الفرنسي على مصر بعبارات في منتهى القوة والشدة. وأشارت المذكرة صراحة أن عمل بريطانيا العدائي هذا سيكون له أسوأ الأثر وأوخم العواقب على علاقات ليبيا ببريطانيا.

مساعي لدى الرئيس الأمريكي لدعم موقف مصر

وأويت إلى فراشي فجر يوم أول نوفمبر ولكن سهاداً شديداً وقلقاً عظيماً لازماني، فلقد استعصى علي النوم لأن ذهني كان منصرفاً للبحث عن وسائل أخرى إضافية لشد أزر مصر ومساعدتها في محنتها، وفي مواجهة العدوان الواقع عليها، ففكرت وهداني تفكيري إلى كتابة رسالة إلى الرئيس أيزنهاور، لاسيما وأنه قد وقف موقفاً شجاعاً ونبيلا فأدان العدوان الثلاثي وهدد بريطانيا حليفة أمريكا التقليدية، فرأيت أن أشكره على نبل موقفه وأحثه على المزيد من التأييد لمصر ومن الشجب والتنديد لبريطانيا. وقمت أثناء الليل بتحرير مسودة الرسالة ثم عند الصباح ناقشتها مع وزير الخارجية الساحلي وأعدنا كتابتها ثم أرسلناها عن طريق لاسلكي السفارة الأمريكية لكي تسلم نفس اليوم إلى الرئيس. وإلى القارىء ترجمة حرفية لتلك الرسالة (التي كتبت باللغة الإنجليزية).

١ نوفمبر ١٩٥٦

صاحب الفخامة: لقد سمحت لنفسي بكتابة هذه الرسالة اليكم وذلك في إطار روح الصداقة الخالصة التي تربط بلدينا، وبحكم كونكم رئيس أعظم دولة حرة في العالم والنصير الأول للسلام لأشرح لسيادتكم بأسلوب غاية في الصراحة والصدق رأي حكومتي في التطورات التي حدثت خلال الأيام الأخيرة في الشرق الأوسط.

لقد صدمنا – نحن الذين تربطنا إتفاقية تحالف وصداقة مع بريطانيا، قائمة على مبادىء ميثاق الأمم المتحدة - صدمة عنيفة لدى علمنا بخرق حليفتنا بريطانيا (هذه الدولة التي طالما ادّعت بأنها إحدى الدول الرائدة في العالم الديمقراطي الحر) السافر لهذه المبادىء.

إن العدوان الذي قامت به بريطانيا وفرنسا ضد مصر جاء - كما تعلم سيادتكم - بعد إنذار أخير وجّه اليها نتيجة – كما يُدعّى –للوضع الناجم عن الصراع المصري-الإسرائيلي.

إلا أن حكومتي ترى ان العدوان الإسرائيلي قد تم التخطيط له مسبقاً من قبل حكومتي الدولتين المذكورتين كي تتمكنا من إستعمال الصدام وسيلة للتدخل في مصر بما يناسب نواياها.

لقد احتجّت حكومتي بشدة بعد صدور الإنذار الأخير مباشرة على التهديد باستخدام القوة من قبل الحكومتين الفرنسية والبريطانية، ونصحت حليفتها بريطانيا أكثر من مرة بخصوص النتائج الخطيرة التي سوف تترتب على تنفيذ ذلك التهديد. كما انني سلمت رسالة لسفيركم في بلادي للتعبير عن رأي حكومتي في هذا الموضوع.

ومع ذلك، وبرغم الجهود التي بذلتموها فخامتكم فان الحكومتين البريطانية والفرنسية قررتا تنفيذ خطتهما الخطيرة المروعة بالشروع في ضرب القواعد المصرية الليلة البارحة، متجاهلتين تجاهلاً كاملاً كل تلك الجهود المخلصة ومبادىء الأمم المتحدة التي طالما نادتا بهما. ولا يسعني إلاّ أن أؤكد أن بريطانيا وفرنسا لم تزيدا بهذا العمل الوحشي اللهب إلاّ إستعاراً، وانهما قد جعلتا الوضع في هذه المنطقة غاية في الخطورة ويهدد بكارثة على السلام في العالم كله.

لهذه الأسباب وبحكم كوني مسؤولا في دولة تربطها - كما تعلم - بدولتكم روابط الديمقراطية المقدسة، وتقع بالقرب من منطقة الخطر، فقد رأيت ان أكتب إليكم شخصياً في هذا الخصوص معبراً عن شكر الشعب الليبي وحكومته العميق وإعجابه بمواقفكم النبيلة وجهودكم الصادقة المشكورة للحفاظ على ميثاق الأمم المتحدة وضمان السلام في هذه المنطقة - كما أود - نيابة عن الشعب الليبي وحكومته - أن أناشد سيادتكم بالاستمرار في هذه المساعي حتى تتمكنوا من إيقاف هذا الخرق الذي لم يوجد له مثيل لمبادىء الأمم المتحدة من قِبَل دول كانت تعرف بأنها حرة. وذلك إضافة إلى ما عُرف عنكم من إنجازات لخدمة قضايا السلام والأمن والقانون في العالم

المخلص

مصطفى بن حليم[٨٧]

وفي اليوم التالي وصلني رد الرئيس أيزنهاور أنشر هنا ترجمته العربية:

في ٢ نوفمبر ١٩٥٦

عزيزي – السيد رئيس مجلس الوزراء

أشكركم على رسالتكم المؤرخة في ١ نوفمبر كما أشكركم شكراً جزيلاً على ما عبّرتم عنه من دعم لجهود الولايات المتحدة من أجل حلّ الأزمة الخطيرة الراهنة في الشرق الأدنى.

أنكم على علم بالرسائل التي وجهتها هذه الحكومة لحكومات كل من إسرائيل والمملكة المتحدة وفرنسا في محاولة - مع الأسف لم تكن موفقة - لتفادي استعمال القوة. كما انكم على علم بمشروع القرار الذي تقدمت به الولايات المتحدة في مجلس الأمن لمحاولة إنهاء العدوان والذي اتبعته - بعد استخدام حق النقض ضده - بمشروع قرار بأهداف مماثلة في الجلسة الخاصة للجمعية العمومية بتاريخ ١ نوفمبر والذي تم إقراره بأغلبية ساحقة، كما يؤكد رغبة المجموعة الدولية الشديدة في إيقاف العدوان. وأود أن أؤكد ان الولايات المتحدة ستستمر في مساعيها لحل هذا النزاع الخطير الذي يهدد سلام العالم ومستقبل الأمم المتحدة.

لقد أوضحت في تصريحاتي بتاريخ ٣١ اكتوبر و١ نوفمبر أن الولايات المتحدة تعتبر أن ما تم في مصر كان خطأ وأنها ليس بوسعها الموافقة على العدوان المسلح بغض النظر عن من هو المعتدي ومن هو الضحية. إن القوة

(٨٧) راجع الملحق رقم ٦١

ليست الوسيلة لحل المشاكل الدولية.

أما وقد تم القيام بالعمل العسكري فلا بد من تقديم أكبر قدر ممكن من الدعم للأمم المتحدة في جهودها لإنهائه.

مع تحياتي الخالصة

دوايت أيزنهاور(٨٨)

وفي كل هذه التطورات والأحداث كنت أرسل سيلاً متصلاً من البرقيات الشفرية للملك في طبرق لجعله يتتبع التطورات ساعة بساعة كما كنت أرجو أن يُبرق لي بأية توجيهات. ومن الطبيعي فانني تعمدت ألا أثير مخاوفه بذكر أي خلاف مع بريطانيا، بل كنت أذكر ان الحكومة البريطانية تتفهم موقفنا الدقيق وتتجاوب معنا.

وفي أيام أول وثاني نوفمبر تكاثرت تقارير ولاية طرابلس الغرب عن نشاط كبير يقوم به الملحق العسكري المصري وذكرت بعض تلك التقارير أنه يوزع الأموال والسلاح على بعض الغوغاء ويغريهم على أعمال الشغب. فاستدعيت السفير المصري مرتين متتاليتين وذكرت له بصراحة ما علمت من التقارير االسرية وطلبت منه أن يأمر الملحق العسكري بعدم مغادرة مبنى السفارة في الأيام القادمة وأن يمتنع عن النشاط الهدّام. وكان السفير يبدي تفهمه لمخاوفنا ويظهر الاهتمام الشديد بتحجيم نشاط ملحقه العسكري، ولكن كان يبدو عليه بعض التردد.

وبرغم صداقتي الحميمة مع السفير الفقي فإنه لم يصارحني في تلك الأيام عن الحقيقة (التي عرفتها فيما بعد)، وهي أن السفير لم تكن لديه أية سلطة على الملحق العسكري الذي كان يتلقى أوامره من مكتب المشير عبد الحكيم عامر وزير الحربية مباشرة.

وكنت في الأيام الأولى من شهر نوفمبر أتولى علاج أمور كثيرة، فمن ناحية كان علي أن أشرف على الأمن الداخلي، وأن أكون على اتصال شبه دائم بالسفارة البريطانية

(٨٨) راجع الملحق رقم ٦٢

والقيادة البريطانية في ليبيا، وأن أعالج نشاط الملحق العسكري المصري، ذلك النشاط الهدام، وأن أبقى كذلك على صلة متواصلة بالقصر الملكي ببرقيات شفرية لم أتلق أي رد عليها في الأيام الأولى، إلى أن وصلتني عند منتصف ليلة ٢ أو ٣ نوفمبر برقية مستعجلة من الملك، والبرقية كانت مرسلة من مكتب بريد اجدابيا (حوالي ١٥٠ كيلومتر غربي مدينة بنغازي). وكان مجلس الوزراء مجتمعاً في مسكني في تلك الليلة وزاد تلهفنا على ما تحتويه تلك البرقية من توجيهات، إلاّ أن البرقية المستعجلة كانت تتعلق بموضوع آخر لا علاقة له بالأحداث الجارية.

وأصابنا جميعاً امتعاض شديد وإحباط، كنا ننتظر توجيهاً من الملك في معالجة أخطر أزمة تمر بها البلاد، فإذا برجال الحاشية يزجونه في الاهتمام بمسائل فرعية أخرى. على أية حال علمت من البرقية أن الملك في اجدابيا، وبعد اتصالات سريعة أجريتها علمت أنه في طريقه إلى طرابلس. فغادرت طرابلس فجر ذلك اليوم لمقابلة الملك في مصراته.

طرد المستشار الشرقي بالسفارة البريطانية من ليبيا

قبل دخولي لدى الملك أخذني ناظر الخاصة الملكية البوصيري الشلحي على جانب وأسرّ لي أن سبب مغادرة الملك طبرق فجأة واتجاهه إلى طرابلس هو أن سيسيل جريتوريكس المستشار الشرقي بالسفارة البريطانية ومسؤول المخابرات، زار الملك في طبرق يوم ١ نوفمبر وأبلغه أن بن حليم باع البلد للمصريين، وأن الحكومة البريطانية تنصحكم بالاسراع إلى طرابلس لإنقاذ البلاد من تآمر بن حليم مع المصريين. تمالكت نفسي وأخفيت شعور الامتعاض الذي سيطر علي وقابلت الملك وأطلعته على آخر تطورات الموقف، وتعمّدت الظهور بمظهر البشاشة والترحيب، ثم ركبت معه سيارته وتوجهنا نحو مدينة طرابلس.

وبدايةً كان الملك مشدود الأعصاب على غير عادته معي، ولكنني لاحظت انه كلما اقتربنا من طرابلس ورأى الجماهير تحييه وتهتف له انفرجت أساريره وظهر

السرور على وجهه إلى أن وصلنا مدينة طرابلس واخترقنا جادة الإستقلال بين هتافات الجماهير، فكانت إمارات السرور والإستغراب تظهر على وجه الملك وكأنه كان يتوقع أن يجد عاصمة بلاده خربة مدمرة خاوية على عروشها. وعند بلوغنا قصر الخلد دعاني الملك إلى طاسة شاهي قبل انصرافي فقبلت شاكراً، وأثناء تناولنا الشاهي أبدى الملك سروره بأن كل شيء على ما يرام، وشكرني كثيراً على ذلك، وقال: الحمد للّٰه أن مخاوفي لم يكن لها مبرر. وعند تلك اللحظة ألقيت قنبلتي، قلت له: أحمد الله أن مولانا وصل بالسلامة إلى عاصمة ملكه ووجدها في أحسن حال، ولي طلب يا مولاي على درجة عالية من الأهمية. قال: ما هو. قلت: سأطلب من السفارة البريطانية إبعاد مستشارها الشرقي سيسيل جريتوريكس لأنه يقوم بنشاط هدّام وينشر دعايات ضارة ضد الحكومة، ومولاي الملك أدرى بذلك. قال الملك: وهو كذلك. ثم أكدت عليه أن قراري هذا لا رجوع فيه، فقال مبتسماً: وهو كذلك. مرة أخرى. وشعرت أنه فهم أنني علمت بزيارة جريتوريكس.

عدت إلى مكتبي واستدعيت وزير الخارجية وطلبت منه توجيه مذكرة إلى السفارة البريطانية بطلب إبعاد سيسيل جريتوريكس من ليبيا بأسرع ما يمكن.

تردد الوزير علي الساحلي ثم اقترح أن نطلب من السفارة إعطاءه إجازة، حتى ينجلي الموقف. فكرّرت طلبي بحزم، وبالفعل أرسلت المذكرة إلى السفارة البريطانية في نفس اليوم. وقامت قيامة السفارة والحكومة البريطانية، وبدأت بيننا وبين بريطانيا أزمة حادة لم تنته إلاّ يوم ١١ نوفمبر ١٩٥٦، عندما زارني السفير البريطاني وهدد بأن: طرد الحكومة الليبية لأحد كبار رجال سفارته عمل عدائي وسيجعل الحكومة البريطانية تعيد النظر في علاقاتها مع ليبيا، وفي معاهدة التحالف بين بلدينا.

وكان السفير البريطاني قد تلقى برقية من وزارة خارجيته في اليوم السابق لهذا اللقاء العاصف جاء فيها:

يرجى إخبار رئيس الوزراء أنني أعتقد أنه تمشياً مع الأعراف الدبلوماسية فإن جريتوريكس ينبغي أن يُنقل بمجرد إتمام الترتيبات المناسبة لذلك. وعليك

أن تضيف كذلك أن الحكومة صاحبة الجلالة لا ترى أي مبرر لهذا التصرف الذي من الواضح أنه تم استجابة للضغوط المصرية نتيجة قرار الحكومة الليبية بطرد ملحقهم العسكري المدان في عمليات تخريبية الخ.

وعليك بعد ذلك تذكير بن حليم بالتحذير الرسمي الذي ورد في برقيتي رقم (٥١٠) وأن تخبره بأنه بعد إتمام الدراسات المبدئية حول زيادة حجم القوات المسلحّة الليبية وبالتجاوب مع ما ورد في المذكرة الليبية الواردة في برقيتك رقم (٣٧١) فقد كنا على وشك تقديم الدعوة للسفير الليبي هنا للشروع في المشاورات الخاصة بتنفيذ إتفاق ٢٩ يونيو. أننا لا زلنا على استعداد لعقد هذه المحادثات إذا كانت الحكومة الليبية ترغب في ذلك. إلاّ أنه في هذه الظروف لا يمكن أن يتوقع منّا بن حليم روح التعاون التي كان بالإمكان أن يتوقعها.(٨٩)

وكان ردي فورياً مختصراً وقاطعاً: يا سعادة السفير إني إلى يومنا هذا كنت اظن أن بيننا معاهدة تحالف وصداقة قوية لا يؤثر فيها استعمال ليبيا لحق السيادة وطلبها إبعاد عضو من سفارتكم أساء إلى ليبيا وبثّ دعايات خبيثة ضدها. أما وقد اتضح لي أن معاهدة التحالف بين بلدينا أضعف من أن تحتمل استعمالنا لحق السيادة، فليكن ما يكون، وجريتوريكس يجب أن يغادر ليبيا في الحال. وقد لخص السفير البريطاني لقاءه معي في برقية سرية طارئة أرسلها إلى وزارة خارجيته بتاريخ ١٠ نوفمبر ١٩٥٦ فيها ما يلي:

أعلنت وسائل الإعلام غير الرسمية اليوم طلب الحكومة الليبية سحب جريتوريكس. استفسرت عن مدى صحة ذلك مباشرة من رئيس الوزراء، وفي حالة صحة الخبر فإن التعليمات التي عندي هي أن أخبره بأن حكومة صاحبة الجلالة ستعيد النظر في سياستها، عبّر لي عن أسفه إننا نعتقد أنه

---

(٨٩) راجع الملحق رقم ٦٣

من الضروري اتخاذ مثل هذا الإجراء الصارم لسبب بسيط كهذا، إلاّ أن جريتوريكس لا بد وأن يترك البلاد.[٩٠]

لقد أرسل السفير هذه البرقية الساعة التاسعة وسبع دقائق صباحاً، ثم بعد أربعين دقيقة فقط، أتبعها ببرقية ثانية جاء فيها :

بالإشارة إلى برقيتكم رقم ٥٤١ (جريتوريكس).

لقد تحدثت مع رئيس الوزراء الليبي صباح اليوم على ضوء التعليمات التي وصلتني. لقد ردد رئيس الوزراء بأن قراراته وتصرفاته لم تكن قد صدرت نتيجة ضغوط مصرية وأن الأمرين (أمر طرد جريتوريكس وأمر طرد الملحق العسكري المصري) قد تم الإقرار فيهما كل على حدة.

ورداً على الانذار قال: إنه سوف يؤسفني جداً إذا غيرت حكومة جلالة الملكة من موقفها تجاه ليبيا. وأنه إن فعلت فإن ليبيا ستعيد هي الأخرى النظر في موقفها تجاه بريطانيا.

إن الأمر يتوقف علينا ما إذا أردنا أن تتم المناقشات في المستقبل.

لقد طلب رئيس الوزراء الليبي أن يغادر جريتوريكس في أقرب فرصة ممكنة، عليه فإنني أؤكد أن هذا أمر لا مفر منه وأطلب بإرسال البديل في الحال.[٩١]

كان هذا الإجتماع قد جرى في مكتبي وبحضور محيي الدين فكيني الذي كان ينوب عن وزير الخارجية الساحلي الذي كان يدّعي المرض كلّما اشتدت الأزمة مع السفارة

---

(٩٠) راجع الملحق رقم ٦٤

(٩١) راجع الملحق رقم ٦٥

البريطانية. وغادر سيسيل جريتوريكس طرابلس مساء ذلك اليوم. ولا أود أن أثقل على القارىء باستعراض المراسلات العديدة والتقارير االسرية التي سببها طلبنا إبعاده، فقد ظهر في تلك التقارير مدى الأهمية الكبيرة والنفوذ الواسع الذي كان يتمتع به مسؤول المخابرات الذي كان يتستّر تحت لقب السكرتير الشرقي بالسفارة البريطانية.

ولكنني أود فقط على أن أقتصر على نشر وثيقة واحدة فقط توضح الدور الذي كان يقوم به في ليبيا كما يظهر في الرسالة التي بعث بها السفير البريطاني في طرابلس إلى وزارة خارجيته في لندن في ٥ نوفمبر عند بداية الأزمة، يقول فيها:

عزيزي واتسون:

لقد وعدتك في برقيتي رقم ٤٣٤ المؤرخة ٤ نوفمبر بإرسال تقرير كامل عن مسألة جريتوريكس، لقد اتضح أن هذا الموضوع قد أصبح طويلاً بصورة قد لايمكنك متابعة تفاصيله الآن، ولكن قد يهمك الرجوع إليه فيما بعد. كل ما في الأمر هو ما يلي:

إن الحكومة الليبية ترغب في ترحيل جريتوريكس على الرغم من أنه ليس لديهم أي شيء ضده. في تقديري أن السبب الرئيسي لهذا الترحيل هو إذلالنا بصورة علنية، وبالتالي يكونوا قد أرضوا أسيادهم المصريين. إن حقيقية إصرارهم على القيام بهذا العمل تبرهن أن المصريين هم على الأقل أسياد لبن حليم. في الوقت نفسه فإنهم لا يريدون استفزازنا بطريقة تفقدهم مساعدتنا، وعليه فإنهم يحاولون أن يجعلوا العملية غير ذات ألم بقولهم إن جريتوريكس يمكنه البقاء لبضعة أشهر. إن عملية تحديد الوقت في حد ذاتها ستعنى حتماً اختصار هذا الوقت وترحيل جريتوريكس في أقرب فرصة. قد يكون هناك سبباً آخر في ترحيله وهو تقليص اتصالاتنا، إذ أن جريتوريكس يعرف الكثير في ليبيا، لا يرى الملك في كثير من الأحيان، ولكنه ذهب لمقابلته مرتين هذا العام

في مهمتين يصعب أن يقوم بهما أحد آخر.

إن اتصالاته اليومية بالليبيين الآخرين، سواء منهم الرسميين أو العاديين تعد بالنسبة لي ذات أهمية كبيرة ، كما أنها في حد ذاتها تعد سليمة للغاية وبريئة ولكنها تسبب قلقاً لرئيس الوزراء الذي أعتقد أن لديه شيء يخفيه.

مهما كانت الأسباب، فان القرار يبدو لي أنه قرار غير عادل حسب النظم واللوائح الدبلوماسية المعتادة. وعلينا إذا قبلنا ذلك القرار أن نقبله بالمزيد من الاحتجاج الرسمي. لقد خضعنا لكثير من طلبات الحكومة الليبية أخيراً وذلك - حسب قولهم - لكي يتغلبوا على المهمة الصعبة وهي كبح جماح الشعب. ولكن الأمر زاد عن حده، وليس لهذا الإجراء مبرر في الوضع السياسي الداخلي، كما أنه سوف يترجم هنا وفي أجزاء أخرى من العالم العربي على أنه استسلام من جانبنا.

المخلص

والتر جراهام[٩٢]

---

(٩٢) راجع الملحق رقم ٦٦

أزمة مع الحكومة المصرية

الملحق العسكري المصري ومخططاته الاجرامية

في الأسبوع الأول من نوفمبر وبعد أن طلبنا إبعاد مسوؤل المخابرات البريطاني جريتوريكس واشتداد الأزمة مع الحكومة البريطانية، زاد الأمر تعقيداً بتضاعف نشاط الملحق العسكري المصري. ولم تنفع التحذيرات الكثيرة ولا النصائح المخلصة للسفير المصري. فقد طلبت منه أن يلزم الملحق بيته أو أن يعطيه إجازة قصيرة خارج ليبيا، أو أن يطلب من القاهرة استدعائه، وكان السفير المسكين يعتذر عن قبول أي من تلك الإجراءات. وأخيراً أنذرت السفير صراحة أنني إن لم ألمس توقفاً تاماً من الملحق العسكري عن نشاطه فإنني سأطلب طرده من ليبيا. وأنني قد ترددت في مثل هذا الإجراء في هذه الظروف الحرجة التي تمر بها مصر إكراماً لمصر وله شخصياً، وأخشى أن يضطرني تهوّر الملحق العسكري وحماقته إلى إتخاذ هذا الإجراء الكريه. وبدلاً من أن يتجاوب الملحق العسكري مع رجاءنا إذ بنا نكتشف مستودعاً سرياً للمتفجرات يكفي لنسف مدينة طرابلس برمّتها، وكان ذلك المستودع مجهزاً ومعداً بطريقة يستحيل اكتشافه باستعمال آلات الكشف عن المتفجرات. وما تمكّنا من إكتشاف ذلك المستودع الرهيب إلاّ بعد استجواب شاب فلسطيني كان يعمل مساعداً للملحق العسكري المصري، والذي قاد رجال الأمن إلى المستودعات وأعطاهم أسماء الأفراد الذين كانوا ينفذون تعليمات الملحق العسكري. وقبض رجال الأمن على عدد من أولئك ووجدوا في حوزتهم خرائط وتفاصيل دقيقة لقصر الملك، قصر الخلد، ومسكن رئيس الوزراء ومواقع هامة

حسّاسة مثل محطة كهرباء طرابلس والمبنى المركزي للهاتف ومنشآت ميناء طرابلس. واعترف أولئك بما كانوا يخطّطون لارتكابه من عمليات التخريب.

وكانت الصدمة عنيفة، فلم يكن الملحق العسكري المصري يخطط للقيام بعمليات إرهابية ضد القواعد الأجنبية أو ضد عناصر القوات البريطانية، ولكنه كان يخطط لأعمال إرهابية ضد شخصيات ليبية من كبار المسؤولين في الحكومة الليبية، وضد مرافق ومنشآت ليبية.

عند ذلك استدعيت السفير المصري وأطلعته على ما وصل إليه التحقيق من أدلة قاطعة واكتشافات خطيرة رهيبة كلها تدين الملحق العسكري المصري، بتهم التخريب في ليبيا التي وقفت مع بلاده أنبل المواقف وقامرت بإستقلالها في سبيل نصرة مصر في محنتها ورد العدوان عنها. وذهل السفير مما سمع ورأى، ورأيت علامات الحرج والخجل تظهر على وجهه، ثم قال أنه مقتنع الآن بضرورة إبعاد الملحق العسكري إلى مصر بأسرع ما يمكن، ولكنه أبدى رجاءه ألا ننشر شيئاً عن أعمال الملحق الإجرامية. ثم صارحني بأنه لا بد له من الحصول على طلب كتابي من وزارة الخارجية الليبية بإبعاد الملحق لأن لا سلطة له على الملحق العسكري الذي يتلقى أوامره مباشرة من مكتب المشير عبد الحكيم عامر وزير الحربية المصري - وكانت هذه هي المرة الأولى التي أعرف فيها هذه الحقيقة الغريبة.

استدعيت وكيل وزارة الخارجية وهبي البوري (الوزير الساحلي كان يدّعي المرض) وأمليته مذكرة ذات شقين. الأول يستعرض بإيجاز موقف ليبيا من الإعتداء على الشقيقة مصر ويؤكد تأييد ليبيا المطلق، ومشاعر التعاطف الأخوي معها ويشير لما سيرد في الشق الثاني مؤكداً أنه لن يؤثر على علاقة الاخاء والتعاون مع مصر الشقيقة. أما الشق الثاني من المذكرة فيشرح بايجاز أعمال الملحق العسكري المصري التي تتنافى مع القانون والأعراف الدبلوماسية. ويشير إلى التحذيرات العديدة التي وجهناها للسفارة المصرية بخصوص نشاطه وأن هذه التحذيرات لم تجد نفعاً. وأخيراً تطلب وزارة الخارجية، ومع الأسف الشديد، ضرورة سحب الملحق العسكري من ليبيا في أسرع وقت.

ولم تمض إلاّ ساعات قليلة على استلام السفارة المصرية مذكرة وزارة الخارجية واذ برجال الأمن يلقون القبض على بعض الغوغاء ويوزعون منشورات مصرية في شوارع طرابلس. كانت تلك المنشورات تحتوي على الشق الثاني من مذكرة الإبعاد متجاهلة الشق الأول الذي يؤكد وقوف ليبيا مع مصر، وأسفها لاضطرارها باتخاذ إجراء إبعاد الملحق العسكري المصري بعد تماديه في أعماله اللاقانونية. كما احتوت تلك المنشورات على كم من الشتائم البذيئة والتهم الرخيصة للحكومة الليبية ولي شخصياً.

وبالرغم من تلك الشتائم والإتهامات التي أتحفنا بها الملحق العسكري المصري فاننا كظمنا غيظنا وتحلّينا بالحكمة والصبر، بل وأصدرت أوامر مشددة إلى جميع المسؤولين لكي لا يذاع شيء عن أعمال الملحق العسكري المصري إلاّ ما يستوجبه تبرير طلبنا بإبعاده، وأن يكون ذلك في أضيق نطاق. ثم رحلّنا الشاب الفلسطيني الذي كان يعمل مساعداً للملحق العسكري المصري خارج ليبيا ومعه أعوانه من غير الليبيين دون أية محاكمة. وما ذلك إلاّ حفاظاً على سمعة مصر خصوصاً أيام محنتها وكذلك رغبة منّا ألا نعطي أعداء العرب فرصة للتشهير والشماتة.

وفي التاسع من شهر نوفمبر ١٩٥٦ بعثت برسالة إلى رئيس عبد الناصر قلت فيها:

أخي الفاضل الكريم،

السلام عليكم ورحمة الله وبعد،

يعز علي جداً أن أكتب لكم في هذه الظروف التي تجتازها مصر والتي تحتاجون فيها لكل وقتكم فيما هو أهم من موضوع كان في الإمكان تفاديه والمرور فوقه دون ضجة ولا دعاية لولا تعنت السفارة المصرية بطرابلس وعدم إظهارها أية رغبة في التعاون مع الحكومة الليبية.

إني أعني موضوع القائمقام اسماعيل صدقي الملحق العسكري بالسفارة المصرية بليبيا.

لقد قامت ليبيا بما يمليه عليها واجبها كشقيقة لمصر وجارة لها وعضو في جامعة الدول العربية، فأيدتها واحتجت على بريطانيا أكثر من مرة، واتخذت كل ما في وسعها لاظهار تضامنها الكامل مع شقيقتها المعتدى عليها والحيلولة دون استفادة بريطانيا من قواعدها أو جنودها المرابطين في ليبيا لمحاربة مصر أو مساندة قواتها العاملة في منطقة القناة. وأصرت الحكومة الليبية على الحصول على تأكيد رسمي كتابي بتعهد بريطاني بعدم استعمال قواعدها ضد مصر وتحصلت على هذا التعهد ثم تقدمت بعد ذلك بطلب تعيين مراقبين من الجيش الليبي في القواعد البريطانية للتأكد من تطبيق السلطات العسكرية البريطانية لهذا التعهد. وطلبت الحكومة أيضا عدم تفريغ أو شحن مواد حربية في موانىء ليبيا والشحنة الوحيدة التي وصلت بعد هذا الطلب لا تزال على أرصفة الميناء يحرسها الجيش الليبي ولم يسمح للسلطات البريطانية بتسلمها. وبالإضافة إلى هذا فقد كتبت شخصيا إلى الرئيس أيزنهاور وأرسلت إلى الحكومة البريطانية أكثر من احتجاج حذرتها فيه من عواقب اعتدائها الأثيم وعملها الذي يتنافى مع القانون والضمير. ولم يقتصر تأييد ليبيا لمصر عند هذا الحد بل تعداه إلى نواحي كثيرة أخرى يطول شرحها ولا ترى ليبيا فيها فضلا وانما واجباً مقدساً. ولو كان في إمكان ليبيا أن تفعل أكثر من ذلك لفعلته راضية مطمئنة.

وفي الوقت كانت تقوم فيه الحكومة الليبية بجهودها هذه يساندها الشعب والرأي العام كله، كان القائمقام اسماعيل صادق يدبر مؤامرات واسعة النطاق للقيام بأعمال إرهاب وتخريب في أهم المدن الليبية. وبدأت هذه الأعمال بوضع قنابل في البنوك والمتاجر والنوادي وأماكن لا يرتادها إلاّ المدنيون وليس للانكليز فيها أية أهمية عسكرية. وفي كل هذه الأعمال لم يصب جندي بريطاني واحد أو مؤسسة بريطانية وإنما كان ضحايا هذه الأعمال من بين الليبيين والإيطاليين.

فطلبت شخصيا السيد الملحق العسكري عدة مرات ورجوته أن يقدر وضع

ليبيا وأن يكف عن هذه الأعمال التي تهدد أمن البلاد وسلامتها. ثم طلبت السيد سفير مصر وقدمت له نفس الرجاء بدون جدوى. وأخيراً وأمام الخطر المحدق الذي يهدد أمن البلاد وسلامة سكانها تقدمت الحكومة الليبية إلى السفارة المصرية بعدة اقتراحات اخوية لمغادرة السيد الملحق العسكري البلاد بأية طريقة لبقة تفضلها السفارة حتى لا يتسرب الخبر إلى الشامتين. وبالرغم من الرجاءات الحارة والتحذيرات المتكررة بعد ذلك إلى السيد السفير المصري والملحق العسكري التي لم تجد جميعها اذناً صاغية ولا استجابة مرضية فقد اضطرت أمام تهور الملحق العسكري واستهتاره بقوانين البلاد وأمنها أن أطلب من سفارتكم تنحيته. وقد اتخذت هذا الإجراء الشديد بكل حسرة وألم نظراً لتمادي الملحق العسكري في خلق روح من الفوضى والاضطراب المرتجل الذي عرض ليبيا ومصر إلى أزمة خطيرة والذي لا يعود على مصر أو ليبيا بأية فائدة.

ومما يؤسف له أن السفارة المصرية لم تقدر موقف الحكومة الليبية وهي على علم تام بجميع الخطوات التي قامت بها ليبيا لصالح قضية مصر وكان السفير متفقاً معي على القيام بأعمال وطنية رائعة لا يمكنني التصريح بها في هذا المقام. وبدلاً من أن يلبي السيد الملحق العسكري رجاء ورغبة الحكومة الليبية فقد اعتصم بدار السفارة المصرية بعد أن جمع ما تبقى من سلاح كان معداً لإرساله إلى الجزائر المجاهدة، ونقله إلى داخل السفارة ووزعه على عدد كبير من الرجال وحوّل السفارة إلى ثكنة حربية تتحدى قوات الأمن وشعور الشعب الليبي.

(وللأسف فإن هذا ما استطعت الحصول عليه من تلك الرسالة حيث أن الصفحة الثالثة منها قد ضاعت).

وغادر الملحق العسكري المصري العقيد اسماعيل صادق طرابلس براً إلى مصر يرافقه حرس مكون من العقيد إدريس عبدالله والملازم يحى عمرو وعشية سفر الملحق العسكري سلّمتنا السفارة المصرية ثلاثمائة وعشرين مدفعاً رشاشاً مع ما يتبعها من ذخيرة بالإضافة إلى كمية كبيرة من القنابل والمتفجرات كان الملحق قد استولى عليها خلسة من مخازن السلاح المعدة للإرسال إلى ثورة الجزائر. وكان الملحق قد وزّع عددا آخر من الرشاشات على غوغاء طرابلس. ومرة أخرى أصدرت أوامر مشددة أن يكون استلام تلك الرشاشات وأدوات التخريب والدمار تحت جنح الظلام وبعد إقفال المرور في الشارع الذي تقع فيه السفارة المصرية منعاً من التقاط صور لتلك العملية العجيبة الغريبة: عملية إخراج أسلحة التخريب والدمار من سفارة مصر الشقيقة.

ثم اتخذنا قراراً من مجلس الوزراء بمطالبة الحكومات ذات التمثل الدبلوماسي مع ليبيا بإلغاء منصب الملحق العسكري في سفاراتها بليبيا. وقبل رحيل الملحق العسكري زارني السفير المصري وأبلغني رسالة من الرئيس عبد الناصر مؤرخة ١٠ نوفمبر ١٩٥٦ يعبّر فيها عن أسفه لما حدث ويخبرني بأنه أصدر أوامره بسحب العقيد اسماعيل صادق ورجوعه إلى مصر وقد جاء نص الرسالة كالآتي:

حضرة صاحب الدولة السيد مصطفى بن حليم

رئيس مجلس الوزراء

تحية طيبة وسلاما وبعد

فقد تلقيت من السيد الرئيس جمال عبد الناصر رسالة أمرني أن أبلغها إلى دولتكم ونصها:

علمت اليوم فقط بالأزمة القائمة بينكم وبين السفارة المصرية وأرى من اللازم أن يسوى هذا الأمر بأي طريقة وبأسرع وقت. وقد أصدرت أوامري بأن يعود الملحق العسكري القائمقام اسماعيل صادق في الحال إلى مصر.

وان هذا الوقت الذي تمر فيه الأمة العربية بتجربة شديدة يستدعي أن يكون الجميع فيها يداً واحدة كما يستدعي التعاون الكامل بينكم وبين السفير المصري.

وتقبلوا تحياتي

جمال عبد الناصر

وأني أود بهذه المناسبة أن أوضح لدولتكم أن ما حدث من تأخر السيد الملحق العسكري في مغادرة الأراضي الليبية في الموعد المحدد إنما كان بسبب انتظاري لتعليمات الحكومة المصرية كما سبق أن أبلغتكم.

وإني أنتهز هذه الفرصة لأعبر لكم عن وافر تقديري واحترامي.

أحمد حسن

سفير جمهورية مصر بليبيا

ثم بعد ذلك بأيام طلب السفير المصري موعداً وقابل الملك بحضوري وقدّم له اعتذاراً خطياً من الرئيس عبد الناصر وتأكيداً منه أنه لم يكن على علم بأعمال ملحقه العسكري التخريبية، وأنه أمر بسحبه بمجرد سماعه بتلك الأفعال. وأعترف أنني لم أكن على استعداد لتصديق ذلك الاعتذار. بل أن الملك إدريس زادت شكوكه نحو الرئيس المصري بعد ذلك الاعتذار الواهي، فلم يكن من المعقول قيام ملحق عسكري بمؤامرة بهذا الحجم والخطورة، مؤامرة كادت تصيب طرابلس بالشلل وتخرّب مواقع حساسة بها وتودي بحياة عدد من مواطنيها وكبار المسؤولين فيها على رأسهم الملك ورئيس الوزراء دون أن يكون قد حصل على موافقة رؤسائه في القاهرة مسبقا. ثم زاد من شكّنا في صدق الاعتذار المصري أن العقيد اسماعيل صادق حينما رجع إلى مصر استقبل من رؤسائه في القاهرة استقبالاً حاراً بدلاً من أن يقدّم للمحاكمة على أعماله الاجرامية. ولذلك فان حادث المؤامرة التي قام بها الملحق العسكري المصري ترك بصمات عميقة على العلاقات الليبية-المصرية وأصابها بنكسة وغرس روح الشك والحذر لدى الحكومة الليبية نحو صدق نوايا القيادة المصرية.

لم يكن الجزاء من جنس العمل

لقد اتخذت حكومة ليبيا كافة الإجراءات التي يمكن اتخاذها انتصاراً لمصر وتأييداً ودعماً لها، ولا نحسب أن حكومة أخرى كان يمكن لها أن تذهب إلى مدى أبعد مما ذهبت إليه حكومة ذلك الوقت، لقد تحملت ليبيا أكثر من طاقتها وقامرت بمصالحها وإستقلالها الوطني، وكانت على استعداد تام للدخول في حرب ضد بريطانيا دفاعاً عن شقيقتها مصر في محنتها، وأمرت بوضع الجيش الليبي الوليد، بعدّته وعتاده المتواضعين، وبعدد جنوده وضباطه القليل، في وضع المواجهة المسلحة مع القوة المدمرة للفرقة العاشرة المدرعة لكي تمنعها من غزو مصر انطلاقاً من الأراضي الليبية مهما كلفها ذلك من تضحيات، ولو استشهد أفراد ذلك الجيش عن بكرة أبيهم.

أما الدعم المعنوي والسياسي لمصر فقد كان بلا حدود، ووظفت ليبيا كل علاقاتها الدولية من أجل نصرة مصر، والدفاع عن قضيتها العادلة، أنني أقول ذلك لا من باب الادعاء أو المنّ، ولكن من باب ذكر الحقائق والإنصاف لليبيا شعباً وملكاً وحكومة.

ولكن – وللأسف الشديد - وبكل المرارة أقول أن الجزاء لم يكن من جنس العمل. لقد قمنا بما قمنا به لا ننتظر على ذلك جزاء ولا شكوراً، لأننا قمنا بواجبنا الذي أملاه علينا ضميرنا الوطني والقومي، وعروبتنا وإسلامنا، ولكننا - أيضاً – لم نكن نتوقع جزاء سنمار. فإذا لم تكن حكومة مصر ترغب - لأسباب خاصة بها لا أجد لها مبرراً - في أن تعلن للجميع الموقف المشرف لليبيا شعباً وملكاً وحكومة، وغمطتهم الحق الذي يستحقون، فلا أقل من أن تلزم الصمت التام فيما يتعلق بموقف ليبيا من العدوان الثلاثي. ولكنها للأسف لم تكتف بإغفال واجبها في التعبير عن العرفان بالجميل لشقيقتها ليبيا، ولكن ما أن انتهت أثار أزمة السويس وانسحبت القوات الغازية حتى بدأ الغمز في مواقف ليبيا من الأزمة، وبدأت حملة مريبة من التشكيك وطمس الحقيقة، وربما اعتقد النظام المصري أن تلك هي فرصته لاسقاط النظام الملكي (غير الثوري) في ليبيا.

وفي ٢٦ مايو ١٩٥٧ تقدمت بإستقالتي من رئاسة الحكومة الليبية لأسباب سيرد ذكرها بالتفصيل في مكانها من هذه المذكرات، وإذا ببعض المسؤولين المصريين –

بالتعاون مع بعض المسؤولين الليبين الموتورين من فترة حكم وزارة بن حليم - ينزعون برقع الحياء الذي كانوا يسترون به أنفسهم أثناء وجودي على رأس الحكومة الليبية، وينتهزون الفرصة لتشويه مواقفي السياسية، فيدعون كذباً أنني قد تعاونت مع بريطانيا وسمحت لها باستعمال قواعدها في ليبيا للعدوان على مصر، وأن الملك أقالني عندما علم بتآمري ضد مصر، ونشرت هذه الافتراءات بالخط العريض في جريدة الاهرام الحكومية في ١ يونيو ١٩٥٧، حيث جاء فيها:

«أسرار خطيرة وراء استقالة الوزارة الليبية»

الملك إدريس يكتشف خطة مدبرة لعزل البلاد عن مصر

بريطانيا تكافىء بن حليم بنصف مليون جنيه لتعاونه معها في حملة القناة

عندما اضطرت وزارة مصطفى بن حليم الليبية إلى تقديم استقالتها بعد أن هدد البرلمان الليبي بسحب الثقة من رئيسها في جلسة برلمانية صاخبة، وخلفتها وزارة السيد عبد الحميد كعبار (يقصد عبد المجيد كعبار) نائب رئيس الوزراء المستقيلة، أثيرت حول الظروف التي قدم فيها بن حليم استقالته موجة من التساؤل عن الأسباب الخفية التي صاحبت هذه الإستقالة والتي حدت به إلى الإسراع في تقديمها إلى الملك إدريس وقبول جلالته لها فوراً.

وفي هذه التحرّيات تكشف الأهرام عن الخطة المدبّرة التي وضعها بن حليم بقصد عزل بلاده عن مصر بإثارة الشكوك حول السياسة المصرية ومراميها عن طريق التضليل والإفتراء، وكيف اكتشف العاهل الليبي هذه المؤامرة والأغراض الخفية من ورائها، وكيف كافأت بريطانيا بن حليم بنصف مليون جنيه من أوراق النقد المصرية المزوّرة مقابل تعاونه معها خلال العدوان الثلاثي الآثم على مصر، وكيف جمع بن حليم ثروات طائلة عن طريق التهريب والصفقات التجارية غير المشروعة كما أثار حوله الشبهات فطالبه البرلمان بالإستقالة وقبل جلالة الملك إدريس استقالته فوراً.

وبادر الملك ادريس في سابقة فريدة في تاريخ ليبيا السياسي فأصدر أوامره للديوان الملكي بنشر بيان بتكذيب كل ما جاء في صحيفة الاهرام من اتهامات باطلة، ومغرضة.

وبعد ذلك بأيام قليلة جاءني السيد عبد الخالق حسّونة (أمين عام الجامعة العربية) وأبلغني رسالة شفهية من الرئيس جمال عبد الناصر يعبّر فيها عن أسفه البالغ لما قامت به صحيفة الاهرام وأنه لم يكن يعلم بما نشر فيها من أكاذيب. وأنه يأمل أن لا اتأثر بتلك الاراجيف... وقلت للسيد حسّونة - ذلك الرجل الدمث الاخلاق: انني ياباشا اتمنى أن اقنع نفسي بتصديق الرئيس عبد الناصر، ولكن أجد أنه من الصعب علي أن أصدق أن تنشر تلك البذاءات والافتراءات في صفحات الاهرام دون علم عبد الناصر. ومتى كانت الاهرام تملك تلك الحرية السياسية؟ وحتى لو صدّقت فانني أرجوك ياباشا أن تنقل للرئيس عبد الناصر ردي على رسالته بهذا المثل المصري: تشتمني في زفّة وتعتذر لي في زقة؟ (أي تسبني علناً وتعتذر لي سراً؟)

رحم الله مصطفى مرعي

وعزمت على مقاضاة صحيفة الاهرام انتصافاً لكرامتي ولاجبارها على الخضوع للحق والاقرار به، ووجدتها فرصة لكي يطلّع العالم العربي على حقيقة الموقف المّشرف الذي وقفته ليبيا بصلابة لنصرة مصر.

ولأن الله سبحانه وتعإلى يهيىء دائماً للحق جنوداً يدافعون عنه حتى يستقيم عدل الله في الأرض، فاتصلت - وبدون سابق معرفة - بالمحامي المشهور الاستاذ مصطفى مرعي- رحمه الله- القانوني المصري الألمعي، رجل السياسة والفلسفة والقانون، الوزيرالسابق، وعضو مجلس الشيوخ، صاحب الاستجواب الشهير عن قضية الاسلحة الفاسدة، وطلبت منه أن يتولى مهمة مقاضاة صحيفة الاهرام.

طلب مني أن أقدم له الوثائق التي تدحض اتهامات الاهرام، فقدمت ملفاً كاملاً من الوثائق الرسمية الدامغة ودرسها بتمحص، ولمدة أسابيع ثم جاءني قائلاأنه على استعداد للدفاع عني، وأنه على يقين من الحصول على حكم بإدانة الاهرام، وأن شرطه

الوحيد لأداء تلك المهمة أن لا يتقاضى عنها أتعابا، وأنه سيكون سعيدا بادائها بدون مقابل، باعتبارها واجب وطني، وأنني إذا حاولت أن أدفع له أتعاباً فأنه سيضطر آسفا إلى الانسحاب من القضية.

وبرر ذلك الموقف النبيل بقوله أنه بعد اطلاعه على الوثائق المقدمة مني تبيّن له أنني انقذت وطنه من كارثة عسكرية مروعة إذا ما سُمح للفرقة البريطانية العاشرة المدرعة بغزو مصر عبر الصحراء الغربية، وأنه يشعر بالخجل الشديد من موقف حكومة بلاده، وأنه كمواطن مصري يشعر بأن واجبه الوطني يحتم عليه أن يمسح عار حكومته، ويرد لي بعض الجميل.

لقد حفرت تلك الكلمات في قلبي، وبالرغم من مرور عشرات السنين فانني اتذكرها اليوم وكأن ذلك الرجل الشهم، واقف أمامي يردد عباراته تلك بصوت ملؤه التأثر والانفعال.

وحينما علمت رئاسة صحيفة الأهـرام بعزمي على مقاضاتها، وبقبول الاستاذ مصطفى مرعي للقضية، بادرت بالاتصال به وعرضت عليه تقديم الترضية الكافية، في صورة اعتذار علني على صفحات الاهـرام، وحينما استشارني المرحوم مصطفى مرعي فضلت ذلك على أي تعويض مادي كان يمكن أن أحصل عليه عن طريق القضاء. ورضخت صحيفة الاهرام ونشرت في عددها الصادر بتاريخ ٢٨ ابريل ١٩٥٨ اعتذاراً عن اكاذيبها من ضمن ما ورد فيه:

هذا وقد قامت الاهرام بدورها إحقاقاً للحق بالتحري عمّا ردده الخبر المنشور عن ثروة السيد/ مصطفى بن حليم في مصر وعن التحقيق الذي قيل أنه أجري في ليبيا عن أوراق النقد المصرية المزيفة. ويقتضي الإنصاف أن نسجل ما تبين من الشهادة العقارية الرسمية رقم ١٠٨٩ عام ١٩٥٧ مكتب شهر الإسكندرية من أن الأملاك المسجلة باسم السيد/ مصطفى بن حليم واسم السيدة حرمه، في مصر لا تعدو العقار رقم ١٤ شارع طوسون باشا بقسم العطارين بالإسكندرية

وقيمته كما هو ثابت من عقد شرائه هي ١٠٢٥٠ج. كما يقتضي الإنصاف أن نسجل أنه بإعادة التحري عن التحقيق الخاص بأوراق النقد المصرية المزيفة لم نجد فيه اتهاماً للسيد مصطفى بن حليم.

وإن الاهرام كجريدة تهدف سياستها إلى تحقيق الصالح العام وتلتزم جادة الإنصاف لا تتردد في أن تنشر هذه الايضاحات استدراكاً على ما نشر معتمدةً فيها على ما قدم السيد مصطفى بن حليم من مستندات وما أجرته هي من تحريات، ويسرها أن ينشر هذا البيان من باب التصحيح والتصويب.

ثم يهيّئ الله للحقيقة أن تظهر على لسان الرئيس عبد الناصر شخصياً فيلقي خطاباً في مدينة بورسعيد يوم ٢٣ ديسمبر ١٩٥٧ يقول فيه حرفياً:

... لم نفكر أن الدول الكبرى ستغش الرأي العام العالمي وتقول أنها ستعمل بوليساً بين مصر وإسرائيل، لكي تهاجم مصر، جنرال كيتلي الذي كان قائداً للعدوان قال أنه كان يريد أن يهاجم مصر من ليبيا وقال أيضاً أن الملك إدريس هدد إذا استخدمت بريطانيا ليبيا للعدوان على مصر، وبهذا لم يتمكّنوا... وهذا كان نتيجة من نتائج القومية العربية والتضامن العربي والقوة العربية. التضامن العربي والقوة العربية منعت انجلترا رغم معاهداتها مع ليبيا ورغم قواعدها في ليبيا من أن تستخدم ليبيا في العدوان على دولة عربية أخرى، وهذا موقف مشرّف للملك إدريس السنوسي ملك ليبيا...

(انظر صحيفة الاهرام عددها الصادر ٢٤ ديسمبر ١٩٥٧) (ملحق رقم ٨٢).

ولقد سجل التاريخ هذا الاعتراف القاطع والصريح عن موقف ليبيا المشرّف الصادر من رئيس مصر الدولة المعتدى عليها حتى وإن أنكر على ليبيا ذلك الموقف فيما بعد لأسباب سياسية.

إن الفضل ما شهدت به الأعداء

ثم وبعد عشرات السنين يهيئ الله لي مزيداً من الأدلة الحاسمة على الموقف الناصع الذي وقفته ليبيا، ويتحقق المثل القائل: إن الفضل ما شهدت به الأعداء، فبالإضافة إلى الوثائق البريطانية التي أشرت اليها آنفاً، فقد وقع في يدي البلاغ الرسمي الذي قدمه الجنرال سير تشارلز كيتلي القائد العام لحملة السويس، والذي نشر في ملحق الجريدة الرسمية للحكومة البريطانية The London Gazette بتاريخ ١٢ سبتمبر ١٩٥٧ في صفحتي ٥٣٣١/٥٣٣٢ يقول الجنرال عندما عدّد أسباب فشل حملته ما يلي:

وقامت مشكلتان أخريان قبل الهجوم الفعلي: يوم ٤ نوفمبر ١٩٥٦ أبلغت أنه لم يعد في استطاعتي الاعتماد على وصول الفرقة المدرّعة العاشرة من ليبيا ولذلك فقد حُذفت تلك القوة من أوامر المعركة. وقد عرض علي بدلاً من ذلك ثلاثة ألوية مشاة التي وصلت من بريطانيا إلى مالطا (وكان يراد إرسالها إلى ليبيا) بدلاً من الفرقة المدرّعة العاشرة. ولكن الجنرال ستوكويل (قائد الهجوم) قدّر أنه ليس في حاجة إلى أية قوة مشاة إضافية ولكنه في حاجة، فيما بعد، لدروع إضافية ولذلك فقد خُصّص فوجان مدرعان لكي يتم إرسالهما من بريطانيا مباشرة.

وهذا اعتراف صريح من القائد البريطاني لحملة السويس بأنه حرم من استعمال القوات البريطانية المرابطة في ليبيا.

واعتقد أن هذه الوثائق الدامغة قد كشفت الحقيقة، وانقشع الضباب الكثيف الذي أُثير عمداً حول موقف ليبيا من أزمة السويس، وسقطت كل الدعاوى الباطلة بأن سياسة ليبيا العربية خلال العدوان الثلاثي، لم تكن عربية، كما سقطت الدعاوى الباطلة بأن القواعد الاجنبية في ليبيا كانت خنجراً في جنب الأمة العربية. فلقد ثبت بالأدلة القاطعة التي لا تقبل الشك أن تلك القواعد لم تستعمل يوماً ما ضدّ أي دولة عربية، ولم تحل بين

ليبيا وأداء واجبها الوطني والقومي في أي وقت من الاوقات.

وبعد أن أسدل الستار على هذه الملحمة التي وصل فيها الشعب الليبي إلى حافة الحرب مع بريطانيا يخرج علينا أولئك الذين تسلطوا على مقاليد الحكم في ليبيا في ١ سبتمبر ١٩٦٩ بافتراءات لا ظل لها من الحقيقة.

ولو كانوا يعقلون لما شهدوا بالباطل ضد حكومة وطنهم في موقف قومي مثل هذا، بعد أن شهد بفضلها حتى الأعداء... ولو كانوا يعقلون لما حاولوا إلحاق العار بوطنهم، فالأمر يتعلق بسمعة ليبيا وكرامتها وسيادتها أياً كان شكل نظامها السياسي، لقد أعماهم الحقد الذي ملأ قلوبهم وعدم النضج السياسي عن رؤية كل ما هو نبيل في تاريخ شعبهم.

الباب الحادي عشر

تداعيات العدوان الثلاثي على مصر

مؤتمر القمة العربية في بيروت ١٣ نوفمبر ١٩٥٦

ما أن أوقف القتال على جبهة السويس ورضخت الدول المعتدية لقرارات مجلس الأمن الدولي، حتى انعقد في بيروت أول اجتماع قمة عربي دعا إليه الرئيس اللبناني كميل شمعون.

ولما كان الملك إدريس قد وصل منذ أيام قليلة إلى طرابلس الغرب قادماً من طبرق عن طريق البر، وكان لا يزال متعباً من مشقة السفر، ونظراً لضيق الوقت، ولأنه كان لا يطمئن للسفر جواً، فقد طلب مني أن أنوب عنه وأمثّله في اجتماع الملوك والرؤساء العرب. فاصطحبت وزير العدل الدكتور محيي الدين فكيني ووكيل وزارة الخارجية السيد سليمان الجربى وعدد من كبار موظفيها.

وبالرغم من أن القتال كان قد توقف على جبهات بورسعيد وقناة السويس إلاّ أن الطيران المدني كان محظوراً فوق جزء كبير من مصر والأردن وجنوب لبنان وإسرائيل. فكان علينا أن نطير من طرابلس الغرب فوق إيطاليا، واليونان، وتركيا، وقبرص، ثم في اتجاه بيروت نزولاً اليها من الشمال الغربي لنتفادى المنطقة المحظورة، ولذلك فقد وصلنا إلى بيروت متأخرين عدة ساعات من موعد الجلسة الإفتتاحية لمؤتمر القمة.

وتوجهت من المطار مباشرة إلى القصر الجمهوري، واجتمعت بالرئيس شمعون وكان قد فرغ لتوّه من ترأس الجلسة الإفتتاحية، وأجّل جلسة العمل الأولى إلى الغد... فعقدت معه جلسة طويلة لخّص لي ما دار في جلسة الإفتتاح، وشعرت بإنزعاجه من أن بعض الأعضاء يفكرون في اقتراح مقاطعة تامة لبريطانيا وفرنسا واتخاذ خطوات

جذرية أخرى. كما فهمت منه أن الرئيس السوري شكري القوّتلي، الذي كان قد عاد مباشرة من موسكو إلى بيروت، هو أكثر المتحمّسين لاتخاذ أعنف الإجراءات وأكثرها تطرفاً. وأن الملك سعود والملك فيصل الثاني (ملك العراق) وبقية الأعضاء يميلون إلى السير على درب الاعتدال والحكمة بالرغم من حماسهم لنصرة مصر وتأييدهم لها.

أمضيت بعد ظهر ذلك اليوم ومسائه في زيارات استطلاعية لبعض رؤساء الوفود. فزرت الملك سعود في مقر السفارة السعودية وتعرفت عليه لأول مرة وامتدّ اجتماعي به على انفراد لفترة من الوقت. وتباحثنا في أسلم الطرق وأصوب الأهداف ورأينا أن مصلحة العرب عموماً ومصلحة مصر بنوع خاص تدعونا إلى النهج على سياسة هي مزيج من الشدة والحكمة دون القطيعة التامة، وذلك بأن نطالب بإلزام المعتدين بتعويض مصر عمّا أصابها من أضرار، كما نطالب بريطانيا وفرنسا بالاعتذار عن عدوانهما الأثيم ونحاول أن نصل منهما على العون المادي والمعنوي لمصر، وفي نفس الوقت نعمل على نسف الجسور بين دول الغرب وإسرائيل. ووجدت الملك سعود على درجة كبيرة من الذكاء السياسي وبُعد النظر والحكمة. وبداية من ذلك الاجتماع تكوّنت بينه وبيني صداقة متينة واحترام وتقدير متبادلين.

ثم زرت الرئيس شكري القوتلي في فندقه. وكنت على معرفة به، بل وصداقة منذ أيام منفاه في الإسكندرية في أوائل الخمسينات، فقد كنا نجتمع عند أديب السراقي - رجل الأعمال السوري وخال زوجتي - في داره بالإسكندرية، وكثيراً ما كنا نتباحث في أمور أمّتنا العربية ووسائل النهوض بها، إلاّ أنني وجدته عندما اجتمعت به في بيروت يتخذ مواقف جديدة يُشتَم منها ثقته المطلقة في الإتحاد السوفييتي وحسن نواياه نحو العالم العربي وضرورة التعاون معه تعاوناً صادقاً، لأن التعاون مع الإتحاد السوفييتي هو الوسيلة الوحيدة لإنقاذ الأمة العربية من قرون التخلف الكثيرة... وشدّد على أن مقاطعة الدول الغربية واجب وطني وضرورة حتمية مهما كانت التضحيات... ولما كانت زيارتي له زيارة مجاملة، واستئنافاً لعلاقة صداقة سابقة، فقد تحاشيت التعمق في الجدل السياسي تاركاً ذلك لإجتماع الغد.

ثم ذهبت إلى السفارة العراقية وزرت الملك فيصل الثاني، وتعرفت عليه وأعجبت بدماثة خُلقه وتواضعه الشديد ومشاعره العربية الاصيلة، وكان يتحلّى في بحث الأمور السياسية بروح وطنية قومية، وكان شاباً في العشرين من عمره محاطاً بمجموعة كبيرة من المعاونين المخضرمين المدنيين والعسكريين، لذلك حاولت أن أتجنّب التعمق معه في بحث المواضيع الحسّاسة لا لشيء إلاّ لأنني لا أطمئن لمعالجة الأمور الهامة أمام جمع لا أعرفه. لهذه الأسباب شعرت ببعض الحرج عندما فاجأني الملك بسؤال عن مؤامرة الملحق العسكري المصري وطلب مني أن أروي له تفاصيلها، وفوجئت بأنه على علم تام بأخبارها، فاضطررت كارهاً أن أروي له باختصار قصة تلك المؤامرة التي كنا قد اكتشفناها في طرابلس منذ أيام. وفي طريقي إلى فندقي بعد تلك المقابلة كانت تنتابني مخاوف من أن يتسرّب حديثي مع ملك العراق إلى البريطانيين عن طريق أحد الحضور.

ومع الأسف تحققت مخاوفي، فقد سُرّب حديثي مع حواش واضافات، ليس للبريطانيين فقط بل وللمصريين كذلك، (كما علمت في الاسابيع التي تلت).

في صباح اليوم التالي حضرت اجتماع القمة العربي الذي عُقد في القصر الجمهوري، وحضره جميع الملوك والرؤساء ما عدا الرئيس جمال عبد الناصر الذي لم يتمكن من الحضور لأسباب قاهرة أملتها عليه الأحداث الأخيرة، فأناب عنه اللواء عبد الحميد غالب، سفير مصر في بيروت، والعقيد محمود رياض سفير مصر في دمشق (الذي تولّى فيما بعد منصب وزير الخارجية ثم أمين عام جامعة الدول العربية)، لينوبا عنه في الاجتماعات.

أذكر أن الموضوع الرئيسي كان اقتراح قطع جميع العلاقات العربية مع كل من بريطانيا وفرنسا عقاباً لهما لاعتدائهما الغادر على مصر وتآمرهما مع إسرائيل

وأعطيت الكلمة للملك حسين ملك الأردن، فاستهل كلمته بهجوم مركز شديد على حكومة العراق وبنوع خاص على رئيسها نوري السعيد ناعتاً إياه بالخيانة وبأنه خطر على الأمة العربية وعلى العراق و... خطر عليك أنت يا جلالة ابن العم (موجهاً كلامه للملك

فيصل الثاني)... واستمر موجهاً كلامه للملك قائلاً:... ولقد حذرتك مراراً من خطره وأنا أحذرك اليوم أمام قادة الأمة العربية... ثم استمر الملك حسين في تأكيد مناصرته لمصر وللرئيس عبد الناصر بحماس شديد واصفاً إياه بأنه زعيم الأمة العربية الملهم، ودعا الحاضرين لنصرة مصر ورئيسها ولو استدعى ذلك التضحيات الجسام... وعاد مرة أخرى لهجومه على نوري السعيد. فما كان من الملك فيصل الثاني إلا أن قال كلاماً هادئاً لطيفاً كهذا الكلام: لقد سبق وتباحثنا في هذا الموضوع يا جلالة ابن العم ومصلحة الأمة العربية أن نفتح صفحة جديدة من التعاون العربي المثمر الصادق وننسى الماضي ونطويه، لا سيما أمام ظروفنا الراهنة والأحداث الجسام التي تهدد الأمة العربية.

ولقد أصبت بدهشة ممزوجة باستغراب شديد من صراحة وجرأة الملك حسين والتهم الخطيرة التي وجّهها إلى رئيس وزراء العراق – الذي لم يكن حاضراً في بيروت – واستغربت بل استهجنت أن يحدث هذا في أعلى اجتماع عربي. وأن تُترك تلك التهم الخطيرة معلقة دون رد يدحضها أو تحقيق يؤكدها أو يكذبها.

ثم استأنف الملك حسين كلامه فتحدث عن اقتراح مقاطعة بريطانيا وفرنسا من قبل الدول العربية، فأشار إلى العون المالي الكبير الذي تقدمه بريطانيا للأردن لتسديد عجز ميزانيته وتغطية تكاليف جيشه (الفيلق العربي). وختم كلامه بالتعبير عن استعداده لقطع جميع علاقاته مع بريطانيا وفرنسا بشرط أن تتعهد الدول العربية وتتكفل بتقديم مساعدة مالية معادلة لمساعدات بريطانيا، وأن يكون التعهد العربي هذا تعهداً طويل المدى.

أنتهى الملك حسين من حديثه فطلبت الكلمة وقلت: إننا في ليبيا قد تعودنا على مدى سنين بل قرون طويلة من شظف العيش والفقر والتقشف، ويمكننا أن نعيش سنوات أخرى في تقشف وفقر، لذلك فإننا، يا أصحاب الجلالة والفخامة، على استعداد لمقاطعة بريطانيا مقاطعة فورية مع ما يتبع هذا من فقدان المساعدات المالية الهامة التي نتلقاها منها والتي نعتمد عليها في تسيير أمورنا الحياتية وإصلاح ما خربته الحرب وتنمية موارد إقتصادنا الوطني. إننا على استعداد اليوم أن نقطع علاقاتنا مع بريطانيا

وفرنسا، إذا كان هذا الإجراء الشديد الباتر هو حقاً في صالح الأمة العربية على المدى الطويل. إننا على استعداد لقطع علاقاتنا مع المعتدين على الفور دون أن نشترط عليكم تعويضنا عمّا سنفقده من عون مالي بريطاني، ولكن شريطة أن يكون عملنا هذا في صالح الأمة العربية حقاً. وأضفت: ولعل في عرضي هذا ما يسمح لي أن أقترح عليكم أن نبحث أمورنا المصيرية بهدوء وبرود أعصاب وبعد تفكير عميق وحوار جاد وبنّاء. ولا شك أن ما تتمتعون به، يا أصحاب الجلالة والفخامة، من حكمة ووطنية وخبرة سياسية طويلة وبُعد نظر يدعوكم إلى تجنّب اتخاذ قرارات مصيرية وإجراءات سياسية خطيرة ونحن في حالة يسيطر علينا فيها غضب شديد من جراء العدوان الغادر على مصر وتحملنا موجة حماس عارمة لنصرة الشقيقة مصر في محنتها والإنتقام من المعتدين عليها، لذلك فإني أستسمحكم بأن اقترح أن نبحث أمورنا المصيرية بهدوء وحكمة وبعيداً عن مشاعر الغضب والاستنكار، وبذلك نصل إلى قرارات حكيمة ونتخذ إجراءات قوية متّزنة فيها نصرة مصر وإدانة المعتدين، وفيها مراعاة لصالح الأمة العربية على المدى الطويل وفي هذا الاتجاه فإنني أتساءل، أليس من الأفضل أن نتخذ من بريطانيا وفرنسا مواقف شديدة قوية دون الوصول إلى القطيعة التامة التي تخلي الساحة أمام إسرائيل لتربط وتكرس علاقاتها المتينة مع تلك الدولتين؟ لماذا لا نتجه إلى مطالبة بريطانيا وفرنسا بالإعتذار لمصر وتعويضها عن الاضرار التي أحدثها اعتداؤهما وندين ذلك العمل الهمجي، ولكن نمسك عن البتر النهائي لعلاقاتنا مع تلك الدولتين. لأن المقاطعة التامة تلحق بنا نحن العرب أضراراً أكبر بكثير مما تلحق ببريطانيا وفرنسا، والمقاطعة التامة كذلك تخلي الساحة أمام عدونا الحقيقي إسرائيل فتحصل من تلك الدولتين على العون المالي والسلاح المتطور الذي تستعمله ضدنا في اعتدائها المقبل على الأمة العربية.

ثم انتقلت إلى شرح ظروف ليبيا الخاصة مع الدولتين المعتديتين، فقلت: إننا استندنا على نصوص معاهدتنا مع بريطانيا فمنعناها من استعمال قواعدها وقواتها المرابطة في ليبيا في أي اعتداء على مصر، فقد منعنا الفرقة العاشرة المدرّعة من

اجتياح مصر من الصحراء الغربية المصرية، ورضخت بريطانيا لتمسكنا بنص وروح معاهدة التحالف معها التي تمنع قواتها المرابطة في ليبيا من الإشتراك في الاعتداء على أية دولة عربية، هذا من جهة، ومن جهة أخرى، فإن بريطانيا تقدم لنا ما يزيد عن أربعة ملايين جنيه استرليني سنوياً كإيجار لتلك القواعد ونحن الآن في سبيل التفاوض مع بريطانيا لإعادة النظر في معاهدتنا معها بغرض تحجيم القوات البريطانية المرابطة ووضعها تحت رقابة ليبية فعالة بحيث نطمئن لتحييدها في حالة حدوث أي نزاع بين بريطانيا وأية دولة عربية.

ونحن كذلك قد حصلنا من بريطانيا على تعهد بزيادة عدد وعدة الجيش الليبي وتغطية تكاليفه من الخزينة البريطانية، فضلاً عن أننا نطالب بريطانيا بزيادة قيمة الإيجار الذي تدفعه لنا... فهل تريدونا، ونحن في هذه المرحلة من التفاوض أن نقطع علاقاتنا مع بريطانيا؟ لا سيما وقد التزمت بروح ونص معاهدتها معنا، فلم تعتد على مصر من ليبيا؟

أكرر... إذا رأيتم يا أصحاب الجلالة والفخامة، فائدة عربية مؤكدة من جراء قطع علاقاتنا مع بريطانيا فنحن رهن إشارتكم.

أما عن علاقات ليبيا مع فرنسا فقد ذكرت لمجلس القمة: أن علاقاتنا مع فرنسا لا يمكن أن تصل إلى حضيض أسفل من الحضيض التي وصلت اليه لأننا تمسكنا بإجلاء قوات فرنسا عن جنوب ليبيا وهددناهم باللجوء إلى مجلس الأمن الدولي لو تباطأوا في الجلاء أو نقضوا إتفاقهم معنا، وذكرت كذلك أن العلاقات الليبية الفرنسية يشوبها شعور دفين من عدم الثقة والشك الشديد، ذلك لأن فرنسا تعرف جيداً أن ليبيا تمد الثورة الجزائرية بالعون والسلاح، ولكن فرنسا لم تتمكن من الحصول على دليل قاطع واحد يدين ليبيا أو يثبت أنها تقدم المساعدة للثورة ولذلك فإن فرنسا تحاول بكافة الطرق أن تجد أسباباً أو مبررات لابقاء قواتها في جنوب ليبيا لمراقبة التحركات على الحدود الجزائرية. ولو أننا قمنا بقطع علاقاتنا مع فرنسا اليوم فإننا نكون قدمنا لها المبرر اللازم لنقض إتفاقها معنا وبذلك تُبقي قواتها في جنوب ليبيا إلى ما شاء الله

علماً بأن تاريخ جلاء آخر جندي فرنسي عن التراب الليبي هو يوم ٣٠ من الشهر الجاري أي بعد اسبوعين من يومنا هذا. ومرة أخرى يا أصحاب الفخامة والجلالة نحن على استعداد لتنفيذ ما ترونه في صالح الأمة العربية.

وما أن فرغت من عرضي ذلك وإذ بأغلبية الأعضاء، الملوك والرؤساء، يبدون تقديرهم لموقف ليبيا وعطفهم على ما نواجهه من صعوبات قائلين أنهم لا يطلبون من ليبيا أن تتخذ أي إجراء ضد الدولتين.

بعد عصر ذلك اليوم ذهبت لتأدية زيارة مجاملة للملك حسين، حيث أنني لم أتمكن من زيارته يوم وصولي، وأمضيت معه ساعة كاملة في جناحه بفندق سان جورج وتطرّق بنا الحديث إلى ما دار في جلسة الصباح من مناقشات حول العدوان الثلاثي على مصر، وشعرت أن من واجبي أن أقدم النصح لهذا الملك الشاب الممتلئ حماسة ووطنية، خاصة وأن المؤامرة المصرية ضد ليبيا لم يكن قد مضى على اكتشافها إلا بضعة أيام فقط، وكنت لا زلت تحت تأثير صدمتها، والخشية من أن يكون هناك تخطيط لمؤامرات مماثلة ضد دول عربية أخرى، قد يكون الأردن من بينها.

ومهدت لكلامي بأن ما دفعني لما أنوي من مصارحة معه هو ما أشعر به من حب وإعجاب بشخصه، ومن تقدير وفهم للمشاكل التي يواجهها، وكذلك لأن الملك إدريس، الذي كان الملك حسين يخاطبه بلقب العم، يحمل له الودّ الخاص والتمنيات الطيبة الصادقة. ولذلك فإنني أرجو جلالته أن يتسع صدره لبعض النقد وبعض النصح. وكان رد الملك حسين مشجعاً وفي تواضع أخجلني.

قلت: لقد لاحظت في مواقف جلالته حماسة زائدة في تأييد الرئيس عبد الناصر، كما لاحظت عداءً شديداً في مواقف جلالته من حكومة العراق ورئيسها نوري السعيد، ممّا أوحى إلي أن جلالة الملك يطمئن اطمئناناً تاماً لمصر ورئيسها وينسّق ويتعاون معها ضد العراق وحكومته، وبينما لا أدّعي إطلاعاً على شؤون العراق أوسع من إطلاع جلالته، وكذلك لا تحدوني أية رغبة في الترافع عن حكومة بغداد والدفاع عنها فإن جلالته أدرى بنوايا العراق نحو الأردن، فمركزه العالي وصلته الوثيقة بالعائلة المالكة العراقية توفر

له فرص الاطّلاع الأوسع على تلك الأمور... ولكنني أود أن أنصحه بأن يكون تنسيقه مع النظام في مصر وثقته به وبرئيسه محل رقابة دائمة، إنني لا أنصح جلالته بنفض يده من التعاون مع مصر أو إلى عدم الثقة بها، ولكنني أنصحه بأن يدقق ويحذّر ويراقب فقد يكون الخطر عليه وعلى الأردن من النظام المصري الحالي، والمثل العربي يقول: ويؤتي الحذر من مأمنه. ثم أضفت: إنني لا أتمنى أن يحدث له ما حدث لنا مع إخواننا المصريين، فقد ساعدناهم بأقصى ما يمكننا وعرّضنا استقرار وإستقلال وطننا للضياع في سبيل نصرتهم، فماذا كان جزاؤنا من الشقيقة الكبيرة؟ اكتشفنا ونحن في وسط معمعة نصرتها، مؤامرة كبرى يدبّرها ويقوم بتنفيذها الملحق العسكري المصري، مؤامرة لو تمت، لا قدّر الله، لنسفت أهم مراكز الحكومة الليبية ومساكن قادتها بل وكثيراً من المرافق العامة الأساسية لمدينة طرابلس. وكان الملك حسين يستمع لحديثي بتعجّب ودهشة ثم تساءل: هل كان عمل الملحق العسكري بعلم الرئيس جمال عبد الناصر؟ قلت: إن لم يكن بعلم الرئيس جمال عبد الناصر فلا شكّ أن الملحق العسكري المصري قد حصل على موافقة سلطات عليا في بلاده، ربما المشير عامر مثلاً، وربما لم يصل علم هذه المؤامرة إلى الرئيس عبد الناصر نفسه، ولكن لا يعقل أن يقوم الملحق العسكري المصري بمؤامرة كبرى مثل التي وصفتها دون غطاء من سلطات بلاده العليا.

وحاول الملك أن يلتمس الأعذار للنظام المصري مؤكداً أنه لا يمكنه الظن بأن الرئيس عبد الناصر يسمح بمثل هذا العبث الخطير في الظروف المصيرية التي تعيشها الأمة العربية. ثم استطرد شارحاً الصعوبات والأخطار التي تحدق بمصر من جرّاء العدوان الغادر عليها وأن واجب العرب جميعاً أن يلتفوا حولها ويساندوها بكل إمكاناتهم، وأبدى أمله ألا تؤثر مؤامرة الملحق العسكري المصري في موقف ليبيا نحوها.

أجبت بإنني لا أدعو لأي اتجاه يخالف ما تفضل به جلالته، فإلتزامنا بنصرة مصر أساسي ومبدئي وسنسير فيه إلى آخر مدى، إلاّ أنني رأيت من واجبي أن أحذره حتى لا يحدث له ما حدث عندنا. وكررت للملك مشاعر التقدير والود الذي نحمله في ليبيا ملكاً وحكومة وشعباً للاردن الشقيق ولجلالته بنوع خاص. وخرجت من اجتماعي مع الملك

ينتابني شعور قوي هو مزيج من الإعجاب بشجاعته وذكائه، مع خوف شديد عليه من حماسته واندفاعه، ولو أن تحذيري له من المؤامرات المصرية ربما قد جعله يكبح من جماح حماسته تجاه النظام المصري، إلاّ أنه مع الأسف حدث له ما كنت قد حذرته منه بعد أقل من عام من إجتماعي به، حيث تمّ اكتشاف مؤامرة مصرية لقلب نظام الحكم واغتيال الملك، وما نجّاه من تلك المؤامرة إلاّ عناية الله جلّت قدرته.

صباح اليوم التالي استأنف مجلس القمة إجتماعه وكان الموضوع الرئيسي هو ما يمكن أن تقدمه الدول العربية من عون مادي وسياسي للشقيقة مصر. وأذكر فيما أذكر، أنني اقترحت عندما تركزت المناقشة على وسائل نصرة الشقيقة مصر سياسياً، أن يوجه مجلس القمة العربي رسالة شكر وتقدير للرئيس الأمريكي الجنرال أيزنهاور تقديراً لموقفه الشجاع عندما وقف يؤيد مبادئ ميثاق الامم المتحدة، ويصرّ على ضرورة وقف العدوان الثلاثي وانسحاب القوات الغازية من منطقة القناة، ويدين العدوان بقوة وإصرار يرغم حليفتيه، بريطانيا وفرنسا، على التراجع السريع. وشرحت أنني أهدف باقتراحي هذا إلى إقامة جسر قوي من التفاهم بين الدول العربية وواشنطن، وننتهز فرصة وجود رئيس أمريكي نزيه، شجاع، قليل التأثر بالضغوط الصهيونية ونبني معه صداقة وتفاهم بين بلادنا وبلاده، لا سيما بعد أن ظهرت إسرائيل أمام العالم بوجه الاعتداء والغدر.

وما أن انتهيت من عرض اقتراحي وإذ بي أواجه معارضة شديدة من الرئيس شكري القوتلي الذي أعطاني، بصوته الجهوري، محاضرة طويلة ملخّصها أن الذي يستحق الشكر والتقدير والثناء إنما هو المارشال بولجانين رئيس الإتحاد السوفييتي.

وأسهب الرئيس القوتلي، في وصف مشاعر العطف على القضايا العربية التي لمسها من القادة السوفييت ومساندتهم الصادقة لمصر ورغبتهم الأكيدة في دعم الجهود العربية في وجه عدوهم الإسرائيلي. وأشار إلى تهديد المارشال بولجانين بنسف بريطانيا وفرنسا بالصواريخ إذا لم توقفا عدوانهما على مصر، وختم عرضه بأن اقترح أن يوجه مجلس القمة العربية شكره وتقديره لرئيس الإتحاد السوفييتي، وليس للرئيس الأمريكي.

وطلبت الكلمة وقلت، بعبارات اخترتها بحذر، إنني لا أجادل ولا أشكك فيما عرضه فخامة الرئيس القوتلي عما لقيه من القادة الروس، وهذه أمور تسرّنا جميعاً. غير أنني أودّ أن ألفت نظر أصحاب الجلالة والفخامة إلى الفرق العظيم بين موقف موسكو وموقف واشنطن، فبينما تؤيدنا موسكو – بتهديد أعداءنا بالصواريخ – كما ذكر فخامة الرئيس القوتلي – إلا أنها تؤيدنا ضد أعدائها التقليديين. وفي ذهني شكوك كثيرة في جدّية التهديد ومدى تأثر بريطانيا وفرنسا به. اما واشنطن، وبالذات الرئيس أيزنهاور، فقد ضغط بالفعل وقطع المدد المالي والبترولي عن حلفائه، بريطانيا وفرنسا، وهدّدهما وأرغمهما على إيقاف العدوان والانسحاب الفوري، فهل يستوي عند فخامة الرئيس القوتلي من يؤيدنا ضد أعدائه التقليديين مع من يؤيدنا ضد حلفائه التقليديين؟ ألا نوزن ونعير كل عمل سياسي بالنوايا المحيطة به والمسببة له؟

رد الرئيس القوتلي (دون تفكير): لا تهمنا النوايا... المهم عندنا العمل... لقد هدّد بولجانين باستعمال الصواريخ فأوقف تهديده العدوان الثلاثي.

قلت يا فخامة الرئيس: إنما الأعمال بالنيات وأهم عنصر في تقدير أي عمل هو النية الدافعة له. وهنا وجدت نفسي أدخل في جدل مع رجل أحترمه وأقدره وشعرت بأن شكري بك لا يزال تحت تأثير المعاملة الممتازة التي لقيها من الروس وأن لا فائدة في الجدال معه ولم يتدخل أحد من القادة العرب لدعم اقتراحي فاضطررت لسحبه.

واليوم بعد نصف قرن من هذا الحوار أشعر بالأسف والأسى أن بعض قادة العرب منذ تلك الأيام وإلى يومنا هذا، قد ساهموا بقصر نظرهم واستخفافهم بعدوّهم، في ترك الساحة خالية أمامه فعاث فيها فساداً، واستغلّ جهل الأمريكان بقضايا المنطقة وسذاجتهم السياسية ونجح في تكريس نفوذه، بل سيطرته على القرار الأمريكي بحيث أصبح النزاع العربي الإسرائيلي هو في الواقع نزاع عربي ضد حلف أمريكي-إسرائيلي.

إنني لا أعني بكلامي هذا أن ما ذكرت هو السبب الوحيد الذي أدّى إلى سيطرة إسرائيل على مراكز القرار الأمريكي سواء في البيت الابيض أو في الكونجرس أو الإعلام، ولكنه لا شكّ عندي أنه أحد الأسباب الرئيسة التي أوصلتنا إلى الوضع الأليم

الذي يعاني منه العالم أجمع، أعني وضع سيطرة إسرائيل على أكبر وأقوى دولة في العالم. وليسمح لي القارئ أن أستطرد في هذا المجال فأروي القصة الآتية:

في شهر يونيو ١٩٨٤ كنت أزور صديقي القديم الرئيس السابق ريتشارد نيكسون في مكتبه بنيويورك، وبعد حديث عن ذكريات الماضي خصوصاً زيارته لطرابلس في ربيع ١٩٥٧ انتهزت الفرصة وقلت: يراودني سؤال صريح أود أن أسمع منك ردّك عليه وتبريرك له. قال: سأجيبك بالصراحة التي تعودنا عليها. قلت: إنني أعرف أنك في إعادة انتخابك لرئاسة الجمهورية عام ١٩٧٣ لم تكن مديناً لليهود بأي عون أو تأييد. قال: بل بالعكس لقد بذلوا جهداً كبيراً لإسقاطي. قلت: إذن فإن سؤالي يزداد حيرة... هل لك أن تفسّر لي لماذا، وأنت لم تكن مديناً لهم بأي شيء، لماذا ساعدت إسرائيل وأنقذت جيوشها وزوّدتها بأحدث الدبابات التي نقلتموها لها جوّاً وأوصلتموها لها إلى جبهة القتال أثناء حرب اكتوبر ١٩٧٣؟ نظر إلي الرئيس نيكسون نظرة استغراب من سؤالي، وقال: يا صديقي كنت أظنّك أكثر اطّلاعاً على مجريات الأمور في بلادنا، دعني أصارحك بأن من يجلس في المكتب البيضاوي لا بدّ له من مساعدة إسرائيل سواء كان مديناً لها بشيء أو لم يكن مديناً لها بأي شيء، أتعرف خلية النحل وما يحيطها من طنين النحل ولسعاته؟ إن المؤسسات الإسرائيلية وعملاء إسرائيل والجمعيات اليهودية، والأروقة (Lobbies) اليهودية، كل هذه المؤسسات الجهنمية تحيط بمن يتولى رئاسة الجمهورية في واشنطن منذ يومه الأول إحاطة النحل بخليته، ولا بد له (أي الرئيس)، خشية لسعتها وطنينها، من أن يتجاوب معها حتى لو كان يكره إسرائيل، كما هي حالي أنا. هذا هو وضعنا في أمريكا يا عزيزي أصارحك به حتى تكون على بيّنة.

وأعترف بأنني أصبت بخيبة أمل قوية عندما سمعت هذا الكلام من الرئيس الذي اعتبرته دائماً أكثر رؤساء أمريكا اطّلاعاً على الشؤون الدولية.

أنهى مؤتمر القمة أعماله، وأصدر عدة قرارات تأييداً لمصر في مواجهة ما تتعرض له من هجمة استعمارية ضارية، ووافقت ليبيا على كل تلك القرارات وأيدتها بشدة بدون

أدنى تحفظ، وبدون أدنى تأثر بمؤامرات النظام المصري ضد أمن ليبيا واستقرارها.

ولنرجع إلى اواخر عام ١٩٥٦ وإلى مدينة طرابلس لنستأنف كلامنا عن تلك الأيام الحافلة بالأحداث السياسية الخطيرة.

رجعت إلى طرابلس وبدأت مع زملائي في مجلس الوزراء سلسلة طويلة من الإجتماعات لإعادة النظر في السياسة الليبية على ضوء التطورات الأخيرة في عالمنا العربي. فبدأنا أولاً ببحث المعطيات الجديدة في علاقاتنا العربية عموماً وعلاقاتنا مع مصر بنوع خاص، ثم حددنا معالم علاقاتنا مع الدول الأجنبية وخاصة بريطانيا.

تدهور العلاقات السياسية بين ليبيا ومصر

لقد كانت علاقات ليبيا مع مصر هي إحدى الركائز الرئيسة في سياستنا الخارجية، فقد كانت العلاقات الأخوية مع الرئيس جمال عبد الناصر والتنسيق مع مصر في تعاملنا مع الغرب، أعطى ليبيا ثقلاً سياسياً بالغ الأهمية. ثم حدث ما شرحته من اكتشافنا لمؤامرة الملحق العسكري المصري التي هزّت أسس علاقتنا مع مصر هزاً عنيفاً وشرخت جدار الثقة بين البلدين. وزاد من فداحة الأزمة أن أخبارها انتشرت انتشار النار في الهشيم، لا سيما بعد ما وزع الملحق العسكري المصري منشورات تهاجم الحكومة الليبية وتكيل لها الشتائم، فكانت حماقته الأخيرة في إذاعة فضيحته بمثابة القشة التي قصمت ظهر البعير. إذ لم يعد في استطاعتنا، برغم جهودنا الصادقة، كتمان أخبار المؤامرة والسعي لتسوية آثارها في السر والكتمان. لقد علمت الدوائر البريطانية والأمريكية بتفاصيل تدهور علاقتنا مع مصر فلم يعد في الاستطاعة التظاهر أمامهم بأي شكل على أن الأمور لا زالت على ما يرام في العلاقات. وأهم من مظهر علاقتنا مع مصر في نظر الدول الغربية، فإن جوهر تلك العلاقات قد أصيب في الصميم، فلم تعد لدينا ثقة كبيرة في نوايا النظام المصري نحو ليبيا، فحلّ الشك محل الثقة والاطمئنان، وخيّم النفور محل التقارب والتعاون خاصة بعد أن تأكد لدينا تبنّي النظام المصري لسياسة تصدير الثورة إلى الدول العربية (الرجعية كما كان يدعوها عبد الناصر)، وإسقاط

أنظمة الحكم الملكية القائمة فيها، وإقامة أنظمة حكم جمهورية تابعة، أو موالية – على الاقل – للسياسة المصرية. واضطررنا لاتباع طرق جديدة والنهج على سياسات متعددة لتخفيف، وتنويع اعتمادنا على مصر في كثير من المجالات، وسعينا إلى ربط وتقوية صداقات عربية وتعاون مع دول عربية كثيرة للاستعاضة عن التعاون والتنسيق الليبي–المصري الذي انتهى دوره مع نهاية عام ١٩٥٦.

وتقوية لعلاقاتنا مع المملكة العربية السعودية دعونا الملك سعود لزيارة ليبيا زيارة رسمية وتحادثنا معه، أعني الملك إدريس وصاحب هذه المذكرات، في قضايا الساعة العربية وفي العلاقات الثنائية.

وربطت تلك الزيارة الملكية أواصر الصداقة بين البلدين، وأعطت السياسة الليبية–العربية ركيزة هامة في المشرق العربي.

كذلك قمت بزيارة رسمية لتونس زار بعدها الحبيب بورقيبة ليبيا في مارس ١٩٥٧. وكانت زيارته رسمية وشعبية تم فيها التنسيق والتفاهم بين بلدينا، وأعطت السياسة الليبية ركيزة عربية هامة في المغرب العربي.

ولبّى رئيس الوزراء التركي عدنان مندريس دعوتي لزيارة ليبيا في اوائل ١٩٥٧ وتباحثنا وتفاهمنا في أمور كثيرة تهمّ بلدينا، وحصلت منه على عون مادي كبير من السلاح والعتاد للثورة الجزائرية، وقد أشرت إلى ذلك في الجزء الخاص بثورة الجزائر.

وزارنا كذلك في اوائل ١٩٥٧ نائب رئيس وزراء إيران السيد انتظام، وكان له فضل تشجيعي على محاولة الإتفاق البترولي مع شركة أجيب الإيطالية. وطبعاً جرى بيننا بحث وتفاهم واسعين، وكان يحمل رسالة من شاه إيران إلى الملك إدريس.

وقمنا بالعديد من مساعي التقارب والتفاهم مع دول عربية وإسلامية أخرى. كان الهدف الحقيقي من تلك الجهود هو تعويض ليبيا عن فقدان دعامة التعاون والتنسيق الليبي–المصري كي لا تبقى ليبيا معزولة، أمام الغرب، عن العالمين العربي والإسلامي.

غير أنني أعترف اليوم أنه ربما كان بالإمكان معالجة أزمة تدهور الثقة مع مصر بطريقة أكثر حكمة واعتدالاً من الطريقة التي عالجتها بها لا سيما وأن السفير المصري

الفريق أحمد حسن الفقي بذل جهوداً صادقة في محاولات كثيرة ليجمعني مع الرئيس عبد الناصر في جلسة مصارحة وغسل قلوب وكنت أقابل تلك المحاولات بسلبية وتسويف، ربما عذري لأنني شعرت بألم شديد وبإحباط عظيم عندما اكتشفت أن الذي كنت أحاول إنقاذه من خطر أكيد كان يحاول أن يطعنني طعنة نجلاء في ظهري، خاصة وأن النظام المصري لم يقدّم أي بادرة حقيقية تدل على حسن النية وتقنع الحكومة الليبية بأن هناك رغبة صادقة في تجاوز آثار أزمة المؤامرة، كأن يحيل الملحق العسكري للتحقيق، أو أن يتم إيقافه عن عمله وتقديمه إلى المحاكمة، أو أي إجراء عملي تشعر معه الحكومة الليبية بأن النظام المصري نادم على فعلته.

وكذلك فإن النظام المصري لم ينصف ليبيا في موقفها تجاه العدوان الثلاثي على مصر، بل – على العكس من ذلك – بدأ بحملة من التشكيك الظالم في الموقف الليبي.

تدهور العلاقات الليبية البريطانية

أعود بذاكرة القارئ إلى ما شرحت في الأجزاء السابقة عن محادثاتي الرسمية مع الحكومة البريطانية أثناء زيارتي الرسمية إلى لندن في يونيو ١٩٥٦. فقد توصلنا إلى إتفاق مع الحكومة البريطانية يتلخص في أنه تمشياً مع رغبتنا في جعل معاهدة التحالف والصداقة بين ليبيا وبريطانيا معاهدة تحالف حقيقي، وسعياً إلى تطوير وتنمية العنصر الليبي في ذلك التحالف فقد توصلنا إلى الإتفاق على النقاط التالية:

١. قبلت الحكومة البريطانية بأن تتكفّل بأعباء زيادة الجيش الليبي إلى خمسة آلاف مقاتل كمرحلة أولى على أن يتولى خبراء الدولتين بحث هدف ليبيا في ان يصل عدد الجيش الليبي إلى عشرين ألف في المرحلة الثانية. كما تتكفّل بريطانيا بتقديم العتاد والسلاح الحديث للجيش الليبي على نفقتها.
٢. إنشاء نواة أسطول بحري ليبي وتتولى بريطانيا تزويدنا بالقطع البحرية الحديثة كما تتولى تدريب سلاح البحرية.

٣. تركنا موضوع نواة سلاح الطيران الليبي مؤقتاً إلى أن نتفق مع أمريكا على أن تتحمل هي أعباءه.

٤. زيادة العون المالي البريطاني للخزانة الليبية بمقدار مليون جنيه استرليني في العام وقبول مبدأ تزايد العون المالي تمهيداً لمفاوضات الخمس سنوات المقبلة التي تبدأ عام ١٩٥٨.

٥. تم الإتفاق مبدئياً على أن تنمية الإقتصاد الليبي تحتاج إلى أموال أكثر مما هو متوفر من العون الغربي، والإتفاق على تنسيق العمل بين الحكومة الليبية والحكومة البريطانية إما لإقناع واشنطن بزيادة مساعداتها للتنمية الإقتصادية أو زيادة مساهمة بريطانيا لتلك الاغراض مباشرة، وفي حالة اكتفاء ليبيا بما تحصل عليه من عون غربي فإنها ستصرف النظر عن السعي وراء العون المالي من المعسكر الشرقي.

وهذه هي النواحي المادية التي حصلنا عليها من تلك المحادثات إلاّ أنني لا أستطيع أن أقول أن علاقاتنا مع لندن أرسيت على أسس من الثقة التامة، فقد ظل بعض الشك وبعض الحذر ينتاب العلاقات بين البلدين، ولعله من المناسب أن انقل هنا للقراء الوثيقة التي تلخص محادثات أجراها وزير الخارجية البريطاني سلوين لويد مع وزير الخارجية الأمريكي دالاس بخصوص ليبيا والتي يظهر منها بجلاء مدى التململ وعدم الثقة السائدة آنذاك بين ليبيا والغرب.

قال وزير الخارجية (البريطاني): لقد وافقنا، ليس فقط على زيادة دعم الميزانية الليبية فحسب والاستمرار في تقديم مساعداتنا الأخرى بل لقد وافقنا على تمويل زيادة الجيش الليبي إلى ما يقرب من خمسة آلاف. ولكن ليس في إمكاننا أن نقوم بكل شيء بمفردنا. إن الليبيين يطالبون الآن بإنشاء سلاح طيران وسلاح بحري، ثم أن الولايات المتحدة تقدم مساهمة كبيرة للإقتصاد

الليبي، ولذلك فإن وزير الخارجية (البريطاني) يتساءل هل يمكن أن تتحمل الولايات المتحدة عبء ومسؤولية إنشاء سلاح الطيران الليبي؟

رد المستر دالاس (وزير الخارجية الأمريكي): أن خبراء الولايات لا يحبّذون كثيراً فكرة تأسيس سلاح طيران ليبي، فمن الضروري ألا يتمكّنوا الليبيين من الطيران فوق قاعدة ويلس الاستراتيجية النووية.

فردّ وزير الخارجية البريطاني أنه يظن أن الليبيين لا يريدون إلا الحصول على بعض الطائرات ربما للتدريب.

رد مستر دالاس أن الولايات المتحدة قد تقبل البداية بهذه الطريقة ولكنه يخشى أن تزداد شهيّتهم ومهما كان من أمر فقد وافق أن يبحث موضوع مساعدة الولايات المتحدة لإنشاء سلاح طيران ليبي.

ثم قال وزير الخارجية البريطاني: لا بد لنا أن نقرر إلى أي مدى نحتاج لليبيا؟ وما هو مقدار العون المالي الذي نستطيع تقديمه؟ ثم سأل دالاس: ولكن أين يقف بن حليم؟ فأجابه: إن بن حليم من الضخامة بحيث أنه يستطيع أن يقف في الجانبين في وقت واحد.[٩٣]

هذا المحضر لما جرى بين وزيري خارجية بريطانيا وأمريكا يظهر بجلاء ويلخّص في كلمات شعور عدم الثقة الذي بدأ يسيطر على علاقات ليبيا مع الغرب حتى قبل وقوع الاعتداء الثلاثي على مصر. أما بعد وقوع العدوان وإصرار ليبيا على تجميد القوات البريطانية المرابطة فوق ترابها فإن هذا الشعور انقلب لدى بريطانيا إلى غيظ ورغبة أكيدة في الانسحاب من ليبيا ومحاولة التخلص من أعبائها ومحاولاتها للابتزاز. كما يتضح من الوثيقة المؤرخة ٧ و٨ و٩ ديسمبر ١٩٥٦، وإنني أستدل ببعض فقراتها الهامة هنا وقد نشرت النص الكامل لصورة من النص الإنجليزي بالوثائق الملحقة.

ورد في الفقرة الثالثة من الوثيقة ما يأتي (والكلام لمدير عام قسم أفريقيا والشرق

---

(٩٣) راجع الملحق رقم ٦٧

الأوسط بوزارة الخارجية البريطانية):

لما كانت الاعتبارات المالية في غاية الأهمية فإنه يمكننا «بقرصة» واحدة بتر تسهيلاتنا في ليبيا بتراً صارماً وذلك بتوفير تكاليف الحفاظ على قواتنا في ليبيا وتوفير جزء كبير من الدعم الذي ندفعه، ولكن هذه التوفيرات يمكننا إجراءها بعد عام ١٩٥٨، ذلك لأن تعهداتنا لليبيا تستمر إلى عام ١٩٥٨، وكذلك لكي يكون لدينا الوقت اللازم لإعادة نشر وتوزيع قواتنا (خارج ليبيا).

وورد في الفقرة الخامسة من نفس الرسالة:

وفي هذه الظروف الصعبة يطالبنا بن حليم بما أسماه إعادة النظر في معاهدة التحالف ومطالبه تتلخص في النقاط الثلاث الآتية:

- أن نتعهد بأننا لن نستعمل قواتنا المرابطة في ليبيا ضد أي بلد عربي وكذلك لا نستعمل قواتنا بأي طريقة تخالف مبادئ ميثاق الامم المتحدة.
- أن ننقل معسكرات القوات البريطانية بعيداً عن المدن الليبية.
- أن نتعهد بتغطية تكاليف زيادة الجيش الليبي عدداً وعِتاداً، وفي نفس الوقت وبنفس مقدار زيادة الجيش الليبي نقلل ونحجّم عدد القوات البريطانية المرابطة في ليبيا – بل لقد بلغنا أن بن حليم يفكر جدياً في استبدال البعثة العسكرية البريطانية (التي تقوم بتدريب الجيش الليبي) ببعثة عسكرية عراقية.

ويبدو لي أنه من غير المعقول في الظروف التي شرحتها أن نوافق بن حليم على طلبه بخصوص تحمل (الخزانة البريطانية) تكاليف توسيع الجيش الليبي عدداً وعتاداً كما أنصح بأن نتمسّك باحتفاظنا بحق استعمال قواتنا التي قد

نبقيها في ليبيا – ضد أي بلد عربي يعمل ضدنا بالتعاون مع روسيا.

وأخيراً يعلق وكيل الخارجية البريطانية الدائم على المذكرة بالآتي:

إنني أعتقد أن المذكرة بعاليه هي على صواب عندما اقتُرحت تخفيض قواتنا البرية في ليبيا تخفيضاً صارماً بل ربما من الافضل أن نسحب قواتنا جميعها من ليبيا في المستقبل القريب.

واذا كان من الضروري الاحتفاظ بقوة صغيرة لردع المصريين وحماية الملك فربما وجدنا بعض المبرّرات لذلك ولكنني أرى أن قواتنا البرية في ليبيا لا تعطي حلف بغداد أية مساندة على الإطلاق وكما أرى الأمور الآن فإنني أميل إلى اتخاذ قرار سحب جميع قواتنا من ليبيا.(٩٤)

ولعلّ ما ورد في البرقية رقم ٥٩٠ المؤرخة ٢٦ نوفمبر ١٩٥٦ الموجهة من الوكيل الدائم لوزارة الخارجية البريطانية إلى السفير البريطاني بطرابلس ما يوضح للقارئ مستوى التردّي الذي انحدرت إليه علاقاتي مع حكومة لندن، تقول البرقية:

رداً على برقيتكم رقم ٤٨٢ الخاصة بطلب إعادة النظر في معاهدة التحالف الأنجلو-ليبية.

في الوقت الذي نشعر فيه أن هذا الطلب قد سببته الحالة الداخلية التي يواجهها بن حليم فإنه يجعلنا نستعجل إعادة تقييم تسهيلاتنا في ليبيا، أي قواعدنا البرية والجوية، وبحث مستقبلها. وكذلك يجعلنا نبحث إلى أي مدى سنضطر للوقوع تحت رحمة الابتزاز مما يجعلنا نتخلّى عن تسهيلاتنا هناك. إن هذا الموضوع يستدعي بحثاً متروياً.

---

(٩٤) راجع الملحق رقم ٦٨

أرجو أن تزوّدني بآرائك (بالحقيبة الدبلوماسية القادمة) ويهمني أن أعلم منك بنوع خاص إلى أي مدى تظن أن هذه المناورة الأخيرة هي مثال آخر على طبع بن حليم الانتهازي وإلى أي مدى تظن أن (مؤتمر القمة العربية) في بيروت قد شجعه على هذه المناورة الجديدة. كما أود أن تبيّن لي ما تظنه عن أن بن حليم قد تأثر في مناورته الأخيرة بمثال الأردن؟

سأحدد لكم في برقيتي القادمة الخطوط الرئيسة لردّنا الذي تقدموه لبن حليم.(٩٥)

تحديد ملامح سياستنا الجديدة مع بريطانيا

ولو أنني لم أكن على علم بما كان يدور في أروقة الحكومة البريطانية في نوفمبر ١٩٥٦ إلاّ أنني كنت أشعر بأن سُحباً كثيفة من الشك وعدم الثقة كانت تنتاب ممثلي الحكومة البريطانية، فقد اكتشفوا فجأة أن قواتهم التي جهزوها على التراب الليبي لغزو مصر قد شُلَّت حركتها تماماً وأصبحت عديمة الفائدة في مخططات هيئة أركان الحرب، وفي نفس الوقت تطالبهم الحكومة الليبية بطلبات باهظة التكاليف وتحاول فرض قيود جديدة والحصول على تعهدات صارمة... في هذا الجو وبعد رجوعي من مؤتمر القمة العربي في بيروت عقدنا، زملائي وأنا، سلسلة طويلة من اجتماعات مجلس الوزراء تدارسنا فيها الموقف وحددنا الخطوط الرئيسية لمعالم علاقتنا الجديدة مع بريطانيا وألخصها فيما يلي:

١. مطالبة الحكومة البريطانية بإعطائنا تعهداً صريحاً علنياً بأنها لن تستخدم قواتها المرابطة في ليبيا ضد أي بلد عربي بأية طريقة وفي أية ظروف، وكذلك بأن لا تستعملها بأية طريقة تخالف مبادئ ميثاق الامم المتحدة. وأن يكون هذا التعهد الصريح بنداً جديداً يضاف إلى بنود

---

(٩٥) راجع الملحق رقم ٦٩

معاهدة التحالف الليبية–البريطانية.

٢. أن يسمح للجيش الليبي بالرقابة التامة على القوات البريطانية المرابطة في ليبيا للتأكد من تطبيق ما ورد في البند رقم (١) في حالة حدوث أي نزاع بين بريطانيا وأية دولة عربية.

٣. أن يتزامن ويتناسق برنامج زيادة الجيش الليبي مع برنامج تناقص عدد القوات البريطانية المسموح لها بالمرابطة في ليبيا.

٤. أن ينفذ إتفاقنا معهم (لندن يونيو ١٩٥٦) الخاص بتطوير الجيش الليبي وزيادة عدده وعتاده.

٥. أن يزداد مقدار العون المالي للخزينة الليبية بما يتناسب مع ازدياد التزامات الحكومة الليبية فيما تقدمه من الخدمات الاجتماعية والتعليمية وما يتطلبه سد العجز في خطة التنمية للسنوات الخمس القادمة.

وفي اجتماعات مجلس الوزراء ظهر اتجاه جديد بأن يتضمن خطاب العرش (الذي كنا بصدد إعداده) نصاً صريحاً بما ورد في البند (١) أعلاه وتلميحاً مقتضباً لبعض البنود الأخرى الخاصة بقرارات مجلس الوزراء. وبالفعل تضمن خطاب العرض الذي ألقيته يوم ٢٦ نوفمبر ١٩٥٦ الفقرات التالية: (أنقلها من مضبطة مجلس النواب)

ويسر حكومتي أن تعلن أنها تسعى للدخول في مفاوضات عاجلة لإعادة النظر في إلتزامات ليبيا الناتجة عن معاهدة التحالف مع بريطانيا على ضوء التطورات الأخيرة في الشرق الأوسط (تصفيق)، وإزاء تلك التطورات وما نتج عنها من الظروف التي يجتازها العالم العربي في هذه الآونة فإن حكومتي قد أبدت استنكارها الشديد للعدوان الذي تعرّضت له مصر الشقيقة وتؤكد أنها لا تدّخر وسعاً لتأييد أي دولة عربية في نضالها من أجل حماية إستقلالها وصيانة كرامتها وقد اتخذت حكومتي من أجل ذلك إجراءات منفردة لحمل بريطانيا

على عدم استخدام القواعد الليبية ضد مصر كما ساهمت مساهمة ايجابية في الإجراءات الجماعية التي أقرها مؤتمر بيروت لملوك ورؤساء الدول الشقيقة ويسر حكومتي أن تعلن بأنها لعبت في هذا المؤتمر التاريخي دوراً بالغاً لبلورة السياسة العربية متضامنة مع الرأي العام العالمي على تشجيع الدول الحرة التي هبّت لردع العدوان وايقافه عن طريق الامم المتحدة.

وواضح أن هدف مجلس الوزراء من وجوب تضمين خطاب العرش ملامح سياستنا الجديدة تجاه بريطانيا أن توضع الحكومة البريطانية علناً أمام أمر واقع، هو أن الحكومة الليبية تتعهد أمام الشعب وممثليه بإعادة النظر في معاهدة التحالف.

ثم عقدتُ جلسة طويلة مع الملك وشرحت له السياسة الجديدة التي نرغب السير عليها مع بريطانيا ووجدت لديه تفهماً تاماً، ووافق على إدراج الفقرة الخاصة بذلك في خطاب العرش، وشجعني موصياً أن ألتزم جانب الحكمة والتروّي، لأنه يرى أننا أكثرنا من طلباتنا وقللنا من التسهيلات التي نعطيها، ولذلك لا بد من حكمة وصبر وأناة حتى نقنع الحكومة البريطانية بقبول وجهة نظرنا ووعدني بمؤازرته.

جرت التقاليد البرلمانية أن يحضر الملك إلى البرلمان يوم افتتاحه وفي معيّته رئيس الوزراء الذي يتولى قراءة خطاب العرش – وخطاب العرش هو عرض للسياسة التي تود الوزارة أن تسير عليها في العام البرلماني.

وعادة يُعد مجلس الوزراء خطاب العرش ويعرضه على الملك للموافقة عليه، وطوال المدة التي بقيتها في رئاسة الحكومة لم يعترض الملك إدريس أي اعتراض ذي بال على أي خطاب من خطب العرش التي ألقيت في عهدي، ويوم افتتاح الدورة السنوية للبرلمان وجرياً على التقاليد فقد وصلت إلى القصر الملكي مبكراً، ووجدتُ ناظر الخاصة الملكية البوصيري الشلحي ينتظرني عند المدخل فأخذني لغرفته وأسر إلي ان سفيرنا بلندن محمود المنتصر (الذي كنت قد استدعيته من لندن لأشرح له سياستنا الجديدة وأكلفه بالمحادثات التمهيدية مع بريطانيا) زار الملك مساء يوم أمس وبقى معه فترة طويلة،

ونصح الملك بألا يوافق الوزارة على إعادة النظر في معاهدة التحالف مع بريطانيا على الأقل في هذه الظروف، وأن يطلب من رئيس الحكومة تجنب ذكر أي شيء في خطاب العرش فيما يخص إعادة النظر في معاهدة التحالف. وأعترف أنني لم أصدق أن يقوم محمود المنتصر بمثل ذلك المسعى، وظننت أن البوصيري الذي يكره المنتصر ربما بالغ في ظنه، وعلى أية حال فإن حديث البوصيري جعلني أكثر استعداداً للرد على أي تساؤل وجعل ردي قوياً مقنعاً.

استدعاني الملك إلى غرفته وطلب مني تلاوة الفقرة التي تبين رغبة الحكومة الليبية في إعادة النظر في معاهدة التحالف مع بريطانيا، وبعد أن تلوتها قال الملك: من المستحسن أن تلغي هذه الفقرة من الخطاب. وكان ردي جاهزاً فقلت: لقد طُبع الخطاب. قال: إذن تجلبها، أي لا تتلوها. قلت: هذا غير ممكن لأسباب عديدة أهمها سبب علمي أن خطاب العرش قد تُرجم إلى اللغة الإنجليزية وهو في هذه اللحظة يوزع على السفراء الأجانب وبعض كبار الزوار والأجانب لكي يتتبعوا الخطاب عندما أتلوه، ولذلك فإن الإستجابة لأمر مولاي مستحيلة، فضلاً عن أي تعديل جوهري في خطاب العرش دون الرجوع إلى مجلس الوزراء يعتبر سابقة سيئة، وأني على يقين أن مولانا لا يوافق عليها.

تململ الملك وقال: أخشى أننا تسرعنا. قلت: بالعكس لقد اجتمعت مع السفير البريطاني منذ أيام وحملته رسالة لوزير الخارجية البريطانية وجاءني في الرد بأن الحكومة البريطانية أبدت استعداداً من حيث المبدأ للدخول في مفاوضات معنا في جو من الود والتعاون.

وألقيت خطاب العرش كما وضعه مجلس الوزراء بدون أي تعديل، وبعد أيام قليلة بدأت إجراءات المفاوضات مع بريطانيا.

وكان علي أن أحصل على تعاون سفيرنا في لندن محمود المنتصر نظراً لعلاقاته القوية مع كبار رجال الحكومة البريطانية لا سيما وهو الذي عقد معاهدة التحالف معهم عندما كان رئيساً للوزراء عام ١٩٥٣... إلا أنني كنت أشعر أنه قليل الحماس لإعادة

النظر في معاهدة التحالف، لأن بريطانيا لن توافق على تمويل زيادة الجيش الليبي في نفس الوقت الذي نطالبها فيه بإعادة النظر في المعاهدة لتحجيم التسهيلات الليبية الواردة فيها.

اجتمعت بمحمود المنتصر وشرحت له وجهة نظر الوزارة بإسهاب وأشعرته، بلباقة، أن واجبه كممثل للحكومة الليبية أن يبذل قصارى جهده لتنفيذ توجيهاتها، وأضفت أن إعادة النظر في المعاهدة التي عقدها هو لا تعني الانتقاص من الاعتراف بجهوده السابقة، لأنها لا تهدف لالغاء المعاهدة أو لتقليص مدتها، بل تعني إعادة كتابتها آخذين بعين الاعتبار ما حدث أخيراً في العالم العربي، بحيث تكون المعاهدة بعد مراجعتها أشدّ قوة وأوضح نصاً وأكثر تمشياً مع الظروف الجديدة.

ظننت بعد ذلك الاجتماع أنني أقنعت السفير المنتصر، فعقدنا اجتماعاً موسعاً حضره وزير الخارجية علي الساحلي وكبار المسؤولين بوزارة الخارجية، واستعرضنا معاً الخطوط الرئيسية لما نريد إعادة النظر فيه حسب قرارات مجلس الوزراء، وفي ختام الاجتماع حملت المنتصر رسالة شخصية شفوية إلى رئيس الوزراء ووزير الخارجية البريطاني، ثم غادرنا لكي يبدأ اتصالاته مع كبار المسؤولين في الحكومة البريطانية بلندن.

ومن جهة أخرى بدأنا، انا ووزير الخارجية علي الساحلي، اتصالاتنا بالحكومة البريطانية عن طريق السفارة بطرابلس، وكان السفير في اتصالاته معي يكثر من التساؤل عما إذا كنت أرى أن الوقت مناسباً لإعادة النظر في معاهدة التحالف الليبية– البريطانية في الظروف القلقة التي تسيطر على الشرق الأوسط، وعما إذا كان من المناسب تأجيل هذا البحث الآن إلى أن تتمكن بريطانيا من تنسيق موقفها مع الولايات المتحدة بخصوص ليبيا، وتعيد النظر كذلك في سياستها العربية لا سيما بعد سقوط وزارة إيدن وتولي ماكميلان رئاسة الوزارة.

كما كان السفير يكثر من تساؤله عما إذا كنت متأكداً من تأييد القصر وتأييد ولاية برقة لإعادة النظر في معاهدة التحالف، وكان ردي دائماً ان الحكومة الليبية اتخذت قرار إعادة النظر في المعاهدة بعد تفكير عميق وبحث مستفيض لجميع عناصر الموضوع،

كما أن الحكومة عرضت السياسة الجديدة على الملك الذي وافق عليها وشجع على اتباعها. وأضفت أخيراً أن الحكومة ووزارة الخارجية هما دون غيرهما الجهة التي تعبّر عن وجهة نظر ليبيا في كل ما يتعلق بعلاقاتها الخارجية.

ثم جاءني نصح من الحكومة الأمريكية بالتريّث في مفاوضات إعادة النظر في المعاهدة إلى أن تفرغ من تنسيق موقفها مع الحكومة البريطانية فيما يخص ليبيا من الوجهة العسكرية والمالية، وكذلك من جهة إعادة تسليح الجيش الليبي وإنشاء نواة سلاح البحرية وسلاح الطيران.

ومن جهة ثالثة لم تكن تقارير السفير الليبي في لندن مشجعة كثيراً، فبينما نقل لي استعداد بريطانيا الوفاء بما التزمت به في محادثاتي معها في يونيو ١٩٥٦ بتسليح الجيش الليبي وإنشاء سلاح البحرية، إلاّ أن الحكومة البريطانية أبدت رغبتها في إلقاء عبء إنشاء نواة سلاح الطيران على كاهل واشنطن. أما بخصوص المواضيع الأخرى التي نطالب بها في تعديل المعاهدة فقد كانت تقارير السفير الليبي تنم عن التسويف.

هذا هو الوضع الذي كنت أواجهه في أوائل ١٩٥٧، تساؤلات كثيرة من السفير البريطاني ونصائح أمريكية بالتريّث، غموض من سفيرنا بلندن ولم أفهم حقيقة الأوضاع إلاّ بعد أن اطلعت حديثاً على وثائق الحكومتين البريطانية والأمريكية. فماذا وجدت في تلك الوثائق؟

كان السفير البريطاني صادقاً في تساؤله عما إذا كانت ولاية برقة تؤيد إعادة النظر في معاهدة التحالف مع بريطانيا، فقد اتضح لي من الوثيقة رقم ١٧٨ المؤرخة ١٧ ديسمبر ١٩٥٦، وهي تقرير من السفير البريطاني عن زيارة أجراها لبرقة في ديسمبر ١٩٥٦ واجتمع فيها بكبار رجال الولاية، يؤكد أنهم (رجال ولاية برقة) لا يرون أية ضرورة في إبعاد القواعد البريطانية عن المدن البرقاوية، وأنه شعر بعلاقة ود وتفاهم تام بين رجال الولاية والقوات البريطانية والسفارة البريطانية خصوصاً اثناء الأزمة الأخير.[٩٦]

إن الحكومة البريطانية حاولت أن تعيد توزيع الأعباء المالية المتزايدة واللازمة

---

(٩٦) راجع الملحق رقم ٧٠

لتمويل وتطوير الإقتصاد الليبي وكذلك تكاليف توسيع القوات المسلحة الليبية بحيث تتحمل الحكومة الأمريكية الجزء الأكبر من هذه الأعباء، وأن محادثات على أعلى مستوى قد تمت بين الحكومتين، قبلت واشنطن بعدها أن تتحمل جزءاً أكبر من عبء ليبيا، واتضح أن الحكومتان كانتا تخشيان إن هما أهملتا طلبات ليبيا فإن ذلك الإهمال قد يؤدي إلى تزايد النفوذ الروسي.

مع الأسف اتضح لي من الوثيقة المؤرخة ١٨ ديسمبر ١٩٥٦ وهي تقرير كتبه وزير الخارجية سلوين لويد وأرسله إلى السفير البريطاني في طرابلس جراهام، أن سفيرنا في لندن لم يؤد واجبه كما كنت آمل منه، فقد اتخذ موقفاً سلبياً من الحكومة عندما أجرى مقابلته الهامة مع وزير الخارجية البريطاني وذكر له أن الملك يحكم البلاد عن طريق والي طرابلس ووالي برقة، وأن الحكومة الإتحادية لا تزيد عن كونها واجهة وأن وضع رئيس الوزراء هو أضعف مما كان عليه من قبل.[٩٧]

والآن بعد أن اطلعت على الحقائق أقول أنني لا ألوم، لا رجال ولاية برقة ولا سفيرنا في لندن لمعارضتهم اتجاه الحكومة الليبية في إعادة النظر في معاهدة التحالف مع بريطانيا، فربما كانوا يعتقدون أن الضغط على بريطانيا في تلك الظروف (ظروف ما بعد أزمة القناة مباشرة) ربما أدى ببريطانيا إلى إجلاء قواتها عن ليبيا ونفض يدها من العون المالي والعسكري، بل وربما إلى نقض معاهدة التحالف والصداقة لا سيما بعد أن اعتقد رجال ولاية برقة وسفيرنا في لندن اعتقاداً راسخاً بأن تلك المعاهدة هي العُروة الوثقى والركن الأمين للدفاع عن الوطن، والأرضية الأساسية لاستقراره وتقدمه. أقول أنني أفهم مخاوفهم واحترم آرائهم ولو أنني اختلف معها تماماً، ولا أستسيغ أن يعبروا عن معارضتهم لسياسة حكومتهم في أحاديثهم مع ممثلي الحكومة البريطانية، وفي نفس الوقت لا يبدون أية معارضة في اتصالاتهم بحكومتهم، اللهم إلاّ إبداء بعض القلق.

ولكنهم لو أمعنوا التفكير ودققوا النظر في أهداف سياستي لما وجدوا فيها ما يقلقهم على الصداقة الليبية البريطانية.

---

(٩٧) راجع الملحق رقم ٧١

إن الأمانة التاريخية تدعوني أن أبيّن أنني لم أكن في ذلك الوقت أهدف لإلغاء معاهدة التحالف أو إضعافها أو تهميشها فإن هذا شرف لا أدعيه وهدف لم أسع إليه.

فلم تكن ظروف ليبيا – خاصة الإقتصادية – تسمح بذلك، فالموارد المالية شحيحة، ولم توجد أي إمكانية للحصول على مساعدات من أي دولة عربية، وإلغاء الإتفاقية في تلك الظروف ربما كان يشكل حماقة كبرى لم أكن لأرتكبها حماية لمصالح الشعب. إن كل ما كنت أهدف إليه وأسعى إلى تحقيقه، هو أن أجسّد التحالف ليكون تحالفاً بين ندّين متعاونين في صداقة صريحة متينة هدفها رفع مستوى ليبيا الحضاري وتطوير إمكاناتها وتكوين وتطوير قواتها المسلحة بالتعاون مع دولة غنية ذات جيش قوي حديث. وفي نفس الوقت دفع الشبهات التي كانت تحوم حول سمعة ليبيا العربية وذلك بإدخال بنود جديدة تعبر صراحةً عن أن القوات البريطانية المعسكرة في ليبيا لا يمكن استعمالها، بأية طريقة، ضد أي دولة عربية مهما كانت الظروف، فإذا توفرت لي هذه الأهداف الثلاثة وهي:

١. زيادة العون المالي اللازم لتطوير الإقتصاد الوطني ورفع المستوى الحضاري.
٢. تطوير وتقوية القوات المسلحة الليبية بعتاد وتمويل بريطاني.
٣. دفع أية شبهة عن موقف ليبيا في أي نزاع مسلّح عربي بريطاني بتقليص الوجود العسكري البريطاني في ليبيا وجعله تحت رقابة السلطات الليبية لضمان تجميده في حالة حدوث نزاع عربي-بريطاني.

أقول إذا توفرت هذه الشروط الرئيسية فإنني كنت على استعداد للتعاون التام مع بريطانيا في جميع المجالات علناً ودون خشية، بل أنني كنت على استعداد أن أوظّف علاقاتنا مع الدول العربية الشقيقة للسعي الحثيث نحو تحسين علاقاتها مع بريطانيا.

أما بقاء المعاهدة كما كانت عليه كما كُتبت عام ١٩٥٣ بصورة تحالف صوري بين دولة ذات جيوش جرّارة حديثة مع دولة لا يزيد جيشها على ألفي مقاتل سيئي التسليح،

قليلي التدريب، وصداقة بين دولة من أغنى بلاد العالم مع دولة من أفقرها. فإن هذا كان في نظري ارتباطاً غريباً عجيباً غير متكافئ وما لم يوظَّف هذا التحالف لتقوية الجانب الضعيف، وما لم تُوجه معاهدة الصداقة بين الجانبين لرفع مستوى شعب الجانب الفقير وتسريع خطاه لإدراك الركب الحضاري وتنمية موارده فإن الحلف والصداقة لن يكون لأيهما أي مبرّر.

وكان يدفعني لهذه السياسة إيماني بأن مستقبل تطوير ليبيا ورفع مستوى شعبها إنما يكمن في تعاون متوازن مثمر مع دول الغرب، على الأقل في تلك الفترة الزمنية التي كنا فيها لا نزال نعلق آمالنا على العثور على مخزون من النفط يغنينا عن العون الاجنبي. ولم أكن – ولا زلت – أرى أية فائدة تعود على ليبيا من التعاون مع المعسكر الشيوعي الشرقي اللهم إلاّ في إطار أن تكون لنا معه علاقات دبلوماسية ايجابية شأنه في ذلك شأن أي دولة أخرى من دول العالم.

الخلاف مع ناظر الخاصّة الملكية

واذا تذكر القارئ أن الملك إدريس كان يقيم في مدينة طبرق أغلب الوقت بينما كانت الحكومة الليبية تقيم في طرابلس. وأن اجتماعاتي بالملك كانت لا تتجاوز اجتماعاً واحداً في الاسبوع في أحسن الأحوال، بعد رحلة طويلة في طائرة عسكرية من مطار طرابلس إلى مطار العضم في طبرق. أقول إذا ما تذكر القارئ هذه الحقائق فإنه يدرك أهمية دور الحماية والمتابعة التي كان يقوم بها ناظر الخاصّة الملكية أثناء فترات غيابي عن الملك. وعلى مدى ثلاث سنوات كان ناظر الخاصّة الملكية بالنسبة لي الحليف الأمين والصديق المُعين. لذلك فإن انقلاب هذا الحليف إلى مُناوئ شديد، وذلك الصديق المعين إلى عدو مُبين أصاب اندفاع سياستي الوطنية بضربة قوية وأفسح المجال امام المعارضين، فنشطوا في وضع العراقيل وإشاعة الشكوك. وبدأ يسيطر على علاقتي مع الملك جوّاً من التردد والحذر.

أسباب الإنقلاب في علاقتي مع البوصيري الشلحي

في أواخر شهر ديسمبر ١٩٥٦ اتصلت الملكة فاطمة (زوجة الملك إدريس) بزوجتي وأسرّت لها أن الملك أصدر أوامـره إلى الفريق محمود بوقويطين، قائد قوات دفاع برقة، باعتقال جميع أفراد عائلتها (اي عائلة السيد أحمد الشريف السنوسي) بدون أي استثناء ونقلهم إلى جادو جنوب غربيّ ولاية طرابلس. وأن العمل يسير على قدم وساق لتحضير معسكرات ليتم اعتقالهم فيها. وعبّرت الملكة عن أملها في أن أتدخل سريعاً لدى الملك لإنقاذ أفراد عائلتها من عقوبة الاعتقال والنّفي والتشريد.

وأسقط في يدي. بل لم أكن لأصدق الخبر، (ذلك أنني ظننت أن موضوع الإنتقام من عائلة السيد أحمد الشريف لمقتل إبراهيم الشلحي قد تمكنت من تجميده، وظننت أن الملك صرف النظر عنه نهائياً منذ أوائل عام ١٩٥٥) ولكنني أجريت استطلاعاً سريعاً أكد لي صحة الخبر جملة وتفصيلاً.

طلبت موعداً عاجلاً مع الملك وقابلته على الفور، وبدون مقدمات سألته عمّا إذا كان قد أصدر أمراً بترحيل أفراد عائلة السيد أحمد الشريف السنوسي إلى جادو؟ وردّ الملك بمنتهى الهدوء: نعم، لقد أصدرت أوامري إلى بوقويطين. ولكن ماذا يهمك أنت في هذا الموضوع؟ قلت: يا مولاي يهمني ألا يُحرم أي مواطن ليبي من حقوقه الدستورية. وليس من العدل اعتقال مواطنين ليبيين وترحيلهم إلى معسكرات اعتقال دون حكم من محكمة قانونية هو أمر في غاية الخطورة، وعمل فيه مخالفة صريحة لنص وروح الدستور الذي أقسمتم أنتم على احترامه وتنفيذه.

قال الملك: إن أعضاء عائلة السيد أحمد هم أعضاء من العائلة السنوسية وهو كرئيس للعائلة له حق إيقاع العقاب على المذنبين منهم. قلت: لا اعتقد أن مولانا الملك له حق خاص على أفراد العائلة السنوسية لأنكم ألغيتم يا مولانا مؤسسة العائلة السنوسية بأمر ملكي صدر منكم منذ أكثر من سنتين وحدّدتم العائلة المالكة في شخصكم وزوجتكم وولّي العهد. أما بقية العائلة فأصبحوا مواطنين ليبيين لهم ما للمواطنين من حقوق وعليهم ما على المواطنين من واجبات. وليس في القوانين الليبية نص واحد يسمح

بإيقاع عقاب على مواطن دون محاكمة عادلة.

رد الملك بأن من واجباته كملك حماية المجتمع من المتآمرين وهو أدرى بعائلته، وأن كل ما يهدف إليه هو إبعادهم عن المجتمع البرقاوي حيث نفوذهم وحيث يعيثون فيه فساداً ولذلك يجب إبعادهم وعزلهم في جنوب ولاية طرابلس في اماكن لائقة.

قلت: يا مولانا إنني لا أود أن أكرر ما شرحته من مخالفة عملكم هذا لنص الدستور الذي أقسمتم على احترامه، ولكنني أود أن أتحدث إليكم كمستشاركم الأول وناصحكم الأمين، سبق وأن قلت لكم في مناسبة سابقة أنني لا أخشى عليكم من حكم الله ولكنني أخشى عليكم من حكم التاريخ لأنكم في تلك المناسبة كنتم تقومون بعمل عن حسن نيّة برغم مظهر ذلك العمل الذي يتنافى مع المعهود المقبول. قال: نعم أذكر تلك المناسبة... وقلت: كان جوابكم أن ما يهمكم هو حكم الله... قال: نعم أذكر ذلك... واستطردت قائلاً: غير أنني اليوم وأمام عملكم هذا أرى لزاماً علي وحفاظاً على واجبي الديني والدستوري وحرصاً عليكم أن أقول لكم إنني أخشى عليكم من حكم الله ومن حكم التاريخ معاً.

تجهّم وجه الملك وقال: وماذا فيما أمرت من مخالفة لشريعة الله؟ قلت: سبحان الله يا مولانا... الله يقول ولا تزر وازرة وزر أخرى، وأن ليس للإنسان إلاّ ما سعى... كيف يجوز لكم أن تعاقبوا عائلة بالجملة. عجوزهم مع رضيعهم، مريضهم مع صحيحهم؟ ثم ما هو الذنب الذي اقترفه أعضاء عائلة السيد أحمد الشريف السنوسي؟ ما هو الذنب الذي لا يمكن معالجته ومعاقبته بالقوانين الدستورية السارية المفعول إن كان هناك ذنب؟ إذا رأيتم في هذه العائلة مذنباً أو فاسقاً فعلاجه عن طريق المدّعي العام والقضاء العادل. لقد سبق أن أوقع قضاؤنا عقوبة الإعدام بالشريف محي الدين السنوسي لثبوت جنايته في قتل إبراهيم الشلحي ولم يخش لائم وطبق نصوص القانون بعدل وحزم وهذه سابقة تجعلكم تطمئنون إلى عدل قضاء وطنكم. وكل ما أرجوه هو أن توكلوا أمر المذنبين من عائلة السيد أحمد الشريف إلى القضاء، هذا إذا كان فيهم مذنبون، أما اعتقالهم بالجملة ونفيهم إلى مكان سحيق في أقصى الوطن بدون اتهام وبدون محاكمة يوقعكم

في إثم عظيم مع اللّه، فضلاً عن أنه خرق صارخ للدستور، وهو كذلك عمل سيثير أزمة حادة في البرلمان ولست مطمئناً أن وزارتي تستطيع أن تتحمل آثاره.

رأيت الملك يطرق في سكوت ويظهر على وجهه شحوب كما لاحظت ارتجافاً في يديه. ومرّت دقائق حسبتها ساعات، ثم قال بصوت خافت: أشكرك على إخلاصك... لقد نبّهتني إلى منزلق كدت أن أقع فيه... خزاهم اللّه... أولئك الذين ألحوا علي اتباع هذا الطريق... على أي حال... ما يهمني في هذا كله هو ألا أعصى اللّه ولا أرتكب إثماً... سأوقف أمر ترحيل عائلة السيد أحمد الشريف. فبادرته قائلاً: الحمد للّه الذي هدانا... ورفع عن أنظارنا تلك الغشاوة... والآن يا مولانا أقترح أن تصدروا أمركم للفريق بوقويطين بإلغاء أمر الترحيل، وأشرت إلى جهاز الهاتف على مكتبه. فأخذه بيده وطلب بوقويطين وأبلغه أنه عدل عن أمر ترحيل عائلة السيد أحمد الشريف، وسمعته يرد على سؤال الفريق بوقويطين بقوله: أي نعم... إلغاء وليس تأجيل.

مساء ذلك اليوم وبينما كنت في مكتبي زارني دون موعد ناظر الخاصّة الملكية البوصيري الشلحي وكان في حالة هيجان وغليان وغضب شديد، وبادرني بدون مقدمات بهجوم عنيف، وكال لي سيلاً جارفاً من الاتهامات بخيانة ذكرى الشهيد والده والتآمر على عائلته والتلاعب بهم، كانت اتهاماته مطعّمة بألفاظ سيئة وموشّحة بنعوت طائشة. تمالكت أعصابي وحاولت تهدئته ففهمت أن محمود بوقويطين أخبره بعدول الملك عن أمر إبعاد عائلة السيد أحمد الشريف إلى جادو. وأنه (البوصيري الشلحي) هو الذي كان وراء فكرة نفيهم.

واستطرد قائلاً أنه عندما سأل الملك عن صحة خبر إلغائه لأمر النفي، رد الملك قائلاً بأن رئيس الوزراء نصحه بالعدول عن ذلك الإجراء الظالم وأنه (أي الملك) تبيّن له أن نصيحة رئيس الوزراء صادقة، كما تبين له أن أمر إبعاد عائلة السيد الشريف هو أمر يتعارض مع شريعة اللّه ومع أحكام الدستور، ولذلك فقد أصدر أوامره بالغاء تلك الإجراءات. وهذا ما جعل البوصيري يفقد صوابه ويأتيني محتجّاً على طعني إيّاه من الخلف، وخيانتي لعائلته بعرقلتي للإنتقام ممن غدروا بهم واغتالوا والدهم الشهيد.

شرحت له أن مسعاي لدى الملك لم يكن طعناً في ظهر أحد بل كان عملاً في صالح الملك وتجنيباً له من ارتكاب ظلم بيّن وإثم أكيد فضلاً عن المخالفة الصارخة لأبسط قواعد العدالة ونصوص الدستور. أما بالنسبة لعائلة الشلحي فإنني أعتقد أن مسعاي لدى الملك كان في صالحهم تماماً. وتساءلت: ماذا ستكسبون من اعتقال عائلة السيد أحمد الشريف... بشيوخها وأطفالها ونسائها بدون ذنب جنوه؟ ألا يجر هذا العمل الظالم شعور الكراهية الشعبية عليكم آل الشلحي وعلى الملك؟ ثم وجهت كلامي له قائلاً: قل لي يا بوصيري ما هي قيمتك أنت وأخوتك وعائلتك بعد وفاة الملك إدريس؟ خصوصاً إذا تماديتم في أعمال الإنتقام والتشفي من عائلة السيد أحمد الشريف؟ وأضفت: إنني كصديق وفيّ لوالدك، أسألك لماذا تعمل بهذا التهور والحماقة وتتصرف بهذا البغض والعنفوان فتحوّل أفراد عائلة السيد أحمد الشريف إلى شهداء وضحايا لظلم بيّن، فتجلب لهم عطف الشعب وحنو الناس فضلاً عن ما يتمتعون به من نفوذ كبير نظراً لسمعة أبيهم الوطنية وجهاده الكبير. إنني عندما نصحت الملك إدريس بالكفّ عن إنزال عقوبة النفي عليهم كنت أعمل في نفس الوقت لصالحك أنت واخوتك، فقد كنت أجنبك تهمة الإنتقام وأوقف تيار العداء والحقد بينكم. لقد اغتال الشريف محي الدين والدك فأعدم بحكم من القضاء وبذلك أخذتم حقكم من الجاني، فلماذا تودّ أن تكرّس العداء وتخلّد الكراهية مع فرع السيد أحمد الشريف، هل هذا في مصلحتكم؟ ثم قل لي بالله عليك لماذا تورط الملك في عمل كله ظلم وخرق للدستور. لقد كنت أظنك يا بوصيري مخلصاً للملك حريصاً على سمعته فماذا دهاك اليوم؟ هل أعمى غرور التشفّي بصيرتك؟

طال النقاش الحادّ بيننا، ولكنه كان نقاش طرشان دون أن أتمكن من إقناعه، واعتبر أن تدخّلي لدى الملك عمل عدائي في حقه وحق عائلته، ثم غادر منزلي في حالة غضب.

ولقد حاولت مراراً إصلاح العطب الذي أصاب علاقتي معه إلاّ أن بعض أصدقائه الإنتهازيين قاموا، مع الأسف، بإذكاء نار الخلاف وأثاروا حفيظته بالدس والوشاية مما زاد الخرق اتساعاً والنار اشتعالاً، وأصبحت في آخر المطاف أقف في الميدان مع

بعض زملائي من الوزراء نواجه عراقيل القصر ومؤامرات الحاشية وتسويف الحكومة البريطانية، واضطررت إلى معالجة جميع قضايا الدولة كبيرها وصغيرها مع الملك مباشرة دون عون معقب أو تأثير حليف قريب من الملك. ولم تكن هذه الطريقة سهلة ذلك أنني ما كنت أنهي اجتماعاً مع الملك وأتفق معه على قرار أو سياسة محدّدة حتى يسارع ناظر الخاصّة، بعد خروجي، وينصح الملك بالعدول عنها أو تبديلها، وأصبح الملك يتردّد بين سياسة رئيس حكومته ونصائح ناظر خاصته. وكان لهذا التردّد أثره السيّء على أعمال الحكومة وأصابها بنوع من الشلل وألحق الوهن والتخبّط بمواقف الوزارة. ذلك كله في تلك الفترة الحرجة، فترة ما بعد أزمة السويس، ومحاولاتنا إجراء تعديلات جوهرية على معاهدتنا مع بريطانيا.

وعندما زادت عراقيل ناظر الخاصّة الملكية شكوته إلى الملك صراحة، وعرضت عليه رغبتي في الإستقالة لأن نجاحي منذ أن توليت رئاسة الوزارة إلى اليوم كان نتيجة لتأييده (أي تأييد الملك) ودعمه، وأنا أشعر أنني لم أعد أحظى بكل التأييد، ولم أعد أشعر بتجاوب أكيد، ربما لأن تدخلات ناظر الخاصّة وعراقيله جعلت مولانا يتردد في مساندة حكومته ويحجم عن التجاوب مع سياستها وأمام هذا الوضع الجديد من انتفاء التعاون وتقلّص الثقة فإنني أخشى من الفشل لذلك أرجوه أن يعفيني من منصبي ويقبل إستقالتي.

وكان رد الملك حازماً بأن ثقته بي لم تتأثر بأعمال البوصيري، وأن البوصيري لا يطمع في منصبي، وأنه سيحدد له مسؤولياته بحيث لا يتعدّاها ولا يتدخل فيما لا يعنيه. وقبلت، على مضض، أن أستمر في منصبي آملاً في أن يضع حدّاً لتدخلات ناظر الخاصّة ولكن أملي هذا سرعان ما تلاشى.

الجهود تتضافر لعرقلة إجلاء الإنجليز

استمرت اتصالاتنا مع الحكومة البريطانية ينتابها التردّد إلى أن زارني السفير البريطاني (أظن كان ذلك في أواخر أبريل ١٩٥٧) وصارحني بأنه استُدعي من قبل القصر لزيارة الملك في طبرق.

وفي تلك المقابلة عبّر له الملك عن رغبته في تأجيل مفاوضات إعادة النظر في معاهدة التحالف إلى أجل غير مسمّى، كما طلب منه أن يطلب من الحكومة البريطانية عدم إجلاء قواتها عن برقة عموماً ومنطقة طبرق على وجه الخصوص، وأضاف السفير أنه سمع بأن أصحاب الأملاك في مدينة طبرق رفعوا التماساً للملك يرجونه التدخل لمنع إجلاء القوات البريطانية عن المنطقة، لأن ذلك الجلاء ينهي عقود إيجار أملاكهم ويلحق بهم ضرراً مالياً فادحاً.

وأسقط في يدي وشعرت بألم ومرارة وأسى... ولكنني تمالكت أعصابي وقلت للسفير أن الحكومة الليبية لم تتخذ قرارها بإعادة النظر في معاهدة التحالف معكم إلاّ بعد أن حصلت على موافقة الملك جملةً وتفصيلاً، واذا كان بعض النفعيين قد أزعجوا الملك بقضاياهم المادية فإنني سأعالج هذا الموضوع معه في القريب العاجل، ومهما يكن من أمر فإن الحكومة الليبية ووزارة الخارجية هما المعبّران الوحيدان عن وجهة نظر ليبيا.

وذهبت لزيارة الملك في طبرق وسألته سؤالاً مباشراً عن حديثه مع السفير البريطاني، فقال أن سكان طبرق رفعوا له مضبطة موقعة من مئات منهم يستنجدون به لإنقاذهم من كارثة إقتصادية سوف يسبّبها جلاء القوات البريطانية. فهم يخشون الإفلاس وانتشار البطالة إذا ما أخليت الشقق المؤجرة لأفراد القوات البريطانية، كما يخشون أن تصاب تجارة أهل طبرق بالكساد. ولما كان هو (الملك) مسؤولاً عن أمر ورزق رعاياه فقد طلب من السفير البريطاني تأجيل الجلاء حتى يبحث الموضوع معي.

قلت إن موضوع إعادة النظر في معاهدة التحالف موضوع وطني أهم وأسمى من أن تؤثر عليه شكوى ملاّك طبرق، وخشيتهم من أن تخلو شققهم وأملاكهم من مستأجريها. أما موضوع البطالة وكساد التجارة فهذا أمر آخر تنوي الحكومة معالجته علاجاً بعيد المدى بتنمية إقتصادية للمناطق وإيجاد المشاريع الصناعية والزراعية وفرص العمل المُجدي. ولهذا السبب فإننا طلبنا من بريطانيا زيادة مساهمتها المالية، ومهما كان من أمر فقد سبق وعرضت سياسة إعادة النظر في المعاهدة على مولانا الملك ووافق عليها قبل أن نعلنها على العالم في خطاب العرش، والتراجع عن هذه السياسة الآن يحرج

الوزارة إحراجاً شديداً، لذلك فإنني أرجوه أن يتركنا نسيّر تنفيذ سياستنا المذكورة مع وعد أكيد بأننا سنعالج مشكلة البطالة والكساد التي قد يسبّبها جلاء بعض القوات البريطانية. كما أبديت انني على استعداد لمقابلة أصحاب الشكوى والتفاهم معهم وتطمينهم. أمّا الملاّك فلا استطيع أن أعوضهم عن إخلاء شققهم، ولو أن الرواج الذي سيحدثه إنعاشنا الإقتصادي للمنطقة لا بدّ أن يعود عليهم ببعض الفائدة.

وشعرت بأن الملك لا يسايرني في اتجاهي وأنه يشعر بأنه ورط نفسه بوعد لتلك الوفود، ولذلك اقترح علي أن نؤجل الموضوع الآن، وكلفت بعض مساعدي أن يستجلوا الموقف الذي أدى إلى هذا التطور الخطير والتغيير الجذري في موقفه. فتبيّن لنا أن بعض رجال الحاشية (لم يكن ناظر الخاصّة الملكية من بينهم) الذين يملكون بعض الشقق في طبرق كانوا قد أجروها للقوات البريطانية – مستغلين سلطة مراكزهم – وعندما جاءهم نبأ قرب جلاء بعض هذه القوات قاموا بجمع عدد من ذوي الأملاك وأعضاء مجلس طبرق البلدي وآخرين، وحثّوهم على مقابلة الملك ويسروا لهم تلك المقابلة التي قدموا فيها للملك تلك المضبطة التي ترجوه إيقاف جلاء البريطانيين.

ومرة أخرى ورطت الحاشية الملكية الملك في موقف حرج، وصوروا له أن إيقاف إجلاء القوات البريطانية عن طبرق عمل خير لأنه ينقذ أرزاق الفقراء من الضياع، بينما غرضهم الحقيقي هو الحفاظ على مصالحهم المادية، ولم يأبهوا في عملهم هذا بأنه عرقلة لسياسة وطنية هامة.

وبعد زيارتي للملك سيطر علي شعور غريب بخيبة أمل أكيدة وإحساس دفين بأن جهات كثيرة – بعضها بحسن نيّة وبعضها بخبث – تتضافر وتتعاون لأهداف ونوايا مختلفة، ولكنها كلها تهدف لغرض واحد هو عرقلة جهود الحكومة الوطنية في إجراء أي تعديل جوهري على معاهدة التحالف مع بريطانيا. ولم يكن أمامي من سبيل آخر أسلكه إلاّ السير بعناد في محادثات تعديل المعاهدة متجاهلاً العراقيل والمؤثرات، فسرت في سياستي هذه بعناد وإصرار بل انني لم أخبر إلاّ عدداً محدوداً من زملائي عن الصعوبات والعراقيل التي وُضعت أمامي، لأنني عزمت في قرارة نفسي إما أن أنجز

ما وعدت فأجري تعديلات جوهرية في معاهدة التحالف، وإما أن تصدمني العراقيل والحواجز فأترك منصبي غير مأسوف عليه.

واليوم بعد أكثر من نصف قرن من هذه الأحداث فإنني أراجع نفسي وأقول ربما كان علي أن أتحلّى بقدر كبير من الصبر والحكمة وأتراجع مؤقتاً وقليلاً لكي أعالج المعارضة والمعارضين، وأقنع المتردّدين، وأطمئن الخائفين، ثم أندفع بقوة أكثر وعزم أشدّ لكي لا ينطبق علي الأثر المشهور وأكون كالمنبت الذي لا أرضاً قطع ولا ظهراً أبقى أو بعبارة أخرى، ربما أنني كلّفت نظام الحكم ورجاله، في تلك الحقبة من الزمن أعباءً صعبة، وفرضت عليهم وعلى نفسي أهدافاً أكبر وسرعة أكثر مما نحتمل. أو ربما أنني لم أصدّق ما قاله لي البريطانيون في تلك الأيام من أن حكومتهم أصبحت تفكر في تقليص وجودها العسكري في ليبيا بعد أن أثبتت أزمة السويس أن قواعدها لا فائدة منها في أي نزاع بين بريطانيا وأي بلد عربي، وأنها لم تعد على استعداد لتلبية مطالبنا المبالغ فيها ومقابل تسهيلات مقلصة.

مهما كان من أمر، فإن تلك الأزمة وذلك الخلاف في الرؤية بين الملك إدريس وبعض رجال الحكم من جهة، وبيني وبين زملائي من جهة أخرى، كان هو السبب الحقيقي الذي جعلني أقرر الإستقالة وأصرّ عليها. ولكن إخلاصي للملك وإجلالي له وحرصي على سلامة النظام، ما كان كل ذلك ليجعلني أصرّح بأنني استقلت لخلاف على سياستنا تجاه بريطانيا فأخرج من الحكم خروج الأبطال على حساب سمعة الملك إدريس. ولذلك فقد بدأت أبحث عن سبب آخر يبرّر استقالتي ولا يحرج الملك، ويترك المجال مفتوحاً ميسّراً أمام من يخلفني ليعالج أمر معاهدة التحالف مع بريطانيا بصبر ورويّة.

زيارة الملك سعود بن عبد العزيز لطرابلس في فبراير ١٩٥٧

كان الملك سعود يقوم بزيارة رسمية للولايات المتحدة أوائل عام ١٩٥٧، ورأى الملك إدريس أن الفرصة مواتية لدعوة الملك السعودي لزيارة ليبيا في طريق عودته إلى بلاده، لذلك اقترح علي أن أقوم بزيارة الملك سعود في مدريد وأنقل له دعوة الملك، وشدّد

على ضرورة أن أقوم شخصياً على رأس وفد من رؤساء الشيوخ والنواب والديوان الملكي بتقديم الدعوة. وأضاف أنه يعلق على زيارة الملك سعود كثيراً من آمال التقارب بين المملكتين وإرساء قواعد متينة لعلاقات أخوية، ومضى الملك قائلاً: ونظراً لعلاقتك الحميمة مع الملك سعود فإني متأكد من أنه سيلبّي دعوتنا. ورحبت بتلك المهمة لا سيما وأن أهداف الدعوة تتمشى تماماً مع سياسة حكومتي التي كانت تهدف لإرساء دعائم علاقات وطيدة مع دول العالمين العربي والإسلامي، وكانت المملكة العربية السعودية دائماً في مقدمة تلك الدول. وكذلك فقد كانت علاقتي بالملك سعود ممتازة وقد توطّدت بنوع خاص في مؤتمر قمة بيروت (نوفمبر ١٩٥٦).

وكان ترحيب الملك سعود بدعوة الملك إدريس ترحيباً فورياً وقلبياً، بل أنه استدعى رجال الحاشية المشرفين على رحلته وأمرهم على الفور بتعديل مواعيد سفره بحيث يمضي ثلاثة أيام في ليبيا. ثم عقدت معه اجتماعاً طويلاً على انفراد وناقشت معه كثيراً من القضايا العربية، وأحاطني علماً بنتيجة مباحثاته مع الرئيس أيزنهاور في واشنطن، وكان محور الحديث هو كيفية معالجة آثار العدوان الثلاثي على مصر والعلاقات العربية الأمريكية، ومساعينا المشتركة لإعادة العلاقات العربية الغربية إلى مجراها الطبيعي ثم العلاقات الثنائية السعودية الليبية. وأصرّ على أن أصحبه والوفد الليبي المرافق إلى حفلة العشاء الرسمية التي أقامها على شرفه رئيس الدولة الاسبانية الجنرال فرانكو. وانتهزت فرصة التعرف على ذلك السياسي المخضرم، ثم زرته صباح اليوم التالي، وبالرغم من اجادة الجنرال للفرنسية والإنجليزية فقد كان يترجم بيننا مترجم، وبذلك توفر له فرصة التفكير قبل الردّ.

على أية حال وصل الملك سعود إلى طرابلس واستقبل استقبالاً حافلاً. وعبّر المواطنون في طرابلس عن مشاعر الحب والتكريم له في كل تنقلاته التي لازمتها مظاهر الحفاوة الرسمية. وكانت قمة تلك الاحتفالات الحفلة الشعبية لغداء في البر تلاها ألعاب الفروسية وسباق الخيل قام بها الفرسان الليبيون مرتدين زيّهم الشعبي التقليدي. وأجرى الملكان كثيراً من المحادثات حضرتها جميعها.

وبعد ثلاثة أيام حافلة غادرنا الملك سعود وحاشيته إلى القاهرة، وبعد توديعه في مطار طرابلس، وفي طريق العودة حدثت مصارحة هامّة بين الملك إدريس وبيني أوردها فيما يأتي.

استقالتي الأولى

لا يزال صدى ما صدر منّي في تلك المصارحة يتردّد في ذهني ويؤلم وجداني. اصطحبني الملك في سيارته وشكرني على جهودي في إنجاح زيارة الملك سعود وأغدق علي بالشكر والثناء، وشعرت أنه يحاول أن يطيّب خاطري وأن يخفف علي من آثار طيش ناظر خاصته والإحراجات والمنغّصات التي قام بها أثناء زيارة الملك سعود. وكنت شارد الذهن وأنا أستمع لكلام الملك الذي ختمه بقوله: أنه سيغادر طرابلس صباح الغد الباكر إلى طبرق. عندئذ قلت: أرجو يا مولاي أن تؤجل سفرك لعدة أيام. فتساءل الملك عن السبب. فقلت: لأنني ألتمس منكم أن تعفيني من مسؤولياتي وتختاروا رئيساً جديداً للحكومة. وبلهجة كلها استغراب قال الملك: ولكن لماذا لا تستمر أنت في منصبك؟ قلت: لأنني لم أعد أستطيع أن أحكم البلد مع ملكين. سمعت الملك يقول: ما هذا الكلام؟ ويسرع بالضغط على الزر الكهربائي الذي يرفع الحاجز الفاصل بين المقعد الأمامي حيث الياور والسائق وصالون السيارة. واستدار الملك نحوي وقال: ماذا تقول؟ فاستمريت في غيّي مضيفاً: بل ولا أدري أحياناً من منكما يتقدم على الآخر. سمعت الملك يتمتم قائلاً: أعوذ بالله من غضب الله. وخيّم صمت لعدة دقائق حسبتها ساعات، وأنهى الملك ذلك الصمت الرهيب بقوله: على أية حال سأبقى في طرابلس عدة أيام حتى أعالج الأمور معك. أنت الآن متوتر الأعصاب، استرح اليوم وغداً وسأجتمع بك بعد ذلك.

هذه هي المصارحة التي يؤلمني ذكرها لأنها آلمت الملك إدريس الذي كنت أجلّه واحترمه وسأظل أترحّم عليه وأثني على ذكراه العطرة. ربما كان أملي من وراء تلك المصارحة الفظّة أن أحرّك مشاعر الملك وألفت نظره إلى مخاطر تدخلات ناظر خاصته، وخصوصاً ما قام به من أعمال طيش صبيانية أمام ضيف ليبيا الملك سعود،

وأمام كبار المسؤولين غير آبه بسمعة الوطن والملك، ولا أودّ أن أسهب في وصف تلك الأعمال بل أعرض هنا على القارئ واحدة منها فقط:

أمر ناظر الخاصّة الملكية البوصيري الشلحي رئيس التشريفات فتحي الخوجة أن يجعل علي الساحلي وزير الخارجية، وصديق البوصيري الحميم، يتقدم في بروتوكول الزيارة الملكية على رئيس الوزراء. وبرّر ذلك بأن الساحلي الذي كان يقوم بمهمة رئيس بعثة الشرف المرافقة للملك سعود يجب أن يتقدم على الجميع بما فيهم رئيس الوزراء. ولم أعر هذا الأمر أية أهمية، بل تجاهلته تماماً إلى أن كان العشاء الرسمي الذي أقامه الملك إدريس تكريماً لضيفه. وجدت أن مقعدي يأتي في آخر المائدة الملكية ويتقدم علي رئيس الديوان وناظر الخاصّة الملكية وجمع من المسؤولين الليبيين، بينما يجلس وزير الخارجية علي الساحلي على يسار الملك سعود، ويجلس الأمير محمد بن سعود على يمين والده. وجلست في مقعدي مظهراً عدم اكتراث ومسيطراً على أعصابي، ولكن الملك سعود لاحظ بسرعة ذلك الشذوذ في البروتوكول، وإذا به يناديني بصوت جهوري: يا أخ مصطفى تعال اجلس على يميني. وفي نفس الوقت يطلب من ابنه الأمير محمد بالجلوس في مقعدي. ولاحظ الجميع، وعلى الأخص، الملك إدريس ذلك العمل في وجوم تام. بل أن الملك سعود زاد في لطفه معي وأمضى طوال مدة العشاء في حديثه معي، مما أحرجني وجعلني أشرك الملك إدريس الذي كان يجلس أمام الملك سعود في الحديث، وأحاول أن أتجاهل ما حدث وأظهر الملك إدريس من اللطف واللباقة والمجاملة ما أعاد جو السرور والبهجة إلى تلك المأدبة الملكية.

بعد يومين من تلك المصارحة الشهيرة ذهبت لمقابلة الملك إدريس في قصر الخلد وكنت أحمل استقالتي في جيبي ولم يعلم بها إلا مدير مكتبي سلطان حلمي الخطّابي. وبعد جلسة طويلة أجبرني الملك أن أستردّ استقالتي بعد أن وعدني بأنه سيجعل حاجزاً بين ناظر الخاصّة وبين أعمال الحكومة، وسيأمره بألا يتدخل في أي أمر ما عدا ما يخصّ الخاصّة الملكية. وكان الملك في غاية النبل وأغدق علي الثناء.. ثم أشار إلى ما صدر مني من كلام صريح، وقال أن مرجع ذلك إنما لأننا حمّلناك أعباء كثيرة

وأرهقناك... ولكنني بالرغم من مجاملات الملك ولطفه خرجت من تلك المقابلة وأنا لا أشعر باطمئنان كبير.

واليوم كثيراً ما ألوم نفسي لأنني لم أبذل جهداً أكبر ولم أسع سعياً حثيثاً أكثر لإزالة سوء التفاهم مع ناظر الخاصّة الملكية البوصيري الشلحي. فبالرغم من موقفه الذي شرحته باختصار فقد كان علي ربما أن أتنازل بعض الشيء عن كبريائي وأكون أكثر مرونة.

واستمر ذلك العداء بين البوصيري وبيني إلى ما بعد خروجي من الوزارة وذهابي إلى باريس، وبعد عودتي منها سعى بعض الأصدقاء إلى إزالة سوء التفاهم، والتقيت معه وتصارحنا وأسف كلانا على ما حدث، وبعد ذلك حاول العديد من المرات أن يقنعني بالعودة إلى الوزارة مؤكداً أن الملك إدريس سيسره كثيراً إذا قبلت ولكنني اعتذرت عن القبول بكياسة ولباقة، فقد كنت عقدت العزم على عدم قبول أي منصب حكومي مهما كانت المبررات فقد كفاني ما نلت منها.

الباب الثاني عشر

الأزمات الأخيرة قبل الاستقالة

أزمة زيارة نائب رئيس الولايات المتحدة نيكسون

في أوائل شهر مارس ١٩٥٧ أبلغتنا الخارجية الأميركية أن الرئيس أيزنهاور كلف نائبه نيكسون بالقيام بجولة إفريقية يزور فيها كينيا والسودان وليبيا وتونس والمغرب. كما أبلغتنا أن نائب الرئيس يحمل رسالة خطية للملك إدريس من الرئيس أيزنهاور ويأمل الأخير أن يستقبل الملك نائبه.

عرضت الأمر على الملك الذي رحّب بالزيارة وأمر بأن يُنزل الرئيس الأميريكي ضيفاً عليه في قصر أبي ستة بجوار طرابلس.

وقصر أبي ستة هذا كان قد بناه حاكم ليبيا الإيطالي بالبو وبعد الإستقلال خُصص لسكن رئيس الحكومة، إلاّ أنني عندما وُليت الرئاسة وانتقلت إلى طرابلس وجدت قصر أبي ستة هذا يزيد كثيراً عن احتياجاتي، ولا تتناسب سكناي فيه مع مظهر التقشف الذي كان علينا أن نتبعه عندما كنا نتلقى العون المالي من الخارج، ولذلك فقد أعدت ذلك القصر إلى إدارة أملاك الدولة حيث خُصص فيما بعد ليكون قصراً للضيافة لاستقبال رؤساء الدول والحكومات.

وجرت عدة اجتماعات بين مسؤولين في الخارجية الليبية والسفارة الأميريكية لترتيب تفاصيل زيارة نائب الرئيس الأمريكي وما يتبعها من بروتوكول ثم أبلغت الحكومة الأمريكية بتلك الترتيبات.

لاحظت بعد ذلك بأيام أن الملك إدريس يكرّر سؤاله عما إذا كانت زيارة نائب الرئيس رسمية أم أنها زيارة سياحية؟ ثم يتساءل: هل من المناسب أن نستضيفه في قصر أبي ستة؟ وكنت أؤكد للملك أن الزيارة رسمية كما علمت من الحكومة الأمريكية، وأن نائب الرئيس يحمل رسالة خطية من الرئيس الأمريكي للملك، وأن الحكومة الليبية تعطي أهمية كبيرة لتلك الزيارة، ولذلك فإن استضافته بقصر أبي ستة هي خطوة صائبة ومجاملة في محلها.

ولو أنني استغربت لكثرة تساؤل الملك عن هذه التفاصيل إلاّ أنني لم أدرك ما كان وراءها من أسباب إلاّ بعد أن وصلتني تقارير من مخابرات الشرطة الإتحادية كشفت لي عمّا كان يدور في الخفاء من تآمر بين وزير خارجية حكومتي علي الساحلي وناظر الخاصة الملكية البوصيري الشلحي.

لاحظت المخابرات الليبية أن هناك نوعاً غريباً من البرقيات الشفرية يجري تبادلها بين وزارة الخارجية بطرابلس والقصر الملكي بطبرق. كما لاحظت أن هذه البرقيات تستعمل شفرة غريبة ليست من الشفرات المصرّح والمعمول بها، لذلك استفسروا مني شخصياً، فقلت لهم لا علم لي بها وطلبت منهم محاولة فك ألغازها. ولما كانت شفرة بدائية فقد تمكن المكتب المتخصّص في هذا الموضوع من حل الرموز. فإذا بها برقيات تتناول أموراً في غاية الأهمية يظهر منها بكل جلاء مدى تآمر الساحلي مع صديقه الشلحي ضد سياسة الوزارة التي كان الساحلي عضواً بارزاً فيها. فمثلاً يؤكد الساحلي لصديقه أنه يعمل بجد على إفساد ترتيبات زيارة نائب الرئيس الأمريكي، ويؤكد أنها زيارة سياحية لافائدة منها للحكومة الليبية. ولذلك فإنه يتفق مع ناظر الخاصة في أنه ليس من اللائق أن يستضيف الملك نائب الرئيس في قصر أبي ستة، ثم يقول ردّاً على استفسار ناظر الخاصة أنه عارض بشدة مبدأ أيزنهاور وأن بن حليم هو الوحيد في مجلس الوزراء الذي يصر على قبول ليبيا المبدأ، ويقول رداً على حث من ناظر الخاصة أنه يحاول جهده عرقلة المباحثات مع الحكومة البريطانية لإعادة النظر في معاهدة التحالف، وكلام كثير كله تآمر مبني على كذب ونفاق.

قرأت تلك البرقيات بألم وحسرة وآلمني بنوع خاص أن يلجأ زميل متعلم، سبق وأن ساعدته في مواقف كثيرة عندما كان رئيساً للمجلس التنفيذي البرقاوي عام ١٩٥٥. بل وناصرته عندما اختلف مع السيد حسين مازق والي برقة، ثم نقلته إلى الحكومة الإتحادية ليكون عونا لي أعتمد عليه وعلى خبرته القانونية في تنفيذ سياسة وطنية تقدمية ولكن من مأمنه يؤتى الحذر.

استدعيت الساحلي وتظاهرت بالهدوء واستعرضت معه قضايا الساعة، ثم سألته عمّا إذا كان يعارض قبول ليبيا لمبدأ أيزنهاور. استغرب سؤالي وأكد أنه أبدى رأيه في مجلس الوزراء بأنه يؤيد قبول ذلك المبدأ لأنه لا يزيد من ارتباط ليبيا شيئاً ويعطيها قدراً كبيراً من العون المالي الإضافي. ثم سألته هل زيارة نيكسون زيارة رسمية، قال: طبعاً... هي كذلك. قلت: إذن لماذا هذه البرقيات، وفتحت أمامه ملفاً يحتوي على البرقيات الشفرية المتبادلة بينه وبين ناظر الخاصة. ويعلم الله أنني أشفقت على المسكين..فقد ازداد وجهه اصفراراً وتلعثم وارتعشت يداه، وخشيت أن يصاب بسوء من جرّاء المفاجأة.

قلت: يا أخ لقد خيبت ظني فيك...أنت الرجل القانوني الذي كنت أظن أنه صديق وفّي... أكتشفت أنه يتآمر علي مع خصومي لعرقلة تنفيذي لسياسة هو أحد صانعيها. ومرت دقائق محرجة...التقط أنفاسه بعدها وقال: إن ناظر الخاصة كان يضغط علي أن أعارض سياستك، وهو الذي أشار على الملك بأن يعدل عن استضافة نيكسون في قصر أبي ستة. ولم أكن أعرف أن ناظر الخاصة الملكية خصم لك لذلك تعاونت معه.

قلت: دعني من هذا الهراء. لا يهمني ناظر الخاصة، يهمني زميلي في مجلس الوزراء الذي يتآمر مع رجال الحاشية ضد سياسة الوزراة التي يشارك فيها. وأنهيت ذلك الاجتماع البائس المحرج بأن قلت للساحلي: إذا لم تكن معارضاً لسياسة الحكومة الخارجية فعليك بأن تصرح بهذا للجرائد الليبية. وهو ما فعله في نفس اليوم إذ صرّح لجريدة الرائد رداً على سؤال منها أن لا صحة للإشاعات التي تُنسب إليه في معارضة لأي جزء من سياسة الحكومة، وأنه لا صحة للإشاعات التي تقول أنه يعارض قبول ليبيا لمبدأ أيزنهاور.

ذهبت إلى الملك في طبرق وأطلعته على البرقيات الشفرية المتبادلة بين ناظر خاصته ووزير خارجيته، وذكرت له أنني واجهت علي الساحلي، وكان رده أن ناظر الخاصة هو الذي يحرضه على تلك المواقف، وذكّرت الملك بوعوده السابقة بأن يجعل بين ناظر الخاصة وشؤون الحكومة سداً منيعاً وألا يسمح له بالتدخل في السياسة العامة. وختمت عرضي برغبتي الملحّة في الإستقالة لأنني أصبحت على يقين من أن استمراري في منصبي لم يعد في مصلحة البلد وسيكون مصدر إزعاج دائم للملك.

ومرة أخرى أبدى الملك من اللطف والتفهم ما أخجلني، وكرر أنه سوف لن يسمح من اليوم لناظر الخاصة أن يتصل بأي مسؤول في الحكومة الإتحادية في أي شأن سياسي.

قبلت أن أبقى شريطة أن أعدل الوزارة وأخرج منها علي الساحلي. وافق الملك على ذلك وأمر بإعداد مراسيم تعديل الوزارة حسبما عرضتها عليه وانتقلنا إلى غرفة الطعام لتناول الغذاء ريثما يتم طبع المراسيم. ثم انسحب الملك لاستراحة قصيرة دعاني بعدها لتناول الشاي وبادرني بقوله: أرجوك أن تبقي الساحلي في الوزارة ولو في أقل الوزارات أهمية ولكن لا تقيله الآن. واعترف أنني كدت أخرج عن طوري وأفقد أعصابي. فها هو الملك إدريس الذي وعدني منذ ساعة بألا يسمح بأي تدخل من ناظر خاصته في شؤون الحكم، ها هو يرضخ مرة أخرى لتدخله ويتراجع فيما اتفق عليه معي. ولكن الله الهمني الصبر والتروّي فأطرقت لحظات راجعت فيها نفسي ثم قلت: بل أمرك يا مولاي. وأعدت صياغة مرسوم التعديل الوزاري بحيث بقي علي الساحلي وزيراً للمواصلات.

غير أن هذا التردد الجديد في موقف الملك وحيرته بين متطلبات سياسة الدولة العليا من جهة ونزوات ناظر خاصته من جهة أخرى زادني قناعة بأن بقائي في سدّة رئاسة الحكومة لم يعد في صالح الدولة ولا في صالحي، بل أنني بدأت أخشى أن يدفعني تردد الملك وضعفه أمام حاشيته إلى أزمة أو إلى مشادّة. ومرة أخرى قرّرت أن أتحيّن الفرص لأقدم له استقالة أمر واقع بحيث لا يكون أمامه من مجال لرفضها.

ولنرجع إلى زيارة نائب الرئيس الأمريكي فالبرغم من العقبات والمواقف المحرجة التي أشرت إليها، فإن الزيارة نجحت نجاحاً لم أكن انتظره. فبالنسبة لقضايانا مع

واشنطن تمكنت من إرساء قواعد متينة لتفاهم شامل وحصلت على وعود مؤكدة بزيادة العون المادي، وعلى وعد أكيد بقيام الولايات المتحدة بمساعدتنا مادياً وفنياً في إنشاء نواة سلاح الطيران. ولبّى نائب الرئيس دعوة غداء أقمتها له في مسكني، حيث أنتهزت زوجتي (وهي فلسطينية) الفرصة وأجرت حديثاً مستفيضاً معه وقد أظهر اهتماماً واضحاً ورغبة قوية في الإلمام بوجهة نظرها في قضية بلادها. واذكر أنني حاولت عدة مرات أن أغير مجرى الحديث ولكنه كان يقول لي أنه في غاية الإهتمام بسماع وجهة النظر العربية من السيدة بن حليم فيما يتعلق بقضية فلسطين. بل أنه أصر أن يكرس أكثر من ساعة من وقته في حفلة العشاء الرسمية التي أقمتها له في فندق الودّان ليكمل حديثه مع زوجتي عن قضية فلسطين ومأساة اللاجئين.

وبعد سفره أرسل لي ببرقية شكر لطيفه ضمّنها رجاء أن أستمع أنا وزوجتي لما سيصرح به للصحافة عند وصوله إلى واشنطن، وبالفعل كان أهم عنصر في تصريحه هو قوله أن الشرق الأوسط لن تستقر أموره ولن يحل به السلام إلاّ بعد أن نجد حلاّ عادلاً كريماً لمأساة اللاجئين الفلسطنيين.

أزمة تعديل الحدود بين الولايات الثلاث

منذ أوائل عهد الإستقلال طالبت كل من ولاية برقة وولاية فزّان تعديل حدودهما مع ولاية طرابلس. أما ولاية برقة فقد كانت تطالب تعديل حدودها الغربية بحجة أن حدودها كما حددّتها الإدارة الإيطالية قد قسمت قبيلة المغاربة شطرين وهي تطالب بضم منطقة النوفليّة حيث يقيم شطر هام من القبيلة المذكورة، واستندت في مطالبها هذه بخرائط تركية قديمة. وقد تمكّنا بوسائل يطول شرحها من إقناعها، فأبقينا الحدود البرقاوية الطرابلسية كما كانت بدون أي تعديل.

أما ولاية فزّان فقد كانت تطالب باسترجاع منطقة الجفرة من ولاية طرابلس بحجة أن تلك المنطقة كانت تابعة لها إبان الحكم التركي، وكذلك لأن عائلة سيف النصر، صاحبة النفوذ الطاغي في الولاية، لها أملاك كثيرة في مدينتي هون وسوكنه. وازداد

إلحاح ولاية فزّان على المطالبة بهذه المنطقة بعد أن خلف السيد عمر سيف النصر أخاه السيد أحمد سيف النصر والياً على فزّان. بل أن عمر سيف النصر كان يقرن مطلبه باسترجاع الجفرة بمطلب خطير آخر ألا وهو ضرورة الإتفاق مع فرنسا على إبقاء قواتها في فزّان وعقد معاهدة تحالف عسكرية معها على غرار معاهدة التحالف الليبية-البريطانية. ولا أعتقد أنه كان يدعو إلى ذلك بسوء نية، ولكن اعتقاداً منه أن عقد معاهدة مع فرنسا يحقق مصالح سكان فزّان، إذ كان يخشى أن تهمل الولاية من قبل الحكومة الإتحادية إذا تم إخراج الفرنسيين منها وكان المنطق الذي اقتنع به أنه حيث أن الأمريكان لهم إتفاقية وتواجد في منطقة طرابلس، والإنجليز لهم إتفاقية وتواجد في برقة، فلماذا لا يبقى الفرنسيون في فزّان ونعقد إتفاقية معهم.

واشتد إلحاحه علي بدرجة مزعجة وحاولت أن أقنعه إستحالة تلبية أي من المطلبين، ولكنه استمر في إلحاحه، وأخيراً وبعد أن فشل في الحصول على أي وعد مني، نقل مساعيه لدى الملك إدريس، الذي رفض رفضاً تاماً الدخول معه في أي بحث- مجرد بحث- بخصوص بقاء القوات الفرنسية، وطلب مني أن أشرح له سياسة الحكومة وإصرارها على إجلاء القوات الفرنسية وإقناعه بأن هذه السياسة الوطنية لا ضرر منها على ولاية فزّان. وعقدت عدة جلسات مع عمر سيف النصر ووجدت أن الرجل، برغم ماضيه الوطني الجيد وانتمائه إلى حركة السنوسية منذ زمن بعيد، فإنه كان على نقيض بقية عائلة سيف النصر، وقد وقع ضحية الدعاية الفرنسية التي جعلته يعتقد أن فوائد كثيرة ومصالح عديدة ستعود لو بقت القوات الفرنسية في قواعدها تحت مظلة معاهدة تحالف ليبية-فرنسية. وبعد أن عييت في إقناعه إضطررت إلى إفهامه بعبارات واضحة صريحة بأن إجلاء قوات فرنسا عن التراب الليبي حقيقة لا رجوع فيها، وأن حكومة باريس قد رضخت لمطالبنا ووافقت على إجلاء قواتها، وكان هذا ختام الحديث في هذا الموضوع الحسّاس.

وبعد أن تأكد لدى عمر سيف النصر فشله في إقناعي بمطلبه الأول نقل نشاطه مرة أخرى وركّزه في حملة لدى الملك ورجال القصر لاسترجاع منطقة الجفرة إلى ولاية

فزّان، ورأى الملك بحكمته وبعد نظره أن يسترضيه هذه المرة بالاستجابة لمطلبه هذا. لذلك كتب لي الديوان الملكي خطاباً ينقل لي رغبة الملك في أن تقوم الحكومة بإجراء إتفاق بين ولايتي طرابلس وفزّان لإعادة النظر في حدودها بغية إعادة منطقة الجفرة إلى ولاية فزّان.

شاورت زملائي الوزراء الذين وافقوني على معارضة أي تعديل في حدود الولايات، فكتبت رداً مسهباً للديوان الملكي رافضاً إجراء أي تعديل في حدود الولايات، لأن سياسة الحكومة إنما تهدف لتوحيد جهود الوطن في نظام وحدوي يلغى الولايات وحدودها، وإزالة الحواجز وتقوية التضامن بين أجزاء الوطن، تمهيداً لتوحيده في حكومة واحدة وبرلمان واحد تحت ملك واحد. واستمر الجدل بين الديوان الملكي وبين الحكومة بالمراسلات المطولة أحياناً، وفي بحث بين الملك وبيني أحياناً أخرى، وأخيراً وبعد أن تأكدوا من إصراري على موقفي إتصل الديوان الملكي مباشرة بوالي طرابلس الغرب جمال الدين باش آغا لكي يجري مفاوضات مع ولاية فزّان بغرض الإتفاق على حدود جديدة تعطي كل ذي حق حقه.

ووافق الوالي على طلب الديوان الملكي دون أن يشتشيرني أو أن يخبرني. فما كان من الديوان الملكي إلاّ أن طلب من الحكومة الليبية أن تقوم بدور الحكم في المفاوضات الحدودية بين ولاية طرابلس وولاية فزّان.

وبذلك أصبحت الحكومة الإتحادية أمام الأمر الواقع فما كان من المعقول أن ترفض القيام بدور الحكم. واستدعيت إلى طرابلس وقلت للوالي: أما وقد تسرعت وتورطت في قبول التفاوض على حدود ولايتك الشرقية الجنوبية، أي منطقة الجفرة، مع ولاية فزّان. فلا أقل من أن تطالب بحقوق ولايتك في الجزء الغربي الجنوبي وبالتحديد منطقة غدامس وواحاتها، وأعطيته وثائق وخرائط تركيّة تثبت حق ولاية طرابلس في تلك المنطقة، وشدّدت عليه بألا يشعر أحداً بأنني الذي زودته بتلك الوثائق، وطمأنته بأن الحكومة الإتحادية ستؤيده إذا تمسّك بحقوق ولاية طرابلس. وهذا ما حدث فقد قبلت ولاية فزّان بإرجاع منطقة غدامس إلى ولاية طرابلس، وقبلت ولاية طرابلس إرجاع

منطقة الجفرة إلى ولاية فزّان، بناءً على الوثائق والخرائط التركية القديمة. ثم تقدمت كل من الولايتين لمجلسها التشريعي بمشروع قانون يعدّل حدود الولاية حسب الإتفاق المشار إليه أعلاه. وقد تم في أواخر عام ١٩٥٦ أوائل عام ١٩٥٧.

عندما بلغ وانتشر خبر تعديل حدود الولايتين قابله الأعضاء الطرابلسيون في مجلس النواب بالإحتجاج وشعور بأن ظلماً وقع على ولايتهم، مما دفعهم إلى استجواب الحكومة ومهاجمتها هجوماً بلغ القمة في العنف ونزل بلغة الحوار إلى درك سحيق في جلسات متعددة لم يشهد مجلس الأمة مثلها عنفاً وشدّة، واضطر رئيس المجلس إلى إيقاق الجلسة عدة مرات ليهدّئ من غضب الأعضاء ويسيطر على إدارة الجلسات.

كنت وزملائي في وضع يحتم علينا الدفاع عن سياسة طالما عارضناها وأن نتحمل لوماً واتهاماً لذنب لم نقترفه، بل شجبناه وحاولنا جهدنا تفادي حدوثه وكان لسان حالي يردد قول الشاعر الجاهلي النابغة الذبياني مخاطباً النعمان بن المنذر ملك الحيرة مقسماً له بأنه: وحملتني ذنب أمرىء وتركته.........كذى العر يكوي غيره وهو راتع.

بل أن دفاعي واحتمالي بصبر لاتهامات النواب كان يحدث في نفس الوقت الذي كانت استقالتي تُقدم للملك في طبرق، ويقول له حاملاها عبد المجيد كعبار وعبد الرزاق شقلوف إن رئيس الوزراء لن يتراجع هذه المرة عن استقالته.

كان في استطاعتي أن أقف أمام النواب وأصارحهم بالحقائق وأدعمها بالمراسلات التي تبين صواب موقفي وبراءتي من كل ما نسبوه لوزارتي، وأخرج من الحكومة خروجاً مشرفاً ولو صاخباً، غير أنني حرصت على أن أجنّب مؤسسة رئاسة الدولة أي هزة أو إتهام. وعندما اشتد هجوم النواب وتعالى صياحهم نفّست عما يدور في وجداني بجملة ذات معنى دفين فقلت: مسكين رئيس الوزراء إن قال نعم فالويل له وإن قال لا فالويل له، وإن خرج بالسكوت من لا ونعم فهو متواطىء. وهناك رابعة لا أدريها قد تكون في أن يترك كرسيه ويجلس بينكم. (صفحة ٥٤٩ من مضبطة مجلس النواب الهيئة النيابية الثانية دور الانعقاد الثاني).

وبالرغم من أنها إشارة صريحة إلى قرب استقالتي والإنتقال إلى كراسي النواب فإن

حرارة النقاش وتوتر الأعصاب حالت دون أن يفطن أحد من النواب لمعنى تلك العبارة.

وانتهى اجتماع المجلس بقرار تأجيل مناقشة الاستجواب. فرجعت إلى مسكني حيث جاءني كل من نائب الوزراء عبد المجيد كعبار، ووكيل المالية عبد الرزاق شلقوف ليبلغاني أن الملك إدريس قبل استقالتي ولكن بشروط.

الأزمة الأخيرة ... ثم الاستقالة

في تلك الأسابيع الأخيرة من عهدي في الحكم تكاثرت المشاكل وتفاقمت الأمور وتنوّعت الأزمات، وأصبحت أخرج من أزمة إلى مطب محرج، وما أكاد أجتازه إلاّ لمواجهة عاصفة في البرلمان، وكان لسان حالي قول من قال: تكاثرت الظباء على خراش فما يدري خراش ما يصيد.

والأدهى والأمر أنني كنت في أغلب الأحيان أواجه تلك الأزمات وأنا مكتوف الأيدي لأنني فضّلت أن أتحمل في نفسي وسمعتي التهم والهجوم لكي أقيم سداً منيعاً حول مؤسسة رئاسة الدولة لأجعلها فوق مستوى الشبهات والاتهامات، وزاد الأمور تعقيداً تردد الملك بين تأييد رئيس حكومته وإرضاء نزوات حاشيته، وكانت أزمة استدعاء الصديق المنتصر سفيرنا في القاهرة هي آخر تلك التمثيليات المؤسفة.

ليس سراً أنه كان هناك ود مفقود بين الصديق المنتصر وبيني. فلم يكن الصديق ليغفر لي أنني أنزلته عن عرش ولاية طرابلس بعد أن زاد عبثه وظهر ظلمه للناس وغطرسته على المواطنين. وكانت تصدر منه أفعال وأقوال تفضح مشاعره السيئة نحوي وكنت أتجاهل ما يصدر عنه لمعرفتي بطيشه. وكان أن أصر القصر على إيفاده سفيراً لليبيا في واشنطن وقبلت على مضض، وربما لكي أتخلص من عبثه.

ولم ينجح في سفارته بواشنطن إذ لم يقم بأي نشاط مجد ولم يوفق في أية اتصالات دبلوماسية مع الحكومة الأمريكية، وكان نشاطه مركزاً في اتصالات عديدة مع السفارة البريطانية، وكانت تصلني تقارير من بعض موظفي السفارة يشيرون إلى أفعال وأقوال من السفير كلها اتهامات وتهجّمات على حكومة بلاده. وعندما تكاثرت التقارير وتعدّدت

مصادرها رأيت أن أنقله إلى سفارة القاهرة أملاً في أن يتأثر بالجو العربي وأن ينشغل في دراسة بعض قضايانا العربية ويساهم في معالجتها، وعلى أمل أنه في القاهرة لن يستطيع الإتصال بالسفارة البريطانية والتآمر معها ضد حكومة بلاده، حيث ستكون اتصالاته معها مكشوفة خاصة في تلك الفترة التي تمرّ فيها العلاقات المصرية- البريطانية بأزمات طاحنة.

وجدير بي أن أذكر أن الشبهات التي كانت تدور حول اتصالاته بالسفارة البريطانية كانت اتصالات تآمرية، وأنه كان يسعى سعياً حثيثاً إلى إقناع الحكومة البريطانية بتفاقم الخطر المصري على ليبيا وأن الحكومة الليبية الحالية تشجع التغلغل المصري، ثم يشدد على ضرورة إعادته هو وابن عمه محمود المنتصر لكي ينقذا ليبيا من خطر التآمر المصري عليها وتواطؤ الحكومة الحالية مع نفوذ مصر.

ولقد عثرت ضمن الوثائق البريطانية على رسالة مؤرخة ١٩ يناير ١٩٥٦ من الوزير المفوض في السفارة البريطانية بواشنطن إلى رئيس قسم أفريقيا بوزارة الخارجية البريطانية جاء فيها ما يلي:

عزيزي آدم

١- تضمنت رسالة رقم ٢٧ (JT 1022/8G 1955) المؤرخة ١٤ يناير إرشادات للسفير فيما يتعلق بحديثه مع زميله الليبي السيد الصديق المنتصر.

٢- نظراً لأن السفير كان مشغولاً بسبب زيارة رئيس الوزراء (أنتوني إيدن) فقد ذهبت - بناء على طلبه - لزيارة السفير الليبي يوم ٢٥ يناير (وكان ذلك هو سبب كل هذا التأخير في إبلاغكم بما دار بيننا فأرجو المعذرة).

بدأ اللقاء بتبادل التحيات المعهودة وعندما ذكرت أن السفير طلب مني إبلاغ رسالة للسفير الليبي رداً على محادثاتهما السابقة قفز الرجل من مقعده وذهب ليفتح النوافذ والأبواب ثم يقفلها للتأكد من عدم وجود أحد، ثم قال بشيء من التخوف أنه يفضل عدم مناقشة مثل هذه المواضيع الحسّاسة في

سفارته وأنه سوف يقوم بزيارة للسفير بعد مغادرة رئيس الوزراء.

إلاّ أن ذلك لم يكن ليمنعه من استعراض أغلبية النقاط التي سبق أن ناقشها مع السيد السفير (رسالة واشنطن رقم ٥٤٢ بتاريخ ٢٣ ديسمبر).

استطرد السيد السفير بعد أن أنهى حديثه ذلك المفعم بشيء من الروح التآمرية ليقول أنه يمثل هو وابن عمه محمود المنتصر الشخصيتين الوحيدتين في بناء دولة يعتمد عليها في ليبيا، وأن السيد محمود المنتصر رجل دولة وصاحب أفكار مثالية سامية. أما دوره الشخصي فهو أكثر تواضعاً ولكنه يسيطر على حثالات طرابلس (بهذا التعبير) ويملك الدعم الشخصي من مجموعة كبيرة من نواب وممثلي طرابلس، كما أشار إلى أن الحكومة الحالية أرسلته هو وابن عمه إلى الخارج لتوفر للمصريين حرية أكثر في التحرك، وأنه إذا أريد لهما أن يقوما بأداء دورهما فينبغي أن يرجعا إلى ليبيا في وقت قريب حيث أن غيابهما لفترة أطول يفقدهما السيطرة على أصدقائهما وزملاءهما في الداخل. حدد لذلك عام كحد أعلى وعبر عن أمله في ألا تقوم بريطانيا بتغيير ممثليها في ليبيا وأن يستمر بالذات بقاء الشخصيات الكبيرة التي له علاقة ودّ وصداقة معها.

٣- لقد أنصت لذلك الحديث - بل أني في الحقيقة لم أتمكن من المشاركة فيه بكلمة واحدة - وتمكنت لدى أول فرصة من توصيل الأفكار الواردة في الفقرة (٧) من رسالة الخارجية المشار إليها، وأكدت على وجه الخصوص على سجل صداقة حكومة صاحبة الجلالة الحافل مع ليبيا (الذي كانت هديتنا من المعدات العسكرية في الفترة الأخيرة عربوناً لها) وعلى علمنا الكامل بمدى خطورة خضوع ليبيا للنفوذ المصري أو السوفياتي.أشار السيد الصديق إلى أن بريطانيا دائماً تتحرك بهدوء وبدون ضوضاء وبدت عليه علامات الرضى، واختتم الحديث بتبادل التحيات والاحترامات. كما أصر رغم ممانعتي على مرافقتي إلى باب السيارة وكان انطباعي أنه كان يريد ان يُسرّ لي بشيء آخر إلاّ

أنه لم يمتلك الشجاعة للمخاطرة بذلك.

٤- يبدو لي بكل وضوح أن ما يهدف إليه هو حكومة جديدة في ليبيا يرأسها المنتصر، ويأمل السيد السفير أن يقابل المنتصر في مرة قادمة خلال الشهر الحالي ولعلنا نتمكن من إفادتكم بالمزيد بعد ذلك.

٥- مرسل نسخة من هذه الرسالة للسيد كلينتن توماس في طرابلس والسيد غارفي في القاهرة.[٩٨]

عندما حاولت الحصول على صورة من الرسالتين المشار إليهما في هذه الوثيقة أبلغت أن هاتين الرسالتين سوف لن يُفرج عنهما إلاّ بعد خمسين عام من تاريخهما ويبدو أنهما تحتويان على معلومات تحاول الحكومة البريطانية إخفاءها إلى ذلك الحين.

غير أن الأمانة التاريخية تحمّلاني أن أضيف أنني أشك كثيراً أن محمود المنتصر كان على علم بتآمر إبن عمّه أو أنه وافق عليه.

ولنرجع إلى الصديق المنتصر بعد استلامه منصبه كسفير لليبيا في القاهرة في أوائل عام ١٩٥٧.

صادف وصوله إلى القاهرة برود في العلاقات الليبية-المصرية عموماً، وتدهور في العلاقات الشخصية مع الرئيس جمال عبد الناصر، وبدلاً من أن يبذل السفير الجديد جهوده لإعادة الحرارة لعلاقات بلاده بمصر ويسعى لإزالة سوء التفاهم وتقريب وجهات النظر بين البلدين، فإنه على عكس ذلك استمر في مؤمراته متعاوناً مع المخابرات المصرية التي كانت تسعى بكافة الوسائل للنيّل منيّ والإنتقام لطردي للملحق العسكري المصري من ليبيا (نوفمبر ١٩٥٦).

ثم ظنّ الصديق أن فرصة العمر قد نزلت عليه من السماء عندما جاء إلى القاهرة ناظر الخاصة الملكية البوصيري الشلحي غاضباً من الملك إدريس لأنه بدأ يتردد في تأييده له ضد رئيس الحكومة. وشعر الصديق أن ناظر الخاصة هو الآخر على خلاف

(٩٨) راجع الملحق رقم ٧٢

مع رئيس الحكومة، فضمّ جهوده إلى جهود البوصيري وانضم اليهما الملحق الصحفي بالسفارة الليبية الطيب الأشهب.

وللطيب الأشهب ماض غير مشرّف سواء إبان الإستعمار الإيطالي أو بعد ما هاجر إلى مصر واشتهر هناك بالنصب والنفاق. وكنت أعرف هذه الحقائق عنه ولذلك استغربت عندما عُيّن بعد الإستقلال مديراً عاماً للمطبوعات في الحكومة الإتحادية.

وعندما توليت رئاسة الحكومة حاولت إبعاد الأشهب عن منصبه كمدير المطبوعات ولكنه كان يستنجد دائماً بناظر الخاصة الملكية إبراهيم الشلحي الذي كان يرجوني إبقاءه في منصبه، ثم ازدادت علاقة الأشهب بناظر الخاصة الجديد (البوصيري الشلحي) لأنه كان يتظاهر بالقيام بدور الحريص الوفي على مناصرة آل الشلحي في عدائهم مع فرع السيد أحمد الشريف، فكان يذكي نار غضب البوصيري ويوغل صدره في الإنتقام.

وطالما حذّرت البوصيري من نفاق الأشهب وشر وسوسته، وما تمكنت من إخراجه من منصب مدير المطبوعات إلاّ منتصف ١٩٥٥. فأزحته إلى سفارة القاهرة كملحق صحفي وظننت أن إبعاده قد يقلّص من خطره ويقلّل من تأثيره السيء على البوصيري. إلاّ أن الأيام أثبتت أن الأشهب كان أذكى في الشرّ وأعرق في النفاق من أن يقلل بعده من آثار شره. وانتهز فرصة نزوح البوصيري إلى القاهرة وانضم إلى الجبهة التي بدأت تتكون في القاهرة للتضامن والعمل ضدي.

وبدأت جهودهم بإثارة الطلبة الليبيين الذين أوفدتهم الحكومة لتلقي العلم في الجامعات والمعاهد المصرية، فكان السفير المنتصر يجتمع علناً بالطلبة ويحثهم على المطالبة بزيادة مخصّصاتهم الشهرية ويشجعهم على الإضراب عن الدراسة والاعتصام في السفارة، وكانت التقارير تصلني من موظفي السفارة عن النشاط العلني العدائي الذي يقوم به الصديق المنتصر. وبلغ النفاق بالطيب الأشهب درجة جعلته يرسل لي صوراً من المنشورات البذيئة التي كان يؤلفها ويطبعها على ورق السفارة ويدّعي أنها صادرة من الطلبة الليبيين لكي يوغر صدري ضدهم.

أمام هذا الوضع المزري وهذا الطيش والأعمال الصبيانية ذهبت إلى الملك وشرحت له أسباب طلبي نقل السفير المنتصر من القاهرة وطلبت منه التوقيع على المرسوم الملكي بذلك.

وافق الملك ووقّع على المرسوم بنقله من القاهرة إلى الاستيداع بوزارة الخارجية. كان هذا في أوائل شهر مايو عام ١٩٥٧.

وحدث أنني سافرت إلى إيطاليا لافتتاح الجناح الليبي بمعرض ميلانو وأَنَبت رئاسة الوزارة إلى نائب الرئيس عبد المجيد كعبار. ويبدو أن الملك إدريس حاول إرضاء ناظر خاصته ليعود من القاهرة إلى طبرق، ويبدو أن ناظر الخاصة اشترط أن يبقى صديقه المنتصر في سفارة القاهرة، فاستدعى الملك عبد المجيد كعبار وأمره بنشر مرسوم جديد يعيد الصديق المنتصر إلى سفارة القاهرة وما كان قد مضى على مرسوم نقله منها إلاّ أيام معدودة.

وكان المرسوم إبقاء المنتصر في منصبه وقع السحر عليه، فتمادى في نشاطه وتعاظم هجومه على الحكومة الليبية علناً ودون خجل أو خوف، ولما كانت العلاقات الليبية المصرية في حالة برود فقد تلقّفت المخابرات المصرية فرصة الشقاق العلني بين الحكومة الليبية وسفارتها في القاهرة، واستغلّت السفير أسوأ الاستغلال، وسرّبت أخباره إلى الصحافة المصرية، وجنّدت صحفيين مصريين مأجورين، سامي حكيم وزكريا نيل، اللذان قاما بحملة خبيثة على الحكومة الليبية وعلي شخصياً (تطورت هذه الحملة بعد استقالتي إلى تلك الحملة الشهيرة في صحيفة الأهرام).

وبعد عودتي من إيطاليا منتصف مايو ١٩٥٧ واطّلاعي على تقارير القاهرة، وبعدما أبلغني عبد المجيد كعبار أنه أرغم من قبل الملك على إعادة الصديق المنتصر إلى القاهرة، ذهبت إلى طبرق مصطحباً معي كعبار وشرحت للملك الموقف بدقة ولفتُّ نظره إلى الضرر البالغ الذي يحدث لسمعة البلاد، وقلت أن الصديق المنتصر تأكد من أن الذي يحميه من الحكومة هو ناظر الخاصة الملكية وأنه يبقيه في القاهرة رغم أنف الحكومة. وقلت للملك بعبارة صريحة أنني لا أقبل أن يبقى الصديق المنتصر في

القاهرة يعبث بسمعة ليبيا ويتعاون مع خصومها ولذلك فإمّا أن ينقل فوراً وإمّا فإني أرجوه أن يقبل إستقالتي.

وقال الملك: بل يُنقل الصديق المنتصر. وهنا قدمت له مرسوماً ملكياً ثالثاً يقضي بنقل السفير الصديق المنتصر إلى وزارة الخارجية. شكرت الملك على ثقته وقلت له أرجو يا مولاي أن تقدّر مدى الإحراج الذي يسبّبه لنا هذا التردد في معاملة السفير ولذلك أود أن أقول أنه لا رجوع الآن أو تعديل في هذا المرسوم الأخير. ونُشر المرسوم في نفس الليلة بالجريدة الرسمية وأُبلغ إلى الحكومة المصرية وإلى السفير المنتصر، وطلبنا منه أن يغادر القاهرة بأسرع ما يمكن.

ومرة أخرى سارع البوصيري الشلحي وتدخل لدى الملك مناصراً صديقه الصديق المنتصر. ولا أدري كيف أقنع الملك بالتراجع مرة ثالثة، فلم يكن قد مضى أكثر من بضعة أيام على المرسوم الأخير عندما وصلتني برقية شفرية مستعجلة من الملك يعبّر فيها عن أمله إبقاء الصديق المنتصر في سفارة القاهرة وإصدار مرسوم ملكي آخر يلغي مرسوم نقله.

وبالرغم من استهجاني لهذا التذبذب المضحك، فقد أبرقت للملك بالشفرة برقية قوية، ولو أنها صيغت بعبارات مهذّبة، للفت نظره أن موضوع نقل السفير جعلتنا موضع تعجّب بل سخرية الناس والأوساط الدبلوماسية، وكررت الأسباب التي سَبق وأن شرحتها له، والتي تجعلني أتمسّك بنقل المنتصر من القاهرة بأسرع وقت، وأخيراً إلتمست من الملك ألا يحرجني، ولذلك طلبت منه أن يبقى مرسوم نقل المنتصر كما هو.

ولكن يبدو أن ضغط ناظر الخاصة الملكية كان ذا أثر عميق على الملك لأنه أرسل لي برقية مستعجلة يقول أنه يصر على بقاء الصديق المنتصر سفيراً في القاهرة ويأمل أن أتقبل هذا بروح طيبة، وأنهى البرقية بعبارة ثقته ورغبته في أن أستمر في منصبي.

انتابني شعور قوي بالإحباط أن يصل موضوع نقل سفير متآمر إلى هذا الحد من الكّر والفرّ بين الملك وبيني، وسيطر علي إحساس بالأسف والمرارة أن تستمر تدخلات ناظر الخاصة الملكية في شؤون الدولة بالرغم من وعود الملك المتكررة بإيقافه. وآلمني

كذلك أن أضع الملك إدريس في هذا الموقف المحرج المتردد. كما ظهر لي شك أو ريب أن ليس لدى الملك العزم الكافي لإيقاف ناظر الخاصة عند حدّه. واتضح لي جليّاً أن حكم البلاد لم يعد أمراً بين رئيس الدولة ورئيس الحكومة، بل أن ناظر الخاصة الملكية له قول فصل ورأي أخير، وهذا وضع لا يمكن لرجل دولة يحترم نفسه ويحرص على مصالح وطنه أن يقبله. لذلك أمليت برقية شفرية عبّرت فيها للملك بأنني لم أعد استطيع أن أستمر يوماً واحداً في حكم البلاد بعدما ظهر جليّاً أن مولانا الملك لم يتمكن من إيقاف تدخلات حاشيته في صلاحيات الحكومة. وحرصاً على تجنيبه التردد بين حكومته وناظر خاصته وحرصاً على سلامة الحكم فإنني أرفع استقالتي وأصر عليها وألتمس من مولانا قبولها لأنني لست مستعداً للبقاء يوماً واحداً آخر في منصبي.

وبعد ساعات قليلة وصلتني برقية شفرية من الملك كانت غاية في اللطف واللين، فلم يظهر غضبه لاستقالتي العنيفة ولا للأسباب الصريحة المحرجة التي بررّت بها استقالتي، بل أنه تخطى ذلك كله فعبّر عن شعوره بأنه كلفني ما لا أطيق وأرهقني، وربما لو كانت زياراتي له أكثر عدداً وأطول وقتاً لسهلت علينا تفاهماً أكثر وأفسحت أمامه فرص تقدير صعوباتي. ثم قال أنه مع الأسف، يقبل استقالتي مبدئياً، ويأمل أن أرسل له رسالة خطية تكون أكثر حصافة وأقل عنفاً من برقيتي.

وعلى الفور استدعيت نائب الرئيس عبد المجيد كعبار ووكيل المالية عبد الرزاق شقلوف وأعددت لهما طائرة عسكرية وطلبت منهما أن يحملا استقالتي إلى طبرق بعد أن خففت من حدة لهجتها وأضفت لها كثيراً من المجاملات، وشددّت عليهما االسرية المطلقة لأنني سأواجه مجلس النواب عصر ذلك اليوم للرد على استجواب تعديل الحدود بين الولايات ولا أرغب أن يتسرّب نبأ استقالتي قبل الغد. وقد جاء نص كتاب الاستقالة كما يأتي:

مولاي الملك المعظم حفظه الله،

السلام عليكم ورحمة الله وبركاته، أما بعد، فأتشرف مستميحاً مقامكم السامي أن أسرد على المسامع الكريمة ما ألاقيه من الداخل والخارج من

عراقيل وما أصادفه من عقبات مما سيكون لها حتماً الأثر الكبير في عجزي عن مواصلة تحمل المسؤوليات الجسيمة التي يفرضها علي الواجب، خاصة وكما يعلم مولاي - وكنت دائما في محل عطفه - إن صحتي لم تعد تساعدني على تحمل مسؤوليات الحكم الذي آليت على نفسي أمامكم أن أكرس جهدي وراحتي لها. فبراً بقسمي وحفاظاً على ثقة مولاي الغالية التي اعتز بها، أرفع إلى مقامكم السامي استقالة وزارتي استناداً إلى المادة ٧٢ من الدستور - مشفوعة بشكري العظيم واعترافي الجميل لمولاي الملك المعظم حفظه الله بالمساعدات الثمينة والعطف الكريم والرعاية الطيبة التي تمتعت بها طول مدة تشريفكم لي برئاسة حكومتكم مما كان له الأثر الطيب في تحقيق بعض ما كنا نصبو إليه لخير هذا الوطن العزيز. إني لأضرع إلى الله العلي القدير أن يمد له في عمركم الطويل حتى يتحقق له كل ما يصبو إليه في عهدكم السعيد من عزة وازدهار.

وإني لازلت دوماً يا مولاي خادمكم المخلص الوفي.

التوقيع مصطفى بن حليم

وقد اخترت شقلوف لمرافقة نائب الرئيس لأنني عرفت فيه جرأته وصراحته مع الملك وظننت أنه سينقل له رسالتي الشفوية بدقة وأنه أقدر على إقناع الملك بضرورة قبول استقالتي وإطلاق سراحي.

وبعد عودة مندوباي أبلغاني أن الملك أكثر من الثناء على خدماتي للوطن وتقديره لإخلاصي كما أبدى أسفه لاضطراره - أمام إصراري - لقبول استقالتي، ولكنه عبّر عن رغبته أن يعينني في منصب مستشار خاص له بمرتب ورتبة رئيس وزراء، وأضاف مازحاً: لكي لا نتهم بإقليمية برقاوية يعيّن كذلك محمود المنتصر في منصب مماثل.

ثم التفت إلى عبد المجيد كعبار وقال له: لقد جاء دورك وعليك أن تلهد المشوار المقبل. أي أن الملك قد كلفه بتشكيل وزارة جديدة.

كثير من الناس ظنّوا أنني أنا الذي رشّحت كعبار ليخلفني والوقائع التي سردتها بعاليه تنفي ذلك الظن جملة وتفصيلاً.

وفي اليوم التالي ذهبت إلى مجلس النواب وحضرت الجلسة التي تليت فيها رسالة استقالتي ورد الملك عليها وقد جاء نصه كالآتي:

حضرة المحترم السيد مصطفى بن حليم

السلام عليكم ورحمة الله تعالى وبركاته

وبعد، استلمنا كتاب استقالة وزارتكم ونظراً لظروفكم الصحية التي لم تمكنكم بمتابعة القيام بالحكم وفي الوقت الذي نتقبلها نشكركم عظيم الشكر على خدماتكم الممتازة لنا ولوطنكم العزيز ونسأله تعالى لكم الصحة والعافية.

هذا وقد وقع اختيارنا على السيد عبد المجيد كعبار ليقوم بتشكيل الوزارة الجديدة ونسأله تعالى له التوفيق.

ثم قمت وألقيت خطاباً مسهباً ودّعت فيه مجلس النواب، ولم يخل خطابي ذلك من الإيماء إلى الأعاصير والعقبات والصعوبات والمطبّات التي صادفت وزارتي، ثم لمّحت إلى أن سبب فشلي في بعض الميادين كان نتيجة قصور لا تقصير. ولقد انتبه كثير من النواب إلى هذا الجناس الذي أشار بلباقة مبطنه إلى بيت الداء ومصدر الأنواء.

وانقل عن مضابط مجلس النواب مقتطفات من تلك الكلمة قلت فيها:

وليس لي أن أتحدث عما فعلته الوزارة التي تشرفت برئاستها، ذلك عمل التاريخ، ولكنني أقول أن تلك الوزارة قد صادفت من العقبات والصعوبات والمطبات الشيء الكثير في مختلف الميادين الخارجية والداخلية.

ولقد كان عليها أن تعمل بكل قوة على دعم إستقلال ليبيا في جميع هذه الميادين وأن تحافظ على الدستور وتدعم الحريات وتصونها وأن تنهض

بمستوى الشعب الليبي وتسهر على مصالحه، وأن تؤازر جيراننا المجاهدين في سبيل إستقلالهم، وأن تتعاون مع الدول العربية لكل ما فيه صالح العرب واستعادة أمجادهم، وأن ترسم الخطى والتوجيهات السامية لخير وطننا ولخير شعبنا، كل ذلك في وجه عراقيل متلاحقة ليست جميعها من صنع الطبيعة وهكذا وفقت في أشياء كما أصارحكم بأنني فشلت في أشياء أخرى. وفي الوقت الذي يغمر الارتياح نفسي عندما أشعر بأنني نجحت في بعض الميادين فان الأسف العميق ليطغي على نفسي أيضاً عندما أشعر بأنني فشلت في ميادين أخرى ولا يخامرني شك في أنكم تشاركونني هذا الأسف الذي كان نتيجة قصور لا تقصير.

وقد علق الأستاذ الدكتور خدوري في كتابه على استقالة وزارتي بقوله:

وطلب بن حليم من الملك أن يعفيه من منصبه في رسالة رسمية مؤرخة في ٢٤ أيار ١٩٥٧. وحمل الرسالة من طرابلس إلى طبرق اثنان من اصدقائه هما عبد المجيد كعبار رئيس النواب وعبد الرزاق شقلوف المدير العام لوزراة المالية. فلما سلّم الرجلان الرسالة عهد الملك إلى كعبار بتأليف الوزراة.

وهكذا انتهت حياة الحكومة التي ترأسها رجل ثبت أنه من خير القادة في ليبيا.[٩٩]

---

(٩٩) خدوري، ص ٣٢٤

الباب الثالث عشر

السنوات الأخيرة من العهد الملكي وانقلاب سبتمبر ١٩٦٩

كما ذكرت بعد استقالتي من رئاسة الحكومة أبقاني الملك إدريس في خدمته كمستشار خاص بمنزلة ومرتب رئيس وزراء، ومضت شهور عديدة لم يستشرني الملك في شيء، فشعرت أن منصب المستشار إنما قُصد به نوعاً من المكافأة أو الإجازة الطويلة أو وضعي رهن الاستيداع. لذلك قابلت الملك وشرحت له أنني اتولى منصباً كبيراً دون صلاحيات وأتناول راتباً عالياً دون عمل، في حين أن كثيراً من المواطنين ينتظرون مني مساهمة فعالة بإبداء الرأي حول الكثير من قضايا الساعة، بينما ليس لي من الأمر إلاّ أنني أعدد أياماً وأقبض راتباً. لذلك فإنني إذ أشكر مولاي وأقدر كثيرا عنايته ورعايته بإسناده لي هذا المنصب الفخري ذا الراتب الكبير، وألتمس منه بأن يسمح لي بالاستقالة لأنني أود أن أعود لمزاولة مهنتي الأصلية. كان رد الملك في غاية اللطف، حيث قال أنه أنشأ منصب المستشار خصيصاً لأبقى على علاقة مستمرة بالدولة ولكي أكون جاهزاً لتولي أي منصب هام عندما يدعوني لذلك. ولكنه لم يأخذ في الاعتبار عامل الملل والشعور بالفراغ الذي بدأ يسيطر علي، لذلك فإنه يقترح أن يرسلني سفيراً لليبيا في باريس. وقد تحدثت في ذلك الباب بالتفصيل عن الدور والإتصالات التي قمت بها في باريس من أجل ثورة الجزائر.

وفي أواخر ١٩٥٩ وأوائل ١٩٦٠ بدأت اتصالات سرية بين الحكومة الجزائرية في المنفى والحكومة الفرنسية، بل أن الجنرال ديجول كلّف وزير التعليم العالي لويس جوكس برئاسة الوفد الفرنسي الذي كان سيفاوض الجزائريين. ونظراً لعلاقتي الوطيدة

بالوزير جوكس فقد أسرّ لي أن الجنرال ديجول قد وصل إلى قناعة أكيدة بضرورة إيقاف النزيف الفرنسي في الجزائر والبحث الجاد عن حل جذري ينهي الحرب ويفتح صفحة جديدة من التعاون الفرنسي الجزائري. وزاد من تفاؤلي أن علمت من الطرف الجزائري أن صديقي المجاهد كريم بالقاسم سيتولى رئاسة الوفد الجزائري في المفاوضات. بعد ذلك زرت الملك إدريس في طبرق وأخبرته بأن مهمتي في باريس أوشكت على الإنتهاء، وأقنعته بعد جهد جهيد، بقبول إستقالتي. بل في الواقع أن الأمر الذي ساعدني في التغلب عل تردد الملك في قبول استقالتي هو إبني طارق الذي لاحظ عليه الملك أنه لا يتكلم إلاّ الفرنسية والإنجليزية، وعند ذلك نظرت إلى الملك إدريس ثم همست في أذنه قائلاً: هل يعجبك هذا يا مولاي؟ فرد على الفور بالنفي، وقال: إرجع إلى وطنك حتى ينشأ أولادك في جو عربي مسلم. وكانت استقالتي جاهزة في جيبي فقدمتها له وكانت مسبّبة برغبتي في الرجوع لمزاولة مهنتي الأساسية بالهندسة والإنشاء.

عودتي للأعمال الحرة وابتعادي عن النشاط السياسي

رجعت إلى طرابلس وبدأت عملي الحر فأسست الشركة الليبية للهندسة والإنشاء بالاشتراك مع شركة براون آند رووت الأمريكية، ثم توسّعت قاعدتنا فدخلنا في مشاركة مع شركة بيكتيل الأمريكية. وعلى مدى سنوات عديدة اندفعت بحماس وعزم في أعمالي هذه ووفقني الله، وتفرّعت أعمالي فأسست عدة شركات صناعية منها شركة الصابون والمواد الكيماوية حيث كنا ننتج تسعين بالمائة من استهلاك ليبيا لصابون الغسيل، وشركة الغازات الليبية فكنا نغطي حاجة الوطن من غازات الأكسجين والنايتروجين. وشركة أنابيب البلاستك والأترنيت وشركات أخرى لانتاج المواد المستعملة في حفر آبار البترول. ثم توسع نشاطي في مجالات إقتصادية أخرى فأسست مع بنك مورجان جارانتي الأمريكي والبنك البريطاني للشرق الأوسط مصرفاُ ليبياً أسميناه مصرف شمال أفريقيا، كان لفريقنا الليبي فيه أغلبية الأسهم. وتوليت أنا رئاسة مجلس إدارته. ولم تمض إلاّ سنوات حتى أصبح من أهم المصارف التجارية.

انصرف نشاطي تماماً لأعمالي الخاصة وابتعدت ابتعاداً تاماً عن السياسة، إلى أن استدعاني الملك في ربيع ١٩٦٤ وطلب مني مساعدته في إصلاح هيكل الدولة الليبية وإقامة النظام الجمهوري بدلاً من النظام الملكي. إلاّ أن انتهى مسعاي إلى فشل ذريع في إقناع الملك بالمضي قُدماً في تلك الإصلاحات، وتردّده أمام معارضة المنتفعين من النظام الملكي. ثم قراره بتعليق تنفيذ تلك الإصلاحات بعدما قمت، بالتعاون مع بعض كبار المستشارين القانونيين بإعدادها. كل هذا أصابني بنكسة نفسية عميقة فسيطر علي يأس غريب وفقدت الأمل، ودخلت في تيه سياسي وأصبحت أشعر بغربة سياسية وأنا في وطني. فتجنّبت حتى الحديث في أمور السياسة وقاطعت مجالسها وانصرفت قلباً وقالباً إلى أعمالي الخاصة ولسان حالي يردّد قول جدّ رسول الله صلى عليه وسلّم: أنا رب الإبل وإن للبيت ربٌّ يحيمه. ومرّت بي الأشهر والسنوات وأنا في هذا الحال الذي وصفته.

محاولة أخيرة لإعادتي إلى الحكم

حدثت في أواخر ١٩٦٨ محاولة ملكية اخيرة لإعادتي إلى الحكم ولكنها كانت محاولة فريدة في الوسيلة التي اتبعت بها والشخص الذي قام فيها، وأعني به خطّاب محمد.

وليسمح لي القارىء أن أعرفه بخطّاب محمد، وأن ألقي بعض الضوء على خلفية علاقته بالملك إدريس وبي شخصياً. خطّاب محمد هو مهندس مصري نابغ ومخضرم، تخرج من كلية الهندسة المصرية عام ١٩٢٠. ثم واصل دراسته في انجلترا وتخصّص في هندسة الموانئ والمنائر ونبغ فيها، وعمل في الحكومة المصرية وتقلّب في عدة مناصب إلى أن وصل إلى منصب وكيل وزارة الموصلات. كما تولى كذلك مهمة تدريس هندسة الموانئ والمنائر في جامعة الإسكندرية كأستاذ زائر. وحتى بعد أن أحيل على المعاش في الستينات استبقته الحكومة المصرية مهندساً استشارياً لها. والاستاذ خطّاب فضلاً عن خبرته الهندسية امتاز بخلق كريم ونزعة صوفية، فهو عالم واسع الأفق متبحّر في علوم الدين متخصّص في مذهب الإمام مالك، يحفظ القرآن ويجوّده.

وكان على علاقة صداقة حميمة مع الأمير إدريس السنوسي في أواخر العشرينات

وأوائل الثلاثينات، وكذلك مع الشيخ أحمد بن غلبون، عضو هيئة كبار العلماء بالاسكندرية، فكان هذا الثالوث، يجتمع كل يوم خميس في قصر الشيخ بن غلبون في ضاحية سيدى بشر أو في مسكن الأمير إدريس في ضاحية فيكتوريا بالقرب من الإسكندرية. وكثيراً ما أدّى الثلاثة فريضة الحج أو العُمرة معاً.

ولقد التقيت به عام ١٩٤٨ عندما رشحتني الشركة التي كنت أعمل بها لتولي منصب المهندس الأول الممثل للشركة والمنفذ لمشروع أرصفة الركاب للبواخر عابرة المحيطات في ميناء الإسكندرية. وكان خطّاب في ذلك الوقت كبير مهندسي وزارة المواصلات، وكان يتحتّم على الشركة الحصول على موافقة كبير المهندسين في وزارة المواصلات على ترشيحي لتنفيذ ذلك المشروع.

عندما حُدد لي موعد لمقابلته سيطر علي شعور بالخوف والوجل لما سمعته عن صرامته ودقته، وعن هالة الاحترام والرهبة التي كانت تحيط بإسمه بين مساعديه ومعارفه. إلاّ أنني فوجئت عندما قابلته حيث استقبلني ببشاشة وترحيب قائلاً: أهلاً باشمهندس... لقد درست ملفّك بإمعان ووجدت أن مؤهلاتك تناسب مطالبنا، إلاّ أن لي سؤال واحد، ما هذا البن حليم؟ هل أنت مغربي؟ قلت: لا بل أنا ليبي. قال: وهل عرفت المرحوم الشيخ أحمد بن غلبون؟ فابتسمت وقلت: بل هو في مرتبة خالي، فهو ابن عم جدتي لوالدتي. فابتسم خطّاب إبتسامة عريضة وقال: إذن أنا أوافق على ترشيحك. وفي تلك اللحظة سمعنا أذان الظهر ورأيت عدداً من الموظفين يدخلون مكتبه ويصطفون في مصلّى ملحق بمكتبه. فقام خطّاب وأمّ بنا الصلاة، وبعد الإنتهاء قدمني لكبار معاونيه. ومنذ ذلك اللقاء قامت بينه وبيني صداقة نمت يوماً بعد يوم. بدأت نظرتي له نظرة إعجاب وتقدير بل وإجلال، ورغبة ملحّة في أن أقلد ذلك الرجل الفذّ وأترسّم خطاه. وكانت نظرته لي نظرة عطف وتشجيع لمهندس شاب تربطه صلة قرابة ببعض أصدقائه القدامى.

ورجعت إلى ليبيا عام ١٩٥٠ حيث عيّنني الأمير إدريس وزيراً للأشغال العامة والمواصلات في حكومة برقة. وكان خطّاب يزور الأمير إدريس في بنغازي مرة كل ثلاثة أشهر تقريباً، وكان يعرّج على وزارة الأشغال ونمضي بعض الوقت معاً، وكنت أنتهز

الفرصة وأستشيره في بعض ما كان يصادفني من مشاكل فنية، كما كنت أستعين به في توظيف عدد من المهندسين المصريين الذين كان ينتقيهم لي من خيرة مساعديه. فكنت أطعّم بهم وزارتيّ الأشغال والمواصلات، كما استعنت بهم في تعريب الكثير من اللوائح والتنظيمات الهندسية في هاتين الوزارتين.

واستمرت علاقتي بصديقي خطّاب حتى بعد أن استقلت من رئاسة الوزراة. فكان يزورني بعد كل زيارة يقوم بها للملك إدريس، وكنا نمضي بعض الوقت معاً في أحاديث تتناول شتّى الأمور من دينية وهندسية واجتماعية، إلاّ المواضيع السياسية فلا أذكر أنني تناولتها مع خطّاب قبل اجتماعي به شتاء عام ١٩٦٨، ولا أذكر التاريخ بالضبط، ولكنني أذكر أن ذلك كان بعد تولّي السيد ونيس القذافي (آخر رئيس حكومة ملكية) رئاسة الحكومة. زارني خطّاب وتناول طعام الغذاء معي واستمرت جلستنا إلى ما بعد صلاة العصر التي أديناها جمعاً، ثم غادرني إلى طبرق لزيارة الملك. وبعد أيام قليلة اتصل بي من طبرق هامساً في الهاتف أنه يود أن يقابلني في بنغازي غداً مساءً ليتحدث معي في أمر غاية في الأهمية، ورجاني أن يكون اجتماعنا على انفراد بعيداً عن الأنظار. وبرغم استغرابي لطلب صديقي فإنني رأيت أن أحترم رغبته وألبي طلبه، فسافرت إلى بنغازي واجتمعت به على انفراد في منزل أخي عبد المنعم.

بدأ خطّاب حديثه شارحاً أنه لم يتعود أن يتحدث مع الملك إدريس في أية مواضيع سياسية لأن علاقتهما كانت علاقة صداقة روحية صوفية لا تمت للسياسة ولا للماديّات بأية صلة، غير أنه صُدم في زيارته الأخيرة إذ وجد الملك في حالة نفسية سيئة للغاية وفهم منه أنه يستعد للرحيل من البلاد والذهاب إلى المدينة المنورة مجاوراً رسول الله صلى الله عليه وسلم. ولذلك فقد شعر أن واجبه يفرض عليه أن يسأل عن أسباب يأسة ويلفت نظره إلى أن مغادرته البلاد بهذه الطريقة هو عمل يعرض وطنه لكارثة محقّقة.

قال خطّاب بدأت حديثاً طويلاً معه لكي أهوّن عليه وأصرفه عن قراره الخطير. فانفجر في شكوى مريرة وأفرغ قلبه من معاناته، وشرح أنه يائس من جدوى حكم البلد بعد أن ابتعد عنه الرجال الأكفاّء المخلصين ورفض كل من حاول الإستعانة به

التعاون معه، وانتهى إلى القول: قد أصبحت وحدي أواجه مشاكل سياسية في سن متقدم وانصرف عني رجال الوطن الأكفاء المخلصين؟ ورغبت أن أستقيل وأتخلص من الحكم وأوزاره وأجاور بالقرب من رسول الله صلى الله عليه وسلّم لأنهي حياتي في عبادة الله وفي تقشف بعيداً عن ماديات الحياة. قال خطّاب: دعنا يا مولاي نبحث الأمور بهدوء وترّوي... أولاً من هم الليبيون الذين دعوتهم ورفضوا نداءك؟ قال الملك: دعوت خالد القرقني لأوليّه رئاسة الديوان ومنصب مستشاري الأول ليعاونني على أعباء الحكم كما عاون المرحوم الملك عبد العزيز آل سعود وأبناءه من بعده خصوصاً الملك فيصل، ولكن خالداً اعتذر وأبدى الكثير من الأسباب. ثم دعوت فاضل بن زكرى ورغبت أن يتولى رئاسة الحكومة ولكنه اعتذر لمرض في قلبه وقال لمن أرسلته له وإذا كنتم في شك من قولي فإن الطبيب فلان سيؤكد لكم ما قلت. ثم سكت الملك قليلاً واستأنف حديثه ولكن هذه المرة في ألم ظاهر، فقال: أما صديقك مصطفى بن حليم فقد اعتذر عدة مرات وبلغ به الأمر في آخرها أن تدخّلت زوجته لدى صديقتها الملكة فاطمة وخاطبتها قائلةً سوف لن يشفع لكم جدكم رسول الله إن لم تتركوا مصطفى بعيداً عن السياسة. فهل سمعت يا خطّاب قوماً يعاملون مليكهم بهذا العزوف ويتهربون منه كما يهرب الصحيح من المرض؟ فماذا تراني فاعل بعد هذه الأمثلة؟ أليس الأفضل لي أن أستقيل أنا الآخر لأتخلص من وزر الحكم والسياسة وأصون ديني واسمي وتاريخي؟ فقلت له: يا سيدي ويا مولاي مع عطفي الشديد وتجاوبي الصادق مع شعورك إلاّ أنني لا أرى أن ما تفكر فيه هو الحل الأمثل، بل دعني أقول لك أنه حل لا يرضي الله ويعرضك لمسؤولية خطيرة أمام الله وأمام التاريخ. إذ كيف يجوز لك أن تترك شعبك الذي بايعك وأسلمك أمره وقيادته، وكيف يجوز لك أن تتناسى مسؤليتك نحو الله ونحو شعبك وتتركه بهذه الطريقة في دوامة خطيرة قد تسبب حرباً أهلية وتناحراً خطيراً لا يعلم إلاّ الله مداه. ثم يقول خطّاب اندفعت في حديث طويل لأجعل الملك يقلع عن أفكاره العجيبه وانتهيت بحديثي إلى سؤاله: ماذا لو أقنعت بن حليم الآن أن يتعاون معك؟ قال الملك: بل أحضره معك. فسألته: ولكن ما رأيك في عهد مصطفى بن حليم في رئاسته الأولى؟ ولماذا استقال؟

قال: إن مصطفى بن حليم هو الرئيس الوحيد الذي استقال، وقد أسفت لاستقالته... أما بقية الرؤساء فقد أشعرت كلاّ منهم برغبتي أن يقدم خطاب استقالته، أما عن رأيي في عهده فقد كان ممتازاً ولا لوم لدّي عليه إلا تسرّعه وأنه كان يستمع لآرائي وتوجيهاتي في هدوء وكان يهز رأسه علامة الموافقة ثم يخرج من عندي ويتجاهل توجيهاتي وينهج على الدرب الذي يراه ضارباً عرض الحائط بما طلبت منه. وأعترف أنه كان ينسب لي نجاحه ويتحمّل هو فشله.

وسكت خطّاب ثم قال: ولهذا تحدثت إليك يا صديقي مصطفى من طبرق وطلبت منك أن تحضر إلى بنغازي لأضعك في هذه الصورة الخطيرة التي شرحتها، ولكي ترى الكارثة التي قد تحل بوطنك، لولا قدّر الله، استقال الملك وغادر البلاد وترككم في دوامة سياسية خطيرة، فهل تقبل يا صديقي أن تعاون مليكك في حكم بلدك وتعيد لسيدي إدريس ثقته في نفسه ورجاله وتعينه على الخروج من هذه المحنة الوطنية وتجنّب وطنك كارثة محقّقة؟ لا أظنّك يا أخي تتأخر عن واجبك الديني وواجبك الوطني، لذلك يجب عليك أن تلبي دعوة الملك، وتتعاون معه وترافقني غداً إلى طبرق.

كنت أشعر وأنا أستمع إلى حديث خطّاب بأنني أدور في دوامة كبيرة، فقد كانت الأفكار تتضارب برأسي والمشاعر المتعارضة تتنازعني، سكت فترة طويلة واستعرضت في ذهني شريطاً سريعاً لمحاولات الإصلاحات العديدة التي وُئدت، والمشروعات البنّاءة التي تم التراجع عنها في آخر لحظة وشعرت بأنني أمام أحد أمرين، إما إنني أمام فرصة تاريخية للإصلاح لا يجب علي أن أفوتّها، أو أمام محاولة إصلاح أخرى فاشلة سيكون مصيرها الوأد مثل سابقاتها، فقلت لخطّاب: يا صديقي العزيز أولاً أشكرك على سعيك الخيّر هذا الذي إنما أملاه عليك حبك لليبيا والملك إدريس وشجعك عليه خُلقك الإسلامي المتين. لكن في أمور السياسية الوطنية، خصوصاً في ظروف دقيقة كالتي نواجهها فإن الصراحة والوضوح هما أساس كل عمل، ثم أضفت: يا خطّاب لقد اتسع الخرق على الراقع، ولا أظن أن الأزمة الحالية يمكن لأي شخص بمفرده أن يتمكن من معالجتها والتغلب على تيارات الفساد التي بلغت الذروة. دعني أعرض لك، وأرجو أن

تنقل ما أعرض إلى مسامع مولانا الملك:

١- لقد صدر من الملك إدريس نفسه في يوليو ١٩٦٠ بيان علني، نُشر في الصحافة وأذيع في الإذاعات، وصف فيه حالة الفساد في البلاد وصفاً دقيقاً فقال: لقد بلغ السيل الزُّبى. ووعد بإصلاحات شاملة وتوعّد المفسدين ووعد المصلحين، وانتظر الناس وانتظرت أنا معهم بأن يضرب الملك على أيدي المفسدين وأن يطهّر الحكم منهم ويقيم عهداً إصلاحياً جديداً شاملاً، ويسلّم السلطة إلى حكومة قوية ويجعلها تحت رقابة صارمة من مجلس الأمة. فماذا حدث؟ لا شيء. لقد وُضع بيان الملك ذلك على رف الإهمال وغُلّف بستائر النسيان، ولم نسمع بأي قرار إصلاحي واحد، ناهيك عن معاقبة المفسدين الذين زاد عددهم ونما نشاطهم واتسع.

٢- لقد تقدّمت للملك بعدة مشروعات للإصلاح آخرها كان بطلبه وتشجيعه (أعني بذلك مشروع الجمهورية والأصلاحات الدستورية عام ١٩٦٤) فماذا حدث؟

في جميع تلك المشروعات الأصلاحية بدون استثناء، تراجع الملك في آخر لحظة خشية إغضاب أصحاب المصالح النفعية الخاصّة، وكان نصيب مشروعات الإصلاح الوأد في الصباح.

٣- لقد شرحت للملك عندما تراجع عن آخر مشروع أنني لم أرى ولم أسمع فيما قرأت من كتب التاريخ وفيما سمعت أن إصلاحاً واحداً تم دون عناء وجهد من المصلحين، وضربت له مثلاً عالياً هو مثل سيدنا رسول الله صلّى الله عليه وسلّم الذي تعرض للإهانة والتهديد والأذى والهجرة والحرب من ذوي المنافع والمصالح الشخصية إلى أن تمكن، من إرساء قواعد أكبر إصلاح إنساني في تاريخ البشرية. وفي تلك المناسبة قلت للملك بالنص: يا مولاي إن الإصلاح لا يتم بالموسيقى... إن للإصلاح ثمن وتضحيات يتحتّم على المصلح تقديمها ودفعها، فإن كنت يا مولاي مستعداً لدفع نصيبك فأنا مستعد لدفع نصيبي. أرجو يا عزيزي خطّاب أن تذّكر الملك بهذه الجملة.

٤- واليوم... وبعد أن استمعت لما عرضت، فلا بد لي أن أقول (وأستطيع أن أؤكد

قولي هذا بأمثلة كثيرة) أن الحل في يد الملك إدريس نفسه. يستطيع أن يريح نفسه ويريح الوطن ويستمر في مركزه مشرفاً من أعلى على شؤون الوطن الذي قاد جهاده وضحّى في سبيله بالكثير. إنه يستطيع أن يعمل هذا لو توفرّت لديه العزيمة الحقّة، ونيّة الإصلاح الحقيقية وما تتطلبه من مثابرة وجد وجلد. لو توفر له هذا، واتفق مع رجال ليبيين مخلصين على خطة للإصلاح وأقرّها في قوة وثبات وترك لهم مهمة تنفيذها وأزاح من حوله الفاسدين من حاشيته، وطبقة المفسدين والمنتفعين، إذا تم له هذا فإنني على يقين من أن الإصلاح سيتم.

٥- إنني على إيمان ويقين بأن الملك إدريس يحلم ويرغب ويتمنى الإصلاح، ولكنني أخشى أن خبرتي معه جعلتني أعتقد أنه كثير التردّد عندما يشعر بأن الإصلاح يمس بعض حاشيته، فيتغير رأيه وتفتر عزيمته ويتراجع ويؤخر الإصلاح ثم يضعه على الرّف وينساه. أو أن حاشيته تخيفه من عواقب ذلك الإصلاح فيحجم عنه. وقد قالت العرب: إذا كنت ذا رأي فكن ذا عزيمة فإن فساد الرأي أن تتردّدا.

٦- إن علاج الإنهيار في الدولة لم يعد يصلحه الأسبرين، إنه يستدعي جراحة تستأصل سرطان الفساد. وبالرغم من تحفظي نحو عزيمة الملك واستعداده للوقوف صلباً وراء خطة إصلاح شاملة فإني أعرض عليك أن تنقل له الإقتراح الآتي:

أ- أن استدعاء بن حليم لتولّي رئاسة الوزارة أمر لا يقدم ولا يؤخّر في الأمر شيئاً، لأن اتسع الخرق على الراقع، والإنهيار في الدولة يستدعي تضافر جهود عدد كبير من الأكفاء المخلصين النزهاء.

ب- أنني على استعداد أن أتقدم بكشف يحتوي على عشرين إسماً على الأقل، ممن تتوفر فيهم هذه الخصائص على أن تكلّف هذه المجموعة بتولي أمور الحكم. وأنا على استعداد للمشاركة معهم مرؤوساً أو رئيساً.

ج- إنني أحذّر أن عدداً من هؤلاء سيكون من المعارضين الذين ربما رغب الملك تجنّبهم ولكن الظروف الراهنة تستدعي أن يغض الطرف عن ذلك وأن يتعاون مع جميع المخلصين.

د- تتقدم هذه المجموعة، بعد دراسة عميقة، بخطّة إصلاحية شاملة وتعرضها على الملك وتناقشها معه، ثم تتولى وزارة مشكّلة من هذه المجموعة تنفيذ هذه الخطة بقوة وعزم دون الرجوع للملك بعد موافقته المبدئية إلاّ في الأمور الرئيسية، على أن يتعهد الملك بألا يتدخل أو يتراجع عن تنفيذ هذه الخطة وحبّذا لو اتخذ هذا التعّهد شكلاً علنياً.

ه- يبعد الملك المفسدين من حاشيته مع تعّهد من الوزارة الجديدة (أو على الأقل تعّهد منّي) بعدم ملاحقة أحد من المبعدين عن أعمالهم السابقة إلاّ إذا استمرّوا في فسادهم.

ثم عرضت على خطّاب أسماء هؤلاء المفسدين من رجال الحاشية فرداً فرداً. فوافقني على أن سمعة كل منهم لا تدعو للثقة. وختمت كلامي قائلاً: إذا قبل الملك هذه الخطة المبدئية فأنا رهن إشارته. وغادرني صديقي خطّاب إلى طبرق على أن يتصل بي قريباً، ولم يتصل في هذا الموضوع إلى يومنا هذا.

الأيام الأخيرة قبل انقلاب أول سبتمبر ١٩٦٩

وكالعادة في كل صيف، أخذت زوجتي وأولادي إلى سويسرا وتركتهم هناك، وكنت أقوم برحلات مكوكية بين أوروبا وطرابلس للإشراف على أعمالي وشركاتي التي كانت قد توسّعت وتفرّعت. وقمت بآخر رحلة من ذلك النوع يوم ١٩ أغسطس ١٩٦٩، إذ سافرت من زيورخ إلى طرابلس لتمضية أسبوع هناك، على أن أعود إلى زيورخ يوم ٢٥ أغسطس لكي أعود مع زوجتي وأولادي إلى طرابلس في طائرة يوم الجمعة ٢٩ أغسطس استعداداً لافتتاح المدارس في أوائل سبتمبر.

وبعد وصولي إلى طرابلس بيوم واحد جاءني صديق يحمل لي صورة من منشور سري جرى توزيعه بصورة واسعة، وكان المنشور عبارة عن سلسلة طويلة من السباب البذيء في شخص الملك، وطعن رخيص في الأعراض، وهجوم شديد على البذخ والفسق الذي حدث في عرس عمر الشلحي في مدينة البيضاء في أوائل أغسطس ١٩٦٩، وفهمت من

صديقي أن ذلك المنشور قد أرسل إلى الملك في منتجعه الصحي في اليونان، وأن قد ثارت ثائرته وقرّر التنحي، واستدعى رئيس مجلس الشيوخ ورئيس مجلس النواب ليسلّمهما استقالته. انزعجت انزعاجاً شديداً، وقررت الخروج من صمتي وعزلتي السياسية وإقحام نفسي على كبار المسؤولين لعلّي انبههم إلى الخطر الرهيب.

فكرت في الإتصال برئيس الحكومة القذافي، وقلت لنفسي لاشك أنه اطّلع على صورة من ذلك المنشور ولا بد لي من حثّه على اتخاذ الإجراءات الحاسمة الحازمة التي يتطلبها الموقف، ولكنني تذكرت ما أعرفه عن ونيس من كفاءة إدارية ونزاهة ووطنية، وخشيت أن الموقف الراهن يتطلب إجراءات صارمة وحزماً شديداً وعزيمة صلبة قد لا تتفق مع طبيعته المسالمة، لذلك قررت أن أترك مساعيّ إلى حين عودتي من أوروبا وعودة الملك إدريس. كذلك وآليت على نفسي أن أذهب إلى طبرق وأقحم نفسي عليه وأقابله لأناشده أن يضع حداً للشلل الذي أصاب الوطن من تردّده وانزوائه، وأنصحه بأن يقلع نهائياً عن أفكار الاستقالة والتنازل فيعيد للدولة الاستقرار وللوطن الاطمئنان. وزاد أملي في جدوى هذه الأفكار مقابلة طويلة وقعت عن طريق الصدفة مع العقيد عبد العزيز الشلحي في الطائرة أثناء رحلة بين طرابلس وبنغازي يوم ٢٢ أغسطس ١٩٦٩، فقد انتهزت هذه الفرصة وأفرغت ما في صدري من شكوى عن تردّي الأحوال وتزايد المخاطر واللامبالاة الغريبة التي تسيطر على كبار المسؤولين. ووجهت انتقاداً شديداً لأعمال أخيه عمر الشلحي (الذي كان قد عُيّن منذ أشهر مستشاراً للملك) ورجوت عبد العزيز أن يتصل بالملك وينبهه للمخاطر.

وأشهد أن عبد العزيز تحمّل نقدي اللاذع بسعة صدر وناقشني في هدوء وفنّد بعض التهم ووعدني بأن يعمل ما في وسعه للإتصال بالملك ومناشدته تدارك الأمورقبل فوات الوقت.

ولما كنت أثق بعبد العزيز وأعتبره حقاً خيرة أبناء إبراهيم الشلحي وأكثرهم رجولة وأرجحهم عقلاً فقد أخذني شعور بحلم جميل بأن الملك، بعد عودته، سيصلح الأمور ويوقف التردّي وتعود المياه إلى مجاريها. ولم أكن أعرف يومئذ أن أمر الوطن قد قُضي

فيه وأن الملك قد سلّم تنازله إلى رئيس مجلس الشيوخ وأن مجلس الأمة دعي لتلقي وثيقة التنازل. وشاء القدر ألا يعود الملك إلى وطنه وأن أبقى أنا في الغربة الأليمة إلى يومنا هذا.

غادرت مطار بنينه يوم ٢٥ أغسطس ١٩٦٩ متجهاً إلى بيروت التي أمضيت فيها يوماً واحداً ثم أتممت رحلتي إلى زيورخ. وفي فترة غيابي في طرابلس كانت زوجتي تحاول ترتيب موعد مع طبيبها البروفسور دي وات فيل في جنيف لإجراء فحصها السنوي، ولكن البروفسور لم يكن يستطيع تحديد موعد لها إلاّ مساء يوم الجمعة ٢٩ أغسطس ١٩٦٩، ولذلك وجدتها عند وصولي إلى زيورخ غاضبة، فقالت: يبدو أن دي وات فيل لم يعد يهتم بأصدقائه القدامى وأصبح مشغولاً ولا يستطيع أن يجري فحصه إلاّ يوم ٢٩ أغسطس ولذلك فقد قررت الاستغناء عن الفحص السنوي وسأراجع طبيباً في طرابلس. قلت: لا أرى داعياً لكل هذا الاستعجال إن الحل المنطقي أن نؤجل رجوعنا إلى طرابلس ونستقل طائره يوم الثلاثاء ٢ سبتمبر (كان هناك رحلتان فقط اسبوعيا بين زيورخ وطرابلس هما يومي الثلاثاء والجمعة) وتزوري طبيبك الذي تعودتي عليه منذ ستة عشر عام، وأضفت: وعسى أن تكرهوا شيئاً وهو خيراً لكم....

وبعد أن تمكنت من إقناع زوجتي اتصلت بشركة الطيران وطلبت تأجيل عودتنا إلى رحلة يوم الثلاثاء ٢ سبتمبر ١٩٦٩، ولم أكن أعلم أن العناية الإلهية قد سخّرت لنا ذلك التأخير لأنجو من مصير سيء محتوم على أيدي العهد الإنقلابي الجديد.

أول سبتمبر عام ١٩٦٩

صباح يوم الاثنين ١ سبتمبر ١٩٦٩ اتصلت من زيورخ بأحد مساعديَ وهو المهندس ميزتانو في روما لأشدّد عليه إرسال بعض الفنيين، وكعادتى كنت قد ابتدأت حديثي بسرعة مشدّداً على طلباتي مكرّراً رغبتي في سرعة إنجازها، وقاطعنى عدة مرات، ولم أنصت إليه، وأخيراً صاح قائلاً: أسمعني مرة واحدة فقط... لقد وقع إنقلاب في ليبيا. فتجمد الكلام في صدري وشعرت وكأن الأرض تنهار تحت أرجلي وطلبت من محدثي ان

يؤكد ما قال فتبين لي ان الواقعة قد وقعت والكارثة قد حلت ولا حول ولا قوة إلاَ باللّه...

حاولت طوال ذلك اليوم أن أتصل بالملك إدريس في تركيا أو في اليونان، وعندما تمكنت من الإتصال بمقره لم أتمكن من محادثته، واقتصر الإتصال على حديث سريع بين زوجتي والملكة فاطمة، حيث استطاعت زوجتي ان تنقل إليها رجائي للملك بأن يستقل أول طائرة ويعود إلى طبرق لأن مستقبل الوطن يستدعي منه هذه التضحية. فقد كنت موقناً أن عودة الملك سوف تؤدي إلى فشل الإنقلاب. ولكن كان رد الملكة فاطمة أن الملك مرتاح وأن الأمور على ما يرام.

ولم أفهم سبب موقف الملك إلا عندما اجتمعت به لأول مرة في القاهرة في مارس ١٩٧٥. فلما سألته لماذا لم يرجع إلى ليبيا فوراً عقب الإنقلاب؟ ابتسم وقال: ألم تعرف السبب؟ قلت: لا... فنظر إلى زوجته وقال لها لماذا لا تقولي له؟ فقالت: لقد تلقى الملك رسالة عاجلة من السلطات المصرية تنصحه بالإمتناع عن أية محاولة للعودة إلى ليبيا لأن أية وسيلة يستعملها في محاولة للعودة ستنسف في الطريق، وأشارت تلك السلطات على الملك أن يطلب من الرئيس عبد الناصر السماح له بالقدوم إلى مصر وفي هذه الحالة سيكون محل احترام المصريين... وهذا ما فعل.

وبذلك فقد أصاب عبد الناصر عصفورين بحجر واحد إذ قام بدور الحامي للإنقلاب الليبي بأن منع الملك إدريس من العودة إلى وطنه، وفي نفس الوقت ظهر بمظهر الحامي للملك الذي لجأ إليه واحتمى به.

نعود إلى أول سبتمبر، بعد أن ترسّبت الصدمة في نفسي جمعت أشتات فكري واستعدت رباطة جأشي وبدأت أفكر تفكيراً عملياً في مواجهة الكارثة.

تبيّن لي بعد فشل محاولاتي للاتصال بالملك إدريس في تركيا، ان لا شيء في الاستطاعة الآن لإنقاذ الوطن من بلاء الإنقلاب، وأن الأمر قد قضى فيه.

هداني تفكيري، ولا شك أنه كان تفكيراً سقيماً في تلك الليلة الكالحة، أنه ربما كان في هذا الإنقلاب بعض الخير أو شيء من الإصلاح.

سألت نفسي... ألم أحاول إيقاف الفساد؟ صحيح أنني لم أوفق في مسعاي، ولكن

الضباط يقولون أن هدفهم هو إقتلاع الفساد وإصلاح أمور الوطن فلماذا لا نعطيهم فرصة ونتمنى لهم التوفيق. صحيح أن بيانهم الأول كان مليئاً بألفاظ عنيفة ونعوت بذيئة حاولوا إلصاقها بالرجل الصالح المجاهد الملك إدريس، ولكن ذلك البيان كان ينادي أيضاً بإصلاحات كثيرة... فلماذا لا أعطيهم ميزة الشك كما يقول الغربيون the benefit of the doubt. لماذا لا أؤيدهم وأشجعهم على الأصلاح؟ هداني تفكيري... أو بالأصح هداني حلم اليقظة في تلك الليلة الكالحة إلى أن أبرق إلى رجال الثورة مؤيداً دعوتهم إلى الإصلاح، وهو ما فعلت.

ثم راجعت نفسي فهداني حلم اليقظة مرة ثانية إلى أنني لا يجب أن أخشى من الإنقلاب شيئاً، ألم أكن أنادي بالإصلاح؟ ألم أسع إليه العديد من المرات؟ ثم ما هي المحاسبة التي أخشاها من النظام الجديد إذا كان حقا نظاماً إصلاحياً؟ ثروتي؟ لقد دفعت الضرائب عن كل قرش ربحته ولدّي الدليل على ذلك. أما أعمالي الحكومية السابقة فإنني على يقين من أن أية محاكمة عادلة ستشكرني على ما قدمت لوطني من أعمال، فلماذا لا أعجل بعودتي إلى الوطن ربما استطعت مساعدة رجال العهد الجديد على الأقل ببعض النصائح.

غير أن تهجّم بيانات الإنقلاب على الملك وتوزيع الشتائم على العهد البائد كانت تثير القلق والإنزعاج في نفسي، ولكنني كنت أبررها بنفس التفكير السقيم بأنها من طفرة الإنتصار السريع، وما يحدث دائما في الإنقلاب أو ما يسميه الفرنسيون raison d'être.

وتفاعلت هذه الأحاسيس والهواجس في نفسي وتواردت الأفكار وقررت العودة مع عائلتي إلى طرابلس. فغادرت زيورخ إلى روما منتظراً إعادة فتح مطار طرابلس لأواصل رحلة العودة، ولكن في روما وصلتني رسائل تحذير كثيرة من إخوتي وأفراد عائلتي الموجودين في ليبيا، فقد نقلوا لي صوراً قاتمة للأوضاع هناك، صوراً من القمع والعنف وحركة الإعتقالات الواسعة والمعاملة السيئة التي يلقاها رجال العهد السابق، بصرف النظر عن ماضيهم واتجاهاتهم أو أعمالهم السابقة. بل جاءني من الرسائل ما يؤكد

أن النظام الإنقلابي الجديد هو بعيد كل البعد عن أي إصلاح، وأنه حكم قمعي شمولي يتخبّط في آرائه واتجاهاته ولا يعرف أحد مشاربه وأهدافه. عند ذلك صدمتني الحقيقة فأفقت من أحلام اليقظة وتبين لي أنه علي أن أواجه الواقع المرّ والغربة المؤلمة، فوجدت نفسي بلا وطن ولا مسكن ولا عمل ولا مال. فجمعت ما كان عندي وما كان عند زوجتي من وأحصيتها فوجدتها إثنين وعشرين ألف دولار، ذلك هو ما بقى لي من أموالي وأعمالي المضنية على مدى السنين، بل الأدهى والأمر أنني لم أكن اعرف إلى أي بلد ألجأ وأية جنسية أستطيع أن أحمل، وأين أواصل تعليم أبنائي؟ وأي عمل أستطيع القيام به لأعيش منه وأوفر مستوى متواضع من المعيشة لعائلتي.

كل هذه الأفكار والأسئلة كانت تتزاحم في عقلي وتؤرق ليلي. ولا أظن أنني عشت أياماً أكثر معاناة وقلقاً نفسياً مثل تلك الأشهر الأخيرة من عام ١٩٦٩، ولكن إيماني بالله وثقتي بعدله ورجائي فرجه بعث في نفسي الجلد والصبر وقوّى عزيمتي.

سافرت مع أولادي إلى لندن، وألحقت أبنائي الكبار بمدارس هناك، ثم ذهبت لمقابلة صديقي القديم وزير الخارجية البريطاني السابق سلوين لويد وكان يومها يتولى منصب رئيس مجلس العموم. عرضت عليه مشكلتي فبادر بمساعدتي وحصل لي على إذن بالإقامة الدائمة في بريطانيا وعاملني معاملة كلها لطف ورعاية.

ثم صادف أن مر بلندن الأمير فهد بن عبد العزير، النائب الثاني لرئيس مجلس الوزراء ووزير الداخلية السعودي، وكنت على معرفة سابقة به، فسعيت إلى مقابلته في فندق دورشستر، فكان مثال الشهامة والنخوة، قلت له أن كل ما أسعى إليه هو الحصول على جواز سفر يمكنني من التنقل حتى أستطيع مزاولة أعمالي الهندسية من جديد.

خفّف الأمير من حزني وقلقي وأبدى استعداده لمساعدتي وأشعرني بأن لي أصدقاء لن يتأخروا عن مساندتي، ووعدني خيراً ودعاني لزيارة الرياض.

وعندما اطمأنت نفسي إلى أنني سأجد في المملكة السعودية ما أنشده من حماية وما أحتاج إليه من جواز سفر... أجّلت سفري إلى الرياض وتوجهت إلى الولايات المتحدة وزرت هناك شركائي في شركاتي الليبية وكانت لدي في حساباتهم أرباح كان من

المفروض أن توزع آخر العام ١٩٦٩ فرجوتهم أن يدفعوا لي تلك الأرباح مقدماً. ولبّى بعضهم طلبي كاملاً، وبعضهم لبّى جزءاً.

رجعت إلى عائلتي في لندن وأنا أحمل معي مبلغاً كان بالنسبة لي هو رأس مالي في أعمالي الجديدة التي بدأت أنظمها مع بعض أصدقائي المهندسين ممن كانوا يتعاونون مع شركاتي الليبية. ثم بعد هذه الخطوات الأساسية شعرت بأن إقامتي في لندن مع ليلها الطويل البارد ونهارها المظلم، بالإضافة إلى آلام الغربة عن الوطن والأصدقاء لن تكون مريحة لي أو لأسرتي... كل هذا دفعني إلى الإنتقال إلى بيروت، قريباً من شركائي الجدد أصحاب شركة إتحاد المقاولين، لاسيما حسيب صباغ الذي غمرني بلطفه وشهامته في وقت كنت في أشدّ الحاجة فيه إلى من يقف بجانبي ويؤازرني. لقد عرض علي أن يقرضني أي مبلغ من المال. فشكرته واعتذرت عن قبول أي عون مالي ولكنني اتفقت معه على أن نتعاون في أعمال هندسية في دول الخليج، وبدأت نشاطاً جديداً مستنداً على إمكانات أصدقائي وعلى علاقاتي مع شركات النفط العالمية.

وبعد أن استقريّت في بيروت ورتّبت أمور معيشتي وعائلتي، وألحقت الصغار من أولادي بمدارس عربية، أبرقت إلى الملك فيصل ملتمساً موعداً لأزوره في الرياض، وسرعان ما جاءني الرد عن طريق سفيره في بيروت مرحباً بقدومي. فسافرت وقابلت الملك وكان في معيته مستشاره الدكتور رشاد فرعون وسفيره في ليبيا الشيخ عبد المحسن الزيد.

رحّب بي الملك بحرارة وأبدى استعداده لمساعدتي في أي شيء أطلبه ولكنه استثنى من ذلك في كياسة ولباقة، أي عمل ضد النظام الجديد في ليبيا شارحاً أن المملكة العربية السعودية قد جرت على مبدأ أساسي في سياستها الخارجية وهو عدم التدخل في شؤون الدول الأخرى لاسيما الدول العربية لأنها لا تسمح لأي دولة أن تتدخل في شؤونها.

شكرت الملك على ترحيبه وأكدت له أن ليس في جعبتي أي طلب بالمساعدة السياسية لأنني لا أستطيع القيام بأي عمل سياسي حتى لو رغبت، وإنما جئت لأرجوه تحقيق مطلب واحد هو تزويدي بجواز سفر سعودي لكي أتمكن من التنقل في البحث عن

الرزق، ومزاولة مهنتي. فأكد لي بأنه سيصدر تعليماته لوزير الدولة للشؤون الخارجية عمر السقّاف بأن يزودني بجواز سفر سياسي سعودي، قائلاً: ليس من المعقول أن يكون جواز سفري عادياً. ثم ختم حديثه بأن قال أنه يأسف لارتباط سابق ولذلك فقد طلب من مستشاره الدكتور فرعون دعوتي للغداء. وبالفعل اصطحبني الدكتور فرعون إلى منزله وتناولنا الغداء بمفردنا، ثم صارحني بأن الملك، رغبة منه بألا يحرجني، فقد كلفه هو بإعطائي أي مبلغ من المال أحتاج إليه. شكرته ورجوته بأن يشكر الملك بإسمي وأكدت له أنني، والحمد لله، لا أحتاج إلى أي مال وكل ما أحتاجه هو جواز سفر سعودي يمكنني من التنقل لأعمالي وإني على أمل كبير في الله أن يوفقني. وبالفعل أرسل لي جواز سفر سعودي سياسي بعد رجوعي إلى بيروت بعدة أيام.

كانت إقامتي في بيروت إقامة مريحة بعض الشيء بالرغم من آلام الغربة وصعوبة الاندماج في المجتمع اللبناني الكثير التحرر، وبالرغم من أخبار الوطن المؤلمة، أخبار القمع والتعذيب والمحاكمات المضحكة المبكية التي كانت تذاع على الهواء بالإذاعة الليبية التي كنا نلتقطها في بيروت ونتألم لما نسمعه منها.

فسمعت تلك المهزلة الهزيلة، المضحكة المبكية، ما أسموه محكمة الشعب تحاكمني بتهمة إفساد الحياة السياسية وتزوير الإنتخابات البرلمانية لعام ١٩٥٦، تلك الإنتخابات التي فاز فيها أكبر عدد من المعارضين، ومنهم عضو بمحكمة الشعب نفسها الشيخ محمود صبحي. كما سمعت ذلك الفتى المغرور عمر المحيشى يتباكى على الحياة النيابية التي أفسدها مصطفى بن حليم، وكأنه جاء هو وزملاءه لإعادة الحياة للديمقراطية وللنظام البرلماني. وكأنه هو وزملاءه لم يغتالوا الحياة النيابية ولم يقضوا على الدستور.

لقد صدق رسول الله صلى الله عليه وسلم، إذ قال: إذا لم تستح فاصنع ما شئت.

وبادرت بإرسال رسالة طويلة إلى قائد الإنقلاب أدافع فيها عن نفسي تلك التهم الظالمة وأندّد بذلك الحكم بالغ الشذوذ والقسوة.

وإلى القارئ نص رسالتي للعقيد التي بعثتها إليه بتاريخ ٤ اكتوبر ١٩٧١:

بسم الله الرحمن الرحيم

السيد رئيس مجلس قيادة الثورة

الجمهورية العربية الليبية

السلام عليكم ورحمة الله وبركاته وبعد،

علمت مما سمعت من أنباء الإذاعة بالحكم الصادر ضدي من محكمة الشعب بتاريخ ٣٠ سبتمبر ١٩٧١، وهو حكم بلغ في غرابته وقسوته حداً يدفعني إلى المبادرة بالكتابة اليكم بهذه العجالة طالباً منكم التفضل بإلغائه عملاً بالسلطة المخولة لمجلس قيادة الثورة بحكم المادة التاسعة من قانون المحكمة، وراجيا منكم الامتثال لقوله تعالى: يا أيها الذين آمنوا ان جاءكم فاسق بنبأ فتبينوا ان تصيبوا قوماً بجهالة فتصبحوا على ما فعلتم نادمين. فلقد سمعت كثيراً عن تقواكم وورعكم وتمسككم بتعاليم ديننا الحنيف لذلك فإني أكتب إليكم مبيناً لكم ما أراه حقاً وما أجزم بأنه صدق راجياً منكم أن تتبينوا... وإيماناً مني ببرائتي التامة فإني لا ألتمس عفواً بل إني أطلب عدلاً... وإذا كنت في غربتي لم تتح لي فرصة الإتطلاع على التحقيقات وعلى أسباب الحكم كما لم أستطع التوكيل محام عني فإني أرجو أن أمكن من تقديم مذكرة مفصلة حين تتهيأ لي الفرصة.

في هذه العجالة يهمني أن أوضح ما يلي:

أولا: التهمة التي قدّمت للمحاكمة من أجلها هي إفساد الحياة السياسية عن طريق التأثير في الانتخابات التي أجريت إبان توليّ رئاسة الوزراء عام ١٩٥٦.

على أن الذي يستدعي الاستغراب حقا أن المجلس النيابي الذي انتخب في تلك العام كان أكثر المجالس النيابية تحرراً، وتضمن أكبر عدد من المعارضين عرفته الحياة النيابية في ليبيا.

كان المجلس يضم ٥٥ عضواً بينهم عدد يتراوح بين ١٥ و٢٠ معارضاً، ومن المعارضين المشهورين من لا يزال حيا بيننا، ومنهم أحد أعضاء المحكمة الموقرين.

أفإن كان من الانتخابات تزوير أو كان مني عليها تأثير، أفكان هذا العدد العديد من المعارضين يفوزون؟ السوابق في ليبيا تكفي للرد على هذا السؤال، وهي بالتالي كافية لدحض التهمة وبيان غرابة الحكم وشذوذه.

ثانياً: المادة التي تحكم الإتهام هي المادة الثانية فقرة (٢) من قانون المحاكمة، وهذه تعاقب المتهم إذا كان مفسداً للحياة السياسية عن طريق قهر القوى الشعبية أو تقييد انطلاقها أو كبت رأيها عن طريق إشاعة الارهاب أو التخويف أو العنف أو الأغراء. فحتى تستوي الجريمة أركانا ينبغي أن يثبت في حقي أنني منعت الناس من إبداء أرائهم في الانتخابات ببطش أبديته أو وعيد أثار رهبة، أو بعطاء بذلت أو وعد أذاع إغواء.

مجرد استجلاء هذه الأركان يكفي لهدم أحد الإتهامات الموجهة إلي، وهو الإتهام باستعمال التراضي والقرعة في ولاية طرابلس.

فالتراضي لا بطش فيه ولا أغواء، بل هو إتفاق بين الناس أو هو وفاق في القليل والتراضي بُعد لا يد لي فيه، ولا سلطان، بل قرار يصل إليه الطرفان المتراضيان ابتغاء استمرار علاقات طيبة بينهم، أو دفعاً لشحناء قد تثور، أو قصداً إلى تبادل منافع، أو تقريراً لأمر واقع فعلاً أو يحسبانه سيقع.

في كل انتخابات وقعت في العالم حدث تراض بين متنافسين، وفي غير الانتخابات يقع مثل هذا التراضي في شتى المناسبات، ولا تثريب على آتيه ولا ملامة.

والقرعة متضمنة تراضياً، فهي تحكيم لابد لوقوعه من إتفاق بين الطرفين يشمل الحكم وكيفية التحكيم وكيفية قبوله.

من أجل ذلك كانت التهمة الموجهة لي في فرعيها، التراضي أو القرعة، متنافرة مع حكم قانون المحاكمة، فهي لذلك تهمة ساقطة بالمنطق والبداهة.

ثالثاً: كذلك يسقط من قائمة الإتهام بطريق اللزوم ما نسب إلي من إثم في قيام ناظر الداخلية بولاية برقه ناصر الكزّة من تهديد بشير المغيربي للإبتعاد

عن ترشيح نفسه في الانتخابات - يسقط هذا الاتهام تلقائياً لأن المحكمة قضت ببراءة الفاعل الأصلي الكزة، ومتى برىء الفاعل الأصلي الذي نسب إليه إتيان الفعل المؤثم عن إرادة كاملة، فقد باتت تبرئة الشريك واجبة قانون.

رابعاً: نسب إلي كذلك أنني كنت أحضر مآدب في مصراته لتهديد الناخبين وترجيح كفة مرشحي الحكومة، وشهد على هذا الادعاء مصطفى بلقاسم المنتصر. والحقيقة أنني لم أدخل مصراته منذ أكثر من ٣ شهور سابقة على الإنتخابات ولمدة حوالي ٣ شهور تلتها. هذا ما تشهد به أوراق الدولة وصحفها. وواضح أن تنقلات رئيس الوزراء وحضور المآدب إنما يتم علانية ويسجل في الصحف المحلية، وتقارير البوليس الخ...

أما الشاهد فإنه بالإضافة إلى كونه وحيداً فيما ادعى، فهو قد سقط في الإنتخابات ونجح خصمه مفتاح شريعة... وقصة سقوطه هي أقوى دليل ضده، لأن خصمه كان معارضاً قويا في المجلس النيابي كما تشهد على ذلك مضابط الجلسات. ولو قد كان للحكومة مرشحون كما يدّعي ولو قد كان ثم تاثيراً مني على الناس لما نجح مفتاح شريعة المعارض.

ثم، لماذا تكون المآدب المزعومة في مدينة مصراته فقط؟ لماذا والمعارضة لم تحصر في مصراته، ومصراته ليست منطقة عزوتي، وليست هي بعد بالمدينة الكبيرة التي يعم فيها القول وينتشر؟

ثم، من كان حاضراً المأدبة، وكيف لم يتسن الاستشهاد إلاّ بالمرشح الساقط في دائرة سرت؟ أم يكون سر المأدبة محصورا في المنتصر وتكون ذاكرته قاصرة عن استيعاب اسم أي شخص من الحضور، مثل هذه الشهادة مألوفة، ومصير الإهمال فيها حقيق ومألوف كذلك.

خامساً: من التهم الهزيلة أو الهزلية التي نسبت إلي كذلك ما قيل من أن شخصا سمع من شخص لم يذكر اسمه أن والي طرابلس قد قبض مبلغ ٢٠٠٠ جنيه مني لاستعمالها في الإنتخابات.

وشهادة السماع من شخص عن آخر لم يُحدد لا يلتفت اليها لانها لا تعتبر دليلاً يمكن تحقيقه، بل هذراً، وما يعاقب الناس ولا تنال أقدارهم بناء على هذر مجالس الفارغين - تأبى ذلك العدالة قبل أن يأباه القانون - إنما يكون الحساب بناء على كلام جادٍ وثابت فحسب.

ما البيّنه في الإسلام الا شهادة من رأى بعينه وسمع بإذنه وعاين وهو مكتمل العقل متحقق مما يشهد عليه، فإن كان الشاهد أنثى وجب أن تجتمع اثنتان لإحتمال الا تقدر إحداهما ما تشهد عليه وأن يسوقها الهوى فتهرف بما لا تعرف. فكيف يبنى إتهام أخلاقي وسياسي على مثل هذا الهذر العابث.

سادسا: قيل أخيراً أن أحد الشهود قرّر أن والي طرابلس كانت لديه تعليمات من مراجع عليا للتدخل ضد عناصر معينة في الإنتخابات.

وواضح فساد هذا الإتهام من أكثر من وجه.

هو فاسد، لأن التعليمات لم تثبت، فلا وجدت بالأوراق ولا قام عليها دليل مقبول، ولم يحضر أحد الحديث المزعوم عنها.

وهو فاسد، لأن المراجع العليا كلمة غير محددة ولا ندري من تعني، وهي إن عنت أحداً في عهد حكم الولايات فانما تعنى القصر الملكي لا رئيس الحكومة، لأن الوالي كان معينا من الملك مباشرة وكان له إستقلال عن رئيس الحكومة.

وهو فاسد، لأنه لم يتحقق أن تدخّلاً من جانب رئيس الحكومة تم فعلاً ومنع شخصاً معيناً من النجاح في الإنتخابات، بل تحقق على ما قدمناه أن المجلس النيابي كان مليئاً بالمعارضين على صورة لم تتكررفي مجالس ليبيا النيابية حتى نهاية حكم الملكية.

العدالة سابقة على القانون وسامية عنه. وهي التي تقضي بوجوب الاستيثاق من الإتهام قبل توقيع العقاب. ولست أدافع عن النظام الملكي، ولا أنكر غلطات له وسقطات ولكن إدانة النظام لا تقتضي إدانة كل من عملوا في ظله، انما يحاسب كل وفق ما اجترم ولا تزر وازرة وزر أخرى.

من الغريب حقاً في الحكم الذي أطالب بالغائه بالنسبة لي، أنه وقع علي أشد العقاب، مع أن سماع تقرير الإتهام كان مقضياً إلى أنني أقل المتهمين خطراً وكان الظن لدى كل من سمعوا مرافعة الادعاء انني مستحق البراءة، ولم يدر بخلد أحد أن عقوبتي ستكون على هذا النحو قساوة وشذوذاً.

لست أشك في أن العدالة هدف لديكم، ولست أشك في تمسككم بالإسلام، ومن أجل ذلك كتبت إليكم هذا الطلب واثقاً من أنكم لن تسكتوا على ضيمي، ومن واجبي كمسلم أن أنبهكم حتى تتبينوا.

وفقكم الله، وسدد خطاكم وأرشدكم إلى طريق الحق القويم.

والسلام عليكم ورحمة الله وبركاته،،،

مصطفى بن حليم

صندوق بريد ٨١٨٧ بيروت، لبنان

واعتقدت في البداية ان الإصلاح الذي طالما ناديت به قد يأتي على يد أولئك الشباب الذين اصبحوا على رأس السلطة في ليبيا، وكتبت رسائل عديدة للعقيد القذافي وللرائد جلود ولأعضاء مجلس قيادة الثورة، وحاولت في تلك الرسائل أن أعرض لهم الظروف الصعبة التي أملت على رجال الحكم في العهد الملكي كثيراً من القرارات والمواقف الصعبة التي كانت سائدة في تلك الأيام. ويعلم الله أنني كنت أهدف بهذه الرسائل أن أرشدهم إلى السبيل القويم الذي يمكن من خلاله تقويم أعمال العهد الملكي حتى يمكن لهم الحكم عليه وعلى رجاله بعدل وإنصاف، وإقامة نظام حكم ديمقراطي دستوري يكفل مصالح وحقوق الشعب.

لقد كنت أهدف أن أُسمع رجال العهد الجديد صوت الحق من رجال العهد القديم، وفي تعلقي بغمرة الأمل سبحت على موجة من التفاؤل أنستني قول الجواهري:

وكيف يسمع صوت الحق في بلد　　　للإفك والزور فيه ألف مزمار.

آخر لقاء مع صالح بويصير

قد حرصت في إقامتي البيروتية أن أتجنب أي عمل يمت للسياسة بأية صلة، وركزت جهودي في رعاية عائلتي والإشراف على أعمالي وزيارتي ولدّي عمرو وهاني اللذين كانا يتلقيان العلم في معاهد بريطانيا.

في إحدى هذه الزيارات، في صيف ١٩٧٢، كنت أزور صديق قديم هو جورج خليل أغابي في مكتبه بمدينة لندن فصادفت صالح بويصير وزير خارجية الإنقلاب السابق. وكان يرافق بويصير صديقه محمد بن صويد وكان يرافقني إبني طارق، عانقني بويصير ورحّب بي وقال أنه كان يبحث عنّي ليفاتحني في أمر هام ويبلغني نصيحة جدّ مفيدة.

وقبل الخوض في تفاصيل ذلك اللقاء أرجو أن يتسع صدر القارىء لهذا العرض السريع لعلاقتي مع صالح بويصير الذي عرفته منذ عام ١٩٤٠ عندما كنا نتلقى العلم في القاهرة، هو في الأزهر الشريف وأنا في كلية الهندسة. واستمرت علاقتنا الوطيدة إلى ما بعد رجوعنا إلى ليبيا. بالرغم من أن صالحاً اتخذ لنفسه طريقاً سياسياً ملتوياً، فقد كان في الظاهر معارضاً شديداً للحكم وفي الباطن لم يخل من اتصال حميم متواصل مع إبراهيم الشلحي وابن أخته عبد السلام الغماري، وقد اشترك مع الأخير في صفقات كثيرة وعمليات عديدة قيل، والعهدة على الراوي، أن بعضها كان من النوع الكثير الظلال. ثم حدث أن وقع بويصير في ورطة سياسية كبيرة عام ١٩٥٤، إذ اشترك مع شاب فلسطيني كان يعمل مترجماً في السفارة الأميركية، في تزوير توقيع الملكة فاطمة على رسالة وجهّها إلى الملكة اليزابيث، ملكة بريطانيا، ترجوها التدخل لدى الملك إدريس لكي يخفف حكم الإعدام الصادر ضد الشريف محي الدين قاتل إبراهيم الشلحي. ويظهر أن السفير الأمريكي علم بأمر تلك الرسالة المزورة وتورط أحد موظفي سفارته، فسارع إلى الحكومة الليبية وأبلغها الخبر وتبرأ من أية مسؤولية، وطلب من الحكومة الليبية إبلاغ الملك وتقديم اعتذار السفارة على ما قام به أحد موظفيها، ومع التشديد بأن السفارة لا ضلع لها في هذا العمل الشائن.

وغضب الملك إدريس غضباً شديداً عندما بلغه أمر الرسالة وأمرني باتخاذ أسرع الإجراءات لإبلاغ القصر الملكي البريطاني بأن الرسالة مزورة، كما أمرني باتخاذ إجراءات شديدة ضد بويصير والشاب الفلسطيني. ولكنني أهملت تعليمات الملك فيما يتعلق ببويصير ونصحته سرّاً بالاحتياط فهرب من ليبيا قبيل القبض عليه من قبل شرطة ولاية طرابلس الغرب، بل وساعدته سراً وهو خارج الوطن وكنت ألتقي به في القاهرة فأنصحه وأخفف عليه آلام الغربة، كما كنت أبذل جهداً كبيراً في محاولة للحصول على عفو ملكي عنه. وقد غضب الملك من موقفي ورفضي ملاحقة بويصير قضائياً، ولكنني كنت أشعره أن ملاحقة بويصير تضر بسمعة ليبيا وسمعة الملك نفسه، كما أن فيها خرقاً لمبدأ الحصانة البرلمانية، فقد كان صالح نائباً في البرلمان الليبي.

على أي حال لا أود أن أتوسع في قصتي مع صالح بويصير ويكفي أن أقول أن علاقتي به كانت علاقة ودّ وتفاهم لا تخلو من عتاب ولوم.

عُيّن صالح بويصير، بعد انقلاب سبتمبر، وزيراً للخارجية والوحدة في النظام الجديد. ولنرجع إلى لقائي الأخير معه، قال صالح: لقد تحدثت مع الأخ العقيد عنك وأقنعته أنك وطني وأن عهدك في الحكم كان عهداً إصلاحياً، وأن كل ما وقع من أخطاء في عهدك إنما يرجع إلى تدخلات إبليس ولذلك ما عليك اليوم إلاّ أن تنشر بياناً تؤيد فيه ثورة الفاتح وتعتذر عمّا حدث في عهدك من أخطاء، وتقول أن السبب الرئيسي في تلك الأخطاء إنما يرجع لإبليس اللعين، وأنا أضمن لك عفواً تاماً من الأخ العقيد بحيث تستطيع أن تعود إلى ليبيا وتعاون رجال الثورة المخلصين في خدمة الوطن.

كنت أنصت إلى بويصير في دهشة واستهجان فسألته: من هو إبليس؟

فقال: ألا تعرف إدريس؟ قلت: معاذ الله... أن أطعن الرجل الصالح أب الإستقلال، الرجل الذي أفنى حياته في خدمة الوطن، معاذ الله أن أشبهه بإبليس. إن لم يكن للملك إدريس من فضل إلاّ نيل الإستقلال فإن هذا يغفر له عند الله وعند التاريخ ما قد يكون قد وقع في عهده من تقصير أو قصور. قال صالح: إنني أستغرب أمرك ولا أفهم دفاعك عن إدريس... ألست أنت الرجل الذي قال له وهو ملك أنك لا تستطيع ان تحكم البلد

مع ملكين؟ قلت: بلى... بل أكثر من ذلك أضفت للملك إدريس أنني لم أعد أعرف من من الملكين يتقدم على الآخر؟ ولكنني يا صالح قلت له هذا الكلام عندما كان ملكاً وكنت رئيساً لوزراءه وكنت أهدف لصدمه بذلك القول الصريح حتى يفوق ويراجع نفسه ويصلح أمور الدولة، أما الآن فإنني لا أقول عنه إلاّ الخير كله وأذكر محاسنه وأثني على جهاده، وإذا وقع في عهده الملكي من أخطاء، فإنما يتحملها كلها أو جزء كبير منها وزراءه وأنا واحد منهم. أما اليوم والملك إدريس لاجىء لاحول ولا قوة له فإن حصر الخطأ في شخصه ظلم بيّن وتزوير للتاريخ، لا يا صالح لن أطعن الملك إدريس لأتقرب ممن تسميهم رجال الثورة الوطنيين، ثم دعني يا صالح أقدم لك نصيحة واسمع كلامي هذا، لا تكثر من الثناء على عقيدكم وزبانيته واقلع عن ذم وطعن ذلك الرجل الشريف الطاهر رائد جهاد وطنك ومحقق إستقلاله.

ثم أضفت جملة بلهجة برقاوية: راهويا صالح اللّى ما مات ما يعرف نفسه بيش يموت. وغادرت المكان ولم أر صالحاً بعد ذلك اليوم ولم أسمع عنه إلاّ بعد أسابيع قليلة من ذلك اللقاء، عندما علمت أنه كان بين ضحايا الطائرة الليبية المنكوبة التي أسقطتها إسرائيل فوق سيناء.

السفارة الليبية تخطط لاختطافي

بعد رجوعي إلى بيروت بأيام قليلة لاحظت ان شخصاً غريب الأطوار يراقب تحركاتي ويقتفي أثري عندما أترك مسكني... بل لاحظت أنه يتخفى أمام العمارة التي أسكنها خلال فترات النهار التي أكون فيها داخل شقتي. واستمرت مراقبته هذه لعدة أسابيع ولو أنني لم أكترث لها كثيراً إلاّ أنها بعد أن طالت مدتها أصبحت تثير في نفسي القلق والتساؤل.

ولكن تساؤلي توقف عندما زارني رجل لبناني، طرق باب شقتي وطلب ان يحدثني عل انفراد، وطمأنني قائلاً أنه جاء لينصحني ويحذّرني وسيثبت لي أنه صديق أمين، وقبل أن يبدأ حديثه استخلص منيّ وعداً بألا أبوح بما سيقول لي لأي مخلوق إلى أن تنجلي

الأزمة التي سيحدثني عنها. رحبت به ووعدته بالحفاظ على سرية حديثنا. فقدّم نفسه بأن اسمه صلاح سعد تاجر خضار من مدينة صيدا بجنوب لبنان. وأنه منذ سنوات بدأ نشاطاً تجارياً مع ليبيا لتصدير الفواكه والخضار إلى بنغازي. وتعرف على رجال السفارة الليبية في بيروت الذين كانوا يساعدونه بالتصديق على شهادات منشأ صادراته والإجراءات الحكومية الأخرى. ثم تطوّرت علاقته برجال السفارة وتعرف على السفير عبد القادر غوقة وتوطدت علاقته إلى درجة أنهم طلبوا منه القيام بمهمة مراقبتي وتتبع تحركاتي ومعرفة زوّاري أو من أتردد عليهم. وبرّروا له مهمته تلك بأنني خائن أحاول التآمر على وطني ليبيا. وبالغوا في وصفي بأقذر نعوت الخيانة والفساد إلى درجة أن زيّنوا له مراقبتي وصوروها له على أنها عمل عربي وطني.

واعترف لي بأنه تجاوب وتعاون مهم بإخلاص ونشاط فاقتفى أثري أينما ذهبت وراقب مسكني وجمع الكثير من المعلومات عن زوّاري وعن نشاطي وزوّد السفارة بتلك المعلومات واستمر ذلك الحال على مدى أسابيع، غير أنه لم يلاحظ في نشاطي وزيارتي ولا عن الأشخاص الذين يترددون علي أية شبهة خيانه. بل تأكد من أن سلوكي هو أقرب إلى سلوك الرجل المحافظ ممّا جعل الشك يستولي عليه فأمعن في السؤال عنّي وتقصّى ماضيّ لدى بعض من ظن أنهم يعرفونني، فتبين له أنني أبعد الناس عن الخيانة، لذلك أملى عليه ضميره أن يكفّر عن سيئاته، فجاء ليحذرني من مؤامرات السفارة ويعتذر لي عما صدر منه في السابق. وأضاف أنه سيتظاهر بالاستمرار في مراقبتي وتقديم التقارير حتى لا يشعر السفير أنه تخلّى عن مهمته فيقوم بتكليف شخص آخر بمراقبتي.

وأعترف أنني لم أصدق أقواله لأول وهلة بل ظننت أنني أمام عملية ابتزاز، إلاّ أنني لم يكن لدي من الوسائل إلاّ المحدود منها للتأكد من نوايا محدثي. فشكرته على موقفه النبيل ومسعاه الكريم في تحذيري برغم ما في عمله هذا من مخاطر عليه وما قد يلحقه من ضرر في علاقته مع السفارة الليبية، وحاولت أن أقدم له مكافأة مالية مقابل عمله ذلك، ولكنه رفض رفضاً باتاً قائلا: أنه إنما أقدم على زيارتي لإيمانه، عن تجربة، بأنني بريء من كل ما نسب إلي مؤكداً بأنه إنما قصد بعمله هذا أن يكفّر عن ذنبه وأنه قصد

به وجه الله وحده. ثم استأذنني على أن يحادثني هاتفياً واتفق معي على شفرة خاصة ليحذرني هاتفياً عندما يشعر بضرورة تحذيري.

وبالرغم من شعوري ببعض الاطمئنان لحديث الرجل، بعدما رفض ما عرضته عليه من مكافأة مالية، إلاّ انني رأيت أن أستشير دائرة الأمن العام اللبناني، وتمكنت من ذلك بواسطة صديق حميم كان على علاقة وطيدة برئيس الجمهورية سليمان فرنجية الذي بادر وأرسل لي ضابطاً كبيراً لزيارتي، فعرضت عليه قصة صلاح سعد ورجوته أن يتأكد من هويّة الرجل ومصداقيته. وعاد إلي بعد يومين مؤكداً لي بأن الرجل صادق في أغلب ما قال، وحذرني ممّا قد تخطّطه السفارة الليبية من اعتداء علي، وعرض أن يخصّص لي ضابطاً لحراستي. فشكرته واعتذرت عن قبول الحراسة المسلحة لأن في ذلك ما يلفت الأنظار خصوصاً نظر السفارة الليبية ممّا قد يلحق الضرر بصلاح سعد الذي تطوّع بتحذيري.

ومرت بنا، عائلتي وأنا، أيام وأسابيع مقلقة سيطرت علينا أثناءها الشكوك والأوهام. ثم زاد من قلقنا وعمق مخاوفنا رسائل تلقيناها من إخوتي في طرابلس يحذرونني فيها من مؤامرة وشيكة لإغتيالي أو لاختطافي. ثم بلغت مخاوفنا أقصى مداها عندما تلقيت برقية من أقاربي في طرابلس محررة بعبارات متفق عليها مفادها أن خطراً وشيكاً سيقع علي وتنصحني أن أغادر بيروت ولو لفترة شهر على الأقل. وأظن أن تلك البرقية[١٠٠] وصلتني يومين أو ثلاثة أيام قبل الحادثة التي سيرد شرحها.

وتشاورت مع زوجتي التي كانت تلح علي إلحاحاً شديداً بضرورة مغادرة بيروت في الحال. ولكني رأيت أن أتريث بضعة أيام، فما كنت لأصدق أن تنحدر أخلاقيات النظام الثوري في ليبيا إلى ذلك الدرك الأسفل. كما أن ثقتي بنفسي، بل استخفافي الطائش بأعدائي جعلني أقول لزوجتي: وهل تظنين أنني لا أستطيع أن أدافع عن نفسي أمام أولئك الجبناء. وأمام إلحاح زوجتي قلت لها أنني سأغادر بيروت بعد أيام قليلة في رحلة عمل وسأطيل إقامتي خارج لبنان إلى أن يتضح الأمر فاطمأنت قليلاً.

---

(١٠٠) سبب هذه البرقية هو أن أحد كبار رجال المخابرات الليبية، وكان صديقاً لعلي فلاّق، أسرّ إليه قائلاً: أعرف صداقتك لمصطفى بن حليم ولذلك أنصح أخوته بأن يحذّروه من مؤامرة وشيكة الوقوع على حياته تخطط لها المخابرات الليبية في لبنان وسوريا

قصة محاولة اختطافي في بيروت

قبل الحادث بشهرين، أي في سبتمبر ١٩٧٢. استبدلت سائقي بآخر شاب يدعى فاروق عيتاني. وأعترف أنني على غير عادتي لم أدقق كثيراً في البحث والتقصي عن سلوك هذا الرجل وماضيه، فقد غرّني أنه ينتمي إلى أسرة العيتاني وهي أسرة بيروتية قديمة كان أحد أفرادها سفير لبنان في ليبيا في ذلك الوقت.

على أي حال لم يظهر من فاروق خلال مدة خدمته القصيرة معي أي عمل أو سلوك يدعو للشك، بل كان مثالاً للدقة في مواعيده والحرص على تأدية واجباته، متظاهراً بالتفاني والإخلاص، وكان خجولاً، جم الأدب، ممّا جعلني أزيد مرتّبه بعد شهر من عمله معي، وقبيل الحادث بأسبوع طلب مني في استيحاء السماح له بالتغيب لمدة يومين لأمر عائلي هام فسمحت له بذلك.

يوم الثلاثاء ٢٨ نوفمبر ١٩٧٢ كنت على موعد مع بعض مهندسي شركة إتحاد المقاولين في مكاتب الشركة في الرملة البيضاء، وكنا نعّد رسومات ومواصفات لمساكن جاهزة كنا نود أن نتفق على إستيرادها وتركيبها في مشروع من مشاريعنا في الخليج، وكنا على اتصال بشركة فنلندية في هذا الخصوص.

ولذلك فقد كنت أعد العدّة لمغادرة بيروت إلى هلسنكي يوم الخميس ٣٠ نوفمبر. وأن أنتهز هذه المناسبة وأطيل بقائي في أوروبا إلى أن تتبين حقيقة المؤامرة المزعومة.

بعد انتهاء الاجتماع غادرت مكاتب الشركة جالساً كعادتي بجوار السائق وكان الوقت غسقاً بُعيد المغرب، وعند اقترابنا من منطقة خالية من المساكن اعترضت طريقنا سيارة ووقف بجانبها خمسة مسلّحون، وبسرعة أدركت الخطر فصحت في سائقي بأن يتجنّبهم بسرعة فتظاهر بذلك ولكنه أوقف السيارة، وفي لمح البصر دخل سيارتي ثلاثة مسلحون دفعني كبيرهم إلى جهة السائق وجلس بجواري، أما الاثنان الآخران فقد جلسا بالمقعد الخلفي وانهالت ضرباتهم بمؤخرة مسدساتهم على رأسي ووجهي، ولكنني قاومتهم بقوة لم أكن أعرفها في نفسي، غير أن تدفق الدماء من جروحي وتهديدهم لي بنسف رأسي وإفراغ رصاصهم فيه - بعد أن وضع الخاطفون مسدسين أحدهما في أعلى

فكّي اليمين والآخر في مؤخرة رأسي - ما لم أتوقف عن الصياح والمقاومة. كل ذلك جعلني استسلم وأتوقف عن الحركة، فأمروني بأن أجعل وجهي في اتجاه سقف السيارة وأن أتوقف عن الحركة تماماً وأن أبقى في ذلك الوضع، (وبذلك يضمنوا أنني لن أرى وجوههم ولا أعرف في أي اتجاه تتجه السيارة)، ثم اخذوا يغنّون بصوت عالي وأمروا سائقي بأن يسرع وتعمّدوا سبّه، كما لم أنج أنا من بذاءتهم إلاّ أنني كنت مشغولاً بالدماء التي كانت تسيل على وجهي من كل جانب.

وسارت السيارة لمدة حوالي نصف الساعة تقريباً ثم سمعتهم يقولون لسائقي: أخرج من الطريق يا إبن... واتجه يميناً يا إبن ال... . فخرجت السيارة عن الطريق العام وسارت لعدة دقائق على طريق غير ممهد فقد كانت تهتز اهتزازاً شديداً. ثم صاحوا به قائلين: أوقف السيارة يا ابن... . ووقفت السيارة فجأة وأمرني رئيس الخاطفين بأن أخرج ووجدت نفسي في الخلاء وفي ظلام دامس ولكنني كنت أستطيع سماع صوت أمواج البحر وشعرت بنسيم رطب... وفجأة دفعني أحد الخاطفين بعنف فوقعت على وجهي وامتزج الدم السائل من جروح وجهي بتراب الأرض، وصاحوا بي: أجمد في مكانك... وقاموا بتفتيشي تفتيشاً دقيقاً حتى تحققوا من أنني لا أحمل سلاحاً، عند ذلك أمرني كبيرهم بالركوع موشحاً أمره بأقذع الشتائم فامتثلت لأمره، وعند تلك اللحظة خطر لي أنهم سيطلقون علي رشاشاتهم فأسرعت مردداً الشهادتين وأسلمت أمري إلى الله وانتظرت سماع الطلقات. ويعلم الله أنني شعرت براحة نفس وهدوء وجدان غريب؟ ومرّبى خاطر سريع إن هي إلاّ لحظات وينتهي كل شيء وأقابل وجه ربّي... وأتخلص من إهانات وتعذيب خاطفيّ وأسيادهم. وأفقت من هذه الخواطر على ركلة من أحدهم ثم بدأ بتقييد يديّ بحبل رفيع وساعده آخر بربط رجليّ بحبل آخر، ثم أخذوا ربطة عنقي وكمّموا فمي بها، عند ذلك تأكدت أن قتلي أصبح مستبعداً. فما ضرورة تقييد يديّ وأرجلي وتكميم فمي إذا كان الغرض هو إطلاق النار علي؟

وجاء الرئيس وعاجلني بضربة قوية على مؤخرة رأسي بمؤخرة مسدّسة، فتظاهرت بالإغماء فحملوني ودفعوا بي داخل صندوق سيارتي.

وأقفل صندوق السيارة علي وأنا ملقى على وجهي وكان الظلام في صندوق السيارة ظلاماً موحشاً. وانطلقت السيارة بسرعة جنونية، فقد كنت أشعر بهزّاتها العنيفة وصوت العجلات وهي تلتهم الطريق التهاماً. أول شيء فكرت فيه هو أن أتخلص من قيود يديّ، فنجحت بعد محاولات صعبة كثيرة، وكانت الصعوبة من الدماء اللّزجة المتجمدة على أصابعي أكثر منها من فك الحبال التي كانت مربوطة بطريقة بدائية. بعد ذلك تمكنت من فك قيود رجليّ، برغم اهتزاز السيارة وارتجاجها الشديد، ثم حاولت عدة مرات أن أفتح صندوق السيارة من الداخل وأقفز إلى الطريق برغم ما في ذلك من مخاطر مؤكدة فضّلتها على مصيري على أيدي خاطفي والجبناء الذين استأجروهم، ولكن استحال علي فتح الصندوق من الداخل... فبدأت أتلو ما أحفظ من سور القرآن الكريم وأكرر جزءاً من سورة الأنبياء... وابتهلت إلى الله أن ينجّيني من ذلك الغم.

وما هي إلا دقائق وإذا بي أسمع صوت هطول المطر فوق صندوق السيارة... ثم اشتد هطول المطر فدبّ الأمل في نفسي وتحوّل دعائي إلى الله إلى ابتهال بأن تنزلق السيارة أو أن تصطدم... ومرت ساعة تقريباً حسبتها دهراً، والمطر لا زال يهطل بغزارة شديدة، ثم فجأة شعرت كأن زلـزالاً أصاب السيارة التي كانت قد اصطدمت ودفعت صدمتها بجسمي بعنف نحو جانب من الصندوق ثم توقفت فجأة، وسمعت أبواب السيارة تُفتح وتُقفل... بعد ذلك خيّم سكوت رهيب وظننت أننا وصلنا إلى نقطة الحدود مع سوريا وأن خاطفيّ يتفاهمون مع شركائهم من المخابرات السورية لكي يسمحوا للسيارة بالمرور دون تفتيش، ولذلك بدأت أصيح بأعلى صوتي وأدق على جدار صندوق السيارة من الداخل بيديّ ورجليّ لعلني ألفت نظر بعض المسؤولين.

ولكنني دهشت عندما سمعت أصوات صبيان ينادون كبارهم ويقولون: هيئتها مسروقة... فيها أصوات غريبة. ثم سمعت صوت بعض الرجال فزدت من صراخي. وأخيراً فُتح صندوق السيارة... وخرجت منها فوجدت أن نصفها معلّق في الهواء ونصفها الآخر على طريق الأوتوستراد المتجه إلى الشمال، وبين مقدمة السيارة وعمود الإضاءة مسافة تقل عن نصف متر. وعرفت أنني على أتوستراد بيروت-طرابلس على

مقربة من كازينو لبنان. ففهمت أن عمود الإضاءة الذي نجت السيارة من الإرتطام به هو آخر عمود إنارة على الأتوستراد، وأن السيارة كانت قد خرجت عن الطريق بشكل يتعذر إرجاعها إليه إلاّ برافعة، وكان في أسفل الطريق، في مواجهة مكان الحادث، مقهى لاحظ روّاده حادث السيارة فأسرعوا لنجدة من فيها وشاهدوا كيف أن ركابها انتقلوا بسرعة إلى السيارة الأخرى (التي كانت تسير خلفنا وبها إثنين من المسلحين) وغادروا المكان على عجل. وسمع بعض رواد المقهى صوتي ففتحوا صندوق السيارة وأنقذوني. وفي هذه الأثناء مرت سيارة بها رجل وعائلته فرجوته أن ينقلني إلى أقرب مخفر للدرك. وعند وصولي إلى المخفر طلبت من رئيسه إسعافي بسرعة لأن الدماء كانت قد تجمّدت على وجهي وخشيت من تلوّث الجروح، كما طلبت منه أن يوصلني تليفونياً بزوجتي فطمأنتها وطلبت منها الإتصال بصديقي حسيب صباغ الذي أسرع واتصل برئيس الجمهورية. وما هي إلاّ دقائق حتى وصلت قوّة كبيرة من الدرك لحراستي ونقلي إلى مستشفى الجامعة الأميريكة حيث أجريت لي ثلاث عمليات جراحية، بعدها رجوت رئيس قوة الدرك أن يوصلوني إلى منزلي، ولكنه أبلغني بأن أوامره تقضي بأن أذهب إلى مكتب النائب العام الذي ينتظرني لأخذ أقوالي، وأن هذا بناء على تعليمات رئيس الجمهورية نفسه. وبرغم إعيائي الشديد وحالتي النفسية السيئة، وبالرغم من أننا كنا في منتصف الليل فقد تحاملت وذهبت إلى مكتب النائب العام الذي استجوبني بلطف ولكن بإلحاح شديد محاولاً عدة مرات أن يستدرجني لاتهام ليبيا ونظامها الثوري، ولكنني تهربت من أسئلته ولجأت إلى الإدعاء بالجهل التام عن دوافع الذين حاولوا اختطافي. ومن أسئلته: من له مصلحة في خطفك؟ أو إيقاع الضرر بك لا سيما ان الخاطفين لم يحاولوا أن يسلبوا منك شيئاً. لا شك أن الأسباب سياسية وليس أمامي إلاّ جهتين، إما النظام الليبي أو منظمة فلسطينية متطرفة؟ وكررت قولي: لا علم لي بمن وراء محاولة اختطافي.

ويعلم الله أنني كنت على يقين تام من أن النظام الليبي هو الذي حاول اختطافي من بيروت وتهريبي إلى سوريا ثم نقلي جواً إلى طرابلس الغرب (حيث كانت هناك طائرة

عسكرية ليبية في انتظاري في مطار بشمال سوريا كما علمت فيما بعد). وكما قدّمت فقد تلقيت تحذيرات كثيرة سواء من طرابلس أو من الرجل اللبناني الذي كلّفه السفير الليبي عبد القادر غوقه بمراقبتي. لذلك فإن الأدلة القاطعة كانت واضحة أمامي بأن النظام الليبي هو المدبّر والمموّل لعملية اختطافي. ولكنني أحجمت عن اتهامه برغم إلحاح النائب العام اللبناني ورغم وضوح الأدلة. وما أحجمت عن اتهام النظام الليبي رغباً أو رهباً، فالله يعلم أنني كنت أقرب إلى الإستخفاف به لا خوف منه. ثم أنني لم أكن، ولا زلت، أطمع منه بشيء ولكنني رأيت في تلك اللحظة أن طعن النظام الليبي وتشويه سمعته في الخارج هو عمل يحمل في طياته إساءة ضمنية لسمعة وطني وهذا ما لا أسمح لنفسي بالمساهمة فيه مهما كانت الظروف.

وفي مكتب النائب العام حاول كثير من الصحفيين أخذ تصريحات مني ولكنني اعتذرت لإعيائي... ولاحقوني بمنزلي طوال تلك الليلة وطوال الأيام التالية، ولكنني رفضت رفضاً قاطعاً مقابلة أي منهم أو الإدلاء بأي تصريح. ولكن الجرائد اللبنانية والغربية سواء في بريطانيا أو فرنسا أو أميركا كلها نشرت الخبر على أنه محاولة لاختطافي، وتوسعت الجرائد اللبنانية في تحليل أسباب الاختطاف ونشر تفاصيلها.

واستدعيت مرة أخرى لمكتب النائب العام فعلمت أن التحقيقات أثبتت أن الخاطفين تمكّنوا من الإتفاق مع سائقي فاروق العيتاني أن يتعاون معهم مقابل إغراءات مالية كبيرة وأنهم أخذوه معهم إلى سوريا (في الفترة التي سمحت له فيها بالتغيب يومين)، وكانت خطتهم تسليمي لمندوب المخابرات الليبية في مطار بشمال سوريا حتى يتم نقلي في طائرة أعدت لذلك إلى طرابلس الغرب. وكذلك علمت ان السفارة الليبية هي التي خططت للعملية واستأجرت الخاطفين من منظمة أحمد جبريل، وتولّت تمويل العملية.

وفي ١٨ مايو ١٩٧٣ أصدرت الهيئة الإتهامية في بيروت قرارها بتقديم السائق فاروق العيتاني، والمتهم الآخر الهارب والوحيد الذي أمكن التعرف على اسمه ويدعى منير حسن علي، إلى المحاكمة لمعاقبتهما بتهمة الخطف المسلح، كما أصدرت الهيئة

الاتهامية مذكرة تحري دائمة لمعرفة كامل هوية كل من: ابو رمزات، أبو مأمون، أبو جمال، ومصطفى الذين شاركوا في محاولة الاختطاف.

وبتاريخ ٥ يوليو ١٩٧٤ أصدرت محكمة جنايات بيروت حكمها بحبس السائق فاروق العيتاني لمدة ٥ سنوات، وغيابياً بحبس منير حسن علي لمدة ١٥ عام.

دعاء من الرجل الصالح

وما إن انتشر خبر نجاتي من محاولة الاختطاف حتى غمرنا الأهل والأصدقاء بسيل من البرقيات والاتصالات الهاتفية، كما عجّت شقتنا بمئات الزوار(كثير منهم كان يزورني لأول مرة).

عبّر الجميع عن مشاعر نبيلة وتهاني بالنجاة من المؤامرة الدنيئة، وأذكر وأنا في زحام الزوّار هذا أن جاءت هدلى الأيوبي (عملت كسكرتيرة للملكة فاطمة في الخمسينات في طرابلس) لزيارة زوجتي بناء على موعد سابق، وكانت تحمل معها رسالة من الملك إدريس، فقد كانت الأيوبي في زيارة للملكة فاطمة في القاهرة في شهر نوفمبر فحمّلها الملك إدريس الرسالة وطلب منها تسليمها لي في بيروت، وأنا جالس بجوار بعض أصدقائي قرأت الرسالة ويبدو أنه ظهر على وجهي سرور وابتهاج، مما دعى صديق كان يجلس بجانبي لسؤالي عما أظهر الابتهاج على وجهي، فناولته الرسالة ورجوته أن يقرأها ففعل، وأرجعها إلي قائلاً: لا شك أن ملككم هذا رجل صالح قديس.

حرص الملك إدريس في رسالته تلك أن يشكرني على هدية من قطع الملف كنت قد أرسلتها له من لندن (قماش الملف تصنع منه الملابس الليبية التقلدية)، وقال في رسالته عبارات تكاد تكون الآتية: لقد وصلت هديتك في وقت كنت فيه في أشد الحاجة لملابس شتوية تحميني من البرد القارس، لقد ضرعت إلى الله أن يجزيك عنّي خير الجزاء، وأن ينجيك من القوم الظالمين. وكانت الرسالة يوم ٢٠ نوفمبر ١٩٧٢، أي قبل حادث اختطافي بأسبوع تقريباً. ويبدو أن دعوة الملك الصالح لاقت قبولاً لدى أرحم الراحمين.

الانتقال إلى لندن

بعد أن هدأت نفوسنا - عائلتي وأنا - من آثار تلك العاصفة النفسية أخذنا نفكر ونقلّب البدائل المتوفرة أمامنا، ونستشير الأهل والأصدقاء حول ما يجب علينا عمله بعد أن انكشفت أمامنا نوايا النظام الليبي، وتأكد لنا أنني مستهدف لمحاولات أخرى قتلاً كانت أو اختطافاً. وبالرغم من أن الرئيس سليمان فرنجيه قد تكرم وخصّص لي حراسة مسلحة، إلاّ أننا رأينا أن الحكمة والاحتياط تفرضان علينا أن نتخذ قراراً سريعاً لاختيار إقامتنا بعيداً عن لبنان. فهدانا تفكيرنا واستقر رأينا على أن الإقامة في لندن ربما كانت من نوع ارتكاب أخف الأضرار ذلك لأن الإقامة فيها توفر لنا الأمن والاستقرار وإمكانية مواصلة تعليم أولادنا في المعاهد والجامعات الإنجليزية، غير أنه، من جهة أخرى، كانت الإقامة في بلاد الغرب في تلك الأيام تصاحبها مرارة الغربة والبعد، بل الانقطاع عن العالم العربي والأهل. فضلاً عن أنها كانت تعرّض أولادنا لنمط من الحياة ذي مفاهيم وقيم قد تتناقض مع ما نأمل ان يشبّوا عليه من قيم، ولذلك فقد حرصنا - زوجتي وأنا - بعد انتقالنا إلى لندن أن نوفّر لأولادنا في البيت جوّاً عربياً إسلامياً، وأن نبذل قصارى الجهد كي نحميهم ونجنّبهم بقدر الإمكان من التعرّض والتفاعل مع نمط الحياة الغربية كثيرة الانحلال. فقد تمكن أبناءنا من إكمال دراستهم الجامعية في أحسن المعاهد الغربية والحصول على أعلى الدرجات مع الحفاظ على تقاليدهم العربية الليبية.

حصولي على الجنسية السعودية

في أوائل عام ١٩٧٥ كنت في المملكة العربية السعودية، فزرت الأمير فهد بن عبد العزيز النائب الثاني لرئيس مجلس الوزراء، وكانت بين الأمير وبيني علاقة ود، فكنت أزوره كلما أقوم بزيارة الرياض، في تلك الزيارة قلت للأمير فهد: لقد تكرم علي أخوكم الملك فيصل وأعطاني جواز سفر سعودي سهّل لي الانتقال سعياً وراء الرزق وتكرّمتم أنتم، جزاكم الله الخير كله، ومنحتم أولادي جميعاً جوازات سفر سعودية، والآن وبعد هذه السنوات الأخيرة يبدو لي أن بقائي خارج ليبيا قد يطول كثيراً أو ربما كُتب علي أن أمضي

بقية حياتي في المهجر، فهل لي أن أسأل سموّكم ما إذا كان تقدمي بطلب للحصول على الجنسية السعودية يسبب لكم بعض الحرج....؟

ولم يتركني الأمير فهد أكمل كلامي. بل قاطعني وقال كلاماً غاية في اللطف والنبل عاتبني فيه قائلاً: كيف يجوز لك أن تسأل هذا السؤال؟ إن المملكة العربية السعودية تتشرّف بانتماء شخص مثلكم لها. ثم استدعى أحد سكرتيريه وقال له لا تترك أبا عمرو يغادر الرياض قبل أن يعطيك طلباً للحصول على الجنسية السعودية.

تأثرت كثيراً لأريحية الأمير الجليل وشكرته وقدمت الطلب في اليوم التالي، وبذلك سمح لي سكرتير الأمير بمغادرة المملكة. وبعد شهرين تقريباً كنت في زيارة أخرى للأمير فهد فوجدت على مكتبه صورة من الجريدة الرسمية التي نُشر فيها مرسوم ملكي يقضي بمنحي أنا وزوجتي وأولادي الجنسية السعودية.

وأتممت إجراءات الحصول على الجنسية في دوائر وزارة الداخلية بالرياض، فكان من مستلزمات هذه الإجراءات أداء يمين الولاء لملك المملكة العربية السعودية وخلفائه من بعده. وحُدّد لي موعد، وعندما جئت لأداء اليمين انتابتني قشعريرة وارتعشت يدي اليمنى وأنا أرفعها مؤدياً القسم وما أمسكت دموعي إلاّ بجهد وعناء شديدين، وانتابني شعور غريب وأحسست بألم ومرارة وأنا أنتقل من جنسية آبائي وأجدادي إلى الجنسية السعودية، هذا بالرغم من أن المملكة العربية السعودية هي البلد العربي الأصيل، وموطن أقدس مقدسات المؤمنين، وبالرغم ممّا لقيته دائماً من ملوكها وأمرائها من صادق العطف وكريم الرعاية، إلاّ أن الشعور بانقطاع الصلة بالوطن الأم تجربة قاسية مريرة لا أتمناها لصديق.

ولم أنج من محاولات وتهديدات النظام الليبي، لاسيما إبان موجة الاغتيالات التي عصفت بالمدن الأوروبية منذ عام ١٩٨٠ والتي ذهب ضحيتها عشرات الليبيين الأبرياء الفارّين من بطش النظام فاغتالتهم زبانيته المسماة باللجان الثورية علناً في شوارع روما وأثينا وبون ولندن... ومدن أوروبية أخرى. في تلك الفترة زارني ضابط كبير من الشرطة البريطانية وأخبرني بأن لديهم ما يؤكد أنني مستهدف من اللجان الثورية

وأنهم أبطلوا عدة محاولات للاعتداء علي، وختم حديثه أن الحكومة البريطانية قررت تخصيص ضابطين من الشرطة الخاصة المسلحة لمرافقتي ليل نهار، بحيث لا أغادر مسكني إلاّ برفقتهما.

وتحمّلت قيود هذه المرافقة المسلحة لمدة عشر سنوات إلى أوائل عام ١٩٩٠ عندما أخبرتني دائرة الشرطة البريطانية أن الخطر على حياتي قد زال ولذلك فهم يستأذنوني في سحب الحراسة، وطبعاً وافقت عاجلاً شاكراً وتنفست الصعداء. واستأنفت حياتي دون رقابة أو حراسة.

خاتمة

شهادتي للتاريخ

إن ما جاء في هذه المذكرات هي شهادتي للتاريخ راعيت فيها الصدق والأمانة والدقة ما استطعت. لقد وضعت الحقائق كاملة أمام القارىء وأصبحت شهادتي هذه ملكاً للتاريخ الذي يملك حق المراجعة والتدقيق والتحقيق، ثم إطلاق الحكم العادل عليها.

وإني لأرجو أن يجد القارىء في هذه المذكرات الحقيقة التي ينشدها بعد أن طال بحثه عنها وأن يجد فيها التصحيح للكثير من المفاهيم المضلّلة التي حاول النظام غرسها عنوة في صفحات تاريخنا الحديث.

هذا ولقد تعرضتُ للكثير من الأذى والظلم والتجنّي والتجريح، الذي استطال إلى كرامتي وسمعتي، وتشويه تاريخي السياسي وطمس أعمالي السياسية، بل وتم تحريفها وإلباسها ثياباً ليست من صنعها. وركز النظام الحاكم في ليبيا حملته الإعلامية الكاذبة الحاقدة على شخصي وتعرضتُ لحملة مكثفة من الإفتراءات. وبرغم ذلك فإنني لم اتعرض للنظام المسؤول عن هذا الافك والتجني إلاّ بالقدر الذي يقتضيه سياق رواية الأحداث. فما كان هدفي من هذه المذكرات فضح ممارسات ذلك النظام الفاشل وتسليط الضوء على بؤسه، فهذه المذكرات وضعت لها أهدافاً أسمى من ذلك، لعل من أهمها، المساهمة في صياغة تاريخ ليبيا الحقيقي.

لقد أدّينا، جيلي وأنا، واجبنا الوطني على أكمل وجه برغم الصعوبات الجسام التي اعترضتنا في سنوات الإستقلال الأولى. وأدينا نصيبنا في خدمة الوطن بأمانة وتفان،

ودفعنا الثمن كاملاً...

وخلف من خلفنا قوم أضاعوا الأمانة وأرهقوا الوطن، بل جعلوه مادة للاستخفاف والهزء أمام الناس... وجاء اليوم الدور على جيل جديد آمل أن يتصدّى لحمل الأمانة من جديد بعزم وعزيمة فيعوض الوطن عن سنوات التخلف والقهر والضياع التي مرت بطيئة كئيبة متثاقلة تحت حكم شمولي ظالم.

وليسمح لي هذا الجيل الجديد الذي نرجو على يده كل الخير أن أهمس في آذانهم، بكل الود والحب والإشفاق، ولعلكم باطلاعكم على هذه المذكرات قد أدركتم أنه كان لكم تاريخ مجيد ووطن حر يعيش فيه مواطنون تتكافأ دماؤهم وأموالهم ويتساوون أمام القانون... مقدسة آدميتهم... مصونة أعراضهم... محفوظة كرامتهم رغم بعض الهنّات هنا وهناك.

إن الوطن وطنكم والمستقبل أمامكم وعليكم وحدكم يقع عبء إرجاع ليبيا كما كانت بلداً للخير والعدل والحرية وعليكم وحدكم يقع واجب إعادة البسمة إلى شفاه وقلوب شعبنا الطيب.

وأخيراً تظل في النهاية كلمة لا بد لي قولها، فمع إيماني القاطع في قسم الحق سبحانه وتعالى لكل مظلوم: وعزتي وجلالي لأنصرنّك ولو بعد حين، فإني أعتقد أنه من حقي على أبناء وطني أن يقرأوا هذه المذكرات بإمعان وأن يكون لهم رأي واضح وصريح في كل ما جاء فيها وأنا أقبل منصاعاً حكم التاريخ الذي يكتبه أبناء الشعب الليبي الذين لا تحركهم رهبة أو رغبة.

كما أنني ادعو جميع أبناء الوطن، خاصة من تولّى منهم مسؤولية سياسية، إلى المساهمة في كتابة تاريخ ليبيا الحقيقي وتنقيته من كل تحريف أدخل عليه عمداً. فالأمة إذا أهملت تاريخها غاب وعيها وفقدت ذاكرتها.

ثم ماذا إذا لم يكن لهذه المذكرات من دور سوى تحريك شهية الليبيين وتحفيز ذاكرتهم وحثهم على كتابة تاريخهم الحقيقي فإن هذه المذكرات تكون قد حققت هدفاً من أهم أهدافها.

ملحق الصور

الامام السيد محمد بن علي السنوسي مؤسس الطريقة السنوسية وجد الملك ادريس

المغفور له المجاهد الكبير السيد أحمد الشريف السنوسي

المغفور له الملك الصالح السيد ادريس المهدي السنوسي

والد المؤلف ، المرحوم الحاج أحمد محمد بن حليم

المؤلف في كلية سان مارك ١٩٣٧

المؤلف في مشروع بناء مدينة مستعمرة قناطر ادفينا على نهر النيل ١٩٤٧

المؤلف مع وزير المواصلات المصري وكبار رجال الوزارة في زيارة مشروع ميناء الركاب، الاسكندرية ١٩٤٨

المؤلف في مشروع تحلية مياه البحر لمدينة اجدابيا ١٩٦٩

المؤلف مع الرئيس جمال عبد الناصر، مايو ١٩٥٤

المؤلف مع الرئيس ايزنهاور، يوليو ١٩٥٣

المؤلف مع رئيس الوزراء البريطاني انطوني ايدن، ١٩٥٦

المؤلف مع وفد المفاوضات وأعضاء السفارة الليبية في لندن يونيو ١٩٥٦، على اليمين محي الدين فكيني، على اليسار السفير ورئيس الوزراء السابق محمود المنتصر الثاني عن يمين المؤلف الجربي وكيل الخارجية والثاني عن يسار المؤلف وكيل الخارجية عبد الرازق شقلوف

افتتاح البنك المركزي الليبي المؤلف ومحافظ البنك الدكتورعلي العنيزي

المؤلف يستعرض الهدية التركية من المدافع والمعدات لثوار الجزائر

المؤلف مع الضباط الليبيين الذين استلموا قاعدة سبها من القوات الفرنسية، نوفمبر ١٩٥٦

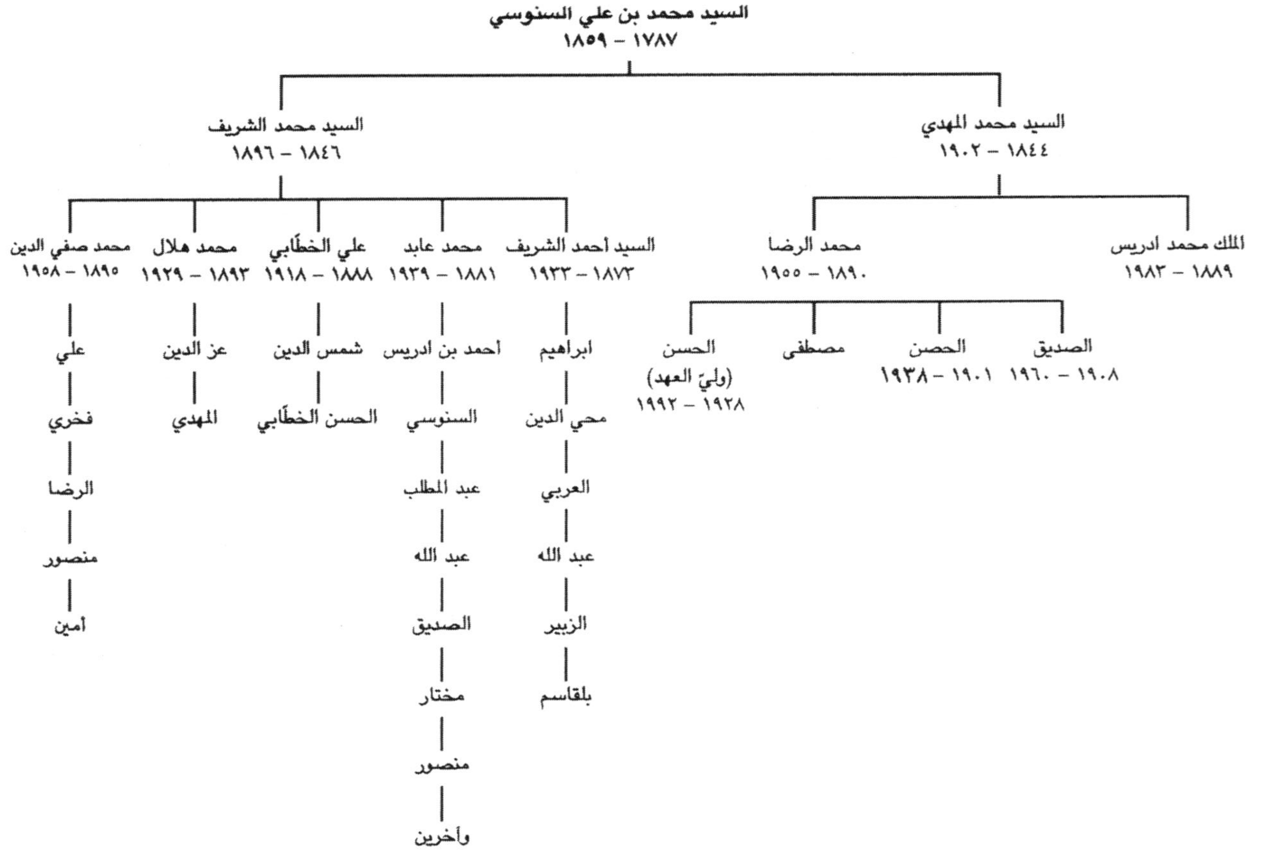
أهم فروع شجرة العائلة السنوسية
السيد محمد بن علي السنوسي
١٧٨٧ - ١٨٥٩
السيد محمد المهدي
١٨٤٤ - ١٩٠٢
السيد محمد الشريف
١٨٤٦ - ١٨٩٦
الملك محمد ادريس
١٨٨٩ - ١٩٨٣
محمد الرضا
١٨٩٠ - ١٩٥٥
السيد احمد الشريف
١٨٧٣ - ١٩٣٣
محمد عابد
١٨٨١ - ١٩٣٩
علي الخطّابي
١٨٨٨ - ١٩١٨
محمد هلال
١٨٩٣ - ١٩٢٩
محمد صفي الدين
١٨٩٥ - ١٩٥٨
الصديق
١٩٠٨ - ١٩٦٠
الحصن
١٩٠١ - ١٩٣٨
مصطفى
الحسن
(وليّ العهد)
١٩٢٨ - ١٩٩٢
ابراهيم
محي الدين
العربي
عبد الله
الزبير
بلقاسم
أحمد بن ادريس
السنوسي
عبد المطلب
عبد الله
الصديق
مختار
منصور
وأخرين
شمس الدين
الحسن الخطّابي
عز الدين
المهدي
علي
فخري
الرضا
منصور
أمين

ملحق الوثائق

ملحق رقم ١

British Embassy in Libya, J
Cyrene.

INDEXED

Secret

September 4, 1954.

1942/8/54

T 1941/18.

My dear Bromley,

You may be interested to know the reactions of Mustapha ben Halim when I spoke to him the other day for the first time on two important topics, (a) the succession to the throne of Libya and (b) events which might follow the decease of King Idris.

2. He spoke with surprising frankness and said that, apart from King Idris and his brother Ridha, the Senussis had few virtues which fitted them to be a royal family. The others, even Saddiq Ridha the King's nephew, were concerned in commerce and government contracts and their business methods often left a lot to be desired. He was not enthusiastic over the prospect of Saddiq el Ridha succeeding to the throne as he thought that the latter would have difficulty in breaking away from his trade entanglements.

When I asked him what alternative he had in mind, Mustpaha Bey said that he still hoped that Queen Fatima would produce an heir, in which case it would probably mean a Council of Regency being formed on the King's death. A man of the King's age and health would be unlikely to live until his own son was old enough to succeed.

3. As regards the danger of a breakup of the federation following the King's decease, Mustapha Bey agreed that there was a lot of talk about this in Tripolitania but he pointed out that such a movement, in order to succeed, needed one leader, not a dozen and that the Tripolitanians were, and always had been, hopelessly disunited amongst themselves. He wound up by saying that, in any case, the final word would lay with whoever controlled the armed forces.

When I asked if he meant that it would be necessary to use those forces, he replied, without much apparent conviction, that "he hoped not".

4. I am sceptical about the chances of King Idris having an heir; indeed there have been reports questioning the statement that Queen Fatima is pregnant again. If there is no son when King Idris dies, the only man who can carry the country with him is, in my opinion, Saddiq el Ridha, who may do so on his father's behalf so long as the latter survives. It is clear that Mustapha ben Halim does not like Saddiq but that fact does not necessarily detract from the latter's worthiness.

5. Mustapha ben Halim, a Cyrenaican, is not a sound guide of Tripolitanian affairs but the point which he makes about the multiplicity of leaders in that province is a good one.

Yours ever,

[signature]

T.E. Bromley, Esq.,
African Department,
FOREIGN OFFICE, S.W.1.

ملحق رقم ٢

1034/35/54

British Embassy in Libya,
Cyrene.

Secret

July 17, 1954.

T 1015/68

My dear Bromley,

For some time past I have been trying to assess, for my own satisfaction, Mustapha Ben Halim's position with regard to Egypt.

2. Speaking to me, he has said that he spent his formative years at school in Egypt and that he was "very fond of Egypt but first a patriotic Libyan who puts the best interests of his country before all other considerations". He claimed that he would oppose an attempt by the Egyptian Government to dominate Libya or to use that country for Egyptian ends. (Very noble!) According to reports, which you have doubtless seen, the Egyptians regard Mustapha as a friend on whom they cannot depend.

3. Now for my own assessment. Mustapha may well have a sentimental leaning towards Egypt due to the background of his boyhood. In addition one has heard of him salting away capital in Egypt which was acquired in Cyrenaica in some unknown manner and one has also seen reports of the Egyptians having placed money to his credit in a bank in Cairo. On the other side of the picture, is the fact that he owes his rise to power at an early age to King Idris and could be removed from office instantly at the latter's displeasure.

His actions seem to constitute an effort to reconcile an instinctive leaning towards Egypt with the policy of King Idris which is anything but pro-Egyptian but which is designed to avoid offending that country.

In character, Mustapha Ben Halim is so tricky as to make normal orientals like Mahmud Muntasser and Mohammed Saqizli appear quite straightforward. On the other hand, he has both ability and a strength of character which enables him to dominate his colleagues in a manner which both his predecessors failed to achieve.

I believe that his guiding sentiment is to look after his own material interests and to make sure that he emerges on the winning side.

4. This brings us to the question of his attitude towards the British connection. I do not consider that he has any particular affection for ourselves or for any other Western power but, here again, he does want to be on the winning side and he probably foresees a time when the future set up in Libya will depend largely on the policy of Her Majesty's Government during the strains and stresses which will follow the decease of King Idris.

I have also heard from other Libyans that he does believe in our honest desire to enable Libya to make a success of its independence. He also appreciates the disruptive tendencies of Egyptian activities in this country. Since he became Prime Minister, his attitude towards British interests has not afforded us any grounds for complaint.

Yours ever,

[signature]

T.E. Bromley, Esq.,
African Department,
FOREIGN OFFICE, S.W.1.

ملحق رقم ٣

صحيفة «الشرق الأوسط» التي تصدر في لندن. نشرت في عددها الصادر بتاريخ الجمعة ٢٨ فبراير ١٩٨٦ ترجمة لبعض الوثائق السرية للحكومة البريطانية لعام ١٩٥٥. قالت الصحيفة تحت العنوات الآتي:

بريطانيا كانت تسعى لتعزيز مصالحها في ليبيا

وترى في استمرار مصطفى بن حليم تهديداً مباشراً لها

فقالت الصحيفة:

فكّر المسؤولون البريطانيون ـ وقد أزعجهم انتشار النفوذ المصري في ليبيا، وهو نفوذ هدد المصالح البريطانية في المنطقة ـ فكّروا في تنظيم انقلاب ضد مصطفى بن حليم رئيس الوزراء الليبي الموالي لمصر. وقد كشفت الوثائق الحكومية البريطانية السرّية التي أزيح عنها النقاب، عن هذه الحقيقة، وإن كانت المراسلات التي تناولت هذه الفكرة قد أبقيت طيّ الكتمان لمدة ٢٠ عاماً أخرى من الآن. ومع ذلك نجد أن هناك عدة إشارات توحي بأن هذا الاحتمال كان أحد الاحتمالات التي بحثت في مقر السفارة البريطانية في طرابلس، وفي مقر وزارة الخارجية البريطانية. كذلك عرض بديل آخر، ينطوي على تدبير الحاق الهزيمة بمصطفى بن حليم في الانتخابات التالية، وإن كان هذا البديل قد رُفض باعتباره صعب التنفيذ. لقد كانت المصالح البريطانية في ليبيا استراتيجية أساساً. فعن طريق المعاهدة البريطانية ـ الليبية لعام ١٩٥٣ (وهي معاهدة تحالف) حصلت بريطانيا على تسهيلات لقواتها الجوية والبرية، وهي تسهيلات لم تكن راغبة في التخلي عنها. وكان من هذه الامتيازات تسهيلات عسكرية وحقوق طيران في المجال الجوي الليبي، فضلاً عن اتفاق على العون المتبادل في حالة الحرب، الأمر الذي جعل بريطانيا مسئولة عن الدفاع عن ليبيا عند نشوب حرب. ولذا كانت السياسة البريطانية تستهدف الحفاظ على علاقات ودية ومستقرة مع ليبيا، تصون مصالحها الاستراتيجية في المنطقة وكانت هناك مسألتان على درجة كبيرة من الأهمية، أولاهما انتشار النفوذ المصري، الذي اعتبرته بريطانيا ضاراً لمصالحها، وثانيتهما حدوث انقسامات داخلية في ليبيا مصيرها إلى التفكّك دون وجود سلطة مركزية، وأنها قد تنقسم الى ولايات منفصلة، مما يلقى الشكوك على مستقبلها ويفيد المصريين في نهاية الأمر.

وكان انزعاج بريطانيا من النفوذ المصري واضحاً في ليبيا شأنه في ذلك شأن غيرها من البلدان. وكانت بريطانيا تعتقد أن العميل الرئيسي للمصريين في ليبيا كان رئيس الوزراء مصطفى بن حليم، الذي كان يُعرف عنه ميله لمصر، واستطاعته التأثير على مجريات الأمور، وهو الأهم. ومع ذلك كان موقف بريطانيا غامضا.

ففي حين كانت بريطانيا تعتبره مصدر خطر، إلاّ أنها كانت تقر بأن ليبيا مصيرها إلي الضعف الشديد دون وجوده المحسوس.

وفي أول يناير كتب (هايمان) في مذكرة لوزارة الخارجية، بعد التشاور مع السفير البريطاني السابق سير اليك كيركبرايك: «إن أهم نتيجة استخلصتها مما قاله لي سير اليك كيركبرايد هي أن ليبيا قد تمضي في طريقها الحالي المفعم بالقلق والاضطراب دون أي خطر بتفككها، إلاّ إذا توفي الملك ادريس أو حل محل مصطفى بن حليم رئيس وزراء آخر يفتقر إلى ما كان لسلفه من شخصية قوية».

وكان من رأي سير اليك كيركبرايد أنه إذا انقسمت ليبيا إلى قسميها المكونين لها، فالأرجح أن تستولي مصر على برقة وتبتلعها، في حين تشعر طرابلس بانجذاب اقتصادي شديد تجاه ايطاليا. وكان في اعتقاده أن بريطانيا ينبغي عليها بذل جهد كبير لمنع أي انقسام في ليبيا، وأن عليها التنسيق في هذا مع الولايات المتحدة. وصحيح أن أمريكا لا تمارس نفوذاً سياسياً كبيراً في ليبيا، ولكن الليبيين ينظرون إليها باعتبارها صاحبة ثروة كبيرة، مما يدفعهم إلى الاستماع لنصيحتها.

أما المملكة المتحدة ـ في رأي كير كبرايد ـ فكانت في استطاعتها ممارسة التأثير الأكبر في مضمار الإبقاء على تماسك ليبيا. كما أنه كان يفضل ـ في حالة حدوث إنقسام للبلاد ـ أن تتدخل القوات البريطانية دفاعاً عن الحكومة الاتحادية.

وكتب جراهام إلى وزارة الخارجية البريطانية في ٢٥ يونية يقول: «كان في نيتي أن أشير إلى التزايد الخطير في النفوذ المصري في ليبيا. ولكن نظراً لأن مصطفى بن حليم رئيس الوزراء كان العامل الرئيسي وراء هذا الازدياد، فقد استحال عليّ أن أشير بكلمة إلى هذا الموضوع». وقد أفاد السفير في مذكرات أخرى بأن الأمريكيين كانوا يواجهون المشكلة نفسها!

فما هو نوع التهديد المصري في نظر البريطانيين؟

في ٣٠ يولية، وقت أن كانت المسألة موضع بحث مستفيض، كتب جراهام إلى وزارة الخارجية في لندن يقول: «إن المصالح البريطانية والأمريكية في مصر هي إلى حد بعيد مصالح استراتيجية. فنحن نريد دولة مستقرة وصديقة لنقيم فيها قواعد لقواتنا وطائراتنا. ولكن دور مصر في الحرب الباردة غامض جداً، كما أن كراهية وجود القوات الأجنبية فيها ملحوظة لدرجة أنه ساد النفوذ المصري في ليبيا، فلن يمر وقت طويل قبل أن تكف عن أن تكون قاعدة صديقة. فهناك الآن عناصر وطنية في ليبيا تكره الاتفاقيات المعقودة بين ليبيا من جهة وبريطانيا وأمريكا من جهة أخرى. ومع أن بن حليم شديد الموالاة لمصر، إلاّ أنه يبدي في الوقت الحاضر وداً شديداً لبريطانيا وأمريكا. ولكن حبه لنا حب ظاهري مصيره إلى الزوال. وإني مقتنع بأن الدور المصري في ليبيا هو إثارة الاضطراب فيها».

وبحثت بريطانيا عدة وسائل لمجابهة النفوذ المصري. وفي ٢٥ يونية اقترح جراهام وقف الاعانات البريطانية، وكتب يقول: «أشك أن يكون للتحذير بخطر النفوذ المصري أثر كبير، ولا أعتقد أن من الحكمة أن نفعل أكثر من ذلك. ولكننا نستطيع بطبيعة الحال أن نهدد بعبارات ملفوفة بأنه إذا لم تجر الأمور على هوانا فقد نعيد النظر في مقدار الاعانات التي نقدمها للاقتصاد الليبي في نهاية السنوات الخمس الأولى للاتفاق الحالي. ولكني لا أميل إلى هذا التصرف كثيراً. فرصيدنا الطيب في ليبيا مستمد من إظهار نيّتنا الطيبة. وأي إيحاء بإحكام الخناق المالي للفوز بغايات سياسية، لا بد أن يجازف بالقضاء على هذه النيّة الطيبة، وهي إذا ضاعت يصعب استعادتها من جديد».

وبلغ القلق بوزارة الخارجية البريطانية حداً دفعها إلى إلتماس المشورة من السفير السابق في ليبيا سير اليك كيركبرايد. وفي سياق حديثه مع بروملي في ١١ أغسطس اقترح ما يلي:

* عدم التهجّم على أفراد بذاتهم في مضمار الدعاية البريطانية ضد النفوذ المصري. بل أن أي حملة سياسية ضد بن حليم ستكون أمراً خطيراً، ويسهل التعرف على أصلها ومنبعها.

* إن أفضل تأثير للدعاية يتم من خلال الحديث العابر، شريطة أن يؤدي الحوار اللبق إلى النقاط المطلوب إثارتها.

* التركيز على شعور بالفخر بأصولهم العربية والحجازية وتفوقهم العرقي على المصريين.

* الإقرار بأن المصريين قد أبلوا بلاء حسناً في الآونة الأخيرة من خلال ثورتهم وما تلاها من إصلاحات، ولكن مع تبيان أن هذا لا يعطيهم أي حق في القاء العظات وتقديم النصائح لدولة صغيرة مجاورة، بترفع وتعال.

* التأكيد بأن النظام المصري الحالي، رغم تحقيقه بعض الفائدة، إلاّ أنه ليس ديمقراطياً.

* التأكيد على أهمية اهتمام الليبيين بالمبادئ التي يرسيها اخوتهم في الجامعة العربية، مع إظهار أنه ليس لمصر الحق في استخدام الجامعة العربية كمخلب قط لخدمة مصالحها.

* لا بد أن يكون الاتجاه الأساسي للحملة البريطانية هو «السخرية الطفيفة من المصريين».

* الاهتمام بالسينما المتنقلة كأنسب وسيلة للدعاية.

ومن الامكانيات الأخرى البعيدة الأثر التي راودت خاطر البريطانيين احتمال تدبير انقلاب. ففي ١٢ أغسطس كتب السفير (البريطاني) إلى بروملي في وزارة

الخارجية البريطانية خطاباً يحمل تصنيف «سرّي للغاية»، يشرح فيه هذا الاحتمال، ولكن هذا الخطاب لن يكشف عنه النقاب إلاّ بعد انقضاء ٢٠ عاماً أخرى. ومع هذا يشير السفير إلى خطابه المذكور هذا ضمن خطاب آخر لاحق بتاريخ ٢٤ سبتمبر قائلاً: «إذا بقي مصطفى بن حليم في الحكم لفترة أطول فقد تتعمق جذوره لدرجة يستحيل معها زحزحته، وسيكون في وضع لا يتحدى فيه سلطته أحد. وفي مثل تلك الحالة قد يصبح تدبير انقلاب أمراً مرغوباً فيه وليس مستحيلاً. وقد بحثت هذا الاحتمال في خطاب سري للغاية بعثت به إلى بروملي في ١٢ أغسطس».

على أن السفير يقترح في الرسالة نفسها مساراً آخر بديلاً، أن يقول إن على بريطانيا أن تسعى لابعاد مصطفى بن حليم أثناء الانتخابات، التي تقرر أن تجري في العام نفسه. ولكنه يعترف بأن هذا أمر صعب ويقول: «سوف تتمثل العقبة القادمة في طريق بن حليم في الانتخابات العامة المقبلة، التي يحين موعدها في نوفمبر. وليس من المؤكد أن يحصل مؤيدو بن حليم على أغلبية المقاعد في هذه الانتخابات. ولكن بالنظر إلى المزايا التي يتمتع بها الحزب الحاكم في بلد يفتقر إلى التقاليد الديمقراطية العميقة الجذور، فمن الصعب أن نتصور كيف نضمن هزيمته في الانتخابات، في غيبة أي حزب معارض أو أي خصوم أقوياء. وأي محاولة فاشلة نقوم بها في هذا الصدد قد يسهل معرفة أصلها، وبذا تكون العواقب مدمرة. وحتى لو انتُخب أغلبية من النواب المعادين لرئيس الوزراء شخصياً، فسيظل رئيساً للوزراء. وقد لا يمر وقت طويل قبل أن يكسب تأييد عدد من خصومه له، بالرشوة والتهديد، حتى يتسنّى له السيطرة على اتجاه البرلمان».

ولكن السفير يختتم رسالته بقوله: «ما دام الوضع يسير على ما هو عليه، فإن أكثر السبل حكمة هو ألاّ نعارض بن حليم خفية أو بصورة غير مباشرة، وإنما أن نحاول تعزيز مركزنا من خلال الطرق المتاحة لنا».

ومن هذه الطرق كما يقول السفير البريطاني الاتيان بعدد أكبر من الخبراء البريطانيين وموظفي الحكومة بدعم مالي من الحكومة البريطانية إذا استدعى الأمر، وبمساندة من المجلس الثقافي البريطاني وغير ذلك من المرافق التعليمية، لمجابهة النفوذ المصري، لا سيما في مجال التعليم. وفي رأي السفير «أننا نخوض معركة مع المصريين للفوز بعقول الجيل الجديد، علماً بأنهم يتمتعون بميزة هائلة».

على أنه بحلول شهر سبتمبر توقفت الهستيريا البريطانية بخصوص المصريين، بل أصبح باستطاعة بريطانيا أن تنظر إلى مصطفى بن حليم في ضوء علاقة إيجابية جديدة.

ملحق رقم ٤

SECRET

FROM WASHINGTON TO FOREIGN OFFICE

Cypher/OTP

FOREIGN OFFICE AND WHITEHALL DISTRIBUTION

Sir R. Makins
No. 134
January 19, 1956

D. 9.10 p.m. January 19, 1956 L.T.
R. 6.10 a.m. January 20, 1956

IMMEDIATE
SECRET

JT 1102/3.

Addressed to Foreign Office telegram No. 134 of January 19
Repeated for information to Tripoli
and Saving to Moscow P.O.M.E.F.
Paris Benghazi

Tripoli telegram No. 12. Russian Activities in Libya.

Following from Shuckburgh.

The State Department said today that the Libyan Prime Minister had also told the United States Ambassador in Tripoli that it might not be possible for the Libyan Government to turn down the Soviet offer of economic assistance unless further United Kingdom and United States aid was forthcoming. Ben Halim made it clear that he was highly dissatisfied with the United States attitude so far and would be in a difficult position unless some ammunition to counter the Russian offer could be given to him before he has to meet Parliament on January 21. (Mr. Tappin advised that, if it were not possible to give a favourable answer at once, the Libyan Prime Minister should be invited to visit the United States to discuss the position further.

2. The State Department have replied to the United States Ambassador that they think it would be a mistake to respond to Libyan pressure in this way. They are opposed to a visit by Ben Halim. If he were disappointed by its results, the position in Libya would only have been exacerbated; while success in obtaining what he wants in such circumstances would create a bad precedent.

3. The State Department have, therefore, advised Mr. Tappin to talk to the King and to warn him that Soviet aid, however apparently unconditional, is never given without strings. The United States Ambassador is to remind the King of the assistance given by the United States in the past and

/to stress

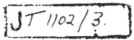

to stress her continued willingness to help Libya as far as possible. He has also been authorized to promise the Libyan Government the following additional assistance, making it clear that these are programmes which have been under consideration prior to the Soviet offer and are not in any sense a response to it:-

(a) the United States will make a fresh grant from surplus stocks of 7,200 tons of wheat;

(b) $3 million will be made available for economic assistance during the current fiscal year;

(c) the United States representative [grps. omitted]* for straight United States credit for the project, (to
NYR which Bailey's letter 1152/3/56 to Watson refers);

(d) the United States, while not at present able to make any commitment, are willing to discuss the possibilities of further military assistance, in addition to the equipment for the armoured car squadron. (See Parsons'
JT1192/2 letter 11917/2/56 to Ramsden).

Foreign Office please pass immediate to Tripoli and Saving to Moscow, Paris, P.O.M.E.F. and Benghazi as my telegrams Nos. 1, 8, 29, 11 and 1 respectively.

[Repeated to Tripoli and Saving to Moscow, Paris, P.O.M.E.F. and Benghazi]

* [Note by Communications Department: Repetition of omitted groups is being obtained]

ADVANCE COPIES TO:
Private Secretary
Sir I. Kirkpatrick
Head of African Department

bbbbb

ملحق رقم ٥

SECRET

(1035/56 G)

T 1102/8

British Embassy in Libya,
TRIPOLI.

January 24, 1956.

My dear Watson,

I have this moment returned from Benghazi, and have not seen either Ben Halim or Tappin since receiving your telegram No. 12. But you will be interested to know that the American offer of aid to the Libyans as outlined in Washington telegram No. 134 was put to the Libyan Prime Minister by Tappin on January 22, and was given a very poor hearing. It appears that Ben Halim had already discovered from some source or other the fact that the extra financial aid to be offered would only be $3 million, and he told Tappin that he could on no account turn down what he believed would be an extremely generous Russian offer for such a small sum. Pitt Hardacre, who passed this to Peters in strict confidence, gave the following further information.

2. The Russian offer of economic aid will be made in writing to the Libyan Government this week, and will be on a very generous scale, including a gift of some 50,000 tons of wheat. It will of course also be alleged to be "without strings". Ben Halim told Tappin that in order to be able to refuse this offer he must have $5 million extra financial aid this year, the 7,000 tons of gift wheat, the interest-free loan for the Tripoli Power Station (preferably from the British Government) and American military aid on a more generous scale than at present. Tappin has reported back to Washington, and I hear that the subject of Libya has definitely been put down on the agenda for the Washington talks between the President and our Prime Minister.

3. I am sending copies of this letter to H.M. Embassies at Washington, Moscow, Paris, to the Political Officer, Middle East Forces and to H.M. Consulate General, Benghazi.

Yours ever
Walter Graham

J.H.A. Watson Esq.,
African Department,
Foreign Office,
LONDON, S.W.1.

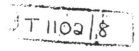

ملحق رقم ٦

CYPHER

Top Secret.
Secret.
Confidential.
Restricted.
Open.

EMERGENCY
~~IMMEDIATE~~
~~PRIORITY~~
~~ROUTINE~~
with / without priority
~~DEFERRED~~

Date and time (G.M.T.) telegram should reach addressee(s) ....
(Date) 12/3
Despatched 9 4.06

Draft.

Telegram to:
ANKARA
617
March 12th

to:—
BAGDAD
565

[Security classification —if any] SECRET

[Codeword—if any] ....

Addressed to: ANKARA and BAGDAD

telegram No. 617 (date) 12/3.

Repeat to: WASHINGTON 472, TRIPOLI 77, TEL AVIV 275, SAVING to: MOSCOW 167 Saving, CAIRO 197 Saving, BENGHAZI 29 Saving, JEDDA 112 Saving, DAMASCUS 110 Saving

Cypher

Distribution:—
F.O. and Whitehall

Copies to:—

NOTHING TO BE WRITTEN IN THIS MARGIN.

repeated for information to WASHINGTON, TRIPOLI, TEL AVIV
and SAVING to MOSCOW, CAIRO, BENGHAZI, JEDDA and DAMASCUS

Libya.

I am becoming increasingly concerned about the efforts which are being made to shake the western position in Libya. Ever since the Russian Ambassador arrived in January, he has been dangling offers in generous terms before the Libyan Government; and on March 7 apparently made a specific offer including the immediate delivery of wheat without any conditions about use, and a 20 year loan at 2%. Meanwhile Egyptian propaganda against the western connexion and the Bagdad Pact has been assiduous; and ~~on~~ according to the Libyan Prime Minister, on March 10, the Egyptian Ambassador in Tripoli communicated to him ~~the Libyan Prime Minister~~ on behalf of Colonel Nasser, King Saud and President Kuwatly, a joint offer of economic assistance in order to "free Libya from her dependence on Britain and America."

2. H.M.G. and the U.S. Government are doing what they can to strengthen the resolution of the King and the Prime Minister of Libya, to abide by their alliance with us. Under the

/Treaty

RECEIVED IN C.R. 13 MAR 1956

504

M.3070 46347 P.O.P. (4)

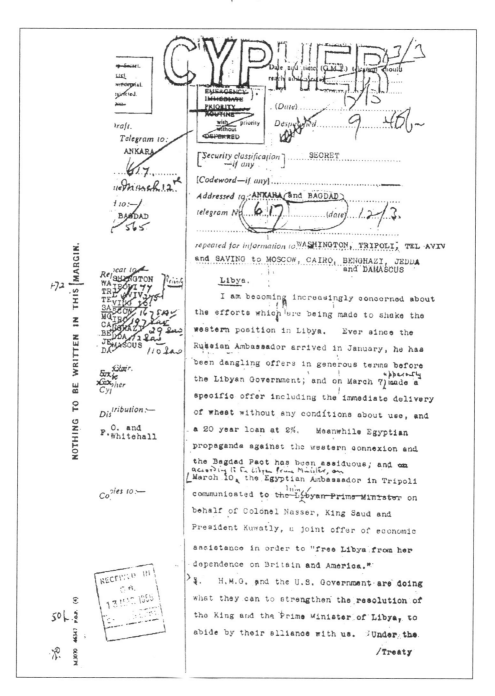

Treaty of Alliance, H.M.G. already provide a subsidy of £3.3/4 million a year, as well as spending considerable sums in sterling on the maintenance of our forces. Last November we made a substantial gift of British equipment to the Libyan armed forces. The United States has given similar, though less, assistance; but is now studying a programme of further aid. ~~But~~ However it is not enough for Britain and the U.S. to stiffen the resol~~ution~~ve of the Libyan Government. Our allies in the Middle East should also play their part.

3 ~~4~~. Please therefore explain the position as described above to the Turkish/Iraqi Minister of Foreign Affairs. You should go on to say that Libya is an important base from which both we and the Americans would have to bring aid to our allies in the Bagdad Pact if the need arises. It is, therefore, in their interest as well as ours to be sure of our position there and to counter the efforts of the Russians, Egyptians and Saudis, whose purpose is plain. I therefore much hope that the Minister of Foreign Affairs will be prepared to instruct his representative in Libya to make plain to the Libyan Government the dangers ~~[illegible]~~ of breaking away from the western connexion, and of listening to the blandishments of those whose real purpose is to disrupt Libya internally as well as to break down the defences of the Middle East.

4 ~~5~~. H.M. Ambassador at Ankara might add that I am well aware of the considerable prestige and influence which Turkey still enjoys in Libya. ~~[illegible]~~ H.M. Ambassador ~~Iraq~~ at Baghdad might mention that the Libyan Prime Minister recently described Iraq as the only Arab country which was pursuing the same friendly policy towards the West as Libya.

5. H.M. Ambassador at Washington should inform the State Dept. & suggest they take similar action. [initials] 12/3

ملحق رقم ٧

SECRET

FROM FOREIGN OFFICE TO WASHINGTON

Cypher/OTP and By Bag | FOREIGN OFFICE AND WHITEHALL DISTRIBUTION

No. 1481
March 13, 1956. | D. 12.25 p.m. March 13, 1956.

EMERGENCY
SECRET

Addressed to Washington telegram No. 1481 of March 13.
Repeated for information to:

	Tripoli	[Immediate]
	Tel Aviv	[Immediate]
and Saving to:	Moscow	No. 170
	Cairo	No. 199
	Jedda	No. 114
	Damascus	No. 114
	Benghazi	No. 32

Your telegram No. 649.

Aid to Libya.

This is most unsatisfactory. While I am glad to see that the Americans are impressed with the strategic importance of Libya, Mr. Rountree's answer confirms that the question of United States aid to Libya has in fact become bogged down at the administrative level. The Libyan Government is under very heavy pressure to commit itself either to the Russians or to the Egyptians and the Saudis. Best way to prevent this would be an immediate assurance in general terms to the Libyan Prime Minister. A detailed and positive offer can follow in due course. We are at present contributing much more to the Libyan economy than the Americans, and it is their turn to do something.

2. Have you arranged for Mr. Dulles to be informed of the Prime Minister's concern, and his request that Mr. Dulles should send the Libyan Prime Minister an assurance?

3. If you get the impression that Mr. Dulles will not be able to deal with this matter on his travels, the Prime Minister is prepared to take it up with the President.

ملحق رقم ٨

SECRET

(1039/56)

JT 1102/1

British Embassy in Libya,
TRIPOLI.

January 13, 1956.

My dear Watson,

JT 1901/2

In my despatch No. 10 of January 10 I reported the arrival of the first Russian Ambassador to Libya, and the advance guard of his staff. More are expected shortly, and I understand that they are looking for accommodation for about twenty-five families, which would make them, by Tripoli standards, a biggish Embassy. The Ambassador lost no time over presenting his credentials, but left for Tobruk within three or four days of his arrival here. I shall no doubt be exchanging calls with him in the very near future, but I do not expect to learn very much from that.

2. As I reported in my despatch under reference, the Ambassador said in his speech to reporters at the airport that he hoped to strengthen the cultural and economic connexions between Libya and Russia. Radio Moscow was even more definite in its Arabic service on December 24, when it said that the aim of Soviet policy in Libya was the withdrawal of all foreign forces, and the strengthening of political, economic and cultural relations between the two countries. There cannot be even a pretence that Russia's interests in Libya are compatible with those of Britain and America.

3. I expect that the Russians will soon set up a cultural centre, and generally indulge in "cultural activities", probably on a much more lavish and imaginative scale than those already practised here by Egypt and various Western nations. These activities will impress the masses, who are in any case already interested in, and not unduly suspicious of, the new Embassy; but they will have no effect on the authorities. Fortunately both the King and the Prime Minister are alive to the danger of Soviet penetration. It will take a well-aimed thrust to get past their guard. But the Egyptians have already shown the Russians where to aim: at the pocket. Libya (like Egypt herself) is very vulnerable there.

4. When I first told the Libyan Prime Minister about the Anglo-American offer of equipment for an armoured-car squadron I said at least twice that I hoped that acceptance of this gift meant that Libya would refuse the Egyptian arms offer, and he replied very definitely that it did. But, whatever he may have meant at the time, it is clear that he now hopes to get more out of us for the same bait. The other day, when I was discussing with him the arrangements for the ceremony at which the armoured cars will be handed over, he said that he hoped I would make it clear in my speech that the cars were only the first instalment of a series of gifts. Otherwise, he said, he would find it difficult to justify the refusal of a virtually unlimited Egyptian offer. I told him that as far as Britain was concerned there was no question of a series of arms gifts. We already contributed heavily to the Libyan exchequer, and this gift was a special extra, not constituting a precedent. Nevertheless, a few days later he sent Pitt Hardacre to see me, to "sound the ground" about a request for automatic small-arms for the Cyrenaica Defence Force. (I am writing more about this separately). I told Pitt Hardacre too that Britain had not promised, and could not be expected, to make any further arms gifts. I did not say, but I am sure that he knows as well as I do, that the Americans are, however, contemplating a lot more gifts of arms.

5. The Libyans must be extremely impressed by their success in

/extracting ...

J.H.A. Watson Esq.,
African Department,
Foreign Office,
LONDON, S.W.1.

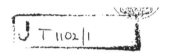

extracting gifts from us (which we should not otherwise have given) by the simple method of threatening to accept them from Egypt. They have since seen Britain and America offer assistance to Egypt for the High Dam (in spite of Britain's financial stringency) for fear that Egypt should accept Russian assistance; and they have seen further British offers to Jordan, apparently stimulated by fear of counter-offers from the Saudi-Syrian-Egyptian bloc. It may be an over-simplification, but the Libyan politician is undoubtedly coming to think that the West will give help to Arab countries (and in Britain's case will scrape the very bottom of the bucket to do so) in order to forestall help from other sources; but not, or certainly much more reluctantly and more slowly, otherwise.

6. The Russians must have learned this lesson, and we must expect that they will soon be making Libya some attractive offers. If they do, Libya will almost certainly look to the West for a counter-offer, and we shall be on the horns of a familiar dilemma. If we make the counter offer, we shall in a sense have defeated the Russians, but they will have embarrassed us at no cost to themselves. If we refuse, Libyan-Western relations will be clouded, and the Russians will have a foot in the door. It looks like a "squeeze-play" which the Russians can hardly lose; unless perhaps we were to shut them out by a pre-emptive bid.

7. The most sensitive part of the Libyan economy, what corresponds roughly to the High Dam in Egypt, is the Five-Year Economic Plan sponsored by the Libyan-American Reconstruction Commission. You will find something about this in H.H. Thomas's letter to Ramsden JT1106/10/55 of September 2, 1955, my despatch No. 137E of August 2nd and previous correspondence. The chief weakness of the Plan is that estimated expenditure is roughly forty million dollars more than foreseeable income. An extra eight and a half million dollars must be found annually for the next four years if the Plan is not to be cut. This is where the Libyans might be tempted to turn to the Russians, and where we and the Americans might find it desirable to pre-empt.

8. The American Embassy here have already telegraphed to Washington, recommending that Britain and America should jointly find this eight and a half million dollars a year. If Britain should be unable to contribute they recommend that the United States should find all the money, while we might if desired save our faces by further gifts of military equipment.

9. I do not feel able from here to make any positive recommendation. I can only put the facts before you as I see them. The difficulty of pre-empting is always that one does not know quite how high to go. Too low a bid is ineffective, too high a bid extravagant. One can only guess if eight and a half million dollars a year is about right. Nevertheless, in principle, there are obvious advantages in some such offer. We could attach conditions to it, particularly as regards Russian penetration of the country. (These conditions should not, however, be too stringent, or they might recoil on our heads. Any infringement of Libya's independence would be resented, no matter how large the sop). It would of course be for the good of the country economically, and it would certainly, in the short run, add to our popularity here. It would, for example, remove the soreness caused by our previous refusal to help over the Tripoli Power Plant, which is part of the Plan.

/10. .....

10. On the other hand, we could certainly not count on any long-term gratitude. We could not even be sure that further Russian offers might not be followed by further requests to us. And, since it is not yet certain that the Russians will make the Libyans any substantial financial offer, our pre-emptive bid might even have been made unnecessarily; though I do not think that is very likely.

11. To sum up. We could make a pre-emptive bid now (which I should guess means within about a month; I expect the Russians to move fast); or we could wait and see what the Russians do, and then decide whether to overbid them or to let them do their worst. What that would amount to in practice, I am not sure. We know that their aim is to secure the removal of foreign forces from Libya, but it is not certain that they could achieve it by economic pressure. They might even overplay their hand, as I think the Egyptians did here last summer. It does, however, seem likely that large-scale Russian assistance to Libya would worsen the atmosphere for Britain and America, and would make our position here much more difficult, if not ultimately impossible.

12. I said above that I could not make positive recommendations. That is true. But of the three courses suggested above I do think that the second, to see what the Russians offer and then try to outbid them, is easily the worst. It would be obvious to all that our assistance was given out of fear rather than friendship, and it would be the greatest possible encouragement to the policy of playing the East against the West. We are certainly in a difficult position, and of the three visible exits the second one may perhaps be the widest and most tempting; but I feel sure that it leads to the least promising road for the future.

13. I am sending copies of this letter to the Embassies in Moscow, Cairo and Washington, and to Benghazi.

Yours ever

Walter Graham

ملحق رقم ٩

AIR POUCH
PRIORITY

SECRET
(Security Classification)

FOREIGN SERVICE DESPATCH ® 611.73 773.11/2-1356

DO NOT TYPE IN THIS SPACE

COPY NO. 1 SERIES A

FROM : AmEmbassy BENGHAZI 76 DESP. NO.

TO : THE DEPARTMENT OF STATE, WASHINGTON. February 13, 1956 DATE 2/23

REF :

THIS DOCUMENT CONSISTS OF 4 PAGES
NUMBER 1 OF 7 COPIES, SERIES A.

For Dept. Use Only	ACTION NEA	DEPT. INFO	OLI	EUR	P	ICA	IO
	REC'D 2/21	OTHER CIA	USIA	ARMY	NAVY	AIR	OSD

SUBJECT: Audience with King Idris

SUMMARY

Ambassador Tappin was received in audience by King Idris at Tobruk on February 11 prior to the Ambassador's returning to Washington for consultation. In a frank discussion of Libyan-American relations the Ambassador indicated that the official view of the United States Government was that the friendship between the two states was deeply rooted and firm, that some concern was felt at the motives and methods of the Russians in Libya, and that he was most reluctant to return to Washington with a feeling that some officials of His Majesty's Government did not perceive clearly the implications of Soviet offers and were using these to present demands not based on actual needs and saying in effect "Give us this or we will get it from the Russians".

The King replied that the official position of His Government was that Libyan-American relations should be maintained and consolidated, that he was aware of the dangers involved in Soviet activity, that any minister or official who sought to use Soviet offers to bargain were "without brains" and uttering what others put in his mouth. He stated that Egyptians were undoubtedly influencing officials within the Government to accept Soviet aid or to utilize offers in bargaining with the U.S. ~~While unaware of this development~~, the King knew that the Prime Minister had difficulties within the Cabinet on economic assistance and has authorized him to re-shuffle the ministers to minimize opposition. Opposition elements in Parliament, however, could utilize Soviet offers in efforts to overturn the Government unless the Government could show that it was diligent in providing for the needs of the people.

END OF SUMMARY

On Saturday, February 11, Ambassador Tappin called on King Idris at Tobruk to take leave and exchange views prior to the Ambassador's return to the United States on consultation. The Ambassador was accompanied by Colonel William Cain, Jr., Commanding Officer of Wheelus Field, First Secretary Davies, Arab Secretary Salah, and 'Abd al-Raziq Shaqluf, Permanent Undersecretary of Finance in the Libyan Government, who served as the representative of Prime Minister Ben Halim.

773.11/2-1356

SECRET FILE

EWC

RPDavies:djm
REPORTER

SECRET

ACTION COPY — DEPARTMENT OF STATE

The action office must return this permanent record copy to DC/R files with an ...

DECLASSIFIED
E.O. 12356, Sec. 3.3
NND 867400
By [illegible], NARA, Date 4/13/90

SECRET
(Classification)

On arrival at the Palace, the Ambassador was taken to the King's office and was closeted with him for over an hour with Mr. Salah serving as interpreter. The following is Mr. Salah's account of the discussion.

After an exchange of greetings, the Ambassador explained that while he was returning to the United States for personal reasons, he would undoubtedly have an opportunity to discuss U.S.-Libyan relations with officials of the U.S. Government and, in this connection, he asked His Majesty's permission to state his views on these relations in complete frankness. His Majesty replied that friendly relations could only be based on a frank exchange of views.

The Ambassador stated that the official view of the United States is that Libyan-American friendship is deep-rooted and that our attitude is based on a firm belief that this is fully reciprocated in the Libyan attitude towards the United States. This American view has been reflected by a policy of support for Libyan interests and assistance for Libyan needs and the United States confidently expects to give the same kind of attention to other Libyan problems as they may arise.

King Idris replied that the policy of his Government was to maintain and consolidate Libyan relations with the United States. Both he and his people were aware of the role the United States has played in establishing and maintaining Libyan independence.

Ambassador Tappin then referred to the pattern of efforts expended by the Soviet Union to undermine independent countries throughout the world and to their recent arrival in large numbers in Libya. He expressed concern at methods utilized by the Soviet Union in achieving its ends and at the potential danger to both U.S. and Libyan interests.

Before the Ambassador could continue his expositions, King Idris rejoined that he was all too aware of the dangers involved in Russian activity and he would prefer that they not be in his country. Howeve Libya did not seek establishment of relations with the USSR, the USSR sought relations with Libya. Whether they were instigated by another Near Eastern country or by their own area policies, His Majesty was not aware. The Government of Libya in these circumstances felt constrained to establish relations to give proof both to Egypt and the USSR that Libya enjoyed independence in foreign policy and was not subject to the dictates of the United Kingdom or the United States.

Ambassador Tappin then stated "What we have done we would have done irrespective of the Soviet presence as is witnessed by the fact that the United States has aid programs in some fifty-nine countries around the globe. As in the past, so we expect in the future to assist Libya in its various needs and our goals will continue to be

SECRET

SECRET
(Classification)

principles of Libyan independence and Libyan welfare". However, he stated, in view of the conviction of the U.S. Government that its friendship with Libya was taken seriously he was most reluctant to return to Washington with a feeling that some members of His Majesty's Government might not clearly perceive the implications of Soviet blandishments in the form of irresponsible offers of aid and that some might not clearly discern the direction in which Libyan interests lie.

Referring to His Majesty's permission for complete frankness, the Ambassador said that on return he must inform his government that in effect some officials of His Majesty's Government were using the Soviet presence and offers of aid to present a list of demands drawn up irrespective of Libya's true needs saying "give us this or we will get it from the Russians". He was most reluctant to take this picture back to Washington since he was quite certain that the reaction of his government would be adverse.

The King appeared somewhat shaken by this point and interjected "Any Minister or official who adopts this attitude is without brains and is assuredly immature. He can only be uttering what others put in his mouth". His Majesty said he was most grateful for the Ambassador's frankness, he was not aware that this had occurred and that he would summon the Prime Minister to Tobruk to discuss this matter with him. "We know our friends from their past actions; we do not know the Russians. It is better for us to ask for and accept assistance from those we know than to trust the unknown".

King Idris then said that the Egyptians were undoubtedly influencing such Libyan officials who were so foolish as to use Soviet offers as bargaining points by advising this method to prove that the U.S. will not provide or increase assistance. The Ambassador replied that he would mention no names but various responsible sources had assured him that officials within the Libyan Government had adopted this attitude.

King Idris said that the Soviet Union had extended offers for assistance and that the Russians were making it widely known. Every government has some opposition and the opposition to Prime Minister Ben Halim's Government would find it easy to tell people that U.S. assistance was not adequate for Libya's needs in view of the Soviet offer and to bring this government, thus, under great pressure. Refusal of such offers would be interpreted as lack of concern for the interests of the people. Cabinet ministers were expendable and, in confidence, the King on learning of opposition on the subject of U.S. aid, had authorized the Prime Minister to re-shuffle his Cabinet and eliminate some opposition elements. Parliament, however, was a different story and, if convinced that Libya was rejecting large-scale assistance, might overturn the present government and succeeding ones if they continued the same policy. Should this ensue, there

SECRET

Page 7 of
Desp. No. 76
From Benghazi

SECRET
(Classification)

Page of
Encl. No.
Desp. No.
From

would be no stability in government whatsoever.

His Majesty re-iterated his conviction that Libya's future lay with the U.K. and U.S. and that its needs would be met from these sources. "This is of particular importance so that we may prove wrong the Egyptians and others who already boast that the United States will not provide for Libya's needs or increase the assistance already given".

His Majesty requested that Ambassador Tappin carry his best wishes to President Eisenhower whose friendly policies were greatly appreciated by the Arab peoples. He hoped, sincerely, that he would choose to retain his high office. He hoped, also, that the Ambassador's report to his government would be of benefit to Libya. He would place himself at the Ambassador's disposal for any length of time for a detailed discussion of U.S.-Libyan relations. Ambassador Tappin promised to seek audience through His Majesty's Government on his return to Libya.

The Ambassador and his party were joined at lunch with the King by the Wali of Cyrenaica, Husain Maaziq, and the Commander of the Cyrenaican Defense Force, Liwa Mahmud Bu Qweitin.

COMMENTS:

1. It seems evident that the Prime Minister has told the King the same story he tells us as to the internal political pressures to which his Government is subjected.

2. Our fears that Egyptian pressures might be encouraging the Libyans down the Soviet path would seem confirmed by the King's remarks. In this connection, Mr. Shagluf told Ambassador Tappin during the flight from Tripoli to Benghazi that on the previous night Egyptian Ambassador Fiqqi had called on Prime Minister Ben Halim who was abed with a cold to ascertain why the American Ambassador was seeing the King and to urge Ben Halim to be present at the audience.

3. The King's remark that "we do not know the Russians" is, sad to say, all too true of the majority of Libyans. Those who do have some slight uneasiness as to the Soviet potential for disruptive activities have a naive confidence in the ability of the police to control them.

4. King Idris' appeal for increased assistance while in much more polite a framework than that of the Prime Minister indicated that the King also believes that such an increase is justified.

5. The King's comments on the need for stability in the Government would seem to indicate that he is satisfied with the conduct of affairs by Ben Halim

~~cc:~~ Tripoli (2)

Rodger P. Davies
Rodger P. Davies
~~First~~ Secretary of Embassy.

SECRET

DECLASSIFIED
E.O. 12356, Sec. 3.3
NND 867400
By Kon, NARA, Date 4/13/90

ملحق رقم ١٠

CONFIDENTIAL

FROM TRIPOLI TO FOREIGN OFFICE

Cypher/OTP

FOREIGN OFFICE AND WHITEHALL DISTRIBUTION

Mr. Graham

No. 79
March 21, 1956

D. 1.9 p.m. March 21, 1956

R. 1.43 p.m. March 21, 1956

CONFIDENTIAL

Addressed to Foreign Office telegram No. 79 of March 21.
Repeated for information to Cairo
and Saving to Benghazi Washington
Bagdad POMEF.

Cairo telegram No. 551 to the Foreign Office.

The alleged Egyptian-Syrian-Saudi offer to Libya.

It is of course possible that the Libyan Prime Minister invented this offer in order to put pressure on Britain and America. But the fact that the Libyan Ambassador in Cairo did not know of it means nothing. He might well have been by-passed. Nasser's denial is also possibly not reliable.

2. I am inclined to believe in the offer because, with the undoubtedly genuine Russian offer in his pocket, there is no need for the Libyan Prime Minister to invent an Egyptian offer. And we have good reasons for believing that the Russians and Egyptians are working on parallel lines.

Foreign Office pass Cairo as my telegram 2 and Bagdad, Washington, POMEF as my Saving telegrams 1, 3 and 8 respectively.

[Repeated to Cairo and Saving to Bagdad Washington, POMEF.]

ملحق رقم ١١

INCOMING TELEGRAM **Department of State** ACTION COPY

SECRET

I—11

58-L
Action
NEA

Control: 7301
Rec'd: MARCH 12, 1956
5:17 PM

FROM: LONDON

Info
RMR

TO: Secretary of State

SS NO: 3905, MARCH 12, 8 PM
G
SP PRIORITY
C
EUR SENT DEPARTMENT 3905, REPEATED INFORMATION TRIPOLI 26.
L
IO
UMSA
E
P
UOP
O
OLI
IOP
OCB
CIA
OSD
DCL/C
ICA/H

This Document Must Be Returned to RM/R Central Files

773.00/3-1256

RE EMBTEL 3851 FOREIGN OFFICE CONTINUES DISPLAY GREAT CONCERN AT SITUATION IN LIBYA, PARTICULARLY IN VIEW OF WORD FROM BRITISH EMBASSY TRIPOLI YESTERDAY THAT EGYPTIAN AMBASSADOR HAS INFORMED LIBYAN PRIME MINISTER OF OFFER FROM NASSER, SAUD, AND QUWWATLY IN CAIRO TO PROVIDE ECONOMIC AND FINANCIAL AID TO LIBYA IN PLACE OF US AND UK ASSISTANCE. FOREIGN OFFICE REGARDS THIS DEVELOPMENT, COMING ON TOP OF SOVIET OFFER, AS EXTREMELY SERIOUS AND AS HAVING OBVIOUS REPERCUSSIONS ON RETENTION BRITISH AND AMERICAN MILITARY FACILITIES LIBYA.

LIBYAN AMBASSADOR MAHMUD MUNTASSER RETURNED LONDON TODAY ON BEN HALIM'S URGENT INSTRUCTIONS AND CALLED AT FOREIGN OFFICE TO DISCUSS ESS AND SOVIET OFFERS WITH NUTTING. MUNTASSER SAID BEN HALIMS PRINCIPAL CONCERN AT PRESENT WAS OBTAIN ASSURANCES, WHICH WOULD BE HELD SECRET, OF CONTINUED BRITISH AND AMERICAN SUPPORT.

ACCORDING FOREIGN OFFICE, EDEN IS PERSONALLY VERY WORRIED OVER SITUATION AND HAS REQUESTED THAT URGENT INSTRUCTION BE SENT AMBASSADOR MAKINS DISCUSS WITH DEPARTMENT AND INQUIRE WHETHER USG FOR ITS PART COULD GIVE ASSURANCES OF TYPE DESIRED BY BEN HALIM. MAKINS BEING INSTRUCTED ASK THAT MATTER BE BROUGHT TO SECRETARY'S ATTENTION.

ALDRICH

SECRET FILE

MESSAGE CENTER
1956 MAR 13 AM 7 22

Copy No(s) 13
Destroyed in RM/R
Name NEA Date 4-10-?

DECLASSIFIED
NND867400

SECRET

REPRODUCTION FROM COPY, IF CLASSIFIED, PROHIBITED

PERMANENT
RECORD COPY • This copy must be returned to RM/R central files with notation of action taken •

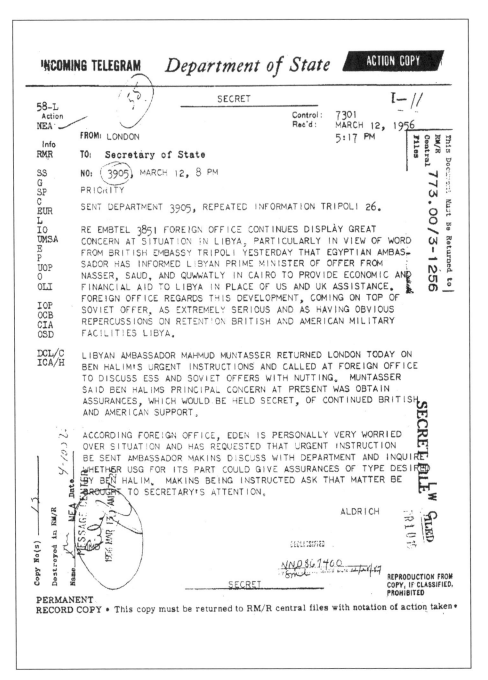

ملحق رقم ١٢

CONFIDENTIAL

FROM TRIPOLI TO FOREIGN OFFICE

Cypher/OTP

FOREIGN OFFICE AND WHITEHALL DISTRIBUTION

Mr. Graham
No. 75
March 16, 1956

D: 6.12 p.m. March 16, 1956
R: 6.57 p.m. March 16, 1956

JT 1102/52

PRIORITY
CONFIDENTIAL

Addressed to Foreign Office telegram No. 75 of March 16.
Repeated for information to Washington
and Saving to Moscow Cairo
Jedda Damascus
Benghazi

My telegram No. 73: Aid to Libya.

When you saw the Libyan Prime Minister on March 14 he particularly stressed the following Libyan needs:

(i) Deficit of over £20 million in 5-year development plan.

(ii) Loan of £2 million for Tripoli power plant.

(iii) Need for British Council school in Tripoli.

(iv) Deficit of nearly half a million pounds in the budget for 1956/57, and probably slightly larger deficits in subsequent years.

2. It is hoped that the latest American offer will cover item (i). You promised sympathetic consideration to items (ii) and (iii). All these 3 items are familiar and have been fully reported to you in the past. Item (iv) is new.

3. American aid goes entirely to the development programme and the Prime Minister argued that Britain had a kind of moral responsibility for the budget deficit. When the treaty was negotiated it was not known how much would be required to meet the annual deficit, and £2.75 million was taken as a very rough figure, subject to review after 5 years. Experience has already shown the figure is too low, and the Libyans therefore request us to reconsider it now.

/ 4.

CONFIDENTIAL

Tripoli telegram No. 75 to Foreign Office

4. Total expenditure is just over £9 million. The deficit is entirely due to the provincial budgets, which have already been severely pruned. 53% are for education, communications, public works, agriculture and health. The Federal budget is in the balance. Memorandum on the budget bill, copy of which goes to you by bag, gives full details. The Libyans claim that three successive bad harvests make it difficult to increase taxation substantially. Alternatives to increased aid are to raid the development funds or to reduce either the development or provincial expenditure.

5. It would clearly be necessary to scrutinise the budget in great detail before deciding to grant additional aid as requested. If necessary to choose between budgetary assistance and Tripoli power plant loan I should prefer the latter. It would cost Her Majesty's Government less (being a loan spaced out over several years and mostly to be spent on British plant) and I believe its political effect would be greater.

Foreign Office pass to Washington as my telegram No. 17 and Moscow, Cairo, Jedda, Damascus as my Saving telegrams Nos. 15, 5, 5 and 5 respectively.

[Repeated to Washington and Saving to Moscow, Cairo, Jedda and Damascus].

44444

ملحق رقم ١٣

JT1053/68 J

SECRET. **SECRETARY OF STATE.**

THE LIBYAN PRIME MINISTER.

The Libyan Prime Minister put forward this morning two separate but connected demands.

I. Under the Treaty we are obliged to cover the Libyan deficit. The calculation made at the time of the conclusion of the Treaty proved correct during its first two years of life. But despite every economy there is a growing deficit. Consequently, the Libyan Government are justified in turning to us for half a million this year and a million odd next year and in succeeding years.

II. Public opinion in Libya is restive at the sight of British troops everywhere. Moreover, it is not in accordance with Libyan independence and dignity that there should be no Libyan army. Libyan public opinion could be brought to endure the sight of British troops if it knew that a real Libyan army was being created. What the Libyan Prime Minister has in mind is an army of about 20,000 men on the Arab Legion model, plus an air force beginning say with a squadron, plus a small navy. When it was pointed out that this would cost some £15 million a year, the Prime Minister thought that that would be a reasonable burden on the British tax-payer, since it would add an effective force of reliable Libyans to our overseas armies.

2. Whilst disclaiming any intention of putting a pistol to our heads, the Libyan Prime Minister made it clear that this was precisely what he intended to do. His communication is something in the nature of an ultimatum. The conversations yet to come may clear up one or two points, but it seems already clear that unless we give him satisfaction he is likely to claim that we are not carrying out the letter and the spirit of the Treaty, and do his best to bring our Treaty rights to an end.

3. If we wish to preserve our position in Libya we must give him some satisfaction. The least he is likely to accept is a contribution to cover the deficit and some undertaking to make a beginning with the Libyan armed forces.

4. If we cannot do this the following alternatives might be considered:-

(i) Terminate the subsidy to Jordan and use it in Libya. It would take some time for our subsidy to Libya to reach the present Jordan level.

(ii) Withdraw some of our troops from Libya and use the money saved to subsidize the budget and the new Libyan armed forces.

(iii) Write off Libya and make arrangements to put a Middle East garrison into Malta. This might give the necessary shot in the arm to the Maltese economy.

5. What the Libyan Prime Minister sought to explain this morning was that if we do nothing our position in Libya will be hopelessly compromised.

I. Kirkpatrick

June 18, 1956.

/Copies ...

ملحق رقم ١٤

Cypher/OTP

DEPARTMENTAL
DISTRIBUTION

JT1053/34

Mr. Halford

No. 185.
June 10, 1956.

D. 1.40 p.m. June 10, 1956.
R. 3. 5 p.m. June 10, 1956.

PRIORITY
CONFIDENTIAL

Addressed to Foreign Office telegram No. 185 of June 10.
Repeated for information Saving to Washington Cairo
JT1053/33 P.O.M.E.F. Benghazi.

My telegram No. 184: The Prime Minister's Visit.

After some prompting, the Secretary General of the Ministry of Foreign Affairs came to see me yesterday to discuss the journey arrangements and programme. He confirmed that the times of arrival and flight numbers of both parties are as stated in my telegram No. 181. JT1053/30

2. I next called the Secretary General's attention to articles and comments in the local press about the scope of the London talks and observed that it seemed strange that everybody except the British had been told that the Prime Minister was going to discuss Treaty revision. Without denying or confirming these reports, the Secretary General said that, of course, the Prime Minister wished to raise questions other than the budget deficit. He hoped to have an early talk with Sir A. Eden and you on general political lines after which the conference could go into committee in accordance with the directive agreed at this first meeting. I enquired what the Prime Minister meant by general political lines. The Secretary General then read out in Arabic a statement he had copied down at the Prime Minister's dictation. The gist of it was that the Prime Minister wished to explore ways of making the Treaty more effective and of putting it beyond criticism at home and abroad. I asked whether the Prime Minister had any specific proposals to make. The Secretary General professed to be in complete ignorance of what was in the Prime Minister's mind.

3. I pointed out that it was no use producing surprise packets at conferences of this sort. We all wanted the visit to be a success, but success depended on careful preparation of the ground. Time would be limited in London and there was plenty to discuss

/without having

CONFIDENTIAL

Tripoli telegram No. 185 to Foreign Office

without having a general debate. I therefore asked the Secretary General to urge the Prime Minister to disclose his intentions in greater detail to you in advance of his arrival. The Secretary General agreed entirely with my point of view, but held out no hope that the Prime Minister would break his silence. I concluded by remarking that in any event I had no reason to believe that Her Majesty's Government would see any advantage in revising the Treaty at this stage apart from certain minor amendments to schedules of agreed land [sic] which were now in discussion between us, I could not see what there was to revise. The Secretary General could [? grp. omitted] repeat that he did not know what the Prime Minister had in mind.

4. It seems clear from all this that the Prime Minister will make some sort of land [sic] appeal to you. His vanity no doubt accounts for his unwillingness to take advice from his own officials or disclose his intentions to small fry. He has not been so reticent in security. The new "independent" weekly of June 9 carries a violent editorial on Treaty revision. The people who negotiated the Treaty, it claims, were unrepresentative and did not hesitate to resort to terrorism to get it ratified. Now Libya is to be represented at Treaty negotiations by her best and most competent son. The going will be hard because the English excel in the art of negotiating argument and deceit particularly where the Middle East peoples are concerned. But the delegation will have the backing of the whole nation which "though small and poor, has decided to assert itself and its rights". All available evidence suggests that this stuff comes straight out of the Prime Minister's office. The pattern is familiar and no doubt it does him good to let off steam. But he seems to be making it very hard for himself to keep on running both with the hare and the hounds.

Foreign Office pass to Washington, Cairo and P.O.M.E.F. as my Saving telegrams Nos. 26, 23 and 27.

[Repeated Saving to Washington, Cairo and P.O.M.E.F.]

DISTRIBUTED TO:-

African Department

ملحق رقم ١٥

CONFIDENTIAL AND PERSONAL

JT1053/71

INDEXED

British Embassy in Libya,
TRIPOLI.

I have now replied to this

June 12, 1956.

My dear Adam,

The Prime Minister left with all due ceremony yesterday afternoon on the first stage of his trip to London. There was a murderous "ghibli" blowing across the airport and standing around at three o'clock in the afternoon was not pleasant.

2. I hope that the visit will achieve some good results. As you will have seen from our telegrams, I have tried to discover what is in bin Halim's mind in order that our Prime Minister and the Secretary of State shall not be taken completely by surprise. I know, of course, that they are both quite able to deal with the unexpected, but, if one genuinely hopes that some good will come out of these talks, some preparatory work is essential. I must confess to a fair measure of resentment at the way bin Halim has taken everyone except me into his confidence about the London visit. This may be because, in his permanently inflationary state of peacock pride, he has no time for mere Chargés or because he knows only too well that I do not love him or because his ideas sound fine when he explains them to third parties but would provoke some depressing comment if expounded to me. It is also true that owing to a stupid accident I have had to lie up for a few days and have only just found my feet again.

3. Taking it altogether, it looks as if the big proposal is to be a substantial increase in the Libyan Army. Yesterday morning bin Halim told the Turkish Ambassador that this was the main object of his visit to London. Libya, he claimed, should be given a rôle in free-world strategy and the means whereby to play it. She would, then, he hinted, be able to take her place beside Iraq, Britain's only friend in the Arab world. The Army is certainly in the news. Last week's manoeuvres were voted a great success by everybody. All the officers have been promoted and given several weeks' leave. (General Ricketts, the District Commander in Cyprus, who came over to see the manoeuvres and stayed in my house, told me that they really were quite good). Yesterday morning I received an impressive delegation of United States soldiers, sailors and airmen who have come from the N.A.T.O. to survey Libya's military needs. They are going to have a rough time fending off requests for the latest tanks, aircraft and submarines. I suspect that there is also going to be a lot of discontent on the Libyan side at the ponderous workings of Congressional and War Department financial control. The Libyans want quick results and I cannot say that I thought the head of the mission had a very imaginative approach. What did emerge from our talks, however, was that no one has the remotest idea what the Libyan Army is for. Perhaps you know. In any case, London and Washington had better decide soon.

4. I hope that it may be possible for Ministers and officials to discuss with bin Halim some of the questions I have proposed in despatches. There are many others - such as the Forsyth case about which I am writing by this bag - which may seem trivial to you, but can only be solved by putting personal pressure on bin

/Halim. .....

J.H.A. Watson Esq.,
African Department,
Foreign Office,
LONDON, S.W.1.

Halim. If he can be made to understand that the British tax-payer is not going to go on for ever paying him and his clique to plot against the British, much good will ensue. The political situation here is very uneasy and I have a hunch that this visit may make or break bin Halim. If he comes back from London disgruntled and empty-handed, I suspect that he will join the Nasser mob whole-heartedly in the game of baiting the "colonial" Powers. At the least, he will produce yet another Soviet offer of aid.

5. I am sending a copy of this letter to Pat Stobart at Benghazi.

Yours ever,

Aubrey

(A.S. Halford)

ملحق رقم ١٦

NOTHING TO BE WRITTEN IN THIS MARGIN

Registry No. JT1053/59

~~Top Secret.~~ Secret ~~Confidential~~ ~~Restricted.~~ ~~Open.~~

Draft. record

VISIT OF LIBYAN PRIME MINISTER

Record of meeting held in the Secretary of State's room in the Foreign Office at 12 o'clock on June 20, 1956.

~~Present:~~

Libyan Prime Minister	Secretary of State
Libyan Ambassador	Mr. A.D. Dodds-Parker
Dr. M. Fikeni	~~Mr. C. Pitt Hardacre~~
Dr. Suleiman Jerbi	Mr. W.G.C. Graham, H.M. Ambassador in Libya
Dr. A.R. Shagluf	Mr. A.D.M. Ross
Mr. C. Pitt Hardacre	Mr. P.F. Hancock
	Mr. A.D. Peck, Treasury
	Mr. J.H.A. Watson

Mr. R.C. Blackham - Secretary

The Secretary of State ~~said that before starting on other business he felt obliged to~~ drew the Libyan Prime Minister's attention to a message he had received from H.M. Chargé d'Affaires in Tripoli. This reported the appearance of an article in the Government controlled newspaper in Tripoli, which referred in offensive terms to our agreement to evacuate the Canal Zone, and looked to the time when all Arab countries would be "freed" from foreign troops. He found these sentiments difficult to reconcile with those which the Prime Minister had expressed to him at their *previous meeting*, and was sure his colleagues would share his ~~disappointment~~ surprise.

The Libyan Prime Minister said that, though the paper in question was to some extent subsidised by the Government, it did not necessarily represent their view. His colleagues and he ~~had~~ regretted the ~~inference~~ appearance of this article; this kind of campaign was being ~~investigated~~ instigated by the Egyptians. He would investigate. The Secretary of State said that Colonel Nasser had personally promised him that

/the

BJH. 22/11 Private Sec. (Mr. Graham) forward

the Egyptian Government would do nothing to undermine the Anglo/Libyan Treaty. He was concerned to know what Colonel Nasser's real aims and objects were, and would be grateful for the Libyan Prime Minister's frank opinion.

The Libyan Prime Minister said that he thought [Colonel] Nasser's principal aim was the ~~satisfaction~~ [well being] of [all] Arabs ~~aspirations~~, and the liberation of Arab territory from "colonization". He personally had made it clear to [Colonel] Nasser that, while the Libyan Government wished to maintain friendly relations with Egypt, they ~~cannot~~ [could not] identify themselves completely with her policies. The Secretary of State [said he quite agreed; and] pointed out that [to this end] H.M.G. had made agreements over the Sudan ~~and~~ over the evacuation of the Canal Zone, [over cotton futures, and over sterling balances,] and had offered to contribute generously to the High Aswan Dam, without [even meeting] any real response from the Egyptian side. He wondered how far [Colonel] Nasser expected us to go. The [Libyan] Prime Minister thought that the prime difficulty with Nasser was his personal feelings; he ~~regretted~~ [regarded] Great Britain as the instigator of the Bagdad Pact, which he saw as a threat to his leadership of the Arabs. ~~The Prime Minister~~ [The Libyan P.M.] wanted to suggest frankly to the Secretary of State [in this connexion] that H.M.G. were relying too much on Nuri Pasha. [Nuri was a great statesman; but] it was ~~in his opinion~~ a mistake to ~~place great faith in him and~~ neglect Nasser, as the latter was very popular in all Arab countries, while Nuri was unpopular. Though Nasser's attitude to the Bagdad Pact might seem unreasonable, ~~Mustafa Bey~~ [Ben Halim] urged that H.M.G. should persevere in a policy of friendship with the aim of ~~making a friend out of~~ [winning] Nasser [from his present hostility;] ~~for~~ he recognised that [Nasser] ~~he~~ could never ~~be~~ [be] an ally. He personally had assured Nasser that the Bagdad Pact was defensive

/in

[Margin note: His advice to the Secretary of State was to try & reach a political understanding with Egypt.]

NOTHING TO BE WRITTEN IN THIS MARGIN

NOTHING TO BE WRITTEN IN THIS MARGIN.

in character, but ~~He~~ Nasser was still suspicious.

The Secretary of State agreed (with this analysis but said) that the Bagdad Pact looked northwards; its purpose now was to counter Soviet subversion rather than a direct military attack. There was no questio of trying to organise the ~~defence of the~~ Middle East without (taking account of) Egypt. All he expected was that Nasser should stop active anti-British propaganda. The Libyan Prime Minister said that he was meeting Nuri during his London visit to try to assure himself and the other Arabs that Iraq would be a reliable ally in case of Israeli aggression. ~~This~~ Israel was also Nasser's main preoccupation: but he was not responsible (for example) for anti-British feeling in Jordan, ~~and~~ nor aware of the Glubb crisis, until it had happened. The Secretary of State considered that an Egyptian propaganda campaign had created the conditions for that crisis. It was the propaganda of which he complained. The Libyan Prime Minister said that this was a personal problem with Nasser as with other dictators. He had talked with him in Cairo between April 10 and April 21, and Nasser had confirmed his desire to remain on friendly terms with the West. The Paris decision to release arms to Israel (however) had aggravated his suspicions of the West. Nasser's policy would be very different if the ~~West~~ Western Powers would adopt a strictly neutral attitude towards the Arab-Israeli quarrel.

The Secretary of State said that no such decision had been taken in Paris. The Western powers were following a neutral policy: indeed, the figures of arms deliveries to Israel and the Arab countries by Western nations were so greatly in favour of the Arabs that he was unwilling to reveal them publicly lest there should

should be a clamour for further deliveries to Israel to balance what the Arabs had already received. The proportion was about 5 to 1 in favour of the Arab countries. If Nasser still had suspicions on this point, the reasonable thing to do would be to put them frankly to us so that we ~~can~~ discuss our differences. H.M.G. want to be frank and straightforward, and since assuming ~~he~~ his present office he had worked hard to foster good relations with Nasser, but was forced to recognise that his efforts had so far met with no response.

The Libyan Prime Minister said that he had urged upon Nasser the importance of good relations with the present British Government led by Sir Anthony Eden. He would send a further message to Nasser, showing him that he was mistaken about what had happened in Paris. He suggested that the Secretary of State should pay Nasser another visit and talk over things frankly. The Secretary of State said he was hoping that General Robertson, who was now in Cairo and would see Nasser, would bring back some encouraging news. He asked the Prime Minister ~~whether~~ he considered that the Russians had penetrated the Egyptian Government. The Prime Minister discounted the possibility that Nasser would go Communist but admitted that some of his actions were not easy to explain. He had dangerous Left Wing advisers, but thought that ~~when~~ Nasser was sure of himself after the presidential elections he would get rid of them. If the Western powers could find a basis of agreement with Nasser, he would certainly stay neutral. ~~He thinks~~ he ~~understands~~ the Russians and could use them, but his aim ~~is~~ essentially to remain neutral, and in the last resort he prefers the United States to the Soviet Union. If the

/Americans

NOTHING TO BE WRITTEN IN THIS MARGIN.

Americans maintained their present refusal to supply any further arms to Israel, which he hoped would be the case as long as President Eisenhower remained in power, he thought Nasser would become more friendly. // The Secretary of State repeated th~~at he had done his best~~ (to improve relations with Egypt, but) ~~and~~ was particularly concerned by Egyptian attempts to undermine the position in Libya. // The Libyan Prime Minister said that it was difficult to put one's hand on specific ~~differences~~ difficulties with the Egyptians. The sinister thing was the influence which they exercised through their assistance ~~with~~ in education and army training. Egyptian offers, which were subsidised for political reasons, were very attrative on the surface, but would be dangerous in the long run. // The Secretary of State enquired whether the Prime Minister believed that the Egyptians were working in collaboration with the Russians in Libya. The Libyan Prime Minister ~~admitted~~ confirmed that there was collaboration, but thought that the danger was less than some months ago, now particularly ~~as~~ since he had taken measures to curb the propaganda activities of the Egyptian and Soviet missions. If the Egyptians were to act as an avant garde for Russian infiltration this would be most perilous, and was the main reason for ~~their~~ suspicion of present Egyptian activities. // The Secretary of State thought that this possibility ~~arose very clearly~~ was most serious in connexion with the training of the Libyan army. // The Libyan Prime Minister said this was precisely why he had asked for British assistance and in particular for a large number of vacancies at Sandhurst for Libyan cadets. // Mr. Watson said that there were almost insuperable physical difficulties at Sandhurst: the Secretary of State's idea of a military school in Libya seemed more hopeful. The

/Secretary

NOTHING TO BE WRITTEN IN THIS MARGIN.

warned the Egyptian Embassy against such tactics and his

He wanted to train no more officers in Egypt.

Secretary of State mentioned that there were other possibilities, including attachment to ~~all~~ British units. //The Libyan **Prime Minister** repeated that they had to take account of very attractive offers from Egypt. They had tried to train officers in Iraq and Turkey, but the experience had been a disappointment, particularly in Turkey. They felt entitled to expect more from their allies: not only was there the problem of training officers, but of giving university education to young Libyans. Here also the Egyptians offered attractive terms. They could educate a student ~~train an officer~~ for £15 ~~£6~~ a month in Egypt ~~and £15 a month per university student~~. A similar problem arose, moreover ~~however~~, over staffing schools and universities; what their allies had to offer was much less favourable than ~~theirs~~ what Egypt could give, and give willingly. He was trying to recruit some non-Egyptian Arab teachers for the new University, and hoped also to get some Americans: he was grateful for the one Englishman.

R.C.B.

NOTHING TO BE WRITTEN IN THIS MARGIN.

ملحق رقم ١٧

AGREED MINUTE

During the conversations held between Sayed Mustafa Ben Halim, Prime Minister of the United Kingdom of Libya, and Mr. Selwyn Lloyd, Her Majesty's principal Secretary of State for Foreign Affairs, the Foreign Secretary informed the Libyan Prime Minister, who had expressed the desire of his government to increase the size of the Libyan Army, that the United Kingdom Government would give assistance towards this expansion and, subject to technical examination by both sides, would help over the provision of equipment and training facilities and the use of British installations in Libya. Her Majesty's Government took note of the Libyan Government's desire to form a Navy and an Air Force and both Governments agreed that experts from the two countries should meet at the earliest possible moment to examine Libya's requirements. It is understood that these examinations should cover both the financial and military aspects.

Mr. Selwyn Lloyd further stated that as regards the Libyan budget deficit, Her Majesty's Government agree to make available, subject to Parliamentary approval, extra assistance of £250,000 in 1956/7 and of £500,000 in 1957/8. In addition Her Majesty's Government will transfer to the Libyan Government any saving effected during 1957/8, up to a maximum of £250,000, as a result of the postponement of the evacuation of Derna West Barracks by the British Army.

The two parties reached agreement on this basis.

June 29, 1956.

ARMED FORCES

The Libyan Prime Minister expressed the desire of his Government to increase the size of the Libyan Army. The U.K. Government promised to give assistance towards this expansion and subject to technical examination by both sides will help over the provision of equipment and training facilities and the use of British installations in Libya.

2. H.M.G. took note of the Libyan Government's desire to form a Navy and an Air Force and both Governments agreed that experts from the two countries should meet at the earliest possible moment to examine Libya's requirements.

3. It is understood that these examinations should cover both the financial and military aspects.

ملحق رقم ١٨

الجزء المظلّل يمثل «شريط أوزو» الذي كان سيرجع إلى ليبيا حسب معاهدة روما ١٩٣٥/١/٧
لولا أن ايطاليا نقضت تلك المعاهدة ورفضت التصديق عليها.

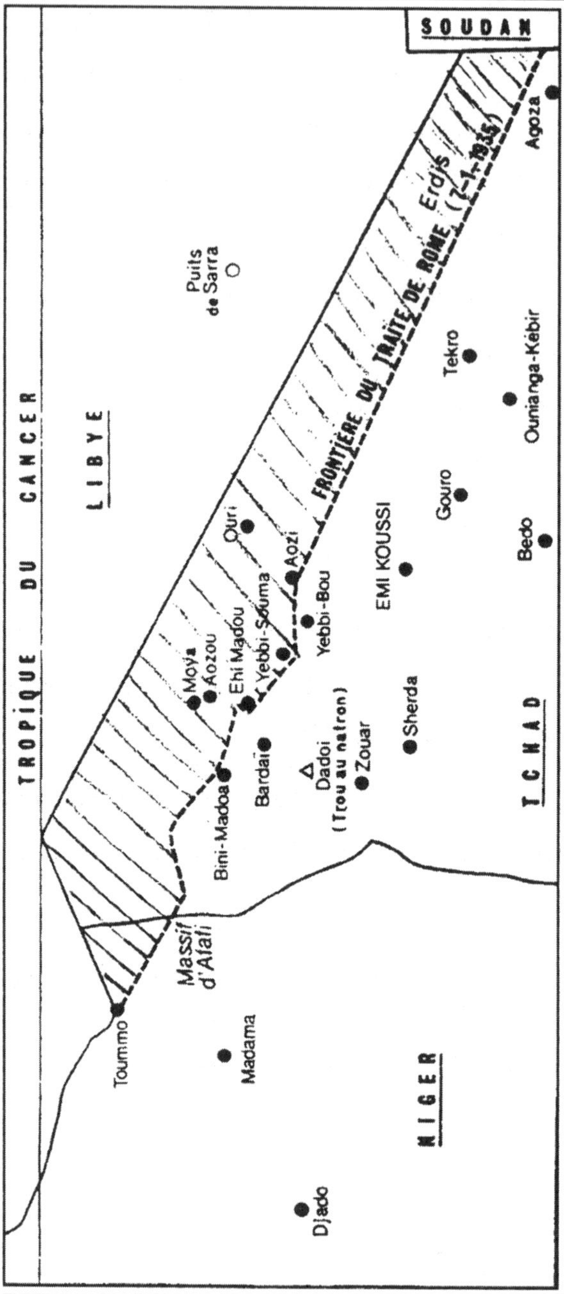

ملحق رقم ١٩

15th June. 195[illegible]

OUTFILE

I have the honour to give you the following assurances on behalf of His Majesty's Government:-

1. His Majesty's Government agree to encourage, as far as possible and within the framework of the future Libyan State, the maintenance of the French position in the Fezzan, in particular insofar as this derives from the presence of French advisers whose services the Fezzan may continue to require in the political, economic, military, medical, social and cultural fields.

In case this position were to be compromised in one or more or all of these fields as a result of the political evolution of Libya, His Majesty's Government agree not to assume it themselves either directly or through a third party. In that event His Majesty's Government would view favourably the association of French advisers with the Libyan Government for questions of concern to the Fezzan.

2. His Majesty's Government do not expect that Libya's trade with France and the territories under French jurisdiction in North Africa or the attitude of the Libyan Government towards French capital investments would be adversely affected by Libya's intry into the Sterling Area as a fully independent member of this area.

/ If

His Excellency
Monsieur René Massigli, G.C.V.O., K.B.E.

If balance-of-payments difficulties obliged the United Kingdom to tighten her Import Control and Exchange Control policies towards France, Libya would of course (inddeciding how far she could follow the United Kingdom) have to take account of her own particular circumstances, notably any special or traditional relations with France and the territories under French jurisdiction in North Africa.

3. His Majesty's Government agree that France should be represented on the Authority which is to be set up to issue and manage the Libyan currency.

4. His Majesty's Government favour the conclusion of a commercial agreement between Tripolitanian and Tunisia, satisfactory to both parties.

I understand that the French Government having taken note of these assurances will not oppose the inclusion of Libya in the Sterling Area or the support of the Libyan federal budget by His Majesty's Government alone.

Believe me,
My dear Ambassador,
Yours sincerely,

(Sgd) (Kenneth Younger

Registry
No

Top Secret.
Secret.
Confidential.
Restricted.
Open.

Draft Letter

French Ambassador

From Sir William
Strang

OUTFILE

15th June, 1951

( )

Thank you for your letter of today's date in which you informed me that the French Government intend to propose to the Libyan Government that a French adviser, whose advice would be asked on all matters directly or indirectly affecting the economic life of the Fezzan, should be appointed to the federal administration of Libya.

I wish to confirm that His Majesty's Government agree to support this approach to the Libyan Government.

W.S.
15/6

ملحق رقم ٢٠

DEBAT AU CONSEIL DE LA REPUBLIQUE
16.3.50

Un debat eut lieu au Conseil de la Republique le 16 mars 1950, a la suite d'une question orale de M. Raymond Dronne (A.D.R.-R.P.F.) (18) sur le Fezzan. S'adressant a Robert Schulman, le senateur critiqua vivement la resolution 289 qui lesait gravement les interets francais et allait a l'encontre de la volonte de la population fezzanaise. Il reclama le rattachement de Ghadames a la Tunisie et de Ghat-Serdeles au Sud-algerien. M. Dronne fut appuye par MM. Luc Durand-Reville, Grassard (R.G.R.) et Boisrond (P.R.L.).

Robert Schuman, dans sa reponse, invoqua le traite de Paris qui obligeait la France a s'en remettre a l'Assemblee generale. Il souligna cependant que l'element decisif etait la volonte des populations concernees et que si le Fezzan s'opposait a l'union avec la Cyrenaique et la Tripolitaine, l'Assemblee generale ne pourrait l'y contraindre. "Nous gardons ainsi toutes les chances pour que les desicions soient amenagees dans un sens favorable a notre pays" (19).

Finalement, le Conseil de la Republique adopta une proposition de resolution invitant le gouvernement a user de son autorite afin d'arriver a une solution qui soit "conforme aux voeux des populations et aux interets francais, notamment sur les deux points suivants: 1) le sort du Fezzan proprement dit, 2) le sort de la circonscription de Rhadames (20) et de la region de Rhat-Serdeles".

ملحق رقم ٢١

(103.1 / 14/54)
No. 24..

CONFIDENTIAL

British Legation in Libya,
BENGHAZI.
February 17, 1954.

JT10317/12
JT10317/8

Sir,

I have the honour to refer to my telegram No. 29 of the 15th of February, 1954 on the subject of the position of the proposed Franco-Libyan treaty or agreement.

2. When I came to Benghazi on my return from vacation leave, I found the question as to whether the Libyan Government should conclude a treaty or agreement which would give France rights or facilities in the Fezzan to be well to the fore in both official and unofficial circles. The acceptance of the resignation of the Libyan Prime Minister a few days ago has distracted attention elsewhere for the moment but I anticipate that, as soon as the new Council of Ministers has settled down to work, relations with France will once more become an urgent issue.

3. At a talk on the 13th of February, 1954 with Omar Pasha Mansur, the President of the Senate, and Fathi Kekhia, then Minister of Justice, they both said that, in the present state of public opinion in Libya, it would be impossible to secure the acceptance of any form of agreement between Libya and France. Fathi Kekhia then asked whether Great Britain, as Libya's ally, could not assist in getting the French forces and influence out of the Fezzan.

I reacted against this proposition strongly and said that such action by Her Majesty's Government was out of the question. I pointed out that Great Britain was the ally of France as well as of Libya and could not afford to quarrel with the former over the Fezzan. I apologised for the bluntness of my reply saying that I would be rendering them an ill service by leaving them in any doubt as to Great Britain's attitude towards this matter.

4. The/

The Right Honourable
Anthony Eden, M.C., M.P.,
etc., etc., etc.,
Foreign Office,
LONDON, S.W.1.

4. The next person to mention the problem to me was Mohamed Saqisli, then Head of Royal Diwan and now Prime Minister designate. He asked me if I thought that France had any colonial aspirations with regard to the Fezzan. I expressed the view that the interest of the French Government in the Fezzan was to prevent that territory being used as a base for activities against neighbouring French colonial territories but that France could not have any territorial ambitions in the Fezzan itself. Mohamed Bey said that there was no hope of getting a treaty of alliance with France and a military annex on the lines of those with Great Britain accepted by the Libyan public at present but it might be possible, although difficult, to secure the acceptance of a Franco-Libyan treaty of amity which granted to the French forces facilities of communication across the Fezzan.

5. About the same time, Ibrahim Shelhi, Nazir of the Royal Household, indulged in an outburst of anti French sentiments when a member of my staff mentioned that I had travelled back to Libya via Tunis.

Abdu Rahman Galhud, a Tripolitanian deputy, also made the proposal ~~to~~ a member of my staff that Great Britain, as Libya's ally, was bound to assist her against the French in the Fezzan.

Mahmoud Muntasser, when I spoke to him on the subject, said that he was genuinely anxious to secure some agreement between Libya and France but that he was opposed by some of the Council of Ministers and faced with a public generally hostile to the idea.

6. As reported in my telegram under reference, the Cyrenaican press is opposing any form of agreement between Libya and France. The general public seem to feel that, now that Great Britain is bound to Libya by a treaty, the importance of securing agreements with the other western powers has diminished; that some sort of agreement with the United States of America will emerge in due course but that it is not necessary or desirable for Libya to have a formal agreement with the country which is oppressing the Moslems of North Africa.

~~Mahmoud Muntasser was~~ personally in favour of an accord with the French both because he had committed himself with my French colleague and probably

/because

because he believed that French influence in the Fezzan would check the territorial ambitions of the Seif al Nasr family with regard to the Sirte region of Tripolitania. He was, however, opposed by two influential colleagues, Fathi Kekhia and Dr. Ali Aneizi.

Mohamed Saqizli, the Prime Minister designate, seems, as you will have seen, to be well disposed to the idea of an agreement with the French but it will be some time before he will be able to give attention to the problem.

7. Apart from my negative reaction to any idea of Great Britain assisting Libya against France, I have advised against the creation of a crisis and suggested that efforts should be made to dispose of the American Base agreement first in the hope that the unpopularity of France may have diminished in the meanwhile. This policy will necessitate the extension of the interim arrangements with France when they expire at the end of March, 1954, and the difficulty in this connexion arises from the fact that Mahmud Muntasser promised the Libyan Parliament that there should be no further extensions of the interim agreement with France. The change in the Council of Ministers may, however, now facilitate a further extension.

but see last paragraph of F.O. Tel. No. 34 of February 18.

As stated in my telegram under reference, I believe that an attempt to force through an agreement with France now would create so much opposition as to defeat its own object.

8. I am copying this despatch to Her Majesty's Ambassador at Paris, and to the Head of the British Middle East Office.

I have the honour to be,

With the highest respect,

Sir,

Your obedient Servant,

ملحق رقم ٢٢

This is good news. The French had better jump at it. We might tell them so more or less officially.

British Legation in Libya,
Tripoli.

1031/17/54
<u>Confidential</u>

March 5, 1954.

T 1031/7/B

JT 1031/11

Dear Boothby,

Please refer to my telegram from Benghazi No. 40 of the 20th February about the Franco-Libyan Agreement.

2. I found the Libyan Ministers in Benghazi very apprehensive of tackling the draft agreement with France both because of the public unpopularity of the idea of negotiating with France and because of the Libyan Ministers' weak position with regard to the Tripolitanian majority in the Chamber of Deputies. Saqisly told a member of my staff that he was sorry that the recent upheaval in Egypt had not lasted longer as it might have facilitated coming to an agreement with France while public opinion was distracted elsewhere.

3. Nevertheless it is to his credit that on the 4th of this month he sent for my French colleague and proposed a Treaty of Amity and <u>bon voisinage</u> between France and Libya. This Treaty would permit France to maintain three airfields in the Fezzan at Sebha, Ghat, and Ghadames. It would also give France facilities of communication to and from these places and adjacent territories. It would permit France to retain guards for these three airfields up to the present strength of their troops in the Fezzan, that is to say, 400 men. Saqisly went on to say that these guards would be given a special uniform of a type to be agreed upon.

4. The intention of the last provision is to try to avoid some of the unpopularity of having agreed to the retention of a French force in Libyan territory. I cannot believe that a measure such as a newly invented uniform will in fact deceive anybody and I should be surprised if the Libyans really insist on this point.

I consider that the French Government would be wise to accept this proposal as a basis for negotiations and to press on with these negotiations as soon as may be. I am surprised that the Libyan Government is willing to offer such terms in the face of the public opposition which exists to the idea of having French troops and influence in Libya. It would be a mistake to miss this opportunity as it is improbable that the Libyans will offer better terms.

5. This offer was not made without the new Federal Prime Minister having to overcome a strong opposition from his colleagues on the Council of Ministers, in particular Aneizi, Gallal and Galhud. It is nevertheless hopeful that the President of the Chamber of Deputies, Abdel Majid Koobar, thinks that Parliament would agree to a Treaty of Amity with France and to the retention by France in the Fezzan of what he described as "a symbolical number of troops".

6. One favourable development in this connection since my last visit to Benghazi was the fact that no one suggested this time that Great Britain should assist Libya to get France out of the Fezzan.

7. I am copying this letter to Paris and the B.M.E.O.

Yours ever,

[signature]

E. B. Boothby, Esq.,
African Department,
Foreign Office.

ملحق رقم ٢٣

British Embassy in Lib;
Cyrene.

<u>Confidential</u> August 2, 54

1031/38/54

JT 10317/27

INDEXED

My dear Bromley,

JT 10317/26

Please refer to the correspondence ending with No. 66 of the 1st of July, 1954, about the proposed Libyan treaty.

2. The Libyan Prime Minister tells me that, on his way to Washington, he saw Monsieur Parodi in Paris (the French Prime Minister being too busy to receive him) and spoke to him frankly on the subject of the views of the present Libyan Government on the subject of the proposed Franco-Libyan treaty.

3. Mustapha Ben Halim claims to have said that public opinion in Libya on the subject of the policy of the French Government in Morocco and Tunisia was such as to make the conclusion of a Military Agreement between France and Libya impossible. He was prepared to sign a Treaty of Bon Voisinage and Friendship with France and to give the French Government reasonable facilities of communication across the Fezzan, he could not, however, provide for the stationing of French forces in Libyan territory.

Mustapha Bey also promised to take all possible steps to prevent arms passing from Libya into French North African territories.

4. Apparently Monsieur Parodi was extremely upset and made use of the term "flagrant discrimination against France" on several occasions. He said that Mahmud Muntasser had promised France an agreement similar to those between Libya on the one hand and Great Britain and the United States of America on the other hand and then demanded the fulfillment of that promise.

Mustapha Bey replied that he was not bound by any promise which his precedessor had made and was describing the policy of his own Government. He avoided being drawn into a discussion about the relative claims of France and Great Britain to station troops in Libya except that he did point out that Great Britain had to maintain forces in Libya in order to be able to honour its obligations to protect that country whereas the presence of four hundred French troops in the Fezzan afforded no benefit to Libya and were obviously there for some other undisclosed motive.

5. Mustapha Bey did not inform me before leaving Libya of his intention to make this démarche, neither, I believe, did he tell King Idris. The latter, appears however, to have given his approval after the event.

/The

T. E. Bromley, Esq.,
African Department,
FOREIGN OFFICE, S.W.1.

ملحق رقم ٢٤

British Embassy in Libya,
Cyrene.

J

(1031/39/54)

<u>Confidential</u>

September 6, 1954.

T 10317/31.

INDEXED

My dear Bromley,

JT10317/27

Please refer to my letter No. 1031/38/54 in which I reported Mustapha ben Halim's version of what had transpired at Paris between him and Monsieur Parodi on the subject of the proposed Franco-Libyan Agreement regarding the Fezzan.

2. Dumarçay has more recently given me his version of that meeting which corresponds generally with that of the Libyan Prime Minister's although, as might be expected, the latter does not appear, according to the French, to have been quite as fearlessly outspoken as he made out.

The visit was not, apparently, welcome to the French Government from the outset as being too obviously an afterthought on the part of the Libyans. They accorded Mustapha ben Halim the absolutely minimum degree of courtesy needed to achieve diplomatic correctness.

3. Dumarçay has evidently been instructed to return to the attack in the hope that the <u>détente</u> in Tunisia will have created a more favourable atmosphere for the French aspirations in Libya. He saw Mustapha ben Halim a few days ago and hopes to see King Idris in about ten days time.

The Libyan Prime Minister maintained his opposition to any form of French military bases in the Fezzan but was prepared to negotiate on commercial, cultural and <u>bon voisinage</u> agreements.

4. What the attitude of King Idris will be, I cannot say but the Libyan Prime Minister seems to have made up his mind against allowing French military forces to remain in the Fezzan. As yet, the effect of the new situation in Tunisia has hardly affected public opinion in Libya on the subject of agreements with France but it may well produce a better atmosphere in time.

5. I am copying this letter to Paris and to Fayid.

Yours ever,

[signature]

T.E. Bromley, Esq.,
African Department,

ملحق رقم ٢٥

M. DUMARÇAY, MINISTRE DE FRANCE À TRIPOLI,
À M. MENDÈS FRANCE, AFFAIRES ÉTRANGÈRES.

D. nº 935. *Tripoli, 16 novembre 1954.*

J'ai l'honneur de faire parvenir, sous ce pli, au Département, la traduction littérale de la lettre que m'a remise, le 13 novembre, le ministre des Affaires étrangères du gouvernement fédéral au sujet des décisions prises, au début de ce mois à Benghazi, par le Conseil des ministres appelé à donner son avis sur le texte de la convention technique, que j'avais remis le 19 octobre dernier à mes interlocuteurs (1).

Ainsi que j'en ai rendu compte par ma communication du 12 novembre (2), l'examen de ce document a provoqué une violente réaction de la majorité des ministres dont certains — MM. Khalil Gallal, Aneizi et Galhoud — ont, en termes particulièrement vifs, exprimé leur opposition à la conclusion de tout traité ou accord avec la France. Stimulées par M. Ben Halim qui leur a rappelé, à maintes reprises, que leur décision ne devait être dictée que par des considérations tenant compte des intérêts de la Libye, de l'Islam et de l'arabisme, ces personnalités n'ont, à aucun moment, cédé aux appels à la modération lancés par MM. Bousseiri et Mohammed Othman.

Les suggestions formulées par ces derniers en vue de faire admettre le principe d'un compromis prévoyant l'usage de la piste nº 5 à des fins commerciales, et la location à la France de trois aérodromes sis au Fezzan sous réserve que la sécurité en fût assurée par des forces armées libyennes, furent énergiquement repoussées.

À l'issue de ces débats, instruction fut donc donnée au ministre des Affaires étrangères de faire parvenir à la légation de France une lettre pour l'informer de la décision du gouvernement fédéral de ne point reconduire les accords

(1) Un télégramme nºˢ 560-572, du 14 novembre, transmettait également le texte de la lettre du ministre libyen des Affaires étrangères.

La dépêche de M. Dumarçay nº 885, du 2 novembre, non publiée, portait à la connaissance du Département le texte du traité d'amitié et de bon voisinage, ainsi que celui des conventions économiques et culturelles, tels qu'ils avaient été acceptés par le ministre libyen des Affaires étrangères au cours d'une séance de travail à Benghazi le 23 octobre. En revanche, des pourparlers sur la nouvelle version de la convention technique devaient s'engager à Tripoli à une date ultérieure.

(2) Allusion à un télégramme de Tripoli nºˢ 552-559, non reproduit, le contenu en étant ici repris.

pr...oires après le 31 décembre 1954 et pour lui demander de prendre toutes dispositions afin que l'évacuation des troupes françaises stationnées au Fezzan soit réalisée à cette date.

Selon les recommandations laissées par M. Ben Halim avant son départ pour l'Égypte, cette lettre — comme l'a d'ailleurs annoncé le quotidien du Caire *El Ahram* — aurait dû me parvenir le 6 novembre. M. Bousseiri avait décidé d'en différer la remise, espérant que des événements imprévus lui permettraient de se soustraire à une mission qu'il répugnait à accomplir en raison des sentiments de sympathie qui l'animent à notre égard. Mais l'initiative du journal cairote ne lui permettait plus de conserver plus longtemps un document dont l'essentiel venait d'être révélé au public.

Ainsi que je l'ai indiqué dans ma communication du 14 novembre [1], j'ai élevé, auprès de mon interlocuteur, les plus vives protestations que j'ai confirmées par une lettre dont je joins la copie à la présente dépêche. J'ai, par ailleurs, fait les plus expresses réserves sur la prétention émise par le Cabinet fédéral de voir nos troupes évacuer leurs bases le 31 décembre, faisant observer à M. Bousseiri qu'en vertu des accords actuellement en vigueur, les forces françaises stationnées dans cette province étaient en droit de s'y maintenir jusqu'à la fin de l'année. J'ai enfin fait observer au ministre des Affaires étrangères que les propositions du gouvernement libyen relatives à la poursuite des négociations sur une convention de bon voisinage, une convention économique et une convention culturelle, ne faisaient aucune allusion à la conclusion d'un traité général d'amitié dont le principe avait pourtant été admis au cours des conversations qui s'étaient déroulées à Benghazi le 23 octobre dernier.

A ces remarques, M. Bousseiri — visiblement ému et désemparé — ne put répondre que par des promesses évasives. Cependant, suivant de récentes informations, la question de notre traité d'amitié aurait bien été évoquée en Conseil des ministres et violemment combattue par nos adversaires habituels. M. Ben Halim qui — avant son départ pour le Caire — a mis la dernière main à la rédaction de la lettre aurait, pour répondre au vœu de ces derniers, décidé de faire disparaître du document qui nous était destiné toute référence à la conclusion d'un traité général [2].

*
* *

Mon collègue britannique, que j'ai entretenu le 15 novembre de cette affaire, m'a affirmé qu'il était dans l'ignorance totale de l'attitude adoptée à notre égard par le gouvernement fédéral. J'ai donc cru devoir lui conseiller d'engager M. Ben Halim à faire preuve de plus de modération et de réalisme

[1] Il s'agit du télégramme de Tripoli nos 560-572, ci-dessus mentionné, p. 740 n° 1.
[2] Toutes ces indications se retrouvent également dans le télégramme de Tripoli nos 581-586 du même jour, qu'il a paru dès lors superflu de reproduire.

et j'ai tenu à lui préciser que les accords de *statu quo*, reconduits en juillet dernier, donnaient à nos troupes le droit de tenir garnison au Fezzan jusqu'au 31 décembre inclus.

À cet égard, j'ai demandé au commandant Robert de me communiquer d'urgence tous arguments militaires en vue des négociations que nous pourrions être appelés à engager, à partir du 1er janvier, pour fixer les délais nécessaires à la solution des multiples problèmes techniques que poserait une éventuelle opération de repli. Je l'ai prié également d'étudier les conditions dans lesquelles devraient être constitués, dans nos bases, des stocks de réserves, en prévision des mesures que les autorités libyennes pourraient être amenées à prendre en vue de nous interdire l'usage de la piste n° 5 dont dépend notre ravitaillement militaire.

Le plus grand intérêt s'attache à ce que le ministère de la Défense nationale mette le plus rapidement possible nos troupes en mesure de faire face à tout développement de cette nature et d'arrêter les modalités techniques d'une éventuelle évacuation de nos troupes.

M. Mendès France, Ministre des Affaires étrangères,
À M. Massigli, Ambassadeur de France à Londres.

T. n°s 18142, 18143. Priorité absolue. Réservé.

Paris, 29 décembre 1954, 21 h.

Je vous serais très obligé de bien vouloir faire une démarche très pressante, auprès de M. Eden personnellement, pour que le gouvernement britannique exerce toute son influence sur le Premier ministre libyen, avant que celui-ci ne vienne à Paris, et l'incite à la modération.

(1) Par télégramme n°s 6411 à 6417 du 30 décembre, non reproduit, M. Armand Bérard, répondant au Ministre, faisait état d'un entretien avec M. Blankenhorn au cours duquel il lui avait signalé les points sur lesquels il paraissait désirable que la coopération franco-allemande s'affirmât au cours des prochaines semaines, et souligné la nécessité d'éviter que ne se reproduisent les divergences d'interprétation qui avaient compliqué le débat devant l'Assemblée nationale française. M. Blankenhorn s'était montré bien disposé à l'égard des plans concernant l'organisation de la production des armements en Europe, optimiste au sujet des relations économiques franco-allemandes, sans se prononcer toutefois sur la question des contingents sarrois; il avait paru « faire preuve de compréhension » sur le chapitre des achats d'armements allemands en France. Il avait enfin dit les vœux que formait le Chancelier pour que M. Mendès France obtînt à l'Assemblée nationale une majorité substantielle et pour que le cabinet français ne fût pas mis en péril au cours des prochaines semaines, sa chute éventuelle ne pouvant que porter une sérieuse atteinte à l'autorité du Chancelier en Allemagne.

Vous voudrez bien insister sur le fait que nous ne pouvons, dans les circonstances actuelles, envisager aucune solution qui aurait pour effet de découvrir le Sud algérien et le Sud tunisien et compromettrait le maintien de la sécurité dans ces régions.

Vous ajouterez que l'opinion parlementaire manifeste une grande nervosité et a tendance à associer cette affaire à celles de l'Indochine, de l'Inde française et même de la Tunisie. Le gouvernement britannique doit donc comprendre notre position et s'efforcer de nous aider [1].

ملحق رقم ٢٧

INDEXED

CONFIDENTIAL

JT 1081/2.

After discussion with Sir Ivone Kirkpatrick I asked the French Ambassador to call before lunch when I conveyed to him what the Libyan Ambassador had told me earlier this morning. I emphasised that the French request for a delimitation of the Libyan frontier had clearly put the Libyans in a very awkward spot. They feared very much that if this matter were pressed the Egyptians would be encouraged to press once more their own demands for frontier rectification on the East. I did not know whether M. Mendès-France was making this demand a precondition of reaching an agreement about the Fezzan. But since, according to the Libyan Ambassador, both parties had come so close to such an agreement, it seemed most unwise to inject this difficult issue into the negotiations. Could not the French Government let the matter rest for the time being and so save Libya this added difficulty and considerable embarrassment?

M. Massigli said he did not understand why the Libyans were so sensitive about the frontier. It was a completely different issue to the one raised by Egypt. Egypt had a claim against Libyan territory. All that France was trying todo was to settle where the frontier lay. It was untrue to say that this had been settled when the Italians were still in Libya. There were disagreements on several points including most important of all the Tibesti region. Nevertheless he said he took the point about making frontier delimitation a precondition of the general agreement and would explain it to Paris.

He then reminded me of his interview with Sir Ivone Kirkpatrick at which he had asked that we should recognise the principle that France must participate in the defence of the Fezzan in war-time. Could I go any further on this point than Sir Ivone Kirkpatrick had done? It would make it easier for him to represent to Paris what I had said about frontier questions if I could give him some encouragement about French participation in the defence of the Fezzan. I regretted that I could not satisfy him on this. I understood that agreement had been reached in Paris to leave this matter open as a result of the French dropping their insistence that French troops should necessarily go back to the Fezzan in war-time. It seemed to me that what the Ambassador was asking would reopen the whole of this issue. M. Massigli said he had no information to confirm that agreement had been reached on this point but would find out and would probably get in touch with me again to-day.

(Anthony Nutting)

January 6th, 1955

ملحق رقم ٢٨

المفاوضات الفرنسية الليبية

مشروع المحضر

هذه ترجمة المحضر كما حرّره الوفد الفرنسي لما اعتبره معبراً عما دار في مفاوضات باريس (٣ يناير ١٩٥٥). أما المحضر الذي حرّره الوفد الليبي فهو موجود في وثائق وزارة الخارجية الليبية.

أولاً ـ الديباجة

عرض الوفد الليبي الأسباب السياسية والقانونية التي حملت الحكومة الليبية على طلب انسحاب القوات الفرنسية من ليبيا مشدداً بصورة رئيسية على أن السيادة هي من أهم سمات الاستقلال وأنها تتضمن حق عدم السماح بأي وجود عسكري أجنبي على أرض الوطن.

وأوضح ان اتفاق ٢٤ ديسمبر ١٩٥١ انتهت مدته في ٣١ ديسمبر ١٩٥٤ وأن الأسباب التي أدت إلى ابرامه لم تعد قائمة.

غير أنه أكد أن المحادثات التي ترغب الحكومة الليبية اجراؤها مع الحكومة الفرنسية يجب تفسيرها على أنها خطوة ودّية تمليها روح حسن الجوار.

وعرض الوفد الفرنسي الحجج التي تستند إليها الحكومة الفرنسية التي ترى أن الحكومة الليبية ملزمة بالتفاوض بموجب الاتفاق الفرنسي الليبي المبرم في ٢٤ ديسمبر ١٩٥١ وبموجب ما أعرب عنه الطرفان من نوايا أورداها في الاتفاق عينه وأكدتها الحكومة الليبية في خطابها المؤرخ في ٢٧ نوفمبر ١٩٥٢ والوثيقة المرفقة به مما يبرر اقتناع الحكومة الفرنسية أن من حقها:

١ ـ المطالبة بمواصلة التفاوض بين فرنسا وليبيا بشأن معاهدة التحالف والصداقة أو أي اتفاق آخر بديل، في حال تعذر إبرام المعاهدة المذكورة، إلى أن يتم التوصل إلى إتفاق عام بين البلدين.

٢ ـ الإبقاء على وجودها العسكري في فزّان إلى أن يتم إبرام الإتفاق العام الذي لا يمكنه برأيها إلاّ أن يكرّس الوضع القائم، على غرار الاتفاقات التي عقدتها

بريطانيا العظمى والولايات المتحدة مع الحكومة الليبية.

وتمسّك كل من الوفدين بوجهة نظره إلاّ أنهما إتفقا على البحث عن الحلول العملية التي من شأنها إرساء العلاقات بين البلدين على قواعد متينة. ووافق الوفد الفرنسي على (النظر في) مبدأ سحب القوات الفرنسية من فزّان شرط أن تمنح الحكومة الليبية إلى الحكومة الفرنسية الضمانات التي تعتبرها هذه الأخيرة ضرورية للمحافظة على مصالحها.

فاتفق الوفدان عندئذ على إبرام معاهدة صداقة واتفاقيات ثقافية واقتصادية (اقتراح فرنسي: وتقنية) وحسن جوار، بأسرع وقت ممكن.

النص الفرنسي

ثانياً ـ تمت دراسة أحكام الاتفاقية التقنية دراسة أولية أدت إلى النتائج التالية:

أ ـ انسحاب القوات الفرنسية

تتعهد الحكومة الفرنسية بسحب قواتها العسكرية الموجودة حالياً في فزّان في مهلة أثني عشرة شهراً إبتداء من دخول هذه المعاهدة حيّز التنفيذ.

ب ـ عدم الاستبدال

تتعهّد الحكومة الليبية، بعد انسحاب القوات الفرنسية الموجودة حالياً في فزّان، بإحلال قوات ليبية صرف في المنطقة المذكورة وبتكليف هذه القوات بالقيام بجميع المهمات العسكرية التي قد تقتضيها الظروف.

أما بالنسبة لزمن الحرب، ونظراً إلى وجود معاهدة تحالف بريطانية ـ ليبية، اتفقت الحكومتان على ضرورة عقد اتفاق فرنسي بريطاني بشأن مشاركة فرنسا في الدفاع عن فزّان، قبل إبرام هذه المعاهدة.

النص الليبي

ثانيا ـ تمت دراسة أحكام اتفاقية حسن الجوار دراسة أولية أدت إلى النتائج التالية:

أ ـ انسحاب القوات الفرنسية

تتعهد الحكومة الفرنسية بسحب قواتها العسكرية الموجودة حالياً في فزّان بتاريخ ٣١ديسمبر ١٩٥٥ أو في مهلة أثني عشرة شهراً إبتداء من تاريخ التوقيع على المعاهدة التي من المفروض إبرامها بأسرع وقت ممكن.

ب ـ عدم الاستبدال

تتعهّد الحكومة الليبية، بعد انسحاب القوات الفرنسية الموجودة حالياً في فزّان، بإحلال قوات ليبية صرف في المنطقة المذكورة وبتكليف هذه القوات بالقيام بجميع المهمات العسكرية التي قد تقتضيها الظروف.

النص الفرنسي

ثالثا ـ التسهيلات

أ ـ العبور براً

١ ـ «الدرب رقم ٥»

تتعهد الحكومة الليبية بالنظر ودّياً في جميع الطلبات المقدمة إليها للحصول على إذن يخوّل القوافل العسكرية باستخدام «الدرب رقم ٥» للعبور إلى التشاد أو منه في الحالات الاستثنائية. ويتم تحديد هذه الحالات بموجب خطاب تفسيري يتضمن علاوة على ذلك تعريفاً لما يسمى «الدرب رقم ٥».

٢ ـ استبدال الأفراد وصيانة وتموين مركزي فورسان ودجانيت.

تسمح الحكومة الليبية للحكومة الفرنسية بمواصلة استخدام الدروب التي تستخدمها حالياً في الأراضي الليبية لاستبدال أفراد جيشها وصاينة وتموين مركزي فورسان ودجانيت الواقعين في الأراضي الفرنسية، وذلك طوال المدة التي يقتضيها إنشاء طرق مواصلات مناسبة في الأراضي الفرنسية. ويتم تحديد هذه المدة بالاتفاق بين الحكومتين.

ب ـ المطارات

يتم تسليم مطار سبها وغات وغدامس إلى السلطات الليبية وتتعهد الحكومة الليبية بالمحافظة عليها في وضعها التشغيلي الحالي وباستخدام فنيين فرنسيين للقيام بالأعمال التي يقوم بها فنيون فرنسيون حالياً في المطارات المذكورة.

ويتم استخدام هؤلاء الفنيين بموجب عقود لمدة سنتين قابلة للتجديد ويكون لهم وضع الموظفين الأجانب العاملين لدى الحكومة الليبية.

ج ـ العبور العسكري للمجال الجوي

تمنح الحكومة الليبية الطائرات العسكرية الفرنسية جميع التسهيلات للتحليق فوق الأراضي الليبية والهبوط الفني في المطارات المذكورة في المادة السابقة. ويتولى تحديد تفاصيل هذه التسهيلات خبراء تعيِّنهما الحكومتان.

النص الليبي

ثالثا ـ التسهيلات

أ ـ العبور براً

١ـ «الدرب رقم ٥»

تتعهد الحكومة الليبية بالنظر ودّياً في جميع الطلبات المقدمة إليها للحصول على إذن يخوّل القوافل العسكرية باستخدام «الدرب رقم ٥» للعبور إلى التشاد أو منه في الحالات الاستثنائية. ويتم تحديد هذه الحالات بموجب خطاب تفسيري يتضمن علاوة على ذلك تعريفاً لما يسمى «الدرب رقم ٥».

٢ ـ استبدال الأفراد وصيانة وتموين مركزي فورسان ودجانيت.

تسمح الحكومة الليبية للحكومة الفرنسية بمواصلة استخدام الدروب التي تستخدمها حالياً في الأراضي الليبية لاستبدال أفراد جيشها وصيانة وتموين مركزي فورسان ودجانيت الواقعين في الأراضي الفرنسية، وذلك طوال المدة التي يقتضيها إنشاء طرق مواصلات مناسبة في الأراضي الفرنسية. ويتم تحديد هذه المدة بالاتفاق بين الحكومتين.

ب ـ المطارات

يتم تسليم مطار سبها وغات وغدامس إلى السلطات الليبية وتتعهد الحكومة الليبية بالمحافظة عليها في وضعها التشغيلي الحالي وباستخدام فنيين فرنسيين للقيام بالأعمال التي يقوم بها فنيون فرنسيون حالياً في المطارات المذكورة.

ويتم استخدام هؤلاء الفنيين بموجب عقود لمدة سنتين قابلة للتجديد ويكون لهم وضع الموظفين الأجانب العاملين لدى الحكومة الليبية.

ج ـ العبور العسكري للمجال الجوي

تمنح الحكومة الليبية الطائرات العسكرية الفرنسية بصورة مؤقتة جميع التسهيلات للتحليق فوق الأراضي الليبية والهبوط الفني في المطارات المذكورة في المادة السابقة. ويتولى تحديد تفاصيل هذه التسهيلات خبراء تعيِّنهما الحكومتان.

وتقتصر التسهيلات المعنية على المهلة الضرورية لبناء مطارات جديدة داخل الأراضي الفرنسية.

النص الفرنسي

رابعاً ـ الحدود

اتفقت الحكومتان على الاكتفاء، فيما يتعلّق برسم الحدود الفاصلة بين الأراضي الفرنسية والأراضي الليبية، بالأحكام العامة الواردة في النصوص الدولية التي كانت سارية المفعول لدى إنشاء الدولة الليبية، على أن يتم رسم الحدود على الخريطة رسماً دقيقاً بأسرع وقت ممكن للفروغ منه قبل إبرام المعاهدة.

النص الليبي

رابعاً ـ الحدود

اتفقت الحكومتان على الاكتفاء، فيما يتعلّق برسم الحدود الفاصلة بين الأراضي الفرنسية والأراضي الليبية، بالأحكام العامة الواردة في النصوص الدولية التي كانت سارية المفعول لدى إنشاء الدولة الليبية، على أن يتم رسم الحدود على الخريطة رسماً دقيقاً بأسرع وقت ممكن. إلا أن رسم الحدود لا يجوز اعتباره شرطاً مسبقاً لإبرام المعاهدة.

النص الفرنسي

خامسا ـ أمن الحدود

تتعهّد الحكومتان باتخاذ جميع الإجراءات بغية الحفاظ على النظام والأمن على حدود افريقيا الاستوائية الفرنسية وافريقيا الغربية الفرنسية والجزائرية وتونس وذلك عن طريق الارتباط والتعاون الفعّال بين أجهزة الشرطة في البلدين.

النص الليبي

خامسا ـ أمن الحدود

تتعهّد الحكومتان باتخاذ جميع الإجراءات بغية الحفاظ على النظام والأمن، كل منهما ضمن اختصاصها داخل أراضيها وعلى حدودهما المشتركة، دون المساس بحق اللاجئين السياسيين.

النص الفرنسي

سادسا ـ المساعدة المالية

طلب الوفد الليبي من الحكومة الفرنسية مواصلة تأمين مساهمة مالية للحكومة الليبية تعبيراً عن العلاقات الودّية بين البلدين. ووافقت الحكومة الفرنسية على هذا الطلب، من حيث المبدأ، على أن يتم النظر فيه مفصّلا في وقت لاحق مع

الأخذ بعين الاعتبار حجم الممتلكات الفرنسية الموضوعة بتصرّف الحكومة الليبية والتسهيلات التي تمنحها هذه الأخيرة.

النص الليبي

سادسا ـ المساعدة المالية

طلب الوفد الليبي من الحكومة الفرنسية مواصلة تأمين مساهمة مالية للحكومة الليبية تعبيراً عن العلاقات الودّية بين البلدين. ووافقت الحكومة الفرنسية على هذا الطلب، من حيث المبدأ، على أن يتم النظر فيه مفصّلا في وقت لاحق.

النص الفرنسي

سابعاً ـ اكّد الوفد الليبي أن اقتراحاته تشكّل وحدة متكاملة وأنه لا يمكن النظر بأي منها على حدة.

وأكّد الوفد الفرنسي، من جهته، أن اقتراحاته تشكّل وحدة متكاملة وأنه لا يمكن النظر بأي منها على حدة.

النص الليبي

سابعاً ـ اكّد الوفد الليبي أن اقتراحاته تشكّل وحدة متكاملة وأنه لا يمكن النظر بأي منها على حدة.

النص الفرنسي

ثامنا ـ استئناف المحادثات

أقرّت الحكومتان بضرورة استئناف محادثاتهما في أقرب وقت ممكن بهدف عقد الاتفاقات التي ينشدها الطرفان.

النص الليبي

ثامنا ـ استئناف المحادثات

أقرّت الحكومتان بضرورة استئناف محادثاتهما في أقرب وقت ممكن بهدف عقد الاتفاقات التي ينشدها الطرفان.

ملحق رقم ٢٩

M. Dumarçay, Ministre de France à Tripoli,
à M. Edgar Faure, Ministre des Affaires étrangères.

T. n° 158 [1]. Réservé. *Tripoli, 22 février 1955.*

(Reçu : 24 février.)

Par mes communications du 18 février [2], j'ai rendu compte au Département du dernier état des pourparlers engagés avec le Cabinet fédéral au sujet de la mise au point du projet de procès-verbal des conversations franco-libyennes qui se sont déroulées à Paris au début du mois de janvier dernier.

Dans la plupart des cas, les modifications demandées par nos interlocuteurs sont de pure forme et ne posent pas de problèmes insolubles. Seules, les objections libyennes concernant la clause consacrée à la participation en temps de guerre des forces françaises à la défense du Fezzan me paraissent de nature à compromettre dangereusement les résultats acquis à Paris. M. Ben Halim et les membres de son cabinet sont, en effet, décidés à ne pas céder sur ce point et envisagent froidement une rupture des pourparlers qui, dans leur esprit, serait inéluctablement suivie d'un recours à l'O.N.U.

Sous la pression des dirigeants du Néo-Destour réfugiés à Tripoli — pour lesquels les avantages politiques qu'offrirait à la France la conclusion d'un traité d'amitié et de bon voisinage avec la Libye sont un réel sujet d'inquiétude —, bon nombre de parlementaires s'emploient activement, depuis quelques jours, à engager le président du Conseil dans la voie des solutions extrêmes.

On perçoit sans peine le parti que les réfugiés nord-africains établis en Libye et les tenants de l'arabisme pourraient tirer d'un échec de nos négociations. Certains d'entre eux ont déjà offert à M. Ben Halim d'organiser des coups de main contre nos postes du Fezzan. Si jusqu'à présent le Premier ministre s'est montré hostile à de tels projets, rien ne nous permet d'affirmer qu'il n'y aura pas recours le jour où — ayant décidé d'en appeler à l'arbitrage du « monde libre » — tous prétextes lui seront bons pour imputer à notre présence militaire un état d'insécurité créé pour les besoins de la cause.

[1] Ce télégramme a été communiqué à Londres (n° 67) et à Washington (n° 20).

[2] Sous les n°s 124-140, non reproduits. Ces télégrammes indiquaient les objections faites par le Conseil des ministres libyen, au cours de sa réunion du 15 février. Celui-ci avait demandé la suppression du paragraphe du préambule concernant les conditions auxquelles le gouvernement français pourrait envisager l'évacuation du Fezzan. Toutefois, sur l'insistance de l'ambassadeur de France, M. Ben Halim avait admis la recherche d'une nouvelle formule. Par contre, le gouvernement libyen refusait de signer un document sur lequel figurerait une allusion, si discrète fût-elle, aux conversations de Paris au sujet de la non-substitution. Les Libyens demandèrent aussi la suppression des mots « en contrepartie » figurant dans le titre de l'article III; plusieurs modifications de forme dans l'article consacré aux aérodromes; enfin, que dans la présentation du procès-verbal, les thèses de chacune des deux parties fussent juxtaposées au lieu de figurer entre crochets.

Aux députés qui l'ont interpellé le 14 février en séance secrète, M. Ben Halim a déclaré qu'il serait en mesure de leur faire connaître, à la fin de ce mois, la position définitive de son gouvernement à l'égard de la France. Selon des renseignements recueillis auprès de certains parlementaires, cette position sera fonction de notre réponse aux propositions que nous a faites le Cabinet fédéral de supprimer la clause de « réactivation » qui figure à notre projet de procès-verbal.

La question de notre participation à la défense du Fezzan en temps de guerre devant, en définitive, être réglée au cours des conversations techniques entre états-majors français et anglais, prévues par l'aide-mémoire britannique du 5 février (votre communication du 14 février) (1), j'incline à penser que nous aurions intérêt à accéder au désir des Libyens pour éviter que M. Ben Halim ne fasse au Parlement, dans les jours à venir, des déclarations inopportunes qui auraient pour seul effet de remettre en question le principe même de la conclusion d'un traité d'amitié et de bon voisinage et de nous faire perdre le bénéfice des avantages si péniblement acquis au cours des conversations de Paris.

ملحق رقم ٣٠

INCOMING TELEGRAM Department of State ACTION COPY

SECRET

5
Action
NEA

Control: 10824
Rec'd: April 20, 1955
9:37 a.m.

FROM: Tripoli

Info
RMR

TO: Secretary of State

SS
G
SP
C
EUR
P
UOP
OLI
IOP
OCB
OSD
ARMY

NO: 479, April 20, 11 a.m.

SENT DEPARTMENT 479; REPEATED INFORMATION PARIS 59, LONDON 89, BENGHAZI UNNUMBERED.

PARIS PASS CINCEUR

We have just discussed French position on Fezzan with British Embassy in light Paris EMBTEL 29, March 8 and London EMBTEL 25; Faure's statements regarding Libya during April 12 press conference; and recent remarks made members both British Embassy and my staff by French Minister Dumarcay.

My deduction from foregoing is that contrary Maillard's statement Paris EMBTEL 29 March 8 Faure Government has decided repudiate Mendes-France agreement negotiate evacuation French forces from Fezzan and on strength ratification Paris agreements will officially request US-UK support tougher French North African policy including retention forces in Fezzan.

British Embassy anticipates that Pinay will attempt justify French Fezzan position during talks with MacMillan April 21 on grounds:

1. New "guerilla camps" discovered in Libya near Tunisian frontier.

2. Fezzan communications under French control essential defense North Africa.

3. French prestige permits no further "retreats".

In order provide MacMillan with facts regarding point one above British Embassy team is today visiting "camps" listed by Dumarcay as additional to those covered by my inspection March 22 EMBTEL 420.

French handling of Fezzan issue has in my opinion now placed US-UK in highly dangerous position vis-a-vis Ben Halim Government here since it has largely been due our continued counsel

moderation

This Document Must Be Returned to D/R Central Files

773.00/4-2055

FILED
MAY 4 1955

SECRET FILE
HO

PERMANENT
RECORD COPY • This copy must be returned to DC/R central files with notation of action taken

SECRET

REPRODUCTION FROM THIS COPY, IF CLASSIFIED, IS PROHIBITED

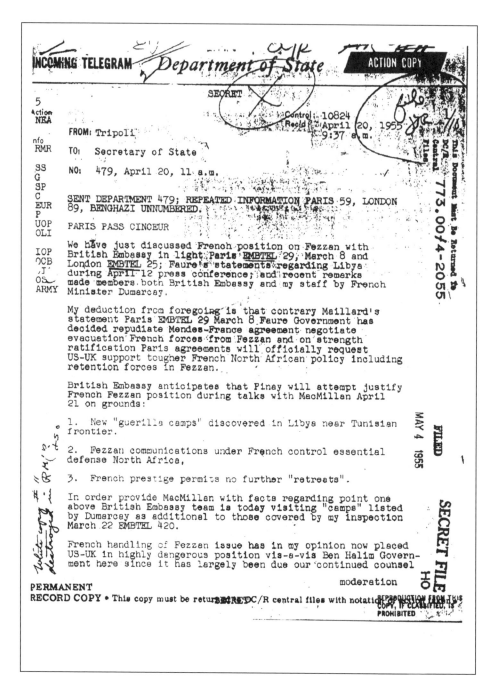

SECRET

-2- 479, April 20, 11 a.m., from Tripoli.

moderation that Libyans have kept "negotiations" alive (despite obvious French stalling) and have thus far refrained soliciting help their Arab neighbors in bringing issue before Bandung conference and UN Security Council. As reported EMBTEL 462 I went to considerable lengths and successfully persuaded Ben Halim on eve departure Libyan delegation for Bandung instruct Mahmoud Muntasser counter any charges regarding French illegal and forceful occupation Libyan territory with statement negotiations for evacuation proceeding successfully. Should it now become apparent French have no intention leave Fezzan and are in fact asking US-UK support retention their forces there, Ben Halim and GOL with Arab suspicions regarding traditional western solidarity in pinches will inevitably be led conclusion we have double crossed him and have been aware of and supported French intentions all along. I cannot over emphasize unfortunate effect this would have on our relations with GOL, especially in area implementation and forthcoming expansion our rights under base agreement.

Finally, based on own wide experience with military operations North Africa during World War II and familiarity present planning for future defense this area in event general conflict, I remain completely baffled as to who French feel they must defend themselves against in Fezzan. I cannot conceive of major foe and, if it is against infiltration, may I ask not altogether facetiously how many troops US currently stations in Mexico? If American, British or NATO military authorities can confirm military justification for continuing French troops in Fezzan, or even for guaranteeing their right return in war time I will gladly reconsider my present view. In fact, presented in this light, believe even Libyans might also be persuaded reconsider.

I sincerely hope Department and Embassy Paris will make renewed efforts persuade French speedy settlement Fezzan issue also in their own interests since it is not only essential their future relations with Libya and Arab league as whole but would doubtless bolster confidence their good intentions North Africa as well.

TAPPIN

AB:AAL/6

SECRET

ملحق رقم ٣١

M. PINAY, MINISTRE DES AFFAIRES ÉTRANGÈRES,
À M. PIERRE-HENRI TEITGEN, MINISTRE DE LA FRANCE D'OUTRE-MER.

D. nº 526. Secret. *Paris, 23 mars 1955.*

Vous avez bien voulu par lettres nº 55 du 9 mars 1955 et nº 62 du 18 mars [1], appeler mon attention sur la question du tracé des frontières franco-libyennes au nord du Tibesti et des relations des frontaliers dans cette région.

La réoccupation d'Aouzou par un détachement français [2] a montré au gouvernement libyen notre ferme résolution de nous en tenir strictement aux dispositions de la déclaration franco-britannique du 21 mars 1899 et de la convention interprétative du 8 septembre 1919 fixant les limites entre les deux pays.

Notre ministre à Tripoli, M. Dumarçay, a d'ailleurs adressé le 4 mars 1955 au gouvernement libyen une note de protestation concernant la mission entreprise vers Aouzou par le commissaire général de Koufra.

L'ambassade de Grande-Bretagne a été avisée par nos soins de cet incident et le représentant de l'O.N.U. en Libye a exprimé à M. Dumarçay ses regrets d'avoir mêlé à cette affaire, par inadvertance, un de ses agents.

Afin de répondre aux préoccupations du haut commissaire de la République en A.E.F., je prie, par le même courrier, notre ministre à Tripoli de se mettre éventuellement en rapports directs avec le gouvernement général de l'A.E.F. afin qu'un représentant du Tchad puisse participer à l'élaboration du projet de convention frontalière qui sera ultérieurement négocié avec le gouvernement libyen par notre légation.

Peut-être estimerez-vous opportun, dans la conjoncture actuelle, de maintenir notre occupation du poste d'Aouzou, afin de prévenir toute nouvelle tentative libyenne dans ce secteur.

[1] Dans ces documents non reproduits, le ministre de la France d'outremer informait son collègue que le haut-commissaire de la République en A.E.F. venait de lui faire savoir qu'une mission libyenne s'était présentée à Aouzou le 28 février à 9 heures. Invitée à repasser la frontière, elle n'avait fait aucune difficulté. Cet incident, qui aurait pu avoir de fâcheuses conséquences, obligeait le Ministre à demander à son collègue des Affaires étrangères de présenter auprès du gouvernement libyen la protestation la plus énergique. Le Ministre ajoutait que l'immensité de la frontière à surveiller et l'exiguité de nos moyens, en particulier en aviation d'observation et de transport, nous conduisaient à souhaiter que les Libyens ne s'attachent pas à sonder systématiquement les lacunes inévitables de notre dispositif.

[2] Des reconnaissances pour l'installation d'un poste à Aouzou s'étaient poursuivies par les soins du lieutenant-colonel Couturier et du capitaine Vicaire du 2 avril au 4 septembre 1930. Depuis cette date, le poste avait été occupé de façon permanente jusqu'au 1er décembre 1943. Il semble qu'il soit resté sans garnison depuis cette date jusqu'au 1er juin 1951. Les preuves de l'occupation du poste apparurent à nouveau à partir du 1er juin 1951. Aouzou, évacué le 1er avril 1954 en raison d'une crise d'effectifs, fut réoccupé temporairement pour la période de la récolte des dattes en août et septembre 1954, puis définitivement en décembre après que les autorités du Tchad eussent reçu l'information que les Libyens avaient l'intention de s'y rendre. La garnison était alors d'un officier, d'un sous-officier et de deux groupes de combat.

ملحق رقم ٣٢

NOTE DE LA DIRECTION D'AFRIQUE-LEVANT [1]

État des négociations franco-libyennes

Paris, 1er avril 1955.

Le gouvernement français s'est efforcé de nouer avec le Royaume-Uni de Libye, dont l'indépendance a été proclamée, sous l'égide de l'O.N.U., le 24 décembre 1951, les bonnes relations que nécessitent le maintien de l'influence française et la sauvegarde des intérêts français dans ce pays limitrophe de la Tunisie, de l'Algérie, de l'A.O.F. et de l'A.E.F.

Des accords provisoires, relatifs à l'attribution d'une aide financière au Fezzan et au maintien du *statu quo* militaire dans cette province, avaient été signés en décembre 1951, en attendant la conclusion d'un traité d'alliance et d'amitié. Dès le mois de juin 1952, le ministre de France à Tripoli proposait au gouvernement libyen le texte de cet instrument, établi sur le même modèle que le projet présenté à la même époque par la Grande-Bretagne.

Au mois de novembre de la même année, le gouvernement libyen envisageait une négociation simultanée, et sur des bases communes avec la France, la Grande-Bretagne et les États-Unis d'Amérique.

Cette procédure dut malheureusement être abandonnée en janvier 1953, un accord étant intervenu entre Londres et Tripoli pour que le traité anglo-libyen fût négocié en premier.

Ce traité, signé en juillet 1953, consentit à la Libye une assistance financière considérable et donna à ce pays des ressources auxquelles s'ajoutèrent bientôt les loyers, fort importants, que le gouvernement américain s'engagea à verser annuellement pour la location de la base aérienne de Wheelus Field.

La négociation franco-libyenne devint, dès ce moment, sensiblement plus difficile et, à la fin de 1953, le Département dut envisager le remplacement du projet de traité d'alliance par un projet de traité d'amitié et de bon voisinage, assorti de conventions financière, militaire, économique, culturelle et de bon voisinage.

En juillet 1954, le nouveau chef du gouvernement libyen, M. Sakizli, suggéra de remplacer la convention militaire, dont le Parlement libyen ne pourrait admettre le principe, par une convention technique comportant la location à la France de bases aériennes fezzanaises, dont la sécurité serait assurée par des forces françaises distinctes de l'armée nationale [2].

[1] Rédigée à l'intention du Ministre.

[2] Sur l'exposé de l'affaire libyenne jusqu'à cette époque, voir, au volume 1954 de la présente collection, le n° 421.

Le Premier ministre actuel, M. Ben Halim, rejeta cependant le projet de convention technique français élaboré sur ces bases, par une lettre du 13 novembre 1954 [1], dans laquelle il était en même temps notifié au gouvernement français que le gouvernement libyen ne pourrait signer aucun accord relatif au maintien de forces armées françaises au Fezzan et ne renouvellerait pas les accords provisoires de 1951 qui venaient à échéance le 31 décembre 1954. Le gouvernement libyen, sans faire allusion au projet de traité, proposait la conclusion de conventions économique, culturelle et de bon voisinage, offrant également à la France des facilités pour l'utilisation des aérodromes du Fezzan qui seraient placés désormais sous gestion libyenne.

Le gouvernement français rejeta ces propositions par une note remise le 22 novembre 1954, dans laquelle il faisait connaître en outre au ministre libyen des Affaires étrangères qu'il n'envisageait pas la possibilité de modifier l'état de choses existant en vertu de l'accord militaire provisoire du 24 décembre 1951, jusqu'à ce qu'un accord général ait pu être conclu entre la France et la Libye [2].

M. Ben Halim, dont la décision avait été, semble-t-il, inspirée par l'attente d'un développement rapide des désordres en Afrique du Nord, ne tarda pas à nuancer quelque peu son attitude.

Acceptant une proposition du gouvernement français, il conduisit à Paris une délégation libyenne qui rencontra du 3 au 6 janvier 1955 la délégation française que présidait M. P. Mendès France [3]. Au cours de ces entretiens, les thèses des deux gouvernements ne purent être conciliées et le président du Conseil français proposa à son interlocuteur libyen de rechercher les bases de dispositions pratiques de nature à satisfaire les intérêts des deux pays.

Dans le projet d'accord envisagé, le gouvernement français acceptait, à certaines conditions, définies dans le cadre d'un traité d'amitié et de bon voisinage, de renoncer à l'occupation militaire, en temps de paix, des bases dont il disposa au Fezzan en vertu de l'accord provisoire du 24 décembre 1951.

Au nombre de ces conditions figure, en particulier, la « réactivation », en temps de guerre, des bases fezzanaises dont l'évacuation est envisagée à l'issue des négociations; cette clause permettrait à la France d'assurer, en cas de conflit armé, la défense du Fezzan qui pourrait être réoccupé très rapidement par les troupes françaises. C'est sur ce point que le désaccord essentiel persiste entre la France et la Libye.

M. Ben Halim avait en effet refusé, à Paris, de traiter directement avec la France la question de la participation des forces françaises à la défense de la Libye, celle-ci étant, d'après lui, suffisamment assurée par les forces libyennes, assistées en vertu du traité anglo-libyen par les forces britanniques. Mais il avait cependant admis que la question fût réglée par le truchement d'un accord franco-britannique. De retour à Tripoli, le Premier ministre modifia sensiblement son attitude, prétendant n'avoir pas à connaître d'un éventuel

[1] Voir, au volume précité, le n° 358.
[2] Voir, *ibidem*, le n° 366.
[3] Voir ci-dessus le n° 32.

accord militaire franco-britannique qui, dans son esprit, devrait demeurer secret et auquel la Libye n'entendait pas participer.

Le gouvernement libyen se refusa même à faire figurer au procès-verbal des conversations de Paris toute mention relative à la simple confrontation des thèses des deux gouvernements sur la défense du Fezzan en cas de guerre [1].

Les négociateurs se trouvent ainsi dans une impasse, les points de vue libyen et français n'ayant pu être conciliés. Par ailleurs, à la suite des premiers contacts pris en janvier 1955 par l'état-major français avec les autorités militaires britanniques, il est apparu que, si celles-ci étaient disposées à admettre la participation des forces françaises à la défense du Fezzan, elles prétendaient cependant garder une certaine responsabilité des opérations dans cette province, en vertu du traité d'alliance anglo-libyen. Notre thèse est, au contraire, qu'un tel traité ne saurait empêcher que nous exercions à titre exclusif la responsabilité de la défense du Fezzan, sous réserve, bien entendu, d'arrangements généraux à conclure avec l'état-major britannique en vue d'harmoniser la défense de l'ensemble de la Libye.

***

Dans les négociations que nous comptons reprendre à bref délai avec le gouvernement libyen, il convient en premier lieu de déterminer si nous resterons fidèles à la ligne que nous avons définie jusqu'à présent, acceptant en principe l'évacuation du Fezzan sous réserve que soient remplies les conditions que nous jugeons indispensables à la sécurité de l'Afrique française et au maintien de notre présence en Libye : celles-ci portent essentiellement sur le droit de transit civil et militaire à travers le Fezzan, le maintien de techniciens français sur les aérodromes de Sebha, Ghat et Ghadamès, la délimitation préalable des frontières, la coopération des polices dans les régions frontalières, la non-substitution en temps de paix de toute force armée non libyenne aux forces françaises, enfin le droit, pour ces dernières, de réoccuper le Fezzan en cas de guerre.

Il serait extrêmement dangereux de revenir sur les principes généraux qui nous ont inspirés jusqu'à présent, en nous refusant à toute discussion des conditions d'une éventuelle évacuation du Fezzan par nos troupes.

Il convient de souligner, en effet, la fragilité de la thèse juridique sur laquelle nous pourrions nous appuyer, les accords provisoires de décembre 1951 ne pouvant plus être invoqués depuis le 1er janvier 1955 dans leur lettre, mais seulement dans leur esprit.

Par ailleurs, les moyens dont nous disposons pour convaincre le gouvernement libyen se sont singulièrement amenuisés depuis que les gouvernements britannique et américain ont consenti à fournir à la Libye l'assistance financière extérieure nécessaire au nouvel état, en échange de privilèges militaires considérables et sans se préoccuper du sort des négociations franco-libyennes, au

[1] Voir ci-dessus le n° 86.

moment même où celles-ci devenaient plus délicates en raison de l'aggravation de notre situation en Afrique du Nord et du préjugé défavorable qui en découle, à notre égard, aux yeux de tout gouvernement arabe.

Un retour en arrière risquerait de conduire le gouvernement libyen à une rupture des pourparlers qui serait vraisemblablement suivie, après la conférence afro-asiatique de Bandoung, d'un recours au Conseil de sécurité ou à l'assemblée générale des Nations Unies par le truchement de l'un des états arabes membres de l'Organisation. Cette initiative pourrait s'accompagner d'actions terroristes dirigées contre le personnel civil et militaire français du Fezzan. Une crise grave ne pourrait manquer d'en résulter, non seulement dans nos rapports avec la Libye elle-même, mais avec l'ensemble du monde arabe.

En revanche, nous devons insister, semble-t-il, pour que les conditions *minima* que nous avons fixées pour l'évacuation de nos troupes du Fezzan soient remplies intégralement, sans accepter de nouvelles concessions, qui équivaudraient à notre départ pur et simple d'une région que nous estimons essentielle pour la défense de l'Afrique.

À cet égard, peut-être conviendrait-il mieux d'envisager la perspective d'une augmentation substantielle de l'aide financière que nous avons consentie, jusqu'à la fin de l'année 1954, au gouvernement libyen et qui pourrait être portée de 260 à 500 millions.

***

2° Nos discussions avec les Libyens sont gouvernées, dans une large mesure, par l'accord qu'il est important de réaliser avec les Britanniques sur notre rôle dans la défense de la Libye et, plus particulièrement, du Fezzan.

Il y aurait donc grand intérêt à ce que le contact fût repris aussitôt que possible avec Londres, non seulement sur le plan militaire mais également sur le plan diplomatique. Nous devons faire valoir à ce sujet que nous avons toujours recherché avec les Libyens un traité d'alliance parallèle à celui qu'ont obtenu les Anglais, avec notre aide d'ailleurs. Il serait extrêmement fâcheux de ne pouvoir aboutir avec la Grande-Bretagne à un accord qui nous consacrerait dans une situation d'égalité, en ce qui concerne, tout au moins, le Fezzan. Un tel accord devrait également recevoir, au besoin sous une forme secrète, l'assentiment du gouvernement libyen qui, ayant l'intention de faire entrer ses troupes au Fezzan après le départ des nôtres, devra nécessairement en être informé et se trouver à même de collaborer au dispositif général de défense convenu entre la France et la Grande-Bretagne.

Un double échec, mettant en péril notre situation dans ce pays où l'influence anglaise est prédominante, affecterait aussi bien nos relations avec la Grande-Bretagne que nos relations avec la Libye et l'ensemble du monde arabe.

***

3° Il reste enfin à nous mettre d'accord avec le gouvernement libyen sur la procédure qui permettra de revêtir des signatures française et libyenne le procès-verbal des conversations de Paris, ce qui n'a pu être effectué jusqu'à présent en raison de l'opposition du gouvernement libyen à l'insertion de toute mention relative à la défense du Fezzan en cas de guerre.

Nous avions envisagé récemment l'envoi à M. Ben Halim d'une lettre par laquelle le ministre des Affaires étrangères français prenait acte de ce refus, mais précisait qu'en raison de l'importance que nous attachons à cette question, notre intention était d'y revenir dans le cours des prochains pourparlers. Nous aurions, dans ces conditions, accepté de signer le procès-verbal sans la mention en question. Cette lettre a déjà été adressée à notre représentant à Tripoli qui attend les instructions du Département pour la remettre au Premier ministre [1]. Dans l'intervalle, une autre suggestion nous a été faite par M. Ben Halim qui nous propose d'évoquer cette question sous forme d'un simple échange de lettres. Dans sa réponse, le gouvernement libyen ferait simplement état de nos *desiderata* relatifs à la défense du Fezzan, sans leur accorder aucun assentiment et en se bornant à souligner que la France est l'alliée de la Grande-Bretagne, liée elle-même à la Libye par un traité d'alliance.

La signature de ce procès-verbal par les deux parties présente un intérêt incontestable, car la négociation, faute d'un accord sur ce point, devrait être entièrement reprise et, avec elle, la discussion du principe de non-substitution au Fezzan, admis en janvier par la délégation libyenne.

Mais il est évident d'autre part que nous ne pourrions nous satisfaire d'une lettre aboutissant à un rejet pur et simple de nos demandes. La suggestion de M. Ben Halim ne serait donc acceptable que si, dans sa lettre, le gouvernement libyen reconnaissait, d'une manière ou d'une autre, qu'il n'a pas d'objections à ce que la France « alliée de la Grande-Bretagne » règle avec celle-ci les problèmes posés par l'existence d'une frontière commune entre les territoires français d'Afrique et la Libye.

***

Il importe, en tout état de cause, de prendre au plus tôt une décision sur la poursuite des négociations franco-libyennes et franco-britanniques relatives à l'affaire du Fezzan.

Si une telle décision n'intervient pas avant la conférence de Bandoung, nous risquons en effet d'être violemment attaqués à ce sujet au cours de cette conférence, ce qui ne manquera pas d'avoir de très fâcheuses répercussions en Afrique du Nord et dans tout le monde arabe où nous serons, une fois de plus, dénoncés comme des impérialistes impénitents.

Il convient donc de choisir entre :

1° La remise immédiate au Premier ministre libyen de la lettre du président Pinay réaffirmant nettement notre désir de voir réglée la question de la participation française à la défense de la Libye en temps de guerre, et

[1] Document ci-après reproduit en annexe.

2° L'échange de lettres proposé par M. Ben Halim. La première solution comporte certes plus de garanties, mais elle est unilatérale, et de plus, peut aboutir à l'interruption des négociations, les Libyens refusant catégoriquement d'accepter l'expression de notre point de vue et de poursuivre les entretiens.

Dans le second cas, nous n'obtenons aucune garantie précise, mais les négociations se poursuivent : avec les Britanniques pour obtenir la réactivation désirée, et avec les Libyens auprès desquels il serait nécessaire de déléguer un ministre pour mener à bien les pourparlers.

Tel est le choix qui s'impose aujourd'hui au gouvernement s'il veut éviter la stagnation de la situation et le pourrissement dangereux qui en résulterait et s'il écarte l'éventualité d'une politique de force qui consisterait à refuser purement et simplement d'évacuer le Fezzan aussi longtemps que nos revendications, difficilement soutenables juridiquement, ne sont pas satisfaites.

ملحق رقم ٣٣

M. PINAY, MINISTRE DES AFFAIRES ÉTRANGÈRES,
À M. DUMARÇAY, MINISTRE DE FRANCE À TRIPOLI.

T. nos 287, 288 (1). *Paris, 9 avril 1955, 21 h. 40.*

Ainsi que je vous l'ai annoncé dans mon télégramme n° 267 (2), les problèmes posés par les rapports franco-libyens ont été examinés le 6 avril au cours d'un Conseil ministériel restreint.

Il a été estimé que la France ne pouvait, pour le moment, retirer ses troupes du Fezzan sans subir une grave perte de prestige et sans compromettre dangereusement la sécurité intérieure et extérieure de l'Afrique du Nord.

Le gouvernement britannique a été avisé de notre point de vue et il lui a été demandé d'appuyer notre action auprès du gouvernement libyen en vue d'obtenir une prorogation temporaire de l'accord provisoire de décembre 1951.

Vous voudrez bien trouver, sous le numéro suivant, le texte du télégramme par lequel le Département a informé l'ambassadeur de France à Londres de la position prise, dans cette affaire, par le gouvernement et de l'entretien qu'a eu, à ce sujet, le président Pinay avec sir Gladwyn Jebb (1).

Je vous adresse par prochaine valise une lettre commentant les raisons de cette décision (2). J'estime qu'en attendant les réactions de Londres, il est préférable que vous vous absteniez de toute communication au gouvernement libyen (3).

(1) Ce télégramme a été communiqué à Londres sous les nos 4936-4937.

(2) Du 1er avril, non reproduit. Ce télégramme indiquait qu'étant donné l'examen des rapports franco-libyens auquel devait procéder un Conseil des ministres, le 6 avril, il y avait lieu de représenter à M. Ben Halim les inconvénients que comporterait la lecture, devant le Parlement libyen, d'une « déclaration décisive » sur la question du Fezzan avant que ne fût connue la réponse française aux propositions libyennes.

Entered

British Embassy,

Paris.

CONFIDENTIAL

1073/156/55 JT 10317/110 June 15, 1955.

INDEXED

Dear Tom,

I enclose a copy of a memorandum which the United States Embassy here handed to the Quai d'Orsay on June 3. As you will see, it refers to a conversation between Mr. Dillon and M. Pinay on May 25 and, in fact, puts in writing Mr. Dillon's oral démarche of that date.

It appears that the reason why the U.S. Embassy felt it necessary to put this pretty stiff communication in writing was that when Her Majesty's Ambassador saw M. Pinay subsequently, on May 27, the latter denied that Mr. Dillon had ever spoken to him about the Fezzan. Mr. Dillon's French is rudimentary and M. Pinay's power of absorption limited, as we know to our cost!

I am sending copies of this letter and of its enclosure to the Chanceries at Washington, Tripoli and Benghazi.

Yours ever

John Beith

J.G.S. BEITH

T.E. Bromley, Esq., C.M.G.,
African Department,
Foreign Office,
London, S.W.1.

COPY

CONFIDENTIAL

MEMORANDUM

In connection with the conversation on May 25 between His Excellency, the Minister for Foreign Affairs, and Ambassador Dillon with respect to the French Government's position on the Fezzan question, it is believed that the views of the United States Government on this subject may be of interest.

The United States believes that the early settlement of the Fezzan problem is in the interest of all concerned and gives France an opportunity to gain prestige in North Africa. It understands that an essential Libyan condition to such a settlement, however, and one which lies within its sovereign power to stipulate, is the evacuation of French troops within a reasonable specified period.

The United States has on a number of occasions urged moderation on the Libyan Government, so far with considerable success. It fears, however, that further counsels of this nature may be unavailing, in light of the Libyan Government's apparent willingness to enter into an agreement with France preserving what seems to the United States to be all essential French interests, unless there are clear indications that France is willing to conclude an agreement specifying a reasonable evacuation date.

Libya, as a friendly nation, is obviously an important asset to the West, including France. If frustrated in an issue of such importance to it, it could become a prey to destructive Arab influences, to the benefit of none of the Western powers. Such information as the United States now has does not indicate that Libya is at present a source of any importance for logistics and similar support for nationalist activities in French North Africa. The United States is concerned, however, that if the Fezzan issue is not soon resolved, Libya might become a ready vehicle for such support. Considering the relative importance to France of Tunisia, Algeria and Morocco in comparison with the Fezzan, it would be extremely unwise, in the United States view, for France, because of the Fezzan problem, to make of Libya a hostile state through which nationalists in French North Africa might be supplied in important quantities.

The United States is also concerned that if a settlement is not soon reached, the Fezzan issue may be brought before the United Nations where there would probably be a large body of support for measures to terminate promptly any French rights with respect to the Fezzan.

The United States takes the liberty of expressing its views on this subject in full frankness, not only because of the West's vital stake in Libya but because of its conviction that the Ministry will see in this initiative an expression of United States friendship for France and a reflection of its desire to be in a position effectively to urge moderation on the Libyan Government to the end that essential French, as well as Libyan, interests can be preserved.

Paris June 3, 1955

ملحق رقم ٣٥

PERMANENT UNDER-SECRETARY OF S

....

.... DEPARTMENT

TO SEE SECRETARY OF STATE'S MINUT

By Bag

CONFIDENTIAL

INWARD SAVING TELEGRAM

FROM PARIS TO FOREIGN OFFICE

Sir G. Jebb.

DEPARTMENTAL DISTRIBUTION

No. 199 Saving
May 26, 1955.

R. May 30, 1955.

CONFIDENTIAL

Addressed to Foreign Office telegram No. 199 Saving of May 26, 1955.

Repeated for information Saving to:

Washington
Tripoli
Benghazi
Tunis
Algiers
Rabat

Your despatch No. 249.

The Fezzan.

On May 25 the United States Government informed us that the United States Ambassador had on instructions spoken to M. Pinay that day about the Fezzan, urging that the French Government should reach an early agreement with the Libyan Government. He had pointed out how extremely unfortunate it would be if there was a breach resulting in a Libyan appeal to the United Nations, and had also made the point that, in the light of the French Government's difficulties throughout French North Africa, it would be foolish for them to antagonize the Libyan Government unnecessarily. M. Pinay had replied that it had been proved that substantial supplies of arms were reaching the rebels in Algeria through Libya and that it was therefore quite impossible for the French Government to withdraw their troops from the Fezzan at the present time.

M. Pinay added, however, that negotiations with the Libyan Government were now proceeding satisfactorily. In answer to questions from Mr. Dillon he explained that the French Government were not handling them direct but that Her Majesty's Government were negotiating with the Libyan Government on their behalf. He expressed confidence that a satisfactory settlement would be reached soon.

2. As M. Pinay seemed to be under a misapprehension about the present state of negotiations with the Libyan Government, I thought it well to make the position quite clear to him. I therefore called on him today accompanied by Her Majesty's Minister. To my great surprise M. Pinay denied having discussed the subject with Mr. Dillon at all. (It was obvious that the officials who were with him knew nothing of the conversation). To make quite sure that there was no repetition of the muddle which occurred when M. Pinay was supposed to make a communication to me about the Fezzan on April 7, I read and left with him a short Aide-Mémoire in French (copy by bag). In this I made it clear that Her Majesty's Government were waiting for the further military discussions for which the French Government had asked, before taking any further action with the Libyan Government about the Franco-Libyan negotiations over the Fezzan. I added that Her Majesty's Government were convinced that the Libyan Government would insist that peace-time and war-time requirements should be covered at the same time and that it would be easier to obtain the Libyan Government's acceptance of the French Government's war-time requirements if the latter could be kept confidential. I concluded with an assurance that Her Majesty's Government were ready to

/continue

CONFIDENTIAL

Paris telegram No. 199 Saving to Foreign Office

continue to use their influence with the Libyan Government in support of the French Government as soon as the further preparatory work for the negotiations had been completed.

3. M. Pinay expressed regret at the delay in holding the further military talks in London. He said that he would ensure that they should take place in the near future. The only other comment of any other interest made at this stage on my Aide Mémoire was that M. Pinay's advisers pointed out that, for Parliamentary reasons, it was difficult to avoid any publicity at all for the war-time arrangements.

4. I then went on to refer to recent statements that it had been proved that considerable supplies of arms were reaching Algeria through Libya and asked if I could be given detailed information on this point. This led to a long and confused discussion. M. Pinay maintained that it was unquestionably the case that rebels were being trained and armed in Libya and that supplies of arms were reaching Algeria from Libya. When I asked for detailed reports for use with the Libyan Government, I was told that they had already been shown to a member of my staff. (They in fact amounted to very little, but we are asking for copies). M. Pinay went on to argue that the maintenance of French troops in the Fezzan made an essential contribution to French operations against the rebels in Algeria. It might be true that no rebels were trained or supplied in or through the Fezzan. But this was precisely because it contained a French garrison. If the garrison was removed, the Fezzan would be used as a base for rebel activities. Moreover the Fezzan was very useful to the French as a base from which to obtain intelligence about rebel activities in the rest of Libya. He went so far as to argue that the French

/ought

CONFIDENTIAL

Paris telegram No. 199 Saving to Foreign Office

ought to be allowed to place troops along the rest of the frontier in Libyan territory, rather than be required now to withdraw the inadequate garrison which they still had in the Fezzan.

5. I tried hard to bring M. Pinay down to the actual facts of the position. I questioned to what extent the presence of French troops far away to the South in the Fezzan really affected such traffic in arms as there might be in the North. I said that my information suggested that reports in the press and elsewhere about the training and arming of rebels and the passage of arms from Libya were greatly exaggerated. I assured M. Pinay that we were always ready to do all we could to persuade the Libyan Government to put a stop to any objectionable activities in Libya. For this purpose the more detailed information the French could give us the better. But M. Pinay would understand that the further the French Government were prepared to go in meeting the reasonable requests of the Libyan Government, the easier it would be to get the latter to take action against Tunisian rebels.

6. M. Pinay did not take my attempt to put the subject into better perspective at all well. It became clear that the French attitude towards it is largely emotional. Even if they have no real proof that the Algerian rebels are receiving substantial support from Libya, they take it for granted that this must be the case. They have no understanding of the difficulties which the Libyan Government must have in dealing with the refugees from French territory (M. Pinay had no answer to my question what the Libyan Government was expected to do with them) nor of the limitations on our own influence with the Libyan Government. M. Pinay seemed to take my suggestion that the importance of the support

/received

received by the rebels from Libya should not be exaggerated, as implying that Her Majesty's Government were unsympathetic to the French case and thought that the French troops ought to be withdrawn from the Fezzan now. I tried to convince him that this was not so, but I fear that he still does not really understand the position.

6. The conversation should however at least have served a useful purpose in that French Ministers should now clearly understand that they must get on with the further Anglo-French military talks for which they have asked, before we can intervene again on their behalf with the Libyan Government.

DISTRIBUTED TO:

African Department
Western Department
United Nations Department.

ملحق رقم ٣٦

CYPHER 6/6

Registry No.

XXXXXXX
XXXXXXX
Confidential
XXXXXXX
XXXXXXX

Date and time (G.M.T.) telegram should reach addressee(s) ....

(Date) 6/6/55

Despatched 12.42 P.M.

Draft
Telegram to
PARIS
No. 1033
(Date) June 6
And to

[Security classification —if any] CONFIDENTIAL

[Codeword—if any]

Addressed to PARIS

telegram No. 1033 (date) 6/6

repeated for information to TRIPOLI AND SAVING TO:

WASHINGTON, BENGHAZI AND B.M.E.O.

Repeat to 138
TRIPOLI
AND SAVING TO:
WASHINGTON
BENGHAZI
B.M.E.O.
466

XXXXXXX
XXXXXXX
Cypher

Distribution
Departmental
Western
African

Copies to

RECEIVED IN C.B. 6 JUN 1955
SENT TO DEPT.

NOTHING TO BE WRITTEN IN THIS MARGIN.

JT 1031⁄7/98

Your telegram No. 199 Saving of May 26.

I approve your language.

JT 1031⁄7/99

2. In the light of Tripoli telegram No. 131 to me and of Beith's letter to Bromley 1073/137/55 of June 1, it looks as though the French Government are still unwilling to ~~realise~~ accept that an agreement to withdraw their troops from the Fezzan within a definite period is a prerequisite for the conclusion of any agreement between themselves and the Libyans. While we sympathise with French difficulties in Algeria we find it difficult to see how the presence of 400 French troops in the Fezzan can have any effect on events 600 miles to the Northwest. But we realise that this is not the real point for the French. Unless ~~therefore~~ however, you consider that more harm than good would be done by renewed representations to the French Government on this subject, please make a further effort to bring home to Monsieur Pinay the realities of the situation.

Distributed to Western Dept. African "

June 6

11.55 am 6/6/55

3/6

JGW 4/VI

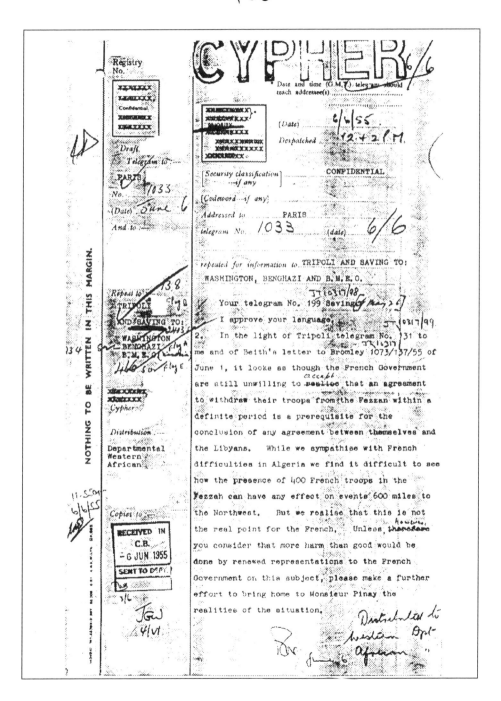

ملحق رقم ٣٧

JT 1031/109 JT 1031 | 109

THE FEZZAN

Flag A The Secretary of State has asked to be kept informed

JT 10317 | 98 about any Anglo-French military talks on this subject. I am now able to report the latest position.

2. It had earlier been arranged that a small French party should come over to continue discussions about the war-time defence of the Fezzan. Their arrival was delayed for some time, probably owing to difficulties in Paris. Early this week the French Embassy informed us that two officers of the rank of Colonel would be coming to London for conversations with the War Office. It was the desire of the French Government that the discussions should be strictly military in nature, and the French Embassy had received instructions that any member of their staff who attended the talks should do so strictly in the capacity of an observer. After consideration with the War Office we agreed to this proposal. Accordingly a meeting was held in the War Office on June 10 which was attended by Mr. Ramsden of African Department.

3. At the meeting the French representatives produced a draft agreement which after discussion and amendments was accepted by the War Office representatives, subject to reference to the Chiefs of Staff and to further consideration by the political departments concerned. An unofficial translation

lag B of the French proposals is attached. (It should be noted that

AB within the reference in para (c) of the preamble to the document, to previous Franco-British agreements about the Fezzan is to an

lag C exchange of letters dated June 15, 1951 (JT 1113/87(51)). This was in fact the price which H.M.G. had to pay to secure French agreement to the inclusion of the future Libyan state within the sterling area).

Argument

4. The French draft is a more precise document than that which was agreed by Generals Brownjohn and Calliés on March 1.

It will be seen that the subordination of French responsibility for the defence of the Fezzan in war-time to our own over-all responsibility for the defence of Libya is not spelt out explicitly as it was in the Brownjohn-Calliés agreement. It is considered by the French to be implicit in the first part of para. 2. The French representatives were clearly anxious to avoid any direct reference to this subordination of responsibility, but were perfectly prepared to accept it in practice if disguised by the phraseology used in para. 2. This is a point which the Chiefs of Staff will probably want to have covered more explicitly. We shall also want to make it clear to the Libyans that our over-all responsibility for the defence of Libya is not compromised by any arrangement we make with the French for the war-time defence of the Fezzan.

So will we. CAS.

Yes. But the agreement itself must not be ambiguous. CAS

5. Subject to the above the French draft appears to be a perfectly sensible arrangement from the purely military point of view, and, providing that they are satisfied that it is in conformity with British military interests, the Chiefs of Staff might be invited to approve it. But although it secures the military requirements of the French Government, it provides no answer to their political and parliamentary problems: what the French Government will almost certainly want is to be able to counter-balance any announcement that their troops are to withdraw from the Fezzan, by a simultaneous statement about the war-time arrangements. We know however that it is precisely this idea of publicity which may be unacceptable to the Libyans. We have warned the French about this on several occasions. (See for example the aide memoire handed to the French Ambassador on February 5 and the Secretary of State's conversation with M. Pinay on April 21.) It will probably be desirable to repeat this warning to the French once again, if the the Chiefs of Staff approve the suggested arrangements, and to make it plain to them that they must restrict any parliamentary publicity to a statement that "Anglo-French staff talks have

Flag E JT10317/30

Flag F JT10317/76

taken place as a result of which the French Government are satisfied that the defence of the Fezzan is adequately secured". (This wording was suggested by the Libyan Prime Minister himself). It is probable that the French Government will find it difficult to accept this limitation, and we might therefore point out to them that, if they go beyond the limits laid down by the Libyan Prime Minister, they will run the risk that the Libyan Government may refuse to be committed at all by the Anglo-French staff agreement. Indeed pressure of parliamentary opinion might force the Libyan Prime Minister to go further still and to give a guarantee that the French should never again enter the Fezzan. If this were to happen the French would not only get no political advantage, but would lose the undoubted military advantages which they would obtain under the staff agreement. It would also of course be most embarrassing to our own relations with Libya, but this is an argument which is not likely to carry much weight with the French at present.

6. Recommendations will shortly be submitted on the timing and method of our eventual approach to the Libyan Government. This must of course await the approval by the Chiefs of Staff of the present proposal, but I think that we ought also to defer any approach to the Libyans until we have secured from the French Government an assurance that they accept the necessity for the evacuation of their troops from the Fezzan (Subject to an agreed time-table). The latest information from
17|104 Paris (Paris Saving telegram No. 212) indicates that, while this necessity is well recognised at official level, the right wing of the French Government are still refusing to face facts.

<u>Recommendation</u>

7. I recommend that the Secretary of State should take note of the above, and that the Department should be authorised to inform the Chiefs of Staff in due course that we have no

the proviso in para. 4 above.

DeBromley.

June 11, 1955.

I do not at all like the new document which the French have produced and I fear it may get us into serious trouble if we agree to it. If it ever became public, it could scarcely be defended; we should be accused of having entered into an unholy compact with the French behind the backs of the Libyan Government about an integral part of the Libyan State. The following passages seem objectionable:-

Paragraph (c) of the Preamble. To requote, in 1955, a passage of an agreement of 1951 in which we said that we would "encourage the maintenance of the French position in the Fezzan" is tactless at best. Libya is now an independent and sovereign State, and there is no French position in the Fezzan except such as the Libyan Government allows.

Point 1 of the Agreement. The defence of the Fezzan may be of great or even very great interest to France. But to say it is "primordial" seems to suggest that France has more rights in the matter than Libya or ourselves. This is not so.

Point 2. We are responsible for the defence of Libya, including the Fezzan. We may perhaps be able to delegate our responsibility to the French in respect of the Fezzan, but we surely cannot transfer it without Libyan consent. The first sentence of this paragraph is therefore incorrect. We have no right to put our name to it. I am afraid I do not agree that this wording safeguards our overall responsibility; on the contrary it patently compromises it. We should insist on going back to the wording of the Calliés/Brownjohn Agreement. (Flag D) JT 1103 17/55

Point 5. This passage would not read at all well if it became public. Here are the British and French authorities agreeing to exchange and study information about "all elements, personnel and organisations" in Libya, whose activity might be directed, even indirectly, against law and order in French North Africa. Is this consonant with the sovereignty of Libya? If we went to bind ourselves to consultations of this kind, at least let us avoid putting it into writing.

CBShuckburgh

June 13, 1955.

discussed with Sir I. Kirkpatrick. See further submission.

C 18/6

M. Dumarçay, Ministre de France à Tripoli,
à M. Pinay, Ministre des Affaires étrangères.

T. nos 467 à 479. *Tripoli, 23 juillet 1955, 7 h.*
Très secret. Priorité absolue. Réservé.

(Reçu : 13 h. 16.)

De la part de M. Dejean :

1° Au point où en est arrivée la négociation après trois jours de discussions [1] et plusieurs entretiens personnels avec M. Ben Halim, un certain nombre de faits me paraissent devoir être mis en lumière.

A. M. Ben Halim demeure très réfractaire à tout engagement direct ou indirect, concernant la réactivation en temps de guerre de nos positions actuelles au Fezzan. Ce problème est pour lui une véritable obsession. Il reste très opposé à la reconnaissance officielle sous une forme quelconque de l'arrangement franco-anglais concernant la défense de cette partie du territoire libyen. Il maintient que toute tentative dans ce sens se heurterait à une hostilité irréductible du Parlement et entraînerait le rejet de tout accord avec la France. Il se déclare hors d'état de prendre un engagement qui resterait secret et ne serait pas soumis à l'Assemblée.

---

(1) Les négociations avaient repris à Tripoli le 19 juillet. La délégation française, dirigée par M. Dejean, ambassadeur de France, comprenait M. Auboyneau, ministre plénipotentiaire, représentant le secrétariat général permanent de la Défense nationale, M. Maillard, sous-directeur d'Afrique-Levant, un représentant du ministère de la Défense nationale, M. Dumarçay, ministre de France en Libye, le directeur de l'Aéronautique civile en Tunisie. Du côté libyen siégeaient : MM Ben Halim, président du Conseil et ministre des Affaires étrangères, Kaabar, vice-président du Conseil et ministre des Communications, Soliman Djerbi, secrétaire général des Affaires étrangères, Mohhieddine Fekkini, conseiller juridique, et Seif en Naceur, président du Conseil exécutif de la province de Fezzan.

Sur les négociations antérieures, voir *D.D.F.*, 1955-I, nos 86, 165, 185.

Paris - Imprimerie nationale 1988

B. En revanche, le président du Conseil libyen est, je le crois, très sincère dans son désir de régler les problèmes qui se posent et de jeter les bases d'une amitié durable entre les deux pays. Il tient beaucoup à la conclusion d'un traité d'amitié et de bon voisinage.

Dans les circonstances actuelles, étant donné les problèmes auxquels nous avons à faire face en Afrique du Nord et en Orient, la conclusion d'un tel traité avec un état arabe ne saurait être considérée comme négligeable, d'autant que le traité envisagé exprime dans son préambule l'intention des deux parties de se prêter assistance mutuelle, qu'il comporte dans son article 5 un engagement de consultation en temps de guerre en vue des mesures de défense et qu'ainsi, sans pouvoir être considéré comme un traité d'alliance, il dépasse cependant le cadre d'un simple traité d'amitié. En outre, il me paraît pleinement que nos interlocuteurs souhaitent vivement le développement des relations franco-libyennes sur le plan économique et surtout culturel. D'une façon plus générale, ils semblent vouloir chercher dans une solide amitié avec la France un dérivatif à la présence et à l'aide un peu trop pesante des Anglo-Saxons.

C. M. Ben Halim désire conclure avec nous; il me paraît même, à certains égards, vouloir être l'homme de l'amitié avec la France par contraste avec son prédécesseur, signataire de l'alliance avec la Grande-Bretagne. Il n'en demeure pas moins que, négatif sur la réactivation en temps de guerre, il s'est montré en même temps jusqu'ici peu large sur les facilités à nous accorder en temps de paix.

2° Ces considérations me donnent à penser que nous pouvons avoir très prochainement à faire choix entre deux lignes de conduite fort différentes dans leurs conséquences.

a. La première est de persévérer dans la voie que nous nous sommes tracée en maintenant notre position touchant la reconnaissance par les Libyens de nos responsabilités spéciales au Fezzan. Il n'est certes pas absolument impossible que M. Ben Halim ne finisse, devant la fermeté de notre attitude, par se laisser arracher une formule plus ou moins valable. Cela supposerait toutefois, de la part des Britanniques, une action énergique et concertée avec la nôtre. Il n'est pas même sûr qu'une telle action conduise au résultat désiré.

À vrai dire, je n'y crois guère. Si nous persévérons dans notre ligne et si nous faisons une condition *sine qua non* de la reconnaissance par la Libye de nos responsabilités dans la défense du Fezzan, il nous faut envisager clairement l'éventualité d'une rupture des pourparlers. Nous aurions, dans cette hypothèse, à peser les conséquences d'un recours à l'O.N.U.

b. Une seconde méthode consisterait à faire entrevoir à nos interlocuteurs la possibilité d'une concession sur le problème de la réactivation, étant entendu que celle-ci devrait avoir pour contrepartie, dans le

domaine des indemnités [1], des satisfactions substantielles, au moins égales dans l'ensemble à celles que nous avions envisagées à l'origine.

Je ne suis pas encore en mesure d'apercevoir la limite de ce que nous pourrons obtenir de M. Ben Halim à cet égard, mais le président du Conseil serait sans doute plus enclin à la conciliation s'il pouvait envisager que la France renoncerait éventuellement à sa prétention de faire reconnaître officiellement par le gouvernement libyen la mission qui, aux termes de l'accord franco-anglais, lui incombe au Fezzan en temps de guerre.

3° Je vous serais obligé de vouloir bien me faire connaître d'extrême urgence si vous considérez cette reconnaissance par le gouvernement libyen comme une condition *sine qua non* de tout accord. S'il en est ainsi, il n'est pas exclu que nous arrivions rapidement à une impasse. Dans le cas contraire, je pourrais m'attacher dès à présent à mettre l'accent sur la question des [facilités ou avantages] de tous genres que nous pourrions obtenir en temps de paix et à en rechercher si possible l'extension [2].

ملحق رقم ٣٩

ARTICLE 44 DU TRAITE DE PARIS 10.2.47

1. Chacune des puissances alliees ou associees (39) notifiera a l'Italie, dans un delai de six mois a partir de l'entree en vigueur du present traite, les traites bilateraux qu'elle a conclus avec l'Italie anterieurement a la guerre et dont elle desire le maintien ou la remise en vigueur. Toutes dispositions des traites dont il s'agit qui ne seraient pas en conformite avec le present traite seront toutefois supprimees.

2. Tous les traites de cette nature qui auront fait l'objet de cette notification seront enregistres au secretariat de l'O.N.U. conformement a l'article 102 de la Charte des Nations Unies.

3. Tous les traites de cette nature qui n'auront pas fait l'objet d'une telle notification seront tenus pour abroges.

Commentaire

Le traite offrait donc aux "puissances alliees et associees" toute latitude pour abroger - dans un delai de six mois expirant le 15 mars 1948 - les engagements contractes par eux avec l'Italie avant le 10 Juin 1940.

L'interet de l'article 44 est certain. En effet, seuls les traites notifies a l'Italie dans les formes de l'alinea ler et enregistres au secretariat de l'O.U.N., selon l'alinea 2 subsistaient entre la France et l'Italie.

ملحق رقم ٤٠

LE GOUVERNEUR GENERAL
DE L'ALGERIE

ALGER, le 26 Août 1955.

COPIE

Mon Cher Ambassadeur,

J'ai bien reçu votre lettre du 18 Août, et je vous remercie d'avoir bien voulu me faire connaître votre appréciation sur le Traité d'Amitié et de Bon Voisinage, qui vient d'être conclu entre la France et la Libye, ainsi que sur les conventions qui intéressent le territoire algérien.

Je prends note que vous avez prié le Département de m'adresser la collection complète de ces documents et je les consulterai, est-il besoin de le dire, avec le plus grand intérêt.

Je dois cependant vous dire en toute franchise qu'après le retour du Commandant CAUNEILLE, qui avait effectué une liaison auprès de la Délégation Française, j'ai été amené à formuler par écrit, le 15 Août, un certain nombre de réserves que j'ai communiquées à M. le Ministre de l'Intérieur.

Ces réserves visent notamment le tracé de la frontière entre Ghat et Toummo, la zône de transhumance et celle de trafic caravanier qui nous paraissent avoir été fixées à l'avantage des Libyens et en méconnaissant les revendications de l'Algérie.

D'autre part, à l'article 15 il apparaît que les droits traditionnels de nos ressortissants sur Fehouet et El-Barkat ne sont pas spécifiés malgré l'intervention de l'Officier ci-dessus mentionné.

Je n'ignore pas quelles ont pu être les difficultés qui ont été les vôtres à Tripoli. Cependant, j'ai cru devoir formuler les réserves dont il s'agit car, jusqu'à plus ample information, il me semble que certains intérêts de l'Algérie, c'est-à-dire de la France, risquent d'être compromis par certaines des dispositions des conventions.

Monsieur Maurice DEJEAN
Ambassadeur de France
Ministère des Affaires Etrangères
Quai d'Orsay - PARIS

...

- 2 -

Si le texte de celles-ci, lorsque je le connaîtrai dans tous ses détails, me semble devoir m'amener à reviser ma position, c'est bien volontiers que j'en ferai part au Gouvernement.

Veuillez agréer, Mon Cher Ambassadeur et Ami, l'assurance de mes sentiments les meilleurs et les plus cordiaux.

Signé : Jacques SOUSTELLE

ملحق رقم ٤١

RAPPORT

fait au nom de la commission de la defense de l'Union francaise sur la proposition de M. Jean Guiter, etc., tendant a demander au Gouvernement quelles mesures il compte prendre d'urgence pour fair cesser le trafic d'armes qui aux frontieres de la Libye et de nos territoires africains presente les plus grands dangers pour le maintien de la securite dans ces territoires, par M. Jean Guiter, conseiller de l'Union francaise
15.3.56

Mesdames, messieurs, qu'il existe un trafic d'armes bénéficiant aux rebelles d'Afrique du Nord, les douloureux événements actuels n'en apportent que trop malheureusement la preuve. Comment expliquer autrement que ces mêmes rebelles qui, il y a un an, ne disposaient en Algérie que d'un armement des plus sommaires, comme votre rapporteur a pu le constater au cours d'un voyage d'information effectué en janvier 1955 dans l'Aurès et en Grande Kabylie, soient maintenant pourvus d'armes automatiques nombreuses et des plus perfectionnées ?

Il est inacceptable qu'un tel trafic puisse, plus longtemps, faire impunément échec à nos efforts de rétablissement de l'ordre, et notre premier devoir est d'empêcher que nos soldats ne soient tués, chaque jour, par des armes livrées clandestinement à ceux qui ont choisi la rebellion.

La responsabilité des pays limitrophes inféodés à la ligue arabe n'est que trop évidente dans cette grave affaire. Agissant à l'instigation de l'Egypte, la Libye témoigne à notre encontre d'une connivence coupable en facilitant, par la perméabilité de ses frontières, le ravitaillement des terroristes en matériel et en munitions. De plus, elle se prête aux entreprises subversives des organisations qui, du Caire, s'efforcent de répandre progressivement l'agitation dans l'Afrique tout entière.

En effet, sa complicité ne se borne pas seulement à jouer le rôle d'intermédiaires dans le ravitaillement des fauteurs de troubles d'Algérie, de Tunisie ou du Maroc; elle se manifeste aussi au profit des menées qui visent, à plus lointaine échéance, nos territoires d'Afrique centrale. Le doute n'est guère permis sur ce point, quand on sait que des armes, venant de Koufra, s'infiltrent également à travers sa frontière en direction du Tchad, en passant par le Tibesti. Certes, ce trafic est indépendant des événements actuels, et se déroule depuis longtemps entre tribus de même origine qui nomadisent de part et d'autre de la frontière libyenne, mais il n'en constitue pas moins une grave menace dans la conjoncture présente, et il importe au premier chef de l'endiguer, pour sauvegarder l'avenir même de l'Union française en Afrique.

Cette attitude de la Libye ne semble guère compatible avec la neutralité absolue, sinon la bienveillance, que nous serions en droit d'attendre, en vertu du traité dit « d'amitié et de bon voisinage » que nous avons récemment signé avec elle. Dès lors, il serait bon que lui fût représentée la nécessité d'un respect mieux compris des obligations que devrait postuler la conclusion de ce traité.

ملحق رقم ٤٢

NFIDENTIAL

No. 151

.038/56)

T10317/25

British Embassy in Libya,
TRIPOLI.
October 30, 1956.

Sir,

With reference to my telegram no. 381 of October 29, I have the honour to transmit a translation of the Note Verbale handed to me yesterday morning by the Libyan Prime Minister, Mustafa ben Halim, on the subject of the French withdrawal from the Fezzan. In this Note it is stated that the French authorities have more than once affirmed their intention to withdraw their forces by November 30, but that recent movements of men and military supplies into the area have made the Libyan Government doubtful of their good faith. The Libyan Government therefore draws the attention of Her Majesty's Government, as an ally of Libya, to the dangerous results which would follow from a French failure to honour their undertaking.

2. In handing me this Note the Prime Minister said that he had spoken about the matter to the French Minister, who had said that the newly arrived troops might merely be replacements for men going on leave, and not additional to the normal garrison. Ben Halim said that while he might conceivably accept this as regards the men, it did not account for the increase in stores and ammunition, and he had the gravest doubts of French intentions.

3. This question, Ben Halim continued, was one on which he could not possibly compromise, or even show elasticity as regards the date. The Libyan Parliament was due to re-open early in December, and the speech from the Throne would have to refer to the Fezzan. Either French troops must have left by then, or he would have to announce the measures taken by the Government. The

/first ....

.e Right Honourable
Selwyn Lloyd, C.B.E., M.P.,
etc., etc., etc.,
Foreign Office,
LONDON, S.W.1.

first of these measures would be to refer to the Security Co[illegible]
in which Libya would expect the support of Britain, her ally.
would obviously be embarrassing for us to oppose France in this way, so Ben Halim hoped that we should be able to use our good offices to persuade the French to withdraw in good time. The next Libyan measure would be to instruct the local authorities in the Fezzan to obstruct the French forces in every possible way, such as preventing reinforcements and supplies coming in by air. This might well lead to armed clashes. The situation was unquestionably very dangerous.

4. Ben Halim continued that he believed that the French attitude over the withdrawal of their troops was connected with the delimitation of the border between the Fezzan and Algeria, which was about to begin. The French had hinted that if the Libyans were helpful over the frontier question they in their turn would make no difficulties over the evacuation. But this would be submitting to blackmail, and Libya held that the two questions were entirely separate. The frontier question must be dealt with on its merits.

5. I asked the Prime Minister if he was delivering a similar Note to the American Ambassador. He said that he had spoken to the Ambassador about the matter, but was not writing to him. Britain was Libya's ally, and he relied particularly on our support. In reply I merely promised to transmit a copy of the Note and to report to you what he had said. As I have written at some length about this question recently, in particular in my despatch no. 150 of October 29 I will not comment further now.

6. I am sending a copy of this despatch to Her Majesty's Representatives at Paris, Washington, Benghazi and to the Political Officer, Middle East Forces.

I have the honour to be,

with the highest respect,

Sir,

Your obedient Servant,

W. G. Graham

ملحق رقم ٤٣

INCOMING TELEGRAM *Department of State* ACTION COPY

SECRET

32
Action
IO —UNP-Bolin
Info
RMR
SS
G
SP
C
EUR
NEA
L
UOP
O
OLI

FROM: PARIS

TO: Secretary of State

NO: 2367, NOVEMBER 13, 6 PM

Control: 9562
Rec'd: NOVEMBER 14, 1956
4:48 AM

SENT DEPARTMENT 2367; REPEATED INFORMATION TRIPOLI 25, LONDON 422, BENGHAZI 9

TRIPOLI'S 315 (PARIS 71)

EMBASSY CONSIDERS THAT SHOULD LIBYA REQUEST INSCRIPTION FEZZAN ISSUE ON UNGA OR SC AGENDA, US SHOULD VOTE IN FAVOR THEREOF. WE ARE NOT ENTIRELY CLEAR WHAT TIMING SHOULD BE AND PRESUME THERE WOULD BE SOME DELAY IN INFORMING FRENCH AND LIBYANS. HOWEVER, WE FEEL WHEN US POSITION FIRM WE SHOULD INFORM FRENCH WE WILL VOTE IN FAVOR INSCRIPTION FEZZAN ITEM SHOULD IT COME TO VOTE.

RE DEPTEL 297 TO TRIPOLI (PARIS 1788) WE APPRECIATE DEPARTMENT'S NEED FOR ADDITIONAL INFORMATION ON FEZZAN SITUATION AND WILL ATTEMPT SUPPLEMENT INFORMATION AVAILABLE TRIPOLI INSOFAR AS POSSIBLE.

DILLON

OFFICE OF UNITED NATIONS POLITICAL AND SECURITY AFFAIRS
NOV 1 . 1956

SECRET FILE

HBS

Copy No(s) 12
Destroyed in RM/R
Name
Date 3-22-57
JPT

PERMANENT RECORD COPY • This copy must be returne[d]

SEC[RET]

DECLASSIFIED
NND867400

UNLESS "UNCLASSIFIE[D]" REPRODUCTION FROM T[HIS] COPY IS PROHIBITED.
[n]otation of action tak[en]

ملحق رقم ٤٤

Extrait du

RAPPORT DE LA COMMISSION DES AFFAIRES ETRANGERES

sur le projet de loi, tendant a autoriser le President de la Republique a ratifier le traite d'amitie et de bon voisinage signe a Tripoli, le 10 aout 1955 entre la France et le Royaume-Uni de Libye

Venant après bien des déconvenues dans nos relations avec les pays arabes, cette demande de ratifcation de traité francoo-libyen prend sur le terrain de notre prestige un sens qu'il n'avait pas lorsque les pourparlers furent engagés par le Gouvernement de M. Mendès-France avant que d'être paraphé par celui de M. Edgar Faure.

Il s'agit là d'un nouveau recul de la présence française et cela pourrait être très grave si nous ne pouvions compter en échange sur certains avantages qui nous sont accordés par un traité d'amitié et de bon voisinage.

Il est évidemment très désagréable d'avoir toujours l'air d'être débiteur vis-à-vis de gens auxquels nous n'avons cessé d'apporter une amélioration dans le domaine social ou économique. Les attaques dont nous ne cessons d'être l'objet depuis trop longtemps hélas, ne créent pas un climat favorable à la ratification de ce traité.

Il eût été d'ailleurs préférable qu'un traité d'alliance intervint; il nous aurait donné des garanties que nous ne pouvons pas espérer du texte soumis à vos délibérations, car il ne saurait en aucun cas interdire à la Libye de respecter d'autres accords internationaux, dont quelques-uns pourraient être même contraires à l'esprit de l'acte.

Cet accord n'en est pas moins une manifestation d'entente de bon voisinage.

Pour M. Ben Halim et pour beaucoup de Libyens, il s'agit, avant tout — des déclarations regrettables ont été faites à ce sujet — de mettre fin à la présence des troupes françaises au Fezzan.

Nous rappellerons donc, après M. Jacques Soustelle, la déclaration faite, le 14 octobre 1955, par le Président Mustapha Ben Halim à l'Agence France-Presse : « Le traité franco-libyen est un accord d'évacuation pur et simple qui n'engage en rien la Libye. »

Nous nous étions nous-mêmes référés à la déclaration que M. Sablier avait publiée, dans *Le Monde*, le 15 décembre 1954, dans l'intervention que nous fîmes à l'occasion de la discussion du budget des Affaires étrangères, à la tribune du Conseil de la République dans sa séance du 17 décembre 1954.

La déclaration du Président était la suivante :

« Avec la protection britannique et l'assistance américaine, nous sommes rassasiés. »

Une autre phrase mérite aussi d'être rappelée aujourd'hui :

« La présence militaire française se justifiait par des raisons qui ont disparu. Si encore vos troupes remplissaient au Fezzan une mission de défense dans le cadre du dispositif des Nations Unies, elles auraient un titre à rester, mais elles n'ont rien à y faire et leur présence nuit seulement à nos rapports d'amitié. »

Les citations que nous avons faites n'ont rien de très encourageant : le ton utilisé est souvent désagréable. Cela est d'autant plus pénible que le traitement réservé à nos alliés est bien différent.

Cette constatation est d'importance, car elle souligne le manque de solidarité des puissances occidentales. Il est étrange que nos alliés n'aient pu obtenir pour nos faibles détachements un régime semblable à celui réservé à leurs très importants contingents qui atteignent plus de 20.000 hommes.

***

Le retrait des troupes est aussi très durement ressenti au point de vue moral. A la libération de ce pays, s'attache le nom d'un grand chef et une des plus illustres épopées de notre histoire militaire contemporaine.

Les garnisons de Sebha et de Mourzouk à l'intérieur du pays et celles de Ghadamès et de Ghât à la frontière sont des éléments de couverture de l'Algérie saharienne. Quoique les effectifs ne soient pas importants puisqu'ils se limitent à deux compagnies, une de légion portée et une compagnie saharienne, ils n'en montent pas moins une garde vigilante et en certaines circonstances leur intervention n'est pas à dédaigner. Leur départ risque en effet de permettre à la rebellion algérienne de s'y établir en toute quiétude, le poste de Ghadamès ayant été dans le passé envisagé par Ben Bella, pour y

établir une base importante de ravitaillement et de départ de bandes de hors-la-loi.

Certains ont aussi fait valoir que les pistes du Sud ne seraient plus libres et que nos relations avec le Hoggar et avec l'A. E. F. se trouveraient compromises et à la merci de la moindre incursion ou du moindre acte de brigandage.

Notons aussi que les Touareg des Adjer nomadisent entre le Tassili des Adjer et la région de Mourzouk. Leur position deviendra d'autant plus délicate que les chefs les plus influents de ces tribus vivent généralement au Fezzan et que Ghât est en somme le point central de la zone parcourue par les hommes de cette région saharienne.

Un problème humain, qu'il faudra bien résoudre d'une façon ou d'une autre, se trouve posé d'une manière urgente du fait du traité.

Son article 7 n'est pas sans nous inspirer des inquiétudes ; il est ainsi rédigé :

« Le présent traité ne porte aucune atteinte aux droits et obligations résultant pour les hautes parties contractantes des dispositions de la Charte des Nations Unies et de tous autres traités, conventions ou accords régulièrement publiés, y compris, pour le Royaume-Uni de Libye, le Pacte de la Ligue des Etats arabes. »

S'il n'avait, le 10 août 1955, qu'une importance relative, il en a aujourd'hui une combien plus grande. Il résulte en effet de cet article que nous reconnaissons à la Libye le droit de remplir toutes ses obligations vis-à-vis des nations arabes, même celles qui sont contraires à nos intérêts. Une question se pose immédiatement à nos esprits : quelle va être l'attitude de la Libye si les pays du Moyen-Orient lui demandent de transiter hommes et munitions pour renforcer la rebellion algérienne, qui est actuellement, grâce à l'action du Gouvernement et de nos troupes, en réelle régression?

Quelles assurances sommes-nous en mesure de recevoir? Nous souhaiterions, pour notre part, qu'une nouvelle convention ou un échange de lettres exprimât clairement la position de la Libye dans un problème aussi grave que celui de l'Algérie.

Nous ne saurions nous contenter de paroles. La subtilité des hommes politiques des États arabes a été pour nous trop souvent un sujet de désillusion.

L'argument qui consiste à présenter notre départ du Fezzan comme un nouvel abandon a été avancé par M. André en particulier,

à l'Assemblée Nationale. Il n'est pas sans valeur; quelle que soit l'importance des troupes de Leclerc au Fezzan, elles sont là un symbole, un souvenir !

Tous ces éléments d'appréciation, toutes ces remarques doivent peser lourdement sur le jugement que nous avons à porter sur le texte qui nous est soumis.

En dehors des raisons sentimentales, valables surtout en un moment où certains pays arabes accumulent à plaisir les provocations, qui doivent appeler de la part de notre Gouvernement des réactions énergiques et immédiates, la question la plus grave est indiscutablement le tracé des frontières. A cet égard, la Commission souhaite que le plus grand soin soit apporté à la composition de la délégation française à la commission d'abornement.

La possibilité qui nous est donnée d'utiliser la piste 5 pendant vingt ans paraît insuffisante ; les restrictions apportées sont, en effet, de nature à réduire sérieusement l'utilisation de cette voie de communication avec l'A. E. F. Le nombre des convois, des camions et des hommes qui doit transiter, est limité dans le traité. Il correspond cependant aux demandes formulées par les responsables de notre Défense nationale.

Nous voudrions conclure cette partie négative de notre analyse en exprimant notre regret qu'un tel traité se présente dans des circonstances aussi désagréables, au moment où l'Egypte et les pays arabes ne cessent de nous harceler, où la rebellion algérienne continue à être soutenue par le Moyen-Orient, où d'autres puissances sont sur le point de nous demander des comptes. Enfin, ce traité fait apparaître un réel manque de solidarité entre les alliés et il faut faire un effort sur soi-même pour en admettre seulement la discussion.

ملحق رقم ٤٥

British Legation in Libya,
Benghazi.

1531/18/54

May 29, 1954.

Confidential

T 1531/13.

Dear Hayman

My letter 1532/5/54 of May 1 from Tripoli. Oil.

Hogenhuis subsequently receded from the position we had led him to as described in paragraph 4 of my letter under reference. After further consultation with Andrews, the Federal Government Legal Adviser, he decided to omit all reference to pre-zero priorities in the draft law to be submitted to the Council of Ministers. When I saw him in Benghazi early this month he asked me to sound out (a) the British companies and (b) Midkiff, the American Commercial Attaché, about the possibility of getting the British and American companies round the table to work out a mutually acceptable solution for Hogenhuis to hand to the Council of Ministers on a plate. Back in Tripoli I had a long talk with Midkiff, who explained the American case at length and very frankly. The American Legation relies upon the public statement of policy made by Dr. Aneizi last November after the publication of the Minerals Law (see my letter 1536/20/53 to Garnett from Tripoli of November 9 last), as well as upon earlier assurances given to members of the Legation by the Finance Minister that no favourable position would be enjoyed by the British companies under the future Petroleum Mining Law. Midkiff added that towards the end of last year, in view of the persistent reports that, in spite of these assurances, the then Prime Minister had been giving quite different assurances to the British companies (as in fact he had), he and his Counsellor had tackled Mahmud Muntasser direct, who had categorically stated that the American Companies could make their minds easy, since there would be no discrimination against them and their position would be safeguarded when the Petroleum Mining Law was made. The advice consistently given by the American Legation to the five American oil companies concerned has been to possess their souls in patience until the legislation was passed. If the Legation had not so advised, it was conceivable, he said, that the American oil companies would have pursued a very different policy. In these circumstances it would be quite impossible for him to suggest at this late stage that after all the position of the American companies was not secure and that it would be in their interests to get together with the British to discuss a problem which, so far as he was concerned, did not exist.

2. It was clear therefore that nothing could come of Hogenhuis' suggestion that the oil companies should themselves resolve the problem, particularly since the British companies shewed no enthusiasm at the suggestion of an exchange of views with their American competitors.

3. Hogenhuis has accordingly decided to set out the problem for the Council of Ministers, describing the differing points of view of the British and American companies and leaving it to the Council themselves to decide what the policy shall be - priorities or auctioning. He has asked me to provide a memorandum setting out/

P. T. Hayman, Esq.,
African Department,
FOREIGN OFFICE, S.W.1.

out the American case. These will be annexed to his submission to the Council. I enclose a copy of the memorandum which I have prepared.

4. Meanwhile Lush (Shell) and Macpherson (D'Arcy) had seen the present Prime Minister, who listened to them sympathetically. I enclose a copy of Lush's note of the interview (but not of the memorandum it refers to, which was simply a rehash of the earlier joint memorandum of the two companies).

5. More recently H.M. Minister has found an opportunity of speaking about this question with Ben Halim, who again expressed sympathy with the point of view of the British companies, which he undertook to do his best to carry with the Council of Ministers The Finance Minister, he said, was the chief stumbling block.

6. Lush, in agreement with Bridgeman, the Managing Director of D'Arcy, who passed through Tripoli recently, has asked Kirkbride whether he would consider raising the matter with the King, on the grounds that the King would perhaps comprehend the moral values involved rather better than some of his Ministers; for it is on their moral claim that the two British companies chiefly rely. Kirkbride has, however, declined to do this, since he is convinced that King Idris would resent such action as unwarrantable interference in a matter which was in any case for the Government and not the King to decide. Kirkbride has furthermore strongly advised Lush against himself seeking an audience with the King. He has pointed out that the King is in a very sensitive mood about commercial wrangles, having been pestered by competing members of his own family about their commercial rivalries, and would undoubtedly take umbrage at any suggestion that he should intervene in an Anglo-American squabble. Furthermore, the Prime Minister would almost certainly resent an appeal over his head to the King after having given assurances both to Lush and to Kirkbride that he would do his best for the British companies.

7. Although there is a possibility of a short special session of Parliament being called immediately after Ramadan to pass an extraordinary budget, Ben Halim told Kirkbride that it would be quite out of the question to deal with this controversial topic in any such special session and that the Petroleum Mining Law would accordingly have to be thrashed out when Parliament reassembles after the Summer Recess.

Yours ever,

(H. H. Thomas)

ملحق رقم ٤٦

قانون عوائد البترول رقم ٧٩ لسنة ١٩٥٨

مادة (١)

يكون أداء المبالغ المنصوص عليها في المادة ١٥ من قانون البترول رقم ٢٥ لسنة ١٩٥٥ على النحو المنصوص عليه في هذا القانون.

مادة (٢)

تؤدي لجنة البترول لكل ولاية المبالغ الآتية:

أ ـ ضريبة الدخل الذي ينتج ضمن الحدود الادارية للولاية.

ب ـ رسوم اصدار تراخيص الاستطلاع وعقود الامتياز عن المناطق التي تدخل في الحدود الإدارية للولاية.

جـ ـ ثلث الرسوم الأخرى التي تحصلها لجنة البترول بمقتضى قانون البترول.

مادة (٣)

يكون توزيع المبالغ التي تحصلها لجنة البترول كايجار أو إثارة أو إضافية طبقاً لقانون البترول المشار إليه على النحو الآتي:

أ ـ ٧٠٪ تخصص لشئون الأعمال في ليبيا بواسطة مجلس الإعمار.

ب ـ ١٥٪ للحكومة الاتحادية.

جـ ـ ١٥٪ للولاية التي يستخرج البترول داخل حدودها الإدارية.

مادة (٤)

على وزير الاقتصاد الوطني تنفيذ هذا القانون ويعمل به من تاريخ نشرة في الجريدة الرسمية.

صدر في ٢ محرم سنة ١٣٧٨ هـ. الموافق ١٩ يوليو سنة ١٩٥٨ م.

وزير الاقتصاد الوطني

رئيس مجلس الوزراء

ملحق رقم ٤٧

JT1053/93 J.
'A'

SECRET

FROM TRIPOLI TO FOREIGN OFFICE

Cypher/OTP

FOREIGN OFFICE SECRET AND
WHITEHALL SECRET DISTRIBUTION

Mr. Graham

10 AUG 1956

No. 252
August 9,1956.

D.2.19 p.m. August 9,1956.
R.3.48 p.m. August 9,1956.

PRIORITY
SECRET

Addressed to Foreign Office telegram No. 252 of August 9.
Repeated for information to P.O.M.E.F.
and Saving to Benghazi

My immediately preceding telegram: Suez Canal.

The Libyan Acting-Foreign Minister sent for me this morning on the instructions of the Council of Ministers and gave me a warning against the use of Libyan bases for attack on Egypt. The conversation was entirely friendly and he began by saying that of course he had no reason to suppose that Britain intended to use the bases but that he thought it well to make the position clear.

2. He said that such use of the bases would not only be a clear violation of the Anglo-Libyan Treaty, but would also put Libya in an indefensible position vis-à-vis the other Arab States. The result would certainly be a popular explosion which the Libyan Government would be quite unable to control; they would, in fact, lack moral grounds and therefore, the will as well as the ability to control it. This would be a disaster for the Libyan State, would cause serious inconveniences for the British military and would ruin Anglo-Libyan relations for an indefinite period.

3. He went on to say that if, on the other hand, Britain attacked Egypt from bases outside Libya, it would be a much lesser evil. Libyan public opinion would resent it, but the Government would be able to control any demonstrations. He therefore urged me to appeal to Her Majesty's Government (if they were in fact considering the use of Libyan bases) not to do so. A quite long and amicable discussion followed in which I undertook to report his appeal to you.

./4. This

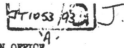

ملحق رقم ٤٨

CONFIDENTIAL

1053/89

SECRETARY OF STATE

LIBYA

The Prime Minister wondered whether, in the present situation in Egypt, anything should be done to reassure Libya. He thought some message might be sent to the King or the Prime Minister.

[signature]

July 29, 1956

We should inform Libyan P.M. of the [illegible] with which this matter is [illegible] of H.M.G. The maintenance of the Suez Canal as an efficiently run international waterway is essential. We have no confidence in Colonel Nasser's [illegible] ability & willingness to do this. Therefore there must be some international control. They will deal with this matter firmly [illegible] Government inform [illegible]

[illegible]

SUEZ CANAL - LIBYA JT1053/89

Please see Secretary of State's minute below.

I submit a draft message from the Secretary of State to the Libyan Prime Minister on these lines.

2. As regards timing, the best moment for sending such a message would seem to be just before we start making the necessary military dispositions. A decision about ~~when to begin our~~ timing of the deployment of our troops in Libya is now with the Chiefs of Staff. When the deployment is to begin (it is not likely to be long delayed) the message should be sent.

A. D. Wilson

August 1, 1956

I agree.

A. D. M. Ross

1/8

or when the communiqué is issued here, whichever is earlier

H. A. Caccia

1/8

ملحق رقم ٤٩

Top Secret

Minutes. Eastern Grou[p]

JT 1053 91.

Use of Libyan Bases.

Under Arts I & IV of our Treaty with Libya we appear to be legally barred from using bases in Libya to attack Egypt, unless we obtain prior permission from the Libyans (e.g. under Art II)

2. Ben Halim has told the Libyan Parliament (March 9, 1956) that Libya wd never permit the use of U.S. or U.K. bases in Libya for attacks on Arab countries. True; this was in reference to the Arab/Israel ~~[illegible]~~ conflict, but it might be difficult for him to retract.

Flag A. JT 1192/1.

3. I should estimate that it would be quite easy to override the Libyan Govt by force, and to use El Adem ~~without~~ against their will. (British troops could deal effectively with any attacks by local forces on the aerodrome) We could probably also ~~[illegible]~~ protect...

NOTHING TO BE WRITTEN IN THIS MARGIN.

use by the U.S. of Wheelus Field for attacks on Egypt against any forces the Libyans could produce. We have the best part of an armoured division in Tripolitania.

4. But in such case we must reckon with

a) the certainty that Egypt would offer armed help to Libya

b) mob action in Benghazi & Tripoli, with consequent British loss of life.

c) a total breakdown of our relations with Libya.

5. I conclude that if we wish to use Libyan bases we could do so in practice, but we should have all our forces in Libya pinned down and not available for use elsewhere.

C. R. Lambert

28/7

R.C.P. 9/8

M.O.O

all

9/8

NOTHING TO BE WRITTEN IN THIS MARGIN.

ملحق رقم ٥٠

TOP SECRET

FROM TRIPOLI TO FOREIGN OFFICE

E|G 2(1)/G
JT1053 87

Cypher/OTP

DEPARTMENTAL DISTRIBUTION

Mr. Halford
No.241
August 3, 1956.

D.6.10 p.m. August 3, 1956.
R.7.34 p.m. August 3, 1956.

IMMEDIATE
TOP SECRET

Addressed to Foreign Office telegram No.241 of August 3
Repeated for information to P.O.M.E.F.

JT1053|826

P.O.M.E.F. telegram No.639, paragraph 2: Suez Canal crisis.

There can be no (repeat no) doubt that Egyptians will stir up trouble here. They are active already. But even without this incitement Libyans are not (repeat not) going to acquiesce in the use of Libyan bases and facilities against the Egyptians. Arab blood is thicker than foreign subsidies.

2. As regards paragraph 2 (b), I have already said in my telegram No.237 that we could not count on voluntary cooperation of the Libyan authorities. Long term results of forcing them to cooperate i.e. by restoration of military administration, hardly bears contemplation.

3. If "Autumn manoeuvres" in Cyrenaica are to be held now in order to impress Nasser, they will not fail to impress the Libyans also, but in the opposite sense. We shall have a major security operation on our hands at least in Tripolitania. I consider, however that if troops from Libya were to be shipped out of the country to Cyprus or Malta for eventual use against Egypt, there would be a good deal less likelihood of hostile reaction here, even though Egyptians might try to start trouble.

4. News of military preparations is already leaking out here. Reconsideration of plan is therefore urgent if we are not to have the worst of both worlds.

Foreign Office pass P.O.M.E.F. as my telegram No.10.

ملحق رقم ٥١

1068 93. J

SECRET

FROM TRIPOLI TO FOREIGN OFFICE

Cypher/OTP

FOREIGN OFFICE SECRET AND WHITEHALL SECRET DISTRIBUTION

Mr. Graham
No. 251
August 9, 1956.

D. 1.00 p.m. August 9, 1956.
R. 2.32 p.m. August 9, 1956.

PRIORITY
SECRET

Addressed to Foreign Office telegram No. 251 of August 9.
Repeated for information to P.O.M.E.F.
And Saving to Benghazi

JE 1194/17 G

10 AUG 1956

My telegram No. 248: Suez Canal.

I now learn that report of arrival of the Valiants on August 13 is incorrect, and was due to R.A.F. misinterpretation of a signal.

2. Nevertheless, I greatly hope that the whole idea of using bases in Libya may be reconsidered. Unless Libyan permission could be obtained (and this seems out of the question) such use would be unanimously condemned by Libyan opinion and also, I should imagine, by much of world opinion. It would be a clear violation of both the spirit and letter of the Anglo-Libyan Treaty and Military Agreement. Apart from moral objections it would, I fear, destroy for ever the good Anglo-Libyan relations on which the long-term success of the agreement depends, and which we have been trying so hard to maintain.

3. The use of Tripoli Airport (which is a civilian airport where the R.A.F. have only certain clearly defined and limited rights) as the base to attack a friendly State, would particularly shock Libyan opinion. We should presumably have to occupy the whole airport by military force and eject all Libyan personnel. By comparison, deployment of the 10th Armoured Division in Eastern Cyrenaica would be a minor (though very definite) breach of the agreement.

4. I realize that the use of Libyan bases would be a great convenience to our military authorities, but unless it is

/ absolutely

absolutely essential to the success of the operation, I respectfully suggest that on political grounds we should not permit it. It would be unfortunate if, while improving our position in the canal we wrecked our present very good position here, which, though by comparison secondary, is also very important both for itself and for its effect on the rest of the Arab world.

Foreign Office pass P.O.M.E.F. as my telegram No. 16.

[Repeated to P.O.M.E.F.]

RRRRR

ملحق رقم ٥٢

JT1063 99

MILITARY MOVEMENTS TO LIBYA

TOP SECRET

A meeting was held with the War Office, Air Ministry and Ministry of Transport and Civil Aviation this afternoon to consider problems arising from the air trooping programme to Libya.

Present position

2. A programme worked out by the War Office (Movements) and the Ministry of Transport and Civil Aviation was due to start tomorrow, August 10 - a summary of the programme is attached.

As the result of the decision by the Egypt Committee that no movement should take place into or out of Tripolitania the programme has been halted for twenty-four hours at least. The flights planned for August 10 will therefore not take place.

3. This programme was based on the original Chiefs of Staff plan which provided for the gradual move of 10 Armoured Division into Eastern Cyrenaica and its replacement into Tripolitania by two battalions of 3 Infantry Brigade. The Egypt Committee decision will no doubt have altered the plans for movements of troops into and out of Libya, but it must be reckoned that there will still be a requirement for the movement of considerable numbers of troops into Cyrenaica by air.

Legal position

4. Under Article 35 of the Chicago Convention on civil aviation, arms and ammunition may only be carried in civilian aircraft if the permission is first sought of States whose territory will be overflown or in whose territory the aircraft will land.

5. This provision does not apply in the case of flights to El Adem which is an agreed land under our military agreement with Libya: under Article 20(i) of the military agreement, flights into and out of agreed lands are not

/subject

subject to Libyan consent.

6. Benina Airport (the civil airport of Benghazi) is not an agreed land, and in the view of the Legal Advisers it will therefore be necessary to secure the prior consent of the Libyan Government for all movement into Benina of aircraft which are carrying troops into Libya (in the past the Libyans have acquiesced any movements of individual military personnel without arms to Benina, but this goes beyond their strict obligations under the Treaty).

7. The present programme of trooping flights to Libya provides for thirty-five flights to Benina, spread over eight days with a maximum of eight aircraft on one day.

8. If we are not to be in breach of the Anglo/Libyan Treaty it will be necessary to secure the prior consent of the Libyan Government to these movements. Since the Prime Minister and the King are in Turkey this may take at least a week. It would be possible to make a direct approach to the Libyan Prime Minister in Turkey, but with the meeting of the Arab League due to take place on August 12, Ben Halim would almost certainly postpone a decision on the grounds that he must consult his Government first, but in fact in order not to place himself in an embarrassing position at the Arab League meeting. In these circumstances, it would seem desirable that the message from the Prime Minister to the King of Libya, which the Egypt Committee decided should be postponed for the time being, should now be sent, and that parallel approaches to the Libyan Prime Minister and to the Government in Tripoli should be made on August 13. (By that time we shall hope to know what the exact programme for Benina is). This would entail a postponement of the programme for Benina: flights to El Adem can proceed as required.

/Recommendations

Recommendations

(copy attached: original with Private Sec)

(i) That the message to the King of Libya should be despatched;

(ii) That approaches to the Libyan Prime Minister and the Libyan Government in Tripoli should be made on August 13, if the situation is favourable, to seek clearance for trooping flights into Benina;

(iii) That the Chiefs of Staff be informed that trooping may proceed to El Adem without restriction, but that until Libyan consent for flights into Benina has been received no trooping flight should take place to that airport.

August 9, 1956.

9/8

9/8

Since the above minute was written the acting Libyan Foreign Minister has made an appeal to us not to use Libya as a base for operations against Egypt (see Mr. Graham's telegrams No. 252, Flag A, & 251, Flag B)

2.. It seems to me that the first thing to do is to decide whether or not to heed this appeal. My advice is that we should, unless it is clear that we cannot undertake

/operations

operations against Egypt without using Libya as a base.

3. If we decide not to use Libya as a base, do we still wish to send these reinforcements to Libya? If this question has been answered affirmatively by the Planners and their views are accepted by Ministers, we can go ahead with the proposed message.. But I think that we should add an assurance that we do not propose to launch operations against Egypt from Libyan territory.

J. Kirkpatrick

August 10, 1956.

This was discussed last Friday at Egypt Committee. Is any further action required? W 12/8

Telegrams have been sent to H.M. Ambassador in Tripoli explaining what is proposed: viz. that we should do no more for the present than bring 10th Armd Div up to establishment. \ on JT 1053/95G

CR 14/8

'SECRET

British Embassy in Libya,
TRIPOLI.

(1051/56 G)   September 25, 1956.

letter to chief of staff mentioned:

Mr Ross should see comment.

My dear Watson,   *Henry/P.U.S.A.*   *AR*   *M 26/9*

GLMED. 1/10.   29/9

    I am disturbed to see indications that some of our military
planners have still not entirely abandoned the idea of making use
of Libya in the event of hostilities against Egypt. It is true
that proposals for the more flagrant violations of Libyan neutrality
have been abandoned, but clearly in some circles it is still not yet
understood that <u>absolutely no use can be made of Libyan territory</u>
for this campaign, without violating at least the spirit of the
Treaty. We are told that certain proposed operations "would not
amount to" a violation of the Treaty. With all respect, this is
quibbling. The thing to remember is that anything that would be
helpful to us in a war against Egypt, e.g. any use of Libyan territory
as a base or staging point for men or supplies, is absolutely ruled
out by the terms of the Treaty, with its reference to Libya's
obligations as a member of the Arab League. Libya must be regarded
as utterly out of bounds, as non-existent, for military purposes.
It is permissible for troops or material already in Libya to be
withdrawn to take part in a campaign, but it is not permissible to
introduce anything fresh to be held here until required. (This does
not of course apply to internal Security Forces.)

2.   I know you understand this, but it is obvious that some of our
military people do not; or, if they do, they rate such considerations
as unimportant compared with the realities of military planning.
That recalls the attitude of the Germans towards Belgium in 1914.
They too found a scrap of paper militarily inconvenient. We must
not now tear up the Anglo-Libyan Treaty, or even tear a small corner
off it, to facilitate military operations. Apart from the question
of our own moral integrity, there is not a hope that we could get
away with it. If we are at war with Egypt, the Libyans will be
emotionally entirely against us. But, as long as we are scrupulous
to observe Libyan neutrality there is just a chance that, in order
not to lose our subsidy, the authorities will batten down the
hatches on these emotions, and that in the end we shall get back
to something like the old relationship. But the slightest violation
of the Treaty would wreck all this. The Egyptians would make it
impossible for the Libyans to connive at it, even if they wanted to,
and our perfidy would be broadcast over the Arab world and Asia.
The fact that it was only a small violation would make little
difference to the effectiveness of the propaganda. But it would
presumably mean that the military advantage would also be small.

3.   I am not much impressed by the argument that if we made use of
Libyan territory in any improper way, we should expose Libya to a
justified attack by Egypt, as it is likely that in such circumstances
Egypt would have no forces available for the purpose. But the
propaganda effect would be tremendous, and we should not have a leg
to stand on; the more so as I have repeatedly assured the Libyan

/authorities ....

J.H.A. Watson Esq.,
   African Department,
     Foreign Office,
      LONDON, S.W.1.

authorities that we have no intention of violating their neutrality.

4. I am only bothering you with all this, which is of course far from new to you, in the hope that it may help you in the fight you are evidently still having with the military.

5. For that reason I am sending a copy to the Political Officer, Middle East Forces, Nicosia as well as to Benghazi.

Yours ever

Walter Graham

ملحق رقم ٥٤

JT 1053/105

JT 1053/106 G

TOP SECRET

Mr Ross

MUSKATEER - USE OF LIBYA

While you were in Paris I received a letter from Mr. Graham, of which the relevant extract is below.

2. I sent it to the Chiefs of Staff Secretariat as a preliminary move, so that they should be aware of H.M. Ambassador's views. I explained that I would also submit the letter on the Secretary of State's return from Paris, and would let them know our views.

3. The attached note from the Secretary of the Chiefs of Staff Committee refers to a staff conference at Chequers recorded in EC(56)51, which is not in accord with the Ambassador's recommendations.

4. My own view is that to say "Libya must be regarded as utterly out of bounds, as non-existent, for military purposes [against Egypt]" is perhaps going too far. But I am sure we must be very careful, and not allow ourselves to think of Libya as an area which we can use as we like.

(J.H.A. Watson)
September 29, 1956

G.R. **TOP SECRET** Enter Quickly Green J

From: Air Commodore D.J.P. Lee, C.B., C.B.E.

JT 1053/105

MINISTRY OF DEFENCE,
STOREY'S GATE,
S.W.1.

REFERENCE: C.O.S.1342/5/10/56

5th October, 1956.

Dear Watson,

JT1053/1056

Thank you for your letter of the 26th September, 1956 enclosing an extract from a letter sent to you by our Ambassador to Libya.

2. The Chiefs of Staff have studied this extract and have noted the Ambassador's view that "absolutely no use can be made of Libyan territory for this campaign" and that "Libya must be regarded as utterly out of bounds for military purposes".

3. It is true that our plans for Musketeer make no use of Libyan territory for offensive operations against Egypt, but I must tell you that neither the Chiefs of Staff nor General Keightley are thinking in terms of avoiding the use of Libyan facilities in so complete a manner considered necessary by the Ambassador. If indeed the Foreign Office fully endorses the Ambassador's views, I consider it would be necessary for the Egypt Committee to consider the matter and the implications of such a policy on current military plans.

4. Broadly speaking we propose to go on using Libya during Musketeer to the extent to which it is being used now and although, for example, the airfields will not be used for offensive sorties against Egypt, they may be used for aircraft operating in support of Musketeer and by so doing help to relieve congestion on airfields closer to the scene of operations particularly in Cyprus.

5. Perhaps you would think this matter over and, if Foreign Office policy towards Libya is in full accordance with the Ambassador's views, let me have an official letter for consideration by the Chiefs of Staff so that they can decide whether the matter should be referred to the Egypt Committee.

Yours sincerely

D.J.P. Lee

Secretary
Chiefs of Staff Committee

J.H.A. Watson, Esq.,
Foreign Office.

ملحق رقم ٥٦

M. Ramsden
African Dept.

CONFIDENTIAL

FROM TRIPOLI TO FOREIGN OFFICE

Cypher/OTP

FOREIGN OFFICE AND WHITEHALL DISTRIBUTION

Mr. Graham
No. 384
October 31, 1956.

D. 1.54 p.m. October 31, 1956.
R. 2.26 p.m. October 31, 1956.

IMMEDIATE
CONFIDENTIAL

Addressed to Foreign Office telegram No. 384 of October 31.
Repeated for information Saving to Benghazi, Washington, Paris, P.O.M.E.F.

Suez.

The Prime Minister and the Minister for Foreign Affairs have just sent for the Head of Chancery and Oriental Secretary (in the Ambassador's absence) to express their deep concern at the Anglo French ultimatum. The Libyan Government as an ally of Her Majesty's Government should have been consulted or informed earlier. What was the object of the ultimatum? Would it be carried out? And if so, where would the forces come from? Use of Libyan bases would lead to fighting in Libya.

2. The Prime Minister asked why Her Majesty's Government were threatening Egypt, the victim, rather than Israel, the aggressor, and said that the proposed Anglo-French action would lose Britain all her Arab friends. He had noted the statement by the President of the United States that he had not been consulted before the ultimatum and he regretted that Her Majesty's Government should appear to rely on the advice of France, who was committing political suicide.

3. The Prime Minister asked for a very early communication from Her Majesty's Government. The Libyan Ambassador has also been instructed to approach you.

4. The Head of Chancery undertook to report the views of the Prime Minister and to seek instructions. He said that the understood objects of the ultimatum to be

(a) to secure immediate cessation of hostilities;

(b) to guarantee freedom of navigation through the Canal;

/ He pointed...

CONFIDENTIAL

Tripoli telegram No. 384 to Foreign Office

-2-

He pointed out that the ultimatum had been issued to both Israel and Egypt.

5. The Prime Minister's language was very strong, especially when condemning as folly and injestice the idea of military action against Egypt.

6. May we be authorized to repeat assurances about use of Libyan bases? If so, in what terms?

Foreign Office please pass Saving to Paris, Washington and P. .O.M.E.F. as my Saving telegrams Nos. 14, 36 and 41 respectively.

[Repeated Saving to Paris, Washington and P.O.M.E.F.]

ADVANCE COPIES:-

Private Secretary
Sir I. Kirkpatrick
Mr. Dean
Mr. Ross
Mr. Beeley
Head of African Department
Head of Levant Department
Head of News Department
Head of Information Policy Department
Mr. Ashe (P.U.S.D.)

EEEEE

ملحق رقم ٥٧

CONFIDENTIAL

FROM TRIPOLI TO FOREIGN OFFICE

12

Cypher/OTP

FOREIGN OFFICE AND WHITEHALL DISTRIBUTION

Mr. Graham

No. 389
October 31, 1956

D. 9.31 p.m. October 31, 1956
R. 9.40 p.m. October 31, 1956

EMERGENCY
CONFIDENTIAL

Addressed to Foreign Office telegram No. 389 of October 31.
Repeated for information Saving to Washington, Paris, P.O.M.E.F. and Benghazi.

My telegram No. 384: Suez.

Libyan Prime Minister summoned me immediately on my return tonight. In the course of long complaint about Anglo-French attack on Egypt he asked for written assurance that we would not violate the Anglo-Libyan Treaty by use of Libyan bases against Egypt. I said that my talks in London today had convinced me that there had been no change of heart in London but that I could not give [group undec ? on the spot] written assurance without specific authority. He urged me to telegraph for authority. In order to maintain internal security he intended to issue public proclamation but unless he could quote from our declaration he would hardly be able to control the situation.

2. I earnestly request that I may be authorised to give the required statement in as categorical terms as possible and if possible by noon G.M.T. November 1. Very strong feelings have been aroused and nothing less than the required assurance can have any effect. I will telegraph further account of interview during which the Prime Minister and also newly appointed Minister for Foreign Affairs criticized British policy in strongest terms.

Foreign Office pass Paris, Washington and P.O.M.E.F. as my Saving telegrams Nos. 15, 37 and 42 respectively.

[Repeated Saving to Paris, Washington and P.O.M.E.F.].

ADVANCE COPIES:

Private Secretary
Sir I. Kirkpatrick
Mr. Ross
Mr. Beeley
Mr. Dean
Head of African Department

Head of Levant Department
Head of News Department
Mr. Ashe, P.U.S.D.
Resident Clerk

ZZZZ

ملحق رقم ٥٨

SECRET

FROM TRIPOLI TO FOREIGN OFFICE

1053. 111

Cypher/OTP.

FOREIGN OFFICE SECRET AND WHITEHALL SECRET DISTRIBUTION

Mr. Graham
No: 395
November 1, 1956.

D: 11.00 p.m. November 1, 1956.
R: 11.45 p.m. November 1, 1956.

IMMEDIATE
SECRET

Addressed to Foreign Office telegram No: 395 of November 1
Repeated for information to: Benghazi. P.O.M.E.F..

Anglo-Libyan Treaty.

Prime Minister has just sent for me and thanked me for this assurance which he is publishing. He said that it would further help him to maintain order if we would comply with four more requests. All these applied only to the next few critical days.

(a) British troops in Libya should be confined to agreed lands.

(b) No loading or unloading of military, and if possible also of civil, supplies from British ships.

(c) No visits to Libyan ports of British ships.

(d) Permission to station Libyan observers at El Adem and R.A.F. section of Tripoli airport. This would enable him to announce that he had positive proof that Britain was living up to her assurances.

2. I will discuss point (a) with G.O.C. 10th Armoured Division and see how far it is practical. Point (c) I hope will cause no difficulty. If Dalrymple is still at Tobruk she should leave and any other ship en route be diverted. On point (b) Prime Minister said that dockers had already refused to load United States ship with supplies for Rabat and would certainly refuse to unload British military surplies in the present circumstances. If we used soldier labour trouble would be certain.

3. I do not know if there are serious practical objections to point (d) Prime Minister would like to announce that

SECRET

Tripoli telegram No: 395 to Foreign Office

bases" though only two named would in fact be affected. Implication that our bare word is not trusted might be thought offensive but I see nothing essentially humiliating in offering to prove we have nothing up our sleeves (but please see my immediately following telegram). I therefore strongly recommend that if possible we should concur in all these requests for short period though I know (b) in particular must be difficult and I should like any ships at present en route to Libya (including those with military vehicles already agreed to) to be diverted. Situation here is extremely tense and there was rioting today in Benghazi, (details not yet available) and the Voice of the Arabs is constantly inciting violence. Measures proposed would greatly ease the task of the Libyan authorities.

Foreign Office pass P.O.M.E.F. as my telegram No: 55.

[Repeated to P.O.M.E.F.].

ADVANCE COPIES:
Private Secretary.
Sir I. Kirkpatrick.
Mr. Dean.
Mr. Ross.
Head African Dept..
Head News Dept..
Mr. Ashe, P.U.S.D..
Resident Clerk.

JJJJJ

ملحق رقم ٥٩

EMERGENCY

CYPHER

DEDIP

TOP SECRET

OUT FILE

JT1063/11G

Tripoli

no. 477

Nov 2

Emergency

POMEF no 344

Saving Benghazi no 273

Addressed to Tripoli tel no 477. Nov. 2

R for info. to POMEF and saving to Benghazi

DATE 2/11

10 ... M

1. As seen from here you will be sending to LIBYA 3 Infantry Brigade to arrive by 5 November, 1956. Two artillery requirements regiments are also due to go to LIBYA from UK by air starting to arrive 7 November. This will enable 10 Armoured Division to leave LIBYA for MUSKETEER.

2. TRIPOLI telegrams 395 and 396 repeated POMEF as TRIPOLI telegrams 55 and 56 and other information reaching us indicate that situation is now so tense that moves in ONE above might land us with major operational commitment in LIBYA. Ambassador's telegram 395 strongly recommends giving assurances which would preclude these moves. On the other hand you may consider that additional troops would improve security position in LIBYA.

3. Before reaching decisions we must know

ALPHA. how much dislocation to your MUSKETEER plans would be caused by postponement of arrival of 10 Armoured Division and use of 3 Infantry Brigade and 3 Grenadier Guards for MUSKETEER.

BETA. extent of operational commitment in LIBYA if we proceed with moves in ONE above.

4. Foreign Office is consulting Ambassador on TWO and THREE BETA and he will consult MOORE to whom we are repeating this signal.

6.10 WRB.

TOP SECRET

JT1053 113

TOP SECRET

FROM TRIPOLI TO FOREIGN OFFICE

Cypher/OTP

FOREIGN OFFICE SECRET AND WHITEHALL SECRET DISTRIBUTION

Mr. Graham
No.406
November 3, 1956.

D.1.55 a.m. November 3, 1956.
R.2. 0 a.m. November 3, 1956.

EMERGENCY
DEDIP
TOP SECRET

Addressed to Foreign Office telegram No.406 of November 3
Repeated for information to P.O.M.E.F.
And Saving to
Benghazi

Your telegram No.477. JT1053/111G

I have discussed [? grp omitted] General Moore.

Following is our considered view.

2. Your paragraph 2 [grp undec] (popular) excitement here will I realize rise rapidly after first Anglo French landings in Egypt. Proposed moves would greatly increase tension. Might cause Libyan authorities to become hostile. Libyans would probably cease civil order and afford protection. They are already refusing to cooperate in radio communications and [grp undec ? ?stopping] service for Royal Air Force at Idris.

3. Your paragraph 3 (b). In [groups undec] (opinion of) in case of serious situation contemplated above (which is quite different from previously expected) internal security troops on scale proposed could maintain themselves here including protection of vital points (petrol, harbour, airport etc) provided the whole of civilian British population had been evacuated before the start of the trouble likely to follow the immediate arrival of the first ship. With civilians here (even concentrated in barracks and at airport) army could not guarantee continued operation of all vital points on which they depend for their own existence (total British civilian population is about 4600 ~~[groups undec]~~ (Anglo-Saxon) plus several thousand Maltese many of whom would not wish to leave).

4. My own comment is that from long term point of view military action of the kind referred to above would mean the end of our position in Libya (e.g. present irreplaceable treaty will be denounced) on the other hand if we can maintain even passable relations with the Libyan authorities during the period of active

/hostility in

TOP SECRET

Tripoli telegram No.406 to Foreign Office

- 2 -

hostility in Egypt, particularly if they are not prolonged, I do not despair of a return to status quo.

Foreign Office pass P.O.M.E.F. as my telegram No.62.

[Repeated to P.O.M.E.F.]

ADVANCE COPIES
Private Secretary
Sir I. Kirkpatrick
Mr. Dean
Mr. Ross
Head of African Department
Head of Levant Department
Mr. Ashe P.U.S.D.
Resident Clerk

B B B

INCOMING TELEGRAM *Department of State*

UNCLASSIFIED

51
Action
SS
Info

Control: 767
Rec'd: November 1, 1956
7:03 p.m.

FROM: Tripoli

TO: Secretary of State

NO: 272, November 1

2.

PRIORITY

PRESIDENTIAL HANDLING

Following message from Libyan Prime Minister Mustafa Ben Halim to President Eisenhower:

QUOTE

Your Excellency,

In the spirit of the sincere friendship which ties your country and mine, in your quality as the President of the greatest free nation of the world and the chief exponent of the cause of peace, I take the liberty of writing to you this letter explaining to you in the frankest and most sincere manner, the view of my Government on the situation which has during these few days developed in the Middle East.

We, who have a treaty of alliance and friendship with Britain based exclusively on the principles of the charter of the United Nations, were extremely shocked when we learned that these principles have been flagrantly infringed upon by Great Britain, our ally, a state who has hitherto purported to be one of the leading nations of the free and democratic world.

As Your Excellency is aware, the attack carried out against Egypt by both Britain and France followed an ultimatum which was delivered to Egypt as a result, (it was asserted) of the situation arising out of the Israeli-Egyptian conflict.

The view of my Government is that the Israel aggression was deliberately planned by the above two governments in order to use the resulting conflict as a pretext for intervention in Egypt to suit their own ends.

My Government

UNCLASSIFIED

-2- 272, November 1, from Tripoli

My Government has, immediately upon the delivery of the ultimatum, vigorously protested against the threat to use force by both the French and British Governments and, more than once, advised its ally, Britain, about the serious consequences that would result of the implementation of such a threat. I have also handed a note to your Ambassador in my country expressing the view of my Government on the question.

But, this notwithstanding, and despite the noble efforts Your Excellency has exerted, the British and French Government have decided to embark upon their serious and appalling scheme, and have in fact begun attacking Egyptian bases last night, entirely overlooking all these sincere efforts and setting aside the principles of the United Nations which they did so much advocated.

By this atrocious act, I can only say that they have added fuel to flames and that they have made the situation in this area extremely dangerous and disastrous to the peace of the whole world.

For these reasons, I have deemed it my duty, being responsible of a country which, as you know, is tied to your country with the sacred bonds of democracy and which is close to the region of peril, to write to you in person in this concern. I wish to express to you the deepest gratitude and admiration of the people and Government of Libya for your very noble attitude and for your genuine and praiseworthy efforts to secure the respect of the charter of the United Nations and preserve the peace in this part of the world. I also wish, on behalf of the people and Government of Libya, to appeal to you to continue such efforts until you succeed to put an end to such an unprecedented violation of the principles of the United Nations on behalf of hitherto known as free nations, thus adding to your already well known feats by serving the cause of peace, law and order in the world.

I am, Your Excellency, yours very sincerely Mustafa Ben Halim Prime Minister of Libya.

UNQUOTE

TAPPIN

AAL

ملحق رقم ٦٢

OUTGOING TELEGRAM Department of State 01203 Libya

INDICATE: ☐ COLLECT
☐ CHARGE TO

~~SECRET~~

1956 NOV 2 PM 6 31

VERBATIM TEXT

DC/T

SENT TO Amembassy TRIPOLI PRIORITY 263

PRESIDENTIAL HANDLING.

Convey following from President to Prime Minister: Confirm time of delivery.
QUOTE November 2, 1956

Dear Mr. Prime Minister:

Thank you for your message of November 1. I am most grateful for the support which you expressed for the efforts of the United States to resolve the present grave crisis in the Near East. You know of the messages sent by this Government to the Governments of Israel, the United Kingdom and France in an endeavor, unfortunately unsuccessful, to forestall the use of force. You also know of the resolution introduced by the United States into the Security Council in an effort to bring the hostilities to an end. When this was vetoed the United States put forward a resolution with a similar purpose in the special session of the General Assembly on November 1. This was adopted by an overwhelming majority, revealing the strong desire of the world community that the hostilities should cease. I assure you that the United States will continue its efforts to resolve this grave crisis, which threatens the peace of the world and the future of the United Nations.

I made clear in my statements of October 31 and November 1 that the United States considers the actions in Egypt to have been taken in error

Drafted by: NEA:NE:SWRockwell:tam 11/2/56

Telegraphic transmission and classification approved by: Herbert Hoover, Jr.

Clearances: White House - Col. Goodpaster
NEA Barry

DECLASSIFIED
E.O. 12065, Sec. 3-204
MR 81-473 #18
By DJH Date 6/28/82

~~SECRET~~

REPRODUCTION FROM THIS COPY, IF CLASSIFIED, IS PROHIBITED.

-SECRET-

and that this country can not condone armed aggression, no matter who the attacker and who the victim. The way to solve international problems is not by force. Now that military action has been initiated, the United Nations must be accorded the fullest support in its efforts to end it.

With kind regards,

Sincerely,

DWIGHT D. EISENHOWER

Observe PRESIDENTIAL HANDLING

DULLES

ملحق رقم ٦٣

SECRET

FROM FOREIGN OFFICE TO TRIPOLI

Cypher/OTP

DEPARTMENTAL
DISTRIBUTION

No. 541
November 10, 1956

D. 2.45 p.m. November 10, 1956

EMERGENCY
SECRET

Addressed to Tripoli telegram No. 541 of November 10.
Repeated for information to P.O.M.E.F. and Benghazi

Your telegrams Nos. 451 and 453 [November 10].
In the circumstances we cannot refuse to withdraw Greatorex.

2. Please inform the Prime Minister that, in accordance with diplomatic courtesy, I believe that Greatorex should be transferred as soon as suitable arrangements can be made. You should add that Her Majesty's Government regard this action as quite unjustified, and manifestly taken in response to Egyptian pressure as a result of Libyan Government's decision to expel their Military Attaché, who was guilty of acts of sabotage, etc.

3. You should then remind Ben Halim of the warning authorized in my telegram No. 510. You should say that, having completed preliminary studies about expansion of the Libyan armed forces and in response to the Libyan Note reported in your telegram No. 371, we were on the point of inviting the Libyan Ambassador here to begin consultations about the implementation of the agreed minute of June 29. We are still prepared to hold these conversations if the Libyan Government wish; but, in the circumstances, Ben Halim cannot expect us to be as co-operative as we would otherwise have been.

DISTRIBUTED TO:
African Department
Levant Department
Eastern Department
Personnel Department
News Department

ملحق رقم ٦٤

SECRET

JT1890/10

FROM TRIPOLI TO FOREIGN OFFICE

Cypher/OTP

DEPARTMENTAL DISTRIBUTION

Mr. Graham
No. 451
November 10, 1956
EMERGENCY
SECRET

D. 9.7 a.m. November 10, 1956
R. 9.15a.m. November 10, 1956

Addressed to Foreign Office telegram No. 451 of November 10.
Repeated for information to P.O.M.E.F.
and Saving to Benghazi.

My telegram No. 431: — Head of African — Greatorex.

Today unofficial Press announces the Libyan Government's demand for recall of Greatorex. I immediately asked the Prime Minister if this was correct. If so, I was under instructions to tell him that Her Majesty's Government would have to reconsider their policy. He regretted that we felt it necessary to take such drastic action for so slight reason, but in any event Greatorex must go. He denied there was any connexion or "balance" between Greatorex and the Egyptian Military Attaché, but gave no serious reason for Greatorex's recall apart from [? group omitted] he was head of our espionage service. I denied that Greatorex conducted any but normal diplomatic activities.

2. I am trying to see the King, but the Prime Minister says he approves of this decision.

3. I should be grateful for instructions.

Foreign Office pass P.O.M.E.F. as my telegram No. 79.

[Repeated to P.O.M.E.F.]

DISTRIBUTED TO:

African Department
Levant Department
Eastern Department
Personnel Department
News Department

ADVANCE COPIES

Private Secretary
Sir I. Kirkpatrick
Mr. Dean
Mr. Ross
Mr. Ashe, PUSD
Head of African Department
Head of News Department

10 NOV 1956

::::::::

ملحق رقم ٦٥

Mr Watson
Head of Africa Dept.

CONFIDENTIAL

FROM TRIPOLI TO FOREIGN OFFICE

Cypher/OTP
Mr. Graham
No. 458
November 11, 1956

T1892/10A

DEPARTMENTAL DISTRIBUTION

D. 09.47 a.m. November 11,1956
R. 10.10 a.m. November 11,1956

PRIORITY
CONFIDENTIAL

Addressed to Foreign Office telegram No. 458 of November 11. Repeated for information Saving to P.O.M.E.F. and Benghazi.

Your telegram No. 541: Greatorex.

I spoke to the Libyan Prime Minister this morning as instructed. He repeated that his action was not due to Egyptian pressure and that the two cases had been treated separately and on their merits. In response to warning he said that he would greatly regret it if Her Majesty's Government changed their attitude towards Libya but if so he must accept it, and hinted that Libya might also revise her attitude towards Britain. It is up to us whether or not future conversations are held.

2. He requested that Greatorex should leave as soon as possible. I agree that this is desirable and request that a replacement be sent soonest.

Foreign Office please pass P.O.M.E.F. as my Saving telegram No. 45.

[Repeated Saving to P.O.M.E.F.]

DISTRIBUTED TO:

African Department
Levant Department
Eastern Department
Personnel Department
News Department

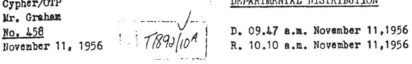

ملحق رقم ٦٦

Received
8.11.5

1. Mr Rose (Diplomat only)
1. Mr Rounder

(1041/56)

British Embassy in Libya,
TRIPOLI.

JT1892/11.

SECRET

November 5, 1956.

My dear Watson,

JT1892/3.

In my telegram no. 424 of November 4 I promised you a full report of the Greatorex case. This has turned out to be far longer than you will want to read at the present time, but you may care to refer to it later. I therefore enclose it.

2. What it boils down to is this. The Libyan Government want to get Greatorex out, though they can produce nothing against him. My estimate is that their principal reason is to humiliate us publicly, and so please their masters the Egyptians - for the fact that they insist on doing this seems to prove that the Egyptians are the masters at least of Ben Halim. But at the same time they do not want to provoke us sufficiently to lose the subsidy, and so they attempt to make the operation painless, by saying he may stay on for some months: this time limit might well be subsequently shortened.

3. Another reason may be to reduce our contacts. Greatorex knows everybody in Libya. He does not often see the King, but twice this year he has gone on missions to the King which no one else could possibly have undertaken. His day-to-day contacts with other Libyans, official and private, are invaluable to me and perfectly proper in themselves, but may be annoying to a Prime Minister who has something to hide.

4. Whatever the reasons are, the request seems to me utterly unjustified by normal diplomatic standards. If we accept it with more than a formal protest, I think we shall be over a water-[illegible] We have given in a lot to the Libyan Government recently, in order as they always put it, to help them in their difficult task of damping down public excitement. But this is too much. There is no justification for it in the domestic political situation; and it would be interpreted, both here and in other parts of Arab world, as a total surrender of our position here.

5. I am sending a copy of this letter and its enclosure to the Political Officer, Middle East Forces and to H.M. Consul General, Benghazi.

Yours ever

Walter Graham

J.H.A. Watson Esq.,
African Department,
Foreign Office,
LONDON, S.W.1.

ملحق رقم ٦٧

Registry No. JT1053/108

~~Top Secret.~~
Secret
~~Confidential.~~
~~Restricted.~~
~~Open.~~

Draft.

RECORD OF A CONVERSATION BETWEEN THE SECRETARY OF STATE AND MR. DULLES ON SUNDAY, OCTOBER 7. New York.

Libya

The Secretary of State said that we had agreed not only to subsidize the Libyan budget and continue our other aid, but also to pay for an increase of the Libyan Army up to about 5,000. But we could not do everything. The Libyans were now asking for an Air Force and a Navy. The U.S. was also making a substantial contribution to the Libyan economy, but he wondered whether the establishment of the Libyan Air Force could not be undertaken by the United States.

Mr. Dulles said that the U.S. experts did not much like the idea of a Libyan Air Force. It was imperative that they should not be able to overfly Wheelus Field, which was an important nuclear strategic base. The Secretary of State said he thought the Libyans only needed a few aircraft, perhaps trainers. Mr. Dulles said that they might agree to begin this way; but their appetite would grow. However, he agreed to look again into the question of U.S. aid for the Libyan Air Force.

Advance Copy To: Sir P. Dixon, Mr. Watson, Mr. Reilly.

Print FO Secret
2. Whitehall Secret

NOTHING TO BE WRITTEN IN THIS MARGIN

use to us and how much our subsidies should amount to. In answer to Mr. Dulles's question about where Ben Halim stood, the Secretary of State said that Ben Halim was fat enough to stand on both sides at once.

Subsequently Mr. Douglas MacArthur II discussed with one of the Secretary of State's advisers the information given to the British Government by Ben Halim, that the Egyptians had offered Libya a squadron of aircraft and offered to provide the pilots and navigators for it until the Libyans could fly themselves. This would clearly enable the Egyptians to overfly Wheelus Field and other installations, with serious results. It was therefore important to ensure that the Libyans continued to turn the Egyptian offer down.

15/x

NOTHING TO BE WRITTEN IN THIS MARGIN

Top Secret JT 1053/136

Libya

This year we are paying subsidies to the Libyan Government amounting to £4 million. Next year (assuming that there is a budget deficit) the figure will be £4½ million plus some expenditure on expansion of the army and creation of a nucleus of a Navy. After that, in 1958, we are due for a financial review.

2. Our subsidies are in effect rent for three types of facilities: bases for ground troops; an airfield to be developed for a nuclear deterrent; and air staging rights, and a detachment of the R.A.F. The future value of these three types of facilities is a matter for the Chiefs of Staff. Our comments are as follows:-

(i) Ground troops

Recent events have confirmed that we cannot use these forces for local operations directed against an Arab State. Moreover, as reinforcements for the Bagdad Pact their value can be much exaggerated. We consider that our ground troops could be very substantially reduced, leaving a small force in Cyrenaica as a plate-glass window against Egyptian invasion and perhaps to protect the King. Indeed, a good case can be made out for keeping no ground troops in Libya.

(ii) The Nuclear Base

The size and disposition of our nuclear deterrent will probably have to be negotiated with the U.S. We must show that we have a contribution to make. Since the Americans already possess a nuclear base at Wheelus Field near Tripoli, we might perhaps economise on the proposed base at El Adem, which would offer much the same facilities, and concentrate on deploying nuclear deterrent elsewhere.

/.....

(iii) <u>Conventional R.A.F. and staging posts</u>

The need to maintain our landing rights and staging facilities in Libya depends mainly on our commitments in the Persian Gulf and further East. On balance there is a strong case for regarding the staging rights in Libya as very important: they enable us to reach East Africa in two hops as opposed to three via West Africa. But future Libyan Governments may not agree to our staging aircraft through Libya for operations against Arab nationalists in the Persian Gulf; and though the West African route is longer it is more dependable in times of need.

3. If financial considerations are uppermost we could at a pinch cut our Libyan facilities drastically; saving expenditure on keeping ~~various~~ forces there and much of the subsidy to Libya. These savings can only be effected after 1958: both because of our commitment until then and because of redeployment problems.

4. On the other hand Libya is at present a comparatively friendly though minor influence in the Arab world. It is also of some value to deny ~~help~~ Libya to Egypt, and particularly to Russia. The Americans who are also interested in Libya are likely to do this. The basic Foreign Office recommendation has for some time been that we should get the Americans to carry as much of the load as possible.

5. Meanwhile, Ben Halim has asked us for what he calls Treaty revision under three heads:-

A. An undertaking that we will not use our forces in Libya against an Arab state, or contrary to the U.N.

B. That we would keep our ground forces out of the town;

/C. That

C. That we will build up the Libyan army and reduce our own forces pari passu. (Moreover we learn from Top Secret sources that Ben Halim is thinking of replacing our Military Mission by an Iraqi one)

I doubt the reliability of this. A.R.

I'm not so sure. It will be my right. P.D.

If a policy of reduction is pursued we can agree to most of this, though it would seem unnecessary for us to pay for building up the Libyan army in those circumstances. Moreover, we must insist on the right to use any forces we keep in Libya against an Arab state operating in conjunction with Russia.

6. The Americans pay Libya about the same subsidy as ourselves, on account of Wheelus Field. The State Department are apparently about to propose Anglo-U.S. discussions on Libya before Christmas, probably in London (we have been hinting to them about the need for this for some time and should welcome it.) An indication of ministerial opinion would be very useful in the near future.

(J.H.A. Watson)
December 7, 1956.

Mr Watson's minute deals with the question of our facilities in Libya and what we pay the Libyan Govt. for them. I agree

with it. There is also the question of the cost of what we put into Libya in the way of troops, installations &c. Considerable economies — ~~many times~~ exceeding the cost of the Subsidy — could be effected if we cut the Army down to a Brigade or even less and stopped building programmes designed for a larger force.

I do not know whether these minutes meet the Secretary of State's requirements, but what I think is wanted is a F.O. – C.O.S. – Treasury paper and I propose to put one in hand.

A. D. M. Ross
7/12

[illegible]

Mr. Gore-Booth and I have already had a talk with Mr. Chilver of the Ministry of Defence about our probable military requirements in the Middle East, including Libya.

2. I have talked to Sir I. Kirkpatrick about Libya and his view is that our present support is ~~probably~~ possibly either too much or too little. If we really need Libya we should be prepared to pay sufficient to keep it secure. If we do not then we should cut our support down to the minimum.

3. I think the above minutes are right in suggesting that our ground troops should be very considerably reduced,

—if

is not withdrawn altogether from Libya soon. If it is necessary to keep a small force there to deter the Egyptians and to protect the King there may be a case for doing so, but I do not think that ground troops in Libya are any support for the Bagdad Pact. As at present advised I should be in favour of complete withdrawal.

4. I think the nuclear base should be left to the Americans and that we should not try and have another one at El Adem.

5. The case for an R.A.F. staging post is more difficult. It is clear that in future support for the Bagdad Pact and for our position in the Gulf will have to come (largely) from East Africa and Aden (and perhaps through Turkey). If we withdraw practically all ground forces from the Middle East and rely upon the Navy for maintaining the position in the Gulf by showing the flag and the R.A.F. for support to the Bagdad Pact, there is much to be said for retaining facilities in Libya in order to be able to reinforce quickly. On the other hand, these facilities must be secure if they are to be any good. In my view it would be dangerous to withdraw from Libya any R.A.F. landing and staging rights until we have had a thorough discussion with the Americans. They have an enormous base at Wheelus Field and if we can reach some understanding with them about the future of the Bagdad Pact and the means to promote stability in the Middle East, it should be possible also to reach some arrangement with them about Libya and about the facilities required there. The sooner these discussions with the Americans can be held the better. We do not want to waste money in Libya by paying for what we do not require, while at the same time we want to be sure, if possible, that we can get reasonable security for the facilities required by the Americans and ourselves.

P. Dean

(P. Dean)
December 8, 1956.

Private Secretary

I should like Mr Ross to get on with his paper. I think the answer is no new building or other expenditure, no ground forces + El Adem, pending development

9/12

I should like Mr. Ross to get on with his paper. I think the answer is "no new building or other expenditure some ground forces + El Adem, pending development.

ملحق رقم ٦٩

NOTHING TO BE WRITTEN IN THIS MARGIN.

Registry No. JT1053/120.

CYPHER

[redacted]
Secret
[redacted]

Draft.

Telegram to :— Tripoli

No. 590

(Date) 26/11

And to :—

RECEIVED IN C.W. 27 NOV 1956
SENT TO DEPT. 4158

Repeated to: Pomef Saving to: Benghazi 303 Saving Washington 5562 Saving

~~En Clair.~~
~~Code~~
Cypher

Distribution :— Routine

Copies to :—

Date and time (G.M.T.) telegram should reach addressee(s) ....

EMERGENCY
IMMEDIATE
PRIORITY
~~ROUTINE~~
with / without priority
~~DEFERRED~~

(Date) 26-11-56.

Despatched 12.30 PM.

[Security classification —if any] Secret

[Codeword—if any] ....

Addressed to Tripoli 1

telegram No. 590 (date) Nov 26

repeated for information to POMEF and saving to Benghazi Washington

JT1053/120.

Your telegram No. 482. [Revision of Anglo-Libyan Treaty.]

~~These~~ This request, while no doubt prompted by Ben Halim's internal situation, brings to a head the question of the value to us in future of Libya as a military and air base, and the extent to which we shall be subjected to increasing blackmail in order to return facilities there. This will require careful consideration.

2. Please let me have your views by despatch. I shall be interested to know how far you think this is another example of Ben Halim's native opportunism, and how far he was put up to this in Beirut; and in particular how much he is influenced by the example of Jordan.

3. My immediately following telegram sets out lines of interim reply to Ben Halim.

J.K.
26.xi.

ملحق رقم ٧٠

CONFIDENTIAL

No. 178

(90410/56)

British Embassy in Libya,

TRIPOLI.

December 17, 1956.

T1014/36

١٤

Sir,

With reference to my telegram no. 509 of December 7 I have the honour to report that, accompanied by my wife, I visited Benghazi from December 10 to 14. This was my first visit there since last spring, as I was on leave during the summer, and a visit arranged for November had to be cancelled owing to the crisis. Such an interval is much too long, for it is impossible to appreciate the difference between Cyrenaica and Tripolitania without frequent personal contact. In addition to visiting Benghazi regularly myself, and sending other members of the Tripoli staff there occasionally, I think it will be desirable in future for Mr. Halford, Her Majesty's Consul General at Benghazi, to come to Tripoli from time to time. Otherwise his viewpoint must inevitably become too exclusively provincial.

2. Mr. Halford arranged a busy and interesting programme, which included visits to municipal water and electricity projects sponsored by the Libyan Public Development and Stabilization Agency, the Forces Broadcasting Station and the new transmitter installed for the use of the Embassy Information Section, Benghazi University, and the Agricultural Experimental Station at Zorda near Barce, which is also assisted by Libyan Public Development and Stabilization Agency funds. I called on the leading officials, some of whom attended lunch or dinner parties given by Mr. Halford. Mr. Fletcher, the Information Officer, also gave a lunch party at which I met a number of less senior but interesting Libyans. On December 13 I gave a cocktail party, at which there was an extremely good Libyan attendance. Libyans do not in general find cocktail parties an

/enjoyable ....

The Right Honourable
Selwyn Lloyd, C.B.E., M.P.,
etc., etc., etc.,
Foreign Office,
LONDON, S.W.1.

enjoyable form of entertainment, and the fact that practically all those invited attended (including one or two who seldom go out) must be taken as a conspicuous demonstration of goodwill towards Britain.

3. This friendliness is in fact what most strikes a visitor from Tripoli, where the atmosphere is much cooler. The tone in Benghazi is set by the Provincial Governor, Husein Mazek, who has been exceptionally helpful throughout the recent crisis; but everyone I met was cordial, including the Egyptian Acting Dean of the University, who is on excellent terms with his British colleague. In a separate despatch I shall consider what we can do to fortify this excellent spirit among the Cyrenaican officials. An obvious first step will be to renew the invitation already given to Husein Mazek to pay a visit to England, preferably next summer.

4. While in Benghazi I attempted to pay a call on the newly-appointed Crown Prince, but was unable to do so, as my application to the local Diwan was referred to the Ministry of Foreign Affairs in Tripoli, from whom no reply was received in time. The general impression I gathered in Benghazi was that no great opinion is held of the Crown Prince personally. I can only hope that his new responsibilities will lead to a corresponding development of his character.

5. The most important other item of particular intelligence that I acquired in Benghazi was from Husein Mazek, when we were talking about revision of the Anglo-Libyan Treaty and Military Agreement. He was clearly of the opinion that there was no need for British troops to be less in evidence in the towns, even in uniform, than they are at present. Relations between the troops

/ and ...

and the townsmen (except in Derna) are excellent, and as far as Cyrenaica is concerned there seems no desire for any alteration in the existing arrangements.

6. I am sending a copy of this despatch to Her Majesty's Consul General at Benghazi.

I have the honour to be,

with the highest respect,

Sir,

Your obedient Servant,

ملحق رقم ٧١

TOP SECRET

JT 1053/128 G

(No. 160. Top Secret)

Foreign Office,
December 18, 1956.

Sir,

The Libyan Ambassador called to see me this afternoon to bring personal messages for the Prime Minister and myself from the King of Libya. He wished us to know that it was his desire to maintain the traditional friendship with Britain. He was most grateful for the information which we had sent to him about the plot against his life, &c. He would like to keep in touch with us and suggested that in future the channel for communication to be used should be the British officer in charge of the airport at El Adem. There would be more chance of secrecy by using that channel than by trying to do things as in the past. The Ambassador told me that the King had been very strong in the action against the Egyptian Military Attaché and in dealing with the plot. If the King had not been in Tripoli at that time the Ambassador doubted whether action would have been taken.

The Ambassador said that he also had a message for me from the Libyan Prime Minister. There was no idea in his mind to change the period of the Anglo-Libyan Treaty. What he wanted to do was to bring it up to date and to give it some new form. He suggested that we should start negotiations as quickly as possible, beginning perhaps with a Working Party in Libya.

I said to the Ambassador that we were considering the future of the Anglo-Libyan Treaty but that I did not think that the problem of the future would be how to get the British out of Libya but rather how to keep them there. The fact that we had not been able to use military facilities in any way in connection with the Egyptian operations had made some people here feel that the Treaty was not of much value. My own view was that it was important. We should maintain the Treaty to help Libya to keep her independence both against the Soviet and against Egypt. It would, however, be appropriate to re-examine what facilities we would require in the future.

The Ambassador said that he thought that it was very important that the Treaty should be maintained. The King at the moment was taking a much stronger line and really governing the country through the Governors of Tripolitania and Cyrenaica. The Central Government was just a façade.

I asked the Ambassador about the Libyan Prime Minister. The Ambassador expressed his usual view of him and said that he thought his position was weaker now certainly than it had been a year ago. The King had taken him by surprise

His Excellency
Mr. W. G. C. Graham, C.B.E.,
&c., &c., &c.,
Tripoli.

in announcing an heir. The Ambassador said it was important too that we should give help over the Libyan Army. If it had not been for the existence of the Libyan Army the King could not have acted as he had done.

I left it with the Ambassador that I would think the matter over and communicate with him again soon after Christmas.

I am sending copies of this despatch to Washington and Benghazi and also to the Head of the Political Office with Middle East Forces.

I am, with great truth and respect,
Sir,
Your Excellency's obedient Servant,
(For the Secretary of State)

J.H.A. WATSON.

ملحق رقم ٧٢

AIR BAG
SECRET
10516/3/56G

BRITISH EMBASSY,
WASHINGTON, D.C.,

January 9, 1956.

JT1053

My dear Adam,

Foreign Office despatch No. 27 (JT 1022/8G(1955) of January 14 contained guidance for the Ambassador in speaking to his Libyan colleague, Sayed Saddiq Muntasser.

2. As the Ambassador has been extremely busy recently owing to the Prime Minister's visit, I went at his request to call on the Libyan Ambassador on January 25. (I am sorry that, for this reason, there has been such a delay in reporting the conversation to you). We began our talk with the usual courtesies. When I said that my Ambassador had asked me to give the Libyan Ambassador a message in reply to their previous conversation, he jumped up, opened and closed all the doors to see if anyone was listening. He then said apprehensively that he would rather not discuss such delicate matters in his Embassy, but could he call on the Ambassador after the Prime Minister's departure? This did not, however, prevent him from going over again much the same ground he had covered with the Ambassador, (Washington despatch No. 542 of December 23). Having done this with a certain conspiratorial manner, he proceeded to suggest that he and his cousin, Mahmoud Muntasser, could be the only real architects of a reliable Libya. The latter was a man of lofty ideals, and a statesman. His own part was more modest, but the "riff-raff" (this was the word he used) of Tripoli were under his sway and he had the personal support of a large bloc of deputies from Tripoli. He and his cousin had been sent away by the present Government so that the Egyptians could have freer play. If the Muntasser cousins were to play their part, they would have to return to Libya fairly soon, since the longer they stayed away, of course, the less control they had over their friends and associates. A year was the outside limit. He hoped that the British Government would not move its representatives in Libya and, in particular, that the more senior British officers, who were friends of his, would similarly remain on in Libya.

JT1022/8G

3. I listened. Indeed, I could not get a word in edgeways. At the first silence, however, I managed to deliver the message contained in paragraph 7 of the Foreign Office despatch under reference. I stressed in particular the long record of friendship which Her Majesty's Government had for Libya (of which our recent gift of military equipment was an earnest) and that we were fully conscious of the danger if Libya were to fall under Egyptian or Soviet influence. Sayed Saddiq remarked that the British always moved quietly and without fuss but seemed fairly satisfied and the conversation ended with the usual

/ round

J.H.A. Watson, Esq.,
African Department,
Foreign Office,
London, S.W.1.

round of politenesses. In spite of my efforts to restrain him, he insisted on accompanying me to my car. My impression is that he wanted to say something more, but could not quite nerve himself to take the plunge.

4. It seems clear that what he is really angling for is a new Muntasser régime in Libya. The Ambassador hopes to see Sayed Saddiq again later this month and we may then be able to report further.

I am copying this letter to Clinton-Thomas at Tripoli, and Garvey at Cairo.

Yours ever
Ronald Bailey

R. W. Bailey.